산업안전기사
필기 II권 문제

예문에듀
EDU

차례

Contents

PART 01

산업재해 예방 및 안전보건교육 예상문제

Engineer Industrial Safety

01 안전관리를 "안전은 (①)을(를) 제어하는 기술"이라 정의할 때 다음 중 ①에 들어갈 용어로 예방 관리적 차원과 가장 가까운 용어는?

① 위험
② 사고
③ 재해
④ 상해

해설

안전의 정의(Webster 사전)

안전은 상해, 손실, 감손, 위해 또는 위험에 노출되는 것으로부터의 자유를 말하며, 이와 같은 자유를 위한 보관, 보호 또는 가드와 시건장치, 질병에 방지에 필요한 지식 및 기술이다.

TIP 위험제어
위험제어를 위해 일체의 위험요소를 사전에 발견, 파악, 해결함으로써 근본적이고 근원적인 위험요소를 제거하기 위해 노력하여야 한다.

02 하인리히의 재해 발생과 관련한 도미노 이론으로 설명되는 안전관리의 핵심단계에 해당되는 요소는?

① 외부 환경
② 개인적 성향
③ 재해 및 상해
④ 불안전한 상태 및 행동

해설

하인리히(H.W. Heinrich)의 도미노 이론(사고연쇄성)
• 제1단계 : 사회적 환경 및 유전적 요인
• 제2단계 : 개인적 결함
• 제3단계 : 불안전한 행동 및 불안전한 상태
• 제4단계 : 사고
• 제5단계 : 재해

TIP 불안전한 행동이나 불안전한 상태, 즉 제3단계를 제거하면 사고나 재해를 예방할 수 있다.

03 버드(Bird)의 재해 발생에 관한 연쇄이론 중 직접적인 원인은 몇 단계에 해당되는가?

① 1단계
② 2단계
③ 3단계
④ 4단계

해설

버드(Bird)의 최신 도미노 이론
• 제1단계 : 제어의 부족(관리)
• 제2단계 : 기본원인(기원)
• 제3단계 : 직접원인(징후)
• 제4단계 : 사고(접촉)
• 제5단계 : 상해(손실)

TIP 재해 발생의 근원적 원인은 경영자의 관리 소홀이다.

04 아담스(Edward Adams)의 사고연쇄 반응이론 중 관리자가 의사결정을 잘못하거나 감독자가 관리적 잘못을 하였을 때의 단계에 해당되는 것은?

① 사고
② 작전적 에러
③ 관리구조
④ 전술적 에러

해설

아담스(Adams)의 사고연쇄 반응이론

제1단계	제2단계	제3단계	제4단계	제5단계
관리구조	작전적 에러	전술적 에러	사고	상해·손해

05 A사업장에서 58건의 경상해가 발생하였다면 하인리히의 재해구성비율을 적용할 때 이 사업장의 재해구성비율을 올바르게 나열한 것은?(단, 구성은 중상해 : 경상해 : 무상해 순서이다.)

① 2 : 58 : 600
② 3 : 58 : 660
③ 6 : 58 : 330
④ 10 : 58 : 600

해설

하인리히(H.W. Heinrich)의 재해구성비율(1 : 29 : 300)

중상 및 사망	경상해	무상해사고
1	29	300
$1 : 29 = x : 58$	–	$29 : 300 = 58 : x$
$29x = 58$	–	$29x = 300 \times 58$
$x = \dfrac{58}{29} = 2(건)$	$29 \times 2 = 58(건)$	$x = \dfrac{300 \times 58}{29} = 600(건)$

정답 01 ① 02 ④ 03 ③ 04 ② 05 ①

TIP 하인리히 법칙의 핵심은 사고 발생 자체, 즉 300건의 무상해 사고를 근원적으로 예방하고 원인을 제거해야 한다는 것을 강조하고 있다.

06 어느 사업장에서 해당 년도에 총 660명의 재해자가 발생하였다. 하인리히의 재해구성비율에 의하면 경상의 재해자는 몇 명으로 추정되겠는가?

① 58명   ② 64명
③ 600명   ④ 631명

해설

하인리히(H.W. Heinrich)의 재해구성비율(1 : 29 : 300)

중상 및 사망	경상해	무상해사고	합계
1	29	300	$1 + 29 + 300 = 330$
①	②	③	① + ② + ③ = 660
1×2 $= 2$	29×2 $= 58$	300×2 $= 600$	$330 : 660 = 1 : x$ 비율(x) $= \dfrac{660}{330} = 2$배

07 버드(Bird)의 재해발생이론에 따를 경우 15건의 경상(물적 또는 인적 상황)사고가 발생하였다면 무상해·무사고(위험순간)는 몇 건이 발생하겠는가?

① 300   ② 450
③ 600   ④ 900

해설

버드(Bird)의 재해구성비율(1 : 10 : 30 : 600)

중상 또는 폐질	경상	무상해사고	무상해·무사고
1	10	30	600
$1 : 10 =$ $x : 15$	–	$10 : 30 =$ $15 : x$	$10 : 600 =$ $15 : x$
$10x = 15$	–	$10x = 450$	$10x = 9,000$
$x = \dfrac{15}{10}$ $= 1.5$(건)	10×1.5 $= 15$(건)	$x = \dfrac{450}{10}$ $= 45$(건)	$x = \dfrac{9,000}{10}$ $= 900$(건)

08 다음 중 재해예방의 4원칙에 관한 설명으로 틀린 것은?

① 재해의 발생에는 반드시 원인이 존재한다.
② 재해의 발생과 손실의 발생은 우연적이다.
③ 재해예방을 위한 가능한 안전대책은 반드시 존재한다.
④ 재해는 원인 제거가 불가능하므로 예방만이 최우선이다.

해설

하인리히의 재해예방 4원칙

예방 가능의 원칙	천재지변을 제외한 모든 재해는 원칙적으로 예방이 가능하다.
손실 우연의 원칙	사고로 생기는 상해의 종류 및 정도는 우연적이다.
원인 계기의 원칙	사고와 손실의 관계는 우연적이지만 사고와 원인관계는 필연적이다.(사고에는 반드시 원인이 있다.)
대책 선정의 원칙	원인을 정확히 규명해서 대책을 선정하고 실시되어야 한다.(3E, 즉 기술, 교육, 독려를 중심으로)

TIP 하인리히의 재해예방 4원칙의 종류에 대해서도 출제되고 있습니다. 함께 기억하세요.

09 다음 중 하인리히의 사고예방대책 5단계에서 각 단계별 과정이 틀린 것은?

① 1단계 : 조직   ② 2단계 : 사실의 발견
③ 3단계 : 관리   ④ 4단계 : 시정책의 선정

해설

하인리히의 재해예방 5단계(사고예방대책의 기본원리)
• 제1단계 : 조직
• 제2단계 : 사실의 발견
• 제3단계 : 분석평가
• 제4단계 : 시정책의 선정
• 제5단계 : 시정책의 적용

TIP 사고예방대책 기본원리의 단계별 순서도 함께 기억하세요.

10 하인리히의 사고예방대책 기본원리 5단계에서 제1단계에서 실시하는 내용과 가장 거리가 먼 것은?

① 안전관리규정의 작성
② 문제점의 발견
③ 책임과 권한의 부여
④ 안전관리조직의 편성

01 PART
02 PART
03 PART
04 PART
05 PART
06 PART
07 PART

하인리히의 재해예방 5단계(사고예방 대책의 기본원리)
제1단계 : 조직
1. 경영자의 안전목표 설정
2. 안전관리조직의 편성
3. 안전관리조직과 책임 부여
4. 조직을 통한 안전활동
5. 안전관리 규정의 제정

11 다음 중 재해예방을 위한 시정책인 "3E"에 해당하지 않는 것은?

① Education
② Energy
③ Engineering
④ Enforcement

3E의 대책
• 기술적(Engineering) 대책
• 교육적(Education) 대책
• 관리적(Enforcement) 대책

12 무재해 운동을 추진하기 위한 조직의 3기둥으로 볼 수 없는 것은?

① 최고경영자의 경영자세
② 소집단 자주활동의 활성화
③ 전 종업원의 안전요원화
④ 라인관리자에 의한 안전보건의 추진

무재해운동 추진의 3기둥(요소)
1. 최고경영자의 경영자세 : 사업주
2. 관리감독자에 의한 안전보건의 추진(라인화의 철저) : 관리감독자
3. 직장 소집단의 자주활동의 활성화 : 근로자

13 무재해운동 추진의 3요소에 관한 설명이 아닌 것은?

① 모든 재해는 잠재요인을 사전에 발견 · 파악 · 해결함으로써 근원적으로 산업재해를 없애야 한다.
② 안전보건은 최고경영자의 무재해 및 무질병에 대한 확고한 경영자세로 시작된다.

③ 안전보건을 추진하는 데에는 관리감독자들의 생산 활동 속에 안전보건을 실천하는 것이 중요하다.
④ 안전보건은 각자 자신의 문제이며, 동시에 동료의 문제로서 직장의 팀 멤버와 협동 노력하여 자주적으로 추진하는 것이 필요하다.

①은 무재해운동의 3원칙 중 무(無)의 원칙에 해당된다.

14 다음 중 무재해운동의 기본이념 3원칙에 해당되지 않는 것은?

① 모든 재해에는 손실이 발생함으로 사업주는 근로자의 안전을 보장하여야 한다는 것을 전제로 한다.
② 위험을 발견, 제거하기 위하여 전원이 참가, 협력하여 각자의 위치에서 의욕적으로 문제해결을 실천하는 것을 뜻한다.
③ 직장 내의 모든 잠재위험요인을 적극적으로 사전에 발견, 파악, 해결함으로써 뿌리에서부터 산업재해를 제거하는 것을 말한다.
④ 무재해, 무질병의 직장을 실현하기 위하여 직장의 위험요인을 행동하기 전에 예지하여 발견, 파악, 해결함으로써 재해발생을 예방하거나 방지하는 것을 말한다.

무재해운동의 3원칙

무(無)의 원칙	단순히 사망재해나 휴업재해만 없으면 된다는 소극적인 사고가 아닌, 사업장 내의 모든 잠재위험요인을 적극적으로 사전에 발견하고 파악 · 해결함으로써 산업재해의 근원적인 요소를 없앤다는 것을 의미
참여의 원칙 (전원참가의 원칙)	작업에 따르는 잠재위험요인을 발견하고 파악 · 해결하기 위해 전원이 일치 협력하여 각자의 위치에서 적극적으로 문제를 해결하겠다는 것을 의미
안전제일의 원칙 (선취의 원칙)	안전한 사업장을 조성하기 위한 궁극의 목표로서 사업장 내에서 행동하기 전에 잠재위험요인을 발견하고 파악 · 해결하여 재해를 예방하는 것을 의미

TIP 무재해운동의 3원칙과 정의에 관련된 문제는 자주 출제되고 있습니다. 함께 기억하세요.

15 다음 중 위험예지훈련에 있어 Touch and Call에 관한 설명으로 가장 적절한 것은?

① 현장에서 팀 전원이 각자의 왼손을 맞잡아 원을 만들어 팀 행동목표를 지적 확인하는 것을 말한다.

② 현장에서 그때 그 장소의 상황에서 즉응하여 실시하는 위험예지활동으로 즉시즉응법이라고도 한다.

③ 작업자가 위험작업에 임하여 무재해를 지향하겠다는 뜻을 큰 소리로 호칭하면서 안전의식수준을 제고하는 기법이다.

④ 한 사람 한 사람의 위험에 대한 감수성 향상을 도모하기 위한 삼각 및 원포인트 위험예지훈련을 통합한 활용기법이다.

해설

터치 앤 콜(Touch and Call)
1. 정의
   현장에서 동료들과 손과 어깨 등을 맞대고 행동목표나 구호를 외치는 것으로써 스킨십을 통한 일체감이나 연대감을 조성하는 기법을 말한다.
2. 필요성
   팀의 전원이 각자의 손과 어깨 등을 맞잡아 둥근 원을 만들어 팀의 행동목표나 무재해운동의 구호를 지적 확인함으로써 진한 동료애를 느끼고 안전에 동참하는 참여 정신을 높일 수 있다.

16 다음 설명에 해당하는 위험예지훈련법은?

- 현장에서 그때 그 장소의 상황에 즉응하여 실시한다.
- 10명 이하의 소수가 적합하며, 시간은 10분 정도가 바람직하다.
- 사전에 주제를 정하고 자료 등을 준비한다.
- 결론은 가급적 서두르지 않는다.

① 삼각 위험예지훈련
② 시나리오 역할연기훈련
③ Tool Box Meeting
④ 원포인트 위험예지훈련

해설

TBM(Tool Box Meeting)
직장에서 행하는 미팅으로 사고의 직접원인 중에서 주로 불안전한 행동을 근절시키기 위하여 5~7명 정도의 소집단으로 나누어 작업장 내의 적당한 장소에서 실시하는 단시간 미팅으로 현장에서 그때그때 주어진 상황에 적응하여 실시하여 즉시 즉응법이라고도 한다.

17 다음 중 위험예지훈련 4라운드의 진행순서로 옳은 것은?

① 목표설정 → 현상파악 → 대책수립 → 본질추구
② 현상파악 → 본질추구 → 대책수립 → 목표설정
③ 목표설정 → 현상파악 → 본질추구 → 대책수립
④ 현상파악 → 본질추구 → 목표설정 → 대책수립

해설

위험예지훈련의 4라운드
1. 1라운드(1R) : 현상파악(사실을 파악한다)
2. 2라운드(2R) : 본질추구(요인을 찾아낸다)
3. 3라운드(3R) : 대책수립(대책을 선정한다)
4. 4라운드(4R) : 목표설정(행동계획을 정한다)

18 다음 중 위험예지훈련을 실시할 때 현상파악이나 대책수립 단계에서 시행하는 BS(Brainstorming) 원칙에 어긋나는 것은?

① 자유롭게 본인의 아이디어를 제시한다.
② 타인의 아이디어에 대하여 평가하지 않는다.
③ 사소한 아이디어라도 가능한 한 많이 제시하도록 한다.
④ 타인의 아이디어를 활용하여 변형한 의견은 제시하지 않도록 한다.

해설

브레인스토밍(Brainstorming)의 원칙
1. 비판금지 : 「좋다」, 「나쁘다」라고 비판은 하지 않는다.
2. 대량발언 : 내용의 질적 수준보다 양적으로 무엇이든 많이 발언한다.
3. 자유분방 : 자유로운 분위기에서 마음대로 편안한 마음으로 발언한다.
4. 수정발언 : 타인의 아이디어를 수정하거나 보충 발언해도 좋다.

19 라인(Line)형 안전관리조직의 특징으로 옳은 것은?

① 안전에 관한 기술의 축적이 용이하다.
② 안전에 관한 지시나 조치가 신속하다.
③ 조직원 전원을 자율적으로 안전활동에 참여시킬 수 있다.
④ 권한 다툼이나 조정 때문에 통제수속이 복잡해지며, 시간과 노력이 소모된다.

PART 01
PART 02
PART 03
PART 04
PART 05
PART 06
PART 07

라인형(Line형, 직계형 조직)

1. 의의
   - 안전을 전문으로 분담하는 조직이 없고, 안전관리에 관한 계획에서부터 실시·평가에 이르기까지 생산라인(생산지시)을 통해서 이루어지는 조직 형태
   - 100명 미만의 소규모 사업장에 적합한 조직 형태

2. 장점
   - 명령과 보고가 상하관계뿐이므로 간단명료한 조직
   - 경영자의 명령이나 지휘가 신속·정확하게 전달되어 개선 조치가 빠르게 진행

3. 단점
   - 안전에 대한 전문지식이나 기술이 부족
   - 생산라인의 업무에 중점을 두어 안전보건관리가 소홀해질 수 있음

20 다음 중 안전관리조직의 참모식(Staff형) 장점이 아닌 것은?

① 경영자의 조언과 자문역할을 한다.
② 안전정보 수집이 용이하고 빠르다.
③ 안전에 관한 명령과 지시는 생산라인을 통해 신속하게 전달한다.
④ 안전전문가가 안전계획을 세워 문제해결 방안을 모색하고 조치한다.

스태프형(Staff형, 참모형 조직)

1. 의의
   - 회사 내에 별도로 안전활동 전담부서를 두는 방식의 조직 형태
   - 100명 이상 1,000명 미만의 중규모 사업장에 적합한 조직 형태
   - 안전관리에 관한 계획과 조정, 조사, 검토, 보고 등의 일과 현장에 대한 기술지원을 담당하도록 편성된 조직

2. 장점
   - 경영자의 조언과 자문역할을 함
   - 안전에 관한 지식, 기술의 정보 수집이 용이하고 빠름

3. 단점
   - 생산부분은 안전에 대한 책임과 권한이 없음
   - 안전과 생산을 별개로 취급하기 쉬움

21 스태프형 안전조직에 있어서 스태프의 주된 역할이 아닌 것은?

① 실시계획의 추진
② 안전관리 계획안의 작성
③ 정보수집과 주지, 활용
④ 기업의 제도적 기본방침 시달

22 다음 중 Line-Staff형 안전조직에 관한 설명으로 가장 옳은 것은?

① 생산부분의 책임이 막중하다.
② 명령계통과 조언 권고적 참여가 혼동되기 쉽다.
③ 안전지시나 조치가 철저하고, 실시가 빠르다.
④ 생산부분에는 안전에 대한 책임과 권한이 없다.

라인-스태프형(Line-Staff형, 직계 참모형 조직)

1. 의의
   - 안전보건 업무를 전담하는 스태프를 별도로 두고 또 생산라인에는 그 부서의 장으로 하여금 계획된 생산라인의 안전관리조직을 통하여 실시하도록 한 조직 형태
   - 1,000명 이상의 대규모 사업장에 적합한 조직 형태

2. 장점
   - 라인에서 안전보건 업무가 수행되어 안전보건에 관한 지시 명령 조치가 신속·정확하게 이루어짐
   - 스태프는 안전에 관한 기획, 조사, 검토 및 연구를 수행

3. 단점
   - 명령계통과 조언, 권고적 참여가 혼동되기 쉬움
   - 라인과 스태프 간에 협조가 안 될 경우 업무의 원활한 추진 불가(라인과 스태프 간의 월권 또는 상호 의견충돌이 생길 수 있음)
   - 라인이 스태프에 의존 또는 활용하지 않는 경우가 있음

23 직계-참모식 조직의 특징에 대한 설명으로 옳은 것은?

① 소규모 사업장에 적합하다.
② 생산조직과는 별도의 조직과 기능을 갖고 활동한다.
③ 안전계획, 평가 및 조사는 스태프에서, 생산기술의 안전대책은 라인에서 실시한다.
④ 안전업무가 표준화되어 직장에 정착하기 쉽다.

24 산업안전보건법상 산업안전보건위원회의 사용자위원에 해당하지 않는 사람은?(단, 각 사업장은 해당하는 사람을 선임하여야 하는 대상 사업장으로 한다.)

① 안전관리자　　　② 해당 사업장 부서의 장
③ 산업보건의　　　④ 명예산업안전감독관

해설

산업안전보건위원회의 구성

구분	산업안전보건위원회 구성위원
근로자 위원	1. 근로자대표 2. 근로자대표가 지명하는 1명 이상의 명예산업안전감독관(위촉되어 있는 사업장의 경우) 3. 근로자대표가 지명하는 9명 이내의 해당 사업장의 근로자(명예산업안전감독관이 근로자위원으로 지명되어 있는 경우에는 그 수를 제외한 수의 근로자를 말한다)
사용자 위원	상시 근로자 50명 이상 100명 미만을 사용하는 사업장에서는 '5'에 해당하는 사람을 제외하고 구성할 수 있다. 1. 해당 사업의 대표자 2. 안전관리자 1명 3. 보건관리자 1명 4. 산업보건의(해당 사업장에 선임되어 있는 경우) 5. 해당 사업의 대표자가 지명하는 9명 이내의 해당 사업장 부서의 장

25 산업안전보건법상 안전보건관리책임자의 업무에 해당되지 않는 것은?(단, 기타 근로자의 유해·위험 예방조치에 관한 사항으로서 고용노동부령으로 정하는 사항은 제외한다.)

① 근로자의 안전·보건교육에 관한 사항
② 사업장 순회점검·지도 및 조치에 관한 사항
③ 안전보건관리규정의 작성 및 변경에 관한 사항
④ 산업재해의 원인 조사 및 재발 방지대책 수립에 관한 사항

해설

안전보건관리책임자의 업무
1. 사업장의 산업재해 예방계획의 수립에 관한 사항
2. 안전보건관리규정의 작성 및 변경에 관한 사항
3. 안전·보건교육에 관한 사항
4. 작업환경측정 등 작업환경의 점검 및 개선에 관한 사항
5. 근로자의 건강진단 등 건강관리에 관한 사항
6. 산업재해의 원인 조사 및 재발 방지대책 수립에 관한 사항
7. 산업재해에 관한 통계의 기록 및 유지에 관한 사항
8. 안전장치 및 보호구 구입 시 적격품 여부 확인에 관한 사항

9. 그 밖에 근로자의 유해·위험 방지조치에 관한 사항으로서 고용노동부령으로 정하는 사항

26 산업안전보건법령상 관리감독자의 업무내용에 해당되는 것은?(단, 기타 해당 작업의 안전·보건에 관한 사항으로서 고용노동부령으로 정하는 사항은 제외한다.)

① 사업장 순회점검·지도 및 조치의 건의
② 물질안전보건자료의 게시 또는 비치에 관한 보좌 및 조언·지도
③ 해당 작업의 작업장 정리·정돈 및 통로 확보에 대한 확인·감독
④ 근로자의 건강장해의 원인 조사와 재발 방지를 위한 의학적 조치

해설

관리감독자의 업무내용
1. 사업장 내 관리감독자가 지휘·감독하는 작업과 관련된 기계·기구 또는 설비의 안전·보건 점검 및 이상 유무의 확인
2. 관리감독자에게 소속된 근로자의 작업복·보호구 및 방호장치의 점검과 그 착용·사용에 관한 교육·지도
3. 해당 작업에서 발생한 산업재해에 관한 보고 및 이에 대한 응급조치
4. 해당 작업의 작업장 정리·정돈 및 통로 확보에 대한 확인·감독
5. 사업장의 다음 각 목의 어느 하나에 해당하는 사람의 지도·조언에 대한 협조
　㉠ 안전관리자 또는 안전관리자의 업무를 안전관리전문기관에 위탁한 사업장의 경우에는 그 안전관리전문기관의 해당 사업장 담당자
　㉡ 보건관리자 또는 보건관리자의 업무를 보건관리전문기관에 위탁한 사업장의 경우에는 그 보건관리전문기관의 해당 사업장 담당자
　㉢ 안전보건관리담당자 또는 안전보건관리담당자의 업무를 안전관리전문기관 또는 보건관리전문기관에 위탁한 사업장의 경우에는 그 안전관리전문기관 또는 보건관리전문기관의 해당 사업장 담당자
　㉣ 산업보건의
6. 위험성 평가에 관한 다음 각 목의 업무
　㉠ 유해·위험요인의 파악에 대한 참여
　㉡ 개선조치의 시행에 대한 참여
7. 그 밖에 해당 작업의 안전 및 보건에 관한 사항으로서 고용노동부령으로 정하는 사항

PART 01
PART 02
PART 03
PART 04
PART 05
PART 06
PART 07

27 다음 중 산업안전보건법령상 안전관리자의 직무가 아닌 것은?(단, 그 밖에 안전에 관한 사항으로서 고용노동부장관이 정하는 사항은 제외한다.)

① 사업장 순회점검 · 지도 및 조치 건의
② 해당 사업장 안전교육계획의 수립 및 실시에 관한 지도 · 조언
③ 산업재해 발생의 원인 조사 및 재발 방지를 위한 기술적 지도 · 조언
④ 해당 작업의 작업장 정리 · 정돈 및 통로 확보에 대한 확인 · 감독

해설

안전관리자의 업무
1. 산업안전보건위원회 또는 안전 및 보건에 관한 노사협의체에서 심의 · 의결한 업무와 해당 사업장의 안전보건관리규정 및 취업규칙에서 정한 업무
2. 위험성 평가에 관한 보좌 및 지도 · 조언
3. 안전인증대상 기계 등과 자율안전확인대상 기계 등 구입 시 적격품의 선정에 관한 보좌 및 지도 · 조언
4. 해당 사업장 안전교육계획의 수립 및 안전교육 실시에 관한 보좌 및 지도 · 조언
5. 사업장 순회점검 · 지도 및 조치 건의
6. 산업재해 발생의 원인 조사 · 분석 및 재발 방지를 위한 기술적 보좌 및 지도 · 조언
7. 산업재해에 관한 통계의 유지 · 관리 · 분석을 위한 보좌 및 지도 · 조언
8. 법 또는 법에 따른 명령으로 정한 안전에 관한 사항의 이행에 관한 보좌 및 지도 · 조언
9. 업무수행 내용의 기록 · 유지
10. 그 밖에 안전에 관한 사항으로서 고용노동부장관이 정하는 사항

28 산업안전보건법에 따라 안전관리자를 정수 이상으로 증원하거나 교체하여 임명할 것을 명할 수 있는 경우가 아닌 것은?

① 중대재해가 연간 5건 발생한 경우
② 안전관리자가 질병으로 인하여 3개월 동안 직무를 수행할 수 없게 된 경우
③ 안전관리자가 질병 외의 사유로 인하여 6개월 동안 직무를 수행할 수 없게 된 경우
④ 해당 사업장의 연간재해율이 전체 평균재해율 이상인 경우

해설

안전관리자 증원 · 교체임명
1. 해당 사업장의 연간재해율이 같은 업종의 평균재해율의 2배 이상인 경우
2. 중대재해가 연간 2건 이상 발생한 경우
3. 관리자가 질병이나 그 밖의 사유로 3개월 이상 직무를 수행할 수 없게 된 경우
4. 화학적 인자로 인한 직업성질병자가 연간 3명 이상 발생한 경우. 이 경우 직업성질병자 발생일은 요양급여의 결정일로 한다.(직업성질병자 발생 당시 사업장에서 해당 화학적 인자를 사용하지 아니하는 경우에는 그렇지 않다.)

29 산업안전보건법상 안전보건총괄책임자의 직무에 해당되는 것은?

① 업무수행 내용의 기록 · 유지
② 근로자를 보호하기 위한 의료행위
③ 작업성 질환 발생의 원인 조사 및 대책 수립
④ 안전인증대상 기계 등과 자율안전확인대상 기계 등의 사용 여부 확인

해설

안전보건총괄책임자의 직무
1. 위험성 평가의 실시에 관한 사항
2. 작업의 중지
3. 도급 시 산업재해 예방조치
4. 산업안전보건관리비의 관계수급인 간의 사용에 관한 협의 · 조정 및 그 집행의 감독
5. 안전인증대상 기계 등과 자율안전확인대상 기계 등의 사용 여부 확인

30 다음 중 안전보건관리규정에 포함될 사항과 가장 거리가 먼 것은?

① 안전 · 보건교육에 관한 사항
② 작업장 안전 · 보건 관리에 관한 사항
③ 재해사례 분석 및 연구 · 토의에 관한 사항
④ 안전 · 보건관리 조직과 그 직무에 관한 사항

해설

안전보건관리규정의 포함사항
1. 안전 및 보건에 관한 관리조직과 그 직무에 관한 사항
2. 안전보건교육에 관한 사항
3. 작업장의 안전 및 보건 관리에 관한 사항

4. 사고 조사 및 대책 수립에 관한 사항
5. 그 밖에 안전 및 보건에 관한 사항

31 다음 중 산업안전보건법령에 따라 사업주가 안전·보건조치의무를 이행하지 아니하여 발생한 중대재해가 연간 2건이 발생하였을 경우 조치하여야 하는 사항에 해당하는 것은?

① 보건관리자 선임
② 안전보건개선계획의 수립
③ 안전관리자의 증원
④ 물질안전보건자료의 작성

안전보건개선계획의 수립·시행을 명할 수 있는 사업장
1. 산업재해율이 같은 업종의 규모별 평균 산업재해율보다 높은 사업장
2. 사업주가 필요한 안전조치 또는 보건조치를 이행하지 아니하여 중대재해가 발생한 사업장
3. 직업성 질병자가 연간 2명 이상 발생한 사업장
4. 유해인자의 노출기준을 초과한 사업장

32 산업안전보건법상 안전보건개선계획의 수립·시행명령을 받은 사업주는 고용노동부 장관이 정하는 바에 따라 안전보건개선계획서를 작성하여 그 명령을 받은 날부터 며칠 이내에 관할 지방고용노동관서의 장에게 제출해야 하는가?

① 15일   ② 30일
③ 45일   ④ 60일

안전보건개선계획서의 제출
안전보건개선계획서를 제출해야 하는 사업주는 안전보건개선계획서 수립·시행 명령을 받은 날부터 60일 이내에 관할 지방고용노동관서의 장에게 해당 계획서를 제출(전자문서로 제출하는 것을 포함)해야 한다.

33 다음 중 작업현장에서 낙하의 위험과 상부에 전선이 있어 감전위험이 있을 때 사용하여야 하는 안전모의 종류는?

① A형 안전모   ② B형 안전모
③ AB형 안전모   ④ AE형 안전모

추락 및 감전 위험방지용 안전모의 종류

종류(기호)	사용 구분	비고
AB	물체의 낙하 또는 비래 및 추락에 의한 위험을 방지 또는 경감시키기 위한 것	
AE	물체의 낙하 또는 비래에 의한 위험을 방지 또는 경감하고, 머리부위 감전에 의한 위험을 방지하기 위한 것	내전압성
ABE	물체의 낙하 또는 비래 및 추락에 의한 위험을 방지 또는 경감하고, 머리부위 감전에 의한 위험을 방지하기 위한 것	내전압성

TIP 내전압성이란 7,000V 이하의 전압에 견디는 것을 말한다.

34 산업안전보건법령상 안전인증 절연장갑에 안전인증 표시외에 추가로 표시하여야 하는 내용 중 등급별 색상의 연결이 옳은 것은?

① 00등급 : 갈색
② 0등급 : 흰색
③ 1등급 : 노랑색
④ 2등급 : 빨강색

내전압용 절연장갑의 등급

등급	최대사용전압		등급별색상
	교류(V, 실효값)	직류(V)	
00	500	750	갈색
0	1,000	1,500	빨강색
1	7,500	11,250	흰색
2	17,000	25,500	노랑색
3	26,500	39,750	녹색
4	36,000	54,000	등색

35 사용장소에 따른 방진마스크의 등급을 구분할 때 석면 취급장소에 가장 적합한 등급은?

① 특급   ② 1급
③ 2급   ④ 3급

PART 01
PART 02
PART 03
PART 04
PART 05
PART 06
PART 07

방진마스크의 등급 및 사용장소

등급	특급	1급	2급
사용 장소	• 베릴륨 등과 같이 독성이 강한 물질들을 함유한 분진 등 발생장소 • 석면 취급장소	• 특급마스크 착용장소를 제외한 분진 등 발생장소 • 금속흄 등과 같이 열적으로 생기는 분진 등 발생장소 • 기계적으로 생기는 분진 등 발생장소(규소 등과 같이 2급 방진마스크를 착용하여도 무방한 경우는 제외)	• 특급 및 1급 마스크 착용 장소를 제외한 분진 등 발생장소

※ 배기밸브가 없는 안면부 여과식 마스크는 특급 및 1급 장소에 사용해서는 안 된다.

36 방진마스크의 선정기준으로 적합하지 않은 것은?

① 배기저항이 낮을 것 ② 흡기저항이 낮을 것
③ 사용적이 클 것 ④ 시야가 넓을 것

방진마스크의 구비조건
1. 여과 효율(분집, 포집 효율)이 좋을 것
2. 흡·배기저항이 낮을 것
3. 사용적이 적을 것
4. 중량이 가벼울 것
5. 안면 밀착성이 좋을 것
6. 시야가 넓을 것
7. 피부 접촉부위의 고무질이 좋을 것

37 안전인증 대상 보호구의 방독마스크에서 유기화합물용 정화통 외부 측면의 표시 색으로 옳은 것은?

① 갈색 ② 노랑색
③ 녹색 ④ 백색과 녹색

방독마스크의 종류 및 표시색

종류	시험가스	정화통 외부 측면의 표시색
유기화합물용	시클로헥산(C_6H_{12}) 디메틸에테르(CH_3OCH_3) 이소부탄(C_4H_{10})	갈색

종류	시험가스	정화통 외부 측면의 표시색
할로겐용	염소가스 또는 증기(Cl_2)	회색
황화수소용	황화수소가스(H_2S)	회색
시안화수소용	시안화수소가스(HCN)	회색
아황산용	아황산가스(SO_2)	노랑색
암모니아용	암모니아가스(NH_3)	녹색
복합용 및 겸용의 정화통		1. 복합용의 경우 : 해당가스 모두 표시(2층 분리) 2. 겸용의 경우 : 백색과 해당 가스 모두 표시(2층 분리)

38 다음 중 방독마스크의 종류와 시험가스가 잘못 연결된 것은?

① 할로겐용 : 수소가스
② 암모니아용 : 암모니아가스
③ 유기화합물용 : 시클로헥산
④ 시안화수소용 : 시안화수소가스

39 공기 중 사염화탄소의 농도가 0.2%인 작업장에서 근로자가 착용할 방독마스크 정화통의 유효시간은 얼마인가?(단, 정화통의 유효시간은 0.5%에 대하여 100분이다.)

① 200분 ② 250분
③ 300분 ④ 350분

방독마스크 흡수통의 유효사용시간

$$유효사용시간 = \frac{표준유효시간 \times 시험가스농도}{공기\ 중\ 유해가스농도}$$
$$= \frac{100 \times 0.5}{0.2} = 250[분]$$

40 공기 중 산소농도가 부족하고, 공기 중에 미립자상물질이 부유하는 장소에서 사용하기에 가장 적절한 보호구는?

① 면 마스크 ② 방독마스크
③ 송기마스크 ④ 방진마스크

01 PART
02 PART
03 PART
04 PART
05 PART
06 PART
07 PART

해설

마스크의 사용장소

송기마스크	공기 중 산소농도가 부족하고(산소농도 18% 미만 장소), 공기 중에 미립자상 물질이 부유하는 장소에서 사용하기에 가장 적절한 보호구이다.
방독마스크	방독마스크는 산소농도가 18% 이상인 장소에서 사용하여야 하고, 고농도와 중농도에서 사용하는 방독마스크는 전면형(격리식, 직결식)을 사용해야 한다.
방진마스크	산소농도 18% 이상인 장소에서 사용하여야 한다.

41 안전대의 종류는 사용 구분에 따라 벨트식과 안전그네식으로 구분되는데 이 중 벨트식과 안전그네식에 공통으로 적용하는 것을 나열한 것은?

① 추락방지대, 안전블록
② 1개 걸이용, 추락방지대
③ U자 걸이용, 안전블록
④ 1개 걸이용, U자 걸이용

해설

안전대의 종류

종류	사용 구분
벨트식 안전그네식	1개 걸이용
	U자 걸이용
	추락방지대
	안전블록

※ 추락방지대 및 안전블록은 안전그네식에만 적용함

42 다음 중 보호구에 관한 설명으로 옳은 것은?

① 차광용 보안경의 사용 구분에 따른 종류에는 자외선용, 적외선용, 복합용, 용접용이 있다.
② 귀마개는 처음에는 저음만을 차단하는 제품부터 사용하며, 일정기간이 지난 후 고음까지를 모두 차단할 수 있는 제품을 사용한다.
③ 유해물질이 발생하는 산소결핍지역에서는 필히 방독마스크를 착용하여야 한다.
④ 선반작업과 같이 손에 재해가 많이 발생하는 작업장에서는 장갑착용을 의무화한다.

해설

1. 차광보안경의 종류는 사용 구분에 따라 자외선용, 적외선용, 복합용, 용접용이 있다.

2. 1종 귀마개는 저음부터 고음까지 차음하고, 2종 귀마개는 주로 고음을 차음하고 저음(회화음영역)은 차음하지 않는다.
3. 산소결핍장소에서는 방독마스크를 착용하여서는 안 되며 송기마스크를 착용한다.
4. 선반작업 중 회전물에 장갑이 말려들어갈 위험이 있어 면장갑착용을 금지하고 근로자의 손에 밀착이 잘되는 가죽장갑 등과 같이 손이 말려들어갈 위험이 없는 장갑을 사용한다.

43 다음 중 고음만을 차음하는 방호보호구의 기호는?

① NRR
② EM
③ EP－1
④ EP－2

해설

방음용 귀마개 또는 귀덮개의 종류 및 등급

종류	등급	기호	성능	비고
귀마개	1종	EP－1	저음부터 고음까지 차음하는 것	귀마개의 경우 재사용 여부를 제조 특성으로 표기
	2종	EP－2	주로 고음을 차음하고 저음(회화음영역)은 차음하지 않는 것	
귀덮개	－	EM		

44 안전인증대상 보호구 중 안전모의 시험성능기준 항목이 아닌 것은?

① 내수성
② 턱끈풀림
③ 가연성
④ 충격흡수성

해설

안전모의 시험성능 항목 및 기준

시험성능 항목	1. 내관통성 2. 충격흡수성 3. 내전압성	4. 내수성 5. 난연성 6. 턱끈풀림
부가성능 항목	1. 측면 변형 방호 2. 금속 용융물 분사 방호	

> **TIP** AE, ABE 종에만 한하여 실시하는 시험 : 내전압성 시험, 내수성 시험

45 ABE종 안전모에 대하여 내수성 시험을 할 때 물에 담그기 전의 질량이 400g이고, 물에 담근 후의 질량이 410g이었다면 질량증가율과 합격 여부로 옳은 것은?

① 질량증가율 : 2.5%, 합격 여부 : 불합격
② 질량증가율 : 2.5%, 합격 여부 : 합격
③ 질량증가율 : 102.5%, 합격 여부 : 불합격
④ 질량증가율 : 102.5%, 합격 여부 : 합격

해설

질량증가율
1. 질량증가율[%]
$$= \frac{\text{담근 후의 질량} - \text{담그기 전의 질량}}{\text{담그기 전의 질량}} \times 100$$
$$= \frac{410 - 400}{400} \times 100 = 2.5[\%]$$

2. 합격기준 : 질량증가율이 1% 미만일 것. 따라서 불합격

46 산업안전보건법령상 안전 · 보건표지에 있어 경고표지의 종류 중 기본모형이 다른 것은?

① 매달린 물체 경고 ② 폭발성 물질 경고
③ 고압전기 경고   ④ 방사성 물질 경고

해설

안전 · 보건표지

208 매달린 물체 경고	203 폭발성 물질 경고	207 고압전기 경고	206 방사성 물질 경고

47 다음 중 산업안전보건법령상 안전보건 · 표지의 종류에 있어 금지표지에 해당하지 않는 것은?

① 금연   ② 사용금지
③ 물체이동금지   ④ 유해물질접촉금지

해설

안전 · 보건표지 중 금지표지
1. 출입금지   5. 탑승금지
2. 보행금지   6. 금연
3. 차량통행금지   7. 화기금지
4. 사용금지   8. 물체이동금지

48 안전표지의 종류와 분류가 올바르게 연결된 것은?

① 금연 – 금지표지
② 낙하물 경고 – 지시표지
③ 안전모 착용 – 안내표지
④ 세안장치 – 경고표지

해설

안전 · 보건표지
1. 금연 – 금지표지
2. 낙하물 경고 – 경고표지
3. 안전모착용 – 지시표지
4. 세안장치 – 안내표지

49 다음 중 산업안전보건법령상 안전 · 보건표지의 종류에 있어 안내표지에 해당하지 않는 것은?

① 들것
② 비상용 기구
③ 출입구
④ 세안장치

해설

안전 · 보건표지 중 안내표지
1. 녹십자표지   5. 비상용 기구
2. 응급구호표지   6. 비상구
3. 들것   7. 좌측 비상구
4. 세안장치   8. 우측 비상구

50 산업안전보건법에 따른 안전 · 보건표지의 제작에 있어 안전 · 보건표지 속의 그림 또는 부호의 크기는 안전 · 보건표지의 크기와 비례하여야 하며, 안전 · 보건표지 전체 규격의 몇 % 이상이 되어야 하는가?

① 20%   ② 30%
③ 40%   ④ 50%

해설

안전 · 보건 표지의 제작
그림 또는 부호의 크기는 안전 · 보건표지의 크기와 비례하여야 하며, 안전 · 보건표지 전체 규격의 30퍼센트 이상이 되어야 한다.

51 다음 중 산업안전보건법상 "화학물질 취급장소에서의 유해 · 위험 경고"에 사용되는 안전 · 보건표지의 색도기준으로 옳은 것은?

① 7.5R 4/14
② 5Y 8.5/12
③ 2.5PB 4/10
④ 2.5G 4/10

해설

안전 · 보건표지의 색채, 색도기준 및 용도

색채	색도기준	용도	사용례
빨간색	7.5R 4/14	금지	정지신호, 소화설비 및 그 장소, 유해행위의 금지
		경고	화학물질 취급장소에서의 유해 · 위험 경고
노란색	5Y 8.5/12	경고	화학물질 취급장소에서의 유해 · 위험경고 이외의 위험경고, 주의표지 또는 기계방호물
파란색	2.5PB 4/10	지시	특정 행위의 지시 및 사실의 고지
녹색	2.5G 4/10	안내	비상구 및 피난소, 사람 또는 차량의 통행표지
흰색	N9.5		파란색 또는 녹색에 대한 보조색
검은색	N0.5		문자 및 빨간색 또는 노란색에 대한 보조색

※ 허용 오차 범위 H = ±2, V = ±0.3, C = ±1(H는 색상, V는 명도, C는 채도를 말한다)

52 다음 중 산업안전보건법령상 안전 · 보건표지의 색채와 색도기준이 잘못 연결된 것은?(단, 색도기준은 KS에 따른 색의 3속성에 의한 표시방법에 따른다.

① 빨간색 – 7.5R 4/14
② 노란색 – 5Y 8.5/12
③ 파란색 – 2.5PB 4/10
④ 흰색 – N0.5

53 산업안전보건법령상 안전 · 보건표지의 색채와 사용사례의 연결이 틀린 것은?

① 노란색 – 정지신호, 소화설비 및 그 장소, 유해행위의 금지
② 파란색 – 특정 행위의 지시 및 사실의 고지
③ 빨간색 – 화학물질 취급 장소에서의 유해 · 위험 경고
④ 녹색 – 비상구 및 피난소, 사람 또는 차량의 통행표지

54 다음 중 직무적성검사의 특징과 가장 거리가 먼 것은?

① 타당성(Validity)
② 객관성(Objectivity)
③ 표준화(Standardization)
④ 재현성(Reproducibility)

해설

심리검사의 구비조건

표준화	검사의 관리를 위한 조건, 절차의 일관성과 통일성에 대한 심리검사의 표준화가 마련되어야 한다.
객관성	검사결과의 채점하는 과정에서 채점자의 편견이나 주관성이 배제되어야 하며, 공정한 평가가 이루어져야 한다.
규준성	검사결과의 해석에 있어 상대적 위치를 결정하기 위한 참조 또는 비교의 기준이 있어야 한다.
타당성	측정하고자 하는 것을 실제로 측정하고 있는가를 나타내는 것이다.
신뢰성	검사의 일관성을 의미하는 것으로 동일한 문제를 재측정할 경우 오차가 적어야 한다.

55 근로자의 직무적성을 결정하는 심리검사의 특징에 대한 설명으로 틀린 것은?

① 특정한 시기에 모든 근로자들을 검사하고, 그 검사 점수와 근로자의 직무평정척도를 상호 연관시키는 예언적 타당성을 갖추어야 한다.
② 검사의 관리를 위한 조건, 절차의 일관성과 통일성에 대한 심리검사의 표준화가 마련되어야 한다.
③ 한 집단에 대한 검사응답의 일관성을 말하는 객관성을 갖추어야 한다.
④ 심리검사의 결과를 해석하기 위해서는 개인의 성적을 다른 사람들의 성적과 비교할 수 있는 참조 또는 비교의 기준이 있어야 한다.

해설

한 집단에 대한 검사응답의 일관성을 말하는 신뢰성을 갖추어야 한다.

56 스트레스의 주요요인 중 환경이나 기타 외부에서 일어나는 자극요인이 아닌 것은?

① 자존심의 손상　　② 대인관계 갈등
③ 죽음, 질병　　　　④ 경제적 어려움

해설
자존심의 손상과 공격 방어 심리는 내부적 자극요인에 해당된다.

57 다음 중 적성의 기본요소라 할 수 있는 것은?

① 지능　　　　　　② 교육수준
③ 환경조건　　　　④ 가족관계

해설
적성의 요인
1. 직업적성
2. 지능
3. 흥미
4. 인간성

58 다음 중 Y · G 성격검사에서 "안전, 적응, 적극형"에 해당하는 형의 종류는?

① A형　　　　　　② B형
③ C형　　　　　　④ D형

해설
Y-G 성격검사
1. A형(평균형) : 조화적, 적응적
2. B형(우편형) : 정서 불안정, 활동적, 외향적(불안전, 적극형, 부적응)
3. C형(좌편형) : 안정 소극형(온순, 소극적, 안정, 내향적, 비활동)
4. D형(우하형) : 안정, 적응, 적극형(정서 안정, 활동적, 사회 적응, 대인 관계 양호)
5. E형(좌하형) : 불안정, 부적응 수동형(D형과 반대)

59 다음의 직무분석 방법 중 감독자, 동료 근로자, 그 외의 이 직무를 잘 아는 사람으로부터 성공적이지 못한 근로자와 성공적인 근로자를 구별해 내는 행동을 밝히려는 목적으로 사용되는 것은?

① 면접　　　　　　② 직접관찰
③ 결정적 사건의 기록　④ 체계적인 일지 작성

해설
결정적 사건기법(결정적 사건기록)
감독자, 동료 근로자, 그 외의 이 직무를 잘 아는 사람으로부터 성공적이지 못한 근로자와 성공적인 근로자를 구별해 내는 행동을 밝히려는 목적으로 사용

60 다음 중 적성배치에 있어서 고려되어야 할 기본사항에 해당되지 않는 것은?

① 적성검사를 실시하여 개인의 능력을 파악한다.
② 직무평가를 통하여 자격수준을 정한다.
③ 인사권자의 주관적인 감정요소에 따른다.
④ 인사관리의 기준 원칙을 준수한다.

해설
합리적인 적성배치를 위하여 고려해야 할 사항
1. 직무를 평가하여 자격수준을 정한다.
2. 주관적인 감정요소를 배제한다.
3. 적성검사를 실시하여 개인의 능력을 평가한다.
4. 인사관리의 기준 원칙을 준수한다.
5. 직무에 영향을 줄 수 있는 환경적 요인을 검토한다.

61 사고요인이 되는 정신적 요소 중 개성적 결함 요인에 해당하지 않는 것은?

① 방심 및 공상　　② 도전적인 마음
③ 과도한 집착력　　④ 다혈질 및 인내심 부족

해설
개성적 결함요소
1. 도전적인 마음　　　　5. 약한 마음
2. 다혈질 및 인내심 부족　6. 경솔성
3. 과도한 집착력　　　　7. 배타성 등
4. 자존심

62 다음 중 억측판단이 발생하는 배경으로 볼 수 없는 것은?

① 정보가 불확실할 때
② 희망적인 관측이 있을 때
③ 타인의 의견에 동조할 때
④ 과거의 성공한 경험이 있을 때

해설
1. 억측판단 : 자기 멋대로 하는 주관적인 판단

2. 억측판단의 발생 배경
　㉠ 정보가 불확실할 때
　㉡ 희망적인 관측이 있을 때
　㉢ 과거의 성공한 경험이 있을 때
　㉣ 초조한 심정

63 경보기가 울려도 기차가 오기까지 아직 시간이 있다고 판단하여 건널목을 건너다가 사고를 당했다. 다음 중 이 재해자의 행동성향으로 옳은 것은?

① 착오·착각
② 무의식행동
③ 억측판단
④ 지름길반응

64 다음 중 재해 원인의 4M에 대한 내용이 틀린 것은?

① Media : 작업정보, 작업환경
② Machine : 기계설비의 고장, 결함
③ Management : 작업방법, 인간관계
④ Man : 동료나 상사, 본인 이외의 사람

〔해설〕

재해발생의 기본원인(4M)

인간관계요인 (Man)	동료나 상사, 본인 이외의 사람 등의 인간관계를 의미
작업적 요인 (Media)	1. 작업의 내용, 작업정보, 작업방법, 작업환경의 요인 2. 인간과 기계를 연결하는 매개체 3. 작업방법의 부적절
관리적 요인 (Management)	안전법규의 준수, 안전기준, 지휘감독 등의 단속 및 점검 1. 교육훈련 부족 2. 감독지도 불충분 3. 적성배치 불충분
설비적(물적) 요인 (Machine)	1. 기계설비 등의 물적 조건 2. 기계설비의 고장, 결함

65 다음 중 산업안전심리의 5대 요소에 해당하지 않는 것은?

① 습관
② 동기
③ 감정
④ 지능

〔해설〕

산업안전심리의 5대요소
1. 기질   2. 동기   3. 습관   4. 감정   5. 습성

66 작업자의 안전심리에서 고려되는 가장 중요한 요소는?

① 개성과 사고력
② 지식 정도
③ 안전 규칙
④ 신체적 조건과 기능

〔해설〕

개성
1. 각 개인이 특수하게 가지고 있는 성격, 기질, 능력 등 각 개인이 가지고 있는 특징
2. 인간의 개성과 사고력은 안전심리에서 고려되는 가장 중요한 요소이다.
3. 개성의 결함은 불안전한 행동과 안전사고로 이어진다.
4. 개성과 사고력은 개별적으로 변화시키기는 어렵지만 집단의 개성은 개인의 개성보다 변화시키기가 용이하다.

67 다음 중 착오 요인과 가장 관계가 먼 것은?

① 동기부여의 부족
② 정보 부족
③ 정서적 불안정
④ 자기합리화

〔해설〕

착오의 요인(3단계)

단계	종류	내용
제1 단계	인지 과정 착오	1. 심리 또는 생리적 요인 2. 정보량 저장의 한계 : 한계정보량보다 더 많은 정보가 들어오는 경우 정보를 처리하지 못하는 현상 3. 감각차단 현상 : 단조로운 업무가 장시간 지속될 때 작업자의 감각기능 및 판단능력이 둔화 또는 마비되는 현상(예 : 고도비행, 단독비행, 계기비행, 직선 고속도로 운행 등) 4. 정서적 불안정(불안, 공포) 5. 정보수용 능력의 한계 : 인간의 감지범위 밖의 정보
제2 단계	판단 과정 착오	1. 정보부족(옹고집, 지나친 자기중심적 인간) 2. 능력부족(지식부족, 경험부족) 3. 자기합리화(자기에게 유리하게 판단) 4. 환경조건불비(작업조건불량)
제3 단계	조치 과정 착오	1. 기술능력 미숙 2. 경험부족 3. 피로

💬TIP 착오의 요인 단계별 내용 중 주로 제2단계 판단과정 착오의 내용이 많이 출제됩니다. 함께 기억하세요.

〔정답〕 63 ③　64 ③　65 ④　66 ①　67 ①

68 단조로운 업무가 장시간 지속될 때 작업자의 감각기능 및 판단능력이 둔화 또는 마비되는 현상을 무엇이라 하는가?

① 의식의 과잉   ② 망각현상
③ 감각차단현상   ④ 피로현상

해설

감각차단현상
단조로운 업무가 장시간 지속될 때 작업자의 감각기능 및 판단능력이 둔화 또는 마비되는 현상

69 다음 중 위치, 순서, 패턴, 형상, 기억오류 등 외부적 요인에 의해 나타나는 것은?

① 메트로놈   ② 리스크테이킹
③ 부주의   ④ 착오

해설

착오의 유형(착오의 메커니즘)
1. 위치착오   4. 형상착오
2. 순서착오   5. 기억착오
3. 패턴착오

70 다음 중 헤링(Hering)의 착시현상에 해당하는 것은?

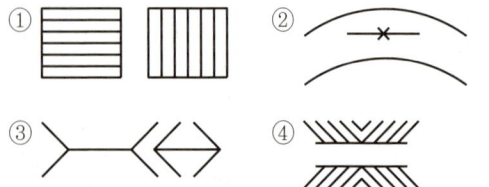

해설

착시현상

Müler – Lyer의 착시		실제 a = b이나 a가 b보다 길게 보인다. (동화착오)
Helmholz의 착시		a는 가로로 길어보이고 b는 세로로 길어 보인다.(실제 a = b)
Hering의 착시		a는 양단이 벌어져 보이고 b는 중앙이 벌어져 보인다.(분할착오)

Köhler의 착시	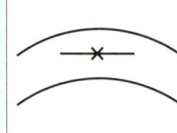 우선평행의 호를 보고, 이어 직선을 본 경우에는 직선은 호와 반대방향으로 휘어져 보인다.(윤곽착오)

71 암실에서 정지된 소광점을 응시하면 광점이 움직이는 것같이 보이는 현상을 운동의 착각현상 중 '자동운동'이라 한다. 다음 중 자동운동이 생기기 쉬운 조건에 해당되지 않는 것은?

① 광점이 작은 것
② 대상이 단순한 것
③ 광의 강도가 큰 것
④ 시야의 다른 부분이 어두운 것

해설

자동운동
1. 암실 내에서 정지된 소광점을 응시하면 그 광점이 움직이는 것처럼 보이는 현상
2. 자동운동이 생기기 쉬운 조건
   ㉠ 광점이 작을 것
   ㉡ 시야의 다른 부분이 어두울 것
   ㉢ 광(光)의 강도가 작을 것
   ㉣ 대상이 단순할 것

72 하행선 기차역에 정지하고 있는 열차 안의 승객이 반대편 상행선 열차의 출발로 인하여 하행선 열차가 움직이는 것 같은 착각을 일으키는 현상을 무엇이라고 하는가?

① 유도운동   ② 자동운동
③ 가현운동   ④ 브라운 운동

해설

인간의 착각현상

가현운동	1. 정지하고 있는 대상물을 나타냈다가 지웠다가 자주 반복하면 그 물체가 마치 운동하는 것처럼 인식되는 현상 2. 영화영상기법, β운동
자동운동	암실 내에서 정지된 소광점을 응시하면 그 광점이 움직이는 것처럼 보이는 현상
유도운동	1. 실제로는 움직이지 않는 것이 어느 기준의 이동에 유도되어 움직이는 것처럼 느껴지는 현상 2. 하행선 기차역에 정지하고 있는 열차 안의 승객이 반대편 상행선 열차의 출발로 인하여 하행선 열차가 움직이는 것처럼 느끼는 경우

73 다음 중 사회행동의 기본 형태에 해당되지 않는 것은?

① 모방　　　　　② 대립
③ 도피　　　　　④ 협력

해설

사회행동의 기본 형태

사회행동의 기초	1. 욕구 2. 개성 3. 인지	4. 신념 5. 태도
사회행동의 기본 형태	1. 협력(조력, 분업) 2. 대립(공격, 경쟁) 3. 도피(고립, 정신병, 자살) 4. 융합(강제, 타협, 통합)	

74 다음 중 집단에서의 인간관계 메커니즘(Mechanism)과 가장 거리가 먼 것은?

① 동일화, 일체화　　② 커뮤니케이션, 공감
③ 모방, 암시　　　　④ 분열, 강박

해설

인간관계 메커니즘
1. 투사
2. 암시
3. 동일화
4. 모방
5. 커뮤니케이션

75 인간의 행동에 관한 레윈(Lewin)의 식, '$B = (P \cdot E)$'에 대한 설명으로 옳은 것은?

① 인간의 개성(P)에는 연령과 지능이 포함되지 않는다.
② 인간의 행동(B)은 개인의 능력과 관련이 있으며, 환경과는 무관하다.
③ 인간의 행동(B)은 개인의 자질과 심리학적 환경과의 상호 함수관계에 있다.
④ B는 행동, P는 개성, E는 기술을 의미하며 행동은 능력을 기반으로 하는 개성에 따라 나타나는 함수관계이다.

해설

레윈(K. Lewin)의 행동법칙

$$B = f(P \cdot E)$$

여기서, B : Behavior(인간의 행동)
$\quad\quad\quad f$: Function(함수관계) $P \cdot E$에 영향을 줄 수 있는 조건

P : Person(개체, 개인의 자질, 연령, 경험, 심신상태, 성격, 지능 등)
E : Environment(심리적 환경 – 작업환경, 인간관계, 설비적 결함 등)

레윈의 이론 : 인간의 행동(B)은 개인의 자질과 심리학적 환경과의 상호 함수관계이다.

> **TIP** 레윈이 제시한 인간의 행동에 관한 식 표현 관련 문제도 출제되고 있습니다. 함께 기억하세요.

76 인간의 심리 중 안전수단이 생략되어 불안전 행위가 나타나는 경우와 가장 거리가 먼 것은?

① 의식과잉이 있는 경우
② 작업규율이 엄한 경우
③ 피로하거나 과로한 경우
④ 조명, 소음 등 주변 환경의 영향이 있는 경우

해설

안전수단을 생략하는 불안전 행위의 원인
1. 작업과 안전수단
2. 자신과잉
3. 주위의 영향
4. 피로하였을 때
5. 직장의 분위기(정리 · 정돈이 안 되어 있거나 조명, 소음 등이 나쁜 장소, 작업규율이 이완되고 있을 때 안전수단이 생략)

77 다음 중 재해를 한 번 경험한 사람은 신경과민 등 심리적인 압박을 받게 되어 대처능력이 떨어져 재해가 빈번하게 발생된다는 설(設)은?

① 기회설　　　　　② 암시설
③ 경향설　　　　　④ 미숙설

해설

재해 빈발설

기회설	재해가 빈발하는 것은 개인의 영향이 아니라 종사하는 작업에 위험성이 많기 때문이며, 그 사람이 위험한 작업을 담당하고 있기 때문이라는 설(안전교육, 작업환경개선의 대책)
암시설	한 번 재해를 당하면 겁쟁이가 되거나 신경과민이 되어 그 사람이 갖는 대응 능력이 열화하기 때문에 재해를 빈발하게 된다는 설
재해 빈발 경향자설	근로자 가운데 재해를 빈발하는 소질적 결함자가 있다는 설

78 재해누발자의 유형 중 상황성 누발자와 관련이 없는 것은?

① 작업이 어렵기 때문에

② 기능이 미숙하기 때문에

③ 심신에 근심이 있기 때문에

④ 기계설비에 결함이 있기 때문에

상황성 누발자
1. 작업이 어렵기 때문에
2. 기계설비에 결함이 있기 때문에
3. 심신에 근심이 있기 때문에
4. 환경상 주의력의 집중이 혼란되기 때문에

 TIP 기능이 미숙하기 때문에 : 미숙성 누발자

79 다음 중 구체적인 동기유발 요인과 가장 거리가 먼 것은?

① 작업　　　　　② 성과

③ 권력　　　　　④ 독자성

동기유발의 요인
1. 안정　　　　6. 독자성
2. 기회　　　　7. 권력
3. 성과　　　　8. 적응도
4. 경제　　　　9. 인정
5. 참여　　　　10. 의사소통

80 안전교육 훈련에 있어 동기부여 방법에 대한 설명으로 가장 거리가 먼 것은?

① 안전 목표를 명확히 설정한다.

② 결과를 알려준다.

③ 경쟁과 협동을 유발시킨다.

④ 동기유발 수준을 정도 이상으로 높인다.

동기 유발의 최적수준을 유지한다.

81 매슬로(Maslow)의 욕구단계 이론 중 2단계에 해당되는 것은?

① 생리적 욕구

② 안전에 대한 욕구

③ 자아실현의 욕구

④ 존경과 긍지에 대한 욕구

매슬로(Maslow)의 욕구단계 이론

제1단계	생리적 욕구	기아, 갈증, 호흡, 배설, 성욕 등 생명유지의 기본적 욕구
제2단계	안전의 욕구	1. 자기보존 욕구 – 안전을 구하려는 욕구 2. 전쟁, 재해, 질병의 위험으로부터 자유로워지려는 욕구
제3단계	사회적 욕구	1. 소속감과 애정에 대한 욕구 2. 사회적으로 관계를 향상시키는 욕구
제4단계	인정받으려는 욕구 (자기 존중의 욕구)	자존심, 명예, 성취, 지위 등 인정받으려는 욕구
제5단계	자아실현의 욕구	1. 잠재능력을 실현하고자 하는 성취욕구 2. 특유의 창의력을 발휘

82 매슬로의 욕구단계이론에서 편견 없이 받아들이는 성향, 타인과의 거리를 유지하며 사생활을 즐기거나 창의적 성격으로 봉사, 특별히 좋아하는 사람과 긴밀한 관계를 유지하려는 인간의 욕구에 해당하는 것은?

① 생리적 욕구

② 사회적 욕구

③ 자아실현의 욕구

④ 안전에 대한 욕구

83 다음 중 인간의 동기부여에 관한 맥그리거(McGregor)의 X이론에 해당하지 않는 것은?

① 인간은 스스로 자기 통제를 한다.

② 인간은 본래 게으르고 태만하다.

③ 동기는 생리적 수준 및 인간의 수준에서 나타난다.

④ 인간은 명령받는 것을 좋아하며 책임을 회피하려 한다.

PART 01
PART 02
PART 03
PART 04
PART 05
PART 06
PART 07

해설

맥그리거(D. McGregor)의 X, Y이론

X이론	Y이론
인간불신감	상호신뢰감
성악설	성선설
인간은 본래 게으르고 태만, 수동적, 남의 지배받기를 즐긴다.	인간은 본래 부지런하고 근면, 적극적, 스스로 일을 자기책임 하에 자주적으로 행한다.
저차적 욕구(물질적 욕구)	고차적 욕구(정신적 욕구)
명령, 통제에 의한 관리	자기통제와 자율확보
저개발국형의 관리형태	선진국형의 관리형태
권위주의적 리더십	민주적 리더십

84 맥그리거(Mcgregor)의 X, Y이론에서 X이론에 대한 관리 처방으로 볼 수 없는 것은?

① 직무의 확장
② 권위주의적 리더십의 확립
③ 경제적 보상체제의 강화
④ 면밀한 감독과 엄격한 통제

해설

X, Y이론의 관리처방

X이론의 관리처방	Y이론의 관리처방
1. 권위주의적 리더십의 확립 2. 경제적 보상 체제의 강화 3. 면밀한 감독과 엄격한 통제 4. 상부 책임제도의 강화 5. 설득, 보상, 벌, 통제에 의한 관리 6. 조직구조의 고층성	1. 분권화와 권한의 위임 2. 목표에 의한 관리 3. 비공식적 조직의 활용 4. 민주적 리더십의 확립 5. 직무확장 6. 자체 평가제도의 활성화 7. 조직 목표 달성을 위한 자율적인 통제 8. 조직구조의 평면화

TIP Y이론의 관리처방에 대해서도 출제되고 있습니다. 비교해서 함께 기억하세요.

85 허즈버그(Herzberg)의 위생 – 동기이론에서 동기요인에 해당하는 것은?

① 감독
② 안전
③ 책임감
④ 작업조건

해설

허즈버그(F. Herzberg)의 2요인(동기 – 위생) 이론

허즈버그는 연구를 통해 사람들이 직무에 만족을 느낄 때에는 직무의 내용에 관계되고, 불만족을 느낄 때에는 직무환경과 관련된다는 것을 입증하였다.

동기요인(직무내용)	위생요인(직무환경)
1. 성취감 2. 책임감 3. 성장과 발전 4. 안정감 5. 도전감 6. 일 그 자체	1. 보수 2. 작업조건 3. 관리감독 4. 임금 5. 지위 6. 회사 정책과 관리

86 다음 중 허츠버그(F.Herzberg)의 위생 – 동기요인에 관한 설명으로 틀린 것은?

① 위생요인은 매슬로(Maslow)의 욕구 5단계이론에서 생리적 · 안전 · 사회적 욕구와 비슷하다.
② 동기요인은 맥그리거(McGreger)의 X이론과 비슷하다.
③ 위생요인은 생존, 환경 등의 인간의 동물적인 욕구를 반영하는 것이다.
④ 동기요인은 성취, 인정 등의 자아실현을 하려는 인간의 독특한 경향을 반영하는 것이다.

해설

1. 동기요인은 맥그리거의 Y이론, 위생요인은 X이론과 비슷하다.
2. 동기이론의 상호 관련성

매슬로의 욕구 5단계	허즈버그의 2요인 이론	맥그리거의 X, Y이론	알더퍼의 ERG이론	맥클랜드의 성취동기 이론
1단계 생리적 욕구	위생요인	X이론	생존욕구	
2단계 안전의 욕구				
3단계 사회적 욕구			관계욕구	친화욕구
4단계 인정받으려는 욕구	동기요인	Y이론	성장욕구	권력욕구
5단계 자아실현의 욕구				성취욕구

87 알더퍼(Alderfer)의 ERG 이론 중 다른 사람과의 상호 작용을 통하여 만족을 추구하는 대인욕구와 관련이 가장 깊은 것은?

① 성장욕구
② 관계욕구
③ 존재욕구
④ 위생욕구

알더퍼(Alderfer)의 ERG 이론

생존(Existence) 욕구 (존재욕구)	유기체의 생존과 유지에 관련된 욕구 1. 의식주와 같은 기본적인 욕구 2. 임금, 안전한 작업조건 3. 직무안전
관계 (Relatedness) 욕구	다른 사람과의 상호작용을 통하여 만족을 추구하는 대인욕구 1. 의미 있는 타인과의 상호작용 2. 대인 욕구
성장(Growth) 욕구	개인적인 발전과 증진에 관한 욕구(잠재력의 발전으로 충족) 1. 개인의 발전능력 2. 잠재력 충족

88 데이비스(K. Davis)의 동기부여이론 등식으로 옳은 것은?

① 지식 × 기능 = 태도
② 지식 × 상황 = 동기유발
③ 능력 × 상황 = 인간의 성과
④ 능력 × 동기유발 = 인간의 성과

데이비스(K. Davis)의 동기부여이론
1. 인간의 성과 × 물질적 성과 = 경영의 성과
2. 지식(Knowledge) × 기능(Skill) = 능력(Ability)
3. 상황(Situation) × 태도(Attitude) = 동기유발(Motivation)
4. 능력(Ability) × 동기유발(Motivation) = 인간의 성과 (Human Performance)

89 다음 중 주의의 특성이 아닌 것은?

① 일반성   ② 방향성
③ 변동성   ④ 선택성

주의의 특성

선택성	1. 주의는 동시에 두 개의 방향에 집중하지 못한다. 2. 여러 종류의 자극을 지각하거나 수용할 때 특정한 것에 한하여 선택하는 기능
변동성	1. 고도의 주의는 장시간 지속할 수 없다.(주의에는 리듬이 존재) 2. 주의에는 리듬이 있어 언제나 일정수준을 유지할 수 없다.
방향성	1. 한 지점에 주의를 집중하면 다른 곳의 주의는 약해진다. 2. 주시점만 인지하는 기능

 TIP 주의의 특성에 관한 내용도 함께 기억하세요.

90 다음 중 부주의의 발생 현상으로 혼미한 정신 상태에서 심신의 피로나 단조로운 반복작업 시 일어나는 현상은?

① 의식의 과잉
② 의식의 집중
③ 의식의 우회
④ 의식수준의 저하

부주의 발생현상

의식의 단절(중단)	1. 의식의 흐름에 단절이 생기고 공백상태가 나타나는 경우 2. 의식수준 제0단계의 상태(특수한 질병의 경우)
의식의 우회	1. 의식의 흐름이 옆으로 빗나가 발생한 경우 2. 의식수준 제0단계의 상태(걱정, 고민, 욕구불만 등)
의식수준의 저하	1. 뚜렷하지 않은 의식의 상태로 심신이 피로하거나 단조로운 작업 등의 경우 2. 의식수준 제 I 단계 이하의 상태
의식의 과잉	1. 돌발사태 및 긴급이상사태에 직면하면 순간적으로 긴장되고 의식이 한 방향으로 쏠리는 주의의 일점집중현상의 경우 2. 의식수준 제IV 단계의 상태
의식의 혼란	1. 외적조건에 문제가 있을 때 의식이 혼란되고 분산되어 작업에 잠재되어 있는 위험요인에 대응할 수 없는 경우 2. 외부의 자극이 애매모호하거나, 너무 강하거나 약할 때

TIP 부주의 발생현상의 종류와 내용에 대해서도 출제되고 있습니다. 의식의 과잉에 대한 내용을 중점적으로 기억하세요.

91 다음 중 부주의의 발생 원인별 대책방법이 올바르게 짝지어진 것은?

① 소질적 문제 – 안전교육
② 경험, 미경험 – 적성배치
③ 의식의 우회 – 작업환경 개선
④ 작업순서의 부적합 – 인간공학적 접근

부주의 발생원인과 대책

구분	발생원인	대책
외적 원인	작업 및 환경조건의 불량	환경정비
	작업순서의 부적합	작업순서 정비(인간공학적 접근)
	작업강도	작업량, 작업시간, 속도 등의 조절
	기상조건	온도, 습도 등의 조절
내적 원인	소질적 요인	적성에 따른 배치(적성배치)
	의식의 우회	카운슬링(상담)
	경험부족 및 미숙련	교육 및 훈련
	피로도	충분한 휴식
	정서 불안정	심리적 안정 및 치료

92 다음 중 주의의 수준이 Phase 0인 상태에서의 의식상태로 옳은 것은?

① 무의식 상태
② 의식의 이완상태
③ 명료한 상태
④ 과긴장상태

해설

의식수준의 단계

단계	의식의 상태	신뢰성
Phase 0 (제0단계)	무의식, 실신	0(Zero)
Phase I (제 I 단계)	정상 이하, 의식 흐림, 의식 몽롱함	0.9 이하
Phase II (제 II 단계)	정상, 이완상태, 느긋한 기분	0.99~0.99999
Phase III (제 III 단계)	정상, 상쾌한 상태, 분명한 의식	0.999999 이상 (신뢰도가 가장 높은 상태)
Phase IV (제 IV 단계)	과긴장, 흥분상태	0.9 이하

TIP Phase I : 생리적 상태가 피로하고 단조로울 때의 의식 상태

93 의식의 레벨(Phase)을 5단계로 구분할 때 의식의 신뢰도가 가장 높은 단계는?

① Phase I
② Phase II
③ Phase III
④ Phase IV

94 불안전한 행동을 예방하기 위하여 수정해야 할 조건 중 시간의 소요가 짧은 것부터 장시간 소요되는 순서대로 올바르게 연결된 것은?

① 집단행동 – 개인행위 – 지식 – 태도
② 지식 – 태도 – 개인행위 – 집단행위
③ 태도 – 지식 – 집단행위 – 개인행위
④ 개인행위 – 태도 – 지식 – 집단행위

해설

리더십의 인간행동 변용(변화)

95 다음 중 리더십의 유형 분류로 볼 수 없는 것은?

① 권위형
② 민주형
③ 자유방임형
④ 갈등해소형

해설

리더십의 유형

선출방식에 따른 분류	1. 헤드십(Headship) 2. 리더십(Leadership)
업무추진의 방식에 따른 분류	1. 권위형(독재적) 2. 민주형(민주적) 3. 자유방임형(개방적)

96 관리그리드 이론에서 인간관계 유지에는 낮은 관심을 보이지만 과업에 대해서는 높은 관심을 가지는 리더십의 유형에 해당하는 것은?

① (1, 1)형
② (1, 9)형
③ (9, 1)형
④ (9, 9)형

해설

관리그리드(Managerial grid)

유형	경향
(1.1) – 무관심형	생산과 인간에 대한 관심이 모두 낮은 무관심한 유형
(1.9) – 인기형	인간에 대한 관심은 매우 높고, 생산에 대한 관심은 매우 낮은 유형

유형	경향
(9.1) – 과업형	생산에 대한 관심은 높지만, 인간에 대한 관심은 매우 낮은 유형
(5.5) – 타협형	과업의 능률과 인간적 요소를 절충하는 유형
(9.9) – 이상형	구성원들과 조직체의 공동목표, 상호의존관계를 강조하는 유형

TIP 관리그리드 유형의 종류도 함께 기억하세요.

97 다음 중 헤드십(Headship)의 특성으로 옳지 않은 것은?

① 권한의 근거는 공식적이다.
② 지휘의 형태는 권위주의적이다.
③ 상사와 부하와의 사회적 간격은 좁다.
④ 상사와 부하와의 관계는 지배적이다.

해설

헤드십과 리더십의 구분

구분	헤드십	리더십
권한행사 및 부여	위에서 위임하여 임명된 헤드	밑에서부터의 동의에 선출된 리더
권한근거	법적 또는 공식적	개인능력
상관과 부하의 관계	지배적	개인적인 경향
책임귀속	상사	상사와 부하
부하와의 사회적 간격	넓다.	좁다.
지위형태	권위주의적	민주주의적
권한귀속	공식화된 규정에 의함	집단목표에 기여한 공로 인정

98 모랄 서베이의 방법 중 태도조사법에 해당하지 않는 것은?

① 면접법
② 질문지법
③ 관찰법
④ 집단토의법

해설

태도조사법
질문지법, 면접법, 집단토의법, 문답법, 투사법 등에 의해 의견을 조사하는 방법(가장 많이 사용하는 방법)

99 집단의 기능에 관한 설명으로 틀린 것은?

① 집단의 규범은 변화하기 어려운 것으로 불변적이다.
② 집단 내에 머물도록 하는 내부의 힘을 응집력이라 한다.
③ 규범은 집단을 유지하고 집단의 목표를 달성하기 위해 만들어진 것이다.
④ 집단이 하나의 집단으로서의 역할을 수행하기 위해서는 집단 목표가 있어야 한다.

해설

집단규범(집단목표)
집단을 유지하고 집단의 목표를 달성하기 위한 것으로, 집단에 의해 지지되면 통제가 행해지며, 집단 구성원들에 의해 변경이 가능하다.

100 인간관계 관리기법에 있어 구성원 상호 간의 선호도를 기초로 집단 내부의 동태적 상호 관계를 분석하는 방법으로 가장 적절한 것은?

① 소시오메트리(Sociometry)
② 그리드 훈련(Grid Training)
③ 집단역학(Group Dynamic)
④ 감수성 훈련(Sensitivity Training)

해설

소시오메트리
1. 사회 측정법으로 집단에 있어 각 구성원 사이의 견인과 배척관계를 조사하여 어떤 개인의 집단 내에서의 관계나 위치를 발견하고 평가하는 방법(집단의 인간관계를 조사하는 방법)
2. 구성원 상호 간의 선호도를 기초로 집단 내부의 동태적 상호관계를 분석하는 기법

101 플리커 검사(Flicker Test)의 목적으로 가장 적절한 것은?

① 혈중 알코올농도 측정
② 체내 산소량 측정
③ 작업강도 측정
④ 피로의 정도 측정

플리커(Flicker)법
1. 빛에 대한 눈의 깜박임을 살펴 정신피로의 척도로 사용하는 방법이다.
2. 광원 앞에 사이가 벌어진 원판을 놓고 회전함으로써 눈에 들어오는 빛을 단속시켜 원판의 회전속도를 바꾸면 빛의 주기가 변한다. 이때 회전속도가 느리면 빛이 아른거리다가 빨라지면 융합되어 하나의 광점으로 보인다. 이러한 빛의 단속주기를 플리커치라고 한다.
3. 플리커법은 피로의 정도를 측정하는 검사이다.
4. 융합한계빈도(Crifical Fusion Frequency of Flicker) : CFF법이라고도 한다.

생체리듬(Biorhythm)의 종류 및 특징

종류	특징
육체적 리듬(P) (Physical cycle)	1. 건전한 활동기(11.5일)와 그렇지 못한 휴식기(11.5일)가 23일을 주기로 반복된다. 2. 활동력, 소화력, 지구력, 식욕 등과 가장 관계가 깊다.
감성적 리듬(S) (Sensitivity cycle)	1. 예민한 기간(14일)과 그렇지 못한 둔한 기간(14일)이 28일을 주기로 반복된다. 2. 주의력, 창조력, 예감 및 통찰력 등과 가장 관계가 깊다.
지성적 리듬(I) (Intellectual cycle)	1. 사고능력이 발휘되는 날(16.5일)과 그렇지 못한 날(16.5일)이 33일 주기로 반복된다. 2. 판단력, 추리력, 상상력, 사고력, 기억력 등과 가장 관계가 깊다.

102 작업에 대한 평균 에너지값이 4kcal/min이고, 휴식시간 중의 에너지 소비량을 1.5kcal/min으로 가정할 때, 프레스 작업의 에너지가 6kcal/min이라고 하면 60분간의 총 작업시간 내에 포함되어야 하는 휴식시간은 약 얼마인가?

① 17.14분
② 26.67분
③ 33.33분
④ 42.86분

휴식시간의 산출

$$R = \frac{60(E-4)}{E-1.5}$$

여기서, R : 휴식시간[분]
E : 작업 시 평균 에너지 소비량[kcal/분]
60 : 총작업 시간[분]
1.5kcal/분 : 휴식시간 중의 에너지 소비량

1. 작업의 성질과 강도에 따라서 휴식시간이나 횟수가 결정되어야 한다.
2. 작업에 대한 평균 에너지값을 4kcal/분이라 할 경우 이 단계를 넘으면 휴식시간이 필요하다.

$$R = \frac{60(E-4)}{E-1.5} = \frac{60(6-4)}{6-1.5} = 26.67[\text{분}]$$

103 바이오리듬(Biorhythm) 가운데 상상력, 판단력, 추리력과 가장 관계가 깊은 생체 리듬의 종류는?

① 지성적 리듬
② 감성적 리듬
③ 육체적 리듬
④ 생활 리듬

104 다음 중 일반적으로 시간의 변화에 따라 야간에 상승하는 생체리듬은?

① 맥박수
② 염분량
③ 혈압
④ 체중

바이오리듬(Biorhythm)의 변화
1. 혈액의 수분 염분량 : 주간 감소, 야간 증가
2. 체온, 혈압, 맥박수 : 주간 상승, 야간 감소
3. 야간에는 체중 감소, 소화분비액 불량, 말초신경기능 저하, 피로의 자각 증상이 증대된다.

105 안전교육의 3요소에 해당되지 않는 것은?

① 강사
② 교육방법
③ 수강자
④ 교재

교육의 3요소
1. 교육의 주체 : 강사
2. 교육의 객체 : 수강자(교육대상)
3. 교육의 매개체 : 교재(교육내용)

106 교육의 형태에 있어 존 듀이(Dewey)가 주장하는 대표적인 형식적 교육에 해당하는 것은?

① 가정안전교육
② 사회안전교육
③ 학교안전교육
④ 부모안전교육

교육의 구분(J. Dewey)
1. 형식적 교육 : 계획적이고 의도적인 계획하에서 교육기관에 의해 이루어지는 교육으로 학교안전교육, 강습소, 양성소 등이 해당된다.
2. 비형식적 교육 : 교육기관에 의하지 않고 자연·사회·인간관계 등에 의해서 자연 발생적으로 이루어지는 교육으로 가정안전교육, 사회안전교육, 자연교육 등이 해당된다.

107 학습지도의 원리에 있어 다음 설명에 해당하는 것은?

> 학습자가 지니고 있는 각자의 요구와 능력 등에 알맞은 학습활동의 기회를 마련해주어야 한다는 원리

① 직관의 원리　　　　② 자기활동의 원리
③ 개별화의 원리　　　　④ 사회화의 원리

학습지도의 원리

자발성의 원리	학습자의 내적동기가 유발된 학습, 즉 학습자 자신이 자발적으로 학습에 참여하는 데 중점을 둔 원리
개별화의 원리	학습자가 지니고 있는 각자의 요구와 능력 등 개인차에 맞도록 지도해야 한다는 원리
사회화의 원리	학교에서 경험한 것과 사회에서 경험한 것을 교류시키고 함께하는 학습을 통하여 협력적이고 우호적인 학습을 진행하는 원리
통합의 원리	학습을 통합적인 전체로서 학습자의 모든 능력을 조화적으로 발달시키는 원리
직관의 원리	구체적인 사물을 직접 제시하거나 경험시킴으로써 큰 효과를 볼 수 있다는 원리

TIP 학습지도의 원리 종류에 대해서도 시험에 출제되고 있습니다. 함께 기억하세요.

108 안전보건교육의 교육지도 원칙에 해당되지 않는 것은?

① 피교육자 중심의 교육을 실시한다.
② 동기부여를 한다.
③ 5관을 활용한다.
④ 어려운 것부터 쉬운 것으로 시작한다.

안전보건교육의 기본적인 지도 원리(8원칙)
1. 피교육자 중심 교육(상대방의 입장이 되어 가르칠 것)
2. 동기부여를 중요하게
3. 쉬운 부분에서 어려운 부분으로 진행(쉬운 것에서 어려운 것으로 가르칠 것)
4. 반복에 의한 습관화 진행(중요한 것은 반복해서 가르칠 것)
5. 인상의 강화
6. 5관(감각기관)의 활용
7. 기능적인 이해
8. 한번에 한 가지씩 교육(피교육자의 흡수능력을 고려)

109 안전교육방법 중 인간의 5관을 활용하는 방법에서 그 효과치가 가장 낮은 것은?

① 시각　　　　② 청각
③ 촉각　　　　④ 미각

5관(감각기관)의 효과치
시각(60%) > 청각(20%) > 촉각(15%) > 미각(3%) > 후각(2%)

110 안전교육의 개념에서 학습경험 선정의 원리와 가장 거리가 먼 것은?

① 가능성의 원리　　　　② 동기유발의 원리
③ 계속성의 원리　　　　④ 다목적 달성의 원리

학습경험 선정의 원리
1. 기회의 원리
2. 동기유발의 원리
3. 만족의 원리
4. 가능성의 원리
5. 다활동의 원리(일목표 다경험)
6. 다목적 달성의 원리

111 학습이론 중 자극과 반응의 이론이라 볼 수 없는 것은?

① Köhler의 통찰성
② Thorndike의 시행착오설
③ Pavlov의 조건반사설
④ Skinner의 조작적 조건화설

PART 01
PART 02
PART 03
PART 04
PART 05
PART 06
PART 07

해설

학습이론

S(자극)-R(반응)이론 (행동주의 학습이론)	1. 조건반사설(Pavlov) 2. 시행 착오설(Thorndike) 3. 조작적 조건 형성이론(Skinner)
인지이론(형태이론)	1. 통찰설(Köhler) 2. 장이론(Lewin) 3. 기호형태설(Tolman)

112 다음 중 교육심리학의 학습이론에 관한 설명으로 옳은 것은?

① 파블로프(Pavlov)의 조건반사설은 맹목적 시행을 반복하는 가운데 자극과 반응이 결합하여 행동하는 것이다.

② 레윈(Lewin)의 장설은 후천적으로 얻게 되는 반사작용으로 행동을 발생시킨다는 것이다.

③ 톨만(Tolman)의 기호형태설은 학습자의 머릿속에 인지적 지도 같은 인지구조를 바탕으로 학습하려는 것이다.

④ 손다이크(Thorndike)의 시행착오설은 내적, 외적의 전체 구조를 새로운 시점에서 파악하여 행동하는 것이다.

해설

1. 조건반사설(Pavlov) : 일정한 훈련을 받으면 동일한 반응이나 새로운 행동의 변용을 가져 올 수 있다.
2. 장이론(Lewin) : 개인의 심리학적 장이나 생활공간에서 동시에 작용하는 힘이 심리학적 행동에 영향을 미친다.
3. 기호형태설(Tolman) : 학습자의 머릿 속에 인지적 지도 같은 인지구조를 바탕으로 학습하려는 것
4. 시행 착오설(Thorndike) : 맹목적 시행을 반복하는 가운데 자극과 반응이 결합하여 행동하는 것(성공한 행동은 각인되고 실패한 행동은 배제)

113 파블로프(Pavlov)의 조건반사설에 의한 학습이론의 원리가 아닌 것은?

① 준비성의 원리   ② 일관성의 원리
③ 계속성의 원리   ④ 강도의 원리

해설

학습의 원리

조건반사설 (Pavlov)	시행 착오설 (Thorndike)	조작적 조건 형성이론 (Skinner)
1. 강도의 원리 2. 일관성의 원리 3. 시간의 원리 4. 계속성의 원리	1. 효과의 법칙 2. 준비성의 법칙 3. 연습의 법칙	1. 강화의 원리 2. 소거의 원리 3. 조형의 원리 4. 자발적 회복의 원리 5. 변별의 원리

 TIP 손다이크(Thorndike)의 시행착오설에 의한 학습의 법칙도 시험에 출제되고 있습니다. 비교해서 기억하세요.

114 경험한 내용이나 학습된 행동을 다시 생각하여 작업에 적용하지 아니하고 방치함으로써 경험의 내용이나 인상이 약해지거나 소멸되는 현상을 무엇이라 하는가?

① 착각   ② 훼손
③ 망각   ④ 단절

해설

망각

경험한 내용이나 학습된 행동을 다시 생각하여 작업에 적용하지 아니하고 방치함으로써 경험의 내용이나 인상이 약해지거나 소멸되는 현상

115 다음 중 망각을 방지하고 파지를 유지하기 위한 방법으로 적절하지 않은 것은?

① 적절한 지도계획 수립과 연습을 한다.

② 학습하고 장시간 경과 후 연습을 하는 것이 효과적이다.

③ 학습한 내용은 일정한 간격을 두고 때때로 연습시키는 것도 효과가 있다.

④ 학습자료는 학습자에게 의미를 알도록 질서 있게 학습 시키는 것이 좋다.

해설

망각의 방지법(파지를 유지하기 위한 방법)
1. 적절한 지도계획을 수립하여 연습을 한다.
2. 연습은 학습한 직후에 시키는 것이 효과가 있으며, 일정한 간격을 두고 때때로 연습을 시킨다.
3. 학습자료는 학습자에게 의미를 알도록 질서 있게 학습을 시킨다.

4. 학습 직후부터 반복적인 교육훈련을 실시한다.

> **TIP** 파지 : 학습된 내용이 지속되는 현상

116 다음 중 한 번 학습한 결과가 다른 학습이나 반응에 영향을 주는 것으로 특히 학습효과를 설명할 때 많이 쓰이는 용어는?

① 학습의 연습
② 학습곡선
③ 학습의 전이
④ 망각 곡선

해설

전이(transfer)
어떤 내용의 학습결과 다른 학습이나 반응에 영향을 주는 현상으로 학습효과의 전이라고도 한다.(선행학습이 다른 학습에 도움이 될 수도 있고 방해가 될 수도 있는 현상)

117 다음 중 학습 전이의 조건과 가장 거리가 먼 것은?

① 학습자의 태도 요인
② 학습자의 지능 요인
③ 학습자료의 유사성의 요인
④ 선행학습과 후행학습의 공간적 요인

해설

학습 전이의 조건(영향요소)
1. 학습의 정도
2. 학습의 방법
3. 학습자의 태도
4. 과거의 경험
5. 학습자료의 유의성
6. 학습자료의 제시방법
7. 학습자의 지능요인
8. 시간적인 간격의 요인 등

118 먼저 실시한 학습이 뒤의 학습을 방해하는 조건이 아닌 것은?

① 앞의 학습이 불완전한 경우
② 앞의 학습내용과 뒤의 학습내용이 다른 경우
③ 뒤의 학습을 앞의 학습 직후에 실시하는 경우
④ 앞의 학습에 대한 내용을 재생(再生)하기 직전에 실시하는 경우

해설

먼저 실시한 학습이 뒤의 학습을 방해하는 조건
1. 앞의 학습이 불완전한 경우
2. 뒤의 학습을 앞의 학습 직후에 실시하는 경우

3. 앞의 학습내용을 재생(再生)하기 직전에 실시하는 경우
4. 앞뒤의 학습내용이 비슷한 경우

119 다음 중 억압당한 욕구가 사회적·문화적으로 가치 있는 목적으로 향하여 노력함으로써 욕구를 충족하는 적응기제(Adjustment Mechanism)를 무엇이라 하는가?

① 보상
② 투사
③ 승화
④ 합리화

해설

적응기제

투사	자기 마음속의 억압된 것을 다른 사람의 것으로 생각하는 것
동일화	다른 사람의 행동양식이나 태도를 투입하거나 다른 사람 가운데서 자기와 비슷한 것을 발견하게 되는 것
승화	억압당한 욕구가 사회적·문화적으로 가치 있는 목적으로 향하여 노력함으로써 욕구를 충족하는 행위
합리화	자기의 난처한 입장이나 실패의 결점을 이유나 변명으로 일관하는 것

> **TIP** 합리화의 내용도 시험에 출제되고 있습니다. 비교해서 기억하세요.

120 다음 중 적응기제(適應機制)에 있어 도피적 기제의 유형에 해당되지 않는 것은?

① 합리화
② 고립
③ 퇴행
④ 억압

해설

적응기제의 기본유형

공격적 기제(행동)	도피적 기제(행동)	방어적(절충적) 기제(행동)
1. 직접적 공격 기제 : 폭행, 싸움, 기물파손 등 2. 간접적 공격 기제 : 비난, 폭언, 욕설 등	1. 백일몽 2. 퇴행 3. 억압 4. 반동형성 5. 고립 등	1. 승화 2. 보상 3. 합리화 4. 투사 5. 동일화 등

> **TIP** 적응기제의 기본유형은 자주 출제되고 있습니다. 방어적 기제를 중점적으로 기억하세요.

121 안전교육의 내용에 있어 다음 설명과 가장 관계가 깊은 것은?

- 교육대상자가 그것을 스스로 행함으로 얻어진다.
- 개인의 반복적 시행착오에 의해서만 얻어진다.

① 안전지식의 교육
② 안전기능의 교육
③ 문제해결의 교육
④ 안전태도의 교육

해설

기능교육(제2단계)
1. 시범, 견학, 실습, 현장실습을 통한 경험 체득과 이해
2. 교육 대상자가 스스로 행함으로써 습득하는 교육
3. 같은 내용을 반복해서 개인의 시행착오에 의해서만 얻어지는 교육

122 안전·보건교육의 단계별 교육과정 중 근로자가 지켜야 할 규정의 숙지를 위한 교육에 해당하는 것은?

① 지식교육
② 태도교육
③ 문제해결교육
④ 기능교육

해설

지식교육(제1단계)
1. 강의, 시청각교육을 통한 지식의 전달과 이해
2. 근로자가 지켜야 할 규정의 숙지를 위한 교육

123 다음의 교육내용과 관련 있는 교육은?

- 작업동작 및 표준작업방법의 습관화
- 공구·보호구 등의 관리 및 취급태도의 확립
- 작업 전후의 점검, 검사요령의 정확화 및 습관화

① 지식교육
② 기능교육
③ 태도교육
④ 문제해결교육

해설

태도교육의 내용
1. 표준작업방법의 습관화
2. 공구, 보호구의 관리 및 취급태도의 확립
3. 작업 전후의 점점 및 검사 요령의 정확한 습관화
4. 안전작업의 지시, 전달, 확인 등 언어태도의 습관화 및 정확화

124 다음 중 안전보건교육의 단계별 종류에 해당하지 않는 것은?

① 지식교육
② 기초교육
③ 태도교육
④ 기능교육

해설

안전보건교육의 3단계

제1단계	제2단계	제3단계
지식교육 ⇒	기능교육 ⇒	태도교육

TIP 안전보건교육의 단계별 순서도 시험에 출제되고 있습니다. 함께 기억하세요.

125 다음 중 태도교육을 통한 안전태도 형성요령과 가장 거리가 먼 것은?

① 이해한다.
② 칭찬한다.
③ 모범을 보인다.
④ 금전적 보상을 한다.

해설

태도교육의 기본과정(순서)

청취	이해하고 납득	모범	평가, 권장
들어본다.	이해시킨다.	시범을 보인다.	평가한다.

TIP 안전태도교육의 순서도 시험에 출제되고 있습니다. 함께 기억하세요.

126 다음 중 안전·보건교육계획의 수립 시 고려할 사항으로 가장 거리가 먼 것은?

① 현장의 의견을 충분히 반영한다.
② 대상자의 필요한 정보를 수집한다.
③ 안전교육시행체계와의 연관성을 고려한다.
④ 정부 규정에 의한 교육에 한정하여 실시한다.

해설

법 규정에 의한 교육에만 그치지 않는다.

PART 01
PART 02
PART 03
PART 04
PART 05
PART 06
PART 07

127 다음 중 안전교육계획 수립 시 포함하여야 할 사항과 가장 거리가 먼 것은?

① 교재의 준비
② 교육기간 및 시간
③ 교육의 종류 및 교육대상
④ 교육담당자 및 강사

해설

안전보건교육 계획 수립 시 포함하여야 할 사항(통합계획)
1. 교육목표(교육계획 수립 시 첫째 과제)
2. 교육의 종류 및 교육대상
3. 교육방법
4. 교육의 과목 및 교육내용
5. 교육 기간 및 시간
6. 교육장소
7. 교육 담당자 및 강사
※ 교육계획을 수립하는 데 있어 가장 최우선적으로 고려해야 할 사항은 교육대상이 누구인지를 정하는 것이다.

128 산업안전보건법령상 근로자 안전·보건교육의 교육시간에 관한 설명으로 옳은 것은?

① 사무직에 종사하는 근로자의 정기교육은 매반기 6시간 이상이다.
② 관리감독자 정기교육은 연간 8시간 이상이다.
③ 일용근로자의 작업내용 변경 시의 교육은 2시간 이상이다.
④ 일용근로자의 채용 시의 교육은 4시간 이상이다.

해설

근로자 안전·보건교육
• 사무직 종사 근로자의 정기교육 : 매반기 6시간 이상
• 관리감독자의 정기교육 : 연간 16시간 이상
• 일용근로자 및 근로계약기간이 1주일 이하인 기간제근로자 작업내용 변경 시의 교육 : 1시간 이상
• 일용근로자 및 근로계약기간이 1주일 이하인 기간제근로자 채용 시의 교육 : 1시간 이상

129 산업안전보건법상 근로자 안전보건교육 중 근로자 정기교육의 교육내용에 해당되지 않는 것은?

① 산업보건 및 건강장해 예방에 관한 사항
② 건강증진 및 질병 예방에 관한 사항
③ 유해·위험 작업환경 관리에 관한 사항
④ 표준안전 작업방법 결정 및 지도·감독 요령에 관한 사항

해설

근로자 정기교육
1. 산업안전 및 산업재해 예방에 관한 사항(화재·폭발 사고 발생 시 대피에 관한 사항을 포함)
2. 산업보건 및 건강장해 예방에 관한 사항(폭염·한파작업으로 인한 건강장해 발생 시 응급조치에 관한 사항을 포함)
3. 위험성 평가에 관한 사항
4. 건강증진 및 질병 예방에 관한 사항
5. 유해·위험 작업환경 관리에 관한 사항
6. 산업안전보건법령 및 산업재해보상보험 제도에 관한 사항
7. 직무스트레스 예방 및 관리에 관한 사항
8. 직장 내 괴롭힘, 고객의 폭언 등으로 인한 건강장해 예방 및 관리에 관한 사항

130 다음 중 산업안전보건법령상 안전보건관리책임자 등의 안전보건교육시간 기준으로 틀린 것은?

① 보건관리자의 보수교육 : 24시간 이상
② 안전관리자의 신규교육 : 34시간 이상
③ 안전보건관리책임자의 보수교육 : 6시간 이상
④ 건설재해예방전문지도기관 종사자의 신규교육 : 24시간 이상

해설

안전보건관리책임자 등에 대한 교육시간

교육대상	교육시간	
	신규교육	보수교육
가. 안전보건관리책임자	6시간 이상	6시간 이상
나. 안전관리자, 안전관리전문기관의 종사자	34시간 이상	24시간 이상
다. 보건관리자, 보건관리전문기관의 종사자	34시간 이상	24시간 이상
라. 건설재해예방전문지도기관의 종사자	34시간 이상	24시간 이상
마. 석면조사기관의 종사자	34시간 이상	24시간 이상
바. 안전보건관리담당자	–	8시간 이상
사. 안전검사기관, 자율안전검사기관의 종사자	34시간 이상	24시간 이상

131 다음 중 산업안전보건법상 안전보건교육에 있어 관리감독자의 정기교육 내용이 아닌 것은?

① 정리정돈 및 청소에 관한 사항

② 유해 · 위험 작업환경 관리에 관한 사항

③ 표준안전 작업방법 결정 및 지도 · 감독 요령에 관한 사항

④ 작업공정의 유해 · 위험과 재해 예방대책에 관한 사항

해설

관리감독자 정기교육
1. 산업안전 및 산업재해 예방에 관한 사항(화재 · 폭발 사고 발생 시 대피에 관한 사항을 포함)
2. 산업보건 및 건강장해 예방에 관한 사항(폭염 · 한파작업으로 인한 건강장해 발생 시 응급조치에 관한 사항을 포함)
3. 위험성평가에 관한 사항
4. 유해 · 위험 작업환경 관리에 관한 사항
5. 산업안전보건법령 및 산업재해보상보험 제도에 관한 사항
6. 직무스트레스 예방 및 관리에 관한 사항
7. 직장 내 괴롭힘, 고객의 폭언 등으로 인한 건강장해 예방 및 관리에 관한 사항
8. 작업공정의 유해 · 위험과 재해 예방대책에 관한 사항
9. 사업장 내 안전보건관리체제 및 안전 · 보건조치 현황에 관한 사항
10. 표준안전 작업방법 결정 및 지도 · 감독 요령에 관한 사항
11. 현장근로자와의 의사소통능력 및 강의능력 등 안전보건 교육 능력 배양에 관한 사항
12. 비상시 또는 재해 발생 시 긴급조치에 관한 사항
13. 그 밖의 관리감독자의 직무에 관한 사항

132 산업안전보건법상 근로자 안전보건교육 중 채용 시 교육 및 작업내용 변경 시의 교육내용이 아닌 것은?

① 기계 · 기구의 위험성과 작업의 순서 및 동선에 관한 사항

② 정리정돈 및 청소에 관한 사항

③ 물질안전보건자료에 관한 사항

④ 표준안전 작업방법 결정 및 지도 · 감독 요령에 관한 사항

해설

근로자 채용 시 교육 및 작업내용 변경 시 교육
1. 산업안전 및 산업재해 예방에 관한 사항(화재 · 폭발 사고 발생 시 대피에 관한 사항을 포함)
2. 산업보건 및 건강장해 예방에 관한 사항
3. 위험성 평가에 관한 사항
4. 산업안전보건법령 및 산업재해보상보험 제도에 관한 사항
5. 직무스트레스 예방 및 관리에 관한 사항
6. 직장 내 괴롭힘, 고객의 폭언 등으로 인한 건강장해 예방 및 관리에 관한 사항
7. 기계 · 기구의 위험성과 작업의 순서 및 동선에 관한 사항
8. 작업 개시 전 점검에 관한 사항
9. 정리정돈 및 청소에 관한 사항
10. 사고 발생 시 긴급조치에 관한 사항
11. 물질안전보건자료에 관한 사항

133 다음 중 학생이 자기 학습속도에 따른 학습이 허용되어 있는 상태에서 학습자가 프로그램 자료를 가지고 단독으로 학습하도록 하는 교육방법은?

① 토의법

② 모의법

③ 실연법

④ 프로그램 학습법

해설

교육방법

강의법	교사가 일방적으로 학습자에게 정보를 제공하는 교사 중심적 형태의 교육방법으로 한 단원의 도입단계나 초보적인 단계에 대해서는 극히 효과가 큰 교육방법 (일방적 의사전달방법)
토의법	다양한 과제와 문제에 대해 학습자 상호 간에 솔직하게 의견을 내어 공통의 이해를 꾀하면서 그룹의 결론을 도출해가는 것으로 안전지식과 관리에 대한 유경험자에게 적합한 교육방법(쌍방적 의사전달방법)
실연법	학습자가 이미 설명을 듣거나 시범을 보고 알게 된 지식이나 기능을 강사의 감독 아래 직접적으로 연습해 적용해 보게 하는 교육방법
프로그램 학습법	학생이 자기 학습속도에 따른 학습이 허용되어 있는 상태에서 학습자가 프로그램 자료를 가지고 단독으로 학습하도록 하는 교육방법
모의법	실제의 장면이나 상태와 극히 유사한 상황을 인위적으로 만들어 그 속에서 학습하도록 하는 교육방법
시청각 교육법	시청각교재(TV, 비디오, 슬라이드, 사진, 그림, 도표 등)를 최대한 활용한 교육방법
시범	기능이나 작업과정을 학습시키기 위해 필요로 하는 분명한 동작을 제시하는 방법
반복법	이미 학습한 내용이나 기능을 반복해서 말하거나 실연토록 하는 방법

PART 01
PART 02
PART 03
PART 04
PART 05
PART 06
PART 07

| 구안법 | 학습자 마음속에 생각하고 있는 것을 외부에 구체적으로 실현하고 형상화하기 위해 학습자 스스로가 계획을 세워서 수행하는 학습활동으로 이루어지는 교육방법 |

 TIP 실연법, 모의법에 대해서도 시험에 출제되고 있습니다. 함께 기억하세요.

134 주로 관리감독자를 교육대상자로 하며 직무에 관한 지식, 작업을 가르치는 능력, 작업방법을 개선하는 기능 등을 교육 내용으로 하는 기업 내 정형교육은?

① TWI(Training Within Industry)
② MTP(Management Training Program)
③ ATT(American Telephone Telegram)
④ ATP(Administration Training Program)

해설

TWI의 교육 과정
1. Job Method Training(JMT) : 작업방법훈련, 작업개선훈련
2. Job Instruction Training(JIT) : 작업지도훈련
3. Job Relations Training(JRT) : 인간관계훈련, 부하통솔법
4. Job Safety Training(JST) : 작업안전훈련

TIP 교육과정의 종류와 과정에 따른 교육내용도 자주 출제되고 있습니다. 함께 기억하세요.

135 다음 중 교육훈련 방법에 있어 OJT(On the Job Training)의 특징이 아닌 것은?

① 다수의 근로자들에게 조직적 훈련이 가능하다.
② 개개인에게 적절한 지도 훈련이 가능하다.
③ 훈련 효과에 의해 상호 신뢰 이해도가 높아진다.
④ 직장의 실정에 맞게 실제적 훈련이 가능하다.

 해설

O.J.T(On the Job Training)
1. 정의 : 현장에서 직속상사가 부하직원에 대해서 일상 업무를 통하여 지식, 기능, 태도 및 문제해결 능력 등을 교육하는 방법으로 개별교육 및 추가지도에 적합한 교육형태
2. 특징
  ㉠ 직장의 실정에 맞는 구체적이고 실제적인 지도 교육이 가능하다.
  ㉡ 개개인에게 적절한 지도 훈련이 가능하다.(개인의 능력과 적성에 알맞은 맞춤교육이 가능하다)

  ㉢ 훈련 효과에 의해 상호 신뢰 이해도가 높아진다.(상사와의 의사 소통 및 신뢰도 향상에 도움이 된다)
  ㉣ 교육의 효과가 업무에 신속하게 반영된다.
  ㉤ 교육의 이해도가 빠르고 동기부여가 쉽다.
  ㉥ 교육으로 인해 업무가 중단되는 업무손실이 적다.
  ㉦ 교육경비의 절감효과가 있다.

136 교육훈련 기법 중 Off.J.T의 장점에 해당되지 않는 것은?

① 우수한 전문가를 강사로 활용할 수 있다.
② 특별 교재, 교구, 설비를 유효하게 활용할 수 있다.
③ 다수의 근로자에게 조직적 훈련이 가능하다.
④ 직장의 실정에 맞는 실제적인 교육이 가능하다.

해설

Off.J.T(Off the Job Training)
1. 정의 : 공통된 교육목적을 가진 근로자를 현장 외의 장소에 모아 실시하는 집체교육으로 집단교육에 적합한 교육형태
2. 특징
  ㉠ 외부의 전문가를 활용할 수 있다.(전문가를 초빙하여 강사로 활용이 가능하다)
  ㉡ 다수의 대상자에게 조직적 훈련이 가능하다.
  ㉢ 특별교재, 교구, 시설을 유효하게 사용할 수 있다.
  ㉣ 타 직종 사람과 많은 지식, 경험을 교류할 수 있다.
  ㉤ 업무와 분리되어 교육에 전념하는 것이 가능하다.
  ㉥ 교육목표를 위하여 집단적으로 협조와 협력이 가능하다.
  ㉦ 법규, 원리, 원칙, 개념, 이론 등의 교육에 적합하다.

137 다음 중 학습정도(Level of learning)의 4단계를 순서대로 옳게 나열한 것은?

① 이해 → 적용 → 인지 → 지각
② 인지 → 지각 → 이해 → 적용
③ 지각 → 인지 → 적용 → 이해
④ 적용 → 인지 → 지각 → 지각

해설

학습정도(level of learning)의 4단계

인지(to aquaint)	~을 인지하여야 한다.
지각(to know)	~을 알아야 한다.
이해(to understand)	~을 이해하여야 한다.
적용(to apply)	~을 ~에 적용줄 알아야 한다.

138 다음 중 학습목적을 세분하여 구체적으로 결정한 것을 무엇이라 하는가?

① 주제
② 학습목표
③ 학습정도
④ 학습성과

해설

학습성과의 개요
학습목적을 세분하여 구체적으로 결정한 것이다.
1. 학습성과의 설정에는 반드시 주제와 학습정도가 포함될 것
2. 학습목적에 적합하고 타당할 것
3. 구체적으로 서술할 것
4. 수강자의 입장에서 기술할 것

139 다음 중 교육 실시 원칙상 한 번에 하나씩 나누어 확실하게 이해시켜야 하는 단계는?

① 도입 단계
② 제시 단계
③ 적용 단계
④ 확인 단계

해설

교육방법의 4단계

단계		내용
제1단계	도입 (준비)	1. 학습할 준비를 시킨다. 2. 작업에 대한 흥미를 갖게 한다. 3. 학습자의 동기부여 및 마음의 안정
제2단계	제시 (설명)	1. 작업을 설명한다. 2. 한번에 하나 하나씩 나누어 확실하게 이해시켜야 한다. 3. 강의순서대로 진행하고 설명, 교재를 통해 듣고 말하는 단계
제3단계	적용 (응용)	1. 작업을 시켜본다. 2. 상호학습 및 토의 등으로 이해력을 향상시킨다. 3. 자율학습을 통해 배운 것을 학습한다.
제4단계	확인 (평가)	1. 가르친 뒤 살펴본다. 2. 잘못된 것을 수정한다. 3. 요점을 정리하여 복습한다.

TIP 교육방법의 4단계 순서 및 각 단계의 내용에 대해서도 자주 출제되고 있습니다. 함께 기억하세요.

140 안전교육방법 중 강의식 교육을 1시간 하려고 할 경우 가장 시간이 많이 소비되는 단계는?

① 도입
② 제시
③ 적용
④ 확인

해설

단계별 시간 배분(단위시간 1시간일 경우)

구분	도입	제시	적용	확인
강의식	5분	40분	10분	5분
토의식	5분	10분	40분	5분

141 다음 중 강의법에 대한 설명으로 틀린 것은?

① 많은 내용을 체계적으로 전달할 수 있다.
② 다수를 대상으로 동시에 교육할 수 있다.
③ 전체적인 전망을 제시하는 데 유리하다.
④ 수강자 개개인의 학습진도를 조절할 수 있다.

해설

강의식 교육의 장·단점

장점	1. 한번에 많은 사람이 지식을 부여받는다.(최적인원 40~50명) 2. 시간의 계획과 통제가 용이하다. 3. 체계적으로 교육할 수 있다. 4. 준비가 간단하고 어디에서도 가능하다. 5. 수업의 도입이나 초기 단계에 적용하는 것이 효과적이다.
단점	1. 가르치는 방법이 일방적·기계적·획일적이다. 2. 참가자는 대게 수동적 입장이며 참여가 제약된다. 3. 암기에 빠지기 쉽고, 현실에서 필요한 개념이 형성되기 어렵다.

142 토의식 교육방법 중 새로운 교재를 제시하고 거기에서의 문제점을 피교육자로 하여금 제기하게 하거나, 의견을 여러 가지 방법으로 발표하게 하고, 다시 깊이 파고 들어서 토의하는 방법은?

① 포럼(Forum)
② 심포지엄(Symposium)
③ 패널 디스커션(Panel Discussion)
④ 버즈세션(Buzz Session)

해설

토의법의 종류
1. 자유토의법 : 참가자가 주어진 주제에 대하여 자유로운 발표와 토의를 통하여 서로의 의견을 교환하고 상호 이해력을 높이며 의견을 절충해 나가는 방법
2. 패널 디스커션(Panel Discussion) : 전문가 4~5명이 피교육자 앞에서 자유로이 토의를 하고, 그 후에 피교육자 전원이 사회자의 사회에 따라 토의하는 방법

정답 138 ④ 139 ② 140 ② 141 ④ 142 ①

PART 01
PART 02
PART 03
PART 04
PART 05
PART 06
PART 07

3. 심포지엄(Symposium) : 발제자 없이 몇 사람의 전문가에 의하여 과제에 관한 견해를 발표한 뒤에 참가자로 하여금 의견이나 질문을 하게 하여 토의하는 방법
4. 포럼(Forum)
   ㉠ 사회자의 진행으로 몇 사람이 주제에 대하여 발표한 후 피교육자가 질문을 하고 토론해 나가는 방법
   ㉡ 새로운 자료나 주제를 내보이거나 발표한 후 피교육자로 하여금 문제나 의견을 제시하게 하고 다시 깊이 있게 토론해 나가는 방법
5. 버즈 세션(Buzz Session) : 6−6 회의라고도 하며, 참가자가 다수인 경우에 전원을 토의에 참가시키기 위한 방법으로 소집단을 구성하여 회의를 진행시키는 방법

> TIP 토의법의 종류 및 정의에 대해서도 자주 출제되고 있습니다. 심포지엄과 버즈 세션의 정의를 중점적으로 기억하세요.

143 다음 중 참가자에 일정한 역할을 주어 실제적으로 연기를 시켜봄으로써 자기의 역할을 보다 확실히 인식할 수 있도록 체험학습을 시키는 교육방법은?

① Role Playing
② Brainstorming
③ Action Playing
④ Fish Bowl Playing

해설

역할연기법(Role Playing)
참석자에게 어떤 역할을 주어서 실제로 직접 연기해 본 후 훈련이나 평가에 사용하는 교육방법

144 안전교육 중 프로그램 학습법의 장점으로 볼 수 없는 것은?

① 학습자의 학습 과정을 쉽게 알 수 있다.
② 지능, 학습속도 등 개인차를 충분히 고려할 수 있다.
③ 매 반응마다 피드백이 주어지기 때문에 학습자가 흥미를 가질 수 있다.
④ 여러 가지 수업 매체를 동시에 다양하게 활용할 수 있다.

해설

프로그램학습법(Programmed Self−instruction Method)
1. 정의 : 학생이 자기 학습속도에 따른 학습이 허용되어 있는 상태에서 학습자가 프로그램 자료를 가지고 단독으로 학습하도록 하는 교육방법
2. 장점
   ㉠ 수업의 모든 단계에서 적용이 가능하다.
   ㉡ 수강자들이 학습이 가능한 시간대의 폭이 넓다.
   ㉢ 개인차가 최대한 조절되어야 할 경우에도 가능하다. (지능, 학습속도 등 개인차를 충분히 고려할 수 있다)
   ㉣ 학습자의 학습과정을 쉽게 알 수 있다.
   ㉤ 매 반응마다 피드백이 주어지기 때문에 학습자가 흥미를 가질 수 있다.

145 산업안전보건법상 중대재해에 해당하지 않는 것은?

① 사망자가 2명 발생한 재해
② 6개월 요양을 요하는 부상자가 동시에 4명 발생한 재해
③ 부상자 또는 직업성 질병자가 동시에 12명 발생한 재해
④ 3개월 요양을 요하는 부상자가 1명, 2개월 요양을 요하는 부상자가 4명 발생한 재해

해설

중대재해
1. 사망자가 1명 이상 발생한 재해
2. 3개월 이상의 요양이 필요한 부상자가 동시에 2명 이상 발생한 재해
3. 부상자 또는 직업성 질병자가 동시에 10명 이상 발생한 재해

146 안전에 관한 기본 방침을 명확하게 해야 할 임무는 누구에게 있는가?

① 안전관리자
② 관리감독자
③ 근로자
④ 사업주

해설

사업주의 의무
1. 산업안전보건법에 따른 명령으로 정하는 산업재해 예방을 위한 기준
2. 근로자의 신체적 피로와 정신적 스트레스 등을 줄일 수 있는 쾌적한 작업환경의 조성 및 근로조건 개선
3. 해당 사업장의 안전 및 보건에 관한 정보를 근로자에게 제공
4. 다음의 어느 하나에 해당하는 자는 발주·설계·제조·수입 또는 건설을 할 때 이 법과 이 법에 따른 명령으로 정하는 기준을 지켜야 하고, 발주·설계·제조·수입 또는 건설에 사용되는 물건으로 인하여 발생하는 산업재해를 방지하기 위하여 필요한 조치를 하여야 한다.
   ㉠ 기계·기구와 그 밖의 설비를 설계·제조 또는 수입하는 자

ⓛ 원재료 등을 제조 · 수입하는 자
ⓒ 건설물을 발주 · 설계 · 건설하는 자

147 산업안전보건법령상 같은 장소에서 행하여지는 사업으로서 사업의 일부를 분리하여 도급을 주어 하는 사업의 경우 산업재해를 예방하기 위한 조치로 구성 · 운영하는 안전 · 보건에 관한 협의체의 회의 주기로 옳은 것은?

① 매월 1회 이상
② 2개월 간격의 1회 이상
③ 3개월 내의 1회 이상
④ 6개월 내의 1회 이상

해설
협의체는 매월 1회 이상 정기적으로 회의를 개최하고 그 결과를 기록 · 보존하여야 한다.

148 산업안전보건법령상 잠함(潛函) 또는 잠수작업 등 높은 기압에서 하는 작업에 종사하는 근로자의 근로제한 시간으로 옳은 것은?

① 1일 6시간, 1주 34시간 초과금지
② 1일 6시간, 1주 36시간 초과금지
③ 1일 8시간, 1주 40시간 초과금지
④ 1일 8시간, 1주 44시간 초과금지

해설
유해 · 위험작업에 대한 근로시간 제한
유해하거나 위험한 작업으로서 대통령령으로 정하는(잠함 또는 잠수작업 등 높은 기압에서 하는) 작업에 종사하는 근로자에게는 1일 6시간, 1주 34시간을 초과하여 근로하게 하여서는 아니 된다.

149 다음 중 산업안전보건법령상 근로자에 대한 일반건강진단의 실시 시기가 올바르게 연결된 것은?

① 사무직에 종사하는 근로자 : 1년에 1회 이상
② 사무직에 종사하는 근로자 : 2년에 1회 이상
③ 사무직 외의 업무에 종사하는 근로자 : 6월에 1회 이상
④ 사무직 외의 업무에 종사하는 근로자 : 2년에 1회 이상

해설
일반건강진단
1. 사무직에 종사하는 근로자 : 2년에 1회 이상
2. 그 밖의 근로자 : 1년에 1회 이상

150 산업안전보건법상 사업장에서 보존하는 서류 중 2년간 보존해야 하는 서류에 해당하는 것은?(단, 고용노동부장관이 필요하다고 인정하는 경우는 제외한다)

① 건장진단에 관한 서류
② 노사협의체의 회의록
③ 작업환경측정에 관한 서류
④ 안전관리자, 보건관리자의 선임에 관한 서류

해설
서류의 보존(2년간 보존해야 하는 서류)
1. 산업안전보건위원회 회의 및 노사협의체의 회의에 따른 회의록
2. 자율안전확인대상기계 등을 제조하거나 수입하는 자는 자율안전기준에 맞는 것임을 증명하는 서류
3. 자율검사프로그램에 따라 실시한 검사 결과에 대한 서류

151 산업안전보건기준에 관한 규칙에 따른 프레스기의 작업 시작 전 점검사항이 아닌 것은?

① 클러치 및 브레이크의 기능
② 금형 및 고정볼트 상태
③ 방호장치의 기능
④ 언로드밸브의 기능

해설
프레스 등을 사용하여 작업을 하는 때 작업 시작 전 점검사항
1. 클러치 및 브레이크의 기능
2. 크랭크축 · 플라이휠 · 슬라이드 · 연결봉 및 연결 나사의 풀림 여부
3. 1행정 1정지기구 · 급정지장치 및 비상정지장치의 기능
4. 슬라이드 또는 칼날에 의한 위험방지기구의 기능
5. 프레스의 금형 및 고정볼트 상태
6. 방호장치의 기능
7. 전단기의 칼날 및 테이블의 상태

PART 01
PART 02
PART 03
PART 04
PART 05
PART 06
PART 07

152 다음 중 산소결핍이 예상되는 맨홀 내에서 작업을 실시할 때 사고 방지대책으로 적절하지 않은 것은?

① 작업 시작 전 및 작업 중 충분한 환기 실시
② 작업 장소의 입장 및 퇴장 시 인원점검
③ 방독마스크의 보급과 착용 철저
④ 작업장과 외부와의 상시 연락을 위한 설비 설치

해설

밀폐공간 작업 시 조치사항
1. 밀폐공간에서 작업하는 근로자가 산소결핍이나 유해가스로 인하여 추락할 우려가 있는 경우에는 해당 근로자에게 안전대나 구명밧줄, 공기호흡기 또는 송기마스크를 지급하여 착용하도록 하여야 한다.
2. 안전대나 구명밧줄을 착용하도록 하는 경우에 이를 안전하게 착용할 수 있는 설비 등을 설치하여야 한다.
3. 근로자는 지급된 보호구를 착용하여야 한다.

> **TIP** 1. 방독마스크는 산소결핍장소에서는 사용하지 말아야 한다.
> 2. 방독마스크는 산소농도가 18% 이상인 장소에서 사용하여야 한다.

PART 02

인간공학 및
위험성 평가 · 관리
예상문제

01 다음 중 인간공학의 정의로 가장 적합한 것은?

① 인간의 과오가 시스템에 미치는 영향을 최소화하기 위한 연구분야

② 인간, 기계, 물자, 환경으로 구성된 복잡한 체계의 효율을 최대로 활용하기 위하여 인간의 한계 능력을 최대화하는 학문분야

③ 인간, 기계, 물자, 환경으로 구성된 복잡한 체계의 효율을 최대로 활용하기 위하여 인간의 생리적, 심리적 조건을 시스템에 맞추는 학문분야

④ 인간의 특성과 한계 능력을 공학적으로 분석, 평가하여 이를 복잡한 체계의 설계에 응용함으로써 효율을 최대로 활용할 수 있도록 하는 학문분야

해설
인간공학의 정의
1. 인간의 특성과 한계 능력을 공학적으로 분석 · 평가하여 이를 복잡한 체계의 설계에 응용함으로써 효율을 최대로 활용할 수 있도록 하는 학문분야이다.
2. 인간의 생리적 · 심리적 요소를 연구하여 기계나 설비를 인간의 특성에 맞추어 설계하고자 하는 것이다.

02 다음 중 인간공학적 설계 대상에 해당되지 않는 것은?

① 물건(Objects)　　② 기계(Machinery)
③ 환경(Environment)　④ 보전(Maintenance)

해설
인간공학의 초점은 인간이 만들어 생활의 여러 가지 면에서 사용하는 물건, 기구 또는 환경을 설계하는 과정에서 인간을 고려하는 데 있다.

03 다음 중 인간공학을 나타내는 용어로 적절하지 않은 것은?

① ergonomics　　　② human factors
③ human engineering　④ customize engineering

해설
인간공학 용어
1. ergonomics : 유럽을 중심으로 작업자와 생산성에 초점을 맞춘 연구에 주로 사용
　ergon(작업의 의미를 가진 그리스어 : work) + nomos(법칙의 의미 : rules, law)의 두 단어로부터 만들어진 합성어
2. human factors engineering, human factors
　미국에서 실험심리학과 시스템 공학을 배경으로 국방문제에 초점을 맞춘 용어
3. human engineering, engineering psychology
　자기들의 연구 분야를 묘사하는 데 일부 사용하는 용어

04 다음 중 인간공학의 목표와 가장 거리가 먼 것은?

① 에러 감소　　　② 생산성 증대
③ 안전성 향상　　④ 신체 건강 증진

해설
인간공학의 목적
1. 안전성 향상 및 사고 방지
2. 기계조작의 능률성과 생산성의 향상
3. 작업환경의 쾌적성 향상

05 다음 중 인간공학을 기업에 적용할 때의 기대효과로 볼 수 없는 것은?

① 노사 간의 신뢰 저하
② 제품과 작업의 질 향상
③ 작업자의 건강 및 안전 향상
④ 이직률 및 작업손실시간의 감소

해설
사업장에서 인간공학의 효과
1. 생산성의 향상
2. 작업자의 건강 및 안전 향상
3. 직무 만족도의 향상
4. 이직률 및 작업손실시간의 감소
5. 노사 간의 신뢰 구축

06 다음 중 인간 – 기계 체제(Man – Machine System)의 연구 목적으로 가장 적절한 것은?

① 정보 저장의 극대화
② 운전 시 피로의 극소화
③ 시스템의 신뢰성 극대화
④ 안전을 극대화시키고 생산 능률을 향상

해설
인간 – 기계시스템(Man – Machine System)의 정의
어떤 환경조건하에서 주어진 입력으로부터 원하는 결과를 생성하기 위한 인간과 기계시스템의 기능적이고 조화로운 결합을 의미하는 것으로 주목적은 안전의 최대화와 능률의 극대화이다.

07 다음 중 인간공학에 있어서 일반적인 인간 – 기계 체계(Man – Machine System)의 구분으로 가장 적합한 것은?

① 인간체계, 기계체계, 전기체계
② 전기체계, 유압체계, 내연기관체계
③ 수동체계, 반기계체계, 반자동체계
④ 자동화체계, 기계화체계, 수동체계

해설
인간 – 기계 통합 체계의 유형
1. 수동시스템
2. 기계시스템
3. 자동시스템

08 인간 – 기계시스템에 관한 설명으로 틀린 것은?

① 수동시스템에서 기계는 동력원을 제공하고 인간의 통제하에서 제품을 생산한다.
② 기계시스템에서는 고도로 통합된 부품들로 구성되어 있으며, 일반적으로 변화가 거의 없는 기능들을 수행한다.
③ 자동시스템에서 인간은 감시, 정비, 보전 등의 기능을 수행한다.
④ 자동시스템에서 인간요소를 고려하여야 한다.

해설
수동시스템
1. 수공구나 기타 보조물로 이루어지며 자신의 신체적인 힘

을 원동력으로 사용하여 작업을 통제하는 시스템(인간이 사용자나 동력원으로 가능)
2. 다양성 있는 체계로 역할할 수 있는 능력을 충분히 활용하는 시스템
3. 예 : 장인과 공구, 가수와 앰프

> **TIP** 기계시스템 : 동력은 기계가 제공하며, 조종장치를 사용하여 통제하는 것은 사람이다.

09 다음 중 자동화시스템에서 인간의 기능으로 적절하지 않은 것은?

① 설비 보전
② 작업계획 수립
③ 조정 장치로 기계를 통제
④ 모니터로 작업 상황 감시

해설
자동시스템
1. 체계가 감지, 정보보관, 정보처리 및 의사결정, 행동을 포함한 모든 임무를 수행하는 체계
2. 신뢰성이 완전한 자동체계란 불가능하므로 인간은 감시, 정비, 보전, 계획수립 등의 기능을 수행
3. 예 : 자동화된 처리공장, 자동교환대, 컴퓨터

10 다음 중 인간 – 기계 통합 체계의 인간 또는 기계에 의해서 수행되는 기본 기능의 유형에 해당하지 않는 것은?

① 감지
② 정보 보관
③ 궤환
④ 행동

해설
체계(system)의 기본 기능 및 업무

| 인간기계 체계의 기본 기능 |

11 다음 중 인간 – 기계시스템의 설계 원칙으로 볼 수 없는 것은?

① 배열을 고려한 설계

② 양립성에 맞게 설계

③ 인체 특성에 적합한 설계

④ 기계적 성능에 적합한 설계

> **해설**
>
> 인간 – 기계체계의 설계 원칙
> 1. 배열을 고려한 설계
> 2. 양립성에 맞게 설계
> 3. 인체 특성에 적합한 설계
> 4. 인간의 기계적 성능에 맞도록 설계

12 다음 중 연구 기준의 요건에 대한 설명으로 옳은 것은?

① 적절성 : 반복 실험 시 재현성이 있어야 한다.

② 신뢰성 : 측정하고자 하는 변수 이외의 다른 변수의 영향을 받아서는 안 된다.

③ 무오염성 : 의도된 목적에 부합하여야 한다.

④ 민감도 : 피실험자 사이에서 볼 수 있는 예상 차이점에 비례하는 단위로 측정해야 한다.

> **해설**
>
> 연구 기준의 요건
> 1. 적절성(타당성) : 기준이 의도된 목적에 적당하다고 판단되는 정도
> 2. 무오염성 : 측정하고자 하는 변수 외의 다른 변수들의 영향을 받아서는 안 된다.
> 3. 기준척도의 신뢰성(reliability of criterion measure) : 사용되는 척도의 신뢰성, 즉 반복성을 말한다.
> 4. 민감도 : 기대되는 차이에 적합한 정도의 단위로 측정이 가능해야 한다. 즉, 피실험자 사이에서 볼 수 있는 예상 차이점에 비례하는 단위로 측정해야 함을 의미한다.

> **TIP** 연구 기준의 요건 종류 및 반복성, 무오염성의 정의도 함께 기억하세요.

13 다음 중 시스템 분석 및 설계에 있어서 인간공학의 가치와 가장 거리가 먼 것은?

① 훈련비용의 절감

② 인력 이용률의 향상

③ 생산 및 보전의 경제성 감소

④ 사고 및 오용으로부터의 손실 감소

> **해설**
>
> 생산 및 보전의 경제성 증대

14 인간 – 기계시스템의 설계를 6단계로 구분할 때 다음 중 첫 번째 단계에서 시행하는 것은?

① 기본설계

② 시스템의 정의

③ 인터페이스 설계

④ 시스템의 목표와 성능명세 결정

> **해설**
>
> 인간 – 기계체계 설계의 기본단계 순서
> 1. 제1단계 : 목표 및 성능 명세 결정
> 2. 제2단계 : 시스템(체계)의 정의
> 3. 제3단계 : 기본설계
> 4. 제4단계 : 인터페이스(계면) 설계
> 5. 제5단계 : 촉진물설계
> 6. 제6단계 : 시험 및 평가

15 인간 – 기계시스템에서 시스템의 설계를 다음과 같이 구분할 때 제3단계인 기본설계에 해당되지 않는 것은?

> 1단계 : 시스템의 목표와 성능 명세 결정
> 2단계 : 시스템의 정의
> 3단계 : 기본설계
> 4단계 : 인터페이스 설계
> 5단계 : 보조물 설계
> 6단계 : 시험 및 평가

① 작업설계

② 화면설계

③ 직무분석

④ 기능할당

> **해설**
>
> 제3단계 : 기본설계
> 주요 인간공학 활동에는 다음 4가지가 있다.
> 1. 인간, 하드웨어, 소프트웨어에 기능할당
> 2. 인간 성능 요건 명세
> 3. 직무분석
> 4. 작업설계

16 다음 중 인간이 현존하는 기계보다 우월한 기능이 아닌 것은?

① 귀납적으로 추리한다.
② 원칙을 적용하여 다양한 문제를 해결한다.
③ 다양한 경험을 토대로 하여 의사결정을 한다.
④ 명시된 절차에 따라 신속하고, 정량적인 정보처리를 한다.

해설
④는 기계가 인간보다 우수한 기능이다.

17 작업만족도(job satisfaction)는 작업설계(job design)를 함에 있어 철학적으로 고려해야 할 사항이다. 다음 중 작업만족도를 얻기 위한 수단으로 볼 수 없는 것은?

① 작업확대(job enlargement)
② 작업윤택화(job enrichment)
③ 작업감소(job reduce)
④ 작업순환(job rotation)

해설
작업설계 시 철학적으로 고려해야 할 점
1. 작업확대(job enlargement)
2. 작업윤택화(job enrichment)
3. 작업만족도(job satisfaction)
4. 작업순환(job rotation)

18 인간과 기계(환경) 계면에서 인간과 기계와의 조화성 3가지 차원에서 고려되는데 이에 해당하지 않는 것은?

① 신체적 조화성
② 지적 조화성
③ 감성적 조화성
④ 감각적 조화성

해설
계면 조화성의 3가지 차원
1. 신체적 조화성
2. 지적 조화성
3. 감성적 조화성

19 다음 중 일반적으로 인간의 눈이 완전 암조응에 걸리는 데 소요되는 시간을 가장 잘 나타낸 것은?

① 3～5분
② 10～15분
③ 30～40분
④ 60～90분

해설
암조응(Dark Adaptation)
1. 밝은 곳에서 어두운 곳으로 이동할 때 새로운 광도수준에 대한 적응
2. 어두운 곳에서 원추세포는 색에 대한 감수성을 상실하게 되고 간상세포에 의존하게 되므로 색의 식별은 제한된다.
3. 완전 암조응은 보통 30～40분이 소요된다.

20 다음 중 정량적 표시장치에 관한 설명으로 옳은 것은?

① 연속적으로 변화하는 양을 나타내는 데에는 일반적으로 아날로그보다 디지털 표시장치가 유리하다.
② 정확한 값을 읽어야 하는 경우 일반적으로 디지털보다 아날로그 표시장치가 유리하다.
③ 동침(moving pointer)형 아날로그 표시장치는 바늘의 진행 방향과 증감 속도에 대한 인식적인 암시 신호를 얻는 것이 불가능한 단점이 있다.
④ 동목(moving scale)형 아날로그 표시장치는 표시장치의 면적을 최소화할 수 있는 장점이 있다.

해설
정침동목형(moving scale)
1. 지침이 고정되고 눈금이 움직이는 형(이동눈금 고정지침 표시장치)
2. 나타내고자 하는 값의 범위가 클 때, 비교적 작은 눈금판에 모두 나타내고자 할 때(공간을 적게 차지하는 이점이 있음)

21 다음 중 아날로그 표시장치를 선택하는 일반적인 요구사항으로 틀린 것은?

① 일반적으로 동침형보다 동목형을 선호한다.
② 일반적으로 동침과 동목은 혼용하여 사용하지 않는다.
③ 움직이는 요소에 대한 수동 조절을 설계할 때는 바늘(pointer)을 조정하는 것이 눈금을 조정하는 것보다 좋다.
④ 중요한 미세한 움직임이나 변화에 대한 정보를 표시할 때는 동침형을 사용한다.

PART 01
PART 02
PART 03
PART 04
PART 05
PART 06
PART 07

일반적으로 고정눈금에서 지침이 움직이는 것이 좋다.

22 다음 중 정량적 자료를 정성적 판독의 근거로 사용하는 경우로 볼 수 없는 것은?

① 미리 정해 놓은 몇 개의 한계범위에 기초하여 변수의 상태나 조건을 판정할 때
② 목표로 하는 어떤 범위의 값을 유지할 때
③ 변화 경향이나 변화율을 조사하고자 할 때
④ 세부 형태를 확대하여 동일한 시각을 유지해 주어야 할 때

해설

정량적 자료를 정성적 판독의 근거로 사용하는 경우
1. 변수의 상태나 조건이 미리 정해 놓은 몇 개의 범위 중 어디에 속하는가를 판정할 때(휴대용 라디오 전지상태를 나타내는 초소형 전압계)
2. 적정한 어떤 범위의 값을 일정하게 유지하고자 할 때(자동차 시속을 50~60km로 유지하는 것처럼)
3. 변화 추세나 변화율을 관찰하고자 할 때(비행 고도의 변화율을 볼 때와 같이)

23 다음 중 일반적으로 대부분의 임무에서 시각적 암호의 효능에 대한 결과에서 가장 성능이 우수한 암호는?

① 구성 암호
② 영자와 형상 암호
③ 숫자 및 색 암호
④ 영자 및 구성 암호

해설

암호로서의 성능이 가장 좋은 것의 배열순서
숫자, 색 암호 → 영문자 암호 → 기하학적 형상 암호 → 구성 암호

24 안전 · 보건표지에서 경고표지는 삼각형, 안내표지는 사각형, 지시표지는 원형 등으로 부호가 고안되어 있다. 이처럼 부호가 이미 고안되어 이를 사용자가 배워야 하는 부호를 무엇이라 하는가?

① 묘사적 부호
② 추상적 부호
③ 임의적 부호
④ 사실적 부호

해설

부호의 유형

묘사적 부호	사물이나 행동을 단순하고 정확하게 나타낸 부호 **예** 위험 표지판의 해골과 뼈, 보도 표지판의 걷는 사람, 소방안전표지판의 소화기 등
추상적 부호	전언의 기본요소를 도식적으로 압축한 부호(원개념과는 약간의 유사성만 존재) **예** 별자리를 나타내는 12궁도
임의적 부호	부호가 이미 고안되어 이를 사용자가 배워야 하는 부호 **예** 경고표지는 삼각형, 안내표지는 사각형, 지시표지는 원형 등

TIP 묘사적 부호의 예시도 함께 기억하세요.

25 소음원으로부터의 거리와 음압수준은 역비례한다. 동일한 소음원에서 거리가 2배 증가하면 음압수준은 몇 dB 정도 감소하는가?

① 2dB
② 3dB
③ 6dB
④ 9dB

해설

거리에 따른 음의 강도 변화

1. $dB_2 = dB_1 - 20\log\left(\dfrac{d_2}{d_1}\right) \rightarrow dB_1 - dB_2 = 20\log\left(\dfrac{d_2}{d_1}\right)$

2. $dB_1 - dB_2 = 20\log\left(\dfrac{2}{1}\right) = 6[dB]$

26 다음 중 음량 수준을 평가하는 척도와 관계없는 것은?

① phon
② HSI
③ PLdB
④ sone

해설

음량 수준의 측정 척도

phon에 의한 음량 수준	1. 정량적 평가를 하기 위한 음량 수준 척도로 단위는 phon 2. 어떤 음의 phon치로 표시한 음량 수준은 이 음과 같은 크기로 들리는 1000Hz 순음의 음압 수준(dB)이다.
sone에 의한 음량	1. 40dB의 1,000Hz 순음의 크기(=40phon)를 1sone이라 정의한다. 2. 기준음보다 10배 크게 들리는 음은 10sone의 음량을 갖는다.
인식 소음 수준	1. PNdB의 인식 소음 수준의 척도는 같은 소음으로 들리는 910~1,090Hz대의 소음 음압 수준으로 정의 2. PLdB 인식 소음 수준의 척도는 3,150Hz에 중심을 둔 1/3 옥타브대 음을 기준으로 사용

27 소리의 크고 작은 느낌은 주로 강도의 함수이지만 진동수에 의해서도 일부 영향을 받는다. 음량을 나타내는 척도인 phon의 기준 순음 주파수는?

① 1,000Hz
② 2,000Hz
③ 3,000Hz
④ 4,000Hz

해설

phon에 의한 음량 수준
1. 정량적 평가를 하기 위한 음량 수준 척도로 단위는 phon
2. 어떤 음의 phon치로 표시한 음량 수준은 이 음과 같은 크기로 들리는 1,000Hz 순음의 음압 수준(dB)이다.

28 정보를 전송하기 위하여 표시장치를 선택할 때 시각장치보다 청각장치를 사용하는 것이 더 좋은 경우는?

① 메시지가 즉각적인 행동을 요구하는 경우
② 메시지가 공간적인 위치를 다루는 경우
③ 메시지가 이후에 다시 참조되는 경우
④ 직무상 수신자가 한곳에 머무르는 경우

해설

청각장치와 시각장치의 비교

청각적 표시장치	시각적 표시장치
1. 전언이 간단하다.	1. 전언이 복잡하다.
2. 전언이 짧다.	2. 전언이 길다.
3. 전언이 후에 재참조되지 않는다.	3. 전언이 후에 재참조된다.
4. 전언이 시간적 사상을 다룬다.	4. 전언이 공간적인 위치를 다룬다.
5. 전언이 즉각적인 행동을 요구한다.(긴급할 때)	5. 전언이 즉각적인 행동을 요구하지 않는다.
6. 수신장소가 너무 밝거나 암조응 유지가 필요시	6. 수신장소가 너무 시끄러울 때
7. 직무상 수신자가 자주 움직일 때	7. 직무상 수신자가 한곳에 머물 때
8. 수신자가 시각계통이 과부하상태일 때	8. 수신자의 청각 계통이 과부하상태일 때

TIP 청각적 표시장치보다 시각적 표시장치를 이용하는 경우도 출제됩니다. 비교해서 기억하세요.

29 다음 중 청각 표시장치에서 경계 및 경보 신호를 선택, 설계할 때의 지침으로 틀린 것은?

① 배경소음과 다른 진동수를 갖는 신호를 사용한다.
② 300m 이상의 장거리용으로는 1,000Hz 이상의 진동수를 사용한다.

③ 칸막이를 통과하는 신호는 500Hz 이하의 진동수를 사용한다.
④ 귀는 중음역에 가장 민감하므로 500~3,000Hz의 진동수를 사용한다.

해설

고음은 멀리 가지 못하므로 300m 이상의 장거리용으로는 1,000Hz 이하의 진동수를 사용한다.

30 다음 중 인간이 감지할 수 있는 외부의 물리적 자극 변화의 최소범위는 기준이 되는 자극의 크기에 비례하는 현상을 설명한 이론은?

① 웨버(Weber) 법칙
② 피츠(Fitts) 법칙
③ 신호검출이론(SDT)
④ 힉 – 하이만(Hick – Hyman) 법칙

해설

웨버(Weber)의 법칙
1. 음의 높이, 무게, 빛의 밝기 등 물리적 자극을 상대적으로 판단하는 데 있어 특정감각기관의 변화감지역은 표준자극에 비례한다는 법칙
2. 감각기관의 표준자극과 변화감지역의 연관관계
3. 변화감지역은 사용되는 표준자극의 크기에 비례
4. 원래 자극의 강도가 클수록 변화 감지를 위한 자극의 변화량은 커지게 된다.

$$\text{Weber비} = \frac{\Delta I}{I} = \frac{\text{변화감지역}}{\text{표준자극}}$$

여기서, ΔI : 변화감지역, I : 표준자극

5. Weber비가 작을수록 분별력이 뛰어난 감각이다.

31 청각적 표시장치의 설계 시 적용하는 일반 원리의 설명으로 틀린 것은?

① 양립성이란 긴급용 신호일 때는 낮은 주파수를 사용하는 것을 의미한다.
② 근사성이란 복잡한 정보를 나타내고자 할 때 2단계의 신호를 고려하는 것을 말한다.
③ 분리성이란 두 가지 이상의 채널을 듣고 있다면 각 채널의 주파수가 분리되어 있어야 한다는 의미이다.
④ 검약성이란 조작자에 대한 입력신호는 꼭 필요한 정보만을 제공하는 것이다.

정답 27 ① 28 ① 29 ② 30 ① 31 ①

01 PART
02 PART
03 PART
04 PART
05 PART
06 PART
07 PART

양립성
가능한 한 사용자가 알고 있거나 자연스러운 신호차원과 코드를 선택한다.(긴급용 신호일 때는 높은 주파수를 사용한다.)

32 다음 중 통화이해도를 측정하는 지표로서, 각 옥타브(octave)대의 음성과 잡음의 데시벨(dB)값에 가중치를 곱하여 합계를 구하는 것을 무엇이라 하는가?

① 이해도 점수
② 통화 간섭 수준
③ 소음 기준 곡선
④ 명료도 지수

해설

통화이해도의 척도

통화이해도 시험	의미 없는 음절, 음성학적으로 균형 잡힌 단어 목록, 운율시험, 문장시험 문제들로 이루어진 자료를 수화자에게 전달하고 이를 반복하게 하여 정답 수를 평가
명료도 지수	옥타브대의 음성과 잡음의 dB값에 가중치를 곱하여 합계를 구하는 것
이해도 점수	송화 내용 중에서 알아들은 비율(%)
통화간섭 수준	통화 이해도에 끼치는 잡음의 영향을 추정하는 지수
소음기준 곡선	사무실, 회의실, 공장 등에서의 통화평가 방법

33 말소리의 질에 대한 객관적 측정 방법으로 명료도 지수를 사용하고 있다. 그림에서와 같은 경우 명료도 지수는 약 얼마인가?

	I	II	III	IV
말소리(S)/방해자극(N)	1/2	3/2	4/1	5/1
Log(S/N)	−0.7	0.18	0.6	0.7
말소리 중요도 가중치	1	1	2	1

① 0.38
② 0.68
③ 1.38
④ 5.68

해설

명료도 지수
옥타브대의 음성과 잡음의 dB값에 가중치를 곱하여 합계를 구하는 것을 말한다.

명료도 지수 $= (-0.7 \times 1) + (0.18 \times 1) + (0.6 \times 2) + (0.7 \times 1)$
$= 1.38$

34 다음 중 인체의 피부감각에 있어 민감한 순서대로 나열된 것은?

① 압각 – 온각 – 냉각 – 통각
② 냉각 – 통각 – 온각 – 압각
③ 온각 – 냉각 – 통각 – 압각
④ 통각 – 압각 – 냉각 – 온각

해설

피부 감각점과 분포 밀도 비교
감각점의 수가 많을수록 해당 감각은 예민하다.

감각점	온각	냉각	촉각	압각	통각(신경말단)
밀도 (개/cm²)	0~3개	6~23개	25개	100개	100~200개

35 인간의 감각 중 반응시간이 가장 빠른 것은?

① 시각
② 통각
③ 청각
④ 미각

해설

감각 기관별 자극반응시간

청각	촉각	시각	미각	통각
0.17초	0.18초	0.20초	0.29초	0.70초

> **TIP** 감각 기관별 자극반응시간의 빠른 순서를 나열하는 문제도 출제됩니다. 함께 기억하세요.

36 다음 중 정보의 촉각적 암호화 방법으로만 구성된 것은?

① 점자, 진동, 온도
② 초인종, 점멸등, 점자
③ 신호등, 경보음, 점멸등
④ 연기, 온도, 모스(Morse)부호

해설

동적 정보를 전달하는 촉각적 표시장치
1. 기계적 자극
   • 피부에 진동기를 부착 : 진동기의 위치, 진동수, 강도, 지속 시간 등의 변수를 사용하여 암호화
   • 증폭된 음성을 하나의 진동기를 사용하여 피부에 전달

정답 32 ④ 33 ③ 34 ④ 35 ③ 36 ①

2. 전기적 자극

- 통증을 주지 않을 정도의 맥동 전류 자극을 사용해야 한다.
- 강도, 극성(polarity), 지속 시간(duration), 시간 간격 (interval), 전극의 종류, 크기, 전극 간격(spacing) 등에 좌우됨

37 다음 중 인간 에러(Human Error)에 관한 설명으로 틀린 것은?

① Omission Error : 필요한 작업 또는 절차를 수행하지 않는 데 기인한 에러

② Commission Error : 필요한 작업 또는 절차의 수행 지연으로 인한 에러

③ Extraneous Error : 불필요한 작업 또는 절차를 수행함으로써 기인한 에러

④ Sequential Error : 필요한 작업 또는 절차의 순서 착오로 인한 에러

해설

인간실수의 분류(심리적인 분류)

생략에러 (Omission Error) 부작위 실수	필요한 직무 및 절차를 수행하지 않아(생략) 발생하는 에러 **예** 가스밸브를 잠그는 것을 잊어 사고가 났다.
작위에러 (Commission Error)	필요한 작업 또는 절차의 불확실한 수행 (잘못 수행)으로 인한 에러 **예** 전선이 바뀌었다, 틀린 부품을 사용하였다, 부품이 거꾸로 조립되었다. 등
순서에러 (Sequential Error)	필요한 작업 또는 절차의 순서 착오로 인한 에러 **예** 자동차 출발 시 핸드브레이크를 해제하지 않고 출발하여 발생한 에러
시간에러 (Time Error)	필요한 직무 또는 절차의 수행지연으로 인한 에러 **예** 프레스 작업 중에 금형 내에 손이 오랫동안 남아 있어 발생한 재해
과잉행동에러 (Extraneous Error)	불필요한 작업 또는 절차를 수행함으로써 기인한 에러 **예** 자동차 운전 중 습관적으로 손을 창문으로 내밀어 발생한 재해

TIP 인간실수의 분류 중에서 예시에 관해서도 출제되고 있습니다. 함께 기억하세요.

38 안전교육을 받지 못한 신입직원이 작업 중 전극을 반대로 끼우려고 시도했으나, 플러그의 모양이 반대로는 끼울 수 없도록 설계되어 있어서 사고를 예방할 수 있었다. 다음 중 작업자가 범한 에러와 이와 같은 사고 예방을 위해 적용된 안전설계 원칙으로 가장 적합한 것은?

① 누락(Omission) 오류, Fool Proof 설계원칙

② 누락(Omission) 오류, Fail Safe 설계원칙

③ 작위(Commission) 오류, Fool Proof 설계원칙

④ 작위(Commission) 오류, Fail Safe 설계원칙

해설

Fool Proof

작업자가 기계를 잘못 취급하여 불안전 행동이나 실수를 하여도 기계설비의 안전 기능이 작용되어 재해를 방지할 수 있는 기능을 가진 구조

39 다음 설명에서 해당하는 용어를 올바르게 나타낸 것은?

ⓐ : 요구된 기능을 실행하고자 하여도 필요한 물건, 정보, 에너지 등의 공급이 없기 때문에 작업자가 움직이려고 해도 움직일 수 없으므로 발생하는 과오

ⓑ : 작업자 자신으로부터 발생한 과오

① ⓐ : Secondary Error ⓑ : Command Error

② ⓐ : Command Error ⓑ : Primary Error

③ ⓐ : Primary Error ⓑ : Secondary Error

④ ⓐ : Command Error ⓑ : Secondary Error

해설

원인의 레벨(level)적 분류

Primary Error (1차 에러)	작업자 자신으로부터 발생한 에러
Secondary Error (2차 에러)	작업형태나 작업조건 중에서 다른 문제가 발생하여 필요한 직무나 절차를 수행할 수 없는 에러
Command Error (지시 에러)	작업자가 움직이려 해도 필요한 물건, 정보, 에너지 등이 공급되지 않아서 작업자가 움직일 수 없는 상황에서 발생한 에러

PART 01
PART 02
PART 03
PART 04
PART 05
PART 06
PART 07

40 다음 설명에 해당하는 인간의 오류모형은?

상황이나 목표의 해석은 정확하나 의도와는 다른 행동을 한 경우

① 착오(Mistake)
② 실수(Slip)
③ 건망증(Lapse)
④ 위반(Violation)

해설

인간의 오류 모형

착오 (Mistake)	상황해석을 잘못하거나 목표를 잘못 이해하고 착각하여 행하는 경우(어떤 목적으로 행동하려고 했는데 그 행동과 일치하지 않는 것)
실수 (Slip)	상황이나 목표의 해석을 제대로 했으나 의도와는 다른 행동을 하는 경우
건망증 (Lapse)	여러 과정이 연계적으로 계속하여 일어나는 행동 중 일부를 잊어버리고 하지 않거나 또는 기억의 실패에 의해 발생하는 오류
위반 (Violation)	정해진 규칙을 알고 있음에도 고의적으로 따르지 않거나 무시하는 행위

TIP 착오의 정의에 대해서도 함께 기억하세요.

41 다음 중 직무의 내용이 시간에 따라 전개되지 않고 명확한 시작과 끝을 가지고 미리 잘 정의되어 있는 경우 인간 신뢰도의 기본 단위를 나타내는 것은?

① bit
② HEP
③ $\lambda(t)$
④ $\alpha(t)$

해설

인간 실수 확률(HEP ; Human Error Probability)
특정한 직무에서 하나의 착오가 발생할 확률(할당된 시간은 내재적이거나 명시되지 않는다.)

$$HEP = \frac{인간의\ 실수\ 수}{전체\ 실수\ 발생\ 기회의\ 수}$$

42 다음 중 인체측정학에 있어 구조적 인체 치수는 신체가 어떠한 자세에 있을 때 측정한 치수를 말하는가?

① 양손을 벌리고 서있는 자세
② 고개를 들고 앉아 있는 자세
③ 움직이지 않고 고정된 자세
④ 누워서 편안히 쉬고 있는 자세

해설

인체 계측의 방법

구조적 인체 치수 (정적 측정)	표준 자세에서 움직이지 않는 피측정자를 인체 계측기 등으로 측정하는 것
기능적 인체 치수 (동적 측정)	인체 계측 중 운전 또는 워드 작업과 같이 인체의 각 부분이 서로 조화를 이루어 움직이는 자세에서의 인체치수를 측정하는 것

TIP 기능적 인체 치수도 함께 기억하세요.

43 다음 중 인체 측정 자료를 이용하여 설계하고자 할 때 적용기준이 잘못 연결된 것은?

① 의자의 높이 – 조절식 설계기준
② 안내 데스크 – 평균치를 기준으로 한 설계기준
③ 선반 높이 – 최대 집단치를 기준으로 한 설계기준
④ 출입문 – 최대 집단치를 기준으로 한 설계기준

해설

인체 계측 자료의 응용원칙 사례
1. 조절 가능한 설계 : 자동차 좌석의 전후 조절, 사무실 의자의 상하 조절, 책상높이 등
2. 극단치를 이용한 설계
   - 최대 집단치 설계 : 출입문, 탈출구의 크기, 통로, 그네, 줄사다리, 버스 내 승객용 좌석 간 거리, 위험구역 울타리 등
   - 최소 집단치 설계 : 선반의 높이, 조종장치까지의 거리(조작자와 제어버튼 사이의 거리), 비상벨의 위치 설계 등
3. 평균치를 이용한 설계 : 가게나 은행의 계산대, 식당 테이블, 출근버스의 손잡이 높이, 안내 데스크 등

44 작업자가 용이하게 기계·기구를 식별하도록 암호화(Coding)를 한다. 암호화 방법이 아닌 것은?

① 강도
② 형상
③ 크기
④ 색채

해설

암호화(코딩)의 종류
1. 색채 암호화
2. 형상 암호화
3. 크기 암호화
4. 촉감 암호화
5. 위치 암호화
6. 작동방법에 의한 암호화

45 다음 중 특정한 목적을 위해 시각적 암호, 부호 및 기호를 의도적으로 사용할 때에 반드시 고려하여야 할 사항과 가장 거리가 먼 것은?

① 검출성   ② 판별성
③ 심각성   ④ 양립성

해설

암호 체계 사용상의 일반적 지침
1. 암호의 검출성(detectability) : 검출이 가능하여야 한다.
2. 암호의 변별성(discriminability) : 다른 암호 표시와 구별될 수 있어야 한다.
3. 부호의 양립성(compatibility) : 자극들 간의, 반응들 간의, 자극–반응 조합의 관계가 인간의 기대와 모순되지 않는 것이다.
4. 부호의 의미 : 사용자가 그 뜻을 분명히 알 수 있어야 한다.
5. 암호의 표준화(standardization) : 암호를 표준화하여야 한다.
6. 다차원 암호의 사용(multidimensional) : 2가지 이상의 암호 차원을 조합해서 사용하면 정보전달이 촉진된다.

TIP 암호 체계 사용상의 일반적 지침의 개요도 함께 기억하세요.

46 다음 중 조종–반응비율(C/R비)에 관한 설명으로 틀린 것은?

① C/R비가 클수록 민감한 제어장치이다.
② "X"가 조종장치의 변위량, "Y"가 표시장치의 변위량일 때 $\frac{X}{Y}$로 표현한다.
③ Knob C/R비는 손잡이 1회전 시 움직이는 표시장치 이동거리의 역수로 나타낸다.
④ 최적의 C/R비는 제어장치의 종류나 표시장치의 크기, 허용오차 등에 의해 달라진다.

해설

최적 C/D비(C/R비)
1. 최적통제비는 이동시간과 조정시간의 교차점이다.
2. C/D비가 작을수록 이동시간은 짧고, 조종은 어려워서 민감한 조정장치이다.
3. C/D비가 클수록 미세한 조종은 쉽지만 수행시간은 상대적으로 길다.

47 어떠한 신호가 전달하려는 내용과 연관성이 있어야 하는 것으로 정의되며, 예로서 위험신호는 빨간색, 주의신호는 노란색, 안전신호는 파란색으로 표시하는 것은 다음 중 어떠한 양립성(compatibility)에 해당하는가?

① 공간양립성   ② 개념양립성
③ 동작양립성   ④ 형식양립성

해설

양립성의 종류

공간 양립성	1. 표시장치와 이에 대응하는 조종장치 간의 위치 또는 배열이 인간의 기대와 모순되지 않아야 한다. 2. 가스버너에서 오른쪽 조리대는 오른쪽 조절장치로, 왼쪽 조리대는 왼쪽 조절장치로 조정하도록 배치한다.
운동 양립성	1. 조작장치의 방향과 표시장치의 움직이는 방향이 사용자의 기대와 일치하는 것 2. 자동차를 운전하는 과정에서 우측으로 회전하기 위하여 핸들을 우측으로 돌린다.
개념 양립성	1. 사람들이 가지고 있는(이미 사람들이 학습을 통해 알고 있는) 개념적 연상에 관한 기대와 일치하는 것 2. 냉온수기에서 빨간색은 온수, 파란색은 냉수를 뜻함
양식 양립성	직무에 알맞은 자극과 응답의 양식의 존재에 대한 양립성

TIP 양립성의 종류 및 내용에 관련된 문제도 함께 기억하세요.

48 다음 중 수공구 설계의 기본원리로 가장 적절하지 않은 것은?

① 손잡이의 단면이 원형을 이루어야 한다.
② 정밀작업을 요하는 손잡이의 직경은 2.5~4cm로 한다.
③ 일반적으로 손잡이의 길이는 95%tile 남성의 손 폭을 기준으로 한다.
④ 동력공구의 손잡이는 두 손가락 이상으로 작동하도록 한다.

해설

수공구 설계원칙
1. 힘을 요하는 작업도구일 경우 : 2.5~4cm
2. 정밀을 요하는 작업의 경우 : 0.75~1.5cm

PART 01
PART 02
PART 03
PART 04
PART 05
PART 06
PART 07

49 다음 중 간헐적으로 페달을 조작할 때 다리에 걸리는 부하를 평가하기에 가장 적당한 측정 변수는?

① 근전도
② 산소소비량
③ 심장박동수
④ 에너지소비량

해설

근전도(electromyogram, EMG)
1. 국소적인 근육활동의 척도에 근전도가 있으며, 이는 근육활동 전위차를 기록한 것을 말한다.
2. 근전도 응용의 예로는 국소 근육 피로 예측과 골프 선수의 여러 근육 작동 개시 시간차 분석 등을 들 수 있다.

50 육체작업의 생리학적 부하측정 척도가 아닌 것은?

① 맥박수
② 산소소비량
③ 근전도
④ 점멸융합주파수

해설

점멸융합주파수
1. 시각 또는 청각적 자극이 단속적 점멸이 아니고 연속적으로 느껴지게 되는 주파수
2. 중추 신경계의 피로, 즉 정신피로의 척도로 사용

TIP **동적 근력작업에 따른 생리학적 측정법**
에너지 대사량, 산소소비량 및 CO_2 배출량 등과 호흡량, 맥박수, 근전도 등

51 다음 중 점멸융합주파수에 대한 설명으로 옳은 것은?

① 암조응 시에는 주파수가 증가한다.
② 정신적으로 피로하면 주파수 값이 내려간다.
③ 휘도가 동일한 색은 주파수 값에 영향을 준다.
④ 주파수는 조명강도의 대수치에 선형 반비례한다.

해설

시각적 점멸 융합 주파수(VFF)에 영향을 주는 변수
1. 조명강도의 대수치에 선형적으로 비례한다.
2. 표적과 주변의 휘도가 같을 때에 최대로 된다.
3. 휘도만 같으면 색은 영향을 주지 않는다.
4. 암조응 시에는 감소한다.
5. 사람들 간에는 큰 차이가 있으나, 개인의 경우 일관성이 있다.
6. 연습의 효과는 아주 적다.

52 다음 중 인체에서 뼈의 주요 기능이 아닌 것은?

① 인체의 지주
② 장기의 보호
③ 골수의 조혈
④ 근육의 대사

해설

골격의 주요 기능
1. 지지(support) : 신체를 지지하고 형상을 유지하는 역할
2. 보호(protection) : 주요한 부분(생명기관)을 보호하는 역할
3. 근부착(muscle attachment) : 골격근이 수축할 때 지렛대 역할을 하여 신체활동(인체운동)을 수행하는 역할
4. 조혈(blood cell production) : 골수에서 혈구를 생산하는 조혈작용
5. 무기질 저장(mineral storage) : 칼슘, 인산의 중요한 저장고가 되며 나트륨과 마그네슘 이온의 작은 저장고 역할

53 다음 중 신체 동작의 유형에 관한 설명으로 틀린 것은?

① 내선(medial rotation) : 몸의 중심선으로의 회전
② 외전(abduction) : 몸의 중심선으로의 이동
③ 굴곡(flexion) : 신체 부위 간의 각도의 감소
④ 신전(extension) : 신체 부위 간의 각도의 증가

해설

신체 부위의 운동(기본적인 동작)
1. 내전(adduction) : 몸(신체)의 중심선으로 향하는 이동 동작
2. 외전(abduction) : 몸(신체)의 중심선으로부터 멀어지는 이동 동작

54 다음 중 근력에 영향을 주는 요인으로 가장 관계가 적은 것은?

① 식성
② 동기
③ 성별
④ 훈련

해설

근력에 영향을 미치는 요인(인자)
근력은 개인에 따라 상당히 다양한데 인체치수, 육체적 훈련, 동기, 성별, 연령 등 여러 가지 개인적 인자가 근력에 영향을 미친다.

55 작업이나 운동이 격렬해져서 근육에 생성되는 젖산의 제거속도가 생성속도에 미치지 못하면, 활동이 끝난 후에도 남아 있는 젖산을 제거하기 위하여 산소가 더 필요하게 되는데 이를 무엇이라 하는가?

① 호기산소　　　　② 혐기산소
③ 산소잉여　　　　④ 산소부채

해설

산소 빚(Oxygen Debt)

신체 활동 수준이 너무 높아, 근육에 공급되는 산소량이 부족한 경우에는 혈액 중에 젖산이 축적된다. 만일 젖산의 제거속도가 생성 속도에 못 미치면, 활동이 끝난 후에도 남아 있는 젖산을 제거하기 위해서 산소가 더 필요하며, 이를 산소 빚이라 한다.

56 휴식 중 에너지소비량은 1.5kcal/min이고, 어떤 작업의 평균 에너지소비량이 6kcal/min이라고 할 때 60분간 총 작업시간 내에 포함되어야 하는 휴식시간은 약 몇 분인가?(단, 기초대사를 포함한 작업에 대한 평균 에너지소비량의 상한은 5kcal/min이다.)

① 10.3　　　　② 11.3
③ 12.3　　　　④ 13.3

해설

휴식시간

$$R = \frac{60(E-5)}{E-1.5}$$

여기서, R : 휴식시간[분]
　　　E : 작업 시 평균 에너지 소비량[kcal/분]
　　　60 : 총 작업시간[분]
　　　1.5kcal/분 : 휴식시간 중의 에너지 소비량

$$R = \frac{60(E-5)}{E-1.5} = \frac{60(6-5)}{6-1.5} = 13.3$$

57 다음 중 Fitts의 법칙에 관한 설명으로 옳은 것은?

① 표적이 크고 이동거리가 길수록 이동시간이 증가한다.
② 표적이 작고 이동거리가 길수록 이동시간이 증가한다.
③ 표적이 크고 이동거리가 작을수록 이동시간이 증가한다.
④ 표적이 작고 이동거리가 작을수록 이동시간이 증가한다.

해설

피츠(Fitts)의 법칙
1. 인간의 손이나 발을 이동시켜 조작장치를 조작하는 데 걸리는 시간을 표적까지의 거리와 표적 크기의 함수로 나타내는 모형
2. 인간의 행동에 대해 속도와 정확성 간의 관계를 설명하는 기본적인 법칙을 나타낸다.
3. 목표물의 크기가 작아질수록 속도와 정확도가 나빠지고 목표물과의 거리가 멀어질수록 필요한 시간이 더 길어진다.

58 부품 배치의 원칙 중 부품의 일반적 위치 내에서의 구체적인 배치를 결정하기 위한 기준이 되는 것은?

① 중요성의 원칙과 사용빈도의 원칙
② 사용빈도의 원칙과 기능별 배치의 원칙
③ 기능별 배치의 원칙과 사용 순서의 원칙
④ 사용빈도의 원칙과 사용 순서의 원칙

해설

부품배치의 원칙

부품의 위치 결정	중요성의 원칙	체계의 목표달성에 긴요한 정도에 따른 우선순위를 설정
	사용빈도의 원칙	부품이 사용되는 빈도에 따른 우선순위 설정
부품의 배치 결정	기능별 배치의 원칙	기능적으로 관련된 부품들을 모아서 배치
	사용 순서의 원칙	순서적으로 사용되는 장치들을 가까이에 순서적으로 배치

TIP 부품배치의 원칙 4가지에 대해서도 출제되고 있습니다. 함께 기억하세요.

59 다음 중 인체측정과 작업공간의 설계에 관한 설명으로 옳은 것은?

① 구조적 인체 치수는 움직이는 몸의 자세로부터 측정한 것이다.
② 선반의 높이, 조작에 필요한 힘 등을 정할 때에는 인체 측정치의 최대집단치를 적용한다.
③ 수평 작업대에서의 정상작업영역은 상완을 자연스럽게 늘어뜨린 상태에서 전완을 뻗어 파악할 수 있는 영역을 말한다.
④ 수평 작업대에서의 최대작업영역은 다리를 고정시킨 후 최대한으로 파악할 수 있는 영역을 말한다.

01 PART
02 PART
03 PART
04 PART
05 PART
06 PART
07 PART

해설

1. 구조적 인체 치수 : 표준 자세에서 움직이지 않는 피측정 자를 인체 계측기 등으로 측정하는 것
2. 최소 집단치 설계 : 선반의 높이, 조종장치까지의 거리(조작자와 제어버튼 사이의 거리), 비상벨의 위치 설계
3. 최대 작업역 : 아래팔(전완)과 위팔(상완)을 곧게 펴서 파악할 수 있는 구역

60 다음 중 중작업의 경우 작업대의 높이로 가장 적절한 것은?

① 허리 높이보다 0~10cm 정도 낮게
② 팔꿈치 높이보다 10~20cm 정도 높게
③ 팔꿈치 높이보다 15~25cm 정도 낮게
④ 어깨 높이보다 30~40cm 정도 높게

해설

입식 작업대 높이

1. 경작업 : 팔꿈치 높이보다 5~10cm 정도 낮게
2. 중작업 : 팔꿈치 높이보다 10~30cm 정도 낮게
3. 정밀작업 : 팔꿈치 높이보다 10~20cm 정도 높게

> **TIP** 입식 작업대의 높이는 작업자의 체격에 따라 팔꿈치 높이를 기준으로 하여 작업대의 높이를 조정해야 한다.

61 여러 사람이 사용하는 의자의 좌면높이는 어떤 기준으로 설계하는 것이 가장 적절한가?

① 5% 오금높이
② 50% 오금높이
③ 75% 오금높이
④ 95% 오금높이

해설

의자 좌판의 높이

1. 대퇴를 압박하지 않도록 좌판은 오금의 높이보다 높지 않아야 하고 앞 모서리는 5cm 정도 낮게 설계(치수는 5%치 사용)
2. 좌판의 높이는 조절할 수 있도록 하는 것이 바람직하다.

62 의자 설계에 대한 조건 중 틀린 것은?

① 좌판의 깊이는 작업자의 등이 등받이에 닿을 수 있도록 설계한다.
② 좌판은 엉덩이가 앞으로 미끄러지지 않는 재질과 구조로 설계한다.

③ 좌판의 넓이는 작은 사람에게 적합하도록, 깊이는 큰 사람에게 적합하도록 설계한다.
④ 등받이는 충분한 넓이를 가지고 요추 부위부터 어깨 부위까지 편안하게 지지하도록 설계한다.

해설

의자 좌판의 깊이와 폭

1. 폭은 큰 사람에게 맞도록 하고 깊이는 장딴지 여유를 주고 대퇴를 압박하지 않도록 작은 사람에게 맞도록 설계
2. 긴 의자에 일렬로 앉든가 의자들이 옆으로 붙어 있는 경우 팔꿈치 간의 폭을 고려(95%치 사용)

63 다음 중 의자 설계의 일반적인 원리로 가장 적절하지 않은 것은?

① 등근육의 정적 부하를 줄인다.
② 디스크가 받는 압력을 줄인다.
③ 요부전만(腰部前灣)을 유지한다.
④ 일정한 자세를 계속 유지하도록 한다.

해설

의자 설계 시 고려할 원리

1. 등받이의 굴곡은 요추부위의 전만곡선을 유지한다.
2. 조정이 용이해야 한다.
3. 자세고정을 줄인다.
4. 디스크(추간판)가 받는 압력을 줄인다.
5. 정적인 부하를 줄인다.
6. 의자의 높이는 오금의 높이보다 같거나 낮아야 한다.

64 다음 중 시스템 신뢰도에 관한 설명으로 옳지 않은 것은?

① 시스템의 성공적 퍼포먼스를 확률로 나타낸 것이다.
② 각 부품이 동일한 신뢰도를 가질 경우 직렬 구조의 신뢰도는 병렬 구조에 비해 신뢰도가 낮다.
③ 시스템의 병렬구조는 시스템의 어느 한 부품이 고장 나면 시스템이 고장 나는 구조이다.
④ n중 k구조는 n개의 부품으로 구성된 시스템에서 k개 이상의 부품이 작동하면 시스템이 정상적으로 가동되는 구조이다.

병렬구조(Fail Safety)
1. 시스템의 모든 요소가 고장 나면 시스템이 고장 나는 구조이다.
2. 즉, 요소의 어느 하나가 정상적이면 계는 정상이다.

> **TIP** 직렬구조
> 요소 중 어느 하나가 고장이면 시스템은 고장이다. 즉, 모든 요소가 정상일 때 시스템은 정상이다.

65 다음 그림과 같은 시스템의 신뢰도는 얼마인가?(단, 숫자는 해당 부품의 신뢰도이다.)

① 0.5670   ② 0.6422
③ 0.7371   ④ 0.8582

시스템의 신뢰도
$R = 0.9 \times 0.9 \times [1 - (1 - 0.7)(1 - 0.7)] = 0.7371$

66 다음 그림에서 전체 시스템의 신뢰도는 약 얼마인가?(단, 모형 안의 수치는 각 부품의 신뢰도이다.)

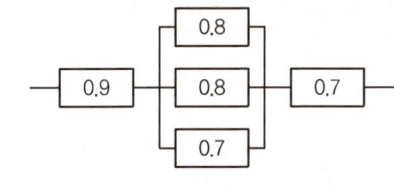

① 0.221   ② 0.483
③ 0.622   ④ 0.767

시스템의 신뢰도
$R = 0.9 \times [1 - (1 - 0.8)(1 - 0.8)(1 - 0.7)] \times 0.7 = 0.622$

67 자동차는 타이어가 4개인 하나의 시스템으로 볼 수 있다. 타이어 1개가 파열될 확률이 0.01이라면, 이 자동차의 신뢰도는 약 얼마인가?

① 0.91   ② 0.93
③ 0.96   ④ 0.99

신뢰도
1. 타이어 1개의 신뢰도(파열되지 않을 확률)
   $R = 1 - 0.01 = 0.99$
2. 자동차 타이어는 직렬로 연결(1개의 타이어만 파열되어도 시스템은 정지)
   $R = 0.99 \times 0.99 \times 0.99 \times 0.99 = 0.96$

68 날개가 2개인 비행기의 양 날개에 엔진이 각각 2개씩 있다. 이 비행기는 양 날개에서 각각 최소한 1개의 엔진은 작동을 해야 추락하지 않고 비행할 수 있다. 각 엔진의 신뢰도가 각각 0.9이며, 각 엔진은 독립적으로 작동한다고 할 때, 이 비행기가 정상적으로 비행할 신뢰도는 약 얼마인가?

① 0.89   ② 0.91
③ 0.94   ④ 0.98

신뢰도
1. 양 날개에 있는 엔진 2개는 병렬, 양 날개에 있는 각각의 엔진은 직렬이다.
2. $R_1 = 1 - (1 - 0.9)(1 - 0.9) = 0.99$
3. $R_2 = 1 - (1 - 0.9)(1 - 0.9) = 0.99$
4. 신뢰도 $= R_1 \times R_2 = 0.99 \times 0.99 = 0.9801$

69 다음 중 병렬계 시스템에 대한 특성이 아닌 것은?

① 요소(要素)의 중복도가 늘어날수록 계(系)의 수명은 길어진다.
② 요소(要素)의 수가 많을수록 고장의 기회는 줄어든다.
③ 요소(要素)의 어느 하나라도 정상이면 계(系)는 정상이다.
④ 계(系)의 수명은 요소(要素) 중에서 수명이 가장 짧은 것으로 정해진다.

시스템의 수명은 요소 중 수명이 가장 긴 것으로 정할 수 있다.

> **TIP** 직렬구조 시스템 : 수명은 요소 중에서 수명이 짧은 것으로 정한다.

70 산업 현장의 생산설비의 경우 안전장치가 부착되어 있으나 생산성을 위해 제거하고 사용하는 경우가 있다. 설비 설계자는 고의로 안전장치를 제거하는 데에도 대비하여야 하는데 이러한 예방 설계 개념을 무엇이라 하는가?

① Fail Safe   ② Fool Safety
③ Lock Out   ④ Temper Proof

해설

템퍼 프루프(Temper Proof)
생산성과 작업의 용이성을 위해 작업자들은 종종 안전장치를 제거하고 사용하는 경우가 있다. 따라서 고의로 안전장치를 제거하는 것을 대비하는 예방설계를 템퍼 프루프라 한다. 예를 들어 화학설비의 안전장치를 제거하는 경우 설비가 작동되지 않도록 설계하는 것이다.

71 인간이 절대 식별할 수 있는 대안의 최대 범위는 대략 7이라고 한다. 이를 정보량의 단위인 bit로 표시하면 약 몇 bit가 되는가?

① 3.2   ② 3.0
③ 2.8   ④ 2.6

해설

정보의 측정 단위
1. Bit : 실현 가능성이 같은 2개의 대안 중 하나가 명시되었을 때 우리가 얻는 정보량
2. 실현 가능성이 같은 n개의 대안이 있을 때 총 정보량 H

$$H = \log_2 n$$

$H = \log_2 7 = \dfrac{\log 7}{\log 2} = 2.8 \,(\text{bit})$

72 빨강, 노랑, 파랑의 3가지 색으로 구성된 교통 신호등이 있다. 신호등은 항상 3가지 색 중 하나가 켜지도록 되어 있다. 1시간 동안 조사한 결과, 파란등은 총30분 동안, 빨간등과 노란등은 각각 총 15분 동안 켜진 것으로 나타났다. 이 신호등의 총 정보량은 몇 bit인가?

① 0.5   ② 0.75
③ 1.0   ④ 1.5

해설

정보의 측정 단위
여러 개의 실현 가능한 대안이 있을 경우 평균 정보량은 각 대안의 정보량에 실현 확률을 곱한 것을 모두 합하면 된다.

$$H = \sum_{i=1}^{n} P_i \log_2\left(\frac{1}{P_i}\right)$$

여기서, P_i : 각 대안의 실현확률

1. 확률 계산

    ㉠ 파란등 확률 $= \dfrac{30}{60} = 0.5$

    ㉡ 빨간등 확률 $= \dfrac{15}{60} = 0.25$

    ㉢ 노란등 확률 $= \dfrac{15}{60} = 0.25$

2. 총 정보량

$$H = 0.5 \times \log_2\left(\frac{1}{0.5}\right) + 0.25 \times \log_2\left(\frac{1}{0.25}\right)$$
$$+ 0.25 \times \log_2\left(\frac{1}{0.25}\right) = 1.5 \,(\text{bit})$$

73 다음 중 신호검출이론(SDT)에서 두 정규분포 곡선이 교차하는 부분에 판별기준이 놓였을 경우 Beta 값으로 옳은 것은?

① Beta = 0   ② Beta < 1
③ Beta = 1   ④ Beta > 1

해설

신호 검출 이론(SDT ; Signal Detection Theory)
1. 정의 : 인간이 자극을 감지하여 신호를 판단할 경우 잡음이나 소음이 있는 상황에서 이루어질 때, 잡음이 신호검출에 미치는 영향을 다루는 이론을 신호 검출 이론(SDT)이라 한다.
2. 판별기준

$\beta = 1$	반응기준점에서 두 곡선이 교차할 경우(두 정규분포 곡선이 교차하는 부분)
$\beta > 1$ (반응기준이 오른쪽으로 이동할 경우)	신호가 나타났을 때 신호의 정확한 판정은 적으나 허위경보를 덜하게 되며, 보수적이라 한다.
$\beta < 1$ (반응기준이 왼쪽으로 이동할 경우)	신호의 정확한 판정은 많아지나 허위경보도 증가하게 되며, 자유적이다.

74 손이나 특정 신체부위에 발생하는 누적손상장애(CTDs)의 발생인자와 가장 거리가 먼 것은?

① 무리한 힘   ② 다습한 환경
③ 장시간의 진동   ④ 반복도가 높은 작업

근골격계 질환

1. 반복적인 동작, 부적절한 작업자세, 무리한 힘의 사용, 날카로운 면과의 신체접촉, 진동 및 온도 등의 요인에 의하여 발생하는 건강장해로서 목, 어깨, 허리, 팔·다리의 신경·근육 및 그 주변 신체조직 등에 나타나는 질환을 말한다.
2. 유사용어로는 누적 외상성 질환(CTDs), 반복성긴장 상해 등이 있다.

75 근골격계질환의 유해요인 조사방법 중 인간공학적 평가기법이 아닌 것은?

① OWAS
② NASA − TLX
③ NLE
④ RULA

대표적인 작업평가 기법의 종류

1. NLE
2. OWAS
3. RULA
4. REBA

76 반사율이 60%인 작업 대상물에 대하여 근로자가 검사 작업을 수행할 때 휘도(luminance)가 90fL이라면 이작업에서의 소요조명(fc)은 얼마인가?

① 75
② 150
③ 200
④ 300

소요조명

$$소요조명(fc) = \frac{광속발산도(fL)}{반사율(\%)} \times 100 = \frac{90}{60} \times 100 = 150(fc)$$

1. 소요조명 : 소요조명은 반사율에 직접적인 영향을 받는다.
2. 광속발산도(luminance) : 단위 면적당 표면에서 반사 또는 방출되는 빛의 양을 말하며, 이 척도를 휘도(brightness)라고도 한다.

$$소요조명(fc) = \frac{광속발산도(fL)}{반사율(\%)} \times 100$$

77 다음 중 강한 음영 때문에 근로자의 눈 피로도가 큰 조명방법은?

① 간접조명
② 반간접조명
③ 직접조명
④ 전반조명

직접조명

1. 광속의 90～100%가 아래로 향하게 하는 방식이다.
2. 조명률이 가장 좋고 설치가 간단하여 공장 조명에 많이 쓰인다.
3. 눈부심 현상이 심하고 그림자가 뚜렷하다.
4. 강한 음영 때문에 근로자의 눈 피로도가 크다.

78 다음과 같은 실내 표면에서 일반적으로 추천반사율의 크기를 올바르게 나열한 것은?

| ㉠ 바닥 | ㉡ 천정 |
| ㉢ 가구 | ㉣ 벽 |

① ㉠ < ㉢ < ㉣ < ㉡
② ㉠ < ㉣ < ㉢ < ㉡
③ ㉣ < ㉠ < ㉡ < ㉢
④ ㉣ < ㉡ < ㉠ < ㉢

실내 면(面)의 추천반사율

바닥	가구, 사무용 기기, 책상	창문 발(blind), 벽	천장
20～40%	25～45%	40～60%	80～90%

79 광원 혹은 반사광이 시계 내에 있으면 성가신 느낌과 불편감을 주어 시성능을 저하시킨다. 이러한 광원으로부터의 직사휘광을 처리하는 방법으로 틀린 것은?

① 광원을 시선에서 멀리 위치시킨다.
② 차양(visor) 혹은 갓(hood) 등을 사용한다.
③ 광원의 휘도를 줄이고 광원의 수를 늘린다.
④ 휘광원의 주위를 밝게 하여 광속발산(휘도)비를 늘린다.

광원으로부터의 직사휘광 처리

1. 광원의 휘도를 줄이고 수를 늘림
2. 광원을 시선에서 멀리 위치시킴
3. 휘광원 주위를 밝게 하여 광도비를 줄임
4. 가리개(shield), 갓(hood) 혹은 차양(visor)을 사용

PART 01
PART 02
PART 03
PART 04
PART 05
PART 06
PART 07

80 반사형 없이 모든 방향으로 빛을 발하는 점광원에서 5m 떨어진 곳의 조도가 120lux라면 2m 떨어진 곳의 조도는?

① 150lux
② 192.2lux
③ 750lux
④ 3,000lux

해설

$$조도 = \frac{광도}{(거리)^2}$$

1. 광도 = 조도 × (거리)^2
2. 5m 거리의 광도 = 120 × 5^2 = 3,000[cd]이므로
3. 2m 거리의 조도 = $\frac{3,000}{2^2}$ = 750[lux]

 TIP 조도 : 광원의 밝기에 비례하고, 거리의 제곱에 반비례하며, 반사체의 반사율과는 상관없이 일정한 값을 갖는다.

81 종이의 반사율이 70%이고, 인쇄된 글자의 반사율이 10%라면 대비(luminance contrast)는 약 얼마인가?

① 85.7%
② 89.5%
③ 95.3%
④ 99.1%

해설

대비
표적의 광도와 배경 광도의 차를 나타내는 척도이며, 광도대비 또는 휘도대비란 표면의 광도와 배경의 광도의 차를 나타내는 척도이다.

$$대비(\%) = \frac{배경의\ 광도(L_b) - 표적의\ 광도(L_t)}{배경의\ 광도(L_b)} \times 100$$
$$= \frac{70 - 10}{70} \times 100 = 85.7[\%]$$

82 다음 중 소음에 의한 청력손실이 가장 심각한 주파수 범위는?

① 500~1,000Hz
② 3,000~4,000Hz
③ 8,000~10,000Hz
④ 15,000~20,000Hz

해설

청력손실의 성격
1. 청력손실의 정도는 노출되는 소음 수준에 따라 증가한다. (비례관계)

2. 강한 소음에 대해서는 노출기간에 따라 청력손실도 증가한다.
3. 약한 소음에 대해서는 노출기간과 청력손실 간에 관계가 없다.
4. 청력손실은 4,000Hz에서 크게 나타난다.

83 다음 중 인체와 환경 사이에서 발생하는 열교환 작용의 교환경로와 가장 거리가 먼 것은?

① 대류
② 복사
③ 증발
④ 분자량

해설

열균형 방정식
1. 인간과 주위의 열교환 과정은 다음과 같은 열균형 방정식으로 나타낼 수 있다.

$$S(열축적) = M(대사) - E(증발) \pm R(복사)$$
$$\pm C(대류) - W(한\ 일)$$

2. 위 식에서 S는 열이득 및 열손실량이며 열평형 상태에서는 0이 된다.

TIP 열축적 공식도 시험에 출제되고 있습니다. 함께 기억하세요.

84 다음 중 공기의 온열조건의 4요소에 포함되지 않는 것은?

① 대류
② 전도
③ 반사
④ 복사

해설

공기의 온열조건
1. 기온
2. 습도
3. 공기의 유동(기류)
4. 복사온도(복사열)

85 실내에서 사용하는 습구흑구온도(WBGT ; Wet Bulb Globe Temperature) 지수는?(단, NWB는 자연습구, GT는 흑구온도, DB는 건구온도이다.)

① WBGT = 0.6NWB + 0.4GT
② WBGT = 0.7NWB + 0.3GT
③ WBGT = 0.6NWB + 0.3GT + 0.1DB
④ WBGT = 0.7NWB + 0.2GT + 0.1DB

고온 작업장

1. 옥외 장소(태양광선이 내리쬐는 장소)

$$WBGT(℃) = 0.7 × 자연습구온도 + 0.2 × 흑구온도 \\ + 0.1 × 건구온도$$

2. 옥내 또는 옥외 장소(태양광선이 내리쬐지 않는 장소)

$$WBGT(℃) = 0.7 × 자연습구온도 + 0.3 × 흑구온도$$

86 다음 중 항공기나 우주선 비행 등에서 허위감각으로부터 생긴 방향감각의 혼란과 착각 등의 오판을 해결하는 방법으로 가장 적절하지 않은 것은?

① 주위의 다른 물체에 주의를 한다.

② 정상비행 훈련을 반복하여 오판을 줄인다.

③ 여러 가지의 착각의 성질과 발생상황을 이해한다.

④ 정확한 방향 감각 암시신호를 의존하는 것을 익힌다.

해설

기동 중의 착각

1. 허위 감각으로부터의 방향감각 혼란
   - 삼반 고리관 혹은 전정낭으로부터 오는 부정확하거나 부적절한 감각 정보 때문
   - 비행 중의 방향감각 혼란 또는 현기증 증세 등

2. 착각에 대한 대책
   - 여러 종류의 착각의 성질과 발생 상황을 이해
   - 계기 또는 시계비행
   - 야간 곡예 비행을 피함
   - 주위의 다른 물체에 주의
   - (시각적 암시 신호나 계기와 같은)정확한 방향감각 암시 신호에 의존하는 것을 익힘
   - 야간에는 급가속이나 급감속을 피함
   - 야간에는 긴(prolonged) 등속선회를 피함

87 산업안전보건법상 근로자가 상시로 정밀작업을 하는 장소의 작업면 조도기준으로 옳은 것은?

① 75럭스(lux) 이상

② 150럭스(lux) 이상

③ 300럭스(lux) 이상

④ 750럭스(lux) 이상

해설

작업장의 적정 조도 기준

작업의 종류	작업면 조도(照度)
초정밀작업	750럭스(lux) 이상
정밀작업	300럭스(lux) 이상
보통작업	150럭스(lux) 이상
그 밖의 작업	75럭스(lux) 이상

88 국내 규정상 1일 노출회수가 100일 때 최대 음압수준이 몇 dB(A)를 초과하는 충격소음에 노출되어서는 아니 되는가?

① 110   ② 120

③ 130   ④ 140

해설

충격소음작업

소음이 1초 이상의 간격으로 발생하는 작업으로서 다음 어느 하나에 해당하는 작업

1. 120데시벨을 초과하는 소음이 1일 1만 회 이상 발생하는 작업

2. 130데시벨을 초과하는 소음이 1일 1천 회 이상 발생하는 작업

3. 140데시벨을 초과하는 소음이 1일 1백 회 이상 발생하는 작업

89 다음 중 소음에 대한 대책으로 가장 거리가 먼 것은?

① 소음원의 통제   ② 소음의 격리

③ 소음의 분배   ④ 적절한 배치

해설

소음 방지대책

1. 소음원의 제거 : 가장 적극적인 대책

2. 소음원의 통제 : 기계의 적절한 설계, 정비 및 주유, 고무 받침대 부착, 소음기 사용(차량) 등

3. 소음의 격리 : 씌우개(enclosure), 장벽을 사용(창문을 닫으면 약 10dB이 감음됨)

4. 적절한 배치(layout)

5. 음향 처리제 사용

6. 차폐 장치(baffle) 및 흡음재 사용

7. 방음 보호 용구

TIP 작업자의 보호구 착용은 음원에 대한 대책이 아니라 근로자에 대한 대책에 해당된다.

90 다음 중 적정 온도에서 추운 환경으로 바뀔 때의 현상으로 틀린 것은?

① 직장 온도가 약간 올라간다.
② 피부의 온도가 내려간다.
③ 몸이 떨리고 소름이 돋는다.
④ 피부를 경유하는 혈액 순환량이 증가한다.

해설

적정 온도에서 한랭환경(추운환경)으로 변할 때
1. 혈액은 피부를 경유하는 순환량이 감소하고, 많은 양의 혈액이 몸의 중심부를 순환한다.
2. 피부온도가 내려간다.
3. 직장(直腸)온도가 약간 올라간다.
4. 소름이 돋고 몸이 떨린다.

91 다음 중 실효온도(Effective Temperature)에 대한 설명으로 틀린 것은?

① 체온계로 입안의 온도를 측정하여 기준으로 한다.
② 실제로 감각되는 온도로서 실감온도라고 한다.
③ 온도, 습도 및 공기 유동이 인체에 미치는 열효과를 나타낸 것이다.
④ 상대습도 100%일 때의 건구온도에서 느끼는 것과 동일한 온감이다.

해설

실효온도(Effective Temperature, 체감온도, 감각온도)
1. 개요
   • 온도, 습도 및 공기의 유동이 인체에 미치는 열효과를 하나의 수치로 통합한 경험적 감각지수
   • 상대습도 100%일 때의 건구온도에서 느끼는 것과 동일한 온감이다.
   • 실제로 감각되는 온도로서 실감온도라고 한다.
2. 실효온도의 결정요소(실효온도에 영향을 주는 요인) : 온도, 습도, 공기의 유동(대류)

TIP 실효온도의 결정요소에 대해서도 시험에 출제되고 있습니다. 함께 기억하세요.

92 건습구도온도계에서 건구온도가 24℃, 습구온도가 20℃일 때 Oxford 지수는 얼마인가?

① 20.6℃   ② 21.0℃
③ 23.0℃   ④ 23.4℃

해설

Oxford 지수
습건(WD) 지수라고도 부르며, 습구온도(W)와 건구온도(D)의 가중 평균치로서 정의된다.

$$WD = 0.85W + 0.15D$$

$$\therefore WD = 0.85W + 0.15D = 0.85 \times 20 + 0.15 \times 24 = 20.6[℃]$$

93 일반적으로 보통 작업자의 정상적인 시선으로 가장 적합한 것은?

① 수평선을 기준으로 위쪽 5°
② 수평선을 기준으로 위쪽 15°
③ 수평선을 기준으로 아래쪽 5°
④ 수평선을 기준으로 아래쪽 15°

해설

VDT 작업의 자세
시선은 화면 상단과 눈높이가 일치할 정도로 하고 작업 화면상의 시야는 수평선 상으로부터 아래로 10° 이상 15° 이하에 오도록 하며 화면과 근로자의 눈과의 거리는 40센티미터 이상을 확보할 것

94 영상표시단말기(VDT) 취급 근로자를 위한 조명과 채광에 대한 설명으로 옳은 것은?

① 화면을 바라보는 시간이 많은 작업일수록 화면 밝기와 작업대 주변 밝기의 차를 줄이도록 한다.
② 작업장 주변환경의 조도를 화면의 바탕 색상이 흰색계통일 때에는 300lux 이하로 유지하도록 한다.
③ 작업장 주변환경의 조도를 화면의 바탕 색상이 검정색 계통일 때에는 500lux 이상을 유지하도록 한다.
④ 작업실 내의 창·벽면 등은 반사되는 재질로 하여야 하며, 조명은 화면과 명암의 대조가 심하지 않도록 하여야 한다.

해설

영상표시단말기(VDT) 취급 근로자를 위한 조명과 채광
1. 사업주는 작업실 내의 창·벽면 등을 반사되지 않는 재질로 하여야 하며, 조명은 화면과 명암의 대조가 심하지 않도록 하여야 한다.
2. 사업주는 영상표시단말기를 취급하는 작업장 주변환경의 조도를 다음과 같이 유지하도록 하여야 한다.

화면의 바탕 색상이 검은색 계통일 때	300럭스(lux) 이상~500럭스(lux) 이하
화면의 바탕 색상이 흰색 계통일 때	500럭스(lux) 이상~700럭스(lux) 이하

3. 화면을 바라보는 시간이 많은 작업일수록 화면 밝기와 작업대 주변 밝기의 차를 줄이도록 하고, 작업 중 시야에 들어오는 화면·키보드·서류 등의 주요 표면 밝기를 가능한 한 같도록 유지하여야 한다.

95 시스템 안전 프로그램에 있어 시스템의 수명 주기를 일반적으로 5단계로 구분할 수 있는데 다음 중 시스템 수명 주기의 단계에 해당하지 않는 것은?

① 구상단계　　　　② 생산단계
③ 운전단계　　　　④ 분석단계

해설
시스템의 수명 주기(시스템 안전과 제품개발 사이클)
1. 1단계 : 구상단계　　4. 4단계 : 생산단계
2. 2단계 : 정의단계　　5. 5단계 : 운전단계
3. 3단계 : 개발단계　　6. 5단계 : 폐기

96 시스템 안전 프로그램에 대하여 안전점검기준에 따른 평가를 내리는 시점은 시스템의 수명주기 중 어느 단계 인가?

① 구상단계　　　　② 설계단계
③ 생산단계　　　　④ 운전단계

해설
운전단계
1. 사고조사 참여
2. 기술변경의 개발
3. 고객에 의한 최종 성능검사
4. 훈련
5. 산업자료 정보
6. 시스템의 보수 및 폐기
7. 시스템 안전 프로그램에 따른 평가

97 시스템의 수명주기 중 PHA 기법이 최초로 사용되는 단계는?

① 구상단계　　　　② 정의단계
③ 개별단계　　　　④ 생산단계

해설
구상단계나 설계 및 발주의 극히 초기에 실시된다.

98 다음 중 시스템 안전 프로그램 계획(SSPP)에 포함되어야 할 사항으로 적절하지 않은 것은?

① 안전자료의 수집과 갱신
② 시스템 안전의 기준 및 해석
③ 위험요인에 대한 구체적인 개선 대책
④ 경과와 결과의 보고

해설
시스템 안전 프로그램 계획에 포함해야 할 사항
1. 계획의 개요　　　　6. 안전해석
2. 안전조직　　　　　7. 안전성 평가
3. 계약조건　　　　　8. 안전자료의 수집과 갱신
4. 관련 부문과의 조정　9. 경과의 결과의 보고
5. 안전기준

99 다음 중 HAZOP 기법에서 사용하는 가이드워드와 그 의미가 잘못 연결된 것은?

① Part of : 성질상의 감소
② More/Less : 정량적인 증가 또는 감소
③ No/Not : 설계 의도의 안전한 부정
④ Other than : 기타 환경적인 요인

해설
Other Than : 완전한 대체의 필요

100 위험관리에서 위험의 분석 및 평가에 유의할 사항으로 적절하지 않은 것은?

① 발생의 빈도보다는 손실의 규모에 중점을 둔다.
② 한 가지의 사고가 여러 가지 손실을 수반하는지 확인한다.
③ 기업 간의 의존도는 어느 정도인지 점검한다.
④ 작업표준의 의미를 충분히 이해하고 있는지 점검한다.

해설
위험의 분석 및 평가 시 유의사항
1. 기업 간의 의존도는 어느 정도인지 점검한다.
2. 발생 빈도보다는 손실의 규모에 중점을 둔다.
3. 한 가지 사고가 여러 가지 손실을 수반하는지를 확인한다.

PART 01
PART 02
PART 03
PART 04
PART 05
PART 06
PART 07

101 다음 중 개선의 ECRS의 원칙에 해당하지 않는 것은?

① 제거(Eliminate)　　② 결합(Combine)
③ 재조정(Rearrange)　④ 안전(Safety)

해설

작업방법의 개선원칙(새로운 작업방법의 개선원칙, ECRS)
1. 제거(Eliminate)
2. 결합(Combine)
3. 재배치(Rearrange)
4. 단순화(Simplity)

102 다음 중 위험 조정을 위해 필요한 방법(위험조정기술)과 가장 거리가 먼 것은?

① 위험 회피(avoidance)
② 위험 감축(reduction)
③ 보류(retention)
④ 위험 확인(confirmation)

해설

위험처리기술(위험관리기법)
1. 위험의 회피(avoidance)
2. 위험의 감소(reduction)
3. 위험의 전가(transfer)
4. 위험의 보유(보류, retention)

103 다음 중 동작경제의 원칙에 있어 신체 사용에 관한 원칙이 아닌 것은?

① 두 손의 동작은 같이 시작해서 같이 끝나야 한다.
② 손의 동작은 유연하고 연속적인 동작이어야 한다.
③ 공구, 재료 및 제어장치는 사용하기 가까운 곳에 배치해야 한다.
④ 동작이 급작스럽게 크게 바뀌는 직선 동작은 피해야 한다.

해설

③은 작업장 배치에 관한 원칙에 해당된다.

> **TIP** 1. 동작경제의 원칙 : 신체 사용에 관한 원칙, 작업장 배치에 관한 원칙, 공구 및 설비 디자인에 관한 원칙
> 2. 동작경제의 원칙의 종류에 대해서도 시험에 출제되고 있습니다. 함께 기억하세요.

104 다음 중 모든 시스템 안전 프로그램에서의 최초단계해석으로 시스템 내의 위험요소가 어떤 위험 상태에 있는가를 정성적으로 평가하는 분석방법은?

① PHA　　　② FHA
③ FMEA　　④ FTA

해설

예비위험분석(PHA ; Preliminary Hazards Analysis)
1. 개요
　• 시스템 안전위험분석(SSHA)을 수행하기 위한 예비적인 최초의 작업으로 위험요소가 얼마나 위험한지를 정성적으로 평가하는 것이다.
　• PHA는 구상단계나 설계 및 발주의 극히 초기에 실시된다.
2. 목적 : 시스템의 구상단계에서 시스템 고유의 위험 상태를 식별하고 예상되는 재해의 위험수준을 결정하기 위한 것이다.

> **TIP** PHA의 목적에 대해서도 출제되고 있습니다. 함께 기억하세요.

105 다음 설명 중 ㉠과 ㉡에 해당하는 내용이 올바르게 연결된 것은?

> 예비위험분석(PHA)의 식별된 4가지 사고 카테고리 중 작업자의 부상 및 시스템의 중대한 손해를 초래하거나 작업자의 생존 및 시스템의 유지를 위하여 즉시 수정 조치를 필요로 하는 상태를 (㉠), 작업자의 부상 및 시스템의 중대한 손해를 초래하지 않고 대처 또는 제어할 수 있는 상태를 (㉡)(이)라 한다.

① ㉠-파국적, ㉡-중대
② ㉠-중대,　 ㉡-파국적
③ ㉠-한계적, ㉡-중대
④ ㉠-중대,　 ㉡-한계적

해설

예비 위험 분석(PHA)의 범주

구분	위험분류	특징
class 1	파국적 (Catastrophic)	시스템의 성능을 현저히 저하시키고 그 결과 시스템의 손실, 인원의 사망 또는 다수의 부상자를 내는 상태
class 2	중대 (위험, Critical)	인원의 부상 및 시스템의 중대한 손해를 초래하거나 인원의 생존 및 시스템의 존속을 위하여 즉시 수정조치를 필요로 하는 상태

구분	위험분류	특징
class 3	한계적 (Marginal)	인원의 부상 및 시스템의 중대한 손해를 초래하지 않고 대처 또는 제어할 수 있는 상태
class 4	무시가능 (Negligible)	시스템의 성능을 그다지 저하시키지도 않고 또한 시스템의 기능이나 인원의 부상도 초래하지 않는 상태

106 다음 중 고장형태와 영향분석(FMEA)에 관한 설명으로 틀린 것은?

① 각 요소가 영향의 해석이 가능하기 때문에 동시에 2 가지 이상의 요소가 고장나는 경우에 적합하다.
② 해석영역이 물체에 한정되기 때문에 인적원인 해석이 곤란하다.
③ 양식이 간단하여 특별한 훈련 없이 해석이 가능하다.
④ 시스템 해석의 기법은 정성적, 귀납적 분석법 등에 사용한다.

해설

FMEA의 특징
1. 적은 노력으로 특별한 훈련 없이 분석이 가능하다.
2. 각 요소 간의 영향 분석이 어려워 동시에 둘 이상의 요소가 고장나는 경우 해석이 곤란하다.
3. 요소가 물체로 한정되어 있어 인적원인 해명이 곤란하다.
4. 정성적·귀납적 해석방법 등에 사용한다.

TIP FMEA : 고장 발생을 최소로 하고자 하는 경우에 유효하다.

107 FMEA의 표준적 실시절차를 다음과 같이 3가지로 구분하였을 때 "대상 시스템의 분석"에 해당되는 것은?

대상 시스템의 분석 → 고장의 유형과 그 영향의 해석 → 치명도 해석과 개선책의 검토

① 치명도 해석
② 고장등급의 평가
③ 고장형의 예측과 설정
④ 기능 블록과 신뢰성 블록의 작성

해설

대상 시스템의 분석 : 1단계
1. 기기·시스템의 구성 및 기능의 전반적 파악

2. FMEA 실시를 위한 기본방침의 결정
3. 기능 블록도와 신뢰성 블록도의 작성

108 시스템 위험분석기법 중 고장형태 및 영향분석(FMEA)에서 고장 등급의 평가요소에 해당되지 않는 것은?

① 고장발생의 빈도
② 고장의 영향 크기
③ 기능적 고장 영향의 중요도
④ 영향을 미치는 시스템의 범위

해설

고장평점법(C_s 평점법)
㉠ 다음의 다섯 가지 평가요소의 전부 또는 2~3개의 평가요소를 사용하여 고장평점을 계산하고 고장등급을 결정하는 방법
• C_1 : 기능적 고장 영향의 중요도
• C_2 : 영향을 미치는 시스템의 범위
• C_3 : 고장발생의 빈도
• C_4 : 고장방지의 가능성
• C_5 : 신규설계의 정도
㉡ 평가요소를 모두 사용하는 경우의 고장평점 C_s

$$C_s = (C_1 \cdot C_2 \cdot C_3 \cdot C_4 \cdot C_5)^{\frac{1}{5}}$$

109 FMEA에서 고장의 발생확률 β가 다음 값의 범위일 경우 고장의 영향으로 옳은 것은?

$$0.10 \leq \beta < 1.00$$

① 손실의 영향이 없음
② 실제 손실이 발생됨
③ 손실 발생의 가능성이 있음
④ 실제 손실이 예상됨

해설

위험한 고장이 생길 확률(β)이 있는 운용 또는 작업의 단계

영향	발생확률(β의 값)
실제의 손실	$\beta = 1.00$
예상되는 손실	$0.10 \leq \beta < 1.00$
가능한 손실	$0 < \beta < 0.10$
영향 없음	$\beta = 0$

01 PART
02 PART
03 PART
04 PART
05 PART
06 PART
07 PART

110 디시전 트리(Decision Tree)를 재해석하고 분석에 이용한 경우의 분석법이며, 설비의 설계단계에서부터 사용단계까지의 각 단계에서 위험을 분석하는 귀납적, 정량적 분석방법은?

① ETA
② FMEA
③ THERP
④ CA

사건수 분석(ETA ; Event Tree Analysis)
1. 디시전트리를 재해사고의 분석에 이용할 경우의 분석법
2. 설비의 설계단계에서부터 사용단계까지 각 단계에서 위험을 분석하는 귀납적 · 정량적 분석방법

111 위험분석기법 중 높은 고장 등급을 갖고 고장모드가 기기 전체의 고장에 어느 정도 영향을 주는가를 정량적으로 평가하는 해석기법은?

① FTA
② CA
③ ETA
④ FHA

위험도 분석(CA ; Criticality Analysis)
FMEA을 실시한 결과 고장등급이 높은 고장모드가 시스템이나 기기의 고장에 어느 정도로 기여하는가를 정량적으로 계산하고, 그 영향을 정량적으로 평가하는 해석기법

112 다음 중 인간 신뢰도(Human Reliability)의 평가 방법으로 가장 적합하지 않은 것은?

① HCR
② THERP
③ SLIM
④ FMECA

이상 위험도 분석(FMECA)
공정 및 설비의 고장 형태 및 영향, 고장형태별 위험도 순위 등을 결정하는 방법을 말한다.

113 다음 중 사고원인 가운데 인간의 과오에 기인된 원인분석, 확률을 계산함으로써 제품의 결함을 감소시키고, 인간공학적 대책을 수립하는 데 사용되는 분석기법은?

① CA
② FMEA
③ THERP
④ MORT

인간과오율 예측기법(THERP ; Technique For Human Error Rate Prediction)
1. 사고원인 가운데 인간의 과오나 기인된 원인분석, 확률을 계산함으로써 제품의 결함을 감소시키고, 인간공학적 대책을 수립하는 데 사용되는 분석기법
2. 인간의 과오(Human Error)를 정량적으로 평가하기 위해 개발된 기법(Swain 등에 의해 개발된 인간과오율 예측기법)

114 원자력 산업과 같이 상당한 안전이 확보되어 있는 장소에서 추가적인 고도의 안전 달성을 목적으로 하고 있으며 관리, 설계, 생산, 보전 등 광범위한 안전을 도모하기 위하여 개발된 분석기법은?

① MORT(Management Oversight and Risk Tree)
② DT(Decision Tree)
③ ETA(Event Tree Analysis)
④ FTA(Fault Tree Analysis)

경영위험도 분석(MORT ; Management Oversight and Risk Tree)
원자력 산업과 같이 이미 상당한 안전이 확보되어 있는 장소에서 관리, 설계, 생산, 보전 등 광범위하고 고도의 안전달성을 목적으로 하는 시스템 해석법

115 생산, 보전, 시험, 운반, 저장, 비상탈출 등에 사용되는 인원, 설비에 관하여 위험을 동정(同定)하고 제어하며, 그들의 안전요건을 결정하기 위하여 실시하는 분석기법은?

① 운용 및 지원 위험분석(O & SHA)
② 사상수 분석(ETA)
③ 결함사고 분석(FHA)
④ 고장형태 및 영향분석(FMEA)

운용 및 지원 위험분석(O & SHA ; Operation and Support (O & S) Hazard Analysis)
생산, 보전, 시험, 운반, 저장, 비상탈출, 운전, 구조, 훈련 및 폐기 등에 사용되는 인원, 설비에 관하여 위험을 파악하고 제어하며, 그들의 안전요건을 결정하기 위하여 실시하는 분석기법

116 다음 중 결함수 분석(FTA)에 관한 설명으로 틀린 것은?

① 연역적 방법이다.

② 버텀 – 업(Bottom – up) 방식이다.

③ 기능적 결함의 원인을 분석하는 데 용이하다.

④ 계량적 데이터가 축적되면 정량적 분석이 가능하다.

해설

1. FTA : Top Down 형식(하향식), 정량적 · 연역적 해석방법
2. FMEA : Bottom up 형식(상향식), 정성적 · 귀납적 해석방법

117 다음 중 FTA(Fault Tree Analysis)에 사용되는 논리기호와 명칭이 올바르게 연결된 것은?

① : 전이기호   ② : 기본사상

③ : 통상사상   ④ : 결함사상

해설

FTA 분석 기호

번호	기호	명칭	내용
1		결함사상	사고가 일어난 사상(사건)
2		기본사상	더 이상 전개가 되지 않는 기본적인 사상 또는 발생확률이 단독으로 얻어지는 낮은 레벨의 기본적인 사상
3		통상사상 (가형사상)	통상발생이 예상되는 사상(예상되는 원인)
4		생략사상 (최후사상)	정보 부족 또는 분석기술 불충분으로 더 이상 전개할 수 없는 사상(작업 진행에 따라 해석이 가능할 때는 다시 속행한다)
5		전이기호 (이행기호)	• FT도상에서 다른 부분에 관한 이행 또는 연결을 나타낸다. • 상부에 선이 있는 경우는 다른 부분으로 전입(IN)
6		전이기호 (이행기호)	• FT도상에서 다른 부분에 관한 이행 또는 연결을 나타낸다. • 측면에 선이 있는 경우는 다른 부분으로 전출(OUT)

TIP 결함사상, 기본사상, 생략사상, 통상사상 기호도 중요하지만 그 내용도 중요합니다. 함께 기억하세요.

118 재해예방 측면에서 시스템의 FT에서 상부 측 정상사상의 가장 가까운 쪽에 OR 게이트를 인터록이나 안전장치 등을 활용하여 AND 게이트로 바꿔주면 이 시스템의 재해율에는 어떠한 현상이 나타나겠는가?

① 재해율에는 변화가 없다.

② 재해율의 급격한 증가가 발생한다.

③ 재해율의 급격한 감소가 발생한다.

④ 재해율의 점진적인 증가가 발생한다.

해설

AND 게이트는 모든 입력사상이 공존할 때만 출력사상이 발생하고, OR 게이트는 입력사상 중 어느 하나만이라도 발생하게 되면 출력사상이 발생하는 것으로 재해율의 급격한 감소가 발생한다.

119 그림과 같은 FT도에서 활용하는 논리게이트의 명칭으로 옳은 것은?

① 억제 게이트

② 부정 게이트

③ 배타적 OR 게이트

④ 우선적 AND 게이트

해설

게이트 기호

TIP 해설에 있는 게이트 기호의 명칭과 그림은 자주 출제되고 있습니다. 함께 기억하세요.

01 PART
02 PART
03 PART
04 PART
05 PART
06 PART
07 PART

120 FT도에 사용되는 다음 게이트의 명칭은?

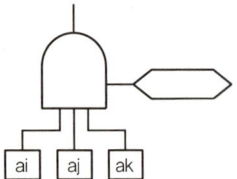

① 억제 게이트　　② 부정 게이트
③ 배타적 OR 게이트　　④ 우선적 AND 게이트

121 FT도에 사용하는 기호에서 3개의 입력현상 중 임의의 시간에 2개가 발생하면 출력이 생기는 기호의 명칭은?

① 우선적 AND 게이트　　② 조합 AND 게이트
③ 억제 게이트　　④ 배타적 OR 게이트

> **해설**
>
> 조합 AND 게이트 : 3개 이상의 입력사상 중 어느 것이나 2개가 일어나면 출력이 생긴다.

122 결함수 분석의 기호 중 입력사상이 어느 하나라도 발생할 경우 출력사상이 발생하는 것은?

① NOR Gate　　② AND Gate
③ OR Gate　　④ NAND Gate

> **해설**
>
> 게이트의 종류
>
> | | |
> |---|---|
> | AND 게이트 | 모든 입력사상이 공존할 때만 출력사상이 발생한다. |
> | OR 게이트 | 입력사상 중 어느 하나라도 발생하게 되면 출력사상이 발생한다. |
> | 억제 게이트 (제어 게이트) | 입력사상 중 어느 것이나 이 게이트로 나타내는 조건을 만족하는 경우에만 출력사상이 발생한다.(조건부확률) |
> | 부정 게이트 | 입력현상의 반대현상이 출력된다. |
>
> **TIP** 억제 게이트의 정의에 대해서도 시험에 출제되고 있습니다. 함께 기억하세요.

123 다음 중 결함수 분석(FTA) 절차에서 가장 먼저 수행해야 하는 것은?

① FT(Fault Tree)도를 작성한다.
② Cut Set을 구한다.

③ Minimal Cut Set을 구한다.
④ Top 사상을 정의한다.

> **해설**
>
> FTA에 의한 재해사례의 연구 순서
> 1. 제1단계 : 톱사상(정상사상)의 선정
> 2. 제2단계 : 각 사상의 재해원인 규명
> 3. 제3단계 : FT도의 작성
> 4. 제4단계 : 개선 계획의 작성

124 FT도에서 ①~⑤ 사상의 발생확률이 모두 0.05일 경우 T 사상의 발생확률은 약 얼마인가?

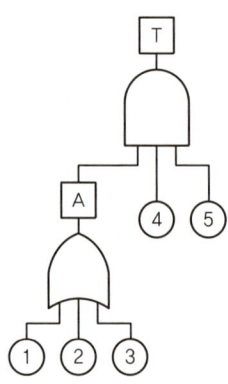

① 0.00036
② 0.142625
③ 0.2262
④ 0.25

> **해설**
>
> 발생확률의 계산
> 1. $A = 1 - (1 - ①)(1 - ②)(1 - ③)$
> $= 1 - (1 - 0.05)(1 - 0.05)(1 - 0.05) = 0.142625$
> 2. $T = A \times ④ \times ⑤ = 0.142625 \times 0.05 \times 0.05 = 0.000356$
> $= 0.00036$

125 다음 FT도에서 시스템의 신뢰도는 약 얼마인가?(단, 모든 부품의 발생확률은 0.15이다.)

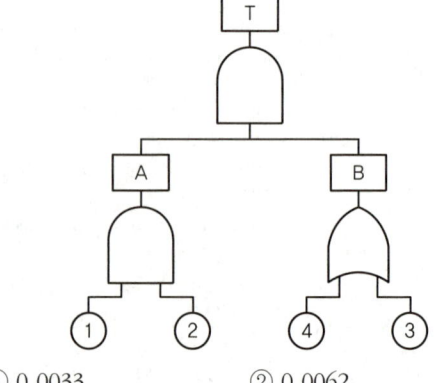

① 0.0033　　② 0.0062
③ 0.9938　　④ 0.9966

해설

발생확률 계산
1. A＝①×②＝0.15×0.15＝0.0225
2. B＝1−(1−④)(1−③)＝1−(1−0.15)(1−0.15)＝0.2775
3. T＝A×B＝0.0225×0.2775＝0.00624
4. 신뢰도＝1−확률＝1−0.00624＝0.9938

> **TIP** 본 문제는 고장확률이 아니라 신뢰도를 구하는 문제이다. FTA는 사고의 원인이 되는 장치의 이상이나 고장의 다양한 조합 및 작업자 실수 원인을 연역적으로 분석하는 방법이라는 개념을 알고 있어야 한다.

126 다음 중 부울대수의 관계식으로 틀린 것은?

① A＋AB＝A
② A(A＋B)＝A＋B
③ A＋ĀB＝A＋B
④ A＋Ā＝1

해설

흡수법칙
1. A＋(A · B)＝A
2. A · (A · B)＝A · B
3. A · (A＋B)＝A

127 다음의 FT도에서 정상사상 T의 발생확률은 얼마인가?(단, X_1, X_2, X_3의 발생확률은 모두 0.1이다.)

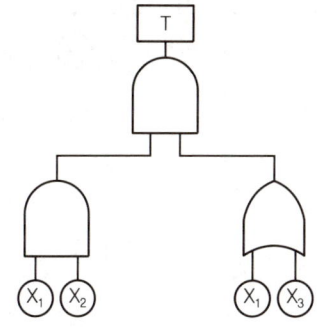

① 0.0019
② 0.01
③ 0.019
④ 0.0361

해설

발생확률
1. 최소 컷셋을 구하면

ⓐ에서 1행의 컷셋은 X_1이 중복되어 있으므로 (X_1, X_2)가 되고 ⓑ의 2행에서는 (X_1, X_2)가 포함되어 있기 때문에 최소 컷셋은 ⓒ와 같다.

2. T의 발생확률
(X_1 X_2)는 AND 이므로
T＝(0.1×0.1)＝0.01

> **TIP** 미니멀 컷셋(중복이 있는 경우)을 구하는 문제이다.

128 다음 FT도에서 정상사상(Top Event)이 발생하는 최소 컷셋의 P(T)는 약 얼마인가?(단, 원 안의 수치는 각 사상의 발생확률이다.)

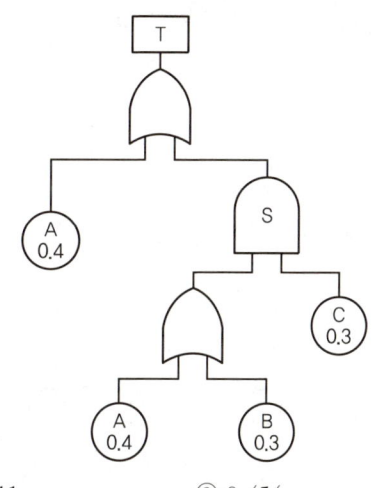

① 0.311
② 0.454
③ 0.204
④ 0.928

해설

미니멀 컷셋(Minimal Cut Set)
1. 미니멀 컷셋 구하기

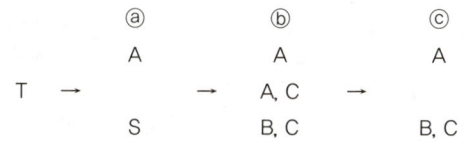

ⓑ에서 2행의 컷셋은 A가 중복되어 있으므로 최소 컷셋은 ⓒ와 같다.

2. 정상사상 발생확률
P(T)＝1−(1−A)×(1−B×C)
＝1−(1−0.4)×(1−0.3×0.3)＝0.454

| 최소 컷셋에 대한 FT도 |

129 다음 FT도에서 최소 컷셋(Minimal Cut Set)으로만 올바르게 나열한 것은?

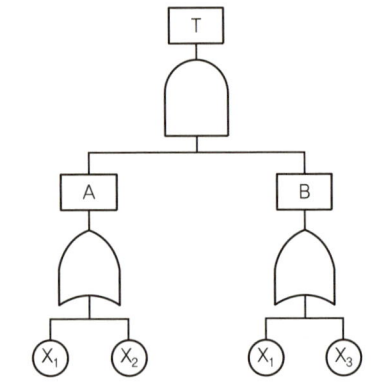

① [X₁], [X₂]

② [X₁, X₂], [X₁, X₃]

③ [X₁], [X₂, X₃]

④ [X₁, X₂, X₃]

해설

미니멀 컷셋(Minimal Cut Set)

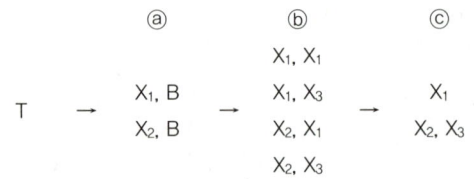

TIP ⓑ에서 1행의 컷셋은 X₁이 중복되어 있으므로 (X₁)이 되고 ⓑ의 2행, 3행에서는 (X₁)가 포함되어 있기 때문에 최소 컷셋은 ⓒ와 같다.

130 다음 시스템에 대하여 톱사상(Top Event)에 도달할 수 있는 최소 컷셋(Minimal Cut Set)을 구할 때 다음 중 올바른 집합은?(단, ①, ②, ③, ④는 각 부품의 고장확률을 의미하며, 집합 {1,2}는 ①번 부품과 ②번부품이 동시에 고장나는 경우를 의미한다.)

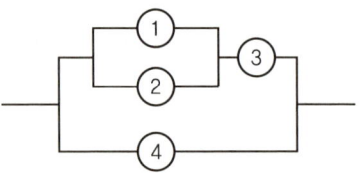

① {1,2}, {3,4}

② {1,3}, {2,4}

③ {1,3,4}, {2,3,4}

④ {1,2,4}, {3,4}

해설

미니멀 컷셋(Minimal Cut Set)

1. 시스템에서 ①과 ②를 B로 하고, B와 ③을 A로 하여 FT도를 작성하면 다음과 같다.

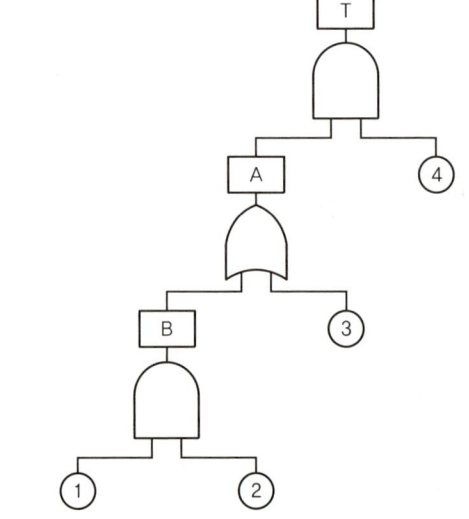

2. 미니멀 컷셋 구하기

$$T \rightarrow A, ④ \rightarrow \begin{matrix} B, ④ \\ ③, ④ \end{matrix} \rightarrow \begin{matrix} ①, ②, ④ \\ ③, ④ \end{matrix}$$

131 다음 중 FTA에서 특정 조합의 기본사상들이 동시에 결함을 발생하였을 때 정상사상을 일으키는 기본사상의 집합을 무엇이라 하는가?

① Cut Set

② Error Set

③ Path Set

④ Success Set

컷셋과 패스셋

컷셋 (Cut Set)	정상사상을 발생시키는 기본사상의 집합으로 그 안에 포함되는 모든 기본사상(여기서는 통상사상, 생략결함사상 등을 포함한 기본사상)이 발생할 때 정상사상을 발생시킬 수 있는 기본사상의 집합
미니멀 컷셋 (Minimal Cut Set)	컷셋의 집합 중에서 정상사상을 일으키기 위하여 필요한 최소한의 컷셋을 미니멀 컷셋이라 한다. 즉, 컷셋 중에서 타 컷셋을 포함하고 있는 것을 배제하고 남은 컷셋들을 의미한다.
패스셋 (Path Set)	그 안에 포함되는 모든 기본사상이 일어나지 않을 때 처음으로 정상사상이 일어나지 않는 기본사상의 집합, 즉 시스템이 고장나지 않도록 하는 사상의 조합이다.
미니멀 패스셋 (Minimal Path Set)	정상사상이 일어나지 않기 위해 필요한 최소한의 것을 말하며, 시스템의 신뢰성을 나타낸다. 즉, 시스템의 기능을 살리는 최소요인의 집합이다.

> **TIP** 컷셋뿐만 아니라 미니멀 컷셋, 패스셋, 미니멀 패스셋의 정의에 대해서도 시험에 자주 출제되고 있습니다. 함께 기억하세요.

132 다음 중 최소 컷셋(Minimal Cut Set)에 관한 설명으로 옳은 것은?

① 컷셋 중에 타 컷셋을 포함하고 있는 것을 배제하고 남은 컷셋들을 의미한다.

② 어느 고장이나 에러를 일으키지 않으면 재해가 일어나지 않는 시스템의 신뢰성이다.

③ 기본사상이 일어났을 때 정상사상(Top Event)을 일으키는 기본사상의 집합이다.

④ 기본사상이 일어나지 않을 때 정상사상(Top Event)이 일어나지 않는 기본사상의 집합이다.

133 다음 중 컷셋과 패스셋에 관한 설명으로 옳은 것은?

① 동일한 시스템에서 패스셋의 개수와 컷셋의 개수는 같다.

② 패스셋은 동시에 발생했을 때 정상사상을 유발하는 사상들의 집합이다.

③ 일반적으로 시스템에서 최소 컷셋의 개수가 늘어나면 위험수준이 높아진다.

④ 일반적으로 시스템에서 최소 컷셋 내의 사상 개수가 적어지면 위험 수준이 낮아진다.

미니멀 컷셋은 정상사상(고장)을 일으키기 위하여 필요한 최소한의 컷셋으로 개수가 늘어나면 위험수준이 높아진다.

134 안전성 평가 항목에 해당하지 않는 것은?

① 작업자에 대한 평가

② 기계설비에 대한 평가

③ 작업공정에 대한 평가

④ 레이아웃에 대한 평가

안전성 평가 대상

1. 기계설비
2. 작업공정
3. 배치(Layout)

> **TIP** 안전성 평가 : 설비나 공법 등에 대해서 이동 중 또는 시공 중에 나타날 위험에 대해 설계 또는 계획단계에서 정성적 또는 정량적인 평가를 하고 그 평가에 따른 대책을 강구하는 것이다.

135 다음 중 안전성 평가의 기본원칙 6단계 과정에 해당되지 않는 것은?

① 작업 조건의 분석

② 정성적 평가

③ 안전대책

④ 관계자료의 정비·검토

안전성 평가의 기본원칙

안전성 평가는 6단계에 의해 실시되며, 경우에 따라 5단계와 6단계가 동시에 이루어지기도 한다.

1. 제1단계 : 관계자료의 정비·검토
2. 제2단계 : 정성적 평가
3. 제3단계 : 정량적 평가
4. 제4단계 : 안전대책
5. 제5단계 : 재해정보에 의한 재평가
6. 제6단계 : FTA에 의한 재평가

136 화학설비에 대한 안전성 평가방법 중 공장의 입지조건이나 공장 내 배치에 관한 사항은 어느 단계에서 하는가?

① 제1단계 : 관계자료의 작성 준비
② 제2단계 : 정성적 평가
③ 제3단계 : 정량적 평가
④ 제4단계 : 안전대책

해설

안전성 평가(제2단계 : 정성적 평가)
1. 설계 관계 항목
　　㉠ 입지조건
　　㉡ 공장 내 배치
　　㉢ 건조물
　　㉣ 소방설비

2. 운전 관계 항목
　　㉠ 원재료, 중간체, 제품 등의 위험성
　　㉡ 프로세스의 운전조건, 수송, 저장 등에 대한 안전대책
　　㉢ 프로세스기기의 선정요건

137 화학설비에 대한 안전성 평가에서 정량적 평가 항목에 해당하지 않는 것은?

① 보전
② 조작
③ 취급물질
④ 화학설비용량

해설

안전성 평가항목(제3단계 : 정량적 평가)
1. 취급물질　　　　4. 압력
2. 화학설비의 용량　5. 조작
3. 온도

138 어떤 설비의 시간당 고장률이 일정하다고 하면 이 설비의 고장간격은 다음 중 어떠한 확률분포를 따르는가?

① t분포
② 카이분포
③ 와이블분포
④ 지수분포

해설

지수분포
여러 개의 부품이 조합되어 만들어진 기기나 시스템의 고장 확률 밀도함수는 지수분포에 따르게 되며, 이때의 고장률은 시간에 관계없이 일정하게 된다.(시간당 고장률이 일정)

139 일정한 고장률을 가진 어떤 기계의 고장률이 시간당 0.0004일 때 10시간 이내에 고장을 일으킬 확률은?

① $1 + e^{0.04}$
② $1 - e^{-0.004}$
③ $1 - e^{0.04}$
④ $1 - e^{-0.00004}$

해설

고장률이 사용시간에 관계없이 일정한 경우(시간당 고장률이 일정)

$$신뢰도 함수 : R(t) = \exp[-\lambda t] = e^{-\lambda t}$$
$$불신뢰도 함수 : F(t) = 1 - R(t) = 1 - e^{-\lambda t}$$

1. 신뢰도 : $R(t) = e^{-\lambda t} = e^{-0.0004 \times 10} = e^{-0.004}$
2. 불신뢰도 : $F(t) = 1 - R(t) = 1 - e^{-\lambda t} = 1 - e^{-0.004}$

140 어떤 전자회로에는 4개의 트랜지스터와 20개의 저항이 직렬로 연결되어 있다. 이러한 부품들이 정상운용 상태에서 다음과 같은 고장률을 가질 때 이 회로의 신뢰도는 얼마인가?

· 트랜지스터 : 0.00001/시간
· 저항 : 0.000001/시간

① $e^{-0.0006t}$
② $e^{-0.00004t}$
③ $e^{-0.00006t}$
④ $e^{-0.000001t}$

해설

고장률이 사용시간에 관계없이 일정한 경우(시간당 고장률이 일정)

$$신뢰도 함수 : R(t) = \exp[-\lambda t] = e^{-\lambda t}$$

$R(t) = e^{-\lambda t} = e^{-(0.00001 \times 4 + 0.000001 \times 20)t} = e^{-0.00006t}$

141 자동차 엔진의 수명은 지수분포를 따르는 경우 신뢰도를 95%를 유지시키면서 8000시간을 사용하기 위한 적합한 고장률은 약 얼마인가?

① 3.4×10^{-6}/시간
② 6.4×10^{-6}/시간
③ 8.2×10^{-6}/시간
④ 9.5×10^{-6}/시간

해설

고장률이 사용시간에 관계없이 일정한 경우(시간당 고장률이 일정)

$$신뢰도 함수 : R(t) = \exp[-\lambda t] = e^{-\lambda t}$$

1. $R(t) = e^{-\lambda t} \rightarrow 0.95 = e^{-\lambda \times 8000}$

2. $0.95 = e^{-\lambda \times 8000} \rightarrow \dfrac{\log 0.95}{\log e} = -(\lambda \times 8000)$

3. $\lambda = 6.4 \times 10^{-6}$

142 다음 중 시스템의 수명곡선에서 고장형태가 감소형에 해당하는 것은?

① 초기고장기간
② 우발고장기간
③ 마모고장기간
④ 피로고장기간

해설

시스템 수명곡선(욕조곡선)
1. 초기고장 : 감소형 − DFR(Decreasing Failure Rate) : 고장률이 시간에 따라 감소
2. 우발고장 : 일정형 − CFR(Constant Failure Rate) : 고장률이 시간에 관계없이 거의 일정
3. 마모고장 : 증가형 − IFR(Increasing Failure Rate) : 고장률이 시간에 따라 증가

143 다음 중 산업안전보건법에 따른 유해·위험방지계획서 제출대상 사업은 기계 및 가구를 제외한 금속가공 제품 대상 사업은 기계 및 가구를 제외한 금속가공 제품 제조업으로서 전기사용설비의 정격용량의 합이 얼마 이상인 사업을 말하는가?

① 50kW
② 100kW
③ 200kW
④ 300kW

해설

유해·위험방지계획서 제출 대상 사업장
다음 각 호의 어느 하나에 해당하는 사업으로서 전기계약용량이 300킬로와트 이상인 경우를 말한다.
1. 금속가공제품 제조업(기계 및 가구 제외)
2. 비금속 광물제품 제조업
3. 기타 기계 및 장비 제조업
4. 자동차 및 트레일러 제조업
5. 식료품 제조업
6. 고무제품 및 플라스틱제품 제조업
7. 목재 및 나무제품 제조업
8. 기타 제품 제조업
9. 1차 금속 제조업
10. 가구 제조업
11. 화학물질 및 화학제품 제조업
12. 반도체 제조업
13. 전자부품 제조업

144 다음 중 산업안전보건법령에 따라 기계·기구 및 설비의 설치·이전 등으로 인해 유해·위험방지계획서를 제출하여야 하는 대상에 해당하지 않는 것은?

① 공기압축기
② 건조설비
③ 화학설비
④ 가스집합 용접장치

해설

유해·위험방지계획서 제출대상 기계·기구 및 설비
1. 금속이나 그 밖의 광물의 용해로
2. 화학설비
3. 건조설비
4. 가스집합 용접장치
5. 근로자의 건강에 상당한 장해를 일으킬 우려가 있는 물질로서 고용노동부령으로 정하는 물질의 밀폐·환기·배기를 위한 설비

145 산업안전보건법령에 따라 제조업 중 유해·위험방지계획서 제출대상 사업의 사업주가 유해·위험방지계획서를 제출하고자 할 때 첨부하여야 하는 서류에 해당하지 않는 것은?(단, 기타 고용노동부장관이 정하는 도면 및 서류 등은 제외한다.)

① 공사개요서
② 기계·설비의 배치도면
③ 기계·설비의 개요를 나타내는 서류
④ 원재료 및 제품의 취급, 제조 등의 작업방법의 개요

해설

유해·위험방지계획서 제출 시 첨부서류(제조업)
1. 건축물 각 층의 평면도
2. 기계·설비의 개요를 나타내는 서류
3. 기계·설비의 배치도면
4. 원재료 및 제품의 취급, 제조 등의 작업방법의 개요
5. 그 밖에 고용노동부장관이 정하는 도면 및 서류

146 산업안전보건법령에 따라 유해·위험방지계획서를 제출할 때에는 사업장별로 관련 서류를 첨부하여 해당 작업시작 며칠 전까지 해당 기관에 제출하여야 하는가?

① 7일
② 15일
③ 30일
④ 60일

유해 · 위험방지계획서 제출시기
1. 제조업 등 유해 · 위험방지계획서 : 해당 작업 시작 15일 전까지 공단에 2부 제출
2. 건설공사 유해 · 위험방지계획서 : 해당 공사의 착공 전 날까지 공단에 2부 제출

147 산업안전보건법령상 유해 · 위험방지계획서의 심사 결과에 따른 구분 · 판정에 해당하지 않는 것은?

① 적정
② 일부 적정
③ 부적정
④ 조건부 적정

해설

심사 결과의 구분

적정	근로자의 안전과 보건을 위하여 필요한 조치가 구체적으로 확보되었다고 인정되는 경우
조건부 적정	근로자의 안전과 보건을 확보하기 위하여 일부 개선이 필요하다고 인정되는 경우
부적정	건설물 · 기계 · 기구 및 설비 또는 건설공사가 심사기준에 위반되어 공사착공 시 중대한 위험이 발생할 우려가 있거나 해당 계획에 근본적 결함이 있다고 인정되는 경우

148 다음 중 신뢰성과 보전성 개선을 목적으로 한 효과적인 보전기록자료로 볼 수 없는 것은?

① 설비이력카드
② 자재관리표
③ MTBF분석표
④ 고장원인대책표

해설

보전기록자료
설비이력카드, MTBF 분석표, 고장원인대책표

149 한 화학공장에는 24개의 공정제어회로가 있으며, 4000시간의 공정 가동 중 이 회로에는 14번의 고장이 발생하였고, 고장이 발생하였을 때마다 회로는 즉시 교체되었다. 이 회로의 평균고장시간(MTTF)은 약 얼마인가?

① 6857시간
② 7571시간
③ 8240시간
④ 9800시간

해설

평균고장수명(고장까지의 평균시간, MTTF ; Mean Time To Failure)
고장이 발생되면 그것으로 수명이 없어지는 제품의 평균수명이며, 이는 수리하지 않는 시스템, 제품, 기기, 부품 등이 고장 날 때까지 동작시간의 평균치

$$MTBF(MTTF) = \frac{1}{\lambda} = \frac{T(총\ 동작시간)}{r(그\ 기간\ 중의\ 총\ 고장\ 수)}$$

$$MTBF(MTTF) = \frac{T}{r} = \frac{4,000 \times 24}{14} = 6,857.14$$

150 프레스기의 안전장치 수명은 지수분포를 따르며 평균 수명은 1,000시간이다. 새로 구입한 안전장치가 향후 500시간 동안 고장 없이 작동할 확률(ⓐ)과 이미 1,000시간을 사용한 안전장치가 향후 500시간 이상 견딜 확률(ⓑ)은 각각 얼마인가?

① ⓐ : 0.606, ⓑ : 0.606
② ⓐ : 0.707, ⓑ : 0.707
③ ⓐ : 0.808, ⓑ : 0.808
④ ⓐ : 0.909, ⓑ : 0.909

해설

1. 평균고장시간 t_0인 요소가 t시간 고장을 일으키지 않을 확률(고장 없이 정상 작동할 확률)

$$R(t) = e^{-\frac{t}{t_0}} = e^{-\lambda t} = e^{-\frac{t}{MTBF}}$$

2. 계산
   A : 평균 수명은 1,000시간이다. 새로 구입한 안전장치가 향후 500시간 동안 고장 없이 작동할 확률

   $$R(t) = e^{-\frac{t}{MTBF}} = e^{-\frac{500}{1,000}} = 0.606$$

   B : 이미 1,000시간을 사용한 안전장치가 앞으로 500시간 이상 견딜 확률

   $$R(t) = e^{-\frac{t}{MTBF}} = e^{-\frac{500}{1,000}} = 0.606$$

151 다음 중 고장률이 λ인 n개의 구성부품이 병렬로 연결된 시스템의 평균수명($MTBF_S$)을 구하는 식으로 옳은 것은?(단, 각 부품의 고장밀도함수는 지수분포를 따른다.)

① $MTBF_S = \lambda^n$

② $MTBF_S = n\lambda$

③ $MTBF_S = \dfrac{1}{\lambda} + \dfrac{1}{2\lambda} + \cdots + \dfrac{1}{n\lambda}$

④ $MTBF_S = \dfrac{1}{\lambda} \times \dfrac{1}{2\lambda} \times \cdots \times \dfrac{1}{n\lambda}$

해설

병렬결합 시스템의 MTBF
일반적으로 $\lambda_1 = \lambda_2 = \cdots\cdots = \lambda_n = \lambda$인 n개의 구성부품이 병렬로 결합된 시스템의 $MTBF_S$는 다음과 같다.

$$MTBF_S = \frac{1}{\lambda} + \frac{1}{2\lambda} + \cdots\cdots + \frac{1}{n\lambda}$$

152 설비보전에서 평균수리시간의 의미로 맞는 것은?

① MTTR

② MTBF

③ MTTF

④ MTBP

해설

용어의 정의

MTTR (평균수리시간)	고장 난 후 시스템이나 제품이 제 기능을 발휘하지 않은 시간부터 회복할 때까지의 소요시간에 대한 평균의 척도이며 사후보전에 필요한 수리시간의 평균치를 나타낸다.
MTTF (평균고장수명)	고장이 발생되면 그것으로 수명이 없어지는 제품의 평균수명이며, 이는 수리하지 않는 시스템, 제품, 기기, 부품 등이 고장 날 때까지 동작시간의 평균치
MTBF (평균고장간격)	수리하여 사용이 가능한 시스템에서 고장과 고장 사이의 정상적인 상태로 동작하는 평균시간 (고장과 고장 사이 시간의 평균치)

153 다음 설명에 해당하는 설비보전 방식의 유형은?

설비보전 정보와 신기술을 기초로 신뢰성, 조작성, 보전성, 안정성, 경제성 등이 우수한 설비의 선정, 조달 또는 설계를 통하여 궁극적으로 설비의 설계, 제작 단계에서 보전활동이 불필요한 체제를 목표로 한 설비보전 방법을 말한다.

① 개량보전

② 사후보전

③ 일상보전

④ 보전예방

해설

보전예방
새로운 설비를 계획·설계하는 단계에서 설비보전 정보나 새로운 기술을 기초로 신뢰성, 보전성, 경제성, 조작성, 안전성 등을 고려하여 보전비나 열화 손실을 적게 하는 활동을 말하며, 궁극적으로는 보전활동이 가급적 필요하지 않도록 하는 것을 목표로 하는 설비보전 방법이다.

154 설비관리 책임자 A는 동종 업종의 TPM 추진 사례를 벤치마킹하여 설비관리 효율화를 꾀하고자 한다. 설비관리 효율화 중 작업자 본인이 직접 운전하는 설비의 마모율 저하를 위하여 설비의 윤활관리를 일상에서 직접 행하는 활동과 가장 관계가 깊은 TPM 추진단계는?

① 개별개선활동단계

② 자주보전활동단계

③ 계획보전활동단계

④ 개량보전활동단계

해설

자주보전
작업자 한 사람, 한 사람이 자신의 설비는 자신이 지킨다는 것을 목적으로 평상시 설비에 대해 청소, 점검, 부품교환, 간단한 수리를 통한 이상의 조기 발견 등을 행하는 것이다.

01 PART
02 PART
03 PART
04 PART
05 PART
06 PART
07 PART

기계 · 기구 및 설비 안전 관리 예상문제

01 왕복운동을 하는 동작운동과 움직임이 없는 고정 부분 사이에 형성되는 위험점을 무엇이라 하는가?

① 끼임점(Shear Point)
② 절단점(Cutting Point)
③ 물림점(Nip Point)
④ 협착점(Squeeze Point)

해설

협착점

1. 왕복운동을 하는 운동부와 움직임이 없는 고정부 사이에서 형성되는 위험점(고정점＋운동점)
2. 협착점의 예 : 프레스, 전단기, 성형기, 조형기, 밴딩기, 인쇄기

TIP 위험점의 분류 및 정의에 대해서는 시험에 자주 출제되고 있으며, 그중에서도 물림점, 회전말림점, 끼임점에 대한 출제빈도가 높습니다. 함께 기억하세요.

02 기계설비의 위험점에서 끼임점(Shear Point) 형성에 해당되지 않는 것은?

① 연삭숫돌과 작업대
② 체인과 스프로킷
③ 반복동작되는 링크기구
④ 교반기의 날개와 몸체 사이

해설

끼임점

1. 회전운동하는 부분과 고정부 사이에 위험이 형성되는 위험점(고정점＋회전운동)
2. 끼임점의 예 : 연삭숫돌과 작업대, 반복동작되는 링크기구, 교반기의 날개와 몸체 사이, 회전풀리와 벨트

03 일반적으로 기계설비의 점검시기를 운전 상태와 정지상태로 구분할 때 다음 중 운전 중의 점검사항이 아닌 것은?

① 클러치의 동작 상태
② 베어링의 온도상승 여부
③ 설비의 이상음과 진동 상태
④ 동력전달부의 볼트 · 너트의 풀림 상태

해설

기계설비의 점검

운전 상태에서 점검할 사항	1. 클러치 상태 2. 기어의 교합 상태 3. 접동부 상태 4. 이상음, 진동 상태 5. 베어링의 온도 상승 여부
정지 상태에서 점검할 사항	1. 나사, 볼트, 너트 등의 풀림 상태 2. 전동기 개폐기의 이상 유무 상태 3. 방호장치 및 동력전달장치 부분 상태 4. 급유 상태

04 산업안전보건법령상 크레인에 전용탑승설비를 설치하고 근로자를 달아 올린 상태에서 작업에 종사시킬 경우 근로자의 추락 위험을 방지하기 위하여 실시해야 할 조치사항으로 적합하지 않은 것은?

① 승차석 외의 탑승 제한
② 안전대나 구명줄의 설치
③ 탑승설비의 하강 시 동력하강방법을 사용
④ 탑승설비가 뒤집히거나 떨어지지 않도록 필요한 조치

해설

탑승의 제한

크레인을 사용하여 근로자를 운반하거나 근로자를 달아 올린 상태에서 작업에 종사시켜서는 아니 된다. 다만, 크레인에 전용 탑승설비를 설치하고 추락 위험을 방지하기 위하여 다음의 조치를 한 경우에는 제외

1. 탑승설비가 뒤집히거나 떨어지지 않도록 필요한 조치를 할 것
2. 안전대나 구명줄을 설치하고, 안전난간을 설치할 수 있는 구조인 경우에는 안전난간을 설치할 것
3. 탑승설비를 하강시킬 때에는 동력하강방법으로 할 것

05 산업안전보건기준에 관한 규칙에 따라 기계 · 기구 및 설비의 위험예방을 위하여 사업주는 회전축 · 기어 · 풀리 및 플라이휠 등에 부속되는 키 · 핀 등의 기계요소는 어떠한 형태로 설치하여야 하는가?

① 개방형
② 돌출형
③ 묻힘형
④ 고정형

회전축 · 기어 · 풀리 및 플라이휠 등에 부속되는 키 · 핀 등의 기계요소 위험방지 장치
1. 묻힘형
2. 덮개

06 원동기, 풀리, 기어 등 근로자에게 위험을 미칠 우려가 있는 부위에 설치하는 위험방지장치가 아닌 것은?

① 덮개   ② 슬리브
③ 건널다리   ④ 램

해설

원동기 · 회전축 · 기어 · 풀리 · 플라이휠 · 벨트 및 체인 등 근로자가 위험에 처할 우려가 있는 부위 위험방지장치
1. 덮개
2. 울
3. 슬리브
4. 건널다리 등

07 공작기계에서 덮개 또는 울의 방호장치를 설치해야 할 기계가 아닌 것은?

① 띠톱기계의 위험한 톱날 부위
② 형삭기 램의 행정 끝
③ 터릿 선반으로부터의 돌출 가공물
④ 모떼기 기계의 날

해설

모떼기 기계(자동이송장치를 부착한 것은 제외) : 날접촉 예방장치

08 기계설비의 정비, 청소, 급유, 검사, 수리 작업 시 유의하여야 할 사항으로 거리가 먼 것은?

① 작업지휘자를 배치하여 갑자기 기계가동을 시키지 않도록 한다.
② 기계 내부에 압축된 기체나 액체가 불시에 방출될 수 있는 경우에는 사전에 방출조치를 실시한다.
③ 해당 기계의 운전을 정지한 때에는 기동장치에 잠금장치를 하고 그 열쇠는 다른 작업자가 임의로 사용할 수 있도록 눈에 띄기 쉬운 곳에 보관한다.

④ 근로자에게 위험을 미칠 우려가 있는 때에는 근로자의 위험 방지를 위하여 해당 기계를 정지시켜야 한다.

해설

정비 등의 작업 시의 운전정지 등
기계의 운전을 정지한 경우 다른 사람이 그 기계를 운전하는 것을 방지하기 위하여 기계의 기동장치에 잠금장치를 하고 그 열쇠를 별도 관리하거나 표지판을 설치하는 등 필요한 방호조치를 하여야 한다.

09 일반적으로 장갑을 착용하고 작업해야 하는 것은?

① 드릴작업   ② 선반작업
③ 전기용접작업   ④ 밀링작업

해설

장갑의 사용 금지
1. 회전체에 말려들어가는 위험을 방지하기 위해 장갑 착용 금지
2. 날 · 공작물 또는 축이 회전하는 기계를 취급하는 경우 : 근로자의 손에 밀착이 잘되는 가죽 장갑 등과 같이 손이 말려 들어갈 위험이 없는 장갑을 사용

10 산업안전보건법에 따라 사업주는 근로자가 안전하게 통행할 수 있도록 통로에 얼마 이상의 채광 또는 조명시설을 하여야 하는가?

① 50럭스   ② 75럭스
③ 90럭스   ④ 100럭스

해설

통로의 조명
근로자가 안전하게 통행할 수 있도록 통로에 75럭스 이상의 채광 또는 조명시설을 하여야 한다.(다만, 갱도 또는 상시 통행을 하지 아니하는 지하실 등을 통행하는 근로자에게 휴대용 조명기구를 사용하도록 한 경우에는 제외)

11 옥내에 통로를 설치할 때 통로 면으로부터 높이 얼마 이내에 장애물이 없어야 하는가?

① 1.5m   ② 2.0m
③ 2.5m   ④ 3.0m

해설

통로면으로부터 높이 2미터 이내에는 장애물이 없도록 하여야 한다.

01 PART
02 PART
03 PART
04 PART
05 PART
06 PART
07 PART

12 기계설비의 안전조건 중 외형의 안전화에 해당하는 것은?

① 기계의 안전기능을 기계설비에 내장하였다.
② 페일 세이프 및 풀 푸르프의 기능을 가지는 장치를 적용하였다.
③ 강도의 열화를 고려하여 안전율을 최대로 고려하여 설계하였다.
④ 작업자가 접촉할 우려가 있는 기계의 회전부에 덮개를 씌우고 안전색채를 사용하였다.

해설

외관상의 안전화
기계를 설계할 때 기계 외부에 나타나는 위험부분을 제거하거나 기계 내부에 내장시키는 것
1. 가드 설치 : 기계 외형 부분 및 회전체 돌출 부분(묻힘형이나 덮개의 설치)
2. 구획된 장소에 격리 : 원동기 및 동력전도장치(벨트, 기어, 샤프트, 체인 등)
3. 안전색채 조절(기계 장비 및 부수되는 배관)

시동 스위치	녹색	고열을 내는 기계	청녹색, 회청색	기름배관	암황적색
급정지 스위치	적색	증기배관	암적색	물배관	청색
대형 기계	밝은 연녹색	가스배관	황색	공기배관	백색

TIP 기계장비 및 배관의 안전색채에 대해서도 시험에 출제되고 있습니다. 함께 기억하세요.

13 다음 중 자동화설비를 사용하고자 할 때 기능의 안전화를 위하여 검토할 사항과 가장 거리가 먼 것은?

① 부품 변형에 의한 오동작
② 사용압력 변동 시의 오동작
③ 전압강하 및 정전에 따른 오동작
④ 단락 또는 스위치 고장 시의 오동작

해설

기능적 안전화
1. 기계나 기구를 사용할 때 기계의 기능이 저하하지 않고 안전하게 작업하는 것으로 능률적이고 재해 방지를 위한 설계를 한다.
2. 적절한 조치가 필요한 이상상태(자동화된 기계설비가 재해 측면에서의 불리한 조건)

⊙ 전압강하, 정전시의 기계 오동작
ⓒ 단락, 스위치 릴레이 고장 시의 오동작
ⓒ 사용압력 변동 시의 오동작
ⓐ 밸브계통의 고장에 의한 오동작

14 기계설비의 구조적 안전화를 위한 안전조건에 해당되지 않는 것은?

① 재료 선택 시의 안전화
② 설계 시의 올바른 강도 계산
③ 사용상의 안전화
④ 가공상의 안전화

해설

구조상의 안전화

설계상의 결함	1. 가장 큰 원인은 강도산정(부하예측, 강도계산)상의 오류 2. 사용상 강도의 열화를 고려하여 안전율을 산정
재료의 결함	기계 재료 자체에 균열, 부식, 강도 저하, 불순물 내재, 내부 구멍 등의 결함이 있으므로 설계 시 재료의 선택에 유의하여야 한다.
가공의 결함	재료 가공 도중 결함이 생길 수 있으므로 기계적 특성을 갖는 적절한 열처리 등이 필요하다.

15 다음 중 설비의 일반적인 고장형태에 있어 마모고장과 가장 거리가 먼 것은?

① 부품, 부재의 마모
② 열화에 생기는 고장
③ 부품, 부재의 반복피로
④ 순간적 외력에 의한 파손

해설

마모고장
1. 증가형(IFR ; Inreasing Failure Rate) : 고장률이 시간에 따라 증가
2. 장치의 일부가 수명을 다하여 생기는 고장
3. 부식 또는 산화, 마모 또는 피로, 불충분한 정비 등으로 발생하는 고장

TIP 1. 순간적 외력에 의한 파손은 우발고장에 해당된다.
2. 기계 고장률의 기본모형의 종류 : 초기 고장, 우발고장, 마모고장

16 페일 세이프(Fail Safe)의 기계설계상 본질적 안전화에 대한 설명으로 틀린 것은?

① 구조적 Fail Safe : 인간이 기계 등의 취급을 잘못해도 그것이 바로 사고나 재해와 연결되는 일이 없는 기능을 말한다.

② Fail – passive : 부품이 고장 나면 통상적으로 기계는 정지하는 방향으로 이동한다.

③ Fail – active : 부품이 고장 나면 기계는 경보를 울리는 가운데 짧은 시간 동안의 운전이 가능하다.

④ Fail – operational : 부품의 고장이 있어도 기계는 추후의 보수가 될 때까지 안전한 기능을 유지하며, 이것은 병렬계통 또는 대기여분(Stand – by Redundancy) 계통으로 한 것이다.

해설

풀 프루프(Fool Proof)와 페일 세이프(Fail Safe)

풀 프루프 (Fool Proof)	작업자가 기계를 잘못 취급하여 불안전 행동이나 실수를 하여도 기계설비의 안전 기능이 작용되어 재해를 방지할 수 있는 기능을 가진 구조
페일 세이프 (Fail Safe)	기계나 그 부품에 파손ㆍ고장이나 기능 불량이 발생하여도 항상 안전하게 작동할 수 있는 기능을 가진 구조

17 다음 중 가공기계에 주로 쓰이는 풀 프루프(Fool Proof)의 형태가 아닌 것은?

① 금형의 가드
② 사출기의 인터로크 장치
③ 카메라의 이중촬영 방지기구
④ 압력용기의 파열판

해설

압력용기의 파열판은 페일 세이프에 해당된다.

18 기계의 각 작동 부분 상호 간을 전기적, 기구적, 공유압장치 등으로 연결해서 기계의 각 작동 부분이 정상으로 작동하기 위한 조건이 만족되지 않을 경우 자동적으로 그 기계를 작동할 수 없도록 하는 것을 무엇이라 하는가?

① 인터록 기구
② 과부하방지장치
③ 트립 기구
④ 오버런 기구

해설

인터록(Interlock)

기계의 각 작동 부분 상호 간을 전기적ㆍ기구적 유공압장치 등으로 연결해서 기계의 각 작동 부분이 정상으로 작동하기 위한 조건이 만족 되지 않을 경우 자동적으로 그 기계를 작동할 수 없도록 하는 것

19 방호장치의 설치목적이 아닌 것은?

① 가공물 등의 낙하에 의한 위험 방지
② 위험부위와 신체의 접촉 방지
③ 비산으로 인한 위험 방지
④ 주유나 검사의 편리성

해설

방호장치의 기본 목적
1. 작업자의 보호
2. 인적ㆍ물적 손실의 방지
3. 기계 위험 부위의 접촉 방지 등

TIP 주유나 검사의 편리성을 위해서 방호장치를 설치하지는 않는다.

20 기계설비 방호장치의 분류에서 위험장소에 대한 방호장치에 해당되지 않는 것은?

① 격리형 방호장치
② 포집형 방호장치
③ 접근거부형 방호장치
④ 위치제한형 방호장치

해설

방호장치의 분류
1. 위험장소 : 격리형 방호장치, 위치제한형 방호장치, 접근 반응형 방호장치, 접근 거부형 방호장치
2. 위험원 : 포집형 방호장치, 감지형 방호장치

21 이상온도, 이상기압, 과부하 등 기계의 부하가 안전 한계치를 초과하는 경우에 이를 감지하고 자동으로 안전상태가 되도록 조정하거나 기계의 작동을 중지시키는 방호장치는?

① 감지형 방호장치
② 접근 거부형 방호장치
③ 위치 제한형 방호장치
④ 접근 반응형 방호장치

01 PART
02 PART
03 PART
04 PART
05 PART
06 PART
07 PART

작업점의 방호방법

1. 격리형 방호장치 : 작업점과 작업자 사이에 접촉되어 일어날 수 있는 재해를 방지하기 위해 차단벽이나 망을 설치하는 방호장치
2. 위치 제한형 방호장치 : 작업자의 신체부위가 위험한계 밖에 있도록 기계의 조작장치를 위험한 작업점에서 안전거리 이상 떨어지게 하거나 조작장치를 양손으로 동시에 조작하게 함으로써 위험한계에 접근하는 것을 제한하는 방호장치
3. 접근 반응형 방호장치 : 작업자의 신체부위가 위험한계 또는 그 인접한 거리 내로 들어오면 이를 감지하여 그 즉시 기계의 동작을 정지시키고 경보등을 발하는 방호장치
4. 접근 거부형 방호장치 : 작업자의 신체부위가 위험한계 내로 접근하였을 때 기계적인 작용에 의하여 접근을 못하도록 저지하는 방호장치
5. 포집형 방호장치 : 작업자로부터 위험원을 차단하는 방호장치
6. 감지형 방호장치 : 이상온도, 이상기압, 과부하 등 기계의 부하가 안전한계치를 초과하는 경우 이를 감지하고 자동으로 안전한 상태가 되도록 조정하거나 기계의 작동을 중지시키는 방호장치

> **TIP** 감지형 방호장치뿐만 아니라 다른 종류의 방호장치에 대해서도 자주 출제되고 있습니다. 함께 기억하세요.

22 다음 중 기계설계 시 사용되는 안전계수를 나타내는 식으로 틀린 것은?

① $\dfrac{\text{허용응력}}{\text{기초강도}}$ ② $\dfrac{\text{극한강도}}{\text{최대설계응력}}$

③ $\dfrac{\text{파단하중}}{\text{안전하중}}$ ④ $\dfrac{\text{파괴하중}}{\text{최대사용하중}}$

안전율(안전계수)

$$= \frac{\text{기초강도}}{\text{허용응력}} = \frac{\text{극한강도}}{\text{허용응력}} = \frac{\text{최대응력}}{\text{허용응력}} = \frac{\text{절단하중(파괴하중)}}{\text{최대사용하중}}$$

$$= \frac{\text{극한강도}}{\text{최대설계응력}} = \frac{\text{파단하중}}{\text{안전하중}} = \frac{\text{인장강도}}{\text{허용응력}}$$

23 안전계수가 5인 체인의 최대설계하중이 120kgf이라면 이 체인의 극한하중은 얼마인가?

① 24kgf   ② 120kgf

③ 600kgf   ④ 1,200kgf

안전율(안전계수)

$$\text{안전율(안전계수)} = \frac{\text{극한하중}}{\text{최대설계하중}}$$

극한하중 = 안전계수 × 최대설계하중 = 5 × 120(kgf)
= 600[kgf]

24 인장강도가 25kg/mm²인 강판의 안전율이 4라면 이 강판의 허용응력(kg/mm²)은 얼마인가?

① 4.25   ② 6.25

③ 8.25   ④ 10.25

안전율(안전계수)

$$\text{안전율(안전계수)} = \frac{\text{인장강도}}{\text{허용응력}}$$

$$\text{허용응력} = \frac{\text{인장강도}}{\text{안전율}} = \frac{25}{4} = 6.25[\text{kg/mm}^2]$$

25 단면적이 1,800mm²인 알루미늄 봉의 파괴강도는 70MPa이다. 안전율을 2로 하였을 때 봉에 가해질 수 있는 최대하중은 얼마인가?

① 6.3kN   ② 126kN

③ 63kN   ④ 12.6kN

최대사용하중

> • 파괴강도 $= \dfrac{\text{파괴하중}}{\text{단면적}}$
>
> • 안전율(안전계수) $= \dfrac{\text{파괴하중}}{\text{최대사용하중}}$

1. 파괴하중 = 파괴강도 × 단면적 = 70N/mm² × 18,000mm²
= 126,000N = 126kN
2. 최대사용하중 $= \dfrac{\text{파괴하중}}{\text{안전율}} = \dfrac{126\text{kN}}{2.0} = 63[\text{kN}]$

26 허용응력이 100kgf/mm²이고, 단면적이 2mm²인 강판의 극한하중이 400kgf이라면 안전율은 얼마인가?

① 2   ② 4

③ 5   ④ 50

해설

안전율

$$안전율(안전계수) = \frac{극한강도}{허용응력}$$

1. 극한강도 $= \dfrac{극한하중}{단면적} = \dfrac{400}{2} = 200[\text{kgf}/\text{mm}^2]$

2. 안전율 $= \dfrac{극한강도}{허용응력} = \dfrac{200}{100} = 2$

27 일반구조용 압연강판(SS400)으로 구조물을 설계할 때 허용응력을 10kg/mm²으로 정하였다. 이때 적용된 안전율은?

① 2   ② 4

③ 6   ④ 8

해설

안전율(안전계수)

$$안전율(안전계수) = \frac{인장강도}{허용응력}$$

안전율(안전계수) $= \dfrac{40}{10} = 4$

> **TIP** 1. SS400 = 인장강도를 나타냄(40kg/mm², 400MPa)
> 2. 1kg/mm² = 10MPa(10kg/mm² = 100MPa)

28 동일한 재료를 사용하여 기계나 시설물을 설계할 때 하중의 종류에 따라 안전율의 선택값이 달라진다. 일반적으로 안전율의 선택값이 작은 것에서부터 큰 것의 순서로 옳게 된 것은?

① 정하중 < 반복하중 < 교번하중 < 충격하중
② 정하중 < 교번하중 < 반복하중 < 충격하중
③ 교번하중 < 정하중 < 충격하중 < 반복하중
④ 충격하중 < 반복하중 < 교번하중 < 정하중

해설

하중에 따른 안전율의 크기 순서

충격하중 > 교번하중 > 반복하중 > 정하중

29 다음 중 재해조사의 목적에 해당되지 않는 것은?

① 재해 발생 원인 및 결함 규명
② 재해 관련 책임자 문책
③ 재해예방 자료수집
④ 동종 및 유사재해 재발방지

해설

재해조사의 목적

재해 원인과 결함을 규명하고 예방 자료를 수집하여 동종 재해 및 유사재해의 재발 방지 대책을 강구하는 데 목적이 있다.
1. 재해 발생 원인 및 결함 규명
2. 재해예방 자료수집
3. 동종 및 유사재해 재발방지

30 다음 중 "Near Accident"에 대한 내용으로 가장 적절한 것은?

① 사고가 일어난 인접지역
② 사망사고가 발생한 중대재해
③ 사고가 일어난 지점에 계속 사고가 발생하는 지역
④ 사고가 일어나더라도 손실을 전혀 수반하지 않는 재해

해설

아차사고(Near Accident)

재해 또는 사고가 발생하여도 인명 상해나 물적 손실 등 일체의 피해가 없는 사고를 말한다.

31 다음 중 재해조사 시 유의사항에 관한 설명으로 틀린 것은?

① 사실을 있는 그대로 수집한다.
② 조사는 2인 이상이 실시한다.
③ 기계설비에 관한 재해요인만 직접적으로 도출한다.
④ 목격자의 증언 등 사실 이외의 추측의 말은 참고로만 한다.

해설

사람, 설비, 환경의 측면에서 재해요인을 도출한다.

32 산업현장에서 재해 발생 시 조치 순서로 옳은 것은?

① 긴급처리 → 재해조사 → 원인분석 → 대책수립 → 실시계획 → 실시 → 평가

② 긴급처리 → 원인분석 → 재해조사 → 대책수립 → 실시 → 평가

③ 긴급처리 → 재해조사 → 원인분석 → 실시계획 → 실시 → 대책수립 → 평가

④ 긴급처리 → 실시계획 → 재해조사 → 대책수립 → 평가 → 실시

> **해설**
>
> 재해 발생 시 조치사항
> 산업재해 발생 → 긴급처리 → 재해조사 → 원인강구(원인분석) → 대책수립 → 대책실시계획 → 실시 → 평가

33 다음 중 산업재해가 발생하였을 때 [보기]의 각 단계를 긴급처치의 순서대로 가장 적절하게 나열한 것은?

㉠ 재해자 구출	㉡ 관계자 통보
㉢ 2차 재해 방지	㉣ 관련 기계의 정지
㉤ 재해자의 응급처치	㉥ 현장보존

① ㉠ → ㉣ → ㉡ → ㉤ → ㉢ → ㉥

② ㉡ → ㉠ → ㉣ → ㉤ → ㉢ → ㉥

③ ㉣ → ㉠ → ㉤ → ㉡ → ㉢ → ㉥

④ ㉤ → ㉠ → ㉣ → ㉢ → ㉡ → ㉥

> **해설**
>
> 긴급처리 순서
> 1. 피재기계의 정지 4. 2차 재해 방지
> 2. 피재자의 응급조치 5. 현장보존
> 3. 관계자에게 통보

34 산업재해의 분석 및 평가를 위하여 재해 발생건수 등의 추이에 대해 한계선을 설정하여 목표 관리를 수행하는 재해통계 분석기법은?

① 폴리건(Polygon)

② 관리도(Control Chart)

③ 파레토도(Pareto Diagram)

④ 특성 요인도(Cause & Effect Diagram)

> **해설**
>
> 통계에 의한 원인분석
> 1. 파레토도
>   사고의 유형, 기인물 등 분류항목을 큰 값에서 작은 값의 순서로 도표화하며, 문제나 목표의 이해에 편리하다.
> 2. 특성 요인도
>   ㉠ 특성과 요인관계를 어골상으로 도표화하여 분석하는 기법(원인과 결과를 연계하여 상호 관계를 파악하기 위한 분석방법)
>   ㉡ 등뼈는 원칙적으로 좌측에서 우측으로 향하여 굵은 화살표를 기입한다.
> 3. 클로즈(Close) 분석
>   두 개 이상의 문제관계를 분석하는 데 사용하는 것으로, 데이터를 집계하고 표로 표시하여 요인별 결과내역을 교차한 클로즈 그림을 작성하여 분석하는 기법
> 4. 관리도
>   재해 발생건수 등의 추이에 대해 한계선을 설정하여 목표 관리를 수행하는 데 사용되는 방법으로 관리선은 관리상한선, 중심선, 관리하한선으로 구성된다.

> **TIP** 통계에 의한 원인분석의 종류 및 정의는 자주 출제되고 있습니다. 함께 기억하세요.

35 산업재해의 원인 중 기술적 원인에 해당하는 것은?

① 작업준비의 불충분

② 안전장치의 기능 제거

③ 안전교육의 부족

④ 구조, 재료의 부적당

> **해설**
>
> 기술적 원인
> 1. 건물, 기계장치의 설계불량
> 2. 구조, 재료의 부적합
> 3. 생산방법의 부적당
> 4. 점검, 정비보존의 불량

36 다음 중 불안전한 행동에 속하지 않는 것은?

① 보호구 미착용

② 부적절한 도구 사용

③ 방호장치 미설치

④ 안전장치 기능 제거

불안전한 행동과 상태의 분류

불안전한 행동 (인적 요인)	설비 · 기계 및 물질의 부적절한 사용 · 관리, 구조물 등 그 밖의 위험방치 및 미확인, 작업수행 소홀 및 절차 미준수, 불안전한 작업자세, 작업수행 중 과실, 무모한 또는 불필요한 행위 및 동작, 복장, 보호구의 부적절한 사용, 불안전한 속도 조작, 안전장치의 기능 제거, 불안전한 인양 및 운반
불안전한 상태 (물적 요인)	물체 및 설비 자체의 결함, 방호조치의 부적절, 작업통로 등 장소불량 및 위험, 물체, 기계기구 등의 취급상 위험, 작업공정 · 절차의 부적절, 작업환경 등의 부적절, 보호구의 성능불량, 불안전한 설계로 인한 결함 발생

37 다음 중 산업재해의 원인으로 간접적 원인에 해당되지 않는 것은?

① 기술적 원인　　② 물적 원인
③ 관리적 원인　　④ 교육적 원인

산업재해의 원인

직접원인	1. 인적 요인(불안전한 행동) 2. 물적 요인(불안전한 상태)
간접원인	1. 기술적 원인 2. 교육적 원인 3. 신체적 원인 4. 정신적 원인 5. 작업관리상의 원인

38 다음의 재해사례에서 기인물에 해당하는 것은?

> 기계작업에 배치된 작업자가 반장의 지시를 받기 전에 정지된 선반을 운전시키면서 변속치차의 덮개를 벗겨내고 치차를 저속으로 운전하면서 급유하려고 할 때 오른손이 변속치차에 맞물려 손가락이 절단되었다.

① 덮개　　② 급유
③ 변속치차　　④ 선반

1. 기인물 : 선반
2. 가해물 : 변속치차

39 국제노동기구(ILO)의 산업재해 정도 구분에서 부상 결과 근로자가 신체장해등급 제12급 판정을 받았다고 하면 이는 어느 정도의 부상을 의미하는가?

① 영구 일부 노동불능
② 영구 전 노동불능
③ 일시 일부 노동불능
④ 일시 전 노동불능

상해 정도별 분류(국제노동기구(ILO)에 따른 분류)

사망	안전사고 혹은 부상의 결과로 사망한 경우 : 노동손실일수 7,500일
영구 전 노동불능 상해	부상결과 근로기능을 완전히 잃은 경우(신체장해등급 제1급~제3급) : 노동손실일수 7,500일
영구 일부 노동불능 상해	부상결과 신체의 일부가 근로기능을 상실한 경우(신체장해등급 제4급~제14급)
일시 전 노동불능 상해	의사의 진단에 따라 일정기간 근로를 할 수 없는 경우(신체장해가 남지 않는 일반적인 휴업재해)
일시 일부 노동불능 상해	의사의 진단에 따라 부상 다음날 혹은 그 이후에 정규근로에 종사할 수 없는 휴업재해 이외의 경우(일시적으로 작업시간 중에 업무를 떠나 치료를 받는 것 또는 가벼운 작업에 종사하는 정도의 휴업재해)
응급(구급)조치 상해	응급처치 혹은 의료조치를 받아 부상당한 다음 날 정규근로에 종사할 수 있는 경우

40 재해통계를 작성하는 필요성에 대한 설명으로 틀린 것은?

① 설비상의 결함요인을 개선 및 시정시키는 데 활용한다.
② 재해의 구성 요소를 알고 분포 상태를 알아 대책을 세우기 위함이다.
③ 근로자의 행동 결함을 발견하여 안전 재교육 훈련 자료로 활용한다.
④ 관리책임 소재를 밝혀 관리자의 인책 자료로 삼는다.

관리자의 책임을 추궁하는 것이 목적이 아니고 재해 원인에 대한 사실을 정확히 찾아내는 데 있다.

41 A사업장에서는 450명 근로자가 1주일에 40시간씩, 연간 50주를 작업하는 동안에 18건의 재해가 발생하여 20명의 재해자가 발생하였다. 이 근로시간 중에 근로자의 6%가 결근하였다면 이 사업장의 도수율은 약 얼마인가?

① 20.00 ② 21.28
③ 23.64 ④ 44.44

해설

1. 출근율 $= 1 - \dfrac{6}{100} = 0.94$

2. 도수율 $= \dfrac{\text{재해발생건수}}{\text{연간 총근로시간수}} \times 1,000,000$

$\quad = \dfrac{18}{(450 \times 40 \times 50) \times 0.94} \times 1,000,000 = 21.276$

42 A공장의 근로자가 440명, 1일 근로시간이 7시간 30분, 연간 총근로일수는 300일, 평균출근율 95%, 총 잔업시간이 10,000시간, 지각 및 조퇴시간 500시간일 때, 이 기간 중 발생한 재해는 휴업재해 4건, 불휴재해 6건이라고 한다. 이 공장의 도수율은 얼마인가?

① 0.11 ② 4.26
③ 6.32 ④ 10.53

해설

1. 근로시간 7시간 30분 $= 7.5$시간

2. 도수율 $= \dfrac{\text{재해발생건수}}{\text{연간 총근로시간수}} \times 1,000,000$

$\quad = \dfrac{4+6}{(440 \times 7.5 \times 300 \times 0.95) + (10,000 - 500)}$

$\quad\quad \times 1,000,000$

$\quad = 10.53$

43 연간 근로자수가 1,000명인 A공장의 도수율이 10이었다면 이 공장에서 연간 발생한 재해건수는 몇 건인가?

① 20건 ② 22건
③ 24건 ④ 26건

해설

도수율
연간 총근로시간수는 문제에서 조건이 없으면 1일 8시간, 1년 300일 근무를 적용한다.

1. 도수율 $= \dfrac{\text{재해발생건수}}{\text{연간 총근로시간수}} \times 1,000,000$

2. 계산

재해발생건수 $= \dfrac{10 \times 1,000 \times 8 \times 300}{1,000,000} = 24(건)$

44 A사업장의 연천인율이 10.8인 경우, 이 사업장의 도수율은 약 얼마인가?

① 5.4 ② 4.5
③ 3.7 ④ 1.8

해설

도수율 $= \dfrac{\text{연천인율}}{2.4} = \dfrac{10.8}{2.4} = 4.5$

도수율과 연천인율의 관계

1. 도수율 $= \dfrac{\text{연천인율}}{2.4}$

2. 연천인율 $=$ 도수율 $\times 2.4$

45 종업원 1,000명이 근무하는 S사업장의 강도율이 0.40이었다. 이 사업장에서 연간 재해발생으로 인한 근로손실일수는 총 몇 일인가?

① 480 ② 720
③ 960 ④ 1440

해설

강도율 계산

1. 강도율 $= \dfrac{\text{근로손실일수}}{\text{연간 총근로시간수}} \times 1,000$

2. 근로손실일수 $= \dfrac{\text{강도율} \times \text{연간 총근로시간수}}{1,000}$

$\quad = \dfrac{0.40 \times (1,000 \times 8 \times 300)}{1,000} = 960(일)$

> **TIP** 연간 총근로시간수는 문제에서 조건이 없으면 1일 8시간, 1년 300일 근무를 적용한다.

46 200명이 근무하는 사업장에서 근로자는 하루 9시간씩 연간 270일을 근무하였다. 이 사업장에서 연간 15건의 재해로 인하여 120일의 근로손실과 73일의 휴업일수가 발생하였다면 이 사업장의 총근로손실일수는 며칠인가?

① 120일 ② 174일
③ 180일 ④ 193일

1. 일시 전 노동불능

$$근로손실일수 = 휴업일수 \times \frac{연간근무일수}{365}$$

$$= 73 \times \frac{270}{365} = 54(일)$$

2. 근로손실일수 $= 120(일)$

3. 총근로손실일수 $= 54 + 120 = 174(일)$

TIP 연간 근무일수가 주어지지 않으면 다음의 공식 적용

일시 전 노동불능 : 근로손실일수 $= 휴업일수 \times \dfrac{300}{365}$

47 근로자수가 500명인 사업장에서 신체 장해등급 2급이 3명, 신체 장해등급 10급이 5명, 의사진단에 의한 휴업 일수가 1,500일 발생하였다면 이때의 강도율은?(단, 연 근로시간수는 2,400시간으로 한다.)

① 0.22

② 2.22

③ 22.28

④ 222.8

해설

$$강도율 = \frac{근로손실일수}{연간 \ 총근로시간수} \times 1,000$$

$$= \frac{(7,500 \times 3) + (600 \times 5) + \left(1,500 \times \dfrac{300}{365}\right)}{500 \times 2,400} \times 1,000$$

$$= 22.28$$

48 연평균 500명의 근로자가 근무하는 사업장에서 지난 한 해 동안 20명의 재해자가 발생하였다. 만약 이 사업장에서 한 작업자가 평생 동안 작업을 한다면 약 몇 건의 재해를 당할 수 있겠는가?(단, 1인당 평생 근로시간은 120,000시간으로 한다.)

① 1건

② 2건

③ 4건

④ 6건

해설

1. 도수율 $= \dfrac{재해발생건수}{연간 \ 총근로시간수} \times 1,000,000$

$$= \frac{20}{500 \times 8 \times 300} \times 1,000,000 = 16.66$$

2. 환산도수율 $= 도수율 \times \dfrac{총근로시간수}{1,000,000}$

$$= 16.66 \times \frac{120,000}{1,000,000} = 2(건)$$

TIP 평생근로시간(총근로시간수)이 100,000시간이 아님을 주의한다.

49 베어링을 생산하는 사업장에 300명의 근로자가 근무하고 있다. 1년에 21건의 재해가 발생하였다면 이 사업장에서 근로자 1명이 평생 작업 시 약 몇 건의 재해를 당할 수 있겠는가?(단, 1일 8시간씩 1년 300일을 근무하며, 평생근로시간은 10만 시간으로 가정한다.)

① 1건

② 3건

③ 5건

④ 6건

해설

1. 도수율 $= \dfrac{재해발생건수}{연간 \ 총근로시간수} \times 1,000,000$

$$= \frac{21}{300 \times 8 \times 300} \times 1,000,000 = 29.17$$

2. 환산도수율 $= 도수율 \times 0.1 = 29.17 \times 0.1 = 2.92 = 3(건)$

TIP 환산재해율

1. 환산강도율(S) : 10만 시간(평생근로)당의 근로손실일수
2. 환산도수율(F) : 10만 시간(평생근로)당의 재해건수

50 도수율이 24.5이고, 강도율이 2.15인 사업장이 있다. 이 사업장에서 한 근로자가 입사하여 퇴직할 때까지 몇 일간의 근로손실일수가 발생하겠는가?

① 2.45일

② 215일

③ 245일

④ 2,150일

해설

환산강도율 $= 강도율 \times 100 = 2.15 \times 100 = 215(일)$

51 상시근로자수가 100명인 사업장에서 1일 8시간씩 연간 280일을 근무하였을 때, 1명의 사망사고와 4건의 재해로 인하여 180일을 휴업일수가 발생하였다. 이 사업장의 종합재해지수는 약 얼마인가?

① 22.32

② 27.59

③ 34.14

④ 56.42

해설

종합재해지수

$$종합재해지수(FSI) = \sqrt{도수율(FR) \times 강도율(SR)}$$
$$\left(단, \ 미국의 \ 경우 FSI = \sqrt{\frac{FR \times SR}{1000}}\right)$$

㉠ 도수율 $= \dfrac{재해발생건수}{연간 \ 총근로시간수} \times 1,000,000$

$$= \frac{5}{100 \times 8 \times 280} \times 1,000,000 = 22.32$$

01 PART
02 PART
03 PART
04 PART
05 PART
06 PART
07 PART

© 강도율 $= \dfrac{\text{근로손실일수}}{\text{연간 총근로시간수}} \times 1,000$

$$= \dfrac{7,500 + \left(180 \times \dfrac{280}{365}\right)}{100 \times 8 \times 280} \times 1,000 = 34.1$$

© 종합재해지수(FSI) $= \sqrt{\text{도수율}(\overline{FR}) \times \text{강도율}(\overline{SR})}$
$= \sqrt{22.32 \times 34.1} = 27.59$

> **TIP** 종합재해지수
> 재해 빈도의 다수와 상해 정도의 강약을 나타내는 성적지표로 어떤 집단의 안전성적을 비교하는 수단으로 사용된다.

52 재해로 인한 직접비용으로 8,000만 원이 산재보상비로 지급되었다면 하인리히 방식에 따를 때 총 손실비용은 얼마인가?

① 16,000만 원 ② 24,000만 원
③ 32,000만 원 ④ 40,000만 원

해설

하인리히(H. W. Heinrich) 방식(1 : 4 원칙)

- 총재해 코스트(재해손실비용) = 직접비 + 간접비 = 직접비 × 5
- 직접손실 : 간접손실 = 1 : 4

총 재해 코스트(재해손실비용)
= 직접비 + 간접비 = 직접비 × 5 = 8,000만 원 × 5 = 40,000만 원

53 다음 중 하인리히 방식의 재해코스트 산정에 있어 직접비에 해당되지 않는 것은?

① 간병급여 ② 신규채용비용
③ 직업재활급여 ④ 상병(傷病)보상연금

해설

직접비와 간접비

	법적으로 정한 산재보상비(산재자에게 지급되는 보상비 일체)
직접비	1. 요양급여(진찰비, 간호비용 등) 2. 휴업급여 5. 유족급여 3. 장해급여 6. 장의비 4. 간병급여 7. 상병보상 연금 8. 기타(장해특별급여, 유족특별급여, 직업재활급여)
	직접비를 제외한 모든 비용(산재로 인해 기업이 입은 재산상의 손실)
간접비	1. 인적 손실 4. 특수 손실 2. 물적 손실 5. 기타 손실 3. 생산 손실

54 재해 코스트 산정에 있어 시몬즈(R. H. Simonds) 방식에 의한 재해코스트 산정법을 올바르게 나타낸 것은?

① 직접비 + 간접비
② 간접비 + 비보험 코스트
③ 보험 코스트 + 비보험 코스트
④ 보험 코스트 + 사업부보상금 지급액

해설

시몬즈(Simonds) 방식
총 재해 코스트(Cost) = 보험 코스트(Cost) + 비보험 코스트(Cost)

1. 보험 코스트(Cost) : 산재보험료
2. 비보험 코스트(Cost) = A×휴업상해건수 + B×통원상해건수 + C×응급조치건수 + D×무상해사고건수
3. A, B, C, D는 상해 정도별 재해에 대한 비보험 코스트의 평균치이다.
4. 사망과 영구 전노동 불능 상해는 재해범주에서 제외된다.

55 다음 중 시몬즈(Simonds)의 재해손실비용 산정 방식에 있어 비보험코스트에 포함되지 않는 것은?

① 영구 전 노동불능 상해
② 영구 부분 노동불능 상해
③ 일시 전 노동불능 상해
④ 일시 부분 노동불능 상해

56 다음 중 재해사례연구의 순서를 올바르게 나열한 것은?

① 재해상황 파악 → 문제점 발견 → 사실 확인 → 근본문제점 결정 → 대책 수립
② 문제점 발견 → 재해상황 파악 → 사실 확인 → 근본문제점 결정 → 대책 수립
③ 재해상황 파악 → 사실 확인 → 문제점 발견 → 근본문제점 결정 → 대책 수립
④ 문제점 발견 → 재해상황 파악 → 대책 수립 → 근본문제점 결정 → 사실 확인

해설

재해사례의 연구순서

전제조건	제1단계	제2단계	제3단계	제4단계
재해 상황의 파악	→ 사실의 확인	→ 문제점의 발견	→ 근본적 문제점의 결정	→ 대책의 수립

57 일상점검 중 작업 전에 수행되는 내용과 가장 거리가 먼 것은?

① 주변의 정리 · 정돈
② 생산품질의 이상 유무
③ 주변의 청소 상태
④ 설비의 방호장치 점검

해설

수시점검(일상점검, 일일점검)

매일 현장에서 작업 시작 전, 작업 중, 작업 후에 일상적으로 실시하는 점검(작업자, 작업담당자가 실시한다.)

작업 시작 전 점검사항	주변의 정리 · 정돈, 주변의 청소 상태, 설비의 방호장치 점검, 설비의 주유상태, 구동부분 등
작업 중 점검사항	이상소음, 진동, 냄새, 가스 및 기름 누출, 생산품질의 이상 여부 등
작업 종료 시 점검사항	기계의 청소와 정비, 안전장치의 작동 여부, 스위치 조작, 환기, 통로정리 등

58 다음 중 점검시기에 따른 안전점검의 종류로 볼 수 없는 것은?

① 수시점검
② 개인점검
③ 정기점검
④ 일상점검

해설

안전점검의 종류

점검주기에 따른 구분	1. 정기점검(계획점검) 2. 수시점검(일상점검, 일일점검) 3. 임시점검 4. 특별점검
점검방법에 의한 구분	1. 외관점검(육안점검) 2. 작동점검(작동상태검사) 3. 기능점검(조작검사) 4. 종합점검

59 기계나 기구 또는 설비를 신설 및 변경하거나 고장에 의한 수리 등을 할 경우에 행하는 부정기적 점검을 말하며, 일정 규모 이상의 강풍 · 폭우 · 지진 등의 기상이변이 있은 후에도 실시하는 점검을 무엇이라 하는가?

① 일상점검
② 정기점검
③ 특별점검
④ 수시점검

해설

특별점검

1. 기계, 기구 또는 설비를 신설하거나 변경 내지는 고장 수리 등을 할 경우
2. 강풍 또는 지진 등의 천재지변 발생 후의 점검
3. 산업안전 보건 강조기간에도 실시

60 다음 중 정기점검에 관한 설명으로 가장 적합한 것은?

① 안전강조 기간, 방화점검 기간에 실시하는 점검
② 사고 발생 이후 곧바로 외부 전문가에 의하여 실시하는 점검
③ 작업자에 의해 매일 작업 전, 중, 후에 해당 작업설비에 대하여 수시로 실시하는 점검
④ 기계, 기구, 시설 등에 대하여 주, 월, 또는 분기 등 지정된 날짜에 실시하는 점검

해설

정기점검(계획점검)

일정기간마다 정기적으로 실시하는 점검으로 주간점검, 월간점검, 연간점검 등이 있다.(마모상태, 부식, 손상, 균열 등 설비의 상태 변화나 이상 유무 등을 점검한다.)

61 다음 중 안전점검 방법에서 육안점검과 가장 관련이 깊은 것은?

① 테스트 해머 점검
② 부식 · 마모 점검
③ 가스검지기 점검
④ 온도계 점검

해설

외관점검(육안점검)

기기의 적정한 배치, 설치상태, 변형, 균열, 손상, 부식, 볼트의 풀림 등의 유무를 외관에서 시각 및 촉각 등으로 조사하고 점검기준에 의해 양부를 확인하는 것

62 안전점검 체크리스트에 포함되어야 할 사항이 아닌 것은?

① 점검 대상　　② 점검 부분
③ 점검 방법　　④ 점검 목적

점검표(체크리스트)에 포함되어야 할 사항
1. 점검대상　　5. 점검방법
2. 점검부분　　6. 판정기준
3. 점검항목　　7. 조치사항
4. 점검주기

63 다음 중 산업안전보건법상 안전검사 대상 유해 · 위험기계에 해당하는 것은?

① 이동식 크레인
② 이동식 국소배기장치
③ 밀폐형 롤러기
④ 산업용 원심기

안전검사 대상 기계 등
1. 프레스
2. 전단기
3. 크레인(정격 하중이 2톤 미만인 것은 제외)
4. 리프트
5. 압력용기
6. 곤돌라
7. 국소배기장치(이동식은 제외)
8. 원심기(산업용만 해당)
9. 롤러기(밀폐형 구조는 제외)
10. 사출성형기(형 체결력 294킬로뉴턴(kN) 미만은 제외)
11. 고소작업대(화물자동차 또는 특수자동차에 탑재한 고소작업대로 한정)
12. 컨베이어
13. 산업용 로봇
14. 혼합기
15. 파쇄기 또는 분쇄기

64 크레인, 리프트 및 곤돌라는 사업장에 설치가 끝난 날부터 몇 년 이내에 최초의 안전검사를 실시해야 하는가?

① 1년　　② 2년
③ 3년　　④ 4년

안전검사의 주기

크레인(이동식 크레인은 제외), 리프트(이삿짐운반용 리프트는 제외) 및 곤돌라	사업장에 설치가 끝난 날부터 3년 이내에 최초 안전검사를 실시하되, 그 이후부터 2년마다(건설현장에서 사용하는 것은 최초로 설치한 날부터 6개월마다)
이동식 크레인, 이삿짐운반용 리프트 및 고소작업대	「자동차관리법」에 따른 신규등록 이후 3년 이내에 최초 안전검사를 실시하되, 그 이후부터 2년마다
프레스, 전단기, 압력용기, 국소배기장치, 원심기, 롤러기, 사출성형기, 컨베이어, 산업용 로봇, 혼합기, 파쇄기 또는 분쇄기	사업장에 설치가 끝난 날부터 3년 이내에 최초 안전검사를 실시하되, 그 이후부터 2년마다(공정안전보고서를 제출하여 확인을 받은 압력용기는 4년마다)

65 산업안전보건법령에 따라 자율검사프로그램을 인정받기 위한 충족 요건으로 틀린 것은?

① 관련 법에 따른 검사원을 고용하고 있을 것
② 관련 법에 따른 검사 주기마다 검사를 할 것
③ 자율검사프로그램의 검사기준이 안전검사기준에 충족할 것
④ 검사를 할 수 있는 장비를 갖추고 이를 유지 · 관리할 수 있을 것

자율안전프로그램의 인정 요건
1. 검사원을 고용하고 있을 것
2. 검사를 할 수 있는 장비를 갖추고 이를 유지 · 관리할 수 있을 것
3. 안전검사의 주기에 따른 검사 주기의 2분의 1에 해당하는 주기(크레인 중 건설현장 외에서 사용하는 크레인의 경우에는 6개월)마다 검사를 할 것
4. 자율검사프로그램의 검사기준이 안전검사기준을 충족할 것

66 다음 중 산업안전보건법령상 안전인증대상 기계 · 기구 및 설비, 방호장치에 해당하지 않는 것은?

① 롤러기
② 압력용기
③ 동력식 수동대패용 칼날 접촉 방지장치
④ 방폭구조(防爆構造) 전기기계 · 기구 및 부품

안전인증대상 기계 등

기계 또는 설비	1. 프레스 2. 전단기 및 절곡기 3. 크레인 4. 리프트 5. 압력용기	6. 롤러기 7. 사출성형기 8. 고소 작업대 9. 곤돌라
방호 장치	1. 프레스 및 전단기 방호장치 2. 양중기용 과부하방지장치 3. 보일러 압력방출용 안전밸브 4. 압력용기 압력방출용 안전밸브 5. 압력용기 압력방출용 파열판 6. 절연용 방호구 및 활선작업용 기구 7. 방폭구조 전기기계 · 기구 및 부품 8. 추락 · 낙하 및 붕괴 등의 위험 방지 및 보호에 필요한 가설기자재로서 고용노동부장관이 정하여 고시하는 것 9. 충돌 · 협착 등의 위험방지에 필요한 산업용 로봇 방호장치로서 고용노동부장관이 정하여 고시하는 것	
보호구	1. 추락 및 감전 위험방지용 안전모 2. 안전화 3. 안전장갑 4. 방진마스크 5. 방독마스크 6. 송기마스크 7. 전동식 호흡보호구 8. 보호복 9. 안전대 10. 차광 및 비산물 위험방지용 보안경 11. 용접용 보안면 12. 방음용 귀마개 또는 귀덮개	

67 산업안전보건법상 고용노동부장관은 자율안전확인대상 기계 · 기구 등의 안전에 관한 성능이 자율안전기준에 맞지 아니하게 된 경우 관련 사항을 신고한 자에게 몇 개월 이내의 기간을 정하여 자율안전확인표시의 사용을 금지하거나 자율안전기준에 맞게 개선하도록 명할 수 있는가?

① 1   ② 3
③ 6   ④ 12

자율안전확인표시의 사용 금지 등
1. 고용노동부장관은 신고된 자율안전확인대상 기계 · 기구 등의 안전에 관한 성능이 자율안전기준에 맞지 아니하게 된 경우에는 신고한 자에게 6개월 이내의 기간을 정하여 자율안전확인표시의 사용을 금지하거나 자율안전기준에 맞게 개선하도록 명할 수 있다.

2. 고용노동부장관은 자율안전확인표시의 사용을 금지한 때에는 그 사실을 공고하여야 한다.
3. 공고의 내용, 방법 및 절차, 그 밖에 공고에 필요한 사항은 고용노동부령으로 정한다.

68 다음 중 산업안전보건법상 안전인증대상 기계 · 기구의 안전인증표시로 옳은 것은?

①   ②

③   ④

안전인증의 표시

구분	표시
안전인증 및 자율안전확인의 표시	KCs
안전인증대상 기계 등이 아닌 유해 · 위험기계 등의 안전인증의 표시	S

69 선반작업 시 사용되는 방진구는 일반적으로 공작물의 길이가 직경의 몇 배 이상일 때 사용하는가?

① 4배 이상
② 6배 이상
③ 8배 이상
④ 12배 이상

방진구
1. 가공물의 길이가 외경에 비해 가늘고 긴 공작물을 가공할 경우 자중 및 절삭력으로 인하여 휘거나 처짐, 진동을 방지하기 위하여 사용하는 기구로 고정식과 이동식 방진구가 있다.
2. 가공물의 길이가 직경의 12배 이상일 때는 반드시 방진구를 사용하여야 한다.

01 PART
02 PART
03 PART
04 PART
05 PART
06 PART
07 PART

70 다음 중 선반에서 절삭가공 시 발생하는 칩을 짧게 끊어지도록 공구에 설치되어 있는 방호장치의 일종인 칩 제거기구를 무엇이라 하는가?

① 칩 브레이커
② 칩 받침
③ 칩 실드
④ 칩 커터

해설

칩 브레이커(Chip Breaker)
절삭 중 칩을 자동적으로 끊어 주는 바이트에 설치된 안전장치

71 다음 중 선반의 방호장치로 적당하지 않은 것은?

① 실드(Sheild)
② 슬라이딩(Sliding)
③ 척 커버(Chuck Cover)
④ 칩 브레이커(Chip Breaker)

해설

선반의 방호장치(안전장치)
1. 칩 브레이커(Chip Breaker)
2. 급정지 브레이크
3. 실드(Shield)
4. 척 커버(Chuck Cover)

72 원통의 내면을 선반으로 절삭 시 안전상 주의할 점으로 옳은 것은?

① 공작물이 회전 중에 치수를 측정한다.
② 절삭유가 튀므로 면장갑을 착용한다.
③ 절삭바이트는 공구대에서 길게 나오도록 설치한다.
④ 보안경을 착용하고 작업한다.

해설

선반 작업 시 주의사항
1. 칩(chip)이 비산할 때는 보안경을 쓰고 방호판을 설치한다.
2. 장갑 착용을 금한다.
3. 치수 측정, 주유 및 청소를 할 때는 반드시 기계를 정지시키고 한다.
4. 바이트는 가급적 짧게 장치하며 가공물의 길이가 직경의 12배 이상일 때는 반드시 방진구를 사용하여 진동을 막는다.

73 선반 작업 시 지켜야 할 안전수칙으로 거리가 먼 것은?

① 가공물의 설치는 반드시 스위치를 끄고 바이트를 충분히 뗀 다음에 한다.
② 상의의 옷자락은 안으로 넣고, 끈을 이용하여 소맷자락을 묶어 작업을 준비한다.
③ 공작물의 설치가 끝나면 척, 렌치류는 곧 떼어 놓는다.
④ 편심된 가공물의 설치 시는 균형추를 부착시킨다.

해설

선반 작업에 대한 안전수칙
1. 공작물을 조립시에는 반드시 스위치를 차단하고 바이트를 충분이 연 다음 실시한다.
2. 돌리개는 적당한 크기의 것을 선택하고, 심압대 스핀들은 지나치게 길게 내놓지 않는다.
3. 공작물의 설치가 끝나면 척에서 렌치류는 곧 제거한다.
4. 무게가 편중된 공작물은 균형추를 부착한다.
5. 바이트를 교환할 때는 기계를 정지시키고 한다.

74 다음 중 밀링 작업 시 하향 절삭의 장점에 해당되지 않는 것은?

① 일감의 고정이 간편하다.
② 일감의 가공면이 깨끗하다.
③ 이송기구의 백래시(backlash)가 자연히 제거된다.
④ 밀링커터의 날이 마찰작용을 하지 않으므로 수명이 길다.

해설

하향 절삭은 백래시 제거장치가 필요하다.

 • 상향 절삭 : 밀링 커터의 회전방향과 반대 방향으로 공작물을 이송하는 것을 상향 절삭이라 한다.
• 하향 절삭 : 밀링 커터의 회전방향과 같은 방향으로 공작물을 이송하는 것을 하향 절삭이라 한다.

75 다음 중 밀링 작업 시 안전수칙으로 옳지 않는 것은?

① 테이블 위에 공구나 기타 물건 등을 올려 놓지 않는다.
② 제품 치수를 측정할 때는 절삭 공구의 회전을 정지한다.
③ 강력 절삭을 할 때는 일감을 바이스에 얕게 물린다.
④ 상하좌우 이송장치의 핸들은 사용 후 풀어 둔다.

해설

강력 절삭을 할 때는 일감을 바이스에 깊게 물린다.

76 다음 중 세이퍼와 플레이너(Planer)의 방호장치가 아닌 것은?

① 방책   ② 칩받이
③ 칸막이   ④ 칩 브레이커

해설

세이퍼와 플레이너의 방호장치

세이퍼	1. 칩받이 2. 칸막이	3. 방책(방호울) 4. 가드
플레이너	1. 칸막이 2. 방책(방호울)	3. 칩받이 4. 가드

> **TIP** 세이퍼와 플레이너의 방호장치의 종류를 비교해서 함께 기억하세요.

77 다음 중 플레이너 작업 시의 안전대책으로 거리가 먼 것은?

① 베드 위에 다른 물건을 올려놓지 않는다.
② 바이트는 되도록 짧게 나오도록 설치한다.
③ 프레임 내의 피트(pit)에는 뚜껑을 설치한다.
④ 칩 브레이커를 사용하여 칩이 길게 되도록 한다.

해설

칩 브레이커(chip breaker)는 선반의 방호장치로 절삭 중 칩을 자동적으로 끊어 주는 바이트에 설치된 안전장치를 말한다.

78 셰이퍼(shaper) 작업에서 위험요인과 가장 거리가 먼 것은?

① 가공칩(chip) 비산
② 바이트(bite)의 이탈
③ 램(ram) 말단부 충돌
④ 척 − 핸들(chuck − handle) 이탈

해설

세이퍼 작업의 위험요인
1. 공작물 이탈
2. 램의 말단부 충돌
3. 가공 칩의 비산
4. 바이트(bite)의 이탈

79 다음 중 세이퍼의 작업 시 안전수칙으로 틀린 것은?

① 바이트를 짧게 고정한다.
② 공작물을 견고하게 고정한다.
③ 가드, 방책, 칩받이 등을 설치한다.
④ 운전자가 바이트의 운동방향에 선다.

해설

작업 중에는 바이트의 운동방향에 서지 않도록 한다.

80 선반으로 작업을 하고자 지름 30mm의 일감을 고정하고, 500rpm으로 회전시켰을 때 일감 표면의 원주속도는 약 몇 m/s인가?

① 0.628   ② 0.785
③ 23.56   ④ 47.12

해설

원주속도

$$V = \frac{\pi D N}{1000}$$

여기서, V : 원주속도[m/min], D : 직경[mm], N : 회전수[rpm]

1. $V = \dfrac{\pi D N}{1,000} = \dfrac{\pi \times 30 \times 500}{1,000} = 47.12[\text{m/min}]$

2. $V = 47.12 \times \dfrac{1}{60(\text{초})} = 0.785[\text{m/s}]$

> **TIP** 단위에 주의

81 드릴링 머신에서 축의 회전수가 1,000rpm이고, 드릴 지름이 10mm일 때 드릴의 원주속도는 약 얼마인가?

① 6.28m/min   ② 31.4m/min
③ 62.8m/min   ④ 314m/min

해설

드릴의 원주속도

$$V = \frac{\pi D N}{1,000}$$

여기서, V : 드릴의 원주속도[m/min]
$\quad\quad D$: 드릴의 직경[mm]
$\quad\quad N$: 드릴의 회전수[rpm]

$V = \dfrac{\pi D N}{1,000} = \dfrac{\pi \times 10 \times 1,000}{1,000} = 31.4[\text{m/min}]$

PART 01
PART 02
PART 03
PART 04
PART 05
PART 06
PART 07

82 드릴링 작업에서 일감의 고정방법에 대한 설명으로 적절하지 않은 것은?

① 일감이 작을 때는 바이스로 고정한다.
② 일감이 작고 길 때에는 플라이어로 고정한다.
③ 일감이 크고 복잡할 때에는 볼트와 고정구(클램프)로 고정한다.
④ 대량생산과 정밀도를 요구할 때에는 지그로 고정한다.

해설

드릴링 작업에서 일감(공작물)의 고정방법
1. 일감이 작을 때 : 바이스로 고정
2. 일감이 크고 복잡할 때 : 볼트와 고정구(클램프)로 고정
3. 대량 생산과 정밀도를 요할 때 : 지그(jig)로 고정
4. 얇은 판의 재료일 때 : 나무판을 받치고 기구로 고정

83 다음 중 휴대용 동력 드릴 작업 시 안전사항에 관한 설명으로 틀린 것은?

① 드릴의 손잡이를 견고하게 잡고 작업하여 드릴 손잡이 부위가 회전하지 않고 확실하게 제어 가능하도록 한다.
② 절삭하기 위하여 구멍에 드릴날을 넣거나 뺄 때 반발에 의하여 손잡이 부분이 튀거나 회전하여 위험을 초래하지 않도록 팔을 드릴과 직선으로 유지한다.
③ 드릴이나 리머를 고정시키거나 제거하고자 할 때 금속성 망치 등을 사용하여 확실히 고정 또는 제거한다.
④ 드릴을 구멍에 맞추거나 스핀들의 속도를 낮추기 위해서 드릴날을 손으로 잡아서는 안 된다.

해설

휴대용 동력 드릴 작업시의 안전사항
드릴이나 리머를 고정시키거나 제거하고자 할 때 금속성 물질로 두드리면 변형 및 파손될 우려가 있으므로 고무망치 등을 사용하거나 나무블록 등을 사이에 두고 두드린다.

84 다음 중 드릴 작업 시 작업안전수칙으로 적절하지 않은 것은?

① 재료의 회전 정지 지그를 갖춘다.
② 드릴링 잭에 렌치를 끼우고 작업한다.

③ 옷소매가 긴 작업복은 착용하지 않는다.
④ 스위치 등을 이용한 자동급유장치를 구성한다.

해설

드릴링 작업에 대한 안전수칙
드릴을 끼운 후 척 렌치(chuck wrench)는 반드시 뺀다.

85 다음 중 연삭숫돌의 파괴원인과 가장 거리가 먼 것은?

① 외부의 충격을 받았을 때
② 플랜지가 현저히 작을 때
③ 회전력이 결합력보다 클 때
④ 내ㆍ외면의 플랜지 지름이 동일할 때

해설

연삭숫돌의 파괴원인
1. 숫돌의 회전속도가 너무 빠를 때
2. 숫돌 자체에 균열이 있을 때
3. 숫돌에 과대한 충격을 가할 때
4. 숫돌의 측면을 사용하여 작업할 때
5. 숫돌의 불균형이나 베어링 마모에 의한 진동이 있을 때 (숫돌이 경우에 따라 파손될 수 있다)
6. 숫돌 반경방향의 온도변화가 심할 때
7. 작업에 부적당한 숫돌을 사용할 때
8. 숫돌의 치수가 부적당할 때
9. 플랜지가 현저히 작을 때

86 연삭숫돌의 기공 부분이 너무 적거나, 연질의 금속을 연마할 때에 숫돌표면의 공극이 연삭칩에 막혀서 연삭이 잘 행하여지지 않는 현상을 무엇이라 하는가?

① 자생 현상   ② 드레싱 현상
③ 그레이징 현상   ④ 눈메꿈 현상

해설

연삭숫돌의 결함
1. 글레이징(glazing) 현상 : 연삭숫돌에 결합도가 높아 무디어진 입자가 탈락하지 않으므로 숫돌 표면이 매끈해져서 연삭능력이 떨어지며 절삭이 어렵게 되는 현상(무딤)
2. 로딩(loading) 현상 : 연삭숫돌이 공작물에 비해 지나치게 경도가 높거나 회전속도가 느리면 숫돌 표면에 기공이 생겨 이곳에 절삭가루가 끼여 막히는 현상(눈메움)

87 다음 그림과 같은 연삭기 덮개의 용도로 가장 적절한 것은?

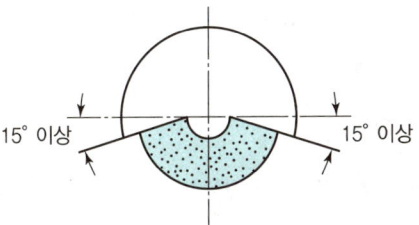

15° 이상   15° 이상

① 원통연삭기, 센터리스연삭기
② 휴대용 연삭기, 스윙연삭기
③ 공구연삭기, 만능연삭기
④ 평면연삭기, 절단연삭기

해설

연삭기 덮개의 각도
평면연삭기, 절단연삭기, 그 밖에 이와 비슷한 연삭기 덮개의 노출각도는 150° 이내로 하되, 숫돌의 주축에서 수평면 밑으로 이루는 덮개의 각도는 15° 이상이 되도록 한다.

88 다음 중 상부를 사용할 것을 목적으로 하는 탁상용 연삭기 덮개의 노출각도로 옳은 것은?

① 180° 이상   ② 120° 이내
③ 60° 이내   ④ 15° 이내

해설

연삭숫돌의 상부를 사용하는 것을 목적으로 하는 탁상용 연삭기 덮개의 노출각도는 60° 이내로 한다.

89 연삭기에서 숫돌의 바깥지름이 150mm일 경우 평형플랜지 지름은 몇 mm 이상이어야 하는가?

① 30   ② 50
③ 60   ④ 90

해설

플랜지의 지름
플랜지의 지름은 숫돌 지름의 1/3 이상인 것을 사용하며 양쪽 모두 같은 크기로 한다.

$$플랜지의\ 지름 = 숫돌\ 지름 \times \frac{1}{3}$$

플랜지의 지름 = 숫돌 지름 $\times \frac{1}{3} = 150 \times \frac{1}{3} = 50[mm]$

90 회전수가 300rpm, 연삭숫돌의 지름이 200mm일 때 숫돌의 원주속도는 몇 m/min인가?

① 60.0   ② 94.2
③ 150.0   ④ 188.5

해설

원주속도(회전속도)

$$V = \pi DN[mm/min] = \frac{\pi DN}{1,000}[m/min]$$

여기서, V : 원주속도(회전속도)[m/min]
　　　　D : 숫돌의 지름[mm]
　　　　N : 숫돌의 매분 회전수[rpm]

$$V = \frac{\pi DN}{1,000}[m/min] = \frac{\pi \times 200 \times 300}{1,000} = 188.5[m/min]$$

TIP 숫돌의 원주속도 공식을 묻는 문제와 연삭숫돌의 회전수(rpm)를 구하는 문제도 출제가 되고 있습니다. 함께 기억하세요.

91 회전속도가 500rpm인 탁상연삭기에서 숫돌차의 원주길이가 214mm라고 할 때 원주속도는 약 몇 m/min인가?

① 54   ② 107
③ 214   ④ 321

해설

원주속도(회전속도)

$$V = \pi DN[mm/min] = \frac{\pi DN}{1,000}[m/min]$$

여기서, V : 원주속도(회전속도)[m/min]
　　　　D : 숫돌의 지름[mm]
　　　　N : 숫돌의 매분 회전수[rpm]

1. 숫돌의 지름 : 원주길이 = $\pi \times D$ → $D = \dfrac{원주길이}{\pi}$

2. 원주속도

$$V = \frac{\pi DN}{1,000}[m/min] = \frac{\pi \times \dfrac{214}{\pi} \times 500}{1,000} = 107[m/min]$$

TIP 원둘레 길이(원주길이) = $\pi D = 2\pi r$
여기서, D : 지름, r : 반지름

92 다음 중 산업안전보건법령상 연삭숫돌을 사용하는 작업의 안전수칙으로 틀린 것은?

① 연삭숫돌을 사용하는 경우 작업시작 전과 연삭숫돌을 교체한 후에는 1분 이상 시운전을 통해 이상 유무를 확인한다.

② 회전 중인 연삭숫돌이 근로자에게 위험을 미칠 우려가 있는 경우에 그 부위에 덮개를 설치하여야 한다.

③ 연삭숫돌의 최고 사용회전속도를 초과하여 사용하여서는 안 된다.

④ 측면을 사용하는 목적으로 하는 연삭숫돌 이외는 측면을 사용해서는 안 된다.

해설

연삭기 작업면에 있어서의 안전기준
1. 회전 중인 연삭숫돌(지름이 5센티미터 이상인 것으로 한정)이 근로자에게 위험을 미칠 우려가 있는 경우에 그 부위에 덮개를 설치하여야 한다.
2. 연삭숫돌을 사용하는 작업의 경우 작업을 시작하기 전에는 1분 이상, 연삭숫돌을 교체한 후에는 3분 이상 시험운전을 하고 해당 기계에 이상이 있는지를 확인하여야 한다.
3. 시험운전에 사용하는 연삭숫돌은 작업 시작 전에 결함이 있는지를 확인한 후 사용하여야 한다.
4. 연삭숫돌의 최고 사용회전속도를 초과하여 사용하도록 해서는 아니 된다.
5. 측면을 사용하는 것을 목적으로 하지 않는 연삭숫돌을 사용하는 경우 측면을 사용하도록 해서는 아니 된다.

93 다음 중 정 작업 시의 작업안전수칙으로 틀린 것은?

① 정 작업 시에는 보안경을 착용하여야 한다.

② 정 작업으로 담금질된 재료를 가공해서는 안 된다.

③ 정 작업을 시작할 때와 끝날 무렵에는 세게 친다.

④ 철강재를 정으로 절단 시에는 철편이 날아 튀는 것에 주의한다.

해설

절단이 끝날 무렵에는 정을 세게 타격해서는 안 된다.

94 수공구 취급 시의 안전수칙으로 적절하지 않은 것은?

① 해머는 처음부터 힘을 주어 치지 않는다.

② 렌치는 올바르게 끼우고 몸 쪽으로 당기지 않는다.

③ 줄의 눈이 막힌 것은 반드시 와이어브러시로 제거한다.

④ 정으로는 담금질된 재료를 가공하여서는 안 된다.

해설

스패너, 렌치는 올바르게 끼우고 몸 쪽으로 당겨서 사용한다.

95 프레스 작업에서 재해예방을 위한 재료의 자동 송급 또는 자동배출장치가 아닌 것은?

① 롤피더   ② 그리퍼피더

③ 플라이어   ④ 셔블 이젝터

해설

프레스의 수공구
1. 누름봉, 갈고리류   4. 마그넷 공구류
2. 핀셋류   5. 진공컵류
3. 플라이어류

96 다음 중 프레스 또는 전단기 방호장치의 종류와 분류기호가 올바르게 연결된 것은?

① 가드식 : C   ② 손쳐내기식 : B

③ 광전자식 : D-1   ④ 양수조작식 : A-1

해설

프레스 또는 전단기의 방호장치 종류

종류	광전자식		양수조작식		가드식	손쳐내기식	수인식
			유·공압밸브식	전기버튼식			
분류	A-1	A-2	B-1	B-2	C	D	E

97 산업안전보건법령상 프레스 작업 시작 전 점검해야 할 사항에 해당하는 것은?

① 언로드 밸브의 기능

② 하역장치 및 유압장치 기능

③ 권과방지장치 및 그 밖의 경보장치의 기능

④ 1행정 1정지기구·급정지장치 및 비상정지장치의 기능

프레스 등의 작업 시작 전 점검사항

1. 클러치 및 브레이크의 기능
2. 크랭크축 · 플라이 휠 · 슬라이드 · 연결봉 및 연결 나사의 풀림 여부
3. 1행정 1정지기구 · 급정지장치 및 비상정지장치의 기능
4. 슬라이드 또는 칼날에 의한 위험방지 기구의 기능
5. 프레스의 금형 및 고정볼트 상태
6. 방호장치의 기능
7. 전단기의 칼날 및 테이블의 상태

TIP 프레스 작업 시작 전 일반적인 점검사항으로서 가장 중요한 것은 클러치 상태 점검이다.

98 다음 중 프레스 기계의 위험을 방지하기 위한 본질적 안전화(no - hand in die 방식)가 아닌 것은?

① 안전금형의 사용
② 수인식 방호장치 사용
③ 전용프레스 사용
④ 금형에 안전울 설치

해설

프레스의 안전대책

구분	종류
no - hand in die 방식	1. 안전울을 부착한 프레스 2. 안전금형을 부착한 프레스 3. 전용프레스 4. 자동프레스
hand in die 방식	1. 가드식 방호장치 2. 수인식 방호장치 3. 손쳐내기식 방호장치 4. 양수조작식 5. 광전자식(감응식)

TIP hand in die 방식의 종류도 시험에 출제되고 있습니다. 비교해서 함께 기억하세요.

99 프레스의 방호장치에서 게이트 가드(Gate Guard)식 방호장치의 종류를 작동방식에 따라 분류할 때 해당되지 않는 것은?

① 경사식
② 하강식
③ 도립식
④ 횡슬라이드식

해설

게이트 가드식(Gate Guard) 방호장치

1. 슬라이드의 작동 중에 열 수 없는 구조이어야 하며 가드를 닫지 않으면 슬라이드를 작동시킬 수 없는 구조의 것이어야 한다.

2. 위험부위를 차단하지 않으면 작동되지 않도록 확실하게 연동(interlock)되어야 한다.
3. 작동방식에 따라 하강식, 상승식, 횡슬라이드식, 도립식 등으로 분류한다.

100 슬라이드가 내려옴에 따라 손을 쳐내는 막대가 좌우로 왕복하면서 위험점으로부터 손을 보호하며 주는 프레스의 안전장치는?

① 손쳐내기식 방호장치
② 수인식 방호장치
③ 게이트 가드식 방호장치
④ 양손 조작식 방호장치

해설

손쳐내기식 방호장치(Sweep Guard)

1. 슬라이드와 연결된 손쳐내기 봉이 위험구역에 있는 작업자의 손을 쳐내는 방식
2. SPM 120 이하, 슬라이드 행정길이 약 40mm 이상의 프레스에 적용 가능

101 다음은 프레스기에 사용되는 수인식 방호장치에 관한 설명이다. ( ) 안의 ⓐ, ⓑ에 들어갈 내용으로 가장 적합한 것은?

수인식 방호장치는 일반적으로 행정수가 (ⓐ)이고, 행정길이는 (ⓑ)의 프레스에 사용이 가능한데, 이러한 제한은 행정수의 경우 손이 충격적으로 끌리는 것을 방지하기 위해서이며, 행정길이는 손이 안전한 위치까지 충분히 끌리도록 하기 위해서이다.

① ⓐ : 150SPM 이하, ⓑ : 30mm 이상
② ⓐ : 120SPM 이하, ⓑ : 40mm 이상
③ ⓐ : 150SPM 이하, ⓑ : 30mm 미만
④ ⓐ : 120SPM 이상, ⓑ : 40mm 미만

해설

수인식 방호장치(pull out)

1. 작업자의 손과 기구가 슬라이드와 직결되어 프레스기의 작동에 따라 작업자의 손을 위험 구역 밖으로 끌어내는 작용을 하는 방식
2. SPM 120 이하 행정길이 40mm 이상 프레스에 적용 가능

01 PART
02 PART
03 PART
04 PART
05 PART
06 PART
07 PART

102 다음 중 프레스의 손쳐내기식 방호장치 설치 기준으로 틀린 것은?

① 방호판의 폭이 금형 폭의 1/2 이상이어야 한다.
② 슬라이드 행정수가 150SPM 이상의 것에 사용한다.
③ 슬라이드의 행정길이가 40mm 이상의 것에 사용한다.
④ 슬라이드 하행정거리의 3/4 위치에서 손을 완전히 밀어내야 한다.

해설

SPM 120 이하, 슬라이드 행정길이 약 40mm 이상의 프레스에 적용 가능하다.

103 프레스의 위험성에 대해 기술한 내용으로 틀린 것은?

① 부품의 송급·배출이 핸드 인 다이로 이루어지는 것은 작업 시 위험성이 크다.
② 마찰식 클러치 프레스의 경우 하강 중인 슬라이드를 정지시킬 수 없어서 기계 자체 기능상의 위험성을 내포하고 있다.
③ 일반적인 프레스는 범용성이 우수한 기계지만 그에 대응하는 안전조치들이 미비한 경우가 많아 위험성이 높다.
④ 신체의 일부가 작업점에 노출되면 전단·협착 등의 재해를 당할 위험성이 매우 높다.

해설

마찰식 클러치
마찰식 프레스에는 광전자식 방호장치를 설치할 수 있으며 광전자식 방호장치는 신체의 일부가 광선을 차단하면 기계를 급정지 또는 급상승시켜 안전을 확보하는 장치로 하강 중인 슬라이드를 정지시킬 수 있다.

104 프레스의 방호장치 중 광전자식 방호장치에 관한 설명으로 틀린 것은?

① 연속 운전작업에 사용할 수 있다.
② 핀클러치 구조의 프레스에 사용할 수 있다.
③ 기계적 고장에 의한 2차 낙하에는 효과가 없다.
④ 시계를 차단하지 않기 때문에 작업에 지장을 주지 않는다.

해설

광전자식 방호장치
1. 광선 검출트립기구를 이용한 방호장치로서 신체의 일부가 광선을 차단하면 기계를 급정지 또는 급상승시켜 안전을 확보하는 장치
2. 마찰클러치의 구조에만 적용 가능하고 확동식 클러치(핀 클러치)를 갖는 크랭크 프레스에는 사용 불가

105 프레스 방호장치의 성능 기준에 대한 설명 중 잘못된 것은?

① 양수 조작식 방호장치에서 누름버튼의 상호 간 내측거리는 300mm 이상으로 한다.
② 수인식 방호장치는 120SPM 이하의 프레스에 적합하다.
③ 양수 조작식 방호장치는 1행정 1정지기구를 갖춘 프레스 장치에 적합하다.
④ 수인식 방호장치에서 수인끈의 재료는 합성섬유로 직경이 2mm 이상이어야 한다.

해설

수인식 방호장치에서 수인끈의 재료는 합성섬유로 직경이 4mm 이상이어야 한다.

106 완전회전식 클러치 기구가 있는 동력프레스에서 양수기동식 방호장치의 안전거리는 얼마 이상이어야 하는가?(단, 확동클러치의 봉합개소의 수는 8개, 분당 행정수는 250SPM을 가진다.)

① 240mm
② 360mm
③ 400mm
④ 420mm

해설

방호장치의 설치 안전거리(양수기동식)

$$D_m = 1.6\,T_m$$

여기서, D_m : 안전거리[mm]
T_m : 양손으로 누름단추 누르기 시작할 때부터 슬라이드가 하사점에 도달하기까지 소요시간[ms]
$$T_m = \left(\frac{1}{클러치\ 맞물림\ 개소수} + \frac{1}{2}\right) \times \frac{60,000}{매분\ 행정수}[\mathrm{ms}]$$

1. $T_m = \left(\dfrac{1}{클러치\ 맞물림\ 개소수} + \dfrac{1}{2}\right) \times \dfrac{60,000}{매분\ 행정수}$
$= \left(\dfrac{1}{8} + \dfrac{1}{2}\right) \times \dfrac{60,000}{250} = 150[\mathrm{ms}]$

2. $D_m = 1.6 \times 150 = 240[\mathrm{mm}]$

TIP 문제에서 안전장치의 안전거리가 주어지고 T_m을 구하는 형식의 문제도 출제되고 있습니다. 함께 기억하세요.

107 완전 회전식 클러치 기구가 있는 프레스의 양수기동식 방호장치에서 누름버튼을 누를 때부터 사용하는 프레스의 슬라이드가 하사점에 도달할 때까지의 소요 최대시간이 0.5초이면 안전거리는 몇 mm 이상이어야 하는가?

① 200mm　　　② 400mm
③ 600mm　　　④ 800mm

해설

방호장치의 설치 안전거리(양수기동식)

1. $\text{ms} = \dfrac{1}{1,000}$ 초

   즉, 1ms=0.001s 여기서는 0.5초 × 1,000 = 500[ms]
2. $D_m = 1.6\,T_m = 1.6 \times 500 = 800[\text{mm}]$

TIP 단위환산에 주의할 것

108 다음 중 프레스의 방호장치에 관한 설명으로 틀린 것은?

① 양수조작식 방호장치는 1행정 1정지기구에 사용할 수 있어야 한다.
② 손쳐내기식 방호장치는 슬라이드 하행정거리의 3/4 위치에서 손을 완전히 밀어내야 한다.
③ 광전자식 방호장치의 정상동작표시램프는 붉은색, 위험표시램프는 녹색으로 하며, 쉽게 근로자가 볼 수 있는 곳에 설치해야 한다.
④ 게이트 가드 방호장치는 가드가 열린 상태에서 슬라이드를 동작시킬 수 없고 또한 슬라이드 작동 중에는 게이트 가드를 열 수 없어야 한다.

해설

광전자식 방호장치의 설치방법
정상동작표시램프는 녹색, 위험표시램프는 붉은색으로 하며, 쉽게 근로자가 볼 수 있는 곳에 설치해야 한다.

109 광전자식 방호장치를 설치한 프레스에서 광선을 차단한 후 0.3초 후에 슬라이드가 정지하였다. 이때 방호장치의 안전거리는 최소 몇 mm 이상이어야 하는가?

① 180　　　② 280
③ 380　　　④ 480

해설

광전자식 방호장치의 설치 안전거리

$$D = 1,600 \times (T_c + T_s)$$

여기서, D : 안전거리[mm]
　　　　T_c : 방호장치의 작동시간[즉, 손이 광선을 차단했을 때부터 급정지기구가 작동을 개시할 때까지의 시간(초)]
　　　　T_s : 프레스 등의 최대정지시간[즉, 급정지기구가 작동을 개시했을 때부터 슬라이드 등이 정지할 때까지의 시간(초)]

1. $(T_c + T_s)$ = 급정지 시간(초)
2. $D = 1,600 \times 0.3 = 480[\text{mm}]$

110 마찰클러치식 프레스에서 손이 광선을 차단한 순간부터 급정지 장치가 작동 개시하기까지의 시간이 0.05초이고, 급정지 장치가 작동을 개시하여 슬라이드가 정지할 때까지의 시간이 0.15초일 때 이 광전자식 방호장치의 최소 안전거리는 몇 mm인가?

① 80　　　② 160
③ 240　　　④ 320

해설

광전자식 방호장치의 설치 안전거리
$D = 1,600 \times (0.05 + 0.15) = 320[\text{mm}]$

TIP 광전자식 방호장치
슬라이드 작동 중 정지 가능한 마찰클러치의 구조에만 적용 가능하고 확동식 클러치(핀 클러치)를 갖는 크랭크 프레스에는 사용 불가

111 다음 중 프레스기에 사용되는 방호장치에 있어 급정지 기구가 부착되어야만 유효한 것은?

① 양수조작식
② 손쳐내기식
③ 가드식
④ 수인식

01 PART
02 PART
03 PART
04 PART
05 PART
06 PART
07 PART

해설

급정지 기구에 따른 방호장치

급정지 기구가 부착되어 있어야만 유효한 방호장치	1. 양수 조작식 방호장치 2. 감응식 방호장치
급정지 기구가 부착되어 있지 않아도 유효한 방호장치	1. 양수 기동식 방호장치 2. 게이트 가드식 방호장치 3. 수인식 방호장치 4. 손쳐내기식 방호장치

112 프레스 작업 중 부주의로 프레스의 페달을 밟는 것에 대비하여 페달에 설치하는 것을 무엇이라 하는가?

① 클램프
② 로크너트
③ 커버
④ 스프링 와셔

해설

U자형 덮개(커버)
페달의 불시작동으로 인한 사고예방을 위해 프레스기 페달에 U자형 덮개를 씌운다.

113 다음 중 프레스 작업에서 제품을 꺼낼 경우 파쇄철을 제거하기 위하여 사용하는 데 가장 적합한 것은?

① 걸레
② 칩 브레이커
③ 스토퍼
④ 압축공기

해설

금형에서 제품을 꺼낼 때 칩(chip) 제거에 이용되는 것
1. 공기분사장치(압축공기)
2. pick out

114 프레스기의 금형을 부착·해체 또는 조정하는 작업을 할 때, 슬라이드가 갑자기 작동함으로써 발생하는 근로자의 위험을 방지하기 위해 사용해야 하는 것은?

① 방호울
② 안전블록
③ 시건장치
④ 날접촉예방장치

해설

금형 조정작업의 위험 방지
프레스등의 금형을 부착·해체 또는 조정하는 작업을 할 때에 해당 작업에 종사하는 근로자의 신체가 위험한계 내에 있는 경우 슬라이드가 갑자기 작동함으로써 근로자에게 발생할 우려가 있는 위험을 방지하기 위하여 안전블록을 사용하는 등 필요한 조치를 하여야 한다.

115 다음 중 위험기계의 구동에너지를 작업차가 차단할 수 있는 장치에 해당하는 것은?

① 급정지장치
② 감속장치
③ 위험방지장치
④ 방호장치

해설

급정지장치
롤러기의 전면에서 작업하고 있는 근로자의 신체 일부가 롤러 사이에 말려들어가거나 말려들어갈 우려가 있는 경우 근로자가 손·무릎·복부 등으로 급정지 조작부를 동작시켜 롤러기를 급정지시키는 장치를 말한다.

116 개구면에서 위험점까지의 거리가 50mm 위치에 폴리(Pully)가 회전하고 있다. 가드(Guard)의 개구부 간격으로 설정할 수 있는 최댓값은?

① 9.0mm
② 12.5mm
③ 13.5mm
④ 25mm

해설

롤러기 가드의 개구부 간격[ILO 기준(위험점이 전동체가 아닌 경우]

$$Y = 6 + 0.15X\,(X < 160\text{mm})$$
$$(\text{단, } X \geq 160\text{mm일 때, } Y = 30\text{mm})$$

여기서, X : 가드와 위험점 간의 거리(안전거리)[mm]
　　　　Y : 가드 개구부 간격(안전간극)[mm]

$Y = 6 + 0.15X = 6 + 0.15 \times 50 = 13.5[\text{mm}]$

TIP 가드와 위험점 간의 거리, 즉 X를 구하는 문제도 출제됩니다. 함께 기억하세요.

117 롤러기의 급정지장치 설치기준으로 틀린 것은?

① 손조작식 급정지장치의 조작부는 밑면에서 1.8m 이내에 설치한다.
② 복부조작식 급정지장치의 조작부는 밑면에서 0.8m 이상, 1.1m 이내에 설치한다.
③ 무릎조작식 급정지장치의 조작부는 밑면에서 0.8m 이내에 설치한다.
④ 설치위치는 급정지장치의 조작부 중심점을 기준으로 한다.

해설

급정지장치의 설치방법

급정지장치 조작부의 종류	위치	비고
손으로 조작하는 것	밑면으로부터 1.8m 이내	위치는 급정지장치 조작부의 중심점을 기준으로 함
복부로 조작하는 것	밑면으로부터 0.8m 이상 1.1m 이내	
무릎으로 조작하는 것	밑면으로부터 0.4m 이상 0.6m 이내	

118 다음 중 롤러기에 사용되는 급정지장치의 급정지거리 기준으로 옳은 것은?

① 앞면 롤러의 표면속도가 30m/min 미만이면 급정지 거리는 앞면 롤러 직경의 1/3 이내이어야 한다.
② 앞면 롤러의 표면속도가 30m/min 이상이면 급정지 거리는 앞면 롤러 직경의 1/3 이내이어야 한다.
③ 앞면 롤러의 표면속도가 30m/min 미만이면 급정지 거리는 앞면 롤러 원주의 1/3 이내이어야 한다.
④ 앞면 롤러의 표면속도가 30m/min 이상이면 급정지 거리는 앞면 롤러 원주의 1/3 이내이어야 한다.

해설

무부하 동작에서 급정지거리
롤러기의 급정지장치는 롤러기를 무부하에서 최대속도로 회전시킨 상태에서도 다음과 같이 앞면 롤러의 표면속도에 따라 규정된 정지거리 내에서 당해 롤러를 정지시킬 수 있는 성능을 보유해야 한다.

앞면 롤러의 표면속도(m/min)	급정지 거리
30 미만	앞면 롤러 원주의 1/3
30 이상	앞면 롤러 원주의 1/2.5

119 원심기의 안전에 관한 설명으로 적절하지 않은 것은?

① 원심기에는 덮개를 설치하여야 한다.
② 원심기의 최고사용회전수를 초과하여 사용하여서는 아니 된다.
③ 원심기에 과압으로 인한 폭발을 방지하기 위하여 압력방출장치를 설치하여야 한다.
④ 원심기로부터 내용물을 꺼내거나 원심기의 정비, 청소, 검사, 수리작업을 하는 때에는 운전을 정지시켜야 한다.

해설

원심기의 안전
1. 방호장치 : 원심기에는 덮개를 설치하여야 한다.
2. 사용방법
   ㉠ 원심기로부터 내용물을 꺼내거나 정비, 청소, 검사, 수리 또는 그 밖에 이와 유사한 작업을 하는 때에는 운전을 정지하여야 한다.
   ㉡ 원심기의 최고사용회전수를 초과하여 사용해서는 아니 된다.

120 다음 중 아세틸렌 용접 시 역류를 방지하기 위하여 설치하여야 하는 것은?

① 안전기   ② 청정기
③ 발생기   ④ 유량기

해설

안전기
용접 시의 발생하는 역화 및 역류에 의해 폭발되는 것을 방지하기 위한 장치

> **TIP** 역류(Contra Flow)
> 고압의 산소가 밖으로 나가지 못하게 되어 산소보다 압력이 낮은 아세틸렌을 밀어내면서 산소가 아세틸렌 호스 쪽으로 거꾸로 흐르게 되는 현상

121 다음 중 아세틸렌 용접 시 역화가 일어날 때 가장 먼저 취해야 할 행동으로 가장 적절한 것은?

① 산소밸브를 즉시 잠그고, 아세틸렌 밸브를 잠근다.
② 아세틸렌 밸브를 즉시 잠그고, 산소밸브를 잠근다.
③ 산소밸브는 열고, 아세틸렌 밸브는 즉시 닫아야 한다.
④ 에세틸렌의 사용압력을 1kgf/cm² 이하로 즉시 낮춘다.

해설

토치의 취급상 주의사항
1. 팁을 모래나 먼지 위에 놓지 말 것
2. 토치를 함부로 분해하지 말 것
3. 팁이 과열된 때는 아세틸렌 가스를 멈추고 산소만 다소 분출시키면서 물속에 넣어 냉각시킬 것
4. 점화 시 아세틸렌 밸브를 열고 점화 후 산소밸브를 열어 조절
5. 작업 종료 후 또는 고무호스에 역화 · 역류 발생 시에는 산소밸브를 가장 먼저 잠근다.
6. 용접토치팁의 청소는 팁클리너로 하는 것이 가장 좋다.

TIP 팁이 과열되었을 때의 조치사항도 출제되고 있습니다. 함께 기억하세요.

122 아세틸렌 용접장치 및 가스집합용접장치에서 가스의 역류 및 역화를 방지하기 위한 안전기의 형식에 속하는 것은?

① 주수식　　　　② 침지식
③ 투입식　　　　④ 수봉식

해설

아세틸렌 용접장치 및 가스 집합 용접장치에는 가스의 역류 및 역화를 방지할 수 있는 수봉식 또는 건식 안전기를 설치하여야 한다.

123 아세틸렌 및 가스집합 용접장치의 저압용 수봉식 안전기의 유효수주는 최소 몇 mm 이상을 유지해야 하는가?

① 15　　　　② 20
③ 25　　　　④ 30

해설

유효수주는 25mm 이상으로 유지하여 만일의 사태에 대비하도록 할 것

124 다음 중 산업안전보건법령상 아세틸렌 가스용접장치에 관한 기준으로 틀린 것은?

① 전용의 발생기실을 옥외에 설치한 경우에는 그 개구부를 다른 건축물로부터 1.5m 이상 떨어지도록 하여야 한다.
② 아세틸렌 용접장치를 사용하여 금속의 용접·용단 또는 가열작업을 하는 경우에는 게이지 압력이 127kPa을 초과하는 압력의 아세틸렌을 발생시켜 사용해서는 아니 된다.
③ 전용의 발생기실을 설치하는 경우 벽은 불연성 재료로 하고 철근 콘크리트 또는 그 밖에 이와 동등하거나 그 이상의 강도를 가진 구조로 하여야 한다.
④ 전용의 발생기실은 건물의 최상층에 위치하여야 하며, 화기를 사용하는 설비로부터 1m를 초과하는 장소에 설치하여야 한다.

해설

발생기실의 설치 장소
1. 아세틸렌 용접장치의 아세틸렌 발생기를 설치하는 경우에는 전용의 발생기실에 설치하여야 한다.
2. 건물의 최상층에 위치하여야 하며, 화기를 사용하는 설비로부터 3미터를 초과하는 장소에 설치하여야 한다.
3. 옥외에 설치한 경우에는 그 개구부를 다른 건축물로부터 1.5미터 이상 떨어지도록 하여야 한다.

125 아세틸렌 용접장치에서 사용하는 발생기실의 구조에 대한 요구사항으로 틀린 것은?

① 벽의 재료는 불연성의 재료를 사용할 것
② 천장과 벽은 견고한 콘크리트 구조로 할 것
③ 출입구의 문은 두께 1.5mm 이상의 철판 또는 이와 동등 이상의 강도를 가진 구조로 할 것
④ 바닥 면적의 16분의 1 이상의 단면적을 가진 배기통을 옥상으로 돌출시킬 것

해설

발생기실의 구조
1. 벽은 불연성 재료로 하고 철근 콘크리트 또는 그 밖에 이와 같은 수준이거나 그 이상의 강도를 가진 구조로 할 것
2. 지붕과 천장에는 얇은 철판이나 가벼운 불연성 재료를 사용할 것
3. 바닥면적의 16분의 1 이상의 단면적을 가진 배기통을 옥상으로 돌출시키고 그 개구부를 창이나 출입구로부터 1.5미터 이상 떨어지도록 할 것
4. 출입구의 문은 불연성 재료로 하고 두께 1.5밀리미터 이상의 철판이나 그 밖에 그 이상의 강도를 가진 구조로 할 것
5. 벽과 발생기 사이에는 발생기의 조정 또는 카바이드 공급 등의 작업을 방해하지 않도록 간격을 확보할 것

126 산업안전보건법령상 용접장치의 안전에 관한 준수사항 설명으로 옳은 것은?

① 아세틸렌 용접장치의 발생기실을 옥외에 설치할 때에는 그 개구부를 다른 건축물로부터 1m 이상 떨어지도록 하여야 한다.
② 가스집합장치로부터 3m 이내의 장소에서는 화기의 사용을 금지시킨다.
③ 아세틸렌 발생기에서 10m 이내 또는 발생기실에서 4m 이내의 장소에서는 흡연행위를 금지시킨다.

④ 아세틸렌 용접장치를 사용하여 용접작업을 할 경우 게이지 압력이 127kPa을 초과하는 아세틸렌을 발생시켜 사용해서는 아니 된다.

해설

용접장치의 안전
1. 옥외에 설치한 경우에는 그 개구부를 다른 건축물로부터 1.5미터 이상 떨어지도록 하여야 한다.
2. 가스집합장치에 대해서는 화기를 사용하는 설비로부터 5미터 이상 떨어진 장소에 설치하여야 한다.
3. 발생기에서 5미터 이내 또는 발생기실에서 3미터 이내의 장소에서는 흡연, 화기의 사용 또는 불꽃이 발생할 위험한 행위를 금지시킬 것
4. 아세틸렌 용접장치를 사용하여 금속의 용접·용단 또는 가열작업을 하는 경우에는 게이지 압력이 127킬로파스칼을 초과하는 압력의 아세틸렌을 발생시켜 사용해서는 아니 된다.

127 다음은 산업안전보건기준에 관한 규칙상 아세틸렌 용접장치에 관한 설명이다. ( ) 안에 공통으로 들어갈 내용으로 옳은 것은?

- 사업주는 아세틸렌 용접장치의 취관마다 ( )를 설치하여야 한다.
- 사업주는 가스용기가 발생기와 분리되어 있는 아세틸렌 용접장치에 대하여 발생기와 가스용기 사이에 ( )를 설치하여야 한다.

① 분기장치
② 자동발생 확인장치
③ 안전기
④ 유수 분리장치

해설

안전기의 설치기준

아세틸렌 용접장치	1. 아세틸렌 용접장치의 취관마다 안전기를 설치하여야 한다.(다만, 주관 및 취관에 가장 가까운 분기관마다 안전기를 부착한 경우에는 그러하지 아니하다) 2. 가스용기가 발생기와 분리되어 있는 아세틸렌 용접장치에 대하여 발생기와 가스용기 사이에 안전기를 설치하여야 한다.
가스집합 용접장치의 배관 (이동식을 포함)	1. 플랜지·밸브·콕 등의 접합부에는 개스킷을 사용하고 접합면을 상호 밀착시키는 등의 조치를 할 것 2. 주관 및 분기관에는 안전기를 설치할 것. 이 경우 하나의 취관에 2개 이상의 안전기를 설치하여야 한다.

TIP 안전기의 설치기준에 관한 설명도 출제되고 있습니다. 함께 비교해서 기억하세요.

128 산업안전기준에 관한 규칙 중 아세틸렌 용접장치의 안전조치의 기준으로서 알맞은 것은?

① 아세틸렌 발생기로부터 3m 이내, 발생기실로부터 5m 이내에는 흡연, 화기 사용금지
② 아세틸렌 발생기로부터 3m 이내, 발생기실로부터 4m 이내에는 흡연, 화기 사용금지
③ 아세틸렌 발생기로부터 4m 이내, 발생기실로부터 3m 이내에는 흡연, 화기 사용금지
④ 아세틸렌 발생기로부터 5m 이내, 발생기실로부터 3m 이내에는 흡연, 화기 사용금지

해설

용접장치의 관리

아세틸렌 용접장치	발생기에서 5미터 이내 또는 발생기실에서 3미터 이내의 장소에서는 흡연, 화기의 사용 또는 불꽃이 발생할 위험한 행위를 금지시킬 것
가스집합 용접장치	가스집합장치로부터 5미터 이내의 장소에서는 흡연, 화기의 사용 또는 불꽃을 발생할 우려가 있는 행위를 금지할 것

129 용해아세틸렌의 가스집합용접장치의 배관 및 부속 기구에는 구리나 구리 함유량이 얼마 이상인 합금을 사용해서는 안 되는가?

① 50%
② 65%
③ 70%
④ 85%

해설

구리 사용의 제한
용해아세틸렌의 가스집합용접장치의 배관 및 부속기구는 구리나 구리 함유량이 70퍼센트 이상인 합금을 사용해서는 아니 된다.

130 금속의 용접, 용단에 사용하는 가스의 용기를 취급할 시 유의사항으로 틀린 것은?

① 통풍이나 환기가 불충분한 장소는 설치를 피한다.
② 용기의 온도는 40℃가 넘지 않도록 한다.
③ 운반하는 경우에는 캡을 벗기고 운반하다.
④ 밸브의 개폐는 서서히 하도록 한다.

해설

운반하는 경우에는 캡을 씌울 것

131 다음 중 아세틸렌 용접장치에서 역화의 원인과 가장 거리가 먼 것은?

① 아세틸렌의 공급 과다
② 토치 성능의 부실
③ 압력조정기의 고장
④ 토치 팁에 이물질이 묻은 경우

해설

역화(Back Fire)

정의	용접 도중에 모재에 팁 끝이 닿아 불꽃이 팁 끝에서 순간적으로 폭음을 내며 불꽃이 들어갔다가 꺼지는 현상
원인	1. 압력 조정기의 고장 2. 과열되었을 때 3. 산소 공급이 과다할 때 4. 토치의 성능이 좋지 않을 때 5. 토치 팁에 이물질이 묻었을 때
방지법	1. 용접 팁을 물에 담궈서 식힘 2. 아세틸렌을 차단 3. 토치의 기능을 점검

TIP 역화의 정의에 대해서도 출제되고 있습니다. 함께 기억하세요.

132 보일러 장애 및 사고원인에 관한 설명으로서 옳지 않은 것은?

① 수면계의 고장은 과열의 원인이 된다.
② 부적당한 급수 처리는 부식의 원인이 된다.
③ 안전밸브의 작동 불량은 압력상승의 원인이 된다.
④ 방호장치의 작동 불량은 최고사용압력 이하에서 파열의 원인이 된다.

해설

방호장치의 작동 불량은 규정압력 이상으로 상승하여 파열된다.

133 보일러 발생증기의 이상 현상이 아닌 것은?

① 역화(Back Fire)
② 프라이밍(Priming)
③ 포밍(Forming)
④ 캐리오버(Carry Over)

해설

이상현상의 종류
1. 프라이밍(Priming)
2. 포밍(Forming)

3. 캐리오버(Carry Over)
4. 워터해머(Water Hammer, 수격작용)

134 다음 설명은 보일러의 장해 원인 중 어느 것에 해당되는가?

> 보일러 수중에 용해고형분이나 수분이 발생, 공기 중에 다량 함유되어 증기의 순도를 저하시킴으로써 관 내 응축수가 생겨 워터해머의 원인이 되고 증기과열기나 터빈 등의 고장의 원인이 된다.

① 프라이밍(Priming)
② 포밍(Forming)
③ 캐리오버(Carry Over)
④ 역화(Back Fire)

해설

캐리오버(Carry Over)
1. 보일러에서 증기관 쪽에 보내는 증기에 대량의 물방울이 포함되는 경우로 플라이밍이나 포밍이 생기면 필연적으로 발생
2. 보일러에서 증기의 순도를 저하시킴으로써 관 내 응축수가 생겨 워터해머의 원인이 되는 것

135 다음 중 보일러의 방호장치와 가장 거리가 먼 것은?

① 언로드 밸브
② 압력방출장치
③ 압력제한스위치
④ 고저수위조절장치

해설

보일러 안전장치의 종류
1. 압력방출장치
2. 압력제한스위치
3. 고저수위조절장치
4. 화염검출기

136 산업안전보건법령에 따라 보일러의 안전한 가동을 위하여 보일러 규격에 맞는 압력방출장치를 압력방출장치가 2개 이상 설치된 경우에는 최고사용압력 이하에서 1개가 작동되고, 다른 압력방출장치는 얼마 이하에서 작동되도록 부착하여야 하는가?

① 최저사용압력 1.03배
② 최저사용압력 1.05배
③ 최고사용압력 1.03배
④ 최고사용압력 1.05배

보일러의 압력방출장치
1. 보일러의 안전한 가동을 위하여 보일러 규격에 맞는 압력방출장치를 1개 또는 2개 이상 설치하고 최고사용압력(설계압력 또는 최고허용압력) 이하에서 작동되도록 하여야 한다
2. 압력방출장치가 2개 이상 설치된 경우에는 최고사용압력 이하에서 1개가 작동되고, 다른 압력방출장치는 최고사용압력 1.05배 이하에서 작동되도록 부착하여야 한다.
3. 압력방출장치는 매년 1회 이상 교정을 받은 압력계를 이용하여 설정압력에서 압력방출장치가 적정하게 작동하는지를 검사한 후 납으로 봉인하여 사용하여야 한다.(공정안전보고서 이행상태 평가결과가 우수한 사업장은 압력방출장치에 대하여 4년마다 1회 이상 설정압력에서 압력방출장치가 적정하게 작동하는지를 검사할 수 있다.)
4. 스프링식, 중추식, 지렛대식(일반적으로 스프링식 안전밸브가 많이 사용)

137 고용노동부장관이 실시하는 공정안전관리 이행수준 평가결과가 우수한 사업장을 제외한 나머지 사업장은 보일러 압력방출장치에 대하여 몇 년마다 1회 이상 토출압력을 시험하여야 하는가?

① 1년
② 2년
③ 3년
④ 4년

138 산업안전보건법상 보일러에 설치하는 압력방출장치에 대하여 검사 후 봉인에 사용되는 재료로 가장 적합한 것은?

① 납
② 주석
③ 구리
④ 알루미늄

139 보일러에서 압력방출장치가 2개 설치된 경우 최고 사용압력이 10kgf/cm²로 할 때 압력방출장치의 설정방법으로 가장 옳은 것은?

① 2개 모두 11kgf/cm²에서 작동되도록 설정하였다.
② 하나는 10kgf/cm²에서 작동되고 나머지는 11kgf/cm²에서 작동되도록 설정하였다.
③ 하나는 10kgf/cm²에서 작동되고 나머지는 10.5kgf/cm²에서 작동되도록 설정하였다.
④ 2개 모두 12kgf/cm²에서 작동되도록 설정하였다.

2개 이상 설치된 경우에는 최고사용압력(10kgf/cm²) 이하에서 1개가 작동되고, 다른 압력방출장치는 최고사용압력 1.05배, 즉 10kgf/cm² × 1.05 = 10.5kgf/cm² 이하에서 작동되도록 부착하여야 한다.

140 상용운전압력 이상으로 압력이 상승할 경우, 보일러의 과열을 방지하기 위하여 최고사용압력과 상용압력 사이에서 보일러의 버너 연소를 차단하여 열원을 제거하여 정상 압력으로 유도하는 보일러의 방호장치는?

① 압력방출장치
② 고저수위조절장치
③ 언로드밸브
④ 압력제한스위치

보일러의 압력제한스위치
보일러의 과열을 방지하기 위하여 최고사용압력과 상용압력 사이에서 보일러의 버너 연소를 차단할 수 있도록 압력제한스위치를 부착하여 사용하여야 한다.

141 공기압축기에서 공기탱크 내의 압력이 최고사용압력에 도달하면 압송을 정지하고, 소정의 압력까지 강하하면 다시 압송작업을 하는 밸브는?

① 감압 밸브
② 언로드 밸브
③ 릴리프 밸브
④ 시퀀스 밸브

언로드 밸브(Unload Valve)
토출압력을 일정하게 유지하기 위해 공기압의 작동을 조정하는 장치(밸브형, 접점형이 있음)를 말한다. 공기탱크 내의 압력이 최고사용압력에 달하면 공기탱크 내로의 압송을 정지하고, 소정의 압력까지 강하하면 다시 압송작업을 하는 밸브이며, 공기탱크의 적합한 위치에 수직이 되게 설치한다.

142 압력용기 및 공기 압축기에 설치해야 하는 안전장치는?

① 압력방출장치
② 압력제한스위치
③ 고저수위조절장치
④ 화염검출기

압력용기 및 공기압축기 안전장치

압력용기	최고사용압력 이하에서 작동하는 압력방출장치(안전밸브 및 파열판)를 설치하여야 한다.
공기압축기	압력방출장치 및 언로드밸브(압력제한스위치를 포함)를 설치하여야 한다.

143 산업용 로봇의 작동범위 내에서 해당 로봇에 대하여 교시 등의 작업 시 예기치 못한 작동 및 오조작에 의한 위험을 방지하기 위하여 수립해야 하는 지침사항에 해당하지 않는 것은?

① 로봇의 조작방법 및 순서
② 작업 중의 매니퓰레이터의 속도
③ 로봇 구성품의 설계 및 조립방법
④ 2명 이상의 근로자에게 작업을 시킬 경우의 신호방법

교시 등의 작업 시 안전조치사항
다음 각 목의 사항에 관한 지침을 정하고 그 지침에 따라 작업을 시킬 것
1. 로봇의 조작방법 및 순서
2. 작업 중의 매니퓰레이터의 속도
3. 2명 이상의 근로자에게 작업을 시킬 경우의 신호방법

144 다음 중 산업용 로봇에 의한 작업 시 안전조치사항으로 적절하지 않은 것은?

① 근로자가 로봇에 부딪칠 위험이 있을 때에는 안전매트 및 1.8m 이상의 안전방책을 설치하여야 한다.
② 작업을 하고 있는 동안 로봇의 기동스위치 등은 작업에 종사하고 있는 근로자가 아닌 사람이 그 스위치 등을 조작할 수 없도록 필요한 조치를 한다.
③ 로봇의 조작방법 및 순서, 작업 중의 매니퓰레이터의 속도 등에 관한 지침에 따라 작업을 하여야 한다.
④ 작업에 종사하는 근로자가 이상을 발견하면, 관리감독자에게 우선 보고하고, 지시에 따라 로봇의 운전을 정지시킨다.

작업에 종사하고 있는 근로자 또는 그 근로자를 감시하는 사람은 이상을 발견하면 즉시 로봇의 운전을 정지시키기 위한 조치를 할 것

145 산업안전보건법령에 따라 산업용 로봇을 운전하는 경우에 근로자가 로봇에 부딪칠 위험이 있을 때에는 안전매트 및 높이 얼마 이상의 방책을 설치하는 등 위험을 방지하기 위하여 필요한 조치를 하여야 하는가?

① 1.0m 이상
② 1.5m 이상
③ 1.8m 이상
④ 2.5m 이상

운전 중 위험 방지조치(근로자가 로봇에 부딪칠 위험이 있을 경우)
1. 높이 1.8미터 이상의 울타리
2. 컨베이어 시스템의 설치 등으로 울타리를 설치할 수 없는 일부 구간 : 안전매트 또는 광전자식 방호장치 등 감응형 방호장치 설치

146 산업안전보건법령에 따라 산업용 로봇의 작동 범위에서 그 로봇에 관하여 교시 등의 작업을 할 때 작업 시작 전 점검사항이 아닌 것은?

① 외부 전선의 피복 또는 외장의 손상 유무
② 매니퓰레이터(manipulator) 작동의 이상 유무
③ 제동장치 및 비상정지장치의 기능
④ 윤활유의 상태

작업 시작 전 점검사항
로봇의 작동 범위에서 그 로봇에 관하여 교시 등(로봇의 동력원을 차단하고 하는 것은 제외한다)의 작업을 할 때
1. 외부 전선의 피복 또는 외장의 손상 유무
2. 매니퓰레이터(manipulator) 작동의 이상 유무
3. 제동장치 및 비상정지장치의 기능

147 산업용 로봇에 사용되는 안전 매트의 종류 및 일반구조에 관한 설명으로 틀린 것은?

① 안전매트의 종류는 연결사용 가능 여부에 따라 단일 감지기와 복합감지기가 있다.
② 단선경보장치가 부착되어 있어야 한다.
③ 감응시간을 조절하는 장치가 부착되어 있어야 한다.
④ 감응도 조절장치가 있는 경우 봉인되어 있어야 한다.

산업용 로봇 안전매트의 일반구조

1. 단선경보장치가 부착되어 있어야 한다.
2. 감응시간을 조절하는 장치는 부착되어 있지 않아야 한다.
3. 감응도 조절장치가 있는 경우 봉인되어 있어야 한다.

148 다음 중 방호장치와 위험기계 · 기구의 연결이 잘못된 것은?

① 날 접촉예방장치 – 프레스
② 반발예방기구 – 목재가공용 둥근톱
③ 덮개 – 띠톱
④ 칩브레이커 – 선반

해설

위험기계 · 기구의 방호장치

프레스 또는 전단기	1. 가드식 방호장치 2. 게이트가드식 방호장치 3. 손쳐내기식 방호장치 4. 수인식 방호장치 5. 양수조작식 방호장치 6. 감응식 방호장치
목재가공용 둥근톱	1. 반발예방장치 2. 날접촉예방장치
띠톱	덮개 또는 울(목재가공용 띠톱기계는 제외)
선반	1. 칩 브레이커 2. 급정지 브레이크 3. 실드 4. 척 커버

149 둥근 톱기계의 방호장치 중 반발예방장치의 종류가 아닌 것은?

① 분할날
② 반발 방지기구(finger)
③ 보조안내판
④ 안전덮개

해설

반발예방장치

1. 분할날(spreader)
2. 반발 방지기구(finger, 반발 방지발톱)
3. 반발 방지롤(roll)
4. 보조안내판

150 다음 중 목재 가공용 둥근톱에서 반발 방지를 방호하기 위한 분할날의 설치조건이 아닌 것은?

① 톱날과의 간격은 12mm 이내
② 톱날 후면날의 2/3 이상 방호
③ 분할날 두께는 둥근톱 두께의 1.1배 이상
④ 덮개 하단과 가공재 상면과의 간격은 15mm 이내로 조정

해설

분할날의 설치구조

1. 분할 날의 두께는 둥근톱 두께의 1.1배 이상일 것

$$1.1t_1 \leq t_2 < b \quad (t_1 : \text{톱두께}, t_2 : \text{분할날두께}, b : \text{치진폭})$$

2. 견고히 고정할 수 있으며 분할날과 톱날 원주면과의 거리는 12mm 이내로 조정, 유지할 수 있어야 하고 표준 테이블면(승강반에 있어서도 테이블을 최하로 내린 때의 면) 상의 톱 뒷날의 2/3 이상을 덮도록 할 것
3. 재료는 KS D 3751(탄소공구강재)에서 정한 STC 5(탄소공구강) 또는 이와 동등 이상의 재료를 사용할 것
4. 분할날 조임볼트는 2개 이상이어야 하며 볼트는 이완 방지조치가 되어 있어야 한다.

> **TIP** 가공재의 상면에서 덮개 하단까지의 간격은 8mm 이하가 되게 조정해 주어야 한다.

151 두께 1mm이고 치진폭이 1.3mm인 목재가공용 둥근톱에서 반발예방장치 분할날의 두께(t)로 적절한 것은?

① $1.1 \leq t < 1.3$
② $1.3 \leq t < 1.5$
③ $0.9 \leq t < 1.1$
④ $1.5 \leq t < 1.7$

해설

분할날의 설치구조

분할 날의 두께는 둥근톱 두께의 1.1배 이상일 것

$$1.1t_1 \leq t_2 < b \quad (t_1 : \text{톱두께}, t_2 : \text{분할날두께}, b : \text{치진폭})$$

1. $1.1 \times 1 \leq t_2 < 1.3$
2. $1.1 \leq t_2 < 1.3$

152 동력식 수동대패에서 손이 끼지 않도록 하기 위해서 덮개 하단과 가공재를 송급하는 측의 테이블 면과의 틈새는 최대 몇 mm 이하로 조절해야 하는가?

① 8mm 이하
② 10mm 이하
③ 12mm 이하
④ 15mm 이하

해설

대패기계용 덮개의 시험방법(작동상태를 3회 이상 반복시험)
1. 가동식 방호장치는 스프링의 복원력 상태 및 날과 덮개와의 접촉 유무를 확인한다.
2. 가동부의 고정상태 및 작업자의 접촉으로 인한 위험성 유무를 확인한다.
3. 날접촉 예방장치인 덮개와 송급테이블면과의 간격이 8mm 이하이어야 한다.
4. 작업에 방해의 유무, 안전성의 여부를 확인한다.

153 산업안전보건법령상 회전시험을 하는 경우 미리 회전축의 재질 및 형상 등에 상응하는 종류의 비파괴검사를 해서 결함 유무를 확인하여야 하는 고속회전체의 대상으로 옳은 것은?

① 회전축의 중량이 1톤을 초과하고, 원주속도가 100m/s 이내인 것
② 회전축의 중량이 1톤을 초과하고, 원주속도가 120m/s 이상인 것
③ 회전축의 중량이 0.5톤을 초과하고, 원주속도가 100m/s 이내인 것
④ 회전축의 중량이 0.5톤을 초과하고, 원주속도가 120m/s 이상인 것

해설

고속회전체의 위험 방지조치

고속회전체(원주속도가 초당 25미터를 초과하는 것)의 회전시험을 하는 경우	전용의 견고한 시설물의 내부 또는 견고한 장벽 등으로 격리된 장소에서 하여야 한다.
회전축의 중량이 1톤을 초과하고, 원주속도가 초당 120미터 이상인 것의 회전시험을 하는 경우	미리 회전축의 재질 및 형상 등에 상응하는 종류의 비파괴검사를 해서 결함 유무를 확인하여야 한다.

154 지게차를 이용한 작업을 안전하게 수행하기 위한 장치와 거리가 먼 것은?

① 헤드 가드
② 전조등 및 후미등
③ 훅 및 샤클
④ 백레스트

해설

지게차 취급 시 안전대책
1. 전조등 및 후미등
2. 헤드가드
3. 백레스트
4. 팔레트 또는 스키드
5. 자석 안전띠의 착용

155 지게차에서 통상적으로 갖추고 있어야 하나, 마스트의 후방에서 화물이 낙하함으로써 근로자에게 위험을 미칠 우려가 없는 때에는 반드시 갖추지 않아도 되는 것은?

① 전조등
② 헤드가드
③ 백레스트
④ 포크

해설

백레스트(backrest)를 갖추지 아니한 지게차를 사용해서는 아니 된다.(다만, 마스트의 후방에서 화물이 낙하함으로써 근로자가 위험해질 우려가 없는 경우에는 제외)

156 화물중량이 200kgf, 지게차의 중량이 400kgf, 앞바퀴에서 화물의 무게중심까지의 최단거리가 1m이면 지게차가 안정되기 위한 앞바퀴에서 지게차의 무게중심까지의 최단거리는 최소 몇 m를 초과해야 하는가?

① 0.2m
② 0.5m
③ 1.0m
④ 3.0m

해설

지게차의 안정조건

$$Wa < Gb$$

여기서, W : 화물중심에서의 화물의 중량[kgf]
G : 지게차 중심에서의 지게차의 중량[kgf]
a : 앞바퀴에서 화물 중심까지의 최단거리[cm]
b : 앞바퀴에서 지게차 중심까지의 최단거리[cm]
M_1 : Wa(화물의 모멘트)
M_2 : Gb(지게차의 모멘트)

$Wa < Gb$
$200 \times 1 < 400 \times b$
$\therefore b > \dfrac{200 \times 1}{400} = 0.5[\text{m}]$

> **TIP** 화물 중심에서의 화물의 중량(W)을 구하는 문제도 출제되고 있습니다. 함께 기억하세요.

157 산업안전보건법령상 화물의 낙하에 의해 운전자에게 위험이 미칠 경우 지게차의 헤드가드(Head Guard)는 지게차의 최대하중의 몇 배가 되는 등분포정하중에 견디는 강도를 가져야 하는가?(단, 4톤을 넘는 값은 제외)

① 1배   ② 1.5배

③ 2배   ④ 3배

해설

지게차의 헤드가드
1. 강도는 지게차의 최대하중의 2배 값(4톤을 넘는 값에 대해서는 4톤으로 한다)의 등분포정하중에 견딜 수 있을 것
2. 상부틀의 각 개구의 폭 또는 길이가 16센티미터 미만일 것
3. 운전자가 앉아서 조작하거나 서서 조작하는 지게차의 헤드가드는 한국산업표준에서 정하는 높이 기준 이상일 것
   - 좌승식 : 좌석기준점으로부터 903mm 이상
   - 입승식 : 조종사가 서 있는 플랫폼으로부터 1,880mm 이상

158 지게차의 안정을 유지하기 위한 안정도 기준으로 틀린 것은?

① 5톤 미만의 부하 상태에서 하역작업 시의 전후 안정도는 4% 이내이어야 한다.

② 부하 상태에서 하역작업 시의 좌우 안정도는 10% 이내이어야 한다.

③ 무부하 상태에서 주행 시의 좌우 안정도는 $(15+1.1 \times V)$% 이내이어야 한다.(단, V는 구내 최고속도[km/h])

④ 부하 상태에서 주행 시 전후 안정도는 18% 이내이어야 한다.

해설

지게차의 안정도 기준
1. 하역작업 시의 전후안정도 4% 이내(5톤 이상 : 3.5% 이내)(최대하중상태에서 포크를 가장 높이 올린 경우)
2. 주행 시의 전후 안정도 18% 이내
3. 하역작업 시의 좌우안정도 6% 이내(최대하중상태에서 포크를 가장 높이 올리고 마스트를 가장 뒤로 기울인 경우)
4. 주행 시의 좌우 안정도 $(15+1.1 V)$% 이내, V : 최고속도(km/hr)

159 무부하 상태에서 지게차로 20km/h의 속도로 주행할 때, 좌우 안정도는 몇 % 이내이어야 하는가?

① 37%   ② 39%

③ 41%   ④ 43%

해설

지게차의 안정도 기준
주행 시의 좌우 안정도 $= (15+1.1 V)$% 이내
$$= (15+1.1 \times 20) = 37[\%]$$
여기서, V : 최고속도[km/hr]

160 다음 중 포터블 벨트 컨테이너(Potable Belt Conveyor) 운전 시 준수사항으로 적절하지 않은 것은?

① 공회전하여 기계의 운전상태를 파악한다.

② 정해진 조작 스위치를 사용하여야 한다.

③ 운전 시작 전 주변 근로자에게 경고하여야 한다.

④ 하물 적치 후 몇 번씩 시동, 정지를 반복 테스트한다.

해설

포터블 벨트 컨베이어 운전 시 준수사항
하물을 적치한 상태에서 시동, 정지를 반복하여서는 아니 된다.

161 다음 중 산업안전보건법상 컨베이어에 설치하는 방호장치가 아닌 것은?

① 비상정지장치   ② 역주행방지장치

③ 잠금장치   ④ 건널다리

해설

컨베이어의 방호장치
1. 비상정지장치   4. 이탈 방지장치
2. 역전방지장치   5. 덮개 또는 울
3. 브레이크   6. 건널다리

162 컨베이어 작업 시작 전 점검사항에 해당하지 않는 것은?

① 브레이크 및 클러치 기능의 이상 유무

② 비상정지장치 기능의 이상 유무

③ 이탈 등의 방지장치기능의 이상 유무

④ 원동기 및 풀리 기능의 이상 유무

PART 01
PART 02
PART 03
PART 04
PART 05
PART 06
PART 07

해설

컨베이어 작업 시작 전 점검사항
1. 원동기 및 풀리(pulley) 기능의 이상 유무
2. 이탈 등의 방지장치 기능의 이상 유무
3. 비상정지장치 기능의 이상 유무
4. 원동기 · 회전축 · 기어 및 풀리 등의 덮개 또는 울 등의 이상 유무

163 다음 중 산업안전보건법령상 양중기에 해당하지 않는 것은?

① 곤돌라
② 이동식 크레인
③ 적재하중 0.05톤인 이삿짐 운반용 리프트
④ 승강기

해설

양중기의 종류
1. 크레인(호이스트 포함)
2. 이동식 크레인
3. 리프트(이삿짐 운반용 리프트의 경우에는 적재하중이 0.1톤 이상인 것)
4. 곤돌라
5. 승강기

164 산업안전기준에 관한 규칙에서 정의하고 있는 동력을 사용하여 사람이나 화물을 운반하는 것을 목적으로 사용하는 리프트의 종류에 해당하지 않는 것은?

① 승강용 리프트
② 건설용 리프트
③ 자동차 정비용 리프트
④ 이삿짐 운반용 리프트

해설

리프트
1. 동력을 사용하여 사람이나 화물을 운반하는 것을 목적으로 하는 기계설비
2. 종류
   ㉠ 건설용 리프트
   ㉡ 산업용 리프트
   ㉢ 자동차 정비용 리프트
   ㉣ 이삿짐 운반용 리프트

165 산업안전기준에 정하고 있는 승강기의 방호장치가 아닌 것은?

① 속도조절기
② 출입문 인터록
③ 이탈방지장치
④ 파이널 리밋 스위치

해설

양중기 방호장치의 종류

방호장치의 조정 대상	1. 크레인 2. 이동식 크레인 3. 리프트 4. 곤돌라 5. 승강기
방호장치의 종류	1. 과부하방지장치 2. 권과방지장치 3. 비상정지장치 및 제동장치 4. 그 밖의 방호장치(승강기의 파이널 리밋 스위치, 속도조절기, 출입문 인터록 등)

166 다음 중 양중기에서 사용되는 해지장치에 관한 설명으로 가장 적합한 것은?

① 2중으로 설치되는 권과방지장치를 말한다.
② 화물의 인양 시 발생하는 충격을 완화하는 장치이다.
③ 과부하 발생 시 자동적으로 전류를 차단하는 방지장치이다.
④ 와이어로프가 훅크에서 이탈하는 것을 방지하는 장치이다.

해설

훅 해지장치
줄걸이 용구인 와이어로프 슬링 또는 체인, 섬유벨트 등을 훅에 걸고 작업 시 이탈을 방지하기 위한 안전장치

167 크레인의 사용 중 하중이 정격을 초과하였을 때 자동적으로 상승이 정지되는 장치는?

① 해지장치
② 비상정지장치
③ 권과방지장치
④ 과부하방지장치

방호장치 관련 용어의 정의

방호장치	정의
과부하 방지장치	정격하중 이상의 하중이 부하되었을 때 자동적으로 상승이 정지되면서 경보음을 발생하는 장치
권과방지 장치	권과를 방지하기 위하여 인양용 와이어로프가 일정 한계 이상 감기게 되면 자동적으로 동력을 차단하고 작동을 정지시키는 장치
비상정지 장치	돌발사태 발생 시 안전 유지을 위한 전원 차단 및 크레인을 급정지시키는 장치
해지장치	줄걸이 용구인 와이어로프 슬링 또는 체인, 섬유벨트 등을 훅에 걸고 작업 시 이탈을 방지하기 위한 안전장치

TIP 권과방지장치의 정의에 대해서도 출제되고 있습니다. 함께 기억하세요.

168 양중기에서 화물의 하중을 직접 지지하는 와이어로프의 안전율(계수)은 얼마 이상으로 하는가?

① 3
② 5
③ 7
④ 9

와이어로프 안전계수

구분	안전계수
근로자가 탑승하는 운반구를 지지하는 달기와이어로프 또는 달기체인의 경우	10 이상
화물의 하중을 직접 지지하는 달기와이어로프 또는 달기체인의 경우	5 이상
훅, 샤클, 클램프, 리프팅 빔의 경우	3 이상
그 밖의 경우	4 이상

169 양중기에 사용하지 않아야 하는 와이어로프의 기준에 해당하지 않는 것은?

① 이음매가 있는 것
② 심하게 변형 또는 부식된 것
③ 지름의 감소가 공칭지름의 5% 이상인 것
④ 한 꼬임에서 끊어진 소선의 수가 10% 이상인 것

양중기 와이어로프의 사용금지 조건
1. 이음매가 있는 것
2. 와이어로프의 한 꼬임에서 끊어진 소선의 수가 10% 이상인 것

3. 지름의 감소가 공칭지름의 7%를 초과하는 것
4. 꼬인 것
5. 심하게 변형되거나 부식된 것
6. 열과 전기충격에 의해 손상된 것

170 다음 중 와이어로프의 꼬임에 관한 설명으로 틀린 것은?

① 보통꼬임에는 S꼬임이나 Z꼬임이 있다.
② 보통꼬임은 스트랜드의 꼬임방향과 로프의 꼬임방향이 반대로 된 것을 말한다.
③ 랭꼬임은 로프의 끝이 자유로이 회전하는 경우나 킹크가 생기기 쉬운 곳에 적당하다.
④ 랭꼬임은 보통꼬임에 비하여 마모에 대한 저항성이 우수하다.

와이어로프의 꼬임

보통꼬임	랭꼬임
로프의 꼬임 방향과 스트랜드의 꼬임 방향이 서로 반대 방향으로 꼬는 방법	로프의 꼬임 방향과 스트랜드의 꼬임 방향이 서로 동일한 방향으로 꼬는 방법
1. 하중에 대한 저항성이 크고 취급이 용이 2. 소선의 외부 접촉 길이가 짧아서 비교적 마모되기 쉽다.	1. 보통꼬임에 비하여 내마모성, 유연성, 내피로성이 우수 2. 꼬임이 풀리기 쉽고 킹크(꼬임)가 생기기 쉬워 자유롭게 회전하는 경우에는 적당하지 않다.

171 와이어로프의 파단하중을 P(kg), 로프 가닥 수를 N, 안전하중을 Q(kg)라고 할 때 다음 중 와이어로프의 안전율 S를 구하는 산식은?

① $S = NP$
② $S = \dfrac{QP}{N}$
③ $S = \dfrac{NQ}{P}$
④ $S = \dfrac{NP}{Q}$

와이어로프의 안전율

$$\text{안전율}(S) = \frac{\text{로프의 가닥 수}(N) \times \text{로프의 파단하중}(P) \times \text{단말고정이음효율}(nR)}{\text{안전하중(최대사용하중, }Q) \times \text{하중계수}(C)}$$

172 크레인 로프에 2ton의 중량을 걸어 20m/sec² 가속도로 감아올릴 때 로프에 걸리는 총 하중은 몇 kgf인가?

① 682 ② 6,082
③ 7,082 ④ 7,802

와이어로프에 걸리는 하중계산

와이어로프에 걸리는 총 하중	총 하중(W) = 정하중(W_1) + 동하중(W_2) 동하중(W_2) = $\dfrac{W_1}{g} \times a$ [g : 중력가속도(9.8m/s²), a : 가속도(m/s²)]
와이어로프에 작용하는 장력	장력[N] = 총 하중[kg] × 중력가속도[m/s²]

1. 동하중

$$(W^2) = \frac{W_1}{g} \times a = \frac{2,000}{9.8} \times 20 = 4,081.6[\text{kgf}]$$

2. 총 하중

$$(W) = 정하중(W_1) + 동하중(W_2)$$
$$= 2,000 + 4,081.6 = 6,081.6$$
$$= 6,082[\text{kgf}]$$

 TIP 1ton = 1,000kgf

173 그림과 같이 500kgf의 중량물을 와이어로프로 상부 60°의 각으로 들어올릴 때, 로프 한 선에 걸리는 하중(T)은?

① 168.49kgf ② 248.58kgf
③ 288.68kgf ④ 378.79kgf

슬링와이어로프의 한 가닥에 걸리는 하중

$$하중 = \frac{화물의 \, 무게(W_1)}{2} \div \cos\frac{\theta}{2}$$

$$하중 = \frac{500}{2} \div \cos\frac{60°}{2} = 250 \div \cos 30° = 288.68[\text{kgf}]$$

174 다음 중 비파괴 시험의 종류에 해당하지 않는 것은?

① 와류 탐상시험 ② 초음파 탐상시험
③ 인장 시험 ④ 방사선 투과시험

비파괴검사의 종류

1. 육안검사 5. 자기탐상검사
2. 누설검사 6. 음향검사
3. 침투검사 7. 방사선 투과검사
4. 초음파검사 8. 와류탐상 검사

 TIP 인장시험은 재료에 인장력을 가해 재료의 항복점, 인장강도 등을 알 수 있는 시험으로 파괴시험에 해당한다.

175 다음 중 설비의 내부에 균열 결함을 확인할 수 있는 가장 적절한 검사방법은?

① 육안검사 ② 초음파탐상검사
③ 피로검사 ④ 액체침투탐상검사

초음파검사(UT ; Ultrasonic Test)
1. 용접부위에 초음파 투입과 동시에 브라운관 화면에 나타난 형상으로 내부결함을 검출
2. 넓은 면을 판단하여 검사속도가 빠르고 경제적이다.
3. 적용범위 : 결함의 종류 · 위치 · 범위 등을 검출, 현장에서 주로 사용

176 검사물 표면의 균열이나 피트 등의 결함을 비교적 간단하고 신속하게 검출할 수 있고, 특히 비자성 금속재료의 검사에 자주 이용되는 비파괴검사법은?

① 침투탐상검사 ② 초음파탐상검사
③ 자기탐상검사 ④ 방사선투과검사

침투검사(침투탐상검사)
1. 검사물 표면의 균열이나 피트 등의 결함을 비교적 간단하고 신속하게 검출할 수 있고, 특히 비자성 금속재료의 검사에 자주 이용되는 검사
2. 용접 부위에 침투액을 도포하고 표면을 닦은 후 검사액을 도포하여 표면의 결함을 검출

177 침투탐상검사 방법에서 일반적인 작업 순서로 맞는 것은?

① 전처리 → 침투처리 → 세척처리 → 현상처리 → 관찰 → 후처리
② 전처리 → 세척처리 → 침투처리 → 현상처리 → 관찰 → 후처리
③ 전처리 → 현상처리 → 침투처리 → 세척처리 → 관찰 → 후처리
④ 전처리 → 침투처리 → 현상처리 → 세척처리 → 관찰 → 후처리

(해설)
침투탐상검사의 순서
전처리 → 침투처리 → 세척처리 → 현상처리 → 관찰 → 후처리

178 초음파 탐상법의 종류에 해당하지 않는 것은?

① 반사식   ② 투과식
③ 공진식   ④ 침투식

(해설)
초음파검사(UT ; Ultrasonic Test)의 종류
1. 펄스 반사법
2. 투과법
3. 공진법

179 다음 중 방사선 투과검사에 가장 적합한 활용 분야는?

① 변형을 측정
② 완제품의 표면결함 검사
③ 재료 및 기기의 계측 검사
④ 재료 및 용접부의 내부결함 검사

(해설)
방사선 투과검사
1. X선, γ선을 투과하고 투과방지선을 필름에 촬영하여 내부 결함을 검출
2. 검사한 상태를 기록으로 보존 가능하며 두꺼운 부재도 검사 가능

180 강자성체의 결함을 찾을 때 사용하는 비파괴 시험으로 표면 또는 표층(표면에서 수 mm 이내)에 결함이 있을 경우 누설자속을 이용하여 육안으로 결함을 검출하는 시험법은?

① 와류탐상시험(ET)
② 자분탐상시험(MT)
③ 초음파탐상시험(UT)
④ 방사선투과시험(RT)

(해설)
자기탐상검사(자분탐상검사, MT ; Magnetic Particle Test)
강자성체의 결함을 찾을 때 사용하는 비파괴시험으로 표면 또는 표층에 결함이 있을 경우 누설자속을 이용하여 육안으로 결함을 검출하는 방법이며, 비자성체는 사용이 곤란하다.

181 오스테나이트 계열 스테인리스 강판의 표면 균열 발생을 검출하기 곤란한 비파괴 검사방법은?

① 염료침투검사
② 자분검사
③ 와류검사
④ 형광침투검사

(해설)
자기탐상검사(자분탐상검사, MT ; Magnetic Particle Test)
강자성체의 결함을 찾을 때 사용하는 비파괴시험으로 표면 또는 표층에 결함이 있을 경우 누설자속을 이용하여 육안으로 결함을 검출하는 방법이며, 비자성체는 사용이 곤란하다.

┌─────────────────────────────────────┐
│ TIP 오스테나이트 계열 스테인리스 강   │
│   1. 자기적 성질이 전혀 없는 것으로 자석에 붙지 않는 성│
│   질을 가지고 있다.   │
│   2. 비자성이며 열전도율은 낮다.   │
└─────────────────────────────────────┘

182 다음 중 금속 등의 도체에 교류를 통한 코일을 접근시켰을 때, 결함이 존재하면 코일에 유기되는 전압이나 전류가 변하는 것을 이용한 검사방법은?

① 자분탐상검사
② 초음파탐상검사
③ 와류탐상검사
④ 침투형광탐상검사

와류탐상검사(Eddy Current Test)
금속 등의 도체에 교류를 통한 코일을 접근시켰을 때 결함이 존재하면 코일에 유기되는 전압이나 전류가 변하는 것을 이용한 검사

183 다음 중 공장 소음에 대한 방지계획에 있어 음원에 대한 대책에 해당하지 않는 것은?

① 해당 설비의 밀폐
② 설비실의 차음벽 시공
③ 작업자의 보호구 착용
④ 소음기 및 흡음장치 설치

작업자의 보호구 착용은 음원에 대한 대책이 아니라 근로자에 대한 대책에 해당된다.

PART 04

전기설비 안전관리 예상문제

Engineer Industrial Safety

01 전격재해를 가장 잘 설명한 것은?

① 30mA 이상의 전류가 1,000ms 이상 인체에 흘러 심실세동을 일으킬 정도의 감전재해를 말한다.

② 감전사고로 인한 상태이며, 2차적인 추락, 전도 등에 의한 인명 상해를 말한다.

③ 정전기 또는 충전부나 낙뢰에 인체가 접촉하는 감전사고로 인한 상해를 말하며 전자파에 의한 것은 전격재해라 하지 않는다.

④ 전격이란 감전과 구분하기 어려워 감전으로 인한 상해가 발생했을 때에만 전격재해라 말한다.

해설

전격(감전)에 의한 재해

일반적으로 전격은 감전이라고도 하며, 인체의 일부 또는 전체에 전류가 흘렀을 때 인체 내에서 일어나는 생리적인 현상으로 근육의 수축, 호흡곤란, 심실세동 등으로 부상·사망하거나 추락·전도 등의 2차적 재해가 일어나는 것을 말한다.

02 감전되어 사망하는 주된 메커니즘과 거리가 먼 것은?

① 심장부에 전류가 흘러 심실세동이 발생하여 혈액순환기능이 상실되어 일어난 것

② 흉골에 전류가 흘러 혈압이 약해져 뇌에 산소공급기능이 정지되어 일어난 것

③ 뇌의 호흡중추신경에 전류가 흘러 호흡기능이 정지되어 일어난 것

④ 흉부에 전류가 흘러 흉부수축에 의한 질식으로 일어난 것

해설

전격(감전)현상의 메커니즘

1. 심장부에 전류가 흘러 심실세동이 발생하여 혈액순환기능이 상실되어 일어난 것

2. 뇌의 호흡중추신경에 전류가 흘러 호흡기능이 정지되어 일어난 것

3. 흉부에 전류가 흘러 흉부근육수축에 의한 질식으로 일어난 것

03 통전경로별 위험도를 나타낸 경우 위험도가 큰 순서로 옳은 것은?

① 왼손 – 오른손 > 왼손 – 등 > 양손 – 양발 > 오른손 – 가슴

② 왼손 – 오른손 > 오른손 – 가슴 > 왼손 – 등 > 양손 – 양발

③ 오른손 – 가슴 > 양손 – 양발 > 왼손 – 등 > 왼손 – 오른손

④ 오른손 – 가슴 > 왼손 – 오른손 > 양손 – 양발 > 왼손 – 등

해설

통전경로별 위험도

통전경로	심장전류계수	통전경로	심장전류계수
왼손 – 가슴	1.5	왼손 – 등	0.7
오른손 – 가슴	1.3	한 손 또는 양손 – 앉아 있는 자리	0.7
왼손 – 한발 또는 양발	1.0	왼손 – 오른손	0.4
양손 – 양발	1.0	오른손 – 등	0.3
오른손 – 한 발 또는 양발	0.8		

04 220V 전압에 접촉된 사람의 인체저항이 약 1,000Ω일 때 인체 전류와 그 결과값의 위험성 여부로 알맞은 것은?

① 22mA, 안전   ② 220mA, 안전

③ 22mA, 위험   ④ 220mA, 위험

해설

옴의 법칙

$$V = IR[\text{V}], \quad I = \frac{V}{R}[\text{A}], \quad R = \frac{V}{I}[\Omega]$$

여기서, V : 전압[V], I : 전류[A], R : 저항[Ω]

1. $I = \dfrac{V}{R} = \dfrac{220}{1,000} = 0.22[\text{A}] = 220[\text{mA}]$

2. 심실세동전류(치사전류)가 일반적으로 50~100mA이므로 100mA 이상이면 위험하다.

PART 01
PART 02
PART 03
PART 04
PART 05
PART 06
PART 07

05 이탈전류에 대한 설명으로 옳은 것은?

① 손발을 움직여 충전부로부터 스스로 이탈할 수 있는 전류
② 충전부에 접촉했을 때 근육이 수축을 일으켜 자연히 이탈되는 전류의 크기
③ 누전에 의해 전류가 선로로부터 이탈되는 전류로서 측정기를 통해 측정 가능한 전류
④ 충전부에 사람이 접촉했을 때 누전차단기가 작동하여 사람이 감전되지 않고 이탈할 수 있도록 정한 차단기의 작동전류

해설

가수전류(이탈전류, 마비한계전류)
1. 인체가 자력으로 이탈할 수 있는 전류
2. 통전전류 : 상용주파수 60Hz에서 성인남자 10~15mA

TIP 각 분류별 인체에 미치는 전류의 영향 및 통전전류가 자주 출제되고 있습니다. 이론에서 확인 후 함께 기억하세요.

06 상용주파수 60Hz 교류에서 성인 남자의 경우 고통한계전류로 가장 알맞은 것은?

① 15~20mA
② 10~15mA
③ 7~8mA
④ 1mA

해설

고통한계전류
1. 인체가 자력으로 이탈할 수 있는 전류
2. 통전전류 : 상용주파수 60Hz에서 성인남자 7~8mA

07 다음은 인체 내에 흐르는 60Hz 전류의 크기에 따른 영향을 기술한 것이다. 틀린 것은?(단, 통전경로는 손 → 발, 성인(남)의 기준이다.)

① 20~30mA는 고통을 느끼고 강한 근육의 수축이 일어나 호흡이 곤란하다.
② 50~100mA는 순간적으로 확실하게 사망한다.
③ 1~8mA는 쇼크를 느끼나 인체의 기능에는 영향이 없다.

④ 15~20mA는 쇼크를 느끼고 감전부위 가까운 쪽의 근육이 마비된다.

해설

심실세동전류(치사전류)
1. 인체에 흐르는 전류가 더욱 증가하면 심장부를 흐르게 되어 정상적인 박동을 하지 못하고 불규칙적인 세동으로 혈액순환이 순조롭지 못하게 되는 현상을 말하며, 그대로 방치하면 수분 내로 사망하게 된다.
2. 일반적으로 50~100mA 정도에서 일어나며 100mA 이상에서는 순간적 흐름에도 심실세동현상이 발생한다.

08 인체의 저항을 500[Ω]이라 하면, 심실세동을 일으키는 정현파 교류에 있어서의 에너지적인 위험한계는 어느 정도인가?

① 6.5~17.0[J]
② 15.0~25.5[J]
③ 20.5~30.5[J]
④ 31.5~38.5[J]

해설

위험한계에너지

$$W = I^2 RT[\text{J/s}] = \left(\frac{165}{\sqrt{T}} \times 10^{-3} \right)^2 \times R \times T$$

1. $W = \left(\frac{165}{\sqrt{1}} \times 10^{-3} \right)^2 \times 500 \times 1 = 13.61[\text{J}]$
2. 6.5~17.0[J] 사이의 범위에 존재

09 인체에 전기저항을 500[Ω]이라 한다면, 심실세동을 일으키는 위험한계에너지는 약 몇 [J]인가?(단, 심실세동전류값 $I = \frac{165}{\sqrt{T}}$[mA]의 Dalziel의 식을 이용하며, 통전시간은 1초로 한다.)

① 11.5
② 13.6
③ 15.3
④ 16.2

해설

위험한계에너지

$$W = I^2 RT[\text{J/s}] = \left(\frac{165}{\sqrt{T}} \times 10^{-3} \right)^2 \times R \times T$$

$W = \left(\frac{165}{\sqrt{1}} \times 10^{-3} \right)^2 \times 500 \times 1 = 13.61[\text{J}]$

10 심장의 맥동주기 중 어느 때에 전격이 인가되면 심실세동을 일으킬 확률이 크고 위험한가?

① 심방의 수축이 있을 때
② 심실의 수축이 있을 때
③ 심실의 수축 종료 후 심실의 휴식이 있을 때
④ 심실의 수축이 있고 심방의 휴식이 있을 때

해설

심장의 맥동주기
전격이 인가되면 심실세동을 일으키는 확률이 가장 크고 위험한 부분은 심실의 휴식 시 발생하는 T파 부분이다.

11 감전 등의 재해를 예방하기 위하여 고압기계·기구 주위에 관계자 외 출입을 금하도록 울타리를 설치할 때, 울타리의 높이와 울타리로부터 충전부분까지의 거리의 합이 최소 몇 m 이상은 되어야 하는가?

① 5m 이상
② 6m 이상
③ 7m 이상
④ 9m 이상

해설

울타리, 담 등의 시설

사용전압의 구분	울타리·담 등의 높이와 울타리·담 등으로부터 충전부분까지의 거리의 합계
35kV 이하	5m
35kV 초과 160kV 이하	6m
160kV 초과	6m에 160kV를 초과하는 10kV 또는 그 단수마다 0.12m를 더한 값

12 일반적으로 고압 또는 특고압용 개폐기·차단기·피뢰기 기타 이와 유사한 기구로서 동작 시에 아크가 생기는 것은 목재의 벽 또는 천장 기타의 가연성 물체로부터 각각 몇 m 이상 떼어 놓아야 하는가?

① 고압용 1.0m 이상, 특고압용 2.0m 이상
② 고압용 1.5m 이상, 특고압용 2.0m 이상
③ 고압용 1.5m 이상, 특고압용 2.5m 이상
④ 고압용 2.0m 이상, 특고압용 2.5m 이상

해설

아크를 발생하는 기구의 시설

기구 등의 구분	이격거리
고압용의 것	1m 이상
특고압용의 것	2m 이상(사용전압이 35kV 이하의 특고압용의 기구 등으로서 동작할 때에 생기는 아크의 방향과 길이를 화재가 발생할 우려가 없도록 제한하는 경우에는 1m 이상)

13 단로기를 사용하는 주된 목적은?

① 변성기의 개폐
② 이상전압의 차단
③ 과부하 차단
④ 무부하 선로의 개폐

해설

단로기(DS ; Disconnecting Switch)
1. 무부하 상태에서만 차단이 가능하며, 부하상태에서 개폐하면 위험하다.
2. 차단기의 전후 또는 차단기의 측로회로 및 회로접속의 변환에 사용한다.

14 고장전류와 같은 대전류를 차단할 수 있는 것은?

① 차단기(CB)
② 유입 개폐기(OS)
③ 단로기(DS)
④ 선로 개폐기(LS)

해설

차단기(Circuit Breaker)
차단기는 통상의 부하전류를 개폐하고 사고 시 신속히 회로를 차단하여 전기기기 및 전선류를 보호하고 안전성을 유지하는 기기를 말한다.

15 개폐조작의 순서에 있어서 그림의 기구 번호의 경우 차단순서와 투입순서가 안전수칙에 적합한 것은?

① 차단 ⓐ → ⓑ → ⓒ, 투입 ⓐ → ⓑ → ⓒ
② 차단 ⓑ → ⓒ → ⓐ, 투입 ⓑ → ⓐ → ⓒ
③ 차단 ⓒ → ⓑ → ⓐ, 투입 ⓑ → ⓐ → ⓐ
④ 차단 ⓑ → ⓒ → ⓐ, 투입 ⓒ → ⓐ → ⓑ

해설

진공차단기(VCB)의 투입 및 차단 순서

● 투입순서 : ⓒ-ⓐ-ⓑ   ● 차단순서 : ⓑ-ⓒ-ⓐ

1. 전원 차단 시 : 차단기(VCB)를 개방한 후 단로기(DS) 개방
2. 전원 투입 시 : 단로기(DS)를 투입한 후 차단기(VCB) 투입

16 전동기용 퓨즈의 사용 목적으로 알맞은 것은?

① 과전압 차단

② 지락과 전류 차단

③ 누설전류 차단

④ 회로에 흐르는 과전류 차단

> **해설**

퓨즈

일정치 이상의 과전류를 차단하여 전로나 기기를 보호하는 장치이다.

17 다음 ( ) 안에 들어갈 내용으로 알맞은 것은?

> 과전류보호장치는 반드시 접지선 외의 전로에 ( )로 연결하여 과전류 발생 시 전로를 자동으로 차단하도록 설치할 것

① 직렬　　　　　② 병렬

③ 임시　　　　　④ 직병렬

> **해설**

과전류 차단장치의 설치기준

1. 과전류 차단장치는 반드시 접지선이 아닌 전로에 직렬로 연결하여 과전류 발생 시 전로를 자동으로 차단하도록 설치할 것
2. 차단기 · 퓨즈는 계통에서 발생하는 최대 과전류에 대하여 충분하게 차단할 수 있는 성능을 가질 것
3. 과전류 차단장치가 전기계통상에서 상호 협조 · 보완되어 과전류를 효과적으로 차단하도록 할 것

18 전기작업 안전의 기본 대책에 해당되지 않는 것은?

① 취급자의 자세

② 전기설비의 품질 향상

③ 전기시설의 안전관리 확립

④ 유지보수를 위한 부품 재사용

> **해설**

전기안전 대책의 기본 3조건

취급자의 자세	취급자의 관심도를 높이고 안전작업을 위한 작업지원을 확립할 것
전기설비의 품질 향상	전기설비의 품질이 기준에 적합하고 신뢰성 및 안전성이 높을 것
전기시설의 안전관리 확립	시설의 운용 및 보수의 적정화를 꾀할 것

19 전기에 의한 감전사고를 방지하기 위한 대책이 아닌 것은?

① 전기기기에 대한 정격표시

② 전기설비에 대한 보호접지

③ 전기설비에 대한 누전차단기 설치

④ 충전부가 노출된 부분은 절연방호구 사용

> **해설**

감전사고에 대한 일반적인 방지대책

1. 전기설비의 점검 철저
2. 전기기기 및 설비의 정비
3. 전기기기 및 설비의 위험부에 위험표시
4. 설비의 필요부분에 보호접지의 실시
5. 충전부가 노출된 부분에는 절연방호구를 사용
6. 고전압 선로 및 충전부에 근접하여 작업하는 작업자는 보호구 착용
7. 유자격자 이외는 전기기계 및 기구에 전기적인 접촉 금지
8. 관리감독자는 작업에 대한 안전교육 시행
9. 사고 발생 시 처리순서를 미리 작성해 둘 것
10. 전기설비에 대한 누전차단기 설치

20 전기시설의 직접 접촉에 의한 감전방지 방법으로 적절하지 않은 것은?

① 충전부는 내구성이 있는 절연물로 완전히 덮어 감쌀 것

② 충전부가 노출되지 않도록 폐쇄형 외함이 있는 구조로 할 것

③ 충전부에 충분한 절연효과가 있는 방호망 또는 절연 덮개를 설치할 것

④ 충전부는 관계자 외 출입이 용이한 전개된 장소에 설치하고 위험표시 등의 방법으로 방호를 강화할 것

> **해설**

직접 접촉에 의한 방지대책(충전 부분에 대한 감전방지)

1. 충전부가 노출되지 않도록 폐쇄형 외함이 있는 구조로 할 것
2. 충전부에 충분한 절연효과가 있는 방호망이나 절연덮개를 설치할 것
3. 충전부는 내구성이 있는 절연물로 완전히 덮어 감쌀 것
4. 발전소 · 변전소 및 개폐소 등 구획되어 있는 장소로서 관계 근로자가 아닌 사람의 출입이 금지되는 장소에 충전부를 설치하고, 위험표시 등의 방법으로 방호를 강화할 것
5. 전주 위 및 철탑 위 등 격리되어 있는 장소로서 관계 근로자가 아닌 사람이 접근할 우려가 없는 장소에 충전부를 설치할 것

21 감전사고의 방지대책으로 적합하지 않은 것은?

① 보호절연

② 사고회로의 신속한 차단

③ 보호접지

④ 절연저항 저감

해설

간접 접촉에 의한 방지대책

1. 보호절연
2. 안전 전압 이하의 전기기기 사용
3. 접지
4. 누전차단기의 설치
5. 비접지식 전로의 채용
6. 이중절연구조

> **TIP** 절연저항을 상승시켜야 감전사고를 예방할 수 있다.

22 전기로 인한 위험방지를 위하여 전기 기계 · 기구를 적정하게 설치하고자 할 때의 고려사항이 아닌 것은?

① 전기적 · 기계적 방호수단의 적정성

② 습기 · 분진 등 사용 장소의 주위 환경

③ 비상전원설비의 구비와 접지극의 매설깊이

④ 전기 기계 · 기구의 충분한 전기적 용량 및 기계적 강도

해설

전기기계 · 기구 설치 시 고려사항

1. 전기 기계 · 기구의 충분한 전기적 용량 및 기계적 강도
2. 습기 · 분진 등 사용장소의 주위 환경
3. 전기적 · 기계적 방호수단의 적정성

23 전기기계 · 기구의 조작 시 등의 안전조치에 관하여 사업주가 행하여야 하는 사항으로 틀린 것은?

① 감전 또는 오조작에 의한 위험을 방지하기 위하여 당해 전기기계 · 기구의 조작부분은 150[lx] 이상의 조도가 유지되도록 하여야 한다.

② 전기기계 · 기구의 조작부분에 대한 점검 또는 보수를 하는 때에는 전기기계 · 기구로부터 폭 50[cm] 이상의 작업공간을 확보하여야 한다.

③ 전기적 불꽃 또는 아크에 의한 화상의 우려가 높은 600[V] 이상 전압의 충전전로작업에는 방염처리된 작업복 또는 난연성능을 가진 작업복을 착용하여야 한다.

④ 전기기계 · 기구의 조작부분에 대한 점검 또는 보수를 하기 위한 작업공간의 확보가 곤란한 때에는 절연용 보호구를 착용하여야 한다.

해설

전기기계 · 기구의 조작 시 등의 안전조치

1. 전기기계 · 기구의 조작부분을 점검하거나 보수하는 경우에는 근로자가 안전하게 작업할 수 있도록 전기 기계 · 기구로부터 폭 70센티미터 이상의 작업공간을 확보하여야 한다. 다만, 작업공간을 확보하는 것이 곤란하여 근로자에게 절연용 보호구를 착용하도록 한 경우에는 그러하지 아니하다.
2. 전기적 불꽃 또는 아크에 의한 화상의 우려가 있는 고압 이상의 충전전로 작업에 근로자를 종사시키는 경우에는 방염처리된 작업복 또는 난연성능을 가진 작업복을 착용시켜야 한다.

24 정전작업을 하기 위한 작업 전 조치사항이 아닌 것은?

① 단락접지 상태를 수시로 확인

② 전로의 충전 여부를 검전기로 확인

③ 전력용 커패시터, 전력케이블 등 잔류전하방전

④ 개로개폐기의 잠금장치 및 통전금지 표지판 설치

해설

정전전로에서의 전로차단 절차

1. 전기기기 등에 공급되는 모든 전원을 관련 도면, 배선도 등으로 확인할 것
2. 전원을 차단한 후 각 단로기 등을 개방하고 확인할 것
3. 차단장치나 단로기 등에 잠금장치 및 꼬리표를 부착할 것
4. 개로된 전로에서 유도전압 또는 전기에너지가 축적되어 근로자에게 전기위험을 끼칠 수 있는 전기기기 등은 접촉하기 전에 잔류전하를 완전히 방전시킬 것
5. 검전기를 이용하여 작업 대상 기기가 충전되었는지를 확인할 것
6. 전기기기 등이 다른 노출 충전부와의 접촉, 유도 또는 예비동력원의 역송전 등으로 전압이 발생할 우려가 있는 경우에는 충분한 용량을 가진 단락 접지기구를 이용하여 접지할 것

25 배전선로에 정전작업 중 단락 접지기구를 사용하는 목적으로 적합한 것은?

① 통신선 유도 장해 방지
② 배전용 기계 기구의 보호
③ 배전선 통전 시 전위경도 저감
④ 혼촉 또는 오작동에 의한 감전방지

해설

정전전로에서의 전기작업
전기기기 등이 다른 노출 충전부와의 접촉, 유도 또는 예비동력원의 역송전 등으로 전압이 발생할 우려가 있는 경우에는 충분한 용량을 가진 단락 접지기구를 이용하여 접지할 것

26 전력케이블을 사용하는 회로나 역률개선용 전력 콘덴서 등이 접속되어 있는 회로의 정전작업 시에 감전의 위험을 방지하기 위한 조치로서 가장 옳은 것은?

① 개폐기의 통전금지
② 잔류전하의 방전
③ 근접활선에 대한 방호조치
④ 안전표지의 설치

해설

잔류전하
개로된 전로가 전력케이블, 전력콘덴서 등을 가진 것으로서 잔류전하에 의하여 위험 발생 우려가 있는 것에 대하여는 당해 잔류전하를 확실히 방전 조치시킬 것

27 전선로를 정전시키고 보수작업을 할 때 유도전압이나 오통전으로 인한 재해를 방지하기 위한 재해를 방지하기 위한 안전조치로 가장 옳은 것은?

① 보호구를 작용한다.
② 단락접지를 시행한다.
③ 방호구를 사용한다.
④ 검전기로 확인한다.

해설

정전전로에서의 전기작업(전로차단)
전기기기 등이 다른 노출 충전부와의 접촉, 유도 또는 예비동력원의 역송전 등으로 전압이 발생할 우려가 있는 경우에는 충분한 용량을 가진 단락 접지기구를 이용하여 접지할 것

28 근로자가 노출된 충전부 또는 그 부근에서 작업함으로써 감전될 우려가 있는 경우에는 작업에 들어가기 전에 해당 전로를 차단하여야 하나 전로를 차단하지 않아도 되는 예외 기준이 있다. 그 예외 기준이 아닌 것은?

① 생명유지장치, 비상경보설비, 폭발위험장소의 환기설비, 비상조명설비 등의 장치·설비의 가동이 중지되어 사고의 위험이 증가되는 경우
② 관리감독자를 배치하여 짧은 시간 내에 작업을 완료할 수 있는 경우
③ 기기의 설계상 또는 작동상 제한으로 전로 차단이 불가능한 경우
④ 감전, 아크 등으로 인한 화상, 화재·폭발의 위험이 없는 것으로 확인된 경우

해설

전로차단 예외
1. 생명유지장치, 비상경보설비, 폭발위험장소의 환기설비, 비상조명설비 등의 장치·설비의 가동이 중지되어 사고의 위험이 증가되는 경우
2. 기기의 설계상 또는 작동상 제한으로 전로차단이 불가능한 경우
3. 감전, 아크 등으로 인한 화상, 화재·폭발의 위험이 없는 것으로 확인된 경우

29 정전작업 시 작업 중의 조치사항으로 옳지 않은 것은?

① 작업지휘자에 의한 지휘
② 개폐기 투입
③ 단락접지 수시 확인
④ 근접활선에 대한 방호상태 관리

해설

작업 중 또는 작업 후 전원 공급 시 준수사항
1. 작업기구, 단락 접지기구 등을 제거하고 전기기기 등이 안전하게 통전될 수 있는지를 확인할 것
2. 모든 작업자가 작업이 완료된 전기기기등에서 떨어져 있는지를 확인할 것
3. 잠금장치와 꼬리표는 설치한 근로자가 직접 철거할 것
4. 모든 이상 유무를 확인한 후 전기기기 등의 전원을 투입할 것

TIP 개폐기의 투입은 작업 종료 후의 조치사항이다.

01 PART
02 PART
03 PART
04 PART
05 PART
06 PART
07 PART

30 전기절연재료의 허용온도가 낮은 온도에서 높은 온도 순으로 배치가 맞는 것은?

① Y-A-E-B종
② A-B-E-Y종
③ Y-E-B-A종
④ B-Y-A-E종

절연방식에 따른 분류

절연종별	허용최고온도[℃]	용도
Y종	90	저전압의 기기
A종	105	보통의 회전기, 변압기
E종	120	대용량 및 보통의 기기
B종	130	고전압의 기기
F종	155	고전압의 기기
H종	180	건식 변압기
C종	180 초과	특수한 기기

31 절연물은 여러 가지 원인으로 전기저항이 저하되어 절연불량을 일으켜 위험한 상태가 되는데, 이 절연불량의 주요 원인과 거리가 먼 것은?

① 진동, 충격 등에 의한 기계적 요인
② 산화 등에 의한 화학적 요인
③ 온도상승에 의한 열적 요인
④ 오염물질 등에 의한 환경적 요인

해설
전기절연물의 절연파괴(불량) 주요 원인
1. 진동, 충격 등에 의한 기계적 요인
2. 산화 등에 의한 화학적 요인
3. 온도상승에 의한 열적 요인
4. 높은 이상전압 등에 의한 전기적 요인

32 감전사고 시의 긴급조치에 관한 설명으로 가장 부적절한 것은?

① 구출자는 감전자 발견 즉시 보호용구 착용 여부에 관계없이 직접 충전부로부터 이탈시킨다.
② 감전에 의해 넘어진 사람에 대하여 의식의 상태, 호흡의 상태, 맥박의 상태 등을 관찰한다.
③ 감전에 의하여 높은 곳에서 추락한 경우에는 출혈의 상태, 골절의 이상 유무 등을 확인, 관찰한다.
④ 인공호흡과 심장 마사지를 2인이 동시에 실시할 경우에는 약 1 : 5의 비율로 각각 실시해야 한다.

해설
감전사고의 조치순서
감전자를 직접 충전부로부터 이탈시키려고 만지면 본인도 감전의 우려가 있으므로 주의한다.

33 감전자에 대한 중요한 관찰사항 중 거리가 먼 것은?

① 출혈이 있는지 살펴본다.
② 골절된 곳이 있는지 살펴본다.
③ 인체를 통과한 전류의 크기가 50mA를 넘었는지 알아본다.
④ 입술과 피부의 색깔, 체온 상태, 전기출입부의 상태 등을 알아본다.

해설
감전자 상태 확인
1. 의식상태
2. 호흡상태
3. 맥박상태
4. 추락한 경우(골절상태, 출혈상태)

34 감전에 의해 호흡이 정지한 후에 인공호흡을 즉시 실시하면 소생할 수 있는데, 감전에 의한 호흡 정지 후 1분 이내에 올바른 방법으로 인공호흡을 실시하였을 경우의 소생률은 약 몇 % 정도인가?

① 50%
② 60%
③ 75%
④ 95%

해설
1. 1분 이내에 인공호흡 시 소생률 : 95%
2. 3분 이내에 인공호흡 시 소생률 : 75%

35 다음 중 감전 재해자가 발생하였을 때 취하여야 할 최우선조치는?(단, 감전자가 질식상태라 가정함)

① 우선 병원으로 이동시킨다.
② 의사의 왕진을 요청한다.
③ 심폐소생술을 실시한다.
④ 부상 부위를 치료한다.

해설

감전사고 시 응급조치

질식으로 인하여 맥박과 호흡이 정지하는 경우 인공호흡과 심장 마사지를 병행하는 심폐소생술을 실시하여 재해자를 구호하여야 한다.

36 전기화상 사고 시의 응급조치 사항으로 틀린 것은?

① 상처에 달라붙지 않은 의복은 모두 벗긴다.

② 상처 부위에 파우더, 향유 기름 등을 바른다.

③ 감전자를 담요 등으로 감싸되 상처 부위가 닿지 않도록 한다.

④ 화상부위를 세균 감염으로부터 보호하기 위하여 화상용 붕대를 감는다.

해설

상처 부위에 파우더, 향유, 기름 등을 발라서는 안 된다.

37 전선로 등에서 아크화상 사고 시 전선이나 개폐기 터미널 등의 금속 분자가 고열로 용융되어 피부 속으로 녹아 들어가는 현상은?

① 피부의 광성 변화   ② 전문

③ 표피박탈   ④ 전류반점

해설

감전에 의한 국소 증상

피부의 광성 변화	감전 사고 시 전선이나 금속분자가 그 열로 용융됨으로써 피부 속으로 침투하는 현상
표피박탈	고전압에 의한 아크 등으로 폭발적인 고열이 발생하여 인체의 표피가 벗겨져 떨어지는 현상
전문	감전전류의 유출입 부분에 회백색 또는 붉은색의 수지상 선이 나타나는 것으로 피부에 상처, 흉터가 남는 현상
전류반점	화상 부위가 검게 반점을 이루고 움푹 들어간 모양
감전성 궤양	신체 내부 조직의 급성 십이지장 궤양, 위궤양

38 인체가 현저하게 젖어 있는 상태 또는 금속성의 전기기계 장치나 구조물에 인체의 일부가 상시 접촉되어 있는 상태에서의 허용접촉전압은 일반적으로 몇 V 이하로 하고 있는가?

① 2.5V 이하   ② 25V 이하

③ 50V 이하   ④ 75V 이하

해설

허용 접촉전압

종별	접촉상태	허용접촉전압
제1종	인체의 대부분이 수중에 있는 상태	2.5V 이하
제2종	• 인체가 현저하게 젖어 있는 상태 • 금속성의 전기기계장치나 구조물에 인체의 일부가 상시 접촉되어 있는 상태	25V 이하
제3종	제1종, 제2종 이외의 경우로 통상의 인체상태에 있어서 접촉전압이 가해지면 위험성이 높은 상태	50V 이하
제4종	• 제1종, 제2종 이외의 경우로 통상의 인체상태에 있어서 접촉전압이 가해지더라도 위험성이 낮은 상태 • 접촉전압이 가해질 우려가 없는 상태	제한 없음

TIP 종별에 따른 허용접촉전압에 대해서도 출제되고 있습니다. 함께 기억하세요.

39 인체의 피부저항은 어떤 조건에 따라 달라지는데 다음 중 달라지는 제반조건에 해당되지 않는 것은?

① 습기에 의한 변화

② 피부와 전극의 간격에 의한 변화

③ 인가전압에 따른 변화

④ 인가시간에 의한 변화

해설

피부의 전기저항

1. 접촉부위에 따른 저항
2. 습기에 의한 변화
3. 피부와 전극 접촉면적에 의한 변화
4. 인가전압에 따른 변화
5. 인가시간에 의한 변화

40 인체의 피부저항은 피부에 땀이 나 있는 경우 건조 시보다 약 어느 정도 저하되는가?

① 1/2~1/4   ② 1/6~1/10

③ 1/12~1/20   ④ 1/25~1/35

해설

피부의 전기저항(습기에 의한 변화)

1. 피부가 젖어 있는 경우에는 건조한 경우에 비해 1/10로 감소
2. 땀이 난 경우 1/12~1/20로 감소
3. 물에 젖은 경우 1/25로 감소

41 인체저항에 대한 설명으로 옳지 않은 것은?

① 인체저항은 인가전압의 함수이다.

② 인가시간이 길어지면 온도 상승으로 인체저항은 증가한다.

③ 인체저항은 접촉면적에 따라 변한다.

④ 1,000[V] 부근에서 피부의 절연파괴가 발생할 수 있다.

해설

인가시간에 의한 변화

인가시간이 길어지면 인체의 온도상승에 의해 저항치가 감소된다.

42 그림과 같은 전기설비에서 누전사고가 발생하였을 때 인체가 전기설비의 외함에 접촉하였을 때 인체 통과 전류는 약 몇 [mA]인가?

① 40

② 51

③ 58

④ 60

해설

인체가 외함에 접촉하면 이때 인체를 통해 흐르게 될 전류

$$I = \frac{E}{R_m\left(1 + \dfrac{R_2}{R_3}\right)} [A]$$

여기서, R_m : 인체저항[Ω], R_2 : 1선 접지[Ω], R_3 : 외함 접지[Ω]
    E : 전압[V]

$$I = \frac{E}{R_m\left(1 + \dfrac{R_2}{R_3}\right)} = \frac{220}{3,000 \times \left(1 + \dfrac{20}{80}\right)} = 0.058[A] = 58[mA]$$

 TIP 1A = 1,000mA, 1mA = 0.001A

43 전압이 동일한 경우 교류가 직류보다 위험한 이유를 가장 잘 설명한 것은?

① 교류의 경우 전압의 극성 변화가 있기 때문이다.

② 교류는 감전 시 화상을 입히기 때문이다.

③ 교류는 감전 시 수축을 일으킨다.

④ 직류는 교류보다 사용빈도가 낮기 때문이다.

해설

직류와 교류

• 직류 : 전류와 전압이 시간의 변화에 따라 방향과 크기가 변화지 않거나 일정하다.

• 교류 : 전류와 전압이 시간의 변화에 따라 방향과 크기가 변화한다.

44 인체가 감전되었을 때 그 위험성을 결정짓는 주요 인자와 거리가 먼 것은?

① 통전시간

② 통전전류의 크기

③ 감전전류가 흐르는 인체 부위

④ 교류전원의 종류

해설

감전재해의 요인

1차적 감전요소	1. 통전전류의 크기 : 크면 위험, 인체의 저항이 일정할 때 접촉전압에 비례 2. 통전경로 : 인체의 주요한 부분을 흐를수록 위험 3. 통전시간 : 장시간 흐르면 위험 4. 전원의 종류 : 전원의 크기(전압)가 동일한 경우 교류가 직류보다 위험하다.
2차적 감전요소	1. 인체의 조건(저항) : 땀에 젖어 있거나 물에 젖어 있는 경우 인체의 저항이 감소하므로 위험성이 높아진다. 2. 전압 : 전압의 크기가 클수록 위험하다. 3. 계절 : 계절에 따라 인체의 저항이 변화하므로 전격에 대한 위험도에 영향을 준다.

TIP 감전요소에 대한 내용도 함께 기억하세요.

45 감전사고를 일으키는 주된 형태가 아닌 것은?

① 충전전로에 인체가 접촉되는 경우

② 이중절연 구조로 된 전기 기계·기구를 사용하는 경우

③ 고전압의 전선로에 인체가 근접하여 섬락이 발생된 경우

④ 충전 전기회로에 인체가 단락회로의 일부를 형성하는 경우

감전사고를 방지하기 위하여 이중절연 구조로 된 전기 기계·기구를 사용한다.

46 다음 중 전압을 구분한 것으로 알맞은 것은?

① 저압이란 교류 600V 이하, 직류는 교류의 $\sqrt{2}$ 배 이하인 전압을 말한다.
② 고압이란 교류 7,000V 이하, 직류 7,500V 이하를 말한다.
③ 특고압이란 교류, 직류 모두 7,000V를 초과하는 것을 말한다.
④ 고압이란 교류, 직류 모두 7,500V를 넘지 않는 것을 말한다.

해설

전압의 구분

전원의 종류	저압	고압	특고압
직류(DC)	1,500V 이하	1,500V 초과 7,000V 이하	7,000V 초과
교류(AC)	1,000V 이하	1,000V 초과 7,000V 이하	7,000V 초과

47 폭발 위험장소의 전기설비에 공급하는 전압으로서 안전초저압(Safety Extra−low Voltage)의 범위는?

① 교류 50V, 직류 120V를 각각 넘지 않는다.
② 교류 30V, 직류 42V를 각각 넘지 않는다.
③ 교류 30V, 직류 110V를 각각 넘지 않는다.
④ 교류 50V, 직류 80V를 각각 넘지 않는다.

해설

안전초저전압
정상상태에서 또는 다른 회로에 있어서 지락고장을 포함한 단일고장상태에서 인가되는 전압이 교류전압 50V 이하, 직류전압 120V 이하의 전압을 초과하지 않는 전기시스템을 말한다.

48 감전방지용 누전차단기의 정격감도전류 및 작동시간을 옳게 나타낸 것은?

① 15mA 이하, 0.1초 이내
② 30mA 이하, 0.03 이내
③ 50mA 이하, 0.5초 이내
④ 100mA 이하, 0.05초 이내

해설

감전방지용 누전차단기
정격 감도전류가 30mA 이하이고, 동작시간이 0.03초 이내인 누전차단기를 말한다.

49 다음 중 누전차단기를 설치하지 않아도 되는 장소는?

① 기계·기구를 건조한 곳에 시설하는 경우
② 파이프라인 등의 발열장치의 시설에 공급하는 전로의 경우
③ 대지전압 150[V] 이하인 기계·기구를 물기가 있는 장소에 시설하는 경우
④ 콘크리트에 직접 매설하여 시설하는 케이블의 임시배선 전원의 경우

해설

누전차단기의 적용범위
1. 감전방지용 누전차단기의 적용대상
   ㉠ 대지전압이 150볼트를 초과하는 이동형 또는 휴대형 전기기계·기구
   ㉡ 물 등 도전성이 높은 액체가 있는 습윤장소에서 사용하는 저압(1.5천볼트 이하 직류전압이나 1천볼트 이하의 교류전압)용 전기기계·기구
   ㉢ 철판·철골 위 등 도전성이 높은 장소에서 사용하는 이동형 또는 휴대형 전기기계·기구
   ㉣ 임시배선의 전로가 설치되는 장소에서 사용하는 이동형 또는 휴대형 전기기계·기구
2. 감전방지용 누전차단기의 적용제외 대상
   ㉠ 이중절연구조 또는 이와 같은 수준 이상으로 보호되는 구조로 된 전기기계·기구
   ㉡ 절연대 위 등과 같이 감전위험이 없는 장소에서 사용하는 전기기계·기구
   ㉢ 비접지방식의 전로

50 누전차단기의 설치 장소로 적합하지 않은 것은?

① 주위 온도는 −10∼40℃ 범위 내에서 설치할 것
② 먼지가 많고 표고가 높은 장소에 설치할 것
③ 상대습도가 45∼80% 사이의 장소에 설치할 것
④ 전원전압이 정격전압의 85∼110% 사이에서 사용할 것

01 PART
02 PART
03 PART
04 PART
05 PART
06 PART
07 PART

표고 2,000m 이하의 장소에 설치 : 표고가 높아지면 기압이
낮아져 차단능력이 저하됨

51 작업장에서 교류 아크용접기로 용접작업을 하고 있다. 용접기에 사용하고 있는 용품 중 잘못 사용되고 있는 것은?

① 습윤장소와 2m 이상 고소작업 시에 자동전격방지
  기를 부착한 후 작업에 임하고 있다.
② 교류 아크용접기 홀더는 절연이 잘되어 있으며, 2차
  측 전선은 비닐절연전선을 사용하고 있다.
③ 터미널은 케이블 커넥터로 접속한 후 충전부는 절
  연테이프로 테이핑 처리를 하였다.
④ 홀더는 KS 규정의 것만 사용하고 있지만 자동전격
  방지기는 안전보건공단 검정필을 사용한다.

해설

아크전류에 적절한 굵기의 케이블 사용

1차 측 전선(전원 측)	2차 측 전선(홀더 측)
3심 캡타이어 케이블	용접용 케이블 또는 2종 이상의 캡타이어 케이블

52 아크용접 작업 시의 감전사고 방지대책으로 옳지 않은 것은?

① 절연장갑의 사용
② 절연용접봉 홀더의 사용
③ 적정한 케이블의 사용
④ 절연용접봉의 사용

해설

아크 용접작업 시 감전사고 방지대책
1. 자동전격방지장치를 부착
2. 규격품 용접용 홀더의 사용(절연 용접봉 홀더의 사용)
3. 아크전류에 적절한 굵기의 케이블 사용

1차 측 전선(전원 측)	2차 측 전선(홀더 측)
3심 캡타이어 케이블	용접용 케이블 또는 2종 이상의 캡타이어 케이블

4. 용접기 외함 및 피용접모재 접지 실시
5. 용접기 단자와 케이블 접속단자 절연방호
6. 절연장갑의 사용 등

53 교류 아크용접기의 자동전격방지장치는 아크 발생이 중단된 후 출력 측 무부하 전압을 1초 이내 몇 V 이하로 저하시켜야 하는가?

① 25~30
② 35~50
③ 55~75
④ 80~100

해설

자동전격방지기
1. 교류 아크 용접기는 65~90[V]의 무부하 전압이 인가되어
   감전의 위험성이 높으며, 자동전격방지기를 설치하여 아
   크 발생을 중단할 때 용접기의 2차(출력) 측 무부하 전압
   을 25~30[V] 이하로 유지시켜 감전의 위험을 줄이도록 되
   어 있다.
2. 즉, 용접 시에만 용접기의 주회로가 접속되고 그 외에는
   용접기 2차 전압을 안전 전압 이하로 제한한다.

> **TIP** 2차(출력) 측 무부하 전압을 자동적으로 25V 이하로 강
> 하시켜야 하나 전원전압의 변동이 있을 경우 30V 이하로
> 강하시켜야 한다.

54 교류아크 용접기에 전격 방지기를 설치하는 요령 중 틀린 것은?

① 직각으로만 부착해야 한다.
② 이완 방지 조치를 한다.
③ 동작 상태를 알기 쉬운 곳에 설치한다.
④ 테스트 스위치는 조작이 용이한 곳에 위치시킨다.

해설

직각으로 부착할 것(단, 직각이 어려울 때는 직각에 대해 20°
를 넘지 않을 것)

55 충전선로의 활선작업 또는 활선근접 작업을 하는 작업자의 감전위험을 방지하기 위해 착용하는 보호구로서 가장 거리가 먼 것은?

① 절연장화
② 절연장갑
③ 절연안전모
④ 대전방지용 구두

해설

절연보호구의 정의
활선작업 또는 활선근접작업에서 감전을 방지하기 위하여
작업자가 신체에 착용하는 절연 안전모, 절연장갑, 절연화,
절연장화, 절연복 등을 말한다.

> **TIP** 대전방지용 구두는 정전기에 의한 위험이 있는 작업장에 착용하는 보호구

56 전기의 안전장구에 속하지 않는 것은?

① 활선장구   ② 검출용구
③ 접지용구   ④ 전선접속용구

해설

절연용 안전장구
1. 절연용 보호구
2. 절연용 방호구
3. 안전표시용구
4. 검출용구
5. 접지용구
6. 활선작업용 기구 및 장치 등

57 작업자가 교류전압 7,000V 이하의 전로에 활선 근접작업 시 감전사고 방지를 위한 절연용 보호구는?

① 고무절연관   ② 절연시트
③ 절연커버   ④ 절연안전모

해설

절연안전모
물체의 낙하·비래, 추락 등에 의한 위험을 방지하고, 작업자 머리 부분의 감전에 의한 위험으로부터 보호하기 위해 전압 7,000V 이하에서 사용한다.

> **TIP** 전압의 구분
>
> | 전원의 종류 | 저압 | 고압 | 특고압 |
> |---|---|---|---|
> | 직류(DC) | 1,500V 이하 | 1,500V 초과 7,000V 이하 | 7,000V 초과 |
> | 교류(AC) | 1,000V 이하 | 1,000V 초과 7,000V 이하 | 7,000V 초과 |

58 전기기기, 설비 및 전선로 등의 충전 유무를 확인하기 위한 장비는 어느 것인가?

① 위상검출기   ② 디스콘 스위치
③ COS   ④ 저압 및 고압용 검전기

해설

저압 및 고압용 검전기
1. 보수작업 시 저압 또는 고압 충전 여부를 확인

2. 저압 및 고압 회로의 기기 및 설비 등의 정전 확인
3. 기기의 부속부위 저압 및 고압 충전 여부 확인

> **TIP** 검전기 : 기기 설비, 전로 등의 충전 유무를 확인하기 위해 사용

59 전기화재의 원인이 아닌 것은?

① 단락 및 과부하   ② 절연불량
③ 기구의 구조 불량   ④ 누전

해설

전기화재의 원인
1. 단락   6. 절연열화에 의한 발열
2. 누전   7. 지락
3. 과전류   8. 낙뢰
4. 스파크   9. 정전기 스파크
5. 접촉부 과열

60 다음 중 전기설비의 단락에 의한 전기화재를 방지하는 대책으로 가장 유효한 것은?

① 전원차단   ② 제2종 접지
③ 혼촉방지   ④ 경보기 설치

해설

단락의 대책
1. 퓨즈 및 누전차단기를 설치하여 단속 예방(전원차단)
2. 고압 또는 특고압전로와 저압전로를 결합하는 변압기의 저압 측 중성점에 접지공사를 하여 혼촉방지
3. 규격 전선을 사용

61 절연열화가 진행되어 누설전류가 증가하면 여러 가지 사고를 유발하게 되는 경우로서 거리가 먼 것은?

① 감전사고
② 누전화재
③ 정전기 증가
④ 아크 지락에 의한 기기의 손상

해설

1. 누설전류와 정전기 증가는 무관하다.
2. 누설전류가 증가하게 되면 인체에 대한 감전사고, 누전에 의한 화재, 아크 지락에 의한 기기의 손상이 발생한다. 이를 방지하기 위하여 누전차단기를 설치한다.

62 교류 3상 전압 380[V]. 부하 50[kVA]인 경우 배선에서의 누전전류의 한계는 약 [mA]인가?(단, 전기설비기술기준에서의 누설전류 허용값을 적용한다.)

① 10[mA]　　　　　② 38[mA]
③ 54[mA]　　　　　④ 76[mA]

해설

누설전류

> ① 누설전류 = 최대공급전류 $\times \dfrac{1}{2,000}$
>
> ② 3상 전력
> $P = \sqrt{3}\,VI$
> 여기서, P : 전력[W], V : 전압[V], I : 전류[A]

1. $P = \sqrt{3}\,VI \rightarrow I = \dfrac{P}{\sqrt{3}\,V} = \dfrac{50 \times 1,000}{\sqrt{3} \times 380} = 75.967\,[A]$

2. 누설전류 = 최대공급전류 $\times \dfrac{1}{2,000} = 75.967 \times \dfrac{1}{2,000}$
$= 0.0379\,[A] \fallingdotseq 38\,[mA]$

---

63 전기누전으로 인한 화재조사 시에 착안해야 할 입증 흔적과 관계없는 것은?

① 접지점　　　　　② 누전점
③ 혼촉점　　　　　④ 발화점

해설

전기누전으로 인한 화재조사 시 착안해야 할 입증 흔적
1. 누전점 : 전류의 유입점
2. 발화점 : 발화된 장소
3. 접지점 : 전류의 유출점

---

64 과전류에 의한 전선의 인화로부터 용단에 이르기까지 각 단계별 기준으로 옳지 않은 것은?(단, 전선 전류밀도의 단위는 A/mm²이다.)

① 인화단계 : 40~43A/mm²
② 착화단계 : 43~60A/mm²
③ 발화단계 : 60~150A/mm²
④ 용단단계 : 120A/mm² 이상

해설

발화단계 : 60~120A/mm²

---

65 개폐기로 인한 발화는 개폐 시의 스파크에 의한 가연물의 착화화재가 많이 발생한다. 이를 방지하기 위한 대책으로 틀린 것은?

① 가연성 증기, 분진 등이 있는 곳은 방폭형을 사용한다.
② 개폐기를 불연성 상자 안에 수납한다.
③ 비포장 퓨즈를 사용한다.
④ 접속부분의 나사풀림이 없도록 한다.

해설

스파크에 의한 화재방지 대책
1. 개폐기·차단기·피뢰기 기타 이와 유사한 기구로서 동작 시에 아크가 생기는 기구의 시설

고압용	목재의 벽 또는 천장 기타의 가연성 물체로부터 1m 이상 이격할 것
특고압용	목재의 벽 또는 천장 기타의 가연성 물체로부터 2m 이상 이격할 것

2. 개폐기를 불연성의 외함 내에 내장시키거나 통형퓨즈를 사용할 것
3. 접촉부분의 산화, 변형, 퓨즈의 나사풀림 등으로 인한 접촉저항이 증가되는 것을 방지
4. 가연성, 증기, 분진 등 위험한 물질이 있는 곳에는 방폭형 개폐기를 사용할 것
5. 유입개폐기는 절연유의 열화 정도, 유량에 주의하고 주위에는 내화벽을 설치할 것

---

66 금속제 외함을 가진 저압의 기계·기구는 전로에 지락이 생긴 경우 사용전압 몇 [V]를 넘는 경우에 자동적으로 전로를 차단하는 장치를 시설하도록 규정하고 있는가?

① 30V　　　　　② 50V
③ 90V　　　　　④ 150V

해설

누전차단기의 시설
금속제 외함을 가지는 사용전압이 50V를 초과하는 저압의 기계 기구로서 사람이 쉽게 접촉할 우려가 있는 곳에 시설하는 것에 전기를 공급하는 전로

---

67 대지를 접지로 이용하는 이유 중 가장 옳은 것은?

① 대지는 토양의 주성분이 규소(SiO_2)이므로 저항이 영(0)에 가깝다.

② 대지는 토양의 주성분이 산화알미늄(Al_2O_3)이므로 저항이 영(0)에 가깝다.

③ 대지는 철분을 많이 포함하고 있기 때문에 전류를 잘 흘릴 수 있다.

④ 대지는 넓어서 무수한 전류통로가 있기 때문에 저항이 영(0)에 가깝다.

해설

접지의 개요
1. 접지란 각종 전기, 전자, 통신장비를 대지와 전기적으로 접속하는 것을 말한다.
2. 접지전극은 지구의 표면이 대단히 넓어 대단히 많은 전하를 충전할 수 있으며, 무수한 전류통로가 있기 때문에 저항이 작아서 대지를 접지로 이용한다.

68 인체의 감전사고 방지책으로서 가장 좋은 방법은?

① 중성선을 접지한다.

② 단상 3선식을 채택한다.

③ 변압기의 1, 2차를 접지한다.

④ 계통을 비접지 방식으로 한다.

해설

접지를 하지 않아도 되는 대상
1. 이중절연구조 또는 이와 같은 수준 이상으로 보호되는 구조로 된 전기기계·기구
2. 절연대 위 등과 같이 감전 위험이 없는 장소에서 사용하는 전기기계·기구
3. 비접지방식의 전로(그 전기기계·기구의 전원 측의 전로에 설치한 절연변압기의 2차 전압이 300볼트 이하, 정격용량이 3킬로볼트암페어 이하이고 그 절연전압기의 부하측의 전로가 접지되어 있지 아니한 것으로 한정)에 접속하여 사용되는 전기기계·기구

69 접지저항값을 저하시키는 방법 중 거리가 먼 것은?

① 접지봉에 도전성이 좋은 금속을 도금한다.

② 접지봉을 병렬로 연결한다.

③ 도전성 물질을 접지극 주변의 토양에 주입한다.

④ 접지봉을 땅속 깊이 매설한다.

해설

접지저항 저감방법

물리적 저감법	수평 공법	1. 접지극 병렬접속(병렬법) : 접지봉 등을 병렬접속하고 접지 전극의 면적을 크게 한다. 2. 접지극의 치수 확대 : 접지봉의 지름을 2배 정도 증대 시 접지저항의 10% 정도 감소 3. 메시(Mesh) 공법 : 공용접지 시 안정성 및 효과가 뛰어남
	수직 공법	1. 보링 공법 : 보링기로 지하를 뚫어 접지 저감제를 채운 후 접지극을 매설하는 방식 2. 접지봉 심타법 : 접지극 매설깊이를 깊게 한다.(지표면 아래 75cm 이하에 시설)
화학적 저감법 (약품법)		1. 접지극 주변 토양 개량 2. 접지저항 저감제를 사용하여 접지극에 주입 3. 접지극 주위에 전해질계 또는 화학적 약제를 뿌려 대지 저항률을 낮추는 방법

70 가로등의 접지전극을 지면으로부터 75cm 이상 깊은 곳에 매설하는 주된 이유는?

① 전극의 부식을 방지하기 위하여

② 접촉전압을 감소시키기 위하여

③ 접지저항을 증가시키기 위하여

④ 접지선의 단선을 방지하기 위하여

해설

접촉전압 및 접지저항을 감소시키기 위해서 지면으로부터 75cm 이상 깊은 곳에 매설한다.

71 피뢰기의 설치장소가 아닌 것은?

① 저압 수용장소의 인입구

② 가공전선로에 접속하는 배전용 변압기의 고압 측

③ 지중전선로와 가공전선로가 접속되는 곳

④ 발전소 또는 변전소의 가공전선 인입구 및 인출구

해설

피뢰기의 설치장소(고압 및 특고압 전로)
고압 및 특고압의 전로 중 다음의 곳 또는 이에 근접한 곳에는 피뢰기를 시설하고 피뢰기 접지저항 값은 10Ω 이하로 하여야 한다.
1. 발전소·변전소 또는 이에 준하는 장소의 가공전선 인입구 및 인출구
2. 특고압 가공전선로에 접속하는 배전용 변압기의 고압 측 및 특고압 측

01 PART
02 PART
03 PART
04 PART
05 PART
06 PART
07 PART

3. 고압 또는 특고압의 가공전선로로부터 공급을 받는 수용 장소의 인입구
4. 가공전선로와 지중전선로가 접속되는 곳

72 속류를 차단할 수 있는 최고의 교류전압을 피뢰기의 정격전압이라고 하는데 이 값은 통상적으로 어떤 값으로 나타내고 있는가?

① 최댓값
② 평균값
③ 실효값
④ 파고값

해설

피뢰기의 정격

정격전압	피뢰기가 속류를 차단할 수 있는 상용주파수 최고의 교류전압의 실효값을 말한다.
제한전압	피뢰기 방전 시 선로단자와 접지단자 간에 남게 되는 충격전압의 파고치로서 방전 중에 피뢰기 단자 간에 걸리는 전압을 말한다.
충격방전 개시전압	극성의 충격파와 소정의 파형을 피뢰기의 선로단자와 접지단자 간에 인가했을 때 방전전류가 흐르기 이전에 도달할 수 있는 최고 전압을 말한다.

73 피뢰기가 갖추어야 할 이상적인 성능 중 잘못된 것은?

① 제한전압이 낮아야 한다.
② 반복동작이 가능하여야 한다.
③ 충격방전 개시전압이 높아야 한다.
④ 뇌전류의 방전능력이 크고 속류의 차단이 확실하여야 한다.

해설

피뢰기의 구비성능
1. 충격방전 개시전압과 제한전압이 낮을 것
2. 반복 동작이 가능할 것
3. 구조가 견고하며 특성이 변화하지 않을 것
4. 점검 · 보수가 간단할 것
5. 뇌전류의 방전능력이 클 것
6. 속류의 차단이 확실하게 될 것

74 전기화재의 경로별 원인으로 거리가 먼 것은?

① 단락
② 누전
③ 저전압
④ 접촉부의 과열

해설

전기화재의 발생원인 분류

발화원 (기기별)	1. 전열기 2. 전기기기 3. 배선 및 배선기구 4. 단열압축 5. 충격 · 마찰	6. 광선 및 방사선 7. 낙뢰 8. 전기불꽃 9. 정전기 10. 충격파 등
착화물	연소물질(타는 물질)	
출화의 경과 (화재의 경과)	1. 단락 2. 누전 3. 과전류 4. 스파크 5. 접촉부 과열	6. 절연열화에 의한 발열 7. 지락 8. 낙뢰 9. 정전기 스파크 등

75 전기설비 화재의 경과별 재해 중 가장 빈도가 높은 것은?

① 단락(합선)
② 누전
③ 접촉부 과열
④ 정전기

해설

전기화재의 재해율 빈도
1. 발화원 : 이동 가능한 전열기>전기, 전화 등의 배선>전기기기>전기장치>배선기구, 고정된 전열기
2. 출화의 경과(화재의 경과) : 단락>스파크>누전>접촉부 과열>절연열화에 의한 발열>과전류

76 다음 중 정전기에 대한 설명으로 가장 알맞은 것은?

① 전하의 공간적 이동이 크고, 그것에 의한 자계의 효과가 전계의 효과에 비해 매우 큰 전기
② 전하의 공간적 이동이 적고, 그것에 의한 자계의 효과가 전계에 비해 무시할 정도의 적은 전기
③ 전하의 공간적 이동이 적고, 그것에 의한 전계의 효과와 자계의 효과가 서로 비슷한 전기
④ 전하의 공간적 이동이 크고, 그것에 의한 자계의 효과와 전계의 효과를 서로 비교할 수 없는 전기

해설

정전기
1. 대전에 의해 얻어진 전하가 절연체 위에서 더 이상 이동하지 않고 정지하고 있는 것을 말한다.
2. 전하의 공간적 이동이 적어 이 전류에 의한 자계효과가 전계효과에 비해 무시할 정도로 아주 적은 전기라 할 수 있다.

77 정전기에 관련한 설명으로 잘못된 것은?

① 정전유도에 의한 힘은 반발력이다.
② 발생한 정전기와 완화한 정전기의 차가 마찰을 받은 물체에 축적되는 현상을 대전이라 한다.
③ 같은 부호의 전하는 반발력이 작용한다.
④ 겨울철에 나일론소재 셔츠 등을 벗을 때 경험한 부착현상이나 스파크 발생은 박리대전현상이다.

해설

정전유도현상
대전물체 부근에 절연된 도체가 있을 경우에는 정전계에 의해 대전물체에 가까운 쪽의 도체 표면에는 대전물체와 반대 극성의 전하가 반대쪽에는 같은 극성의 전화가 대전되게 되는데, 이를 정전유도현상이라고 한다.

TIP 음(−)과 양(+)의 전하가 대전되어 생기는 현상으로 정전기에 의해 작용하는 힘

흡인력	다른 종류의 전하 사이에 작용하는 힘
반발력	같은 종류의 전하 사이에 작용하는 힘

78 다음 설명과 가장 관계가 깊은 것은?

- 파이프 속에 저항이 높은 액체가 흐를 때 발생된다.
- 액체의 흐름이 정전기 발생에 영향을 준다.

① 충돌대전
② 박리대전
③ 유동대전
④ 분출대전

해설

유동대전
1. 액체류를 파이프 등으로 수송할 때 액체류가 파이프 등과 접촉하여 두 물질의 경계에 전기 2중층이 형성되어 정전기 발생
2. 액체류의 유동속도가 정전기 발생에 큰 영향을 준다.
3. 파이프 속에 저항이 높은 액체가 흐를 때 발생

TIP 정전기 발생현상의 종류에 대해서도 출제되고 있습니다. 이론을 참고하여 함께 기억하세요.

79 정전기 발생 원인에 대한 설명으로 옳은 것은?

① 분리속도가 느리면 정전기 발생이 커진다.
② 정전기 발생은 처음 접촉, 분리 시 최소가 된다.

③ 물질 표면이 오염된 표면일 경우 정전기 발생이 커진다.
④ 접촉 면적이 작고 압력이 감소할수록 정전기 발생량이 크다.

해설

정전기 발생의 영향 요인(정전기 발생 요인)
1. 분리속도가 빠를수록 정전기 발생량이 커진다.
2. 정전기 발생량은 처음 접촉, 분리가 일어날 때 최대가 되며, 발생횟수가 반복될수록 발생량이 감소한다.
3. 기름, 수분, 불순물 등 오염이 심할수록, 산화 부식이 심할수록 정전기 발생량이 커진다.
4. 접촉면적 및 압력이 클수록 정전기 발생량은 커진다.

80 정전기 발생에 영향을 주는 요인으로 볼 수 없는 것은?

① 물체의 특성
② 물체의 표면상태
③ 물체의 분리력
④ 접촉시간

해설

정전기 발생의 영향 요인(정전기 발생 요인)
1. 물체의 특성
2. 물체의 표면상태
3. 물체의 이력
4. 접촉면적 및 압력
5. 분리속도
6. 완화시간

81 정전기의 소멸과 완화시간의 설명 중 옳지 않는 것은?

① 정전기가 축적되었다가 소멸되는 데 처음 값의 63.8%로 감소되는 시간을 완화시간이라 한다.
② 완화시간은 대전체 저항 × 정전용량＝고유저항 × 유전율로 정해진다.
③ 고유저항 또는 유전율이 큰 물질일수록 대전 상태가 오래 지속된다.
④ 일반적으로 완화시간은 영전위 소유시간의 1/4～1/5 정도이다.

해설

정전기의 소멸과 완화시간(Relaxation Time)
절연체에 발생하는 정전기는 일정장소에 축적되었다가 점차 소멸되는데 처음 값의 36.8%로 감소되는 시간을 그 물체에 대한 시정수 또는 완화시간이라 한다.

01 PART
02 PART
03 PART
04 PART
05 PART
06 PART
07 PART

82 정전기 방전의 종류에 속하지 않는 것은?

① 스트리머 방전 ② 코로나 방전
③ 연면 방전 ④ 적외선 방전

해설

정전기 방전의 형태
1. 코로나(corona) 방전
2. 스트리머(streamer) 방전
3. 불꽃(spark) 방전
4. 연면(surface) 방전
5. 브러시(brush) 방전
6. 뇌상 방전

83 코로나 방전이 발생할 경우 공기 중에 생성되는 것은?

① O_2 ② O_3
③ N_2 ④ N_3

해설

코로나(corona) 방전
1. 고체에 정전기가 축적되면 전위가 높아지게 되고 고체표면의 전위경도가 어느 일정치를 넘어서면 낮은 소리와 연한 빛을 수반하는 방전
2. 방전현상으로 공기 중에서 오존(O_3)이 발생

TIP 불꽃방전 시 공기 중에 오존(O_3)이 생성되어 인화성 물질에 인화하거나 분진폭발을 일으킬 수 있다.

84 대전이 큰 얇은 층상의 부도체를 박리할 때 또는 얇은 층상의 대전된 부도체의 뒷면에 밀접한 접지체가 있을 때 표면에 연한 수지상의 발광을 수반하여 발생하는 방전은?

① 불꽃 방전 ② 스트리머 방전
③ 코로나 방전 ④ 연면 방전

해설

연면(surface) 방전
대전이 큰 얇은 층상의 부도체를 박리할 때 또는 얇은 층상의 대전된 부도체의 뒷면에 밀접한 접지체가 있을 때 표면에 연한 복수의 수지상 발광을 수반하여 발생하는 방전

85 정전기 방전에 의한 화재 및 폭발 발생에 대한 설명으로 틀린 것은?

① 정전기 방전에너지가 어떤 물질의 착화에너지보다 크게 되면 화재, 폭발이 일어날 수 있다.
② 부도체가 대전되었을 경우에는 정전에너지보다는 대전전위 크기에 의해서 화재, 폭발이 결정된다.
③ 대전된 물체에 인체가 접근했을 때 전격을 느낄 정도이면 화재, 폭발의 가능성이 있다.
④ 작업복에 대전된 정전에너지가 가연성 물질의 최소 착화에너지보다 클 때는 화재, 폭발의 위험성이 있다.

해설

정전기의 장해(폭발 · 화재)
1. 정전기의 방전현상에 의한 결과로 가연성 물질이 연소되어 일어나는 현상
2. 정전기 방전이 일어나더라도 방전에너지가 가연성 물질의 최소 착화에너지보다 작을 경우에는 폭발 · 화재는 일어나지 않는다.
3. 화재 · 폭발은 대전물체가 도체일 경우에는 대전에너지에 관련되고, 부도체일 경우에는 대전에너지보다는 대전전위에 관련되나 정확한 기준을 제시하기가 어렵다.
4. 정전기 방전에 의한 폭발 · 화재가 일어나기 위해서는
  ㉠ 가연성 물질이 폭발한계에 있을 것
  ㉡ 정전기 방전에너지가 가연성 물질의 최소 착화에너지 이상일 것
  ㉢ 방전하기에 충분한 전위차가 있을 것

86 정전기로 인하여 화재로 진전되는 조건 중 관계가 없는 것은?

① 방전하기에 충분한 전위차가 있을 때
② 가연성 가스 및 증기가 폭발한계 내에 있을 때
③ 대전하기 쉬운 금속부분에 접지를 한 상태일 때
④ 정전기의 스파크 에너지가 가연성 가스 및 증기의 최소점화에너지 이상일 때

해설

정전기 방전에 의한 폭발 · 화재가 일어나기 위한 조건
1. 가연성 물질이 폭발한계에 있을 것
2. 정전기 방전에너지가 가연성 물질의 최소 착화에너지 이상일 것
3. 방전하기에 충분한 전위차가 있을 것

TIP 접지할 경우 정전기를 방지할 수 있어 화재 발생의 위험이 없다.

87 두 가지 용제를 사용하고 있는 어느 도장 공장에서 폭발사고가 발생하여 세 명의 부상자를 발생시켰다. 부상자와 동일 조건의 복장으로 정전용량이 120 pF인 사람이 5m 도보 후에 표면전위를 측정했더니 3,000V가 측정되었다. 사용한 혼합용제 가스의 최소 착화에너지 상한치는 얼마인가?

① 0.54mJ   ② 0.54J

③ 1.08mJ   ④ 1.08J

해설

정전에너지

$$W = \frac{1}{2}CV^2 = \frac{1}{2}QV = \frac{1}{2}\frac{Q^2}{C}$$

대전 전하량$(Q) = C \cdot V$, 대전전위$(V) = \frac{Q}{C}$

여기서, W : 정전기 에너지[J], C : 도체의 정전용량[F]
V : 대전 전위[V], Q : 대전 전하량[C]

$W = \frac{1}{2}CV^2 = \frac{1}{2} \times (120 \times 10^{-12}) \times (3,000)^2$

$= 0.00054[J] = 0.54[mJ]$

TIP $1pF = 10^{-12}F$, $1J = 1,000mJ$

88 인체의 전기적 저항이 5,000[Ω]이고, 전류가 3[mA]가 흘렀다. 인체의 정전용량이 0.1[μF]라면 인체에 대전된 정전하는 몇 [μC]인가?

① 0.5   ② 1.0

③ 1.5   ④ 2.0

해설

1. $V = I \times R = (3 \times 10^{-3}) \times 5,000 = 15[V]$
2. 대전 전하량$(Q) = C \cdot V = (0.1 \times 10^{-6}) \times 15$
$\qquad\qquad\qquad = 0.0000015[C] = 1.5[\mu C]$

89 아세톤을 취급하는 작업장에서 작업자의 정전기 방전으로 인한 화재폭발 재해를 방지하기 위하여 인체 대전 전위는 약 몇 V 이하로 유지하여야 하는가?(단, 인체의 정전용량 100pF이고, 아세톤의 최소 착화 에너지는 1.15mJ로 하며 기타의 조건은 무시한다.)

① 1,150   ② 2,150

③ 3,800   ④ 4,800

해설

1. $W = \frac{1}{2}CV^2 \rightarrow 2W = CV^2 \rightarrow V^2 = \frac{2W}{C} \rightarrow V = \sqrt{\frac{2W}{C}}$

2. $V = \sqrt{\frac{2W}{C}} = \sqrt{\frac{2 \times 1.15 \times 10^{-3}}{100 \times 10^{-12}}} = 4,800[V]$

TIP $pF = 10^{-12}F$, $mJ = 10^{-3}J$

90 동전기와 정전기에서 공통적으로 발생하는 것은?

① 감전에 의한 사망 · 실신 등
② 정전으로 인한 제반 장애 및 2차 재해
③ 충격으로 인한 추락, 전도에 의한 상해
④ 반복충격으로 인한 정신 및 피부질환

해설

동전기나 정전기 모두 감전 시 충격이 발생하며 이로 인해 고소에서의 추락, 전도 등 2차적 재해를 일으키는 요인이 되기도 한다.

91 정전기가 대전된 물체를 제전시키려고 한다. 다음 중 대전된 물체의 절연저항이 증가되어 제전의 효과를 감소시키는 것은?

① 접지한다.
② 건조시킨다.
③ 도전성 재료를 첨가한다.
④ 주위를 가습한다.

해설

정전기재해의 방지대책
1. 접지(도체의 대전방지)
2. 유속의 제한
3. 보호구의 착용
4. 대전방지제 사용
5. 가습(상대습도를 60~70% 정도 유지)
6. 제전기 사용
7. 대전물체의 차폐
8. 정치시간의 확보
9. 도전성 재료 사용

01 PART
02 PART
03 PART
04 PART
05 PART
06 PART
07 PART

92 정전기 제거만을 목적으로 하는 접지에 있어서의 적당한 접지저항값은 몇 [Ω] 이하로 하면 좋은가?

① 10^6 [Ω] 이하   ② 10^{12} [Ω] 이하

③ 10^{15} [Ω] 이하   ④ 10^{18} [Ω] 이하

해설

접지저항

정전기 대책을 위한 접지는 $1×10^6$Ω 이하이면 충분하나, 확실한 안정을 위해서는 $1×10^3$Ω 미만으로 하되, 타 목적의 접지와 공용으로 할 경우에는 그 접지저항값으로 충분하다. 본딩의 저항은 $1×10^3$Ω 미만으로 유지시켜야 한다.

93 반도체 취급 시에 정전기로 인한 재해 방지대책으로 거리가 먼 것은?

① 송풍형 제전기 설치

② 부도체의 접지 실시

③ 작업자의 대전방지 작업복 착용

④ 작업대에 정전기 매트 사용

해설

부도체의 대전방지

부도체는 전하의 이동이 쉽게 일어나지 않기 때문에 접지로는 대전방지의 효과를 기대하기 어려워 정전기 발생 억제가 기본이며 가능하면 부도체를 사용하지 말고 금속도전성 재료를 사용하는 것이 바람직하다.

94 정전기 재해방지를 위한 배관 내 액체의 유속제한에 관한 사항으로 옳은 것은?

① 저항률이 10^{10}Ω · cm 미만의 도전성 위험물의 배관유속은 7m/s 이하로 할 것

② 에텔, 이황화탄소 등과 같이 유동대전이 심하고 폭발위험성이 높으면 4m/s 이하로 할 것

③ 물이나 기체를 혼합하는 비수용성 위험물의 배관 내 유속은 5m/s 이하로 할 것

④ 저항률이 10^{10}Ω · cm 이상인 위험물의 배관 내 유속은 배관내경 4인치일 때 10m/s 이하로 할 것

해설

유속의 제한

1. 저항률이 10^{10}Ω · cm 미만의 도전성 위험물의 배관유속은 7m/s 이하로 할 것

2. 에텔, 이황화탄소 등과 같이 유동대전이 심하고 폭발 위험성이 높은 것은 배관 내 유속을 1m/s 이하로 할 것

3. 물기가 기체를 혼합한 비수용성 위험물은 배관 내 유속을 1m/s 이하로 할 것

4. 저항률 10^{10}Ω · cm 이상인 위험물의 배관 내 유속은 배관 내경이 4인치일 때 2.5m/s 이하로 할 것

95 정전기 방지대책 중 틀린 것은?

① 대전서열이 가급적 먼 것으로 구성한다.

② 카본 블랙을 도포하여 도전성을 부여한다.

③ 유속을 저감시킨다.

④ 도전성 재료를 도포하여 대전을 감소시킨다.

해설

대전서열

일반적으로 대전량은 접촉이나 분리하는 두 가지 물체가 대전서열 내에서 가까운 곳에 있으면 적고 먼 위치에 있을수록 대전량이 큰 경향이 있다. 즉, 대전서열의 차이가 클수록 정전기 발생량이 크다.

96 폴리에스터, 나일론, 아크릴 등의 섬유에 정전기 대전방지 성능이 특히 효과가 있고, 섬유에의 균일 부착성과 열 안전성이 양호한 외부용 일시성 대전방지제로 옳은 것은?

① 양ion계 활성제   ② 음ion계 활성제

③ 비ion계 활성제   ④ 양성ion계 활성제

해설

음이온계 활성제

1. 값이 싸고 무독성이다.

2. 섬유의 균일 부착성과 열 안전성이 양호하다.

3. 섬유의 원사 등에 사용된다.

97 제전기의 제전효과에 영향을 미치는 요인으로 볼 수 없는 것은?

① 제전기의 이온 생성능력

② 전원의 극성 및 전선의 길이

③ 대전물체의 대전전위 및 대전분포

④ 제전기의 설치 위치 및 설치 각도

제전기의 제전효과에 영향을 미치는 요인
1. 단위시간당 이온 생성 능력
2. 설치 위치와 거리 및 설치각도
3. 대전물체의 대전전위 및 대전분포
4. 피대전물체의 이동속도
5. 대전물체와 제전기 사이의 기류
6. 피대전물체의 형상
7. 근접 접지체의 형상 위치 크기

98 방전침에 약 7,000V의 전압을 인가하면 공기가 전리되어 코로나 방전을 일으킴으로써 발생한 이온으로 대전체의 전하를 중화시키는 방법을 이용한 제전기는?

① 전압인가식 제전기
② 자기방전식 제전기
③ 이온스프레이식 제전기
④ 이온식 제전기

해설

제전기의 종류

전압인가식 제전기	약 7,000V 정도의 고전압으로 코로나 방전을 일으켜 제전에 필요한 이온을 발생시키는 장치
자기방전식 제전기	제전대상 물체의 정전에너지를 이용하여 제전에 필요한 이온을 발생시키는 장치
방사선식 제전기 (이온식 제전기)	방사선 동위원소 등으로부터 나오는 방사선의 전리작용을 이용하여 제전에 필요한 이온을 만들어 내는 장치

TIP 제전기의 종류도 함께 기억하세요.

99 정전기 재해를 예방하기 위해 설치하는 제전기의 제전효율은 설치 시에 얼마 이상이 되어야 하는가?

① 50% 이상
② 70% 이상
③ 90% 이상
④ 100%

해설

제전기의 설치(일반적인 사항)
제전기 설치하기 전후의 대전전위를 측정하여 제전의 목표치를 만족하는 위치 또는 제전효율이 90% 이상이 되는 곳을 선정한다.

100 정전기 화재폭발 원인인 인체대전에 대한 예방대책으로 옳지 않은 것은?

① 대전물체를 금속판 등으로 차폐한다.
② 대전방지제를 넣은 제전복을 착용한다.
③ 대전방지 성능이 있는 안전화를 착용한다.
④ 바닥 재료는 고유저항이 큰 물질을 사용한다.

해설

인체에 대전된 정전기에 의한 화재 또는 폭발 위험이 있는 경우 정전기 대전방지용 안전화 착용, 제전복 착용, 정전기 제전용구 사용 등의 조치를 하거나 작업장 바닥 등에 도전성을 갖추도록 하는 등 필요한 조치를 하여야 한다.

TIP 고유저항이 큰 물질일 경우 정전기의 축적이 발생할 수 있다.

101 방폭구조와 기호의 연결이 옳지 않은 것은?

① 압력방폭구조 : p
② 내압방폭구조 : d
③ 안전증방폭구조 : s
④ 본질안전방폭구조 : ia 또는 ib

해설

방폭구조의 종류 및 기호

내압 방폭구조	d	안전증 방폭구조	e	비점화 방폭구조	n
압력 방폭구조	p	특수 방폭구조	s	몰드방폭구조	m
유입 방폭구조	o	본질안전 방폭구조	i(ia, ib)	충전방폭구조	q

102 폭발성 가스가 있는 위험장소에서 사용할 수 있는 전기설비의 방폭구조로서 내부에서 폭발하더라도 틈의 냉각효과로 인하여 외부의 폭발성 가스에 착화될 우려가 없는 방폭구조는?

① 내압방폭구조
② 유입방폭구조
③ 안전증방폭구조
④ 본질안전방폭구조

해설

내압방폭구조(flameproof enclosure, d)
1. 점화원에 의해 용기 내부에서 폭발이 발생할 경우에 용기가 폭발압력에 견딜 수 있고, 화염이 용기 외부의 폭발성 분위기로 전파되지 않도록 한 방폭구조

PART 01
PART 02
PART 03
PART 04
PART 05
PART 06
PART 07

2. 전폐형 구조로 용기 내에 외부의 폭발성 가스가 침입하여 내부에서 폭발하더라도 용기는 그 압력에 견뎌야 하고 폭발한 고열가스나 화염이 용기의 접합부 틈을 통하여 새어나가는 동안 냉각되어 외부의 폭발성 가스에 화염이 파급될 우려가 없도록 한 방폭구조
3. 주요 성능 시험항목은 폭발압력(기준압력) 측정, 폭발강도(정적 및 동적)시험, 폭발인화시험 등이 있다.

103 내압방폭구조의 필요충분조건에 대한 사항으로 틀린 것은?

① 폭발화염이 외부로 유출되지 않을 것
② 습기침투에 대한 보호를 충분히 할 것
③ 내부에서 폭발한 경우 그 압력에 견딜 것
④ 외함의 표면온도가 외부의 폭발성 가스를 점화하지 않을 것

104 방폭전기설비의 용기 내부에 보호가스를 압입하여 내부압력을 유지함으로써 폭발성 가스 또는 증기가 내부로 유입하지 않도록 된 방폭구조는?

① 내압방폭구조
② 압력방폭구조
③ 안전증방폭구조
④ 유입방폭구조

해설

압력방폭구조(pressurized type, p)
점화원이 될 우려가 있는 부분을 용기 안에 넣고 보호 기체(신선한 공기 또는 불활성 기체)를 용기 안에 압입함으로써 폭발성 가스가 침입하는 것을 방지하도록 되어 있는 방폭 구조(전폐형구조)

105 다음은 어떤 방폭구조에 대한 설명인가?

전기기구의 권선, 에어-캡, 접점부, 단자부 등과 같이 정상적인 운전 중에 불꽃, 아크, 또는 과열이 생겨서는 안 될 부분에 대하여 이를 방지하거나 또는 온도상승을 제한하기 위하여 전기안전도를 증가시켜 제작한 구조이다.

① 안전증방폭구조
② 내압방폭구조
③ 몰드방폭구조
④ 본질안전방폭구조

해설

안전증방폭구조(increased safety type, e)
1. 전기기기의 정상 사용조건 및 특정 비정상 상태에서 과도한 온도 상승, 아크 또는 스파크의 발생 위험을 방지하기 위해 추가적인 안전조치를 통한 안전도를 증가시킨 방폭구조
2. 전기기구의 권선, 접점부, 단자부 등과 같은 부분이 정상적인 운전 중에는 불꽃, 아크 또는 과열이 발생되지 않는 부분에 대하여 방지하기 위한 구조와 온도상승에 대해 특히 안전도를 증가시킨 구조

106 전기기기의 케이스를 전폐구조로 하며 접합면에는 일정치 이상의 깊이를 갖는 패킹을 사용하여 분진이 용기 내로 침입하지 못하도록 한 방폭구조는?

① 보통방진 방폭구조
② 분진특수 방폭구조
③ 특수방진 방폭구조
④ 밀폐방진 방폭구조

해설

분진방폭의 종류

방폭구조 종류	구조의 원리
특수방진 방폭구조 (SDP)	전폐구조로서 접합면 깊이를 일정치 이상으로 하거나 또는 접합면에 일정치 이상의 깊이가 있는 패킹을 사용하여 분진이 용기 내부로 침입하지 않도록 한 구조
보통방진 방폭구조 (DP)	전폐구조로서 접합면 깊이를 일정치 이상으로 하거나 또는 접합면에 패킹을 사용하여 분진이 용기 내부로 침입하기 어렵게 한 구조
방진특수 방폭구조 (XDP)	위의 두 가지 구조(SDP, DP) 이외의 방폭구조로서 방진방폭성능을 시험, 기타에 의하여 확인 된 구조

107 내압방폭구조에서 안전간극(Safe Gap)을 적게 하는 이유로 가장 알맞은 것은?

① 최소점화에너지를 높게 하기 위해
② 폭발화염이 외부로 전파되지 않도록 하기 위해
③ 폭발압력에 견디고 파손되지 않도록 하기 위해
④ 쥐가 침입해서 전선 등을 갉아먹지 않도록 하기 위해

해설

최대안전틈새(MESG ; Maximum Experimental Safety Gap, 안전간극, 화염일주한계)
1. 8L 정도의 구형 용기 안에 폭발성 혼합가스를 채우고 착화시켜 가스가 발화될 때 화염이 용기 외부의 폭발성 혼합가스에 전달되는가의 여부를 보아 화염을 전달시킬 수 없는 한계의 틈을 말한다.

2. 화염이 틈새를 통하여 바깥쪽의 폭발성 가스에 전달되지 않는 한계의 틈새
3. 폭발화염이 외부로 전파되지 않도록 하기 위해 안전간격을 적게 한다.

108 다음 (   ) 안의 알맞은 내용을 나타낸 것은?

폭발성 가스의 폭발등급 측정에 사용되는 표준용기는 내용적이 (㉮)cm³, 반구상의 플랜지 접합면의 안길이가 (㉯)mm의 구상용기의 틈새를 통과시켜 화염일주 한계를 측정하는 장치이다.

① ㉮ 600   ㉯ 0.4   ② ㉮ 1,800   ㉯ 0.6
③ ㉮ 4,500   ㉯ 8   ④ ㉮ 8,000   ㉯ 25

해설

최대안전틈새(화염일주한계)의 실험
1. 내용적이 8L 정도의 구형 용기 안에 틈새길이가 25mm인 표준용기 내에서 폭발성 혼합가스를 채우고 점화시켜 폭발시킨다.
2. 이때, 발생된 화염이 용기 밖으로 전파하여 점화되지 않는 최댓값을 측정한다.
3. 틈새는 상부의 정밀나사에 의해 세밀하게 조정한다.

TIP 1L = 1,000cm³

109 폭발성 가스의 폭발등급 중 1등급 가스가 아닌 것은?

① 암모니아   ② 일산화탄소
③ 수소   ④ 메탄

해설

폭발 등급
표준용기(내용적 8L, 틈의 안 길이 25mm)의 내부에서 폭발이 발생했을 때 외부에 화염이 미치지 않는 틈새의 간격을 안전간격이라 하며, 그 틈의 치수에 따라 등급을 정한 것을 폭발등급이라 한다.

폭발 등급	안전간격	대상가스의 종류
1등급	0.6mm 초과	일산화탄소, 에탄, 프로판, 암모니아, 아세톤, 에틸에테르, 가솔린, 벤젠, 메탄 등
2등급	0.4mm 초과~ 0.6mm 이하	석탄가스, 에틸렌, 이소프렌, 산화에틸렌 등
3등급	0.4mm 이하	아세틸렌, 이황화탄소, 수소, 수성가스 등

110 폭발성 가스의 발화온도가 450℃를 초과하는 가스의 발화도 등급은?

① G_1 ② G_2
③ G_3 ④ G_4

해설

발화도

발화도	G_1	G_2	G_3	G_4	G_5	G_6
발화점의 범위(℃)	450 초과	300 초과 450 이하	200 초과 300 이하	135 초과 200 이하	100 초과 135 이하	85 초과 100 이하

111 방폭전기기기의 발화도의 온도등급과 최고 표면온도에 의한 폭발성 가스의 분류표기를 가장 올바르게 나타낸 것은?

① T_1 : 450℃ 이하   ② T_2 : 350℃ 이하
③ T_4 : 125℃ 이하   ④ T_6 : 100℃ 이하

해설

전기기기의 최고표면온도
방폭기기가 사양 범위 내의 최악의 조건에서 사용한 경우에 주위의 폭발성 분위기에 점화될 우려가 있는 해당 전기기기의 구성부품이 도달하는 표면온도 중 가장 높은 온도를 최고표면온도라 한다.

온도등급	T_1	T_2	T_3	T_4	T_5	T_6
최고표면 온도(℃)	450 이하	300 이하	200 이하	135 이하	100 이하	85 이하

112 가스 위험장소를 3등분으로 분류하는 목적은?

① 안전관리자를 선임해야 할지를 결정하기 위해
② 방폭전기 설비의 선정을 하고 균형 있는 방폭 협조를 실시하기 위해
③ 가스위험 장소를 분류하여 작업자 및 방문자의 출입을 통제하기 위해
④ 화재 폭발 등 재해사고가 발생되고 고용노동부에 폭발 등급을 보고하기 위해

해설

방폭전기 설비의 선정과 균형 있는 방폭 협조를 실시하여 장소를 분류하기 위해

01 PART
02 PART
03 PART
04 PART
05 PART
06 PART
07 PART

113 폭발위험장소의 분류 중 인화성 액체의 증기 또는 인화성 가스에 의한 폭발위험이 지속적으로 또는 장기간 존재하는 장소는 몇 종 장소로 분류되는가?

① 0종 장소 ② 1종 장소
③ 2종 장소 ④ 3종 장소

해설

가스폭발 위험장소

0종 장소	인화성 액체의 증기 또는 가연성 가스에 의한 폭발위험이 지속적으로 또는 장기간 존재하는 장소	용기 · 장치 · 배관 등의 내부 등
1종 장소	정상작동상태에서 폭발위험분위기가 존재하기 쉬운 장소	맨홀 · 벤트 · 피트 등의 주위
2종 장소	정상작동상태에서 폭발위험분위기가 존재할 우려가 없으나, 존재할 경우 그 빈도가 아주 적고 단기간만 존재할 수 있는 장소	개스킷 · 패킹 등의 주위

TIP 위험장소에 해당하는 폭발위험 장소에 대해서도 출제되고 있습니다. 함께 기억하세요.

114 다음 분진의 종류 중 폭연성 분진에 해당하는 것은?

① 합성수지 ② 전분
③ 비전도성 카본블랙 ④ 알루미늄

해설

폭연성 분진
공기 중에 산소가 적은 분위기 또는 이산화탄소 중에서도 착화하고, 부유상태에서는 격심한 폭발을 발생하는 금속분진을 말한다.(마그네슘, 알루미늄, 알루미늄 브론즈 등)

115 전기설비를 방폭구조로 설치하는 근본적인 이유 중 가장 타당한 것은?

① 전기안전관리법에 화재, 폭발의 위험성이 있는 곳에는 전기설비를 방폭화하도록 되어 있으므로
② 사업장에서 발생하는 화재, 폭발의 점화원으로서는 전기설비가 원인이 되지 않도록 하기 위하여
③ 전기설비를 방폭화하면 접지설비를 생략해도 되므로
④ 사업장에 있어서 전기설비에 드는 비용이 가장 크므로 화재, 폭발에 의한 어떤 사고에서도 전기설비만은 보호하기 위해

해설

전기설비가 점화원의 역할을 하여 발생하는 화재 폭발이 많이 발생하므로 이를 예방하기 위하여 해당하는 전기설비는 방폭구조로 해야 한다.

116 화재 · 폭발 위험분위기의 생성방지와 관련이 적은 것은?

① 폭발성 가스의 누설
② 가연성 가스의 방출
③ 폭발성 가스의 체류
④ 폭발성 가스의 옥외 확산

해설

폭발성 가스가 옥외에 확산되면 가스가 희석되어 폭발이 발생하지 않는다.

117 전기기기 방폭의 기본 개념이 아닌 것은?

① 점화원의 방폭적 격리
② 전기기기의 안전도 증강
③ 점화능력의 본질적 억제
④ 전기설비 주위 공기의 절연능력 향상

해설

전기설비의 방폭화

점화원의 실질적 (방폭적) 격리	내압방폭구조	내부 폭발이 주위에 파급되지 않게 함
	압력방폭구조	점화원을 주위 폭발성 가스로부터 격리
	유입방폭구조	점화원을 Oil 등에 넣어 격리
전기설비의 안전도 증가	안전증방폭구조	정상상태에서 불꽃이나 고온부가 존재하는 전기기기의 안전도를 증대시킴
점화능력의 본질적 억제	본질안전방폭구조	본질적으로 폭발성 물질이 점화되지 않는다는 것이 시험 등에 의해 확인된 구조를 사용

118 가스폭발위험이 있는 0종 장소에 전기기계 기구를 사용할 때 요구되는 방폭구조는?

① 내압방폭구조 ② 압력방폭구조
③ 유입방폭구조 ④ 본질안전방폭구조

해설

0종 장소
1. 본질안전방폭구조(ia)
2. 그 밖에 관련 공인 인증기관이 0종 장소에서 사용이 가능한 방폭구조로 인증한 방폭구조

119 가연성 가스를 사용하는 시설에는 방폭구조의 전기기기를 사용하여야 한다. 전기기기의 방폭구조의 선택은 가연성 가스의 무엇에 의해서 좌우되는가?

① 인화점, 폭굉한계
② 폭발한계, 폭발등급
③ 발화도, 최소발화에너지
④ 화염일주한계, 발화온도

해설

방폭전기설비의 선정 시 고려사항
1. 방폭전기기기가 설치될 지역의 방폭지역 등급 구분
2. 가스 등의 발화온도
3. 내압 방폭구조의 경우 최대 안전틈새
4. 본질안전 방폭구조의 경우 최소점화 전류
5. 압력 방폭구조, 유입 방폭구조, 안전증 방폭구조의 경우 최고표면온도
6. 방폭전기기기가 설치될 장소의 주변온도, 표고 또는 상대습도, 먼지, 부식성 가스 또는 습기 등의 환경조건
7. 모든 방폭 전기설비는 가스 등의 발화온도의 분류와 적절히 대응하는 온도등급의 것을 선정하여야 함

120 다음 중 폭발위험장소에 전기설비를 설치할 때 전기적인 방호조치로 적절하지 않은 것은?

① 다상 전기기기는 결상운전으로 인한 과열방지조치를 한다.
② 배선은 단락·지락 사고 시의 영향과 과부하로부터 보호한다.
③ 자동차단이 점화의 위험보다 클 때는 경보장치를 사용한다.
④ 단락보호장치는 고장상태에서 자동복구되도록 한다.

해설

자동차단장치는 사고가 제거되지 않은 상태에서 자동복귀되지 않는 구조이어야 한다.(단, 2종 장소에 설치된 설비의 과부하방지장치에는 적용 제외)

121 금속관의 방폭형 부속품에 관한 설명 중 틀린 것은?

① 아연도금을 한 위에 투명한 도료를 칠하거나 녹스는 것을 방지한 강 또는 가단주철일 것
② 안쪽면 및 끝부분은 전선의 피복을 손상하지 않도록 매끈한 것일 것
③ 전선관과의 접속부위의 나사는 5턱 이상 완전히 나사결합이 될 수 있는 길이일 것
④ 접합면은 유입방폭구조의 폭발압력시험에 적합할 것

해설

접합면 중 나사의 접합은 내압방폭구조(d)의 나사접합에 적합한 것일 것

01 PART
02 PART
03 PART
04 PART
05 PART
06 PART
07 PART

화학설비 안전관리 예상문제

01 다음 중 가연성 물질이 연소하기 쉬운 조건으로 옳지 않은 것은?

① 연소 발열량이 클 것

② 점화에너지가 작을 것

③ 산소와 친화력이 클 것

④ 입자의 표면적이 작을 것

해설
가연물의 구비조건(가연성 물질이 연소하기 쉬운 조건)
1. 산소와 친화력이 좋고 표면적이 넓을 것
2. 반응열(발열량)이 클 것
3. 열전도율이 작을 것
4. 활성화 에너지가 작을 것(점화에너지가 작을 것)

02 다음 중 인화점이 가장 낮은 것은?

① 벤젠　　　　　② 메탄올

③ 이황화탄소　　④ 경유

해설
인화성 액체의 인화점

액체	인화점	액체	인화점
벤젠	−11℃	이황화탄소	−30℃
메탄올	16℃	경유	50℃

03 다음 중 인화점에 관한 설명으로 옳은 것은?

① 액체의 표면에서 발생한 증기농도가 공기 중에서 연소하한 농도가 될 수 있는 가장 높은 액체온도

② 액체의 표면에서 발생한 증기농도가 공기 중에서 연소상한 농도가 될 수 있는 가장 낮은 액체온도

③ 액체의 표면에서 발생한 증기농도가 공기 중에서 연소하한 농도가 될 수 있는 가장 낮은 액체온도

④ 액체의 표면에서 발생한 증기농도가 공기 중에서 연소상한 농도가 될 수 있는 가장 높은 액체온도

해설
인화점
1. 가연성 물질에 점화원을 주었을 때 연소가 시작되는 최저 온도
2. 사용 중인 용기 내에서 인화성 액체가 증발하여 인화될 수 있는 가장 낮은 온도
3. 액체의 표면에서 발생한 증기농도가 공기 중에서 연소하한 농도가 될 수 있는 가장 낮은 액체 온도

04 다음 중 자연발화를 방지하기 위한 일반적인 방법으로 적절하지 않은 것은?

① 주위의 온도를 낮춘다.

② 공기의 출입을 방지하고 밀폐시킨다.

③ 습도가 높은 곳에는 저장하지 않는다.

④ 황린의 경우 산소와의 접촉을 피한다.

해설
자연발화 방지법
1. 통풍이 잘되게 할 것
2. 저장실 온도를 낮출 것
3. 열이 축적되지 않는 퇴적방법을 선택할 것
4. 습도가 높지 않도록 할 것(습도가 높은 것을 피할 것)
5. 공기가 접촉되지 않도록 불활성 액체 중에 저장할 것

05 다음 중 물질의 자연발화를 촉진시키는 데 영향을 가장 적게 미치는 것은?

① 표면적이 넓고, 발열량이 클 것

② 열전도율이 클 것

③ 주위 온도가 높을 것

④ 적당한 수분을 보유할 것

해설
자연발화의 조건
1. 표면적이 넓을 것
2. 열전도율이 작을 것
3. 발열량이 클 것
4. 주위의 온도가 높을 것(분자운동 활발)
5. 수분이 적당량 존재할 것

정답 01 ④　02 ③　03 ③　04 ②　05 ②

06 다음 중 고체연소의 종류에 해당하지 않는 것은?

① 표면연소 ② 증발연소

③ 분해연소 ④ 혼합연소

해설

가연물의 종류에 따른 연소의 분류

기체연소	1. 확산연소	2. 예혼합연소
액체연소	1. 증발연소	2. 액적연소
고체연소	1. 표면연소 2. 분해연소	3. 증발연소 4. 자기연소

07 연소의 형태 중 확산연소의 정의로 가장 적절한 것은?

① 고체의 표면이 고온을 유지하면서 연소하는 현상

② 가연성 가스가 공기 중의 지연성 가스와 접촉하여 접촉면에서 연소가 일어나는 현상

③ 가연성 가스와 지연성 가스가 미리 일정 농도로 혼합된 상태에서 점화원에 의하여 연소되는 현상

④ 액체 표면에서 증발하는 가연성 증기가 공기와 혼합하여 연소범위 내에서 열원에 의하여 연소하는 현상

해설

확산연소

1. 가연성 가스가 공기 중의 지연성 가스(산소)와 접촉하여 접촉면에서 연소가 일어나는 현상(수소, 메탄, 프로판, 부탄 등)

2. 기체의 일반적인 연소형태이다.

08 니트로셀룰로오스와 같이 연소에 필요한 산소를 포함하고 있는 물질이 연소하는 것을 무엇이라고 하는가?

① 분해연소 ② 확산연소

③ 그을음연소 ④ 자기연소

해설

자기연소

고체 가연물이 외부의 산소 공급원 없이 점화원에 의해 연소하는 형태(제5류 위험물, 니트로 글리세린, 니트로 셀룰로오스, 트리니트로톨루엔, 질산에틸린, 피크린산 등)

09 다음 중 폭발하한계(Vol%) 값의 크기가 작은 것부터 큰 순서대로 올바르게 나열한 것은?

① $H_2 < CS_2 < C_2H_2 < CH_4$

② $CH_4 < H_2 < C_2H_2 < CS_2$

③ $H_2 < CS_2 < CH_4 < C_2H_2$

④ $CS_2 < C_2H_2 < H_2 < CH_4$

해설

주요 가연성 가스의 폭발범위

가연성 가스	폭발하한값(%)	폭발상한값(%)
아세틸렌(C_2H_2)	2.5	81.0
산화에틸렌(C_2H_4O)	3.0	80.0
수소(H_2)	4.0	75.0
일산화탄소(CO)	12.5	74.0
프로판(C_3H_8)	2.1	9.5
에탄(C_2H_6)	3.0	12.5
메탄(CH_4)	5.0	15.0
부탄(C_4H_{10})	1.8	8.4
이황화탄소(CS_2)	1.25	41.0

10 메탄, 에탄, 프로판의 폭발하한계가 각각 5vol%, 3vol%, 2.5vol%일 때 다음 중 폭발하한계가 가장 낮은 것은?(단, Le Chatelier의 법칙을 이용한다.)

① 메탄 20vol%, 에탄 30vol%, 프로판 50vol%의 혼합가스

② 메탄 30vol%, 에탄 30vol%, 프로판 40vol%의 혼합가스

③ 메탄 40vol%, 에탄 30vol%, 프로판 30vol%의 혼합가스

④ 메탄 50vol%, 에탄 30vol%, 프로판 20vol%의 혼합가스

해설

르 샤틀리에의 법칙(순수한 혼합가스일 경우)

$$\frac{100}{L} = \frac{V_1}{L_1} + \frac{V_2}{L_2} + \frac{V_2}{L_3} \cdots$$

$$L = \frac{100}{\dfrac{V_1}{L_1} + \dfrac{V_2}{L_2} + \cdots + \dfrac{V_n}{L_n}}$$

여기서, V_n : 전체 혼합가스 중 각 성분 가스의 체적(비율)[%]

L_n : 각 성분 단독의 폭발한계(상한 또는 하한)

L : 혼합가스의 폭발한계(상한 또는 하한)[vol%]

PART 01 PART 02 PART 03 PART 04 PART 05 PART 06 PART 07

정답 06 ④ 07 ② 08 ④ 09 ④ 10 ①

① $L = \dfrac{100}{\dfrac{20}{5} + \dfrac{30}{3} + \dfrac{50}{2.5}} = 2.94[\text{vol}\%]$

② $L = \dfrac{100}{\dfrac{30}{5} + \dfrac{30}{3} + \dfrac{40}{2.5}} = 3.13[\text{vol}\%]$

③ $L = \dfrac{100}{\dfrac{40}{5} + \dfrac{30}{3} + \dfrac{30}{2.5}} = 3.33[\text{vol}\%]$

④ $L = \dfrac{100}{\dfrac{50}{5} + \dfrac{30}{3} + \dfrac{20}{2.5}} = 3.57[\text{vol}\%]$

11 메탄 1vol%, 헥산 2vol%, 에틸렌 2vol%, 공기 95vol%로 된 혼합가스의 폭발하한계 값(vol%)은 약 얼마인가?(단, 메탄, 헥산, 에틸렌의 폭발하한계 값은 각각 5.0, 1.1, 2.7vol%이다.)

① 2.4   ② 1.8

③ 12.8   ④ 21.7

해설

르 샤틀리에(Le Chatelier)의 법칙(혼합가스가 공기와 섞여 있을 경우)

$$L = \dfrac{V_1 + V_2 + \cdots\cdots + V_n}{\dfrac{V_1}{L_1} + \dfrac{V_2}{L_2} + \cdots\cdots + \dfrac{V_n}{L_n}}$$

여기서, V_n : 전체 혼합가스 중 각 성분 가스의 체적(비율)[%]
           L_n : 각 성분 단독의 폭발한계(상한 또는 하한)
           L : 혼합가스의 폭발한계(상한 또는 하한)[vol%]

$$L = \dfrac{V_1 + V_2 + \cdots\cdots + V_n}{\dfrac{V_1}{L_1} + \dfrac{V_2}{L_2} + \cdots\cdots + \dfrac{V_n}{L_n}} = \dfrac{1 + 2 + 2}{\dfrac{1}{5} + \dfrac{2}{1.1} + \dfrac{2}{2.7}} = 1.8[\text{vol}\%]$$

12 폭발(연소)범위가 2.2vol%~9.5vol%인 프로판(C_3H_8)의 최소산소농도(MOC) 값은 몇 vol%인가? (단, 계산은 화학양론식을 이용하여 추정한다.)

① 8   ② 11

③ 14   ④ 16

해설

최소산소농도(MOC ; Minimum Oxygen Concentration)

최소산소농도(MOC) = 연소하한계 × 산소의 화학양론적 계수

1. $C_3H_8 + 5O_2 \rightarrow 3CO_2 + 4H_2O$
2. 최소산소농도(MOC) = 연소하한계 × 산소의 화학양론적 계수
                = 2.2 × 5 = 11(%)

13 다음 중 연소범위에 있는 혼합기의 최소발화에너지에 영향을 끼치는 인자에 관한 설명으로 틀린 것은?

① 온도가 높아질수록 최소발화에너지는 낮아진다.

② 산소보다 공기 중에서의 최소발화에너지가 더 낮다.

③ 압력이 너무 낮아지면 최소발화에너지 관계식을 적용할 수 없으며, 아무리 큰 에너지를 주어도 발화하지 않을 수 있다.

④ 메탄-공기 혼합기에서 메탄의 농도가 양론농도보다 약간 클 때, 기압이 높을수록 최소발화에너지는 낮아진다.

해설

최소발화에너지(MIE)의 변화요인
1. 압력이나 온도의 증가에 따라 감소하며, 공기 중에서보다 산소 중에서 더 감소한다.
2. 분진의 MIE는 일반적으로 가연성 가스보다 높게 나타난다.
3. 질소 농도 증가는 MIE를 증가시킨다.
4. MIE는 화학양론농도보다 조금 높은 농도일 때 극소값이 된다.

14 다음 중 최소발화에너지가 가장 작은 가연성 가스는?

① 수소   ② 메탄

③ 에탄   ④ 프로판

해설

최소발화에너지의 연소범위

가연성 가스	최소발화에너지 $[10^{-3}\text{Joule}]$	가연성 가스	최소발화에너지 $[10^{-3}\text{Joule}]$
수소	0.019	에탄	0.31
메탄	0.28	프로판	0.26
이황화수소	0.064	아세틸렌	0.019
에틸렌	0.096	벤젠	0.20
시클로헥산	0.22	부탄	0.25
암모니아	0.77	아세톤	1.15

15 다음 중 최소발화에너지(E[J])를 구하는 식으로 옳은 것은?(단, I는 전류[A], R은 저항[Ω], V는 전압[V], C는 콘덴서용량[F], T는 시간[초]이라 한다.)

① $E = I^2 R T$ ② $E = 0.24 I^2 R T$

③ $E = \dfrac{1}{2} C V^2$ ④ $E = \dfrac{1}{2} \sqrt{CV}$

해설

최소발화에너지 산출 공식

$$E = \frac{1}{2}CV^2$$

여기서, E : 발화에너지[J]
$\quad\quad\;\; C$: 전기용량[F]
$\quad\quad\;\; V$: 방전전압[V]

16 다음 중 외부에서 화염, 전기 불꽃 등의 착화원을 주지 않고 물질을 공기 중 또는 산소 중에서 가열할 경우에 착화 또는 폭발을 일으키는 최저온도는 무엇인가?

① 인화온도   ② 연소점
③ 비등점   ④ 발화온도

해설

발화온도(AIT ; Auto Ignition Temperature)
점화원 없이 가연성 물질을 대기 중에서 가열함으로써 스스로 연소 혹은 폭발을 일으키는 최저 온도를 말한다.

17 다음 중 연소 및 폭발에 관한 용어의 설명으로 틀린 것은?

① 폭굉 : 폭발충격파가 미반응 매질 속으로 음속보다 큰 속도로 이동하는 폭발
② 연소점 : 액체 위에 증기가 일단 점화된 후 연소를 계속할 수 있는 최고온도
③ 발화온도 : 가연성 혼합물이 주위로부터 충분한 에너지를 받아 스스로 점화할 수 있는 최저온도
④ 인화점 : 액체의 경우 액체 표면에서 발생한 증기 농도가 공기 중에서 연소 하한농도가 될 수 있는 가장 낮은 액체온도

해설

연소점(Fire Point)
인화성 액체가 공기 중에서 열을 받아 점화원의 존재하에 지속적인 연소를 일으킬 수 있는 최저온도를 말하며 동일한 물질일 경우 연소점은 인화점보다 약 3~10℃ 정도 높으며 연소를 5초 이상 지속할 수 있는 온도이다.

18 다음 표의 가스를 위험도가 큰 것부터 작은 순으로 나열한 것은?

구분	폭발하한값	폭발상한값
수소	4.0vol%	75.0vol%
산화에틸렌	3.0vol%	80.0vol%
이황화탄소	1.25vol%	44.0vol%
아세틸렌	2.5vol%	81.0vol%

① 아세틸렌 – 산화에틸렌 – 이황화탄소 – 수소
② 아세틸렌 – 산화에틸렌 – 수소 – 이황화탄소
③ 이황화탄소 – 아세틸렌 – 수소 – 산화에틸렌
④ 이황화탄소 – 아세틸렌 – 산화에틸렌 – 수소

해설

위험도
위험도 값이 클수록 위험성이 높은 물질이다.

$$H = \frac{UFL - LFL}{LFL}$$

여기서, UFL : 연소 상한값, LFL : 연소 하한값, H : 위험도

1. 수소 위험도 : $H = \dfrac{UFL - LFL}{LFL} = \dfrac{75 - 4.0}{4.0} = 17.75$

2. 산화에틸렌 위험도 : $H = \dfrac{UFL - LFL}{LFL} = \dfrac{80 - 3.0}{3.0} = 25.67$

3. 이황화탄소 위험도 : $H = \dfrac{UFL - LFL}{LFL} = \dfrac{44 - 1.25}{1.25} = 34.2$

4. 아세틸렌 위험도 : $H = \dfrac{UFL - LFL}{LFL} = \dfrac{81 - 2.5}{2.5} = 31.4$

19 폭발한계와 완전연소 조성 관계인 Jones 식을 이용한 부탄(C_4H_{10})의 폭발하한계는 약 얼마인가?

① 1.4%v/v   ② 1.7%v/v
③ 2.0%v/v   ④ 2.3%v/v

해설

연소(폭발) 하한계
완전연소 조성농도(화학양론농도)

$$C_{st} = \frac{100}{1 + 4.773\left(n + \dfrac{m - f - 2\lambda}{4}\right)}$$

여기서, n : 탄소의 원자수, m : 수소의 원자수
$\quad\quad\;\; f$: 할로겐 원소의 원자수, λ : 산소의 원자수

Jones 식 폭발한계
㉠ 연소(폭발) 하한계 : $C_{st} \times 0.55$
㉡ 연소(폭발) 상한계 : $C_{st} \times 3.5$

01 PART   02 PART   03 PART   04 PART   05 PART   06 PART   07 PART

1. $C_{st} = \dfrac{100}{1 + 4.773\left(n + \dfrac{m - f - 2\lambda}{4}\right)}$

   $= \dfrac{100}{1 + 4.773\left(4 + \dfrac{10}{4}\right)} = 3.12[\%]$

   (단, $C_4H_{10} \rightarrow n = 4, m = 10, f = 0, \lambda = 0$)
2. 연소(폭발)하한계 : $C_{st} \times 0.55 = 3.12 \times 0.55 = 1.7[\text{vol}\%]$

20 다음 중 금속화재는 어떤 종류의 화재에 해당되는가?

① A급
② B급
③ C급
④ D급

해설

화재의 종류

분류	A급 화재	B급 화재	C급 화재	D급 화재
명칭	일반화재	유류화재	전기화재	금속화재
가연물	목재, 종이, 섬유 등	가솔린, 등유, 프로판 가스 등	전기기기, 변압기, 전기다리미 등	가연성 금속 (Mg분, Al분)

TIP 화재의 명칭에 따른 화재급수가 자주 출제되고 있습니다. A, B, C, D급에 관련된 내용을 함께 기억하세요.

21 다음 중 주수소화를 하여서는 아니 되는 물질은?

① 적린
② 금속분말
③ 유황
④ 과망간산칼륨

해설

금속화재(D급 화재)
1. 가연성 금속류의 화재(Mg분, Al분 등)
2. 질식소화에 유효하고, 소화에 물을 사용하면 물에 의해 발열하므로 적응성이 없으며 건조사, 팽창 질석, 팽창 진주암 등이 유효하다.

22 다음 중 연소하고 있는 가연물이 들어 있는 용기를 기계적으로 밀폐하여 공기의 공급을 차단하거나 타고 있는 액체나 고체의 표면을 거품 또는 불연성 액체로 피복하여 연소에 필요한 공기의 공급을 차단시키는 방법의 소화방법은?

① 냉각소화
② 질식소화
③ 제거소화
④ 억제소화

해설

질식소화
1. 공기 중에 존재하고 있는 산소의 농도 21%를 15% 이하로 낮추어 소화하는 방법
2. 연소하고 있는 가연물이 들어 있는 용기를 기계적으로 밀폐하여 산소의 공급을 차단

23 다음 설명에 해당하는 소화 효과는?

연소가 지속되기 위해서는 활성기(free-radical)에 의한 연쇄반응이 필수적인데 이 연쇄반응을 차단하여 소화하는 방법

① 냉각소화
② 질식소화
③ 제거소화
④ 억제소화

해설

억제소화
1. 가연성 물질과 산소와의 화학반응을 느리게 함으로써 소화하는 방법
2. 수소원자는 공기 중의 산소분자와 결합하여 연쇄반응을 일으키는데, 이와 같이 되풀이되는 화학반응을 차단하여 소화

24 다음 중 냉각소화에 해당하는 것은?

① 튀김 기름이 인화되었을 때 싱싱한 야채를 넣어 소화한다.
② 가연성 기체의 분출 화재 시 주 밸브를 닫아서 연료 공급을 차단한다.
③ 금속화재의 경우 불활성 물질로 가연물을 덮어 미연소 부분과 분리한다.
④ 촛불을 입으로 불어서 끈다.

해설

냉각소화
1. 연소물로부터 열을 빼앗아 발화점 이하의 온도로 낮추는 방법
2. 기름 그릇에 인화되었을 때 싱싱한 야채를 넣어 기름의 온도를 내림으로써 불을 끄는 방법

TIP 1. 가연성 기체의 분출 화재 시 주 밸브를 닫아서 연료 공급을 차단한다. : 제거소화
2. 금속화재의 경우 불활성 물질로 가연물을 덮어 미연소 부분과 분리한다. : 제거소화
3. 촛불을 입으로 불어서 끈다. : 제거소화

25 다음 중 분말소화약제의 종별 주성분이 올바르게 나열된 것은?

① 1종 : 제1인산암모늄
② 2종 : 탄산수소칼륨
③ 3종 : 탄산수소칼륨과 요소와의 반응물
④ 4종 : 탄산수소나트륨

해설

분말 소화약제

종별	소화약제	화학식	적응성	약제의 착색
제1종 분말	탄산수소나트륨	$NaHCO_3$	B, C급	백색
제2종 분말	탄산수소칼륨	$KHCO_3$	B, C급	보라색
제3종 분말	제1인산암모늄	$NH_4H_2PO_4$	A, B, C급	담홍색
제4종 분말	탄산수소칼륨 + 요소	$KHCO_3$ + $(NH_2)_2CO$	B, C급	회색

26 다음 중 Halon 2402의 화학식으로 옳은 것은?

① $C_2I_4Br_2$
② $C_2F_4Br_2$
③ $C_2Cl_4Br_2$
④ $C_2I_4Cl_2$

해설

할론소화약제의 명명법
1. 일취화일염화메탄 소화기(CH_2ClBr) : 할론 1011
2. 이취화사불화에탄 소화기($C_2F_4Br_2$) : 할론 2402
3. 일취화삼불화메탄 소화기(CF_3Br) : 할론 1301
4. 일취화일염화이불화메탄 소화기(CF_2ClBr) : 할론 1211
5. 사염화탄소 소화기(CCl_4) : 할론 1040

27 다량의 황산이 가연물과 혼합되어 화재가 발생하였을 경우의 소화방법으로 적절하지 않은 방법은?

① 건조분말로 질식소화를 한다.
② 회(灰)로 덮어 질식소화를 한다.
③ 마른 모래로 덮어 질식소화를 한다.
④ 물을 뿌려 냉각소화 및 질식소화를 한다.

해설

황산(H_2SO_4)
1. 황산, 질산 등은 부식성 및 유독성이 강한 강산화제
2. 물과 반응하여 발열하기 때문에 주수소화 금지

28 다음 중 자기반응성 물질에 의한 화재에 대하여 사용할 수 없는 소화기의 종류는?

① 포소화기
② 무상강화액소화기
③ 이산화탄소소화기
④ 봉상수(棒狀水)소화기

해설

소화설비의 적응성(제5류 : 자기반응성 물질)
1. 봉상수소화기
2. 무상수소화기
3. 봉상강화액소화기
4. 무상강화액소화기
5. 포소화기
6. 물통 또는 수조
7. 건조사
8. 팽창질석 또는 팽창진주암

29 다음 중 제3류 위험물에 있어 금수성 물품에 대하여 적응성이 있는 소화기는?

① 포소화기
② 이산화탄소 소화기
③ 활로겐화합물 소화기
④ 탄산수소염류분말 소화기

해설

소화설비의 적응성(금수성물질)
1. 탄산수소염류소화기
2. 건조사
3. 팽창질석 또는 팽창진주암

30 다음 중 전기설비에 의한 화재에 사용할 수 없는 소화기의 종류는?

① 포소화기
② 이산화탄소소화기
③ 할로겐화합물소화기
④ 무상수(霧狀水)소화기

해설

소화설비의 적응성(전기설비)
1. 무상수소화기
2. 무상강화액소화기
3. 이산화탄소소화기
4. 할로겐화합물소화기
5. 분말소화기(인산염류소화기, 탄산수소염류소화기)

31 다음 중 소화설비와 주된 소화적용방법의 연결이 옳은 것은?

① 포소화설비 – 질식소화

② 스프링클러설비 – 억제소화

③ 이산화탄소소화설비 – 제거소화

④ 할로겐화합물소화설비 – 냉각소화

해설

소화설비의 종류별 적응화재

소화기명	소화효과
포소화설비	질식소화
스프링클러설비	냉각소화
이산화탄소소화설비	질식소화
할로겐화합물소화설비	연소억제소화
강화액소화설비	냉각소화

32 자동화재탐지설비의 감지기 종류 중 열감지기가 아닌 것은?

① 차동식
② 정온식
③ 보상식
④ 광전식

해설

자동화재탐지설비 감지기의 종류

1. 열감지기 : 차동식, 정온식, 보상식
2. 연기감지기 : 광전식, 이온화식

TIP 연기감지기의 종류에 대해서도 출제됩니다. 함께 기억하세요.

33 다음 중 포소화약제 혼합장치로서 정하여진 농도로 물과 혼합하여 거품 수용액을 만드는 장치가 아닌 것은?

① 관로혼합장치
② 차압혼합장치
③ 낙하혼합장치
④ 펌프혼합장치

해설

포 소화약제 혼합장치

1. 관로 혼합장치
2. 차압 혼합장치
3. 펌프 혼합장치
4. 압입 혼합장치

34 다음 중 소화약제로 사용되는 이산화탄소에 관한 설명으로 틀린 것은?

① 사용 후에 오염의 영향이 거의 없다.

② 장시간 저장하여도 변화가 없다.

③ 보통 일반화재에 주로 사용되며, 억제소화효과를 이용한다.

④ 자체 증기압이 높으므로 자체 압력으로도 방사가 가능하다.

해설

이산화탄소(CO_2) 소화약제

1. 공기 중에 존재하고 있는 산소의 농도 21%를 15% 이하로 낮추어 소화하는 질식 작용과 CO_2 가스 방출 시 기화열의 흡수로 인하여 소화하는 냉각 작용을 하는 소화약제이다.
2. CO_2는 불활성 기체로 비교적 안정성이 높고 불연성, 부식성도 없다.
3. 기화잠열이 크므로 열 흡수에 의한 냉각 작용이 크다.

35 다음 중 물 소화약제의 단점을 보완하기 위하여 물에 탄산칼륨(K_2CO_3) 등을 녹인 수용액으로 부동성이 높은 알칼리성 소화약제는?

① 포 소화약제

② 분말 소화약제

③ 강화액 소화약제

④ 산알칼리 소화약제

해설

강화액 소화약제

1. 물 소화약제의 성능을 강화시킨 소화약제로서 물에 탄산칼륨(K_2CO_3)을 용해시킨 소화약제이다.
2. 강화액은 $-30°C$에서도 동결되지 않으므로 한랭지역에서도 보온이 필요 없다.

36 다음 중 가연성 기체의 폭발한계와 폭굉한계를 가장 올바르게 설명한 것은?

① 폭발한계와 폭굉한계는 농도범위가 같다.

② 폭굉한계는 폭발한계의 최상한치에 존재한다.

③ 폭발한계는 폭굉한계보다 농도범위가 넓다.

④ 두 한계의 하한계는 같으나, 상한계는 폭굉한계가 더 높다.

해설

BLEVE(비등액 팽창증기 폭발)

비등점이 낮은 인화성 액체 저장탱크가 화재로 인한 화염에 장시간 노출되어 탱크 내 액체가 급격히 증발하여 비등하고 증기가 팽창하면서 탱크 내 압력이 설계압력을 초과하여 폭발을 일으키는 현상

해설

1. 폭굉은 폭발이 발생된 후에 일어나므로 폭굉한계는 반드시 폭발범위 내에 존재한다.
2. 폭발한계는 폭굉한계보다 농도범위가 넓다.

37 폭발원인물질의 물리적 상태에 따라 구분할 때 기상폭발(Gas Explosion)에 해당되지 않는 것은?

① 분진폭발   ② 응상폭발
③ 분무폭발   ④ 가스폭발

해설

기상폭발의 분류

1. 가스폭발   4. 가스분해폭발
2. 분무폭발   5. 증기운폭발
3. 분진폭발

> **TIP** 응상폭발의 분류
> 1. 수증기폭발(액체일 때)
> 2. 증기폭발(액화가스일 때)
> 3. 전선폭발

38 다음 중 증기운폭발에 대한 설명으로 옳은 것은?

① 폭발효율은 BLEVE보다 크다.
② 증기운의 크기가 증가하면 점화 확률이 높아진다.
③ 증기운폭발의 방지대책으로 가장 좋은 방법은 점화 방지용 안전장치의 설치이다.
④ 증기와 공기의 난류 혼합, 방출점으로부터 먼 지점에서 증기운의 점화는 폭발의 충격을 감소시킨다.

해설

UVCE(개방계 증기운 폭발)의 특징

1. 증기운의 크기가 증가되면 점화 확률이 높아진다.
2. 증기운에 의한 재해는 폭발보다는 화재가 일반적이다.
3. 증기와 공기의 난류 혼합, 방출점으로부터 먼 지점에서의 증기운의 점화는 폭발 충격을 증가시킨다.
4. 폭발효율은 BLEVE보다 작다. 즉, 연소에너지의 약 20%만 폭풍파로 변한다.

39 비점이나 인화점이 낮은 액체가 들어 있는 용기 주위에 화재 등으로 인하여 가열되면, 내부의 비등현상으로 인한 압력 상승으로 용기의 벽면이 파열되면서 그 내용물이 폭발적으로 증발, 팽창하면서 폭발을 일으키는 현상을 무엇이라 하는가?

40 다음 중 폭발 방지에 관한 설명으로 적절하지 않은 것은?

① 폭발성 분진은 퇴적되지 않도록 항상 공기 중에 분산시켜 주어야 한다.
② 압력이 높을수록 인화성 물질의 발화지연이 짧아진다.
③ 가스 누설 우려가 있는 장소에서는 점화원의 철저한 관리가 필요하다.
④ 도전성이 낮은 액체는 접지를 통한 정전기 방전 조치를 취한다.

해설

분진폭발

분진과 공기의 혼합물이 점화되어 빠른 속도로 반응하여 다량의 에너지를 급격하게 방출하는 현상으로, 분진을 공기 중에 분산시키면 분진폭발을 일으킬 위험이 있다.

41 분진폭발의 발생 순서로 옳은 것은?

① 비산 → 분산 → 퇴적분진 → 발화원 → 2차 폭발 → 전면폭발
② 비산 → 퇴적분진 → 분산 → 발화원 → 2차 폭발 → 전면폭발
③ 퇴적분진 → 발화원 → 분산 → 비산 → 전면폭발 → 2차 폭발
④ 퇴적분진 → 비산 → 분산 → 발화원 → 전면폭발 → 2차 폭발

해설

분진폭발 발생 순서

퇴적분진	→	비산	→	분산	→	발화원	→	전면폭발	→	2차 폭발

01 PART
02 PART
03 PART
04 PART
05 PART
06 PART
07 PART

42 다음 중 분진의 폭발위험성을 증대시키는 조건에 해당하는 것은?

① 분진의 발열량이 작을수록
② 분위기 중 산소 농도가 작을수록
③ 분진 내의 수분 농도가 작을수록
④ 표면적이 입자체적에 비교하여 작을수록

분진폭발의 영향 인자
1. 분진의 발열량이 클수록 폭발성이 크며 휘발성분의 함유량이 많을수록 폭발하기 쉽다.
2. 산소나 공기가 증가하면 폭발하한농도가 낮아짐과 동시에 입도가 큰 것도 폭발성을 갖게 된다.
3. 수분 함유량이 적을수록 폭발성이 급격히 증가된다.
4. 분진의 표면적이 입자체적에 비하여 커지면 열의 발생속도가 방열속도보다 커져서 폭발이 용이해진다.

43 분진폭발의 특징에 관한 설명으로 옳은 것은?

① 가스폭발보다 발생에너지가 작다.
② 폭발압력과 연소속도는 가스폭발보다 크다.
③ 화염의 파급속도보다 압력의 파급속도가 크다.
④ 불완전연소로 인한 가스중독의 위험성은 적다.

분진폭발의 특징
1. 폭발한계 내에서 분진의 휘발성분이 많을수록 폭발이 쉽다.
2. 가스폭발에 비해 연소속도나 폭발압력이 작다.
3. 가스폭발에 비해 연소시간이 길고 발생에너지가 크기 때문에 파괴력과 타는 정도가 크다.
4. 가스에 비해 불완전연소의 가능성이 커서 일산화탄소의 존재로 인한 가스중독의 위험이 있다. (가스폭발에 비하여 유독물의 발생이 많다.)
5. 화염속도보다 압력속도가 빠르다.

44 다음 중 분진이 발화 폭발하기 위한 조건으로 거리가 먼 것은?

① 불연성질
② 미분상태
③ 점화원의 존재
④ 지연성 가스 중에서의 교반과 운동

분진폭발을 일으키는 조건
1. 분진 : 인화성(즉, 불연성 분진은 폭발하지 않음)
2. 미분상태 : 분진이 화염을 전파할 수 있는 크기의 분포를 가지고 분진의 농도가 폭발범위 이내일 것
3. 점화원 : 충분한 에너지의 점화원이 있을 것
4. 교반과 유동 : 충분한 산소가 연소를 지원하고 유지하도록 존재해야 하며, 공기(지연성 가스) 중에서의 교반과 유동이 일어나야 한다.

TIP 불연성 분진은 폭발이 일어나지 않는다.

45 아세틸렌에 관한 설명으로 옳지 않은 것은?

① 철과 반응하여 폭발성 아세틸리드를 생성한다.
② 폭굉의 경우 발생압력이 초기 압력의 20~50배에 이른다.
③ 분해반응은 발열량이 크며 화염온도는 3,100℃에 이른다.
④ 용단 또는 가열작업 시 $1.3kgf/cm^2$ 이상의 압력을 초과하여서는 안 된다.

아세틸렌(C_2H_2)
구리, 동, 은 등의 금속과 반응하여 폭발성 아세틸리드를 생성한다.

46 아세틸렌 용접장치로 금속을 용접할 때 아세틸렌 가스의 발생압력은 게이지 압력으로 몇 kPa을 초과하여서는 안 되는가?

① 49
② 98
③ 127
④ 196

아세틸렌 용접장치 압력의 제한
아세틸렌 용접장치를 사용하여 금속의 용접·용단 또는 가열작업을 하는 경우에는 게이지 압력이 127킬로파스칼($1.3kgf·cm^2$)을 초과하는 압력의 아세틸렌을 발생시켜 사용해서는 아니 된다.

47 다음 중 분해폭발의 위험성이 있는 아세틸렌의 용제로 가장 적절한 것은?

① 에테르
② 에틸알코올
③ 아세톤
④ 아세트알데히드

해설

분해, 폭발의 위험을 방지하기 위하여 아세틸렌은 일반적으로 아세톤 용액으로 한다.

48 다음 중 폭발범위에 관한 설명으로 틀린 것은?

① 상한값과 하한값이 존재한다.
② 온도에는 비례하지만 압력과는 무관하다.
③ 가연성 가스의 종류에 따라 각각 다른 값을 갖는다.
④ 공기와 혼합된 가연성 가스의 체적 농도로 나타낸다.

해설

가연성 가스의 폭발범위 영향 요소

1. 가스의 온도가 높을수록 폭발범위도 일반적으로 넓어진다.(폭발하한계는 감소, 폭발상한계는 증가)
2. 가스의 압력이 높아지면 폭발하한계는 영향이 없으나 폭발상한계는 증가한다.
3. 산소 중에서의 폭발범위는 공기 중에서보다 넓어진다.
4. 압력이 상압인 1atm보다 낮아질 때 폭발범위는 큰 변화가 없다.
5. 일산화탄소는 압력이 높을수록 폭발범위가 좁아지고, 수소는 10atm까지는 좁아지지만 그 이상의 압력에서는 넓어진다.
6. 불활성 기체가 첨가될 경우 혼합가스의 농도가 희석되어 폭발범위가 좁아진다.
7. 화학양론농도 부근에서는 연소나 폭발이 가장 일어나기 쉽고 또한 격렬한 정도도 크다.

49 연소 및 폭발에 관한 설명으로 옳지 않은 것은?

① 가연성 가스가 산소 중에서는 폭발범위가 넓어진다.
② 화학양론농도 부근에서는 연소나 폭발이 가장 일어나기 쉽고 또한 격렬한 정도도 크다.
③ 혼합농도가 한계농도에 근접함에 따라 연소 및 폭발이 일어나기 쉽고 격렬한 정도도 크다.
④ 일반적으로 탄화수소계의 경우 압력의 증가에 따라 폭발상한계는 현저하게 증가하지만, 폭발하한계는 큰 변화가 없다.

해설

혼합농도가 한계농도에 근접함에 따라 공기가 부족해 연소 및 폭발이 발생하지 않는다.

50 산업안전보건법에 따라 인화성 가스가 발생할 우려가 있는 지하작업장에서 작업하는 경우 조치사항으로 적절하지 않은 것은?

① 매일 작업을 시작하기 전 해당 가스의 농도를 측정한다.
② 가스의 누출이 의심되는 경우 해당 가스의 농도를 측정한다.
③ 장시간 작업을 계속하는 경우 6시간마다 해당 가스의 농도를 측정한다.
④ 가스의 농도가 인화하한계 값의 25% 이상으로 밝혀진 경우에는 즉시 근로자를 안전한 장소에 대피시킨다.

해설

장시간 작업을 계속하는 경우 4시간마다 가스 농도측정

51 폭발압력과 가연성 가스의 농도와의 관계에 대한 설명으로 가장 적절한 것은?

① 가연성 가스의 농도와 폭발압력은 반비례 관계이다.
② 가연성 가스의 농도가 너무 희박하거나 너무 진하여도 폭발 압력은 최대로 높아진다.
③ 폭발압력은 화학양론 농도보다 약간 높은 농도에서 최대 폭발압력이 된다.
④ 최대 폭발압력의 크기는 공기와의 혼합기체에서보다 산소의 농도가 큰 혼합기체에서 더 낮아진다.

해설

최대 폭발압력(P_m)

1. 가연성 가스의 농도가 너무 희박하거나 진하여도 폭발압력은 낮아진다.
2. 폭발압력은 양론농도보다 약간 높은 농도에서 가장 높아져 최대폭발이 된다.
3. 최대폭발압력의 크기는 공기보다 산소의 농도가 큰 혼합기체에서 더 높아진다.
4. 가연성 가스의 농도가 클수록 폭발압력은 비례하여 높아진다.

PART 01
PART 02
PART 03
PART 04
PART 05
PART 06
PART 07

52 다음 중 가스나 증기가 용기 내에서 폭발할 때 최대 폭발압력(P_m)에 영향을 주는 요인에 관한 설명으로 틀린 것은?

① P_m은 화학양론비에서 최대가 된다.
② P_m은 용기의 형태 및 부피에 큰 영향을 받지 않는다.
③ P_m은 다른 조건이 일정할 때 초기 온도가 높을수록 증가한다.
④ P_m은 다른 조건이 일정할 때 초기 압력이 상승할수록 증가한다.

해설

밀폐된 용기 내에서의 최대 폭발압력(P_m)
다른 조건이 일정할 때 처음 온도가 높을수록 감소한다.

53 가연성 가스 및 증기의 위험도에 따른 방폭전기기기의 분류로 폭발등급을 사용하는데, 이러한 폭발등급을 결정하는 것은?

① 발화도
② 화염일주한계
③ 폭발한계
④ 최소발화에너지

해설

최대안전틈새(MESG ; Maximum Experimental Safety Gap ＝안전간격, 화염일주한계)
1. 8L 정도의 구형 용기 안에 폭발성 혼합가스를 채우고 착화시켜 가스가 발화될 때 화염이 용기 외부의 폭발성 혼합가스에 전달되는가의 여부를 보아 화염을 전달시킬 수 없는 한계의 틈을 말한다.
2. 폭발성 가스의 종류에 따라 다르며, 폭발성 가스의 분류 및 내압 방폭구조의 분류와 관련이 있다.

54 다음 중 화학공장에서 주로 사용되는 불활성 가스는?

① 수소
② 수증기
③ 질소
④ 일산화탄소

해설

불활성 가스
1. 질소
2. 이산화탄소
3. 수증기 또는 연소배기가스 등이 있으며, 통상적으로 불활성 가스로 질소가 사용된다.

55 다음 중 제시한 두 종류 가스가 혼합될 때 폭발 위험이 가장 높은 것은?

① 염소, CO_2
② 염소, 아세틸렌
③ 질소, CO_2
④ 질소, 암모니아

해설

불활성 가스
1. 질소
2. 이산화탄소
3. 수증기 또는 연소배기가스 등이 있으며 통상적으로 불활성 가스로 질소가 사용된다.

> **TIP** 가연성 가스인 아세틸렌은 지연성 가스인 염소 불소, 산화질소 등과 혼합할 때 가스폭발의 위험이 있다.

56 다음 중 불활성화(퍼지)에 관한 설명으로 틀린 것은?

① 압력퍼지가 진공퍼지에 비해 퍼지시간이 길다.
② 사이폰 퍼지가스의 부피는 용기의 부피와 같다.
③ 진공퍼지는 압력퍼지보다 인너트 가스 소모가 적다.
④ 스위프 퍼지는 용기나 장치에 압력을 가하거나 진공으로 할 수 없을 때 사용된다.

해설

압력치환(압력퍼지)
1. 용기에 가압된 불활성가스를 주입하는 방법으로 가압한 가스가 용기 내에서 충분히 확산된 후 그것을 대기로 방출하여야 한다.
2. 진공치환에 비해 치환시간이 크게 단축되는 장점이 있으나 불활성 가스를 많이 소모하게 되는 단점이 있다.

> **TIP** 1. 불활성화 방법의 종류에 대해서도 출제되고 있습니다. 함께 기억하세요.
> 2. 불활성화 방법 : 진공 퍼지(저압 퍼지), 압력 퍼지, 스위프 퍼지, 사이폰 퍼지

57 다음 중 폭발 방호(Explosion Protection) 대책과 가장 거리가 먼 것은?

① 불활성화(Inerting)
② 억제(Suppression)
③ 방산(Venting)
④ 봉쇄(Containment)

해설

폭발방호(Explosion Protection) 대책

1. 폭발 봉쇄
2. 폭발 억제
3. 폭발 방산

> **TIP** 불활성화는 폭발 방지(예방)대책이다.

58 산업안전보건법상 다음 내용에 해당하는 폭발위험 요소는?

> 20종 장소 외의 장소로서, 분진운 형태의 인화성 분진이 폭발농도를 형성할 정도의 충분한 양이 정상작동 중에 존재할 수 있는 장소

① 21종 장소　　　　② 22종 장소
③ 0종 장소　　　　④ 1종 장소

해설

21종 장소
20종 장소 밖으로서(장소 외의 장소로서) 분진운 형태의 가연성 분진이 폭발농도를 형성할 정도의 충분한 양이 정상 작동 중에 존재할 수 있는 장소를 말한다.

59 가스 또는 분진 폭발 위험장소에 설치되는 건축물의 내화 구조를 설명한 것으로 틀린 것은?

① 건축물 기둥 및 보는 지상 1층까지 내화구조로 한다.
② 위험물 저장·취급용기의 지지대는 지상으로부터 지지대의 끝부분까지 내화구조로 한다.
③ 건축물 주변에 자동소화설비를 설치한 경우 건축물 화재 시 1시간 이상 그 안전성을 유지한 경우는 내화구조로 하지 아니할 수 있다.
④ 배관·전선관 등의 지지대는 지상으로부터 1단까지 내화구조로 한다.

해설

가스폭발 위험장소 또는 분진폭발 위험장소에 설치되는 건축물 건축물 등의 주변에 화재에 대비하여 물 분무시설 또는 폼 헤드(foam head)설비 등의 자동소화설비를 설치하여 건축물 등이 화재 시에 2시간 이상 그 안전성을 유지할 수 있도록 한 경우에는 내화구조로 하지 아니할 수 있다.

60 에틸알콜(C_2H_5OH)이 완전연소 시 생성되는 CO_2와 H_2O의 몰수로 옳은 것은?

① CO_2 : 1, H_2O : 4　　② CO_2 : 2, H_2O : 3
③ CO_2 : 3, H_2O : 2　　④ CO_2 : 4, H_2O : 1

해설

에틸알콜의 연소 반응식
$$C_2H_5OH + 3O_2 \rightarrow 2CO_2 + 3H_2O$$
∴ $CO_2 = 2$, $H_2O = 3$

61 아세틸렌 가스가 다음과 같은 반응식에 의하여 연소할 때 연소열은 약 몇 kcal/mol인가?(단, 다음의 열역학 표를 참조하여 계산한다.)

$$C_2H_2 + \frac{5}{2}O_2 \rightarrow 2CO_2 + H_2O$$

물질	ΔH(kcal/mol)
C_2H_2	54.194
CO_2	−94.052
$H_2O(g)$	−57.798

① −300.1　　　　② −200.1
③ 200.1　　　　④ 300.1

해설

엔탈피 변화(ΔH)
엔탈피 변화(ΔH)는 생성물의 엔탈피와 반응물의 엔탈피의 차이를 의미한다.

$$\Delta H = H_{생성물} - H_{반응물}$$

$[2 \times (-94.052) + 1 \times (-57.798)] - [(1 \times 54.194) + (2.5 \times 0)]$
$= -300.096 = -300.1[kcal/mol]$

62 다음 중 산화반응에 해당하는 것을 모두 나타낸 것은?

> ㉮ 철이 공기 중에서 녹이 슬었다.
> ㉯ 솜이 공기 중에서 불에 탔다.

① ㉮　　　　　　② ㉯
③ ㉮, ㉯　　　　④ 없음

해설

물질이 산소와 결합하는 것을 산화반응이라 한다.

63 다음 중 위험물의 일반적인 특성이 아닌 것은?

① 반응 시 발생하는 열량이 크다.
② 물 또는 산소와의 반응이 용이하다.
③ 수소와 같은 가연성 가스가 발생한다.
④ 화학적 구조 및 결합이 안정되어 있다.

해설

화학적 구조 및 결합력이 대단히 불안정하다.

64 다음 중 산업안전보건법상 폭발성 물질에 해당하는 것은?

① 유기과산화물
② 리튬
③ 황
④ 질산

해설

폭발성 물질 및 유기과산화물
1. 질산에스테르류
2. 니트로화합물
3. 니트로소화합물
4. 아조화합물
5. 디아조화합물
6. 하이드라진 유도체
7. 유기과산화물
8. 그 밖에 1~7까지의 물질과 같은 정도의 폭발 위험이 있는 물질
9. 1~8까지의 물질을 함유한 물질

65 산업안전보건기준에 관한 규칙에서 규정하고 있는 산화성 액체 또는 산화성 고체에 해당하지 않는 것은?

① 염소산
② 피크린산
③ 과망간산
④ 과산화수소

해설

산화성 액체 및 산화성 고체
1. 차아염소산 및 그 염류
2. 아염소산 및 그 염류
3. 염소산 및 그 염류
4. 과염소산 및 그 염류
5. 브롬산 및 그 염류
6. 요오드산 및 그 염류

7. 과산화수소 및 무기 과산화물
8. 질산 및 그 염류
9. 과망간산 및 그 염류
10. 중크롬산 및 그 염류
11. 그 밖에 1~10까지의 물질과 같은 정도의 산화성이 있는 물질
12. 1~11까지의 물질을 함유한 물질

66 산업안전보건법에 의한 위험물질의 종류와 해당 물질이 올바르게 짝지어진 것은?

① 인화성 가스 - 암모니아
② 폭발성 물질 및 유기과산화물 - 칼륨 · 나트륨
③ 산화성 액체 및 산화성 고체 - 질산 및 그 염류
④ 물반응성 물질 및 인화성 고체 - 질산에스테르류

해설

위험물의 종류
1. 칼륨 · 나트륨 : 물반응성 물질 및 인화성 고체
2. 질산에스테르류 : 폭발성 물질 및 유기과산화물

67 산업안전보건법상 부식성 물질 중 부식성 염기류는 농도가 몇 % 이상인 수산화나트륨 · 수산화칼륨 · 기타 이와 동등 이상의 부식성을 가지는 염기류를 말하는가?

① 20
② 40
③ 50
④ 60

해설

부식성 물질

부식성 산류	1. 농도가 20퍼센트 이상인 염산, 황산, 질산, 그 밖에 이와 같은 정도 이상의 부식성을 가지는 물질 2. 농도가 60퍼센트 이상인 인산, 아세트산, 불산, 그 밖에 이와 같은 정도 이상의 부식성을 가지는 물질
부식성 염기류	농도가 40퍼센트 이상인 수산화나트륨, 수산화칼륨, 그 밖에 이와 같은 정도 이상의 부식성을 가지는 염기류

TIP 부식성 산류에 대해서도 출제되고 있습니다. 함께 기억하세요.

68 산업안전보건기준에 관한 규칙에서 규정하고 있는 급성독성물질의 정의에 해당되지 않는 것은?

① 가스 LC_{50}(쥐, 4시간 흡입)이 2,500ppm 이하인 화학물질

② LD_{50}(경구, 쥐)이 킬로그램당 300밀리그램 - (체중) 이하인 화학물질

③ LD_{50}(경피, 쥐)이 킬로그램당 1,000밀리그램 - (체중) 이하인 화학물질

④ LD_{50}(경피, 토끼)이 킬로그램당 2,000밀리그램 - (체중) 이하인 화학물질

해설

쥐 또는 토끼에 대한 경피흡수실험에 의하여 실험동물의 50퍼센트를 사망시킬 수 있는 물질의 양, 즉 LD_{50}(경피, 토끼 또는 쥐)이 킬로그램당 1,000밀리그램 - (체중) 이하인 화학물질

69 다음 중 화학물질 및 물리적 인자의 노출기준에 있어 유해물질대상에 대한 노출기준의 표시단위가 잘못 연결된 것은?

① 분진 : ppm

② 증기 : ppm

③ 가스 : mg/m^3

④ 고온 : 습구흑구온도지수

해설

노출기준의 표시단위

가스 및 증기	ppm 또는 mg/m^3
분진	mg/m^3(단, 석면 및 내화성 세라믹섬유는 개/cm^3)
고온	습구흑구온도지수(WBGT)

70 금속의 증기가 공기 중에서 응고되어 화학변화를 일으켜 고체의 미립자로 되어 공기 중에 부유하는 것을 의미하는 용어는?

① 흄(fume)

② 분진(dust)

③ 미스트(mist)

④ 스모크(smoke)

해설

유해물질의 종류

분진 (dust)	기계적 작용에 의해 발생된 고체 미립자가 공기 중에 부유하고 있는 것(입경 0.01~500μm 정도)
미스트 (mist)	액체의 미세한 입자가 공기 중에 부유하고 있는 것(입경 0.1~100μm 정도)
흄 (fume)	고체 상태의 물질이 액체화된 다음 증기화되고, 증기화된 물질의 응축 및 산화로 인하여 생기는 고체상의 미립자(입경 0.01~1μm 정도)
스모크 (smoke)	일반적으로 유기물이 불완전연소할 때 생긴 미립자를 말하며 주성분은 탄소의 미립자임(0.01~1μm)

71 공기 중 암모니아가 20ppm(노출기준 25ppm), 톨루엔이 20ppm(노출기준 50ppm)이 완전혼합되어 존재하고 있다. 혼합물질의 노출기준을 보정하는 데 활용하는 노출지수는 약 얼마인가?(단, 두 물질 간에 유해성이 인체의 서로 다른 부위에 작용한다는 증거는 없다.)

① 1.0　　　　② 1.2

③ 1.5　　　　④ 1.6

해설

노출지수(EI ; Exposure Index) : 공기 중 혼합물질

$$노출지수(EI) = \frac{C_1}{TLV_1} + \frac{C_2}{TLV_2} + \cdots\cdots + \frac{C_n}{TLV_n}$$

여기서, C_n : 각 혼합물질의 공기 중 농도
　　　TLV_n : 각 혼합물질의 노출기준

노출지수$(EI) = \dfrac{C_1}{TLV_1} + \dfrac{C_2}{TLV_2} = \dfrac{20}{25} + \dfrac{20}{50} = 1.2$

72 다음 중 허용노출기준(TWA)이 가장 낮은 물질은?

① 불소　　　　② 암모니아

③ 황화수소　　④ 니트로벤젠

해설

화학물질의 노출기준

유해물질의 명칭	화학식	노출기준			
		TWA		STEL	
		ppm	mg/m^3	ppm	mg/m^3
불소	F_2	0.1	–	–	–
니트로벤젠	$C_6H_5NO_2$	1	–	–	–
황화수소	H_2S	10		15	
암모니아	NH_3	25	–	35	–

73 다음 중 흡입 시 인체에 구내염과 혈뇨, 손 떨림 등의 증상을 일으키며 신경계를 대표적인 표적 기관으로 하는 물질은?

① 백금 ② 석회석
③ 수은 ④ 이산화탄소

해설

수은(Hg)
흡입 시 인체의 구내염과 혈뇨, 손 떨림 등의 증상을 일으킨다.

74 다음 중 가연성 물질과 산화성 고체가 혼합하고 있을 때 연소에 미치는 현상으로 옳은 것은?

① 착화온도(발화점)가 높아진다.
② 최소점화에너지가 감소하며, 폭발의 위험성이 증가한다.
③ 가스나 가연성 증기의 경우 공기혼합보다 연소범위가 축소된다.
④ 공기 중에서 보다 산화작용이 약하게 발생하여 화염 온도가 감소하며 연소속도가 늦어진다.

해설

산화성 고체(제1류 위험물)
가연성 물질과 혼합 시 산소공급원이 되어 최소점화에너지가 감소하며, 폭발의 위험성이 증가 한다.

75 다음 중 산화성 물질의 저장 · 취급에 있어서 고려하여야 할 사항과 가장 거리가 먼 것은?

① 습한 곳에 밀폐하여 저장할 것
② 내용물이 누출되지 않도록 할 것
③ 분해를 촉진하는 약품류와 접촉을 피할 것
④ 가열 · 충격 · 마찰 등 분해를 일으키는 조건을 주지 말 것

해설

산화성 물질
산화성 고체는 대부분 조해성을 가지므로 습기를 차단하고 용기를 밀폐시켜야 하며, 산화성 액체 또한 물, 습기에 주의한다.

76 다음 중 광분해 반응을 일으키기 가장 쉬운 물질은?

① $AgNO_3$ ② $Ba(NO_3)_2$
③ $Ca(NO_3)_2$ ④ KNO_3

해설

질산은($AgNO_3$) 용액
햇빛에 의해 변질되므로 갈색병에 보관한다.

> **TIP** $Ba(NO_3)_2$: 질산바륨, $Ca(NO_3)_2$: 질산칼슘, KNO_3 : 질산칼륨

77 마그네슘의 저장 및 취급에 관한 설명으로 틀린 것은?

① 화기를 엄금하고 가열, 충격, 마찰을 피한다.
② 분말이 비산하지 않도록 완전 밀봉하여 저장한다.
③ 제1류 또는 제6류와 같은 산화제와 혼합되지 않도록 격리, 저장한다.
④ 일단 연소하면 소화가 곤란하지만 초기 소화 또는 소규모 화재 시 물, CO_2 소화설비를 이용하여 소화한다.

해설

마그네슘의 저장 및 취급방법
1. 물, CO_2, N_2, 포, 할로겐 화합물 소화약제는 소화 적응성이 없으므로 절대 사용을 엄금한다.
2. 고온에서 유황 및 할로겐, 산화제와 접촉하면 매우 격렬하게 발열한다.

78 다음 중 물과의 접촉을 금지하여야 하는 물질이 아닌 것은?

① 칼륨 ② 리튬
③ 황린 ④ 칼슘

해설

금수성 물질(물과 접촉을 금지해야 하는 물질)
1. 정의 : 물과 접촉하면 격렬한 발열반응을 하는 것으로 물질이 공기 중의 습기를 흡수해서 화학반응을 일으켜 발열하거나, 수분과 접촉해서 발열하여 그 온도가 가속도적으로 높아져 발화되는 물질
2. 종류

㉠ 칼륨	㉤ 알킬알루미늄	㉨ 금속분 등
㉡ 리튬	㉥ 나트륨	㉩ 탄화칼슘 등
㉢ 칼슘	㉦ 철분	
㉣ 마그네슘	㉧ 알킬리튬	

79 다음 중 수분(H_2O)과 반응하여 유독성 가스인 포스핀이 발생되는 물질은?

① 금속나트륨　　　　② 알루미늄 분말

③ 인화칼슘　　　　　④ 수소화리튬

해설

인화칼슘(Ca_3P_2)

인화석회라고도 하며 적갈색의 고체로 수분(H_2O)과 반응하여 유독성 가스인 인화수소(PH_3 : 포스핀) 가스를 발생시킨다.

$$Ca_3P_2 + 6H_2O \rightarrow 3Ca(OH)_2 + 2PH_3 \uparrow$$

80 다음 중 위험물과 그 소화방법이 잘못 연결된 것은?

① 염소산칼륨 – 다량의 물로 냉각소화

② 마그네슘 – 건조사 등에 의한 질식소화

③ 칼륨 – 이산화탄소에 의한 질식소화

④ 아세트알데히드 – 분무상의 물에 의한 희석소화

해설

칼륨의 소화방법

1. 주수소화는 절대엄금

2. 건조사, 건조된 소금 분말, 탄산칼슘 분말의 혼합물로 피복하여 질식소화한다.

81 물과 카바이드가 결합하면 어떤 가스가 생성되는가?

① 염소가스　　　　　② 아황산가스

③ 수성가스　　　　　④ 아세틸렌가스

해설

아세틸렌

CaC_2(탄화칼슘, 카바이드)은 백색 결정체로 자신은 불연성이나 물과 반응하여 아세틸렌을 발생시킨다.

82 다음 중 위험물질에 대한 저장방법으로 적절하지 않은 것은?

① 탄화칼슘은 물속에 저장한다.

② 벤젠은 산화성 물질과 격리시킨다.

③ 금속나트륨은 석유 속에 저장한다.

④ 질산은 통풍이 잘 되는 곳에 보관하고 물기와의 접촉을 금지한다.

해설

탄화칼슘은 물과 반응하여 아세틸렌 가스를 발생시켜 화재 · 폭발의 위험이 있으며 밀폐용기에 저장하고 불연성 가스로 봉입한다.

83 위험물안전관리법령에서 정한 제3류 위험물에 해당하지 않는 것은?

① 나트륨　　　　　　② 알킬알루미늄

③ 황린　　　　　　　④ 니트로글리세린

해설

제3류 위험물(자연 발화성 및 금수성 물질)

1. 고체 또는 액체로서 공기 중에서 발화의 위험성이 있거나 물과 접촉하여 발화하거나 가연성 가스를 발생시키는 위험성이 있는 것을 말한다.

2. 종류 : 칼륨, 나트륨, 알킬알루미늄, 알킬리튬, 황린, 알칼리금속, 유기금속화합물, 금속의 수소화물, 금속의 인화물, 칼슘 또는 알루미늄의 탄화물 등

84 다음 중 니트로셀룰로오스의 취급 및 저장방법에 관한 설명으로 틀린 것은?

① 제조, 건조, 저장 중 충격과 마찰 등을 방지하여야 한다.

② 물과 격렬히 반응하여 폭발하므로 습기를 제거하고, 건조 상태를 유지시킨다.

③ 자연발화 방지를 위하여 에탄올, 메탄올 등의 안전 용제를 사용한다.

④ 할로겐화합물 소화약제는 적응성이 없으며, 다량의 물로 냉각 소화한다.

해설

니트로셀룰로오스(NC ; Nitro Cellulose, 질화면, 질산섬유소)

1. 안전 용제로 저장 중에 물(20%) 또는 알코올(30%)로 습윤하여 저장 운반한다.

2. 습윤상태에서 건조되면 충격, 마찰 시 예민하고 발화 폭발의 위험이 증대된다.

85 다음 중 위험물의 취급에 관한 설명으로 틀린 것은?

① 모든 폭발성 물질은 석유류에 침지시켜 보관해야 한다.
② 압력이 높을수록 인화성 물질의 발화지연이 짧아진다.
③ 가스 누설의 우려가 있는 장소에서의 점화원의 철저한 관리가 필요하다.
④ 도전성이 나쁜 액체는 접지를 통한 정전기 방전 조치를 취한다.

해설

폭발성 물질 중 니트로셀룰로오스는 저장 중에 물 또는 알코올로 습윤하여 저장 · 운반한다.

86 단위공정시설 및 설비로부터 다른 단위공정 시설 및 설비 사이의 안전거리는 설비의 외면으로부터 얼마 이상이 되어야 하는가?

① 5m ② 10m
③ 15m ④ 20m

해설

단위공정시설 및 설비로부터 다른 단위공정시설 및 설비 사이의 안전거리 : 설비의 바깥 면으로부터 10미터 이상

87 산업안전보건법상 인화성 물질이나 부식성 물질을 액체상태로 저장하는 저장탱크를 설치하는 때에 위험물질이 누출되어 확산되는 것을 방지하기 위하여 설치하여야 하는 것은?

① Flame Arrester ② Vent Stack
③ 긴급방출장치 ④ 방유제

해설

방유제의 설치
위험물을 액체상태로 저장하는 저장탱크를 설치하는 경우에는 위험물질이 누출되어 확산되는 것을 방지하기 위하여 방유제를 설치하여야 한다.

88 다음 중 가연성 가스이며 독성 가스에 해당하는 것은?

① 수소 ② 프로판
③ 산소 ④ 일산화탄소

해설

일산화탄소
1. 무색, 무취의 기체이며 산소가 부족한 상태로 연료가 연소할 때 불완전연소로 발생한다.
2. 사람의 폐로 들어가면 혈액 중의 헤모글로빈과 결합하여 산소공급을 막아 심한 경우 사망에 이른다.
3. 폭발범위가 12.5~74%인 가연성 가스이다.

89 다음 중 산업안전보건법상 위험물의 정의로 틀린 것은?

① 폭발성 물질 : 가열 · 마찰 · 충격 또는 다른 화학물질과의 접촉 등으로 인하여 산소나 산화제의 공급이 없더라도 폭발 등 격렬한 반응을 일으킬 수 있는 고체나 액체
② 인화성 액체 : 대기압하에서 인화점이 60℃ 이하인 인화성 액체
③ 인화성 가스 : 폭발한계농도의 하한이 5% 이하 또는 상하한의 차가 10% 이상인 가스
④ 물반응성 물질 : 스스로 발화하거나 물과 접촉하여 발화하는 등 발화가 용이하고 인화성 가스가 발생할 수 있는 물질

해설

인화성 가스
인화한계 농도의 최저한도가 13퍼센트 이하 또는 최고한도와 최저한도의 차가 12퍼센트 이상인 것으로서 표준압력(101.3kPa)하의 20℃에서 가스 상태인 물질을 말한다.

90 공업용 용기의 몸체 도색으로 가스명과 도색명의 연결이 옳은 것은?

① 산소 – 청색 ② 질소 – 백색
③ 수소 – 주황색 ④ 아세틸렌 – 회색

해설

고압가스 용기의 도색

가스의 종류	도색의 구분	가스의 종류	도색의 구분
액화석유가스	밝은 회색	액화암모니아	백색
수소	주황색	액화염소	갈색
아세틸렌	황색	산소	녹색
액화탄산가스	청색	질소	회색
소방용 용기	소방법에 따른 도색	그 밖의 가스	회색

91 금속의 용접·용단 또는 가열에 사용되는 가스 등의 용기를 취급할 때의 준수사항으로 옳지 않은 것은?

① 밸브의 개폐는 서서히 할 것
② 용기의 온도를 섭씨 40도 이하로 유지할 것
③ 운반할 때에는 환기를 위하여 캡을 씌우지 않을 것
④ 용기의 부식·마모 또는 변형상태를 점검한 후 사용할 것

해설

운반하는 경우에는 캡을 씌울 것

92 가스누출감지경보기의 선정기준, 구조 및 설치방법에 관한 설명으로 옳지 않은 것은?

① 암모니아를 제외한 가연성가스 누출감지경보기는 방폭성능을 갖는 것이어야 한다.
② 독성가스 누출감지경보기는 해당 독성가스 허용농도의 25% 이하에서 경보가 울리도록 설정하여야 한다.
③ 하나의 감지대상가스가 가연성이면서 독성인 경우에는 독성가스를 기준하여 가스누출감지경보기를 선정하여야 한다.
④ 건축물 내에 설치되는 경우, 감지대상가스의 비중이 공기보다 무거운 경우에는 건축물 내의 하부에 설치하여야 한다.

해설

가스누출감지경보기의 경보설정치 및 정밀도
가스누출감지경보의 정밀도는 경보설정치에 대하여 가연성가스누출감지경보기는 ±25퍼센트 이하, 독성가스누출감지경보기는 ±30퍼센트 이하이어야 한다.

93 다음 중 유해화학물질의 중독에 대한 일반적인 응급처치방법으로 적절하지 않은 것은?

① 알코올 등의 필요한 약품을 투여한다.
② 환자를 안정시키고, 침대에 옆으로 누인다.
③ 호흡 정지 시 가능한 경우 인공호흡을 실시한다.
④ 신체를 따뜻하게 하고 신선한 공기를 확보한다.

해설

알코올이나 약품을 투여하는 것은 전문가의 진단을 받아 해야 하며 임의로 투여하면 안 된다.

94 산업안전보건법령상 물질안전보건자료 작성 시 포함되어 있는 주요 작성항목이 아닌 것은?(단, 기타 참고사항 및 작성자가 필요에 의해 추가하는 세부 항목은 고려하지 않는다.)

① 법적 규제 현황
② 폐기 시 주의사항
③ 주요 구입 및 폐기처
④ 화학제품과 회사에 관한 정보

해설

물질안전보건자료 작성 시 포함되어야 할 항목 및 그 순서
1. 화학제품과 회사에 관한 정보
2. 유해성·위험성
3. 구성성분의 명칭 및 함유량
4. 응급조치요령
5. 폭발·화재 시 대처방법
6. 누출사고 시 대처방법
7. 취급 및 저장방법
8. 노출 방지 및 개인보호구
9. 물리화학적 특성
10. 안정성 및 반응성
11. 독성에 관한 정보
12. 환경에 미치는 영향
13. 폐기 시 주의사항
14. 운송에 필요한 정보
15. 법적 규제 현황
16. 그 밖의 참고사항

95 다음 중 산업안전보건법령상 물질안전보건 자료의 작성·비치 제외 대상이 아닌 것은?

① 원자력법에 의한 방사성 물질
② 농약관리법에 의한 농약
③ 비료관리법에 의한 비료
④ 관세법에 의해 수입되는 공업용 유기용제

해설

물질안전보건자료의 작성·제출 제외 대상 화학물질
1. 「건강기능식품에 관한 법률」에 따른 건강기능식품
2. 「농약관리법」에 따른 농약
3. 「마약류 관리에 관한 법률」에 따른 마약 및 향정신성의약품
4. 「비료관리법」에 따른 비료
5. 「사료관리법」에 따른 사료
6. 「생활주변방사선 안전관리법」에 따른 원료물질
7. 「생활화학제품 및 살생물제의 안전관리에 관한 법률」에

01 PART
02 PART
03 PART
04 PART
05 PART
06 PART
07 PART

따른 안전확인대상생활화학제품 및 살생물제품 중 일반 소비자의 생활용으로 제공되는 제품

8. 「식품위생법」에 따른 식품 및 식품첨가물
9. 「약사법」에 따른 의약품 및 의약외품
10. 「원자력안전법」에 따른 방사성물질
11. 「위생용품 관리법」에 따른 위생용품
12. 「의료기기법」에 따른 의료기기
13. 「첨단재생의료 및 첨단바이오의약품 안전 및 지원에 관한 법률」에 따른 첨단바이오의약품
14. 「총포ㆍ도검ㆍ화약류 등의 안전관리에 관한 법률」에 따른 화약류
15. 「폐기물관리법」에 따른 폐기물
16. 「화장품법」에 따른 화장품
17. 제1호부터 제16호까지의 규정 외의 화학물질 또는 혼합물로서 일반소비자의 생활용으로 제공되는 것(일반소비자의 생활용으로 제공되는 화학물질 또는 혼합물이 사업장 내에서 취급되는 경우를 포함한다)
18. 고용노동부장관이 정하여 고시하는 연구ㆍ개발용 화학물질 또는 화학제품
19. 그 밖에 고용노동부장관이 독성ㆍ폭발성 등으로 인한 위해의 정도가 적다고 인정하여 고시하는 화학물질

96 다음 중 작업자가 밀폐 공간에 들어가기 전 조치해야 할 사항과 가장 거리가 먼 것은?

① 해당 작업장의 내부가 어두운 경우 비방폭용 전등을 이용한다.
② 해당 작업장을 적정한 공기상태로 유지되도록 환기하여야 한다.
③ 해당 장소에 근로자를 입장시킬 때와 퇴장시킬 때에 각각 인원을 점검하여야 한다.
④ 해당 작업장과 외부의 감시인 사이에 상시 연락을 취할 수 있는 설비를 설치하여야 한다.

해설

해당 작업장의 내부가 어두운 경우, 즉 밀폐된 공간에서는 방폭용 전등을 이용한다.

97 탱크 내 작업 시 복장에 관한 설명으로 옳지 않은 것은?

① 정전기 방지용 작업복을 착용할 것
② 작업원은 불필요하게 피부를 노출시키지 말 것
③ 작업모를 쓰고 긴팔의 상의를 반듯하게 착용할 것
④ 수분의 흡수를 방지하기 위하여 유지가 부착된 작업복을 착용할 것

해설

유지가 부착된 작업복을 착용하지 말 것

98 다음 중 반응 또는 운전압력이 3psig 이상인 경우 압력계를 설치하지 않아도 무관한 것은?

① 반응기   ② 탑조류
③ 밸브류   ④ 열교환기

해설

반응 또는 운전압력이 3psig 이상일 경우 모든 반응기, 탑조류, 열교환기, 탱크류 등에 압력계를 설치해야 한다.

99 다음 중 반응기를 조작방식에 따라 분류할 때 이에 해당하지 않는 것은?

① 회분식 반응기   ② 반회분식 반응기
③ 연속식 반응기   ④ 관형식 반응기

해설

반응기의 분류

반응 조작방식에 의한 분류	1. 회분식 반응기(회분식 균일상 반응기) 2. 반회분식 반응기 3. 연속식 반응기
반응기 구조방식에 의한 분류	1. 관형 반응기 2. 탑형 반응기 3. 교반조형 반응기 4. 유동층형 반응기

100 반응폭발에 영향을 미치는 요인 중 그 영향이 가장 적은 것은?

① 교반상태   ② 냉각시스템
③ 반응온도   ④ 반응생성물의 조성

해설

반응폭발에 영향을 미치는 요인
1. 반응기에서의 교반상태
2. 냉각수량을 조절할 수 있는 냉각시스템
3. 반응기의 온도, 압력 등에 대한 운전조건 등

101 다음 설명이 의미하는 것은?

> 온도, 압력 등 제어상태가 규정의 조건을 벗어나는 것에 의해 반응속도가 지수 함수적으로 증대되고, 반응용기 내의 온도, 압력이 급격히 이상 상승되어 규정 조건을 벗어나고, 반응이 과격화되는 현상

① 비등
② 과열 · 과압
③ 폭발
④ 반응폭주

해설

반응폭주
1. 반응속도가 지수 함수적으로 증가하고 반응용기 내부의 온도 및 압력이 비정상적으로 급격히 상승되어 규정 조건을 벗어나고 반응이 과격하게 진행되는 현상을 말한다.
2. 반응폭주는 서로 다른 물질이 폭발적으로 반응하는 현상으로 화학공장의 반응기에서 일어날 수 있는 현상이다.

102 다음 중 열교환기의 보수에 있어서 일상점검 항목으로 볼 수 없는 것은?

① 보온재 및 보냉재의 파손상황
② 부식의 형태 및 정도
③ 도장의 노후 상황
④ Flange부 등의 외부 누출 여부

해설

열교환기의 일상점검항목
1. 보온재, 보냉재의 파손 여부
2. 도장의 노후 상황
3. 플랜지(Flange)부, 용접부 등의 누설 여부
4. 기초볼트의 체결 정도

> **TIP** 부식의 형태 및 정도 : 정기적 개방 점검항목

103 특수화학설비를 설치할 때 내부의 이상상태를 조기에 파악하기 위하여 필요한 계측장치로 가장 거리가 먼 것은?

① 압력계
② 유량계
③ 온도계
④ 습도계

해설

계측장치의 설치
특수화학설비를 설치하는 경우에는 내부의 이상 상태를 조기에 파악하기 위하여 필요한 온도계 · 유량계 · 압력계 등의 계측장치를 설치하여야 한다.

104 산업안전보건법에서 정한 위험물질을 기준량 이상 제조, 취급, 사용 또는 저장하는 설비로서 내부의 이상상태를 조기에 파악하기 위하여 필요한 온도계 · 유량계 · 압력계 등의 계측장치를 설치하여야 하는 대상이 아닌 것은?

① 가열로 또는 가열기
② 증류 · 정류 · 증발 · 추출 등 분리를 하는 장치
③ 반응폭주 등 이상화학반응에 의하여 위험물질이 발생할 우려가 있는 설비
④ 300℃ 이상의 온도 또는 게이지 압력이 7kg/cm² 이상의 상태에서 운전하는 설비

해설

특수화학설비
온도가 섭씨 350도 이상이거나 게이지 압력이 980킬로파스칼 이상인 상태에서 운전되는 설비

105 산업안전보건법에 따라 위험물 건조설비 중 건조실을 설치하는 건축물의 구조를 독립된 단층 건물로 하여야 하는 건조설비가 아닌 것은?

① 위험물 또는 위험물이 발생하는 물질을 가열 건조하는 경우 내용적인 1m³ 이상인 건조설비
② 위험물이 아닌 물질을 가열 건조하는 경우 액체연료의 최대사용량이 5kg/h 이상인 건조설비
③ 위험물이 아닌 물질을 가열 건조하는 경우 기체 연료의 최대사용량이 1m³/h 이상인 건조설비
④ 위험물이 아닌 물질을 가열 건조하는 경우 전기사용 정격용량이 10kW 이상인 건조설비

해설

위험물 건조설비를 설치하는 건축물의 구조
1. 위험물 또는 위험물이 발생하는 물질을 가열 · 건조하는 경우 내용적이 1세제곱미터 이상인 건조설비
2. 위험물이 아닌 물질을 가열 · 건조하는 경우로서 다음 각 목의 어느 하나의 용량에 해당하는 건조설비
   ㉠ 고체 또는 액체연료의 최대사용량이 시간당 10킬로그램 이상
   ㉡ 기체연료의 최대사용량이 시간당 1세제곱미터 이상
   ㉢ 전기사용 정격용량이 10킬로와트 이상

01 PART
02 PART
03 PART
04 PART
05 PART
06 PART
07 PART

106 다음 중 산업안전보건법상 건조설비의 구조에 관한 설명으로 틀린 것은?

① 건조설비의 바깥 면은 불연성 재료로 만들 것
② 건조설비의 내부는 청소하기 쉬운 구조로 할 것
③ 건조설비는 내부의 온도가 국부적으로 상승하지 아니 하는 구조로 설치할 것
④ 위험물 건조설비의 열원으로서 직화를 사용할 것

해설

건조설비의 구조
1. 건조설비의 바깥 면은 불연성 재료로 만들 것
2. 건조설비(유기과산화물을 가열 건조하는 것은 제외한다)의 내면과 내부의 선반이나 틀은 불연성 재료로 만들 것
3. 위험물 건조설비의 측벽이나 바닥은 견고한 구조로 할 것
4. 위험물 건조설비는 그 상부를 가벼운 재료로 만들고 주위 상황을 고려하여 폭발구를 설치할 것
5. 위험물 건조설비는 건조하는 경우에 발생하는 가스·증기 또는 분진을 안전한 장소로 배출시킬 수 있는 구조로 할 것
6. 액체연료 또는 가스를 열원의 연료로 사용하는 건조설비는 점화하는 경우에는 폭발이나 화재를 예방하기 위하여 연소실이나 그 밖에 점화하는 부분을 환기시킬 수 있는 구조로 할 것
7. 건조설비의 내부는 청소하기 쉬운 구조로 할 것
8. 건조설비의 감시창·출입구 및 배기구 등과 같은 개구부는 발화 시에 불이 다른 곳으로 번지지 아니하는 위치에 설치하고 필요한 경우에는 즉시 밀폐할 수 있는 구조로 할 것
9. 건조설비는 내부의 온도가 부분적으로 상승하지 아니하는 구조로 설치할 것
10. 위험물 건조설비의 열원으로서 직화를 사용하지 아니할 것
11. 위험물 건조설비가 아닌 건조설비의 열원으로서 직화를 사용하는 경우에는 불꽃 등에 의한 화재를 예방하기 위하여 덮개를 설치하거나 격벽을 설치할 것

107 다음 중 건조설비를 사용하여 작업을 하는 경우에 폭발이나 화재를 예방하기 위하여 준수하여야 하는 사항으로 틀린 것은?

① 위험물 건조설비를 사용하는 경우에는 미리 내부를 청소하거나 환기할 것
② 위험물 건조설비를 사용하여 가열건조하는 건조물은 쉽게 이탈되도록 할 것

③ 고온으로 가열건조한 인화성 액체는 발화의 위험이 없는 온도로 냉각한 후에 격납시킬 것
④ 바깥 면이 현지 고온이 되는 건조설비에 가까운 장소에는 인화성 액체를 두지 않도록 할 것

해설

건조설비의 사용 시 준수사항
위험물 건조설비를 사용하여 가열건조하는 건조물은 쉽게 이탈되지 않도록 할 것

108 다음 [보기]에서 일반적인 자동제어 시스템의 작동순서를 바르게 나열한 것은?

(1) 검출 (2) 조절계 (3) 밸브 (4) 공정상황

① (1) → (2) → (4) → (3)
② (4) → (1) → (2) → (3)
③ (2) → (4) → (1) → (3)
④ (3) → (2) → (4) → (1)

해설

자동제어의 작동순서
1. 일반적인 자동제어 시스템의 작동순서
   공정상황 → 검출 → 조절계 → 밸브
2. 화학공정에서의 기본적인 자동제어의 작동순서
   검출 → 조절계 → 밸브 → 제조공정 → 검출

109 다음 중 이상반응 또는 폭발로 인하여 발생되는 압력의 방출장치가 아닌 것은?

① 파열판
② 폭압방산공
③ 화염방지기
④ 가용합금안전밸브

해설

각종 차단 및 안전장치의 분류
1. 내부압력의 과잉에 대한 방출, 경감 안전장치 : 안전밸브, 파열판, 폭압방산공, 릴리프 밸브 등
2. 화염전파 방지대책 안전장치 : 화염방지기(Flame Arrester), 폭굉억제기
3. 설비 및 장치의 차단 안전장치 : 격리밸브, 차단밸브

110 다음 중 스프링식 안전밸브를 대체할 수 있는 안전장치는?

① 캡(Cap)

② 파열판(Rupture Disk)

③ 게이트밸브(Gate Valve)

④ 벤트스택(Vent Stack)

해설

파열판(Rupture Disk, Bursting Disk)

1. 입구 측의 압력이 설정 압력에 도달하면 판이 파열하면서 유체가 분출하도록 용기 등에 설치된 얇은 판으로 된 안전장치를 말한다.
2. 특히 화학변화에 의한 에너지 방출과 같은 짧은 시간 내의 급격한 압력변화에 적합하다.
3. 안전밸브에 대체할 수 있는 가압 방지장치를 말한다.

111 다음 중 안전밸브에 관한 설명으로 틀린 것은?

① 안전밸브는 단독으로도 급격한 압력상승의 신속한 제어가 용이하다.

② 안전밸브의 사용에 있어 배기능력의 결정은 매우 중요한 사항이다.

③ 안전밸브는 물리적 상태 변화에 대응하기 위한 안전장치이다.

④ 안전밸브의 원리는 스프링과 같이 기계적 하중을 일정 비율로 조절할 수 있는 장치를 이용한다.

해설

급격한 압력상승의 우려가 있는 경우에는 안전밸브를 설치하는 것은 적절하지 않으며, 파열판을 설치하는 것이 적절하다.

112 다음 중 산업안전보건법에 따라 안지름 150mm 이상의 압력용기, 정변위 압축기 등에 대해서 과압에 따른 폭발을 방지하기 위하여 설치하여야 하는 방호장치는?

① 역화방지기　　② 안전밸브

③ 감지기　　　　④ 체크밸브

해설

안전밸브 등의 설치

다음 각 호의 어느 하나에 해당하는 설비에 대해서는 과압에 따른 폭발을 방지하기 위하여 안전밸브 또는 파열판을 설치하여야 한다.

1. 압력용기(안지름이 150밀리미터 이하인 압력용기는 제외하며, 압력용기 중 관형 열교환기의 경우에는 관의 파열로 인하여 상승한 압력이 압력용기의 최고사용압력을 초과할 우려가 있는 경우)
2. 정변위 압축기
3. 정변위 펌프(토출 측에 차단밸브가 설치된 것만 해당)
4. 배관(2개 이상의 밸브에 의하여 차단되어 대기온도에서 액체의 열팽창에 의하여 파열될 우려가 있는 것으로 한정)
5. 그 밖의 화학설비 및 그 부속설비로서 해당 설비의 최고사용압력을 초과할 우려가 있는 것

113 다음 중 파열판에 관한 설명으로 틀린 것은?

① 압력 방출속도가 빠르다.

② 설정 파열압력 이하에서 파열될 수 있다.

③ 한 번 부착한 후에는 교환할 필요가 없다.

④ 높은 점성의 슬러리나 부식성 유체에 적용할 수 있다.

해설

한 번 작동하면 파열되므로 교체하여야 한다.

114 다음 중 파열판과 스프링식 안전밸브를 직렬로 설치해야 할 경우가 아닌 것은?

① 부식물질로부터 스프링식 안전밸브를 보호할 때

② 독성이 매우 강한 물질을 취급 시 완벽하게 격리를 할 때

③ 스프링식 안전밸브에 막힘을 유발시킬 수 있는 슬러리를 방출시킬 때

④ 릴리프 장치가 작동 후 방출라인이 개방되어야 할 때

해설

파열판 및 안전밸브의 직렬 설치

1. 부식물질로부터 스프링식 안전밸브를 보호할 때
2. 독성이 매우 강한 물질을 취급 시 완벽하게 격리를 할 때
3. 스프링식 안전밸브에 막힘을 유발시킬 수 있는 슬러리를 방출시킬 때
4. 릴리프 장치가 작동 후 방출라인이 개방되지 않아야 할 때

01 PART
02 PART
03 PART
04 PART
05 PART
06 PART
07 PART

115 비교적 저압 또는 상압에서 가연성의 증기를 발생하는 유류를 저장하는 탱크에서 외부에 그 증기를 방출하기도 하고, 탱크 내에 외기를 흡입하기도 하는 부분에 설치하며, 가는 눈금의 금망이 여러 개 겹쳐진 구조로 된 안전장치는?

① Check Valve   ② Flame Arrester
③ Vent Stack   ④ Rupture Disk

해설

화염방지기(Flame Arrester)
1. 유류저장탱크에서 화염의 차단을 목적으로 외부에 증기를 방출하기도 하고 탱크 내 외기를 흡입하기도 하는 부분에 설치하는 안전장치
2. 화염방지기 중에서 금속망형으로 된 것을 인화방지망이라고도 하며 40메시(mesh) 이상의 가는 눈의 철망을 여러 겹으로 해서 화염이 통과할 때 화염을 차단할 목적으로 사용

116 다음 중 화염방지기의 구조 및 설치방법에 관한 설명으로 옳지 않은 것은?

① 화염방지기는 보호대상 화학설비와 연결된 통기관의 중앙에 설치하여야 한다.
② 화염방지성능이 있는 통기밸브인 경우를 제외하고 화염방지기를 설치하여야 한다.
③ 본체는 금속제로서 내식성이 있어야 하며, 폭발 및 화재로 인한 압력과 온도에 견딜 수 있어야 한다.
④ 소염소자는 내식, 내열성이 있는 재질이어야 하고, 이물질 등의 제거를 위한 정비작업이 용이하여야 한다.

해설

화염방지기의 설치위치 및 방법
화염방지기는 가능한 보호대상 화학설비의 통기관 끝단에 설치하는 것을 권장한다.

117 산업안전보건법령상 안전밸브 등의 전단·후단에는 차단밸브를 설치하여서는 아니 되지만 다음 중 자물쇠형 또는 이에 준하는 형식의 차단밸브를 설치할 수 있는 경우로 틀린 것은?

① 인접한 화학설비 및 그 부속설비에 안전밸브 등이 각각 설치되어 있고, 해당 화학설비 및 그 부속설비의 연결배관에 차단밸브가 없는 경우

② 안전밸브 등의 배출용량의 4분의 1 이상에 해당하는 용량의 자동압력조절배브와 안전밸브 등이 직렬로 연결된 경우
③ 화학설비 및 그 부속설비에 안전밸브 등이 복수방식으로 설치되어 있는 경우
④ 열팽창에 의하여 상승된 압력을 낮추기 위한 목적으로 안전밸브가 설치된 경우

해설

안전밸브 등의 배출용량의 2분의 1 이상에 해당하는 용량의 자동압력조절밸브(구동용 동력원의 공급을 차단하는 경우 열리는 구조인 것으로 한정한다)와 안전밸브 등이 병렬로 연결된 경우

118 산업안전보건법령상 특수화학설비 설치 시 반드시 필요한 장치가 아닌 것은?

① 원재료 공급의 긴급차단장치
② 즉시 사용할 수 있는 예비동력원
③ 화재 시 긴급대응을 위한 물분무소화장치
④ 온도계·유량계·유압계 등의 계측장치

해설

특수화학설비의 안전조치사항
1. 계측장치의 설치(내부의 이상상태를 조기에 파악하기 위해)
　㉠ 온도계
　㉡ 유량계
　㉢ 압력계
2. 자동경보장치의 설치(내부의 이상상태를 조기에 파악하기 위해)
3. 긴급차단장치의 설치
4. 예비동력원

119 물이 관 속을 흐를 때 유동하는 물속의 어느 부분의 정압이 그때의 물의 증기압보다 낮을 경우 물이 증발하여 부분적으로 증기가 발생되어 배관의 부식을 초래하는 경우가 있다. 이러한 현상을 무엇이라 하는가?

① 서징(Surging)
② 공동현상(Cavitation)
③ 비밀동반(Entrainment)
④ 수격작용(Water Hammering)

공동현상(Cavitation)
물이 관 내를 유동하고 있을 때에 흐르는 물속의 어떤 부분의 정압력이 그때의 수온에 상당하는 증기압 이하가 되면 부분적으로 증기를 발생하는 현상을 공동현상이라 하며, 펌프의 임펠러나 동체 안에서 자주 일어난다.

120 다음 중 펌프의 공동현상(Cavitation)을 방지하기 위한 방법으로 가장 적절한 것은?

① 펌프의 설치위치를 높게 한다.
② 펌프의 회전속도를 빠르게 한다.
③ 펌프의 유효 흡입양정을 작게 한다.
④ 흡입 측에서 펌프의 토출량을 줄인다.

공동현상(Cavitation)의 조치사항
1. 펌프의 설치높이를 낮추어 흡입양정을 짧게 한다.
2. 펌프 회전수를 낮추어 흡입비교 회전도를 적게 한다.

121 다음 중 송풍기의 상사법칙으로 옳은 것은? (단, 송풍기의 크기와 공기의 비중량은 일정하다.)

① 풍압은 회전수에 반비례한다.
② 풍량은 회전수의 제곱에 비례한다.
③ 소요동력은 회전수의 세제곱에 비례한다.
④ 풍압과 동력은 절대온도에 비례한다.

상사의 법칙
1. 송풍량 : 회전수에 비례하고 직경(지름)의 세제곱에 비례한다.
2. 정압 : 회전수의 제곱에 비례하고 직경(지름)의 제곱에 비례한다.
3. 축동력 : 회전수의 세제곱에 비례하고 직경(지름)의 오제곱에 비례한다.

122 20℃, 1기압의 공기를 5기압으로 단열압축하면 공기의 온도는 약 몇 ℃가 되겠는가?(단, 공기의 비열비는 1.4이다.)

① 32
② 191
③ 305
④ 464

단열압축 과정에서의 온도 변화

$$\frac{T_2}{T_1} = \left(\frac{P_2}{P_1}\right)^{(k-1)/k} \qquad T_2 = T_1 \times \left(\frac{P_2}{P_1}\right)^{(k-1)/k}$$

여기서, T_1 : 압축 전 절대온도(K)
　　　T_2 : 단열압축 후의 절대온도(K)
　　　P_1 : 압축 전 압력
　　　P_2 : 단열압축 시의 압력
　　　k : 압축비(통상 1.4를 기준)[1.1~1.8의 값]

절대온도(K) = ℃ + 273, ℃ = 절대온도(K) − 273

1. $T_2 = T_1 \times \left(\frac{P_2}{P_1}\right)^{(k-1)/k} = (273+20) \times \left(\frac{5}{1}\right)^{(1.4-1)/1.4}$
　　　$= 464.059K$
2. 절대온도를 섭씨온도로 바꾸면, $464.059 - 273 = 191℃$

123 다음 관(pipe) 부속품 중 관로의 방향을 변경하기 위하여 사용하는 부속품은?

① 니플(nipple)
② 유니온(union)
③ 플랜지(flange)
④ 엘보우(elbow)

관로의 방향을 바꿀 때
1. 엘보우(elbow)
2. Y자관(Y−branch)
3. 티(tee)
4. 십자(cross)

124 다음 중 관의 지름을 변경하고자 할 때 필요한 관 부속품은?

① reducer
② elbow
③ plug
④ valve

관로의 크기를 바꿀 때(관의 지름을 변경할 때)
1. 리듀서(reducer)
2. 부싱(bushing)

01 PART
02 PART
03 PART
04 PART
05 PART
06 PART
07 PART

125 다음 중 압력차에 의하여 유량을 측정하는 가변류 유량계가 아닌 것은?

① 오리피스 미터(orifice meter)
② 벤투리 미터(venturi meter)
③ 로터미터(rotameter)
④ 피토 튜브(pitot tube)

해설

차압식 유량계
1. 흐름 중에 배치한 장해물의 전후 압력차를 측정해서 유량을 구하는 것이다.
2. 종류 : 피토관(Pitot tube), 오리피스(Orifice), 벤투리관(Venturi tube)

TIP 로터미터(rotameter) : 면적식 유량계

---

126 다음 중 산업안전보건법상 공정안전보고서의 제출대상이 아닌 것은?

① 원유 정제처리업
② 농업용 약제 제조업
③ 화약 및 불꽃제품 제조업
④ 복합비료의 단순혼합 제조업

해설

공정안전보고서 제출대상
1. 원유 정제처리업
2. 기타 석유정제물 재처리업
3. 석유화학계 기초화학물질 제조업 또는 합성수지 및 기타 플라스틱물질 제조업
4. 질소화합물, 질소 · 인산 및 칼리질 화학비료 제조업 중 질소질 비료 제조
5. 복합비료 및 기타 화학비료 제조업 중 복합비료 제조(단순 혼합 또는 배합에 의한 경우는 제외)
6. 화학 살균 · 살충제 및 농업용 약제 제조업(농약 원제 제조만 해당)
7. 화약 및 불꽃제품 제조업

---

127 산업안전보건법에서 정한 공정안전보고서 제출대상 업종이 아닌 사업장으로서 유해 · 위험물질의 1일 취급량이 염소 10,000kg, 수소 20,000kg, 프로판 1,000kg, 톨루엔 2,000kg인 경우 공정안전보고서 제출대상 여부를 판단하기 위한 R 값은 얼마인가?(단, 유해 · 위험물질의 규정수량은 다음 표를 참고한다.)

▼ 유해 · 위험물질의 규정수량

유해 · 위험물질명	규정수량(kg)
인화성 가스	취급 : 5,000 저장 : 200,000
인화성 액체	취급 : 5,000 저장 : 200,000
염소	20,000
수소	50,000

① 1.5　　　　② 1.8
③ 2.1　　　　④ 2.5

해설

공정안전보고서 제출대상
두 종류 이상의 유해 · 위험물질을 제조 · 취급 · 저장하는 경우

$$R = \frac{C_1}{T_1} + \frac{C_2}{T_2} + \cdots\cdots + \frac{C_n}{T_n}$$

주) C_n : 유해 · 위험물질별(n) 규정량과 비교하여 하루 동안 제조 · 취급 또는 저장할 수 있는 최대치 중 가장 큰 값
　　T_n : 유해 · 위험물질별(n) 규정량
　　R 값이 1 이상인 경우 : 공정안전보고서 제출대상

$$R = \frac{C_1}{T_1} + \frac{C_2}{T_2} + \cdots\cdots + \frac{C_n}{T_n}$$
$$= \frac{10,000}{20,000} + \frac{20,000}{50,000} + \frac{1,000}{5,000} + \frac{2,000}{5,000} = 1.5$$

TIP 1. 프로판 : 인화성 가스, 톨루엔 : 인화성 액체
2. $R > 1$이므로 공정안전보고서 제출 대상이다.

128 공정안전보고서에 관한 설명으로 옳지 않은 것은?

① 공정안전보고서를 작성할 때에는 산업안전보건위원회의 심의를 거쳐야 한다.

② 공정안전보고서를 작성할 때에 산업안전보건위원회가 설치되어 있지 아니한 사업장의 경우에는 근로자대표의 의견을 들어야 한다.

③ 공정안전보고서의 내용을 변경하여야 할 사유가 발생한 경우에는 14일 이내에 고용노동부 장관의 승인을 득한 후 이를 보완하여야 한다.

④ 고용노동부장관은 정하는 바에 따라 공정안전보고서의 이행 상태를 정기적으로 평가하고, 그 결과에 따른 보완 상태가 불량한 사업장의 사업주에게는 공정안전보고서를 다시 제출하도록 명할 수 있다.

해설

공정안전보고서의 작성 및 제출
사업주는 사업장에 갖춰 둔 공정안전보고서의 내용을 변경하여야 할 사유가 발생한 경우에는 지체 없이 이를 보완하여야 한다.

129 다음 중 산업안전보건법상 공정안전보고서에 포함되어야 할 사항으로 가장 거리가 먼 것은?

① 평균안전율

② 공정안전자료

③ 비상조치계획

④ 공정위험성 평가서

해설

공정안전보고서의 내용
1. 공정안전자료
2. 공정위험성 평가서
3. 안전운전계획
4. 비상조치계획
5. 그 밖에 공정상의 안전과 관련하여 고용노동부장관이 필요하다고 인정하여 고시하는 사항

130 산업안전보건법에 따라 유해 · 위험설비의 설치 · 이전 또는 주요 구조부분의 변경 공사 시 공정안전보고서의 제출시기는 착공일 며칠 전까지 관련 기관에 제출하여야 하는가?

① 15일   ② 30일

③ 60일   ④ 90일

해설

공정안전보고서의 제출시기 및 절차
유해하거나 위험한 설비의 설치 · 이전 또는 주요 구조부분의 변경공사의 착공일 30일 전까지 공정안전보고서를 2부를 작성하여 공단에 제출해야 한다.

131 산업안전보건법에 의한 공정안전보고서에 포함되어야하는 내용 중 공정안전자료의 세부내용에 해당하지 않는 것은?

① 안전운전지침서

② 각종 건물 · 설비의 배치도

③ 유해 · 위험설비의 목록 및 사양

④ 위험설비의 안전설계 · 제작 및 설치 관련 지침서

해설

공정안전자료
1. 취급 · 저장하고 있거나 취급 · 저장하려는 유해 · 위험물질의 종류 및 수량
2. 유해 · 위험물질에 대한 물질안전보건자료
3. 유해하거나 위험한 설비의 목록 및 사양
4. 유해하거나 위험한 설비의 운전방법을 알 수 있는 공정도면
5. 각종 건물 · 설비의 배치도
6. 폭발위험장소 구분도 및 전기단선도
7. 위험설비의 안전설계 · 제작 및 설치 관련 지침서

132 다음 설명에 해당하는 위험성 평가기법은?

> 공장의 운전 및 유지 절차가 설계목적과 기준에 부합되는지를 확인하는 것을 그 목적으로 하며, 결과의 형태로 검사보고서를 제공한다.

① 안전성 검토법

② 상대위험순위결정법

③ 원인결과분석법

④ 예비위험분석기법

정답   128 ③   129 ①   130 ②   131 ①   132 ①

안전성 검토법
공장의 운전과 유지절차가 설계목적과 기준에 부합되는지
확인하는 방법을 말한다.

133 다음 중 산업안전보건법령상 공정안전보고서
의 안전운전계획에 포함되지 않는 항목은?

① 안전작업허가
② 안전운전지침서
③ 가동 전 점검지침
④ 비상조치계획에 따른 교육계획

공정안전보고서의 안전운전계획 세부내용
1. 안전운전지침서
2. 설비점검·검사 및 보수계획, 유지계획 및 지침서
3. 안전작업허가
4. 도급업체 안전관리계획
5. 근로자 등 교육계획
6. 가동 전 점검지침
7. 변경요소 관리계획
8. 자체감사 및 사고조사계획
9. 그 밖에 안전운전에 필요한 사항

PART 06

건설공사 안전관리
예상문제

01 굴착작업에서 지반의 붕괴 또는 매설물, 기타 지하공작물의 손괴 등에 의하여 근로자에게 위험을 미칠 우려가 있을 때 작업장소 및 그 주변에 대한 사전 지반조사사항으로 가장 거리가 먼 것은?

① 형상 · 지질 및 지층의 상태
② 매설물 등의 유무 또는 상태
③ 지표수의 흐름 상태
④ 균열 · 함수 · 용수 및 동결의 유무 또는 상태

해설
굴착작업 시 지반조사 사항
1. 형상 · 지질 및 지층의 상태
2. 균열 · 함수 · 용수 및 동결의 유무 또는 상태
3. 매설물 등의 유무 또는 상태
4. 지반의 지하수위 상태

02 산업안전기준에 관한 규칙에서 규정한 붕괴위험을 방지하기 위한 굴착면의 기울기 기준으로 옳지 않은 것은?

① 모래 −1 : 1.8
② 연암 및 풍화암 −1 : 0.8
③ 경암 −1 : 0.5
④ 그 밖의 흙 −1 : 1.2

해설
굴착면의 기울기

지반의 종류	굴착면의 기울기
모래	1 : 1.8
연암 및 풍화암	1 : 1.0
경암	1 : 0.5
그 밖의 흙	1 : 1.2

03 잠함 또는 우물통의 내부에서 근로자가 굴착작업을 하는 경우에 바닥으로부터 천장 또는 보까지의 높이는 최소 얼마 이상으로 하여야 하는가?

① 1.2미터　② 1.5미터
③ 1.8미터　④ 2.1미터

해설
급격한 침하로 인한 위험방지(잠함 또는 우물통의 내부에서 굴착작업을 하는 경우)
1. 침하관계도에 따라 굴착방법 및 재하량 등을 정할 것
2. 바닥으로부터 천장 또는 보까지의 높이는 1.8미터 이상으로 할 것

04 잠함 또는 우물통 내부에서 굴착작업을 할 때의 준수사항으로 옳지 않은 것은?

① 굴착깊이가 10m를 초과하는 때에는 해당 작업장소와 외부와의 연락을 위한 통신설비 등을 설치한다.
② 산소결핍의 우려가 있는 때에는 산소의 농도를 측정하는 자를 지명하여 측정하도록 한다.
③ 근로자가 안전하게 승강하기 위한 설비를 설치한다.
④ 측정결과 산소의 결핍이 인정될 때에는 송기를 위한 설비를 설치하여 필요한 양의 공기를 송급하여야 한다.

해설
잠함 등 내부에서의 작업(잠함, 우물통, 수직갱 등 이와 유사한 건설물 또는 설비)
1. 산소 결핍 우려가 있는 경우에는 산소의 농도를 측정하는 사람을 지명하여 측정하도록 할 것
2. 근로자가 안전하게 오르내리기 위한 설비를 설치할 것
3. 굴착 깊이가 20미터를 초과하는 경우에는 해당 작업장소와 외부와의 연락을 위한 통신설비 등을 설치할 것
4. 산소 결핍이 인정되거나 굴착 깊이가 20미터를 초과하는 경우에는 송기를 위한 설비를 설치하여 필요한 양의 공기를 공급해야 한다.

05 흙의 특성으로 옳지 않은 것은?

① 흙은 선형재료이며, 응력 – 변형률 관계가 일정하게 정의된다.

② 흙의 성질은 본질적으로 비균질, 비등방성이다.

③ 흙의 거동은 연약지반에 하중이 작용하면 시간의 변화에 따라 압밀침하가 발생한다.

④ 점토 대상이 되는 흙은 지표면 밑에 있기 때문에 지반의 구성과 공학적 성질은 시추를 통해서 자세히 판명된다.

해설

흙의 특성
1. 흙은 비선형재료이며, 응력 – 변형률 관계가 일정하게 정의되지 않는다.
2. 흙의 성질은 본질적으로 비균질, 비등방성이다.
3. 흙의 거동은 응력에 의존할 뿐 아니라 시간과 환경에도 의존한다.

06 토질시험 중 액체 상태의 흙이 건조되어 가면서 액성, 소성, 반고체, 고체 상태의 경계선과 관련된 시험의 명칭은?

① 애터버그 한계시험　② 압밀시험
③ 삼축압축시험　④ 투수시험

해설

애터버그 한계(Atterberg Limits)
매우 축축한 세립토가 건조되어 가는 사이에 지나는 4개의 과정, 즉 액성, 소성, 반고체, 고체의 각각의 상태가 변화하는 한계를 말한다.

07 물로 포화된 점토에 다지기를 하면 압축하중으로 지반이 침하하는데 이로 인하여 간극수압이 높아져 물이 배출되면서 흙의 간극이 감소하는 현상을 무엇이라고 하는가?

① 액상화　② 압밀
③ 예민비　④ 동상현상

해설

압밀
물로 포화된 점토에 다지기를 하면 물이 배출되지 않는 한 압축되며 압축하중으로 지반이 침하하는데 이로 인하여 간극수압이 높아져 물이 배출되면서 흙의 간극이 감소하는 현상을 압밀이라고 하며, 이로 인한 지반이 침하되는 현상을 압밀침하라 한다.

08 흙의 투수계수에 영향을 주는 인자에 대한 내용으로 옳지 않은 것은?

① 공극비 : 공극비가 클수록 투수계수는 작다.

② 포화도 : 포화도가 클수록 투수계수도 크다.

③ 유체의 점성계수 : 점성계수가 클수록 투수계수는 작다.

④ 유체의 밀도 : 유체의 밀도가 클수록 투수계수는 크다.

해설

간극비(공극비)가 클수록 투수계수가 증가한다.

09 물이 결빙되는 위치로 지속적으로 유입되는 조건에서 온도가 하강함에 따라 토중수가 얼어 생성된 결빙 크기가 계속 커져 지표면이 부풀어 오르는 현상은?

① 압밀침하(Consolidation Settlement)

② 연화(Frost Boil)

③ 지반경화(Hardening)

④ 동상(Frost Heave)

해설

동상현상(Frost Heave)
온도가 하강함에 따라 흙 속의 간극수가 얼면 물의 체적이 약 9% 팽창하기 때문에 지표면이 부풀어 오르게 되는 현상

10 지반조사 중 예비조사 단계에서 흙막이 구조물의 종류에 맞는 형식을 선정하기 위한 조사항목과 거리가 먼 것은?

① 흙막이 벽 축조 여부 판단 및 굴착에 따른 안정이 충분히 확보될 수 있는지 여부

② 인근 지반의 지반조사자료나 시공자료의 수집

③ 기상조건 변동에 따른 영향 검토

④ 주변의 환경(하천, 지표지질, 도로, 교통 등)

해설

예비조사
1. 인근 지반의 지반조사자료나 시공자료의 수집
2. 기상조건 변동에 따른 영향의 검토
3. 주변의 환경조사(하천, 지표지질, 도로, 교통 등)
4. 지형이나 우물의 형상조사
5. 인접구조물의 크기, 기초의 형식 및 그 상황조사

01 PART
02 PART
03 PART
04 PART
05 PART
06 PART
07 PART

11 표준관입시험에서 30cm 관입에 필요한 타격횟수(N)가 50 이상일 때 모래의 상대밀도는 어떤 상태인가?

① 몹시 느슨하다.　　② 느슨하다.
③ 보통이다.　　④ 대단히 조밀하다.

해설

표준관입시험(Standard Penetration Test)
1. 무게 63.5kg의 해머로 76cm 높이에서 자유낙하시켜 샘플러를 30cm 관입시키는 데 소요되는 타격횟수 N치를 측정하는 시험
2. 흙의 지내력 판단, 사질토 지반에 적용
3. N값이 클수록 밀실한 토질이다.

N의 값	흙의 상태
0~4	매우 느슨
4~10	느슨
10~30	보통
30~50	조밀
50 이상	매우 조밀

12 토질시험 중 연약한 점토 지반의 점착력을 판별하기 위하여 실시하는 현장시험은?

① 베인테스트(Vane Test)
② 표준관입시험(SPT)
③ 하중재하시험
④ 삼축압축시험

해설

베인테스트(Vane Test)
1. 깊이 10m 이내의 연약점토 지반에 적용
2. 로드 선단에 +자형 날개(Vane)를 부착하여 지중에 박아 회전시켜 점토의 점착력을 판별하는 시험

13 흙막이벽의 근입깊이를 깊게 하고, 전면의 굴착 부분을 남겨두어 흙의 중량으로 대항하게 하거나, 굴착예정부분의 일부를 미리 굴착하여 기초콘크리트를 타설하는 등의 대책과 가장 관계 깊은 것은?

① 히빙 현상이 있을 때
② 파이핑 현상이 있을 때
③ 지하수위가 높을 때
④ 굴착깊이가 깊을 때

해설

히빙(Heaving) 현상

정의	연질점토 지반에서 굴착에 의한 흙막이 내·외면의 흙의 중량 차이로 인해 굴착 저면이 부풀어 올라오는 현상
안전 대책	1. 흙막이 근입깊이를 깊게 함 2. 표토를 제거하여 하중 감소 3. 굴착 저면 지반개량(흙의 전단강도를 높임) 4. 굴착면 하중 증가 5. 어스앵커 설치 6. 주변 지하수위 저하 7. 소단굴착을 하여 소단부 흙의 중량이 바닥을 누르게 함 8. 토류벽의 배면토압을 경감

TIP 히빙 현상의 정의도 함께 기억하세요.

14 연약지반의 이상현상 중 하나인 히빙(Heaving) 현상에 대한 안전대책이 아닌 것은?

① 흙막이벽의 관입깊이를 깊게 한다.
② 굴착 저면에 토사 등으로 하중을 가한다.
③ 흙막이 배면의 표토를 제거하여 토압을 경감시킨다.
④ 주변 수위를 높인다.

15 흙막이공의 파괴 원인 중 하나인 보일링(Boiling) 현상에 관한 설명으로 틀린 것은?

① 지하수위가 높은 지반을 굴착할 때 주로 발생한다.
② 연약 사질토 지반에서 주로 발생한다.
③ 시트파일(Sheet Pile) 등의 지면에 분사현상이 발생한다.
④ 연약 점토지반에서 굴착면의 융기로 발생한다.

해설

보일링 현상
사질토 지반에서 굴착 저면과 흙막이 배면과의 수위 차이로 인해 굴착 저면의 흙과 물이 함께 위로 솟구쳐 오르는 현상

16 연약 점토지반 개량에 있어 적합하지 않은 공법은?

① 샌드드레인(Sand Drain) 공법
② 생석회 말뚝(Chemico Pile) 공법
③ 페이퍼드레인(Paper Drain) 공법
④ 바이브로 플로테이션(Vibro Flotation) 공법

지반 개량 공법

사질토	1. 동다짐 공법 2. 전기 충격 공법 3. 다짐 모래 말뚝 공법 4. 진동 다짐 공법(바이브로 플로테이션 공법) 5. 폭파 다짐 공법 6. 약액 주입 공법
점성토	1. 치환공법(굴착치환, 미끄럼치환, 폭파치환) 2. 압밀(재하)공법(여성토 공법, 사면선단 재하공법, 압성토공법) 3. 탈수공법(샌드드레인 공법, 페이퍼드레인 공법, 팩드레인 공법) 4. 배수공법(디프 웰 공법, 웰 포인트 공법) 5. 고결공법(생석회 말뚝 공법, 동결공법, 소결공법)

17 지름 0.3~1.5m 정도의 우물을 굴착하여 이 속에 우물측관을 삽입하여 속으로 유입하는 지하수를 펌프로 양수하여 지하수위를 낮추는 방법은 무엇인가?

① Well Point 공법

② Deep Well 공법

③ Under Pinning 공법

④ Vertical Drain 공법

해설

배수공법

디프 웰 (Deep Well) 공법	투수성 지반 내에 지름 0.3~1.5m 정도의 우물을 굴착하여 이 속에 우물관을 설치하여 수중펌프로 배수하는 공법
웰 포인트 (Well Point) 공법	투수성이 좋은 사질지반에 웰 포인트를 설치하여 배수하는 공법

18 건축공사로서 대상액이 5억 원 이상 50억 원 미만인 경우 산업안전보건관리비의 비율(가) 및 기초액(나)으로 옳은 것은?

① (가) 2.28%, (나) 4,325,000원

② (가) 1.99%, (나) 5,499,000원

③ (가) 2.35%, (나) 5,400,000원

④ (가) 1.57%, (나) 4,411,000원

해설

공사 종류 및 규모별 산업안전보건관리비 계상기준표

구분 공사 종류	대상액 5억 원 미만인 경우 적용비율(%)	대상액 5억 원 이상 50억 원 미만인 경우		대상액 50억 원 이상인 경우 적용비율(%)	보건관리자 선임대상 건설공사의 적용비율(%)
		적용비율 (%)	기초액		
건축공사	3.11%	2.28%	4,325,000원	2.37%	2.64%
토목공사	3.15%	2.53%	3,300,000원	2.60%	2.73%
중건설공사	3.64%	3.05%	2,975,000원	3.11%	3.39%
특수건설공사	2.07%	1.59%	2,450,000원	1.64%	1.78%

안전관리비 대상액 = 공사원가계산서 구성항목 중 직접재료비, 간접재료비와 직접노무비를 합한 금액(발주자가 재료를 제공할 경우에는 해당 재료비를 포함)

19 건설공사의 산업안전보건관리비 계상 시 대상액이 구분되어 있지 않은 공사는 도급계약 또는 자체 사업 계획상의 총 공사금액 중 얼마를 대상액으로 하는가?

① 50%　　　　　② 60%

③ 70%　　　　　④ 80%

해설

안전관리비의 계상방법(대상액이 구분되어 있지 않은 공사)
도급계약 또는 자체 사업계획상의 총 공사금액의 70퍼센트를 대상액으로 하여 안전보건관리비를 계상하여야 한다.

20 공정률이 65%인 건설현장의 경우 공사 진척에 따른 산업안전보건관리비의 최소 사용기준은 얼마 이상인가?

① 40%

② 50%

③ 60%

④ 70%

해설

공사진척에 따른 안전관리비 사용기준

공정률	50퍼센트 이상 70퍼센트 미만	70퍼센트 이상 90퍼센트 미만	90퍼센트 이상
사용기준	50퍼센트 이상	70퍼센트 이상	90퍼센트 이상

※ 공정률은 기성공정률을 기준으로 한다.

21 유해 · 위험방지계획서를 제출해야 할 대상 공사의 조건으로 옳지 않은 것은?

① 터널 건설 등의 공사

② 최대지간 길이가 50m 이상인 교량건설 등 공사

③ 다목적댐 · 발전용댐 및 저수용량 2천만 톤 이상의 용수전용댐, 지방상수도 전용 댐 전설 등의 공사

④ 깊이가 5m 이상인 굴착공사

유해위험방지계획서를 제출해야 될 건설공사
1. 다음 각 목의 어느 하나에 해당하는 건축물 또는 시설 등의 건설 · 개조 또는 해체공사
   ㉠ 지상높이가 31미터 이상인 건축물 또는 인공구조물
   ㉡ 연면적 3만 제곱미터 이상인 건축물
   ㉢ 연면적 5천 제곱미터 이상인 시설로서 다음의 어느 하나에 해당하는 시설
      • 문화 및 집회시설(전시장 및 동물원 · 식물원은 제외)
      • 판매시설, 운수시설(고속철도의 역사 및 집배송시설은 제외)
      • 종교시설
      • 의료시설 중 종합병원
      • 숙박시설 중 관광숙박시설
      • 지하도상가
      • 냉동 · 냉장 창고시설
2. 연면적 5천 제곱미터 이상인 냉동 · 냉장 창고시설의 설비공사 및 단열공사
3. 최대 지간길이(다리의 기둥과 기둥의 중심 사이의 거리)가 50미터 이상인 다리의 건설 등 공사
4. 터널의 건설 등 공사
5. 다목적댐, 발전용댐, 저수용량 2천만 톤 이상의 용수 전용 댐 및 지방상수도 전용 댐의 건설 등 공사
6. 깊이 10미터 이상인 굴착공사

22 사업주가 유해 · 위험방지 계획서 제출 후 건설공사 중 6개월 이내마다 안전보건공단의 확인사항을 받아야 할 내용이 아닌 것은?

① 유해 · 위험방지 계획서의 내용과 실제공사 내용이 부합하는지 여부

② 유해 · 위험방지 계획서 변경 내용의 적정성

③ 자율안전관리 업체 유해 · 위험방지 계획서 제출 · 심사면제

④ 추가적인 유해 · 위험요인의 존재 여부

유해 · 위험방지계획서의 확인사항(공단의 확인사항)
1. 유해 · 위험방지계획서의 내용과 실제공사 내용과의 부합 여부
2. 유해 · 위험방지계획서 변경내용의 적정성
3. 추가적인 유해 · 위험요인의 존재 여부

23 건설업 유해위험방지계획서 제출 시 첨부서류에 해당되지 않는 것은?

① 공사개요서

② 산업안전보건관리비 사용계획

③ 재해 발생 위험 시 연락 및 대피방법

④ 특수공사계획

유해위험방지계획서의 첨부서류
1. 공사 개요 및 안전보건관리계획
   ㉠ 공사 개요서
   ㉡ 공사현장의 주변 현황 및 주변과의 관계를 나타내는 도면(매설물 현황을 포함)
   ㉢ 전체 공정표
   ㉣ 산업안전보건관리비 사용계획서
   ㉤ 안전관리 조직표
   ㉥ 재해 발생 위험 시 연락 및 대피방법
2. 작업 공사 종류별 유해 · 위험방지계획

24 추락재해 방지를 위한 방망의 그물코 규격 기준으로 옳은 것은?

① 사각 또는 마름모로서 크기가 5센티미터 이하

② 사각 또는 마름모로서 크기가 10센티미터 이하

③ 사각 또는 마름모로서 크기가 15센티미터 이하

④ 사각 또는 마름모로서 크기가 20센티미터 이하

그물코
사각 또는 마름모로서 그 크기는 10센티미터 이하이어야 한다.

25 추락방지망 설치 시 그물코의 크기가 10cm인 매듭 있는 방망의 신품에 대한 인장강도 기준으로 옳은 것은?

① 100kgf 이상　　② 200kgf 이상

③ 300kgf 이상　　④ 400kgf 이상

해설

방망사의 신품에 대한 인장강도

그물코의 크기 (단위 : 센티미터)	방망의 종류(단위 : 킬로그램)	
	매듭 없는 방망	매듭방망
10	240	200
5		110

26 다음 중 그물코의 크기가 5cm인 매듭방망의 폐기기준 인장강도는?

① 200kg
② 100kg
③ 60kg
④ 30kg

해설

방망사의 폐기 시 인장강도

그물코의 크기 (단위 : 센티미터)	방망의 종류(단위 : 킬로그램)	
	매듭 없는 방망	매듭방망
10	150	135
5		60

27 10cm 그물코의 방망을 설치한 경우에 망 일부분에 충돌위험이 있는 바닥면 또는 기계설비와의 수직거리는 얼마 이상이어야 하는가?(단, L(1개의 방망일 때 단면방향길이) = 12m, A(장변방향 방망의 지지간격) = 6m)

① 10.2m
② 12.2m
③ 14.2m
④ 16.2m

해설

방망의 사용방법(허용낙하높이)

높이/종류/조건	방망과 바닥면 높이(H_2)	
	10센티미터 그물코	5센티미터 그물코
$L < A$	$\dfrac{0.85}{4}(L+3A)$	$\dfrac{0.95}{4}(L+3A)$
$L \geq A$	$0.85L$	$0.95L$

L : 단변방향길이(단위 : m)
A : 장변방향 방망의 지지간격(단위 : m)
1. 10cm 그물코이며, $L(12\text{m}) > A(6\text{m})$이므로
2. $H_2 = 0.85 \times 12 = 10.2[\text{m}]$

28 다음 중 표준안전난간의 설치장소가 아닌 것은?

① 흙막이 지보공의 상부
② 중량물 취급 개구부
③ 작업대
④ 리프트 입구

해설

안전난간의 설치장소
표준안전난간(안전난간)의 설치장소는 중량물 취급 개구부, 작업대, 가설계단의 통로, 흙막이 지보공의 상부 등으로 한다.

29 안전난간의 구조 및 설치요건에 대한 기준으로 옳지 않은 것은?

① 상부난간대는 바닥면, 발판 또는 경사로의 표면으로부터 90cm 이상 지점에 설치할 것
② 발끝막이판은 바닥면 등으로부터 10cm 이상의 높이를 유지할 것
③ 난간대는 지름 1.5cm 이상의 금속제 파이프나 그 이상의 강도를 가진 재료일 것
④ 안전난간은 구조적으로 가장 취약한 지점에서 가장 취약한 방향으로 작용하는 100kg 이상의 하중에 견딜 수 있는 튼튼한 구조일 것

해설

난간대
지름 2.7센티미터 이상의 금속제 파이프나 그 이상의 강도가 있는 재료일 것

30 안전난간대에 폭목(Toe Board)을 대는 이유는?

① 작업자의 손을 보호하기 위하여
② 작업자의 작업능률을 높이기 위하여
③ 안전난간대의 강도를 높이기 위하여
④ 공구 등 물체가 작업발판에서 지상으로 낙하되지 않도록 하기 위하여

해설

공구 등 물체가 작업발판에서 지상으로 낙하되지 않도록 하기 위하여 바닥면 등으로부터 10cm 이상의 높이로 설치한다.

31 추락에 의한 위험방지를 위하여 설치하는 안전방망의 경우 작업면으로부터 망의 설치지점까지의 수직거리가 최대 몇 미터를 초과하지 않도록 설치하는가?

① 5m　　　　　　② 7m
③ 8m　　　　　　④ 10m

추락방호망의 설치기준
1. 추락방호망의 설치위치는 가능하면 작업면으로부터 가까운 지점에 설치하여야 하며, 작업면으로부터 망의 설치지점까지의 수직거리는 10미터를 초과하지 아니할 것
2. 추락방호망은 수평으로 설치하고, 망의 처짐은 짧은 변 길이의 12퍼센트 이상이 되도록 할 것
3. 건축물 등의 바깥쪽으로 설치하는 경우 추락방호망의 내민 길이는 벽면으로부터 3미터 이상 되도록 할 것. 다만, 그물코가 20밀리미터 이하인 추락방호망을 사용한 경우에는 낙하물에 의한 위험 방지에 따른 낙하물방지망을 설치한 것으로 본다.

32 다음 중 높이 2m 이상인 높은 작업장소의 개구부에서 추락을 방지하기 위한 것이 아닌 것은?

① 보호난간　　　　② 안전대
③ 방호선반　　　　④ 방망

방호선반은 낙하 · 비래의 위험방지 조치이다.

33 높이 또는 깊이 2m 이상의 추락할 위험이 있는 장소에서 작업을 할 때의 필수 착용 보호구는?

① 보안경　　　　　② 방진 마스크
③ 방열복　　　　　④ 안전대

안전대
높이 또는 깊이 2미터 이상의 추락할 위험이 있는 장소에서 하는 작업

34 다음 중 토사붕괴의 내적 원인인 것은?

① 절토 및 성토 높이 증가
② 사면법면의 기울기 증가
③ 토석의 강도 저하
④ 공사에 의한 진동 및 반복 하중 증가

토석붕괴의 원인

외적 원인	1. 사면, 법면의 경사 및 기울기의 증가 2. 절토 및 성토 높이의 증가 3. 공사에 의한 진동 및 반복 하중의 증가 4. 지표수 및 지하수의 침투에 의한 토사 중량의 증가 5. 지진, 차량, 구조물의 하중작용 6. 토사 및 암석의 혼합층두께
내적 원인	1. 절토 사면의 토질 · 암질 2. 성토 사면의 토질구성 및 분포 3. 토석의 강도 저하

 토석붕괴의 외적 원인에 대해서도 자주 출제되고 있습니다. 비교해서 함께 기억하세요.

35 토석 붕괴의 위험이 있는 사면에서 작업할 경우의 행동으로 옳지 않은 것은?

① 동시작업의 금지　　② 대피공간의 확보
③ 2차 재해의 방지　　④ 급격한 경사면 계획

붕괴 조치사항
1. 동시작업의 금지
2. 대피공간의 확보
3. 2차 재해의 방지

 급격한 경사면은 토석 붕괴의 위험을 발생시킬 수 있어 적절한 경사면의 기울기를 계획하여야 한다.

36 굴착공사에 있어서 비탈면 붕괴를 방지하기 위하여 행하는 대책이 아닌 것은?

① 지표수의 침투를 막기 위해 표면배수공을 한다.
② 지하수위를 내리기 위해 수평배수공을 설치한다.
③ 비탈면 하단을 성토한다.
④ 비탈면 상부에 토사를 적재한다.

붕괴예방대책
1. 적절한 경사면의 기울기를 계획하여야 한다.
2. 경사면의 기울기가 당초 계획과 차이가 발생되면 즉시 재검토하여 계획을 변경시켜야 한다.
3. 활동할 가능성이 있는 토석은 제거하여야 한다.
4. 경사면의 하단부에 압성토 등 보강공법으로 활동에 대한 저항대책을 강구하여야 한다.

5. 말뚝(강관, H형강, 철근 콘크리트)을 타입하여 지반을 강화시킨다.
6. 빗물, 지표수, 지하수의 사전제거 및 침투를 방지하여야 한다.

> **TIP** 비탈면 상부의 토사를 제거하여 비탈면의 안정을 확보한다.

37 일반적으로 사면의 붕괴위험이 가장 큰 것은?

① 사면의 수위가 서서히 상승할 때
② 사면의 수위가 급격히 하강할 때
③ 사면이 완전 건조상태에 있을 때
④ 사면이 완전 포화상태에 있을 때

해설

사면의 붕괴위험이 가장 클 때는 수위가 급격히 하강할 때이다.

38 흙 속의 전단응력을 증대시키는 원인에 해당하지 않는 것은?

① 자연 또는 인공에 의한 지하공동의 형성
② 함수비의 감소에 따른 흙의 단위체적 중량의 감소
③ 지진, 폭파에 의한 진동 발생
④ 균열 내에 작용하는 수압증가

해설

전단응력 증가 요인
㉠ 외적 하중 증가(건물하중, 강우, 눈, 성토 등)
㉡ 함수비 증가에 따른 흙의 단위체적 중량의 증가
㉢ 균열 내 작용하는 수압증가
㉣ 인장응력에 의한 균열 발생
㉤ 지진, 폭파 등에 의한 진동
㉥ 자연 또는 인공에 의한 지하공동의 형성(투수, 침식, 인위적인 절토 등)

39 사면의 붕괴 형태의 종류에 해당되지 않는 것은?

① 사면의 측면부 파괴
② 사면선 파괴
③ 사면 내 파괴
④ 바닥면 파괴

해설

단순사면의 붕괴 형태
1. 사면 내 파괴(Slope Failure) : 성토층이 여러 층이고 기반이 얕은 경우

2. 사면 선(선단) 파괴(Toe Failure) : 사면이 비교적 급하고 점착력이 작은 경우
3. 사면 저부(바닥면) 파괴(Base Failure) : 사면이 비교적 완만하고 점착력이 큰 경우

40 다음 중 건설재해대책의 사면보호공법에 해당하지 않는 것은?

① 실드공
② 식생공
③ 뿜어 붙이기공
④ 블록공

해설

비탈면 보호공법(사면보호공법)

구분	공법
식생공법	1. 씨앗 뿌리기공 2. 식생판공 3. 식생 포대공 4. 떼 붙임공 5. 씨앗 뿜어붙이기공 6. 식생공
구조물공법	1. 현장타설 콘크리트 격자공 2. 블록공 3. 돌쌓기공 4. 콘크리트 붙임공법 5. 뿜칠공법

41 흙막이 공법 선정 시 고려사항으로 틀린 것은?

① 흙막이 해체를 고려
② 안전하고 경제적인 공법 선택
③ 차수성이 낮은 공법 선택
④ 지반성상에 적합한 공법 선택

해설

차수성이 높은 공법을 선택한다.

42 흙막이 공법을 흙막이 지지방식에 의한 분류와 구조방식에 의한 분류로 나눌 때 다음 중 지지방식에 의한 분류에 해당하는 것은?

① 수평 버팀대식 흙막이 공법
② H−Pile 공법
③ 지하연속벽 공법
④ Top Down Method 공법

정답 37 ② 38 ② 39 ① 40 ① 41 ③ 42 ①

01 PART
02 PART
03 PART
04 PART
05 PART
06 PART
07 PART

흙막이 공법

흙막이 지지방식에 의한 분류	1. 자립공법 2. 버팀대식 공법(빗버팀대식 공법, 수평버팀대 식 공법) 3. 어스 앵커 공법
흙막이 구조방식에 의한 분류	1. 엄지말뚝식 흙막이 공법(H-Pile) 2. 널말뚝 공법(강 널말뚝식 흙막이 공법, 강관 널말뚝식 흙막이 공법) 3. 지하연속벽 공법(주열식, 벽식) 4. 역타식 공법(Top Down)

43 토사붕괴에 따른 재해를 방지하기 위한 흙막이 지보공설비가 아닌 것은?

① 흙막이판 ② 말뚝
③ 턴버클 ④ 띠장

턴버클(Turn Buckle)
지지막대나 지지 와이어 로프 등의 길이를 조절하기 위한 기구로 철골 구조나 목조의 현장 조립 등에서 다시 세우기나 철근 가새 등에 사용하는 것을 말한다.

44 흙막이 지보공을 설치하였을 때 정기점검사항에 해당되지 않는 것은?

① 검지부의 이상 유무
② 버팀대의 긴압의 정도
③ 침하의 정도
④ 부재의 손상, 변형, 부식, 변위 및 탈락의 유무와 상태

흙막이 지보공의 붕괴 등의 방지를 위한 점검사항
1. 부재의 손상 · 변형 · 부식 · 변위 및 탈락의 유무와 상태
2. 버팀대의 긴압의 정도
3. 부재의 접속부 · 부착부 및 교차부의 상태
4. 침하의 정도

45 다음 중 터널 굴착 작업 시 시공계획에 포함되어야 할 사항으로 거리가 먼 것은?

① 굴착 방법
② 터널 지보공 및 복공의 시공 방법과 용수의 처리 방법
③ 환기 또는 조명시설의 설치 방법
④ 계기의 이상 유무 점검

사전조사 및 작업계획서의 내용

사전 조사사항	작업계획서 내용
보링(boring) 등 적절한 방법으로 낙반 · 출수 및 가스폭발 등으로 인한 근로자의 위험을 방지하기 위하여 미리 지형 · 지질 및 지층상태를 조사	1. 굴착의 방법 2. 터널지보공 및 복공의 시공 방법과 용수의 처리방법 3. 환기 또는 조명시설을 설치할 때에는 그 방법

46 터널작업에 있어서 자동경보장치가 설치된 경우에 이 자동경보장치에 대하여 당일의 작업시작 전 점검하여야 할 사항이 아닌 것은?

① 계기의 이상 유무
② 검지부의 이상 유무
③ 경보장치의 작동 상태
④ 환기 또는 조명시설의 이상 유무

자동경보장치의 작업 시작 전 점검사항
당일 작업 시작 전 다음의 사항을 점검하고 이상을 발견하면 즉시 보수하여야 한다.
1. 계기의 이상 유무
2. 검지부의 이상 유무
3. 경보장치의 작동 상태

47 터널 지보공을 조립하거나 변경하는 경우에 조치하여야 하는 사항으로 옳지 않은 것은?

① 목재의 터널 지보공은 조립 시 각 부재에 작용하는 긴압 정도를 체크하여 그 정도가 최대한 차이 나도록 한다.
② 강(鋼)아치 지보공의 조립은 연결볼트 및 띠장 등을 사용하여 주재 상호 간을 튼튼하게 연결할 것
③ 기둥에는 침하를 방지하기 위하여 받침목을 사용하는 등의 조치를 할 것
④ 주재(主材)를 구성하는 1세트의 부재는 동일 평면 내에 배치할 것

목재의 터널 지보공은 그 터널 지보공의 각 부재의 긴압 정도가 균등하게 되도록 할 것

48 터널붕괴를 방지하기 위한 지보공 점검사항과 가장 거리가 먼 것은?

① 부재의 긴압의 정도
② 부재의 손상·변형·부식·변위 탈락의 유무 및 상태
③ 기둥침하의 유무 및 상태
④ 경보장치의 작동상태

해설
터널지보공의 붕괴 등의 방지를 위한 점검사항
1. 부재의 손상·변형·부식·변위 탈락의 유무 및 상태
2. 부재의 긴압 정도
3. 부재의 접속부 및 교차부의 상태
4. 기둥침하의 유무 및 상태

49 터널공사에서 발파작업 시 안전대책으로 틀린 것은?

① 발파 전 도화선 연결상태, 저항치 조사 등의 목적으로 토통시험 실시 및 발파기의 작동상태를 사전에 점검
② 동력선은 발원점으로부터 최소 15m 이상 후방으로 옮길 것
③ 지질, 암의 절리 등에 따라 화약량 검초 및 시방기준과 대비하여 안전조치 실시
④ 방파용 점화회선은 타동력선 및 조명회선과 한곳으로 통합하여 관리

해설
발파용 점화회선은 타동력선 및 조명회선으로부터 분리되어야 한다.

50 다음 중 터널공사의 전기발파작업에 대한 설명 중 옳지 않은 것은?

① 점화는 충분한 허용량을 갖는 발파기를 사용한다.
② 발파 후 즉시 발파모선을 발파기로부터 분리하고 그 단부를 절연시킨다.
③ 전선의 도통시험은 화약장전 장소로부터 최소 30m 이상 떨어진 장소에서 행한다.
④ 발파모선은 고무 등으로 절연된 전선 20m 이상의 것을 사용한다.

해설
터널공사 전기발파작업 시 준수사항
1. 전선은 점화하기 전에 화약류를 충진한 장소로부터 30m 이상 떨어진 안전한 장소에서 도통시험 및 저항시험을 하여야 한다.
2. 점화는 충분한 허용량을 갖는 발파기를 사용하고 규정된 스위치를 반드시 사용하여야 한다.
3. 발파 후 즉시 발파모선을 발파기로부터 분리하고 그 단부를 절연시킨 후 재점화가 되지 않도록 하여야 한다.

51 터널 굴착공사에서 뿜어붙이기 콘크리트의 효과를 설명한 것으로 옳지 않은 것은?

① 암반의 크랙(crack)을 보강한다.
② 굴착면의 요철을 늘리고 응력집중을 최대한 증대시킨다.
③ Rock Bolt의 힘을 지반에 분산시켜 전달한다.
④ 굴착면을 덮음으로써 지반의 침식을 방지한다.

해설
터널의 뿜어붙이기 콘크리트(Shotcrete)의 효과
1. 굴착면을 피복하여 원지반의 탈락방지
2. 넓은 면을 피복하여 응력의 집중방지
3. 암괴의 유동이나 낙반을 방지
4. 굴착 시공면을 확실히 밀착시켜서 붕괴방지
5. 부착력에 의한 안전성 확보

52 지표면에서 소정의 위치까지 파내려간 후 구조물을 축조하고 되메운 후 지표면을 원상태로 복구시키는 공법은?

① NATM 공법
② 개착식 터널공법
③ TBM 공법
④ 침매공법

해설
개착식 공법
굴착면의 안정을 유지하면서 지표면으로부터 수직으로 파내려가 구조물을 축조하고 다시 원상태로 복구하는 공법을 말하며, 도심지터널, 지하철의 공법으로 널리 사용되고 있다.

01 PART
02 PART
03 PART
04 PART
05 PART
06 PART
07 PART

53 본 터널(Main Tunnel)을 시공하기 전에 터널에서 약간 떨어진 곳에 지질조사, 환기, 배수, 운반 등의 상태를 알아보기 위하여 설치하는 터널은?

① 파일럿(Pilot) 터널　　② 프리패브(Prefab) 터널
③ 사이드(Side) 터널　　④ 실드(Shield) 터널

해설
파일럿 터널(Pilot Tunnel) 공법
1. 본 터널 시공 전에 약간 떨어진 곳에 먼저 굴착해 놓고 지질조사, 환기, 배수, 재료운반 등의 상태를 알아보기 위하여 설치하는 터널을 말한다.
2. 파일럿 터널은 본 터널이 완공되면 다시 매립한다.

54 물체가 떨어지거나 날아올 위험이 있을 때의 재해 예방대책과 거리가 먼 것은?

① 낙하물 방지망 설치
② 출입금지구역 설정
③ 안전대 착용
④ 안전모 착용

해설
물체가 떨어지거나 날아올 위험이 있는 경우의 위험방지
1. 낙하물 방지망 설치
2. 수직보호망 설치
3. 방호선반 설치
4. 출입금지구역 설정
5. 보호구 착용

> TIP
> 1. 안전대 : 높이 또는 깊이 2미터 이상의 추락할 위험이 있는 장소에서 하는 작업
> 2. 안전모 : 물체가 떨어지거나 날아올 위험 또는 근로자가 추락할 위험이 있는 작업

55 다음은 낙하물 방지망 또는 방호선반을 설치하는 경우의 준수해야 할 사항이다. ( ) 안에 알맞은 숫자는?

> 높이 (A)미터 이내마다 설치하고, 내민 길이는 벽면으로부터 (B)미터 이상으로 할 것

① A : 10, B : 2　　② A : 8, B : 2
③ A : 10, B : 3　　④ A : 8, B : 3

해설
낙하물방지망 또는 방호선반 설치 시 준수사항
1. 높이 10미터 이내마다 설치하고, 내민 길이는 벽면으로부터 2미터 이상으로 할 것
2. 수평면과의 각도는 20도 이상 30도 이하를 유지할 것

56 건물 외부에 낙하물 방지망을 설치할 경우 수평면과의 가장 적절한 각도는?

① 5° 이상, 10° 이하　　② 10° 이상, 15° 이하
③ 15° 이상, 20° 이하　　④ 20° 이상, 30° 이하

해설
낙하물방지망 또는 방호선반 설치 시 준수사항
1. 높이 10미터 이내마다 설치하고, 내민 길이는 벽면으로부터 2미터 이상으로 할 것
2. 수평면과의 각도는 20° 이상 30° 이하를 유지할 것

57 투하설비 설치와 관련된 아래 표의 ( )에 적합한 것은?

> 사업주는 높이가 ( )미터 이상인 장소로부터 물체를 투하하는 때에는 적당한 투하설비를 설치하거나 감시인을 배치하는 등 위험방지를 위하여 필요한 조치를 하여야 한다.

① 1　　② 2
③ 3　　④ 4

해설
높이 3m 이상인 장소에서 물체를 투하하는 경우 조치사항
1. 투하설비설치
2. 감시인 배치

58 기계가 위치한 지면보다 높은 장소의 땅을 굴착하는 데 적합하며 산지에서의 토공사 및 암반으로부터의 점토질까지 굴착할 수 있는 건설장비의 명칭은?

① 파워 셔블　　② 불도저
③ 파일드라이버　　④ 크레인

해설
파워셔블(Power Shovel)
1. 굴삭기가 위치한 지면보다 높은 곳의 굴착에 적당
2. 작업대가 견고하여 단단한 토질의 굴착에도 용이

59 건설용 시공기계에 관한 기술 중 옳지 않은 것은?

① 타워크레인은 고층건물의 건설용으로 많이 쓰인다.
② 백호는 기계가 위치한 지면보다 높은 곳의 땅을 파는 데 적합하다.
③ 가이데릭은 철골 세우기 공사에 사용된다.
④ 진동 롤러는 아스팔트콘크리트 등의 다지기에 효과적으로 사용된다.

해설

백호(Back Hoe, 드래그 셔블)
1. 굴삭기가 위치한 지면보다 낮은 곳을 굴착하는 데 적당
2. 도랑파기에 적당하며 굴삭력이 우수
3. 비교적 굳은 지반의 토질에서도 사용 가능
4. 경사로나 연약지반에서는 무한궤도식이 타이어식보다 안전

60 백호(Back Hoe)의 운행방법에 대한 설명으로 옳지 않은 것은?

① 경사로나 연약지반에서는 무한궤도식보다는 타이어식이 안전하다.
② 작업계획서를 작성하고 계획에 따라 작업을 실시하여야 한다.
③ 작업장소의 지형 및 지반상태 등에 적합한 제한속도를 정하고 운전자로 하여금 이를 준수하도록 하여야 한다.
④ 작업 중 승차석 외의 위치에 근로자를 탑승시켜서는 안 된다.

61 클램셸(Clam Shell)의 용도로 옳지 않은 것은?

① 잠함 안의 굴착에 사용된다.
② 수면 아래의 자갈, 모래를 굴착하고 준설선에 많이 사용된다.
③ 건축구조물의 기초 등 정해진 범위의 깊은 굴착에 적합하다.
④ 단단한 지반의 작업도 가능하며 작업속도가 빠르고 특히 암반굴착에 적합하다.

해설

클램셸(Clam Shell)
1. 좁고 깊은 곳의 수직굴착, 수중굴착에 적당

2. 지하연속벽 공사, 깊은 우물통 파기에 사용
3. 구조물의 기초바닥, 잠함 등과 같은 협소하고 깊은 범위의 굴착에 적합

62 앵글도저보다 큰 각으로 움직일 수 있어 흙을 깎아 옆으로 밀어내면서 전진하므로 제설, 제토작업 및 다량의 흙을 전방으로 밀고 가는 데 적합한 불도저는?

① 스트레이트 도저
② 틸트 도저
③ 레이크 도저
④ 힌지 도저

해설

힌지 도저(Hinge Dozer)
배토판 중앙에 힌지를 붙여 안팎으로 V자형으로 꺾을 수 있으며, 흙을 깎아 옆으로 밀어내면서 전진하므로 제설, 제토작업 및 다량의 흙을 전방으로 밀고 가는 데 적합한 도저

63 굴착기계의 운행 시 안전대책으로 옳지 않은 것은?

① 버킷에 사람의 탑승을 허용해서는 안 된다.
② 운전반경 내에 사람이 있을 때 회전은 10rpm 이하의 느린 속도로 하여야 한다.
③ 장비의 주차 시 경사지나 굴착작업장으로부터 충분히 이격시켜 주차한다.
④ 전선이나 구조물 등에 인접하여 붐을 선회해야 될 작업에는 사전에 회전반경, 높이제한 등 방호조치를 강구한다.

해설

굴착기계 작업 안전대책
1. 버킷이나 다른 부수장치 혹은 뒷부분에 사람을 태우지 말아야 한다.
2. 절대로 운전 반경 내에 사람이 있을 때는 회전하여서는 안 된다.
3. 장비의 주차 시에는 경사지나 굴착작업장으로부터 충분히 이격시켜 주차하고, 버킷은 반드시 지면에 놓아야 한다.
4. 전선 밑에서는 주의하여 작업을 하여야 하며, 특히 전선과 장치의 안전간격을 반드시 유지한다.
5. 항상 뒤쪽의 카운터 웨이트의 회전반경을 측정한 후 작업에 임한다.
6. 작업 시에는 항상 사람의 접근에 특별히 주의한다.
7. 유압계통 분리 시에는 반드시 붐을 지면에 놓고 엔진을 정지시킨 다음 유압을 제거한 후 행한다.

PART 01
PART 02
PART 03
PART 04
PART 05
PART 06
PART 07

64 굴착과 싣기를 동시에 할 수 있는 토공기계가 아닌 것은?

① 트랙터 셔블(Tractor Shovel)

② 백호(Back Hoe)

③ 파워 셔블(Power Shovel)

④ 모터 그레이더(Motor Grader)

해설

모터 그레이더(Motor Grader)
지면을 절삭하여 평활하게 다듬는 장비로서 노면의 성형과 정지작업에 가장 적당한 장비

65 철륜 표면에 다수의 돌기를 붙여 접지면적을 작게 하여 접지압을 증가시킨 롤러로서 고함수비 점성토 지반의 다짐작업에 적합한 롤러는?

① 텐덤롤러   ② 로드롤러

③ 타이어롤러   ④ 탬핑롤러

해설

탬핑롤러(Tamping Roller)
1. 깊은 다짐이나 고함수비 지반의 다짐에 많이 이용
2. 롤러의 표면에 돌기를 만들어 부착한 것
3. 풍화함을 파쇄하고 흙 속의 간극수압을 제거
4. 점성토 지반에 효과적

66 다음 중 건설용 굴착기계가 아닌 것은?

① 드래그라인   ② 파워셔블

③ 크렘쉘   ④ 소일콤팩터

해설

소일콤팩터는 다짐용 기계이다.

67 차량계 건설기계에 해당되지 않는 것은?

① 불도저

② 콘크리트 펌프카

③ 드래그 셔블

④ 가이데릭

해설

가이데릭은 철골 세우기용 기계이다.

68 차량계 건설기계를 사용하는 작업 시 작업계획서 내용에 포함되는 사항이 아닌 것은?

① 사용하는 차량계 건설기계의 종류 및 성능

② 차량계 건설기계의 운행 경로

③ 차량계 건설기계에 의한 작업방법

④ 차량계 건설기계의 유도자 배치 관련 사항

해설

차량계 건설기계의 작업계획서 내용
1. 사용하는 차량계 건설기계의 종류 및 성능
2. 차량계 건설기계의 운행 경로
3. 차량계 건설기계에 의한 작업방법

69 미리 작업장소의 지형 및 지반상태 등에 적합한 제한속도를 정하지 않아도 되는 차량계 건설기계의 속도 기준은?

① 최대 제한 속도가 10km/h 이하

② 최대 제한 속도가 20km/h 이하

③ 최대 제한 속도가 30km/h 이하

④ 최대 제한 속도가 40km/h 이하

해설

제한속도의 지정
차량계 하역운반기계, 차량계 건설기계(최대제한속도가 시속 10킬로미터 이하인 것은 제외)를 사용하여 작업을 하는 경우 미리 작업장소의 지형 및 지반 상태 등에 적합한 제한속도를 정하고, 운전자로 하여금 준수하도록 하여야 한다.

70 차량계 건설기계를 사용하여 작업 시 기계의 전도, 전락 등에 의한 근로자의 위험을 방지하기 위하여 유의하여야 할 사항이 아닌 것은?

① 노견의 붕괴방지   ② 작업반경 유지

③ 지반의 침하방지   ④ 노폭의 유지

해설

차량계 건설기계의 전도 등의 방지 조치
차량계 건설기계를 사용하는 작업할 때에 그 기계가 넘어지거나 굴러떨어짐으로써 근로자가 위험해질 우려가 있는 경우에는 유도하는 사람을 배치하고 지반의 부동침하 방지, 갓길의 붕괴 방지 및 도로 폭의 유지 등 필요한 조치를 하여야 한다.

71 항타기 또는 항발기의 권상용 와이어로프의 절단하중이 100ton일 때 와이어로프에 걸리는 최대하중은 얼마까지 할 수 있는가?

① 20ton
② 33.3ton
③ 40ton
④ 50ton

해설

안전계수

$$안전율(안전계수) = \frac{절단하중}{최대하중}$$

1. 항타기 또는 항발기의 권상용 와이어로프의 안전계수가 5 이상이 아니면 이를 사용해서는 아니 된다.
2. 최대하중 $= \dfrac{절단하중}{안전계수} = \dfrac{100}{5} = 20[ton]$

72 항타기 또는 항발기의 권상장치 드럼축과 권상장치로부터 첫 번째 도르래의 축 간의 거리는 권상장치 드럼폭의 몇 배 이상으로 하여야 하는가?

① 5배
② 8배
③ 10배
④ 15배

해설

항타기 또는 항발기의 도르래 위치

1. 항타기 또는 항발기의 권상장치의 드럼축과 권상장치로부터 첫 번째 도르래의 축 간의 거리를 권상장치 드럼폭의 15배 이상으로 하여야 한다.
2. 도르래는 권상장치의 드럼 중심을 지나야 하며 축과 수직면 상에 있어야 한다.

73 가설구조물에서 많이 발생하는 중대 재해의 유형으로 가장 거리가 먼 것은?

① 도괴재해
② 낙하물에 의한 재해
③ 굴착기계와의 접촉에 의한 재해
④ 추락재해

해설

가설구조물의 재해발생 유형

도괴, 파괴 재해	1. 비계발판 혹은 지지대의 파괴 2. 비계발판의 탈락 혹은 그 지지대의 변위 및 변형 3. 풍압에 의한 도괴 4. 동바리의 좌굴에 의한 도괴

추락, 낙하물에 의한 재해	1. 부재의 파손, 탈락, 변위 2. 작업 보행 중 넘어짐, 미끄러짐, 헛디딤 등

74 비계에서 벽 고정을 하고 기둥과 기둥을 수평재나 가새로 연결하는 가장 큰 이유는?

① 작업자의 추락재해를 방지하기 위해
② 좌굴을 방지하기 위해
③ 인장파괴를 방지하기 위해
④ 해체를 용이하게 하기 위해

해설

가설구조물의 좌굴현상

1. 부재의 강성이 부족하여 가늘고 긴 부재가 압축력에 의하여 파괴되는 현상
2. 좌굴 방지를 위해 비계에서 벽고정을 하고 기둥과 기둥을 수평재나 가새로 연결한다.

75 외줄비계·쌍줄비계 또는 돌출비계는 벽이음 및 버팀을 설치하여야 하는데 강관비계 중 단관비계로 설치할 때의 조립간격으로 옳은 것은?(단, 수직방향, 수평방향의 순서임)

① 4m, 4m
② 5m, 5m
③ 5.5m, 7.5m
④ 6m, 8m

해설

강관비계의 조립 간격

강관비계의 종류	조립간격(단위 : m)	
	수직방향	수평방향
단관비계	5	5
틀비계(높이가 5m 미만인 것은 제외한다)	6	8

> **TIP** 강관틀비계의 조립간격도 출제되고 있습니다. 비교해서 함께 기억하세요.

76 강관비계(외줄·쌍줄 및 돌출비계)의 벽이음 및 버팀 설치 시 기준으로 옳은 것은?

① 인장재와 압축재와의 간격은 70cm 이내로 할 것
② 단관비계의 수직방향 조립간격은 7m 이하로 할 것
③ 틀비계의 수평방향 조립간격은 10m 이하로 할 것
④ 강관·통나무 등의 재료를 사용하여 견고한 것으로 할 것

정답 71 ① 72 ④ 73 ③ 74 ② 75 ② 76 ④

강관비계 조립 시의 준수사항

외줄비계·쌍줄비계 또는 돌출비계에 대해서는 다음 각 목에서 정하는 바에 따라 벽이음 및 버팀을 설치할 것

1. 강관비계의 조립 간격은 다음의 기준에 적합하도록 할 것

강관비계의 종류	조립간격(단위 : m)	
	수직방향	수평방향
단관비계	5	5
틀비계 (높이가 5m 미만인 것은 제외한다)	6	8

2. 강관·통나무 등의 재료를 사용하여 견고한 것으로 할 것
3. 인장재와 압축재로 구성된 경우에는 인장재와 압축재의 간격을 1미터 이내로 할 것

77 강관을 사용하여 비계를 구성하는 경우 준수하여야 하는 사항으로 옳지 않은 것은?

① 비계기둥의 간격은 띠장 방향에서는 1.85미터 이하, 장선 방향에서는 1.5미터 이하로 할 것
② 비계기둥 간의 적재하중은 300kg을 초과하지 않도록 할 것
③ 비계기둥의 제일 윗부분으로부터 31m 되는 지점 밑부분의 비계기둥은 2개의 강관으로 묶어 세울 것
④ 띠장 간격은 2.0미터 이하로 할 것

1. 비계기둥의 간격은 띠장 방향에서는 1.85미터 이하, 장선 방향에서는 1.5미터 이하로 할 것. 다만, 다음 각 목의 어느 하나에 해당하는 작업의 경우에는 안전성에 대한 구조 검토를 실시하고 조립도를 작성하면 띠장 방향 및 장선 방향으로 각각 2.7미터 이하로 할 수 있다.
   가. 선박 및 보트 건조작업
   나. 그 밖에 장비 반입·반출을 위하여 공간 등을 확보할 필요가 있는 등 작업의 성질상 비계기둥 간격에 관한 기준을 준수하기 곤란한 작업
2. 띠장 간격은 2.0미터 이하로 할 것. 다만, 작업의 성질상 이를 준수하기가 곤란하여 쌍기둥틀 등에 의하여 해당 부분을 보강한 경우에는 그러하지 아니하다.
3. 비계기둥의 제일 윗부분으로부터 31미터되는 지점 밑부분의 비계기둥은 2개의 강관으로 묶어 세울 것. 다만, 브라켓(Bracket, 까치발) 등으로 보강하여 2개의 강관으로 묶을 경우 이상의 강도가 유지되는 경우에는 그러하지 아니하다.
4. 비계기둥 간의 적재하중은 400킬로그램을 초과하지 않도록 할 것

78 다음은 강관틀비계를 조립하여 사용할 때 준수해야 하는 기준이다. ( ) 안에 알맞은 숫자를 나열한 것은?

> 길이가 띠장방향으로 (㉠)미터 이하이고 높이가 (㉡)미터를 초과하는 경우에는 (㉢)미터 이내마다 띠장방향으로 버팀기둥을 설치할 것

① ㉠ 4 ㉡ 10 ㉢ 5
② ㉠ 4 ㉡ 10 ㉢ 10
③ ㉠ 5 ㉡ 10 ㉢ 5
④ ㉠ 5 ㉡ 10 ㉢ 10

강관틀비계 조립 시의 준수사항

길이가 띠장 방향으로 4미터 이하이고 높이가 10미터를 초과하는 경우에는 10미터 이내마다 띠장 방향으로 버팀기둥을 설치할 것

79 달비계의 와이어로프의 사용금지 기준에 해당하지 않는 것은?

① 와이어로프의 한 꼬임에서 끊어진 소선의 수가 10% 이상인 것
② 지름의 감소가 공칭지름의 7%를 초과하는 것
③ 심하게 변형되거나 부식된 것
④ 균열이 있는 것

달비계의 와이어로프의 사용금지 사항
1. 이음매가 있는 것
2. 와이어로프의 한 꼬임에서 끊어진 소선의 수가 10퍼센트 이상인 것
3. 지름의 감소가 공칭지름의 7퍼센트를 초과하는 것
4. 꼬인 것
5. 심하게 변형되거나 부식된 것
6. 열과 전기충격에 의해 손상된 것

80 다음 중 체인(Chain)의 폐기대상이 아닌 것은?

① 균열, 흠이 있는 것
② 뒤틀림 등 변형이 현저한 것
③ 전장이 원래 길이의 5%를 초과하여 늘어난 것
④ 링(Ring)의 단면지름의 감소가 원래 지름의 5% 마모된 것

01 PART
02 PART
03 PART
04 PART
05 PART
06 PART
07 PART

해설

달기체인의 사용금지 조건
1. 달기 체인의 길이가 달기 체인이 제조된 때의 길이의 5%를 초과한 것
2. 링의 단면지름이 달기 체인이 제조된 때의 해당 링의 지름의 10%를 초과하여 감소한 것
3. 균열이 있거나 심하게 변형된 것

81 달비계를 설치할 때 작업발판의 폭은 최소 얼마 이상으로 하여야 하는가?

① 30cm
② 40cm
③ 50cm
④ 60cm

해설

달비계의 구조
작업발판은 폭을 40센티미터 이상으로 하고 틈새가 없도록 할 것

82 말비계를 조립하여 사용할 때의 준수사항으로 옳지 않은 것은?

① 지주부재의 하단에는 미끄럼 방지장치를 한다.
② 지주부재와 수평면과의 기울기는 75° 이하로 한다.
③ 말비계의 높이가 2m를 초과할 경우에는 작업발판의 폭을 30cm 이상으로 한다.
④ 지주부재와 지주부재 사이를 고정시키는 보조부재를 설치한다.

해설

말비계 조립 시의 준수사항
1. 지주부재의 하단에는 미끄럼 방지장치를 하고, 근로자가 양측 끝부분에 올라서서 작업하지 않도록 할 것
2. 지주부재와 수평면의 기울기를 75도 이하로 하고, 지주부재와 지주부재 사이를 고정시키는 보조부재를 설치할 것
3. 말비계의 높이가 2미터를 초과하는 경우에는 작업발판의 폭을 40센티미터 이상으로 할 것

83 이동식 비계를 조립하여 작업을 하는 경우의 준수사항으로 틀린 것은?

① 승강용 사다리는 견고하게 설치할 것
② 비계의 최상부에서 작업을 하는 경우에는 안전난간을 설치할 것

③ 작업발판의 최대적재하중은 400kg을 초과하지 않도록 할 것
④ 작업발판은 항상 수평을 유지하고 작업발판 위에서 안전난간을 딛고 작업을 하거나 받침대 또는 사다리를 사용하여 작업하도록 할 것

해설

이동식 비계 조립 시의 준수사항
1. 이동식 비계의 바퀴에는 뜻밖의 갑작스러운 이동 또는 전도를 방지하기 위하여 브레이크·쐐기 등으로 바퀴를 고정시킨 다음 비계의 일부를 견고한 시설물에 고정하거나 아웃 트리거를 설치하는 등 필요한 조치를 할 것
2. 승강용 사다리는 견고하게 설치할 것
3. 비계의 최상부에서 작업을 하는 경우에는 안전난간을 설치할 것
4. 작업발판은 항상 수평을 유지하고 작업발판 위에서 안전난간을 딛고 작업을 하거나 받침대 또는 사다리를 사용하여 작업하지 않도록 할 것
5. 작업발판의 최대적재하중은 250킬로그램을 초과하지 않도록 할 것

84 이동식 비계를 조립하여 사용할 때 밑변 최소폭의 길이가 2m라면 이 비계의 사용 가능한 최대 높이는?

① 4m
② 8m
③ 10m
④ 14m

해설

이동식 비계를 조립하여 사용 시 준수사항
비계의 최대 높이는 밑변 최소폭의 4배 이하이어야 한다.
최대 높이 = 2m × 4배 = 8m

85 시스템 동바리를 조립하는 경우 수직재와 받침철물 연결부의 겹침길이 기준으로 옳은 것은?

① 받침철물 전체 길이의 1/2 이상
② 받침철물 전체 길이의 1/3 이상
③ 받침철물 전체 길이의 1/4 이상
④ 받침철물 전체 길이의 1/5 이상

해설

시스템 동바리
동바리 최상단과 최하단의 수직재와 받침철물은 서로 밀착되도록 설치하고 수직재와 받침철물의 연결부의 겹침길이는 받침철물 전체길이의 3분의 1 이상 되도록 할 것

정답 81 ② 82 ③ 83 ③ 84 ② 85 ②

86 다음은 달비계 또는 높이 5m 이상의 비계를 조립·해체하거나 변경하는 작업을 하는 경우의 준수사항이다. 빈칸에 알맞은 숫자는?

> 비계재료의 연결·해체작업을 하는 경우에는 폭 (　)cm 이상의 발판을 설치하고 근로자로 하여금 안전대를 사용하도록 하는 등 추락을 방지하기 위한 조치를 할 것

① 15　　　　　　② 20
③ 25　　　　　　④ 30

해설

비계의 조립·해체 및 변경 시(달비계 또는 높이 5미터 이상의 비계)

비계재료의 연결·해체작업을 하는 경우에는 폭 20센티미터 이상의 발판을 설치하고 근로자로 하여금 안전대를 사용하도록 하는 등 추락을 방지하기 위한 조치를 할 것

87 작업장 출입구 설치 시 준수해야 할 사항으로 옳지 않은 것은?

① 주된 목적이 하역운반기계용인 출입구에는 보행자용 출입구를 따로 설치하지 않을 것
② 출입구의 위치·수 및 크기가 작업장의 용도와 특성에 맞도록 할 것
③ 출입구에 문을 설치하는 경우에는 근로자가 쉽게 열고 닫을 수 있도록 할 것
④ 계단이 출입구와 바로 연결된 경우에는 작업자의 안전한 통행을 위하여 그 사이에 1.2m 이상 거리를 두거나 안내표지 또는 비상벨 등을 설치할 것

해설

출입구의 설치(비상구는 제외)
주된 목적이 하역운반기계용인 출입구에는 인접하여 보행자용 출입구를 따로 설치할 것

88 다음 중 가설통로를 설치할 때의 준수사항으로 옳지 않은 것은?

① 경사는 30° 이하로 할 것
② 추락의 위험이 있는 장소에는 안전난간을 설치할 것
③ 수직갱에 가설된 통로의 길이가 15m 이상인 때에는 15m 이내마다 계단참을 설치할 것
④ 건설공사에 사용하는 높이 8m 이상인 비계다리에는 7m 이내마다 계단참을 설치할 것

해설

가설통로
1. 견고한 구조로 할 것
2. 경사는 30도 이하로 할 것(다만, 계단을 설치하거나 높이 2미터 미만의 가설통로로서 튼튼한 손잡이를 설치한 경우에는 그러하지 아니하다)
3. 경사가 15도를 초과하는 경우에는 미끄러지지 아니하는 구조로 할 것
4. 추락할 위험이 있는 장소에는 안전난간을 설치할 것(다만, 작업상 부득이한 경우에는 필요한 부분만 임시로 해체할 수 있다)
5. 수직갱에 가설된 통로의 길이가 15미터 이상인 경우에는 10미터 이내마다 계단참을 설치할 것
6. 건설공사에 사용하는 높이 8미터 이상인 비계다리에는 7미터 이내마다 계단참을 설치할 것

89 사다리식 통로에 대한 설치기준으로 틀린 것은?

① 발판의 간격은 일정하게 할 것
② 발판과 벽과의 사이는 15cm 이상의 간격을 유지할 것
③ 사다리식 통로의 길이가 10cm 이상인 때에는 3m 이내마다 계단참을 설치할 것
④ 사다리의 상단은 걸쳐놓은 지점으로부터 60cm 이상 올라가도록 할 것

해설

사다리식 통로
1. 견고한 구조로 할 것
2. 심한 손상·부식 등이 없는 재료를 사용할 것
3. 발판의 간격은 일정하게 할 것
4. 발판과 벽과의 사이는 15센티미터 이상의 간격을 유지할 것
5. 폭은 30센티미터 이상으로 할 것
6. 사다리가 넘어지거나 미끄러지는 것을 방지하기 위한 조치를 할 것
7. 사다리의 상단은 걸쳐놓은 지점으로부터 60센티미터 이상 올라가도록 할 것
8. 사다리식 통로의 길이가 10미터 이상인 경우에는 5미터 이내마다 계단참을 설치할 것
9. 사다리식 통로의 기울기는 75도 이하로 할 것. 다만, 고정식 사다리식 통로의 기울기는 90도 이하로 하고, 그 높이가 7미터 이상인 경우에는 다음 각 목의 구분에 따른 조치를 할 것
   가. 등받이울이 있어도 근로자 이동에 지장이 없는 경우 : 바닥으로부터 높이가 2.5미터 되는 지점부터 등받이울을 설치할 것
   나. 등받이울이 있으면 근로자가 이동이 곤란한 경우 : 개인용 추락 방지 시스템을 설치하고 근로자로 하여금

정답 86 ②　87 ①　88 ③　89 ③

전신안전대를 사용하도록 할 것
10. 접이식 사다리 기둥은 사용 시 접혀지거나 펼쳐지지 않도록 철물 등을 사용하여 견고하게 조치할 것

90 작업장에 계단 및 계단참을 설치하는 때에는 기준상으로 매 제곱미터당 최소 몇 킬로그램 이상의 하중에 견딜 수 있는 강도를 가진 구조로 설치하여야 하는가?

① 300kg　　　　② 400kg
③ 500kg　　　　④ 600kg

해설

계단 및 계단참의 강도
매 제곱미터당 500킬로그램 이상의 하중에 견딜 수 있는 강도를 가진 구조로 설치하여야 한다.

91 사업주는 높이가 3m를 초과하는 계단에는 높이 3m 이내마다 진행방향으로 최소 얼마 이상 계단참을 설치하여야 하는가?

① 3.5m　　　　② 2.5m
③ 1.2m　　　　④ 1.0m

해설

계단참의 설치
높이가 3미터를 초과하는 계단에 높이 3미터 이내마다 진행방향으로 길이 1.2미터 이상의 계단참을 설치해야 한다.

92 비계의 높이가 2m 이상인 작업장소에 작업발판을 설치할 경우 준수하여야 할 기준으로 옳지 않은 것은?

① 발판의 폭은 30cm 이상으로 할 것
② 발판재료 간의 틈은 3cm 이하로 할 것
③ 추락의 위험이 있는 장소에는 안전난간을 설치할 것
④ 발판재료는 뒤집히거나 떨어지지 아니하도록 2 이상의 지지물에 연결하거나 고정시킬 것

해설

비계(달비계, 달대비계 및 말비계는 제외)의 높이가 2미터 이상인 작업장소의 작업발판 설치기준
1. 발판재료는 작업할 때의 하중을 견딜 수 있도록 견고한 것으로 할 것

2. 작업발판의 폭은 40센티미터 이상으로 하고, 발판재료 간의 틈은 3센티미터 이하로 할 것
3. 추락의 위험이 있는 장소에는 안전난간을 설치할 것
4. 작업발판재료는 뒤집히거나 떨어지지 않도록 둘 이상의 지지물에 연결하거나 고정시킬 것

93 동바리 유형에 따른 동바리 조립 시 준수하여야 할 안전조치기준으로 옳지 않은 것은?

① 동바리로 사용하는 파이프 서포트는 높이가 3.5미터를 초과하는 경우에는 높이 2미터 이내마다 수평연결재를 2개 방향으로 만들고 수평연결재의 변위를 방지할 것
② 동바리로 사용하는 파이프 서포트는 3개 이상 이어서 사용하지 않도록 할 것
③ 동바리로 사용하는 파이프 서포트를 이어서 사용하는 경우에는 3개 이상의 볼트 또는 전용철물을 사용하여 이을 것
④ 동바리로 사용하는 강관틀은 강관틀과 강관틀 사이에 교차가새를 설치할 것

해설

동바리로 사용하는 파이프 서포트
파이프 서포트를 이어서 사용하는 경우에는 4개 이상의 볼트 또는 전용철물을 사용하여 이을 것

94 산업안전보건기준에 관한 규칙에 따른 동바리를 조립하는 경우 준수사항으로 옳지 않은 것은?

① 개구부 상부에 동바리를 설치하는 경우에는 상부하중을 견딜 수 있는 견고한 받침대를 설치할 것
② 동바리의 상하 고정 및 미끄러짐 방지 조치를 할 것
③ 강재의 접속부 및 교차부는 철선을 사용하여 단단히 연결할 것
④ 깔판이나 받침목을 이어서 사용하는 경우에는 그 깔판·받침목을 단단히 연결할 것

해설

동바리 조립 시의 안전조치
강재의 접속부 및 교차부는 볼트·클램프 등 전용철물을 사용하여 단단히 연결할 것

PART 01
PART 02
PART 03
PART 04
PART 05
PART 06
PART 07

95 로드(Rod)·유압잭(Jack) 등을 이용하여 거푸집을 연속적으로 이동시키면서 콘크리트를 타설할 때 사용되는 것으로 Silo 공사 등에 적합한 거푸집은?

① 메탈폼　　　　② 슬라이딩폼
③ 워플폼　　　　④ 페코빔

슬라이딩폼
1. 수평·수직적으로 반복된 구조물을 시공 이음 없이 균일한 형상으로 시공하기 위하여 요크(Yoke), 로드(Rod), 유압잭(Jack)을 이용하여 거푸집을 연속적으로 이동시키면서 콘크리트를 타설하여 구조물을 시공하는 공법
2. 이동 거푸집의 하나로 슬립폼, 미끄럼 거푸집이라고도 한다.

96 철근인력운반에 대한 설명으로 옳지 않은 것은?

① 운반할 때에는 중앙부를 묶어 운반한다.
② 긴 철근은 두 사람이 한 조가 되어 어깨메기로 운반하는 것이 좋다.
③ 운반 시 1인당 무게는 25kg 정도가 적당하다.
④ 긴 철근을 한 사람이 운발할 때는 한쪽을 어깨에 메고 한쪽 끝을 땅에 끌면서 운반한다.

철근의 인력운반
1. 1인당 무게는 25킬로그램 정도가 적절하며, 무리한 운반을 삼가하여야 한다.
2. 2인 이상이 1조가 되어 어깨메기로 하여 운반하는 등 안전을 도모하여야 한다.
3. 긴 철근을 부득이 한 사람이 운반할 때에는 한쪽을 어깨에 메고 한쪽 끝을 끌면서 운반하여야 한다.
4. 운반할 때에는 양끝을 묶어 운반하여야 한다.
5. 내려 놓을 때는 천천히 내려놓고 던지지 않아야 한다.
6. 공동 작업을 할 때에는 신호에 따라 작업을 하여야 한다.

97 흙막이 가시설 공사 시 사용되는 각 계측기 설치목적으로 옳지 않은 것은?

① 지표침하계 – 지표면 침하량 측정
② 수위계 – 지반 내 지하수위의 변화 측정
③ 하중계 – 상부 적재하중 변화 측정
④ 지중경사계 – 지중의 수평 변위량 측정

계측기의 설치목적

장치	용도
지표면 침하계 (level and staff)	주위 지반에 대한 지표면의 침하량 측정
지하수위계 (water level meter)	지하수의 수위변화 측정
하중계 (load cell)	흙막이 버팀대에 작용하는 토압, 어스앵커의 인장력 등 측정
지중 경사계 (inclino meter)	지중 수평변위를 측정하여 흙막이의 기울어진 정도 파악

98 깊이 10.5m 이상의 굴착의 경우 계측기기를 설치하여 흙막이 구조의 안전을 예측하여야 한다. 이에 해당하지 않는 계측기기는?

① 수위계　　　　② 경사계
③ 응력계　　　　④ 지진가속도계

굴착공사 계측관리
1. 수위계
2. 경사계
3. 하중 및 침하계
4. 응력계

99 압쇄기를 사용하여 건물해체 시 그 순서로 옳은 것은?

A : 보, B : 기둥, C : 슬래브, D : 벽체

① A – B – C – D
② A – C – B – D
③ C – A – D – B
④ D – C – B – A

압쇄기에 의한 파쇄작업순서
슬래브, 보, 벽체, 기둥의 순서로 해체하여야 한다.

100 다음 중 건물 해체용 기구가 아닌 것은?

① 압쇄기　　　　② 스크레이퍼
③ 잭　　　　　　④ 철해머

해설

해체용 기구
1. 압쇄기
2. 대형 브레이커
3. 철제 해머
4. 핸드 브레이커
5. 절단톱
6. 재키
7. 절단줄톱
8. 팽창제 등

101 해체용 장비로서 작은 부재의 파쇄에 유리하고 소음, 진동 및 분진이 발생되므로 작업원은 보호구를 착용하여야 하고 특히 작업원의 작업시간을 제한하여야 하는 장비는?

① 천공기
② 쇄석기
③ 철재 해머
④ 핸드 브레이커

해설

핸드 브레이커
1. 압축공기, 유압의 급속한 충격력에 의거 콘크리트 등을 해체할 때 사용하는 것
2. 작은 부재의 파쇄에 유리하고 소음, 진동 및 분진이 발생
3. 준수사항
    ㉠ 끝의 부러짐을 방지하기 위하여 작업자세는 하향 수직 방향으로 유지하도록 하여야 한다.
    ㉡ 기계는 항상 점검하고, 호스의 꼬임 · 교차 및 손상 여부를 점검하여야 한다.

102 구조물의 해체 작업 시 해체 작업계획서에 포함하여야 할 사항으로 틀린 것은?

① 해체의 방법 및 해체순서 도면
② 해체물의 처분계획
③ 주변 민원 처리계획
④ 현장 안전 조치 계획

해설

구축물 등의 해체작업의 작업계획서 내용
1. 해체의 방법 및 해체 순서도면
2. 가설설비 · 방호설비 · 환기설비 및 살수 · 방화설비 등의 방법
3. 사업장 내 연락방법
4. 해체물의 처분계획
5. 해체작업용 기계 · 기구 등의 작업계획서
6. 해체작업용 화약류 등의 사용계획서
7. 그 밖에 안전 · 보건에 관련된 사항

103 해체공사에 있어서 발생되는 진동공해에 대한 설명으로 틀린 것은?

① 진동수의 범위는 1~90Hz이다.
② 일반적으로 연직진동이 수평진동보다 작다.
③ 진동의 전파거리는 예외적인 것을 제외하면 진동원에서부터 100m 이내이다.
④ 지표에 있어 진동의 크기는 일반적으로 지진의 진도계급이라고 하는 미진에서 강진의 범위에 있다.

해설

해체공사의 진동공해
1. 진동수의 범위는 1~90Hz이다.
2. 일반적으로 연직진동이 수평진동보다 크다.
3. 진동의 전파거리는 예외적인 것을 제외하면 진동원에서부터 100m 이내이다.
4. 지표에 있어 진동의 크기는 일반적으로 지진의 진도계급이라고 하는 미진에서 강진의 범위에 있다.

104 다음 중 양중기에 해당되지 않는 것은?

① 어스드릴
② 크레인
③ 리프트
④ 곤돌라

해설

양중기의 종류
1. 크레인(호이스트 포함)
2. 이동식 크레인
3. 리프트(이삿짐 운반용 리프트의 경우에는 적재하중이 0.1톤 이상인 것)
4. 곤돌라
5. 승강기

105 재해사고를 방지하기 위하여 크레인에 설치된 방호장치와 거리가 먼 것은?

① 공기정화장치
② 비상정지장치
③ 제동장치
④ 권과방지장치

해설

양중기 방호장치의 종류

방호장치의 조정 대상	1. 크레인 2. 이동식 크레인 3. 리프트 4. 곤돌라 5. 승강기

PART 01
PART 02
PART 03
PART 04
PART 05
PART 06
PART 07

방호장치의 종류	1. 과부하방지장치 2. 권과방지장치 3. 비상정지장치 및 제동장치 4. 그 밖의 방호장치(승강기의 파이널 리미트 스위치, 속도조절기, 출입문 인터록 등)

106 훅걸이용 와이어로프 등이 훅으로부터 벗겨지는 것을 방지하기 위한 장치는?

① 해지장치　　　　② 권과방지장치
③ 과부하방지장치　④ 턴버클

해설

훅해지장치
줄걸이 용구인 와이어로프 슬링 또는 체인, 섬유벨트 등을 훅에 걸고 작업 시 이탈을 방지하기 위한 안전장치

107 중량물 운반 시 크레인에 매달아 올릴 수 있는 최대하중으로부터 달아올리기 기구의 중량에 상당하는 하중을 제외한 하중은?

① 정격하중　　　　② 적재하중
③ 임계하중　　　　④ 작업하중

해설

크레인의 정격하중
크레인의 권상(호이스팅)하중에서 훅, 크래브 또는 버킷 등 달기기구의 중량에 상당하는 하중을 뺀 하중을 말한다. 다만, 지브가 있는 크레인 등으로서 경사각의 위치에 따라 권상능력이 달라지는 것은 그 위치에서의 권상하중에서 달기기구의 중량을 뺀 하중을 말한다.

108 타워크레인을 와이어로프로 지지하는 경우에 준수해야 할 사항으로 옳지 않은 것은?

① 와이어로프를 고정하기 위한 전용 지지프레임을 사용할 것
② 와이어로프 설치각도는 수평면에서 60° 이상으로 할 것
③ 와이어로프의 고정부위는 충분한 강도와 장력을 갖도록 설치할 것
④ 와이어로프가 가공전선에 접근하지 아니하도록 할 것

해설

와이어로프 설치각도는 수평면에서 60° 이내로 하되, 지지점은 4개소 이상으로 하고, 같은 각도로 설치할 것

109 크레인을 사용하여 작업을 하는 경우 준수하여야 하는 사항으로 옳지 않은 것은?

① 인양할 하물을 바닥에서 끌어당기거나 밀어내는 작업을 할 것
② 고정된 물체를 직접분리 제거하는 작업을 하지 아니 할 것
③ 미리 근로자의 출입을 통제하여 인양 중인 하물이 작업자의 머리 위로 통과하지 않도록 할 것
④ 인양할 하물이 보이지 아니하는 경우에는 어떠한 동작도 하지 아니할 것

해설

인양할 하물을 바닥에서 끌어당기거나 밀어내는 작업을 하지 아니할 것

110 강풍 시 타워크레인의 작업제한과 관련된 사항으로 타워크레인의 작업운전을 중지해야 하는 순간 풍속 기준으로 옳은 것은?

① 순간풍속이 매초당 10미터 초과
② 순간풍속이 매초당 15미터 초과
③ 순간풍속이 매초당 30미터 초과
④ 순간풍속이 매초당 40미터 초과

해설

타워크레인의 작업제한(악천후 및 강풍 시 작업 중지)

순간풍속이 초당 10미터를 초과	타워크레인의 설치 · 수리 · 점검 또는 해체작업 중지
순간풍속이 초당 15미터를 초과	타워크레인의 운전작업 중지

111 사업주는 리프트를 조립 또는 해체작업할 때 작업을 지휘하는 자를 선임하여야 한다. 이때 작업을 지휘하는 자가 이행하여야 할 사항으로 거리가 먼 것은?

① 작업방법과 근로자의 배치를 결정하고 당해 작업을 지휘하는 일
② 재료의 결함 유무 또는 기구 및 공구의 기능을 점검하고 불량품을 제거하는 일
③ 운전방법 또는 고장 났을 때의 처치방법 등을 근로자에게 주지시키는 일
④ 작업 중 안전대 등 보호구의 착용 상황을 감시하는 일

리프트 작업지위자의 이행사항
1. 작업방법과 근로자의 배치를 결정하고 해당 작업을 지휘하는 일
2. 재료의 결함 유무 또는 기구 및 공구의 기능을 점검하고 불량품을 제거하는 일
3. 작업 중 안전대 등 보호구의 착용 상황을 감시하는 일

112 옥외에 설치되어 있는 주행 크레인을 순간풍속이 얼마 이상일 때 이탈방지장치를 작동시키는 등 이탈을 방지하기 위한 조치를 해야 하는가?

① 순간풍속이 매초당 5m 초과 시
② 순간풍속이 매초당 10m 초과 시
③ 순간풍속이 매초당 20m 초과 시
④ 순간풍속이 매초당 30m 초과 시

해설

폭풍 등에 의한 안전조치사항

풍속의 기준	내용	안전조치사항
순간풍속이 초당 30미터[m/s]를 초과	폭풍에 의한 이탈방지	옥외에 설치되어 있는 주행 크레인에 대하여 이탈방지장치를 작동시키는 등 이탈 방지를 위한 조치를 하여야 한다.
	폭풍 등으로 인한 이상 유무 점검	옥외에 설치되어 있는 양중기를 사용하여 작업을 하는 경우에는 미리 기계 각 부위에 이상이 있는지를 점검하여야 한다.
순간풍속이 초당 35미터[m/s]를 초과	붕괴 등의 방지	건설작업용 리프트(지하에 설치되어 있는 것은 제외한다)에 대하여 받침의 수를 증가시키는 등 그 붕괴 등을 방지하기 위한 조치를 하여야 한다.
	폭풍에 의한 무너짐 방지	옥외에 설치되어 있는 승강기에 대하여 받침의 수를 증가시키는 등 승강기가 무너지는 것을 방지하기 위한 조치를 하여야 한다.

113 크레인을 사용하여 작업을 하는 때 작업시작 전 점검사항이 아닌 것은?

① 권과방지장치 · 브레이크 · 클러치 및 운전장치의 기능
② 방호장치의 이상 유무
③ 와이어로프가 통하고 있는 곳의 상태
④ 주행로의 상측 및 트롤리가 횡행하는 레일의 상태

해설

크레인을 사용하여 작업을 하는 때 작업시작 전 점검사항
1. 권과방지장치 · 브레이크 · 클러치 및 운전장치의 기능
2. 주행로의 상측 및 트롤리(trolley)가 횡행하는 레일의 상태
3. 와이어로프가 통하고 있는 곳의 상태

114 화물의 하중을 직접 지지하는 달기와이어로프의 안전계수 기준은?

① 2 이상
② 3 이상
③ 5 이상
④ 10 이상

해설

와이어로프 등 달기구의 안전계수

구분	안전계수
근로자가 탑승하는 운반구를 지지하는 달기와이어로프 또는 달기체인의 경우	10 이상
화물의 하중을 직접 지지하는 달기와이어로프 또는 달기체인의 경우	5 이상
훅, 샤클, 클램프, 리프팅 빔의 경우	3 이상
그 밖의 경우	4 이상

115 다음 중 양중기의 사용에 있어 이음매가 있는 와이어로프 등의 사용금지 사항이 아닌 것은?

① 이음매가 없는 것
② 와이어로프의 한 꼬임에서 끊어진 소선의 수가 10 퍼센트 이상인 것
③ 지름의 감소가 공칭지름의 7퍼센트를 초과하는 것
④ 심하게 변형 또는 부식된 것

해설

와이어로프 사용금지 조건
1. 이음매가 있는 것
2. 와이어로프의 한 꼬임에서 끊어진 소선의 수가 10% 이상인 것
3. 지름의 감소가 공칭지름의 7%를 초과하는 것
4. 꼬인 것
5. 심하게 변형되거나 부식된 것
6. 열과 전기충격에 의해 손상된 것

116 콘크리트 강도에 영향을 주는 요소로 거리가 먼 것은?

① 거푸집 모양과 형상
② 양생 온도와 습도
③ 타설 및 다지기
④ 콘크리트 재령 및 배합

콘크리트 압축강도에 영향을 미치는 요인
1. 구성 재료의 영향 : 시멘트 및 혼화재료의 종류, 골재 종류 및 크기
2. 콘크리트 재령 및 배합 : 물−시멘트비(W/C비), 혼화재료 및 골재 사용량, 공기량
3. 양생의 영향(온도, 습도) : 양생기간, 건습상태
4. 시공방법의 영향 : 타설 및 다지기 등

117 콘크리트 타설작업과 관련하여 준수하여야 할 사항으로 가장 거리가 먼 것은?

① 당일의 작업을 시작하기 전에 해당 작업에 관한 거푸집 동바리 등의 변형·변위 및 지반의 침하 유무 등을 점검하고 이상이 있는 경우 보수할 것
② 콘크리트를 타설하는 경우에는 편심이 발생하지 않도록 골고루 분산하여 타설할 것
③ 진동기의 사용은 많이 할수록 균일한 콘크리트를 얻을 수 있으므로 가급적 많이 사용할 것
④ 설계도서상의 콘크리트 양생기간을 준수하여 거푸집 동바리 등을 해체할 것

콘크리트 타설작업 시 준수사항
1. 당일의 작업을 시작하기 전에 해당 작업에 관한 거푸집 동바리 등의 변형·변위 및 지반의 침하 유무 등을 점검하고 이상이 있으면 보수할 것
2. 작업 중에는 거푸집 동바리 등의 변형·변위 및 침하 유무 등을 감시할 수 있는 감시자를 배치하여 이상이 있으면 작업을 중지하고 근로자를 대피시킬 것
3. 콘크리트 타설작업 시 거푸집 붕괴의 위험이 발생할 우려가 있으면 충분한 보강조치를 할 것
4. 설계도서상의 콘크리트 양생기간을 준수하여 거푸집 동바리 등을 해체할 것
5. 콘크리트를 타설하는 경우에는 편심이 발생하지 않도록 골고루 분산하여 타설할 것

TIP 1. 진동기는 적절히 사용되어야 하며, 지나친 진동은 거푸집 도괴의 원인이 될 수 있으므로 각별히 주의하여야 한다.
2. 진동기 사용을 너무 많이 사용할 경우 콘크리트 재료분리의 원인이 된다.

118 다음은 산업안전보건기준에 관한 규칙의 콘크리트 타설작업에 관한 사항이다. 빈칸에 들어갈 적절한 용어는?

당일의 작업을 시작하기 전에 당해 작업에 관한 거푸집 동바리 등의 (A), 변위 및 (B) 등을 점검하고 이상을 발견한 때에는 이를 보수할 것

① A : 변형, B : 지반의 침하유무
② A : 변형, B : 개구부 방호설비
③ A : 균열, B : 깔판
④ A : 균열, B : 지주의 침하

콘크리트 타설작업 시 준수사항
당일의 작업을 시작하기 전에 해당 작업에 관한 거푸집 동바리 등의 변형·변위 및 지반의 침하 유무 등을 점검하고 이상이 있으면 보수할 것

119 콘크리트 타설 시 거푸집 측압에 대한 설명으로 옳지 않은 것은?

① 기온이 높을수록 측압은 크다.
② 타설속도가 클수록 측압은 크다.
③ 슬럼프가 클수록 측압은 크다.
④ 다짐이 과할수록 측압은 크다.

거푸집 측압 증가에 영향을 미치는 인자(측압의 영향요소)
1. 거푸집 수평단면이 클수록 크다.
2. 콘크리트 슬럼프치가 클수록 커진다.
3. 거푸집 표면이 평활할수록(평탄) 커진다.
4. 철골, 철근량이 적을수록 커진다.
5. 콘크리트 시공연도가 좋을수록 커진다.
6. 외기의 온도, 습도가 낮을수록 커진다.
7. 타설속도가 빠를수록 커진다.
8. 다짐이 충분할수록 커진다.
9. 타설 시 상부에서 직접 낙하할 경우 커진다.
10. 거푸집의 강성이 클수록 크다.
11. 콘크리트의 비중(단위중량)이 클수록 크다.
12. 벽 두께가 두꺼울수록 커진다.

120 겨울철 공사 중인 건축물의 벽체 콘크리트 타설 시 거푸집이 터져서 콘크리트가 쏟아지는 사고가 발생하였다. 이 사고의 발생원인으로 가장 타당한 것은?

① 콘크리트 타설속도가 빨랐다.
② 진동기를 사용하지 않았다.
③ 철근 사용량이 많았다.
④ 시멘트 사용량이 많았다.

해설

겨울철 외기의 온도가 낮고 타설속도가 빠를수록 측압이 커지게 되므로 거푸집이 터지는 사고가 발생할 수 있다.

121 건립 중 강풍에 의한 풍압 등 외압에 대한 내력이 설계에 고려되었는지 확인하여야 하는 철골구조물에 해당하지 않는 것은?

① 이음부가 현장용접인 건물
② 높이 15m 인 건물
③ 기둥이 타이플레이트(tie plate)형인 구조물
④ 구조물의 폭과 높이의 비가 1 : 5인 건물

해설

외압(강풍에 의한 풍압 등)에 대한 내력 설계 확인 구조물
구조안전의 위험이 큰 다음 각 항목의 철골구조물은 건립 중 강풍에 의한 풍압 등 외압에 대한 내력이 설계에 고려되었는지 확인하여야 한다.
1. 높이 20미터 이상의 구조물
2. 구조물의 폭과 높이의 비가 1 : 4 이상인 구조물
3. 단면구조에 현저한 차이가 있는 구조물
4. 연면적당 철골량이 50kg/m² 이하인 구조물
5. 기둥이 타이플레이트(tie plate)형인 구조물
6. 이음부가 현장용접인 구조물

122 철골 건립 준비를 할 때 준수하여야 할 사항과 가장 거리가 먼 것은?

① 지상 작업장에서 건립 준비 및 기계 · 기구를 배치할 경우에는 낙하물의 위험이 없는 평탄한 장소를 선정하여 정비하고 경사지에는 작업대나 임시발판 등을 설치하는 등 안전조치를 한 후 작업하여야 한다.
② 건립작업에 다소 지장이 있다 하더라도 수목은 제거하여서는 안 된다.

③ 사용 전에 기계 · 기구에 대한 정비 및 보수를 철저히 실시하여야 한다.
④ 기계에 부착된 앵커 등 고정장치와 기초구조 등을 확인하여야 한다.

해설

철골 건립 준비 시 준수사항
건립작업에 지장이 되는 수목은 제거하거나 이설하여야 한다.

123 철골보 인양 시 준수해야 할 사항으로 옳지 않은 것은?

① 인양 와이어로프의 매달기 각도는 양변 60°를 기준으로 한다.
② 크램프로 부재를 체결할 때는 크램프의 정격용량 이상 매달지 않아야 한다.
③ 크램프는 부재를 수평으로 하는 한 곳의 위치에만 사용하여야 한다.
④ 인양 와이어로프는 후크의 중심에 걸쳐야 한다.

해설

철골보의 인양 시 주의사항
크램프는 부재를 수평으로 하는 두 곳의 위치에 사용하여야 하며 부재 양단방향은 등간격이어야 한다.

124 추락자를 보호할 수 있는 설비로서 작업대 설치가 어렵거나 개구부 주위로 난간 설치가 어려운 곳에 설치하는 재해 방지설비는 무엇인가?

① 작업발판
② 비계
③ 석면포
④ 안전망

해설

철골작업 재해 방지설비(추락방지 설비)
추락자를 보호할 수 있는 것으로서 작업대 설치가 어렵거나 개구부 주위로 난간 설치가 어려운 곳 : 추락 방지용 방망

01 PART
02 PART
03 PART
04 PART
05 PART
06 PART
07 PART

125 철골작업에서의 승강로 설치기준 중 ( ) 안에 알맞은 숫자는?

> 사업주는 근로자가 수직방향으로 이동하는 철골부재에는 답단간격이 ( )센티미터 이내인 고정된 승강로를 설치하여야 한다.

① 20   ② 30
③ 40   ④ 50

해설
철골작업 시의 위험 방지(승강로의 설치)
근로자가 수직방향으로 이동하는 철골부재에는 답단간격이 30센티미터 이내인 고정된 승강로를 설치하여야 하며, 수평방향 철골과 수직방향 철골이 연결되는 부분에는 연결작업을 위하여 작업발판 등을 설치하여야 한다.

126 철골작업 시 기상조건에 따라 안전상 작업을 중지토록 하여야 한다. 다음 중 작업을 중지토록 하는 기준으로 옳은 것은?

① 강우량이 시간당 5mm 이상인 경우
② 강우량이 시간당 10mm 이상인 경우
③ 풍속이 초당 10m 이상인 경우
④ 강설량이 시간당 20mm 이상인 경우

해설
작업의 제한(철골작업 중지)
1. 풍속이 초당 10미터 이상인 경우
2. 강우량이 시간당 1밀리미터 이상인 경우
3. 강설량이 시간당 1센티미터 이상인 경우

127 철골구조의 앵커볼트 매립과 관련된 사항 중 옳지 않은 것은?

① 기둥 중심은 기준선 및 인접기둥의 중심에서 3mm 이상 벗어나지 않을 것
② 앵커 볼트는 매립 후에 수정하지 않도록 설치할 것
③ 베이스플레이트의 하단은 기준 높이 및 인접기둥의 높이에서 3mm 이상 벗어나지 않을 것
④ 앵커 볼트는 기둥 중심에서 2mm 이상 벗어나지 않을 것

해설
앵커 볼트의 매립 시 준수사항
기둥 중심은 기준선 및 인접기둥의 중심에서 5밀리미터 이상 벗어나지 않을 것

128 차량계 하역운반기계를 사용하여 작업을 할 때 기계의 전도, 전락에 의해 근로자가 위해를 입을 우려가 있을 때 사업주가 조치하여야 할 사항 중 옳지 않은 것은?

① 근로자의 출입금지 조치
② 하역운반기계를 유도하는 자 배치
③ 지반의 부동침하방지 조치
④ 갓길의 붕괴를 방지하기 위한 조치

해설
전도 등의 방지
기계가 넘어지거나 굴러떨어짐으로써 근로자가 위험해질 우려가 있는 경우 다음과 같은 조치를 하여야 한다.
1. 유도하는 사람을 배치
2. 지반의 부동침하 방지
3. 갓길 붕괴를 방지

129 차량계 하역운반기계에 화물을 적재하는 때의 준수사항으로 옳지 않은 것은?

① 하중이 한쪽으로 치우치지 않도록 적재할 것
② 구내운반차 또는 화물자동차의 경우 화물의 붕괴 또는 낙하에 의한 위험을 방지하기 위하여 화물에 로프를 거는 등 필요한 조치를 할 것
③ 운전자의 시야를 가리지 않도록 화물을 적재할 것
④ 차륜의 이상 유무를 점검할 것

해설
화물 적재 시의 조치
1. 하중이 한쪽으로 치우치지 않도록 적재할 것
2. 구내운반차 또는 화물자동차의 경우 화물의 붕괴 또는 낙하에 의한 위험을 방지하기 위하여 화물에 로프를 거는 등 필요한 조치를 할 것
3. 운전자의 시야를 가리지 않도록 화물을 적재할 것
4. 화물을 적재하는 경우에는 최대적재량을 초과하지 않을 것

130 산업안전보건법상 차량계 하역운반기계 등에 단위화물의 무게가 100kg 이상인 화물을 싣는 작업 또는 내리는 작업을 하는 경우에 해당 작업 지휘자가 준수하여야 할 사항과 가장 거리가 먼 것은?

① 작업순서 및 그 순서마다의 작업방법을 정하고 작업을 지휘할 것
② 기구와 공구를 점검하고 불량품을 제거할 것
③ 대피방법을 미리 교육할 것
④ 로프 풀기 작업 또는 덮개 벗기기 작업은 적재함의 화물이 떨어질 위험이 없음을 확인한 후에 하도록 할 것

해설
싣거나 내리는 작업
단위화물의 무게가 100kg 이상인 경우 작업 지휘자 준수사항
1. 작업순서 및 그 순서마다의 작업방법을 정하고 작업을 지휘할 것
2. 기구와 공구를 점검하고 불량품을 제거할 것
3. 해당 작업을 하는 장소에 관계 근로자가 아닌 사람이 출입하는 것을 금지할 것
4. 로프 풀기 작업 또는 덮개 벗기기 작업은 적재함의 화물이 떨어질 위험이 없음을 확인한 후에 하도록 할 것

131 차량계 하역운반기계의 안전조치사항 중 옳지 않은 것은?

① 최대제한속도가 시속 10km를 초과하는 차량계 건설기계를 사용하여 작업을 하는 경우 미리 작업장소의 지형 및 지반상태 등에 적합한 제한속도를 정하고, 운전자로 하여금 준수하도록 할 것
② 차량계 건설기계의 운전자가 운전위치를 이탈하는 경우 해당 운전자로 하여금 포크 및 버킷 등의 하역장치를 가장 높은 위치에 둘 것
③ 차량계 하역운반기계 등에 화물을 적재하는 경우 하중이 한쪽으로 치우치지 않도록 적재할 것
④ 차량계 건설기계를 사용하여 작업을 하는 경우 승차석이 아닌 위치에 근로자를 탑승시키지 말 것

해설
운전위치 이탈 시의 조치
차량계 하역운반기계 등, 차량계 건설기계의 운전자가 운전위치를 이탈하는 경우 해당 운전자는 포크, 버킷, 디퍼 등의 장치를 가장 낮은 위치 또는 지면에 내려 둘 것

132 화물자동차에 짐을 싣는 작업 또는 내리는 작업을 하는 경우에는 근로자의 추가 위험을 방지하기 위하여 해당 작업에 종사하는 근로자가 바닥과 적재함의 짐 윗면 간을 안전하게 오르내리기 위한 설비를 설치하는 조건은 바닥으로부터 짐 윗면과의 높이가 몇 m 이상인가?

① 2m   ② 4m
③ 6m   ④ 8m

해설
승강설비
바닥으로부터 짐 윗면까지의 높이가 2미터 이상인 화물자동차에 짐을 싣는 작업 또는 내리는 작업을 하는 경우에는 근로자의 추가 위험을 방지하기 위하여 해당 작업에 종사하는 근로자가 바닥과 적재함의 짐 윗면 간을 안전하게 오르내리기 위한 설비를 설치하여야 한다.

133 다음 중 지게차의 작업 시작 전 점검사항이 아닌 것은?

① 권과방지장치, 브레이크, 클러치 및 운전장치 기능의 이상 유무
② 하역장치 및 유압장치 기능의 이상 유무
③ 제동장치 및 조종장치 기능의 이상 유무
④ 전조등·후미등·방향지시기 및 경보장치 기능의 이상 유무

해설
지게차를 사용하여 작업을 하는 때 작업 시작 전 점검사항
1. 제동장치 및 조종장치 기능의 이상 유무
2. 하역장치 및 유압장치 기능의 이상 유무
3. 바퀴의 이상 유무
4. 전조등·후미등·방향지시기 및 경보장치 기능의 이상 유무

134 취급·운반의 원칙으로 옳지 않은 것은?
① 운반 작업을 집중하여 시킬 것
② 곡선 운반을 할 것
③ 생산을 최고로 하는 운반을 생각할 것
④ 연속 운반을 할 것

해설
취급운반의 원칙
이동되는 운반은 직선으로 할 것

01 PART
02 PART
03 PART
04 PART
05 PART
06 PART
07 PART

135 중량물을 운반할 때의 바른 자세로 옳은 것은?

① 허리를 구부리고 양손으로 들어올린다.
② 중량은 보통 체중의 60%가 적당하다.
③ 물건은 최대한 몸에서 멀리 떼어서 들어올린다.
④ 길이가 긴 물건은 앞쪽을 높게 하여 운반한다.

해설
인력운반작업 시 준수사항
1. 길이가 긴 물건은 앞쪽을 높게 하여 운반할 것
2. 들어 올릴 때는 팔과 무릎을 사용하며, 척추는 곧은 자세로 할 것
3. 중량기준은 일반적으로 자신의 체중의 40% 이내만 들도록 할 것
4. 화물에 최대한 근접하여 중심을 낮게 할 것
5. 무거운 물건은 공동작업으로 실시하고 보조기구를 사용할 것

136 부두·안벽 등 하역작업을 하는 장소에서는 부두 또는 안벽의 선을 따라 통로를 설치하는 경우에는 폭을 최소 얼마 이상으로 해야 하는가?

① 70cm
② 80cm
③ 90cm
④ 100cm

해설
부두·안벽 등 하역작업장 조치사항
1. 작업장 및 통로의 위험한 부분에는 안전하게 작업할 수 있는 조명을 유지할 것
2. 부두 또는 안벽의 선을 따라 통로를 설치하는 경우에는 폭을 90센티미터 이상으로 할 것
3. 육상에서의 통로 및 작업장소로서 다리 또는 선거 갑문을 넘는 보도 등의 위험한 부분에는 안전난간 또는 울타리 등을 설치할 것

137 선창의 내부에서 화물취급작업을 하는 근로자가 안전하게 통행할 수 있는 설비를 설치하여야 하는 기준은 갑판의 윗면에서 선창 밑바닥까지의 깊이가 최소 얼마를 초과할 때인가?

① 1.3m
② 1.5m
③ 1.8m
④ 2.0m

해설
통행설비의 설치
갑판의 윗면에서 선창 밑바닥까지의 깊이가 1.5미터를 초과하는 선창의 내부에서 화물취급작업을 하는 경우에 그 작업에 종사하는 근로자가 안전하게 통행할 수 있는 설비를 설치하여야 한다.(다만, 안전하게 통행할 수 있는 설비가 선박에 설치되어 있는 경우에는 그러하지 아니하다.)

138 항만하역작업에서의 선박승강설비 설치기준으로 옳지 않은 것은?

① 200톤급 이상의 선박에서 하역작업을 하는 때에는 근로자들이 안전하게 승강할 수 있는 현문사다리를 설치하여야 한다.
② 현문사다리는 견고한 재료로 제작된 것으로 너비는 55cm 이상이어야 한다.
③ 현문사다리의 양측에는 82cm 이상의 높이로 방책을 설치하여야 한다.
④ 현문사다리는 근로자의 통행에만 사용하여야 하며 화물용 발판 또는 화물용 보판으로 사용하도록 하여서는 아니 된다.

해설
선박승강설비의 설치
1. 300톤급 이상의 선박에서 하역작업을 하는 경우에 근로자들이 안전하게 오르내릴 수 있는 현문 사다리를 설치하여야 하며, 이 사다리 밑에 안전망을 설치하여야 한다.
2. 현문 사다리는 견고한 재료로 제작된 것으로 너비는 55센티미터 이상이어야 하고, 양측에 82센티미터 이상의 높이로 울타리를 설치하여야 하며, 바닥은 미끄러지지 않도록 적합한 재질로 처리되어야 한다.
3. 현문사다리는 근로자의 통행에만 사용하여야 하며, 화물용 발판 또는 화물용 보판으로 사용하도록 해서는 아니 된다.

PART 07

과년도 기출문제

Engineer Industrial Safety

01 | 2023년 1회 기출문제

1과목 안전관리론

01 안전조직 중 직계 – 참모(Line & Staff)형 조직에 관한 설명으로 옳은 것은?

① 안전스탭은 안전에 관한 기획 · 입안 · 조사 · 검토 및 연구를 행한다.

② 500인 미만의 중규모 사업장에 적합하다.

③ 명령과 보고가 상하관계뿐이므로 간단명료하다.

④ 생산부문은 안전에 대한 책임과 권한이 없다.

해설

라인 – 스태프(Line – Staff)형(직계–참모형) 조직

의의	• 안전보건 업무를 전담하는 스태프를 별도로 두고, 생산라인에는 그 부서의 장으로 하여금 계획된 생산라인의 안전관리조직을 통하여 실시하도록 한 조직 형태 • 스태프는 안전에 관한 기획, 조사, 검토 및 연구를 수행 • 1,000명 이상의 대규모 사업장에 적합한 조직 형태
장점	• 조직원 전원을 자율적으로 안전활동에 참여시킬 수 있음 • 스태프에 의해 입안된 것을 경영자의 지침으로 명령 실시하도록 하므로 정확 · 신속함
단점	• 명령계통과 조언이나 권고적 참여가 혼동되기 쉬움 • 라인과 스태프 간에 협조가 안 될 경우 업무의 원활한 추진 불가(라인과 스태프 간의 월권 또는 상호 의견충돌이 생길 수 있음) • 라인이 스태프에 의존 또는 활용하지 않는 경우가 있음

02 주로 관리감독자를 교육대상자로 하며 직무에 관한 지식, 작업을 가르치는 능력, 작업방법을 개선하는 기능 등을 교육 내용으로 하는 기업 내 정형교육의 종류는?

① TWI(Training Within Industry)

② MTP(Management Training Program)

③ ATT(American Telephone Telegram)

④ ATP(Administration Training Program)

해설

TWI(Training Within Industry)

관리감독자의 구비조건	• 직무에 관한 지식 • 직책의 지식 • 작업을 가르치는 능력 • 작업의 방법을 개선하는 기능 • 사람을 다스리는 기능
교육과정	• Job Method Training(JMT) : 작업방법훈련, 작업개선훈련 • Job Instruction Training(JIT) : 작업지도훈련 • Job Relations Training(JRT) : 인간관계 훈련, 부하통솔법 • Job Safety Training(JST) : 작업안전훈련

03 바이오리듬(생체리듬)에 관한 설명 중 틀린 것은?

① 안정기(＋)와 불안정기(－)의 교차점을 위험일이라 한다.

② 감성적 리듬은 33일을 주기로 반복하며, 주의력, 예감 등과 관련되어 있다.

③ 지성적 리듬은 "I"로 표시하며 사고력과 관련이 있다.

④ 육체적 리듬은 신체적 컨디션의 율동적 발현, 즉 식욕 · 활동력 등과 밀접한 관계를 갖는다.

해설

생체리듬(Biorhythm)의 종류 및 특징

종류	특징
육체적 리듬(P) (Physical Cycle)	• 건전한 활동기(11.5일)와 그렇지 못한 휴식기(11.5일)가 23일을 주기로 반복된다. • 활동력, 소화력, 지구력, 식욕 등과 가장 관계가 깊다.
감성적 리듬(S) (Sensitivity Cycle)	• 예민한 기간(14일)과 그렇지 못한 둔한 기간(14일)이 28일을 주기로 반복된다. • 주의력, 창조력, 예감 및 통찰력 등과 가장 관계가 깊다.
지성적 리듬(I) (Intellectual Cycle)	• 사고능력이 발휘되는 날(16.5일)과 그렇치 못한 날(16.5일)이 33일 주기로 반복된다. • 판단력, 추리력, 상상력, 사고력, 기억력 등과 가장 관계가 깊다.

04 인간의 동작특성 중 판단과정의 착오요인이 아닌 것은?

① 합리화　　　　　② 정서불안정
③ 작업조건불량　　④ 정보부족

해설

착오의 요인

종류	내용
인지과정 착오	• 심리·심리적 능력의 한계 • 정보량 저장의 한계 : 한계정보량보다 더 많은 정보가 들어오는 경우 정보를 처리하지 못하는 현상 • 감각차단 현상 : 단조로운 업무가 장시간 지속될 때 작업자의 감각기능 및 판단능력이 둔화 또는 마비되는 현상(예 : 고도비행, 단독비행, 계기비행, 직선 고속도로 운행 등) • 정서적 불안정(불안, 공포) • 정보수용 능력의 한계 : 인간의 감지범위 밖의 정보
판단과정 착오	• 정보부족(옹고집, 지나친 자기중심적 인간) • 능력부족(지식부족, 경험부족) • 자기합리화(자기에게 유리하게 판단) • 환경조건불비(작업조건불량) • 자기과신(지나친 자기 기술에 대한 믿음)
조치과정 착오	• 기술능력 미숙 • 경험부족 • 피로

05 1년간 80건의 재해가 발생한 A사업장은 1,000명의 근로자가 1주일당 48시간, 1년간 52주를 근무하고 있다. A사업장의 도수율은?(단, 근로자들은 재해와 관련 없는 사유로 연간 노동시간의 3%를 결근하였다.)

① 31.06　　　　　② 32.05
③ 33.04　　　　　④ 34.03

해설

도수율

$$도수율 = \frac{재해발생건수}{연간 총근로시간수} \times 1,000,000$$

1. 출근율 $= 1 - \dfrac{3}{100} = 0.97$

2. 도수율 $= \dfrac{80}{(1,000 \times 48 \times 52) \times 0.97} \times 1,000,000 = 33.04$

06 AE형 안전모에 있어 '내전압성'이란 최대 몇 V 이하의 전압에 견디는 것을 말하는가?

① 750　　　　　② 1,000
③ 3,000　　　　④ 7,000

해설

추락 및 감전 위험방지용 안전모의 종류

종류(기호)	사용 구분	비고
AB	물체의 낙하 또는 비래 및 추락에 의한 위험을 방지 또는 경감시키기 위한 것	
AE	물체의 낙하 또는 비래에 의한 위험을 방지 또는 경감하고, 머리부위 감전에 의한 위험을 방지하기 위한 것	내전압성
ABE	물체의 낙하 또는 비래 및 추락에 의한 위험을 방지 또는 경감하고, 머리부위 감전에 의한 위험을 방지하기 위한 것	내전압성

내전압성이란 7,000V 이하의 전압에 견디는 것을 말한다.

07 교육훈련기법 중 Off.J.T(Off the Job Training)의 장점이 아닌 것은?

① 업무의 계속성이 유지된다.
② 외부의 전문가를 강사로 활용할 수 있다.
③ 특별교재, 시설을 유효하게 사용할 수 있다.
④ 다수의 대상자에게 조직적 훈련이 가능하다.

해설

Off J.T(Off the Job Training)
1. 외부의 전문가를 활용할 수 있다(전문가를 초빙하여 강사로 활용이 가능하다).
2. 다수의 대상자에게 조직적 훈련이 가능하다.
3. 특별교재, 교구, 시설을 유효하게 사용할 수 있다.
4. 타 직종 사람과의 많은 지식, 경험을 교류할 수 있다.
5. 업무와 분리되어 교육에 전념하는 것이 가능하다.
6. 교육목표를 위하여 집단적으로 협조와 협력이 가능하다.
7. 법규, 원리, 원칙, 개념, 이론 등의 교육에 적합하다.

08 몇 사람의 전문가에 의하여 과제에 관한 견해를 발표한 뒤에 참가자로 하여금 의견이나 질문을 하게 하여 토의하는 방법을 무엇이라 하는가?

① 심포지엄(Symposium)
② 버즈 세션(Buzz Session)
③ 케이스 메소드(Case Method)
④ 패널 디스커션(Panel Discussion)

정답　04 ②　05 ③　06 ④　07 ①　08 ①

토의법의 종류

1. 자유토의법 : 참가자가 주어진 주제에 대하여 자유로운 발표와 토의를 통하여 서로의 의견을 교환하고 상호이해력을 높이며 의견을 절충해 나가는 방법
2. 패널 디스커션(Panel Discussion) : 전문가 4~5명이 피교육자 앞에서 자유로이 토의를 하고, 그 후에 피교육자 전원이 사회자의 사회에 따라 토의하는 방법
3. 심포지엄(Symposium) : 발제자 없이 몇 사람의 전문가에 의하여 과제에 관한 견해를 발표한 뒤에 참가자로 하여금 의견이나 질문을 하게 하여 토의하는 방법
4. 포럼(Forum)
   ㉠ 사회자의 진행으로 몇 사람이 주제에 대하여 발표한 후 피교육자가 질문을 하고 토론해 나가는 방법
   ㉡ 새로운 자료나 주제를 내보이거나 발표한 후 피교육자로 하여금 문제나 의견을 제시하게 하고 다시 깊이 있게 토론해 나가는 방법
5. 버즈 세션(Buzz Session) : 6-6 회의라고도 하며, 참가자가 다수인 경우에 전원을 토의에 참가시키기 위한 방법으로 소집단을 구성하여 회의를 진행시키는 방법

09 A사업장에서 58건의 경상해가 발생하였다면 하인리히의 재해구성비율을 적용할 때 이 사업장의 재해구성비율을 올바르게 나열한 것은?(단, 구성은 중상해 : 경상해 : 무상해 순서이다.)

① 2 : 58 : 600
② 3 : 58 : 660
③ 6 : 58 : 330
④ 10 : 58 : 600

하인리히(H. W. Heinrich)의 재해구성비율

하인리히의 재해구성비율(1 : 29 : 300)

중상 및 사망	경상해	무상해사고
1	29	300
$1 : 29 = x : 58$	–	$29 : 300 = 58 : x$
$29x = 58$	–	$29x = 300 \times 58$
$x = \dfrac{58}{29} = 2(건)$	$29 \times 2 = 58(건)$	$x = \dfrac{300 \times 58}{29} = 600(건)$

10 무재해 운동을 추진하기 위한 조직의 세 기둥으로 볼 수 없는 것은?

① 최고경영자의 경영자세
② 소집단 자주활동의 활성화
③ 전 종업원의 안전요원화
④ 라인관리자에 의한 안전보건의 추진

무재해 운동 추진의 3기둥(요소)

1. 최고경영자의 경영자세 : 사업주
2. 관리감독자의 안전보건의 추진(라인화의 철저) : 관리감독자
3. 직장 소집단의 자율활동의 활성화 : 근로자

11 경험한 내용이나 학습된 행동을 다시 생각하여 작업에 적용하지 아니하고 방치함으로써 경험의 내용이나 인상이 약해지거나 소멸되는 현상을 무엇이라 하는가?

① 착각
② 훼손
③ 망각
④ 단절

망각
경험한 내용이나 학습된 행동을 다시 생각하여 작업에 적용하지 아니하고 방치함으로써 경험의 내용이나 인상이 약해지거나 소멸되는 현상

> **TIP 파지**
> 학습된 내용이 지속되는 현상

12 산업안전보건법령상 특정 행위의 지시 및 사실의 고지에 사용되는 안전 · 보건표지의 색도기준으로 옳은 것은?

① 2.5G 4/10
② 5Y 8.5/12
③ 2.5PB 4/10
④ 7.5R 4/14

안전 · 보건표지의 색채, 색도기준 및 용도

색채	색도기준	용도	사용례
빨간색	7.5R 4/14	금지	정지신호, 소화설비 및 그 장소, 유해행위의 금지
		경고	화학물질 취급장소에서의 유해 · 위험 경고
노란색	5Y 8.5/12	경고	화학물질 취급장소에서의 유해 · 위험경고 이외의 위험경고, 주의표지 또는 기계방호물
파란색	2.5PB 4/10	지시	특정 행위의 지시 및 사실의 고지
녹색	2.5G 4/10	안내	비상구 및 피난소, 사람 또는 차량의 통행표지
흰색	N9.5		파란색 또는 녹색에 대한 보조색
검은색	N0.5		문자 및 빨간색 또는 노란색에 대한 보조색

13 안전점검의 종류 중 태풍이나 폭우 등의 천재지변이 발생한 후에 실시하는 기계, 기구 및 설비 등에 대한 점검의 명칭은?

① 정기점검　　　　② 수시점검
③ 특별점검　　　　④ 임시점검

안전점검(점검주기에 의한 구분)

정기점검 (계획점검)	일정기간마다 정기적으로 실시하는 점검으로 주간점검, 월간점검, 연간점검 등이 있다.(마모상태, 부식, 손상, 균열 등 설비의 상태 변화나 이상 유무 등을 점검한다.)
수시점검 (일상점검, 일일점검)	• 매일 현장에서 작업 시작 전, 작업 중, 작업 후에 일상적으로 실시하는 점검(작업자, 작업담당자가 실시한다.) • 작업 시작 전 점검사항 : 주변의 정리정돈, 주변의 청소 상태, 설비의 방호장치 점검, 설비의 주유상태, 구동부분 등 • 작업 중 점검사항 : 이상소음, 진동, 냄새, 가스 및 기름 누출, 생산품질의 이상 여부 등 • 작업 종료 시 점검사항 : 기계의 청소와 정비, 안전장치의 작동 여부, 스위치 조작, 환기, 통로정리 등
임시점검	정기점검 실시 후 다음 점검기일 이전에 임시로 실시하는 점검(기계, 기구 또는 설비의 이상 발견 시에 임시로 점검)
특별점검	• 기계, 기구 또는 설비를 신설하거나 변경 내지는 고장 수리 등을 할 경우 • 강풍 또는 지진 등의 천재지변 발생 후의 점검 • 산업안전 보건 강조기간에도 실시

14 산업안전보건법령상 지방고용노동관서의 장이 사업주에게 안전관리자 · 보건관리자 또는 안전보건관리담당자를 정수 이상으로 증원하게 하거나 교체하여 임명할 것을 명할 수 있는 경우의 기준 중 다음 ( ) 안에 알맞은 것은?

• 중대재해가 연간 (㉠)건 이상 발생한 경우
• 해당 사업장의 연간재해율이 같은 업종의 평균재해율의 (㉡)배 이상인 경우

① ㉠ 3, ㉡ 2　　　　② ㉠ 2, ㉡ 3
③ ㉠ 2, ㉡ 2　　　　④ ㉠ 3, ㉡ 3

안전관리자 등의 증원 · 교체임명
지방고용노동관서의 장은 다음 각 호의 어느 하나에 해당하는 사유가 발생한 경우에는 사업주에게 안전관리자, 보건관리자 또는 안전보건관리담당자를 정수 이상으로 증원하게 하거나 교체하여 임명할 것을 명할 수 있다.
1. 해당 사업장의 연간재해율이 같은 업종의 평균재해율의 2배 이상인 경우
2. 중대재해가 연간 2건 이상 발생한 경우
3. 관리자가 질병이나 그 밖의 사유로 3개월 이상 직무를 수행할 수 없게 된 경우
4. 화학적 인자로 인한 직업성 질병자가 연간 3명 이상 발생한 경우. 이 경우 직업성 질병자 발생일은 요양급여의 결정일로 한다.(직업성질병자 발생 당시 사업장에서 해당 화학적 인자를 사용하지 아니하는 경우에는 그렇지 않다.)

15 산업안전보건법령상 사업 내 안전보건교육 중 근로자 정기안전보건교육의 내용이 아닌 것은?

① 산업안전 및 사고 예방에 관한 사항
② 산업보건 및 직업병 예방에 관한 사항
③ 유해 · 위험 작업환경 관리에 관한 사항
④ 작업공정의 유해 · 위험과 재해 예방대책에 관한 사항

근로자 정기교육
1. 산업안전 및 사고 예방에 관한 사항
2. 산업보건 및 직업병 예방에 관한 사항
3. 위험성 평가에 관한 사항
4. 건강증진 및 질병 예방에 관한 사항
5. 유해 · 위험 작업환경 관리에 관한 사항

6. 산업안전보건법령 및 산업재해보상보험 제도에 관한 사항
7. 직무스트레스 예방 및 관리에 관한 사항
8. 직장 내 괴롭힘, 고객의 폭언 등으로 인한 건강장해 예방 및 관리에 관한 사항

16 다음 중 위험예지훈련에 있어 브레인스토밍법의 원칙으로 적절하지 않은 것은?

① 무엇이든 좋으니 많이 발언한다.
② 지정된 사람에 한하여 발언의 기회가 부여된다.
③ 타인의 의견을 수정하거나 덧붙여서 말하여도 좋다.
④ 타인의 의견에 대하여 좋고 나쁨을 비평하지 않는다.

해설

브레인스토밍(Brainstorming)의 원칙
1. 비판금지 : 「좋다」, 「나쁘다」라고 비판은 하지 않는다.
2. 대량발언 : 내용의 질적수준보다 양적으로 무엇이든 많이 발언한다.
3. 자유분방 : 자유로운 분위기에서 마음대로 편안한 마음으로 발언한다.
4. 수정발언 : 타인의 아이디어를 수정하거나 보충 발언해도 좋다.

17 재해원인 분석방법의 통계적 원인분석 중 사고의 유형, 기인물 등 분류항목을 큰 순서대로 도표화한 것은?

① 파레토도   ② 특성요인도
③ 크로스도   ④ 관리도

해설

통계에 의한 원인분석
1. 파레토도 : 사고의 유형, 기인물 등 분류항목을 큰 값에서 작은 값의 순서로 도표화하며, 문제나 목표의 이해에 편리하다.
2. 특성요인도 : 특성과 요인관계를 어골상으로 도표화하여 분석하는 기법(원인과 결과를 연계하여 상호관계를 파악하기 위한 분석방법)
3. 클로즈(Close) 분석 : 두 개 이상의 문제관계를 분석하는 데 사용하는 것으로, 데이터를 집계하고 표로 표시하여 요인별 결과내역을 교차한 클로즈 그림을 작성하여 분석하는 기법
4. 관리도 : 재해 발생 건수 등의 추이에 대해 한계선을 설정하여 목표 관리를 수행하는 데 사용되는 방법으로 관리선은 관리상한선, 중심선, 관리하한선으로 구성된다.

18 산업현장에서 재해 발생 시 조치순서로 옳은 것은?

① 긴급처리 → 재해조사 → 원인분석 → 대책수립
② 긴급처리 → 원인분석 → 대책수립 → 재해조사
③ 재해조사 → 원인분석 → 대책수립 → 긴급처리
④ 재해조사 → 대책수립 → 원인분석 → 긴급처리

해설

재해 발생 시 조치사항
산업재해 발생 → 긴급처리 → 재해조사 → 원인강구(원인분석) → 대책수립 → 대책실시계획 → 실시 → 평가

19 인간의 행동에 관한 레윈(Lewin)의 식, $B = f(P \cdot E)$에 관한 설명으로 옳은 것은?

① 인간의 개성(P)에는 연령과 지능이 포함되지 않는다.
② 인간의 행동(B)은 개인의 능력과 관련이 있으며, 환경과는 무관하다.
③ 인간의 행동(B)은 개인의 자질과 심리학적 환경과의 상호 함수관계에 있다.
④ B는 행동, P는 개성, E는 기술을 의미하며 행동은 능력을 기반으로 하는 개성에 따라 나타나는 함수관계이다.

해설

레윈(K. Lewin)의 행동법칙

$$B = f(P \cdot E)$$

여기서, B : Behavior(인간의 행동)
    f : Function(함수관계) $P \cdot E$ 에 영향을 줄 수 있는 조건
    P : Person(개체, 개인의 자질, 연령, 경험, 심신상태, 성격, 지능 등)
    E : Environment(심리적 환경 – 작업환경, 인간관계, 설비적 결함 등)

레윈의 이론
인간의 행동(B)은 개인의 자질과 심리학적 환경과의 상호 함수관계이다.

20 부주의의 발생 원인에 포함되지 않는 것은?

① 의식의 단절   ② 의식의 우회
③ 의식수준의 저하   ④ 의식의 지배

부주의 발생 현상

의식의 단절 (중단)	의식의 흐름에 단절이 생기고 공백상태가 나타나는 경우(특수한 질병의 경우)
의식의 우회	의식의 흐름이 옆으로 빗나가 발생한 경우(걱정, 고민, 욕구불만 등)
의식수준의 저하	뚜렷하지 않은 의식의 상태로 심신이 피로하거나 단조로운 작업 등의 경우
의식의 과잉	돌발사태 및 긴급이상사태에 직면하면 순간적으로 긴장되고 의식이 한 방향으로 쏠리는 주의의 일점집중현상의 경우
의식의 혼란	외적 조건에 문제가 있을 때 의식이 혼란되고 분산되어 작업에 잠재되어 있는 위험요인에 대응할 수 없는 경우

2과목 인간공학 및 시스템 안전공학

21 결함수분석(FTA)에 의한 재해사례의 연구 순서가 다음과 같을 때 올바른 순서대로 나열한 것은?

㉠ FT(Fault Tree)도 작성
㉡ 개선안 실시계획
㉢ 톱 사상의 선정
㉣ 사상마다 재해원인 및 요인 규명
㉤ 개선계획 작성

① ㉣ → ㉤ → ㉢ → ㉠ → ㉡
② ㉡ → ㉣ → ㉢ → ㉤ → ㉠
③ ㉢ → ㉣ → ㉠ → ㉤ → ㉡
④ ㉤ → ㉢ → ㉡ → ㉠ → ㉣

해설

FTA에 의한 재해사례의 연구 순서
1. 제1단계 : 톱사상(정상사상)의 선정
2. 제2단계 : 각 사상의 재해원인 규명
3. 제3단계 : FT도의 작성
4. 제4단계 : 개선 계획의 작성

22 열압박 지수 중 실효온도(Effective Temperature)지수 개발 시 고려한 인체에 미치는 열효과의 조건에 해당하지 않는 것은?

① 온도
② 습도
③ 공기 유동
④ 복사열

해설

실효온도(Effective Temperature, 체감온도, 감각온도)
1. 개요
   ㉠ 온도, 습도 및 공기의 유동이 인체에 미치는 열효과를 하나의 수치로 통합한 경험적 감각지수
   ㉡ 상대습도 100%일 때의 건구온도에서 느끼는 것과 동일한 온감이다.
   ㉢ 실제로 감각되는 온도로서 실감온도라고 한다.
2. 실효온도의 결정요소(실효온도에 영향을 주는 요인)
   ㉠ 온도
   ㉡ 습도
   ㉢ 공기의 유동(대류)

23 여러 사람이 사용하는 의자의 좌판 높이 설계 기준으로 옳은 것은?

① 5% 오금높이
② 50% 오금높이
③ 75% 오금높이
④ 95% 오금높이

해설

의자 좌판의 높이
1. 대퇴를 압박하지 않도록 좌판은 오금의 높이보다 높지 않아야 하고 앞 모서리는 5cm 정도 낮게 설계(치수는 5%치 사용)
2. 좌판의 높이는 조절할 수 있도록 하는 것이 바람직하다.

24 시스템안전 프로그램에서의 최초단계 해석으로 시스템 내의 위험한 요소가 어떤 위험상태에 있는가를 정성적으로 평가하는 방법은?

① FHA
② PHA
③ FTA
④ FMEA

해설

예비위험분석(PHA ; Preliminary Hazards Analysis)
1. 시스템안전 위험분석(SSHA)을 수행하기 위한 예비적인 최초의 작업으로 위험요소가 얼마나 위험한지를 정성적으로 평가하는 것이다.
2. PHA는 구상단계나 설계 및 발주의 극히 초기에 실시된다.

25 산업안전보건법령에 따라 기계·기구 및 설비의 설치·이전 등으로 인해 유해·위험방지계획서를 제출하여야 하는 대상에 해당하지 않는 것은?

① 건조설비
② 공기압축기
③ 화학설비
④ 가스집합 용접장치

해설

유해·위험방지계획서 제출대상 기계·기구 및 설비
1. 금속이나 그 밖의 광물의 용해로
2. 화학설비
3. 건조설비
4. 가스집합 용접장치
5. 근로자의 건강에 상당한 장해를 일으킬 우려가 있는 물질로서 고용노동부령으로 정하는 물질의 밀폐·환기·배기를 위한 설비

26 다음 중 Fitts의 법칙에 관한 설명으로 옳은 것은?

① 표적이 크고 이동거리가 길수록 이동시간이 증가한다.
② 표적이 작고 이동거리가 길수록 이동시간이 증가한다.
③ 표적이 크고 이동거리가 작을수록 이동시간이 증가한다.
④ 표적이 작고 이동거리가 작을수록 이동시간이 증가한다.

해설

핏츠(Fitts)의 법칙
1. 인간의 손이나 발을 이동시켜 조작장치를 조작하는 데 걸리는 시간을 표적까지의 거리와 표적 크기의 함수로 나타내는 모형
2. 인간의 행동에 대해 속도와 정확성간의 관계를 설명하는 기본적인 법칙을 타나낸다.
3. 공식

$$T = a + b \log_2 \left(\frac{D}{W} + 1 \right)$$

여기서, T : 동작을 완수하는 데 필요한 평균시간
a, b : 실험 상수(데이터를 측정하기 위해 직선을 측정하여 얻어진 실험치)
D : 대상물체의 중심으로부터 측정한 거리
W : 움직이는 방향을 축으로 하였을 때 측정되는 목표물의 폭

4. 목표물의 크기가 작아질수록 속도와 정확도가 나빠지고 목표물과의 거리가 멀어질수록 필요한 시간이 더 길어진다.

27 다음 중 인간의 감각 반응속도가 빠른 것부터 순서대로 나열한 것은?

① 청각 > 시각 > 통각 > 촉각
② 청각 > 촉각 > 시각 > 통각
③ 촉각 > 시각 > 통각 > 청각
④ 촉각 > 시각 > 청각 > 통각

해설

감각 기관별 자극반응시간

청각	촉각	시각	미각	통각
0.17초	0.18초	0.20초	0.29초	0.70초

28 경보사이렌으로부터 10m 떨어진 음압수준이 140dB이면 100m 떨어진 곳에서 음의 강도는 얼마인가?

① 100dB
② 110dB
③ 120dB
④ 140dB

해설

거리에 따른 음의 강도 변화

$$dB_2 = dB_1 - 20 \log \left(\frac{d_2}{d_1} \right)$$

여기서, dB_1 : 음원으로부터 d_1 떨어진 지점의 음압수준
dB_2 : 음원으로부터 d_2 떨어진 지점의 음압수준

$$dB_2 = dB_1 - 20 \log \left(\frac{d_2}{d_1} \right) = 140 - 20 \log \left(\frac{100}{10} \right) = 120 (dB)$$

29 NOISH Lifting Guideline에서 권장무게한계(RWL) 산출에 사용되는 계수가 아닌 것은?

① 휴식 계수
② 수평 계수
③ 수직 계수
④ 비대칭 계수

해설

권장무게한계(RWL) 산출 관계식

$$RWL(\text{kg}) = LC \times HM \times VM \times DM \times AM \times FM \times CM$$

여기서, LC : 부하상수(23kg : 최적 작업상태 권장 최대무게, 즉 모든 조건이 가장 좋지 않을 경우 허용되는 최대중량의 의미)
HM : 수평계수(수평거리에 따른 계수)
VM : 수직계수(수직거리에 따른 계수)
DM : 거리계수(물체의 이동거리에 따른 계수 ; 수직방향의 이동거리)
AM : 비대칭계수(비대칭각도계수)
FM : 빈도계수(작업빈도에 따른 계수)
CM : 결합계수(손잡이 계수)

30 인간공학 실험에서 측정변수가 다른 외적 변수에 영향을 받지 않도록 하는 요건을 의미하는 특성은?

① 적절성　　　　② 무오염성
③ 민감도　　　　④ 신뢰성

해설

연구 기준의 요건
1. 적절성(타당성) : 기준이 의도된 목적에 적당하다고 판단되는 정도
2. 무오염성 : 측정하고자 하는 변수 이외의 다른 변수들의 영향을 받아서는 안 된다.
3. 기준척도의 신뢰성 : 사용되는 척도의 신뢰성, 즉 반복성을 말한다.
4. 민감도 : 기대되는 차이에 적합한 정도의 단위로 측정이 가능해야 한다. 즉, 피실험자 사이에서 볼 수 있는 예상 차이점에 비례하는 단위로 측정해야 함을 의미한다.

31 FT도에 사용되는 다음 게이트의 명칭은?

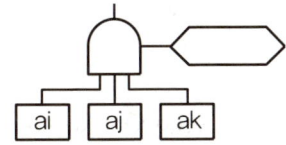

① 억제 게이트
② 부정 게이트
③ 배타적 OR 게이트
④ 우선적 AND 게이트

해설

게이트
1. 억제 게이트(제어게이트) : 입력사상 중 어느 것이나 이 게이트로 나타내는 조건이 만족하는 경우에만 출력사상이 발생한다.(조건부확률)
2. 부정 게이트 : 입력현상의 반대현상이 출력된다.
3. 배타적 OR 게이트 : OR 게이트이지만 2개 또는 그 이상의 입력이 동시에 존재하는 경우에는 출력이 생기지 않는다.
4. 우선적 AND 게이트 : 입력사상 중 어떤 사상이 다른 사상보다 먼저 일어난 때에 출력사상이 생긴다. 즉, 출력이 발생하기 위해서는 입력들이 정해진 순서로 발생해야 한다.

명칭	기호
억제 게이트 (제어게이트)	출력 — 조건 / 입력
부정 게이트	A
배타적 OR 게이트	동시 발생이 없음
우선적 AND 게이트	ai, ak, aj 순으로 / ai aj ak

32 한 화학공장에는 24개의 공정제어회로가 있으며, 4,000시간의 공정 가동 중 이 회로에는 14번의 고장이 발생하였고, 고장이 발생하였을 때마다 회로는 즉시 교체되었다. 이 회로의 평균고장시간(MTTF)은 약 얼마인가?

① 6,857시간　　　　② 7,571시간
③ 8,240시간　　　　④ 9,800시간

해설

평균고장수명(고장까지의 평균시간, MTTF ; Mean Time To Failure)
고장이 발생되면 그것으로 수명이 없어지는 제품의 평균수명이며, 이는 수리하지 않는 시스템, 제품, 기기, 부품 등이 고장 날 때까지 동작시간의 평균치

$$MTBF(MTTF) = \frac{1}{\lambda} = \frac{T(\text{총 동작시간})}{r(\text{그 기간 중의 총 고장수})}$$

$$MTBF(MTTF) = \frac{T}{r} = \frac{4,000 \times 24}{14} = 6857.14$$

33 다음 중 인간공학적 설계 대상에 해당되지 않는 것은?

① 물건(Objects)
② 기계(Machinery)
③ 환경(Environment)
④ 보전(Maintenance)

PART 01　PART 02　PART 03　PART 04　PART 05　PART 06　PART 07

인간공학의 초점

인간공학의 초점은 인간이 만들어 생활의 여러 가지 면에서 사용하는 물건, 기구 또는 환경을 설계하는 과정에서 인간을 고려하는 데 있다.

34 결함수분석법에서 Path Set에 관한 설명으로 맞는 것은?

① 시스템의 약점을 표현한 것이다.
② Top 사상을 발생시키는 조합이다.
③ 시스템이 고장 나지 않도록 하는 사상의 조합이다.
④ 시스템고장을 유발시키는 필요불가결한 기본사상들의 집합이다.

패스셋(Path Set)

그 안에 포함되는 모든 기본사상이 일어나지 않을 때 처음으로 정상사상이 일어나지 않는 기본사상의 집합, 즉 시스템이 고장나지 않도록 하는 사상의 조합이다.

35 위험관리에서 위험의 분석 및 평가에 유의할 사항으로 적절하지 않은 것은?

① 발생의 빈도보다는 손실의 규모에 중점을 둔다.
② 한 가지의 사고가 여러 가지 손실을 수반하는지 확인한다.
③ 기업 간의 의존도는 어느 정도인지 점검한다.
④ 작업표준의 의미를 충분히 이해하고 있는지 점검한다.

위험의 분석 및 평가 유의사항

1. 기업 간의 의존도는 어느 정도인지 점검한다.
2. 발생 빈도보다는 손실의 규모에 중점을 둔다.
3. 한 가지 사고가 여러 가지 손실을 수반하는지를 확인한다.

36 다음 설명에 해당하는 설비보전방식의 유형은?

> 설비보전 정보와 신기술을 기초로 신뢰성, 조작성, 보전성, 안전성, 경제성 등이 우수한 설비의 선정, 조달 또는 설계를 통하여 궁극적으로 설비의 설계, 제작단계에서 보전활동이 불필요한 체제를 목표로 한 설비보전방법을 말한다.

① 개량보전　　　　② 보전예방
③ 사후보전　　　　④ 일상보전

설비의 보전

예방보전	설비를 항상 정상, 양호한 상태로 유지하기 위한 정기적인 검사와 초기의 단계에서 성능의 저하나 고장을 제거하던가 조정 또는 수복하기 위한 설비의 보수활동을 말한다.
일상보전	설비의 열화를 방지하고 그 진행을 지연시켜 수명을 연장하기 위한 목적으로 설비의 점검, 청소, 주유 및 교체 등의 활동을 위한 보전을 말한다.
개량보전	설비의 고장이 일어나지 않도록 혹은 보전이나 수리가 쉽도록 설비를 개량하는 것을 말한다.
사후보전	고장정지 또는 유해한 성능저하를 초래한 뒤 수리를 하는 보전방법으로 기계설비가 고장을 일으키거나 파손되었을 때 신속히 교체 또는 보수하는 것을 지칭한다.
보전예방	새로운 설비를 계획·설계하는 단계에서 설비보전 정보나 새로운 기술을 기초로 신뢰성, 보전성, 경제성, 조작성, 안전성 등을 고려하여 보전비나 열화손실을 적게 하는 활동을 말하며, 궁극적으로는 보전활동이 가급적 필요하지 않도록 하는 것을 목표로 하는 설비보전방법이다.

37 의도는 올바른 것이었지만, 행동이 의도한 것과는 다르게 나타나는 오류를 무엇이라 하는가?

① Slip　　　　② Mistake
③ Lapse　　　　④ Violation

인간의 오류 모형

착오 (Mistake)	상황해석을 잘못하거나 목표를 잘못 이해하고 착각하여 행하는 경우(어떤 목적으로 행동하려고 했는데 그 행동과 일치하지 않는 것)
실수 (Slip)	상황이나 목표의 해석을 제대로 했으나 의도와는 다른 행동을 하는 경우
건망증 (Lapse)	여러 과정이 연계적으로 계속하여 일어나는 행동 중 일부를 잊어버리고 하지 않거나 또는 기억의 실패에 의해 발생하는 오류
위반 (Violation)	정해진 규칙을 알고 있음에도 고의적으로 따르지 않거나 무시하는 행위

38 다음 중 경고등의 설계지침으로 가장 적절한 것은?

① 1초에 한 번씩 점멸시킨다.

② 일반 시야 범위 밖에 설치한다.

③ 배경보다 2배 이상의 밝기를 사용한다.

④ 일반적으로 2개 이상의 경고등을 사용한다.

해설

경고등의 설계지침

1. 점멸속도 : 초당 3~10회, 지속시간 0.05초 이상
2. 바로 뒤의 배경보다 2배 이상의 밝기를 가진다.
3. 경고등의 수는 일반적으로 하나가 좋다.
4. 정상 시선의 30° 안에 있어야 한다.

39 후각적 표시장치(Olfactory Display)와 관련된 내용으로 옳지 않은 것은?

① 냄새의 확산을 제어할 수 없다.

② 시각적 표시장치에 비해 널리 사용되지 않는다.

③ 냄새에 대한 민감도의 개별적 차이가 존재한다.

④ 경보장치로서 실용성이 없기 때문에 사용되지 않는다.

해설

후각적 표시장치를 많이 쓰지 않는 이유

1. 사람마다 여러 냄새에 대한 민감도의 개인차가 심하고, 코가 막히면 민감도가 떨어진다.
2. 사람은 냄새에 빨리 익숙해져서 노출 후 얼마 이상이 지나면 냄새의 존재를 느끼지 못한다.
3. 냄새의 확산을 통제하기가 힘들다.
4. 어떤 냄새는 메스껍게 하고 사람이 싫어할 수도 있다.

TIP 후각적 표시장치의 사용 예
- 주로 경보장치로 가스 누출을 탐지할 수 있도록 한다.
- 비상시 광산의 탈출 신호용(악취는 광산의 환기 계통에 방출되어 광산에 퍼진다.)

40 작업장 배치 시 유의사항으로 적절하지 않은 것은?

① 작업의 흐름에 따라 기계를 배치한다.

② 생산효율 증대를 위해 기계설비 주위에 재료나 반제품을 충분히 놓아둔다.

③ 공장 내외는 안전한 통로를 두어야 하며, 통로는 선을 그어 작업장과 명확히 구별하도록 한다.

④ 비상시에 쉽게 대비할 수 있는 통로를 미련하고 사고 전압을 위한 활동통로가 반드시 마련되어야 한다.

해설

배치(Layout)

1. 기계설비의 배치가 작업의 흐름에 맞지 않는 작업장에서는 재료나 반제품이 정체하기 쉽고, 더욱이 이런 작업장에서는 일반적으로 기계설비의 주위에 공간이 충분히 없기 때문에 통로에 재료나 반제품이 놓이게 되므로 이러한 작업장은 공장의 배치 그 자체를 근본적으로 처음부터 다시 하여야 한다.

2. 배치에 대하여 검토를 요하는 사항
   ㉠ 작업의 흐름에 따라 기계설비를 배치시켜 필요 없는 운반작업을 배제할 것
   ㉡ 작업자가 능률적으로 작업할 수 있도록 기계의 배치, 가공품을 놓아둘 장소, 공구, 선반 등의 배치를 적정하게 할 것
   ㉢ 재료, 제품, 공구 등의 크기, 기계의 운동범위 등을 생각하여 충분한 공간을 취할 것
   ㉣ 안전한 통로를 설정하고, 작업장소와 통로는 명확히 구분할 것
   ㉤ 폭발성 물질을 취급하는 위험도가 높은 설비를 설치함에 있어서는 이상 시에 그 피해를 최소로 하도록 하고 다른 기계설비와의 위치관계를 적정히 할 것

01 PART
02 PART
03 PART
04 PART
05 PART
06 PART
07 PART

3과목 기계위험 방지기술

41 극한하중이 600N인 체인에 안전계수가 4일 때 체인의 정격하중(N)은?

① 130 ② 140
③ 150 ④ 160

해설

안전율(안전계수)

$$안전율(안전계수) = \frac{극한하중}{정격하중}$$

$$정격하중 = \frac{극한하중}{안전율} = \frac{600}{4} = 150$$

42 산업안전보건법령에서 정한 양중기의 종류에 해당하지 않는 것은?

① 크레인
② 도르래
③ 곤돌라
④ 리프트

양중기의 종류
1. 크레인(호이스트 포함)
2. 이동식 크레인
3. 리프트(이삿짐운반용 리프트의 경우 적재하중 0.1톤 이상인 것)
4. 곤돌라
5. 승강기

43 기계의 각 작동 부분 상호 간을 전기적, 기구적, 공유압장치 등으로 연결해서 기계의 각 작동 부분이 정상으로 작동하기 위한 조건이 만족되지 않을 경우 자동적으로 그 기계를 작동할 수 없도록 하는 것을 무엇이라 하는가?

① 인터록기구
② 과부하방지장치
③ 트립기구
④ 오버런기구

인터록(Interlock)
1. 기계의 각 작동 부분 상호 간을 전기적, 기구적, 유공압 장치 등으로 연결해서 기계의 각 작동 부분이 정상으로 작동하기 위한 조건이 만족되지 않을 경우 자동적으로 그 기계를 작동할 수 없도록 하는 것
2. 인터록(연동장치)의 요건
   ㉠ 가드가 완전히 닫히기 전에는 기계가 작동되어서는 안 된다.
   ㉡ 가드가 열리는 순간 기계의 작동은 반드시 정지되어야 한다.

44 산업안전보건법령에 따라 아세틸렌 용접장치의 아세틸렌 발생기를 설치하는 경우, 발생기실의 설치장소에 대한 설명 중 A, B에 들어갈 내용으로 옳은 것은?

- 발생기실은 건물의 최상층에 위치하여야 하며, 화기를 사용하는 설비로부터 (A)를 초과하는 장소에 설치하여야 한다.
- 발생기실을 옥외에 설치한 경우에는 그 개구부를 다른 건축물로부터 (B) 이상 떨어지도록 하여야 한다.

① A : 1.5m, B : 3m
② A : 2m, B : 4m
③ A : 3m, B : 1.5m
④ A : 4m, B : 2m

발생기실의 설치장소
1. 아세틸렌 용접장치의 아세틸렌 발생기를 설치하는 경우에는 전용의 발생기실에 설치하여야 한다.
2. 건물의 최상층에 위치하여야 하며, 화기를 사용하는 설비로부터 3미터를 초과하는 장소에 설치하여야 한다.
3. 옥외에 설치한 경우에는 그 개구부를 다른 건축물로부터 1.5미터 이상 떨어지도록 하여야 한다.

45 지게차에서 통상적으로 갖추고 있어야 하나, 마스트의 후방에서 화물이 낙하함으로써 근로자에게 위험을 미칠 우려가 없는 때에는 반드시 갖추지 않아도 되는 것은?

① 전조등
② 헤드가드
③ 백레스트
④ 포크

지게차 취급 시 안전대책

전조등 등의 설치	• 전조등과 후미등을 갖추지 아니한 지게차를 사용해서는 아니 된다.(다만, 작업을 안전하게 수행하기 위하여 필요한 조명이 확보되어 있는 장소에서 사용하는 경우에는 제외) • 지게차 작업 중 근로자와 충돌할 위험이 있는 경우에는 지게차에 후진경보기와 경광등을 설치하거나 후방감지기를 설치하는 등 후방을 확인할 수 있는 조치를 해야 한다.
헤드가드	적합한 헤드가드(Head Guard)를 갖추지 아니한 지게차를 사용해서는 아니 된다.(다만, 화물의 낙하에 의하여 지게차의 운전자에게 위험을 미칠 우려가 없는 경우에는 제외)
백레스트	백레스트(Backrest)를 갖추지 아니한 지게차를 사용해서는 아니 된다.(다만, 마스트의 후방에서 화물이 낙하함으로써 근로자가 위험해질 우려가 없는 경우에는 제외)
팔레트 또는 스키드	• 적재하는 화물의 중량에 따른 충분한 강도를 가질 것 • 심한 손상 · 변형 또는 부식이 없을 것
좌석 안전띠의 착용	앉아서 조작하는 방식의 지게차를 운전하는 근로자에게 좌석 안전띠를 착용하도록 하여야 한다.

46 다음 중 선반의 안전장치 및 작업 시 주의사항으로 잘못된 것은?

① 선반의 바이트는 되도록 짧게 물린다.
② 방진구는 공작물의 길이가 지름의 5배 이상일 때 사용한다.
③ 선반의 베드 위에는 공구를 올려놓지 않는다.
④ 칩 브레이커는 바이트에 직접 설치한다.

해설

선반 작업 시 주의사항
1. 칩(Chip)이 비산할 때는 보안경을 쓰고 방호판을 설치 사용한다.
2. 베드 위에 공구를 올려 놓지 않아야 한다.
3. 작업 중에 가공품을 만지지 않는다.
4. 장갑 착용을 금한다.
5. 작업 시 공구는 항상 정리해 둔다.
6. 가능한 한 절삭 방향은 주축대 쪽으로 한다.
7. 기계 점검을 한 후 작업을 시작한다.
8. 칩(Chip)이나 부스러기를 제거할 때는 기계를 정지시키고 압축공기를 사용하지 말고 반드시 브러시(솔)를 사용한다.
9. 치수 측정, 주유 및 청소를 할 때는 반드시 기계를 정지시키고 한다.
10. 기계를 운전 중에 백 기어(Back Gear)를 사용하지 말고 시동 전에 심압대가 잘 죄어 있는가를 확인한다.
11. 바이트는 가급적 짧게 장치하며 가공물의 길이가 직경의 12배 이상일 때는 반드시 방진구를 사용하여 진동을 막는다.
12. 리드 스크루에는 작업자의 하부가 걸리기 쉬우므로 조심해야 한다.

47 회전수가 300rpm, 연삭숫돌의 지름이 200mm일 때 숫돌의 원주속도는 약 몇 m/min인가?

① 60.0 ② 94.2
③ 150.0 ④ 188.5

해설

원주속도(회전속도)

$$V = \pi DN(\text{mm/min}) = \frac{\pi DN}{1,000}(\text{m/min})$$

여기서, V : 원주속도(회전속도)(m/min)
D : 숫돌의 지름(mm)
N : 숫돌의 매분 회전수(rpm)

$$V = \frac{\pi DN}{1,000}(\text{m/min}) = \frac{\pi \times 200 \times 300}{1,000} = 188.5(\text{m/min})$$

48 연삭숫돌의 파괴원인이 아닌 것은?

① 외부의 충격을 받았을 때
② 플랜지가 현저히 작을 때
③ 회전력이 결합력보다 클 때
④ 내·외면의 플랜지 지름이 동일할 때

해설

연삭숫돌의 파괴원인
1. 숫돌의 회전속도가 너무 빠를 때
2. 숫돌 자체에 균열이 있을 때
3. 숫돌에 과대한 충격을 가할 때
4. 숫돌의 측면을 사용하여 작업할 때
5. 숫돌의 불균형이나 베어링 마모에 의한 진동이 있을 때 (숫돌이 경우에 따라 파손될 수 있다.)
6. 숫돌 반경방향의 온도변화가 심할 때
7. 작업에 부적당한 숫돌을 사용할 때
8. 숫돌의 치수가 부적당할 때
9. 플랜지가 현저히 작을 때

49 산업안전보건법령상 로봇의 작동범위 내에서 그 로봇에 관하여 교시 등 작업을 행하는 때 작업시작 전 점검사항으로 옳은 것은?(단, 로봇의 동력원을 차단하고 행하는 것은 제외)

① 과부하방지장치의 이상 유무
② 압력제한스위치의 이상 유무
③ 외부 전선의 피복 또는 외장의 손상 유무
④ 권과방지장치의 이상 유무

해설

작업시작 전 점검사항
로봇의 작동범위에서 그 로봇에 관하여 교시 등(로봇의 동력원을 차단하고 하는 것은 제외한다)의 작업을 할 때
1. 외부 전선의 피복 또는 외장의 손상 유무
2. 매니퓰레이터(Manipulator) 작동의 이상 유무
3. 제동장치 및 비상정지장치의 기능

01 PART
02 PART
03 PART
04 PART
05 PART
06 PART
07 PART

50 롤러의 급정지를 위한 방호장치를 설치하고자 한다. 앞면 롤러 직경이 36cm이고, 분당회전속도가 50rpm이라면 급정지거리는 약 얼마 이내이어야 하는가?(단, 무부하동작에 해당한다.)

① 45cm
② 50cm
③ 55cm
④ 60cm

롤러기의 급정지거리

$$V = \frac{\pi D N}{1,000} \, (\text{m/min})$$

여기서, V : 표면속도
　　　　D : 롤러 원통의 직경(mm)
　　　　N : 1분간에 롤러기가 회전되는 수(rpm)

1. $V = \frac{\pi D N}{1,000} (\text{m/min}) = \frac{\pi \times 360 \times 50}{1,000} = 56.52 (\text{m/min})$

2. 무부하 동작에서 급정지거리
　표면속도(V)가 56.52(m/mim)로 30(m/min) 이상이므로
　앞면 롤러 원주의 $\frac{1}{2.5}$ 이다.

앞면 롤러의 표면속도(m/min)	급정지거리
30 미만	앞면 롤러 원주의 1/3
30 이상	앞면 롤러 원주의 1/2.5

3. 급정지 거리 $= \pi \times D \times \frac{1}{2.5} = \pi \times 36 \times \frac{1}{2.5}$
　　　　　　　 $= 45.216 = 45(\text{cm})$

> **TIP**
> 원둘레 길이 $= \pi D = 2\pi r$
>
> 여기서, D : 지름
> 　　　　r : 반지름

51 산업안전보건법령상 프레스 등 금형을 부착·해체 또는 조정하는 작업을 할 때, 슬라이드가 갑자기 작동함으로써 근로자에게 발생할 우려가 있는 위험을 방지하기 위해 사용해야 하는 것은?(단, 해당 작업에 종사하는 근로자의 신체가 위험한계 내에 있는 경우)

① 방진구
② 안전블록
③ 시건장치
④ 날접촉예방장치

금형조정작업의 위험 방지

프레스 등의 금형을 부착·해체 또는 조정하는 작업을 할 때에 해당 작업에 종사하는 근로자의 신체가 위험한계 내에 있는 경우 슬라이드가 갑자기 작동함으로써 근로자에게 발생할 우려가 있는 위험을 방지하기 위하여 안전블록을 사용하는 등 필요한 조치를 하여야 한다.

52 다음 중 설비의 진단방법에 있어 비파괴시험이나 검사에 해당하지 않는 것은?

① 피로시험
② 음향탐상검사
③ 방사선투과시험
④ 초음파탐상검사

비파괴검사의 종류
1. 육안검사
2. 누설검사
3. 침투검사
4. 초음파검사
5. 자기탐상검사
6. 음향검사
7. 방사선 투과검사
8. 와류탐상 검사

> **TIP** 피로시험은 파괴시험에 해당한다.

53 무부하 상태에서 지게차로 20km/h의 속도로 주행할 때, 좌우 안정도는 몇 % 이내이어야 하는가?

① 37%
② 39%
③ 41%
④ 43%

지게차의 안정도 기준
주행 시의 좌우 안정도 $= (15 + 1.1 V)\%$ 이내
　　　　　V : 최고속도(km/hr)
　　　　　$= (15 + 1.1 \times 20) = 37(\%)$

54 다음 중 회전축, 커플링 등 회전하는 물체에 작업복 등이 말려드는 위험을 초래하는 위험점은?

① 협착점
② 접선물림점
③ 절단점
④ 회전말림점

기계운동 형태에 따른 위험점 분류

협착점	왕복운동을 하는 운동부와 움직임이 없는 고정부 사이에서 형성되는 위험점(고정점＋운동점)	• 프레스 • 전단기 • 성형기 • 조형기 • 밴딩기 • 인쇄기
끼임점	회전운동하는 부분과 고정부 사이에 위험이 형성되는 위험점(고정점＋회전운동)	• 연삭숫돌과 작업대 • 반복동작되는 링크기구 • 교반기의 날개와 몸체 사이 • 회전풀리와 벨트
절단점	회전하는 운동부 자체의 위험이나 운동하는 기계부분 자체의 위험에서 형성되는 위험점(회전운동＋기계)	• 밀링커터 • 둥근 톱의 톱날 • 목공용 띠톱 날
물림점	회전하는 두 개의 회전체에 형성되는 위험점(서로 반대 방향의 회전체)(중심점＋반대방향의 회전운동)	• 기어와 기어의 물림 • 롤러와 롤러의 물림 • 롤러분쇄기
접선 물림점	회전하는 부분의 접선방향으로 물려들어갈 위험이 있는 위험점	• V벨트와 풀리 • 랙과 피니언 • 체인벨트 • 평벨트
회전 말림점	회전하는 물체의 길이, 굵기, 속도 등의 불규칙 부위와 돌기 회전부위에 의해 장갑 또는 작업복 등이 말려들 위험이 있는 위험점	• 회전하는 축 • 커플링 • 회전하는 드릴

55 완전 회전식 클러치 기구가 있는 프레스의 양수기동식 방호장치에서 SPM(Stroke Per Minute)이 150, 확동클러치 봉합 개소수가 4개인 경우 방호장치의 최소안전거리는?

① 48mm   ② 250mm
③ 360mm   ④ 480mm

방호장치 설치 안전거리(양수기동식)

$$D_m = 1.6\,T_m$$

여기서, D_m : 안전거리(mm)

T_m : 양손으로 누름단추 누르기 시작할 때부터 슬라이드가 하사점에 도달하기까지 소요시간(ms)

$$T_m = \left(\frac{1}{\text{클러치 맞물림 개소수}} + \frac{1}{2} \right) \times \frac{60{,}000}{\text{매분 행정수}} (\text{ms})$$

1. $T_m = \left(\dfrac{1}{4} + \dfrac{1}{2} \right) \times \dfrac{60{,}000}{150} = 300(\text{ms})$

2. $D_m = 1.6 \times 300 = 480(\text{mm})$

56 사전에 회전축의 재질, 형상 등에 상응하는 종류의 비파괴검사를 실시해야 하는 고속회전체는?

① 회전축의 중량이 1톤을 초과하고, 원주속도가 100 m/s 이상인 것

② 회전축의 중량이 1톤을 초과하고, 원주속도가 120 m/s 이상인 것

③ 회전축의 중량이 0.5톤을 초과하고, 원주속도가 100 m/s 이상인 것

④ 회전축의 중량이 0.5톤을 초과하고, 원주속도가 120 m/s 이상인 것

고속회전체의 위험방지

고속회전체(원주속도가 초당 25미터를 초과하는 것)의 회전시험을 하는 경우	전용의 견고한 시설물의 내부 또는 견고한 장벽 등으로 격리된 장소에서 하여야 한다.
회전축의 중량이 1톤을 초과하고, 원주속도가 초당 120미터 이상인 것의 회전시험을 하는 경우	미리 회전축의 재질 및 형상 등에 상응하는 종류의 비파괴검사를 해서 결함 유무를 확인하여야 한다.

57 다음 중 방호장치의 기본목적과 관계가 먼 것은?

① 작업자의 보호
② 기계기능의 향상
③ 인적·물적 손실의 방지
④ 기계위험 부위의 접촉방지

방호장치의 기본목적
1. 작업자의 보호
2. 인적, 물적 손실의 방지
3. 기계 위험 부위의 접촉 방지 등

58 질량 100kg의 화물이 와이어로프에 매달려 $2m/s^2$의 가속도로 권상되고 있다. 이때 와이어로프에 작용하는 장력의 크기는 몇 N인가?(단, 여기서 중력가속도는 $10m/s^2$로 한다.)

① 200N

② 300N

③ 1,200N

④ 2,000N

와이어로프에 걸리는 하중계산

와이어로프에 걸리는 총하중	총하중(W)=정하중(W_1)+동하중(W_2) 동하중(W_2)=$\dfrac{W_1}{g} \times a$ [g : 중력가속도(9.8m/s²), a : 가속도(m/s²)]
와이어로프에 작용하는 장력	장력[N]=총하중[kg]×중력가속도[m/s²]

1. 동하중(W_2)=$\dfrac{W_1}{g} \times a = \dfrac{100}{10} \times 2 = 20(kgf)$
2. 총하중(W)=정하중(W_1)+동하중(W_2)=100+20
   =120(kgf)
3. 장력[N]=총하중[kg]×중력가속도[m/s²]=120(kgf)×10
   =1,200(N)

59 셰이퍼(Shaper) 작업에서 위험요인이 아닌 것은?

① 가공칩(Chip) 비산

② 램(Ram)말단부 충돌

③ 바이트(Bite)의 이탈

④ 척 – 핸들(Chuck – Handle) 이탈

셰이퍼 작업의 위험요인
1. 공작물 이탈
2. 램의 말단부 충돌
3. 가공칩의 비산
4. 바이트(Bite)의 이탈

60 공기압축기에서 공기탱크 내의 압력이 최고사용 압력에 달하면 압송을 정지하고, 소정의 압력까지 강하하면 다시 압송작업을 하는 밸브는?

① 감압 밸브

② 언로드 밸브

③ 릴리프 밸브

④ 시퀀스 밸브

언로드 밸브(Unload Valve)
토출압력을 일정하게 유지하기 위해 공기압축기의 작동을 조정하는 장치(밸브형, 접점형이 있음)를 말한다. 공기탱크 내의 압력이 최고사용압력에 달하면 공기탱크 내로의 압송을 정지하고, 소정의 압력까지 강하하면 다시 압송작업을 하는 밸브로, 공기탱크의 적합한 위치에 수직이 되게 설치한다.

4과목 전기위험 방지기술

61 절연열화가 진행되어 누설전류가 증가하면 여러 가지 사고를 유발하게 되는 경우로서 거리가 먼 것은?

① 감전사고

② 누전화재

③ 정전기 증가

④ 아크 지락에 의한 기기의 손상

1. 누설전류와 정전기 증가는 무관하다.
2. 누설전류가 증가하게 되면 인체에 대한 감전사고, 누전에 의한 화재, 아크 지락에 의한 기기의 손상이 발생한다. 이를 방지하기 위하여 누전차단기를 설치한다.

62 전기시설의 직접 접촉에 의한 감전방지 방법으로 적절하지 않은 것은?

① 충전부는 내구성이 있는 절연물로 완전히 덮어 감쌀 것

② 충전부가 노출되지 않도록 폐쇄형 외함이 있는 구조로 할 것

③ 충전부에 충분한 절연효과가 있는 방호망 또는 절연 덮개를 설치할 것

④ 충전부는 관계자 외 출입이 용이한 전개된 장소에 설치하고 위험표시 등의 방법으로 방호를 강화할 것

직접 접촉에 의한 방지대책(충전 부분에 대한 감전방지)
1. 충전부가 노출되지 않도록 폐쇄형 외함이 있는 구조로 할 것
2. 충전부에 충분한 절연효과가 있는 방호망이나 절연덮개를 설치할 것

3. 충전부는 내구성이 있는 절연물로 완전히 덮어 감쌀 것
4. 발전소·변전소 및 개폐소 등 구획되어 있는 장소로서 관계 근로자가 아닌 사람의 출입이 금지되는 장소에 충전부를 설치하고, 위험표시 등의 방법으로 방호를 강화할 것
5. 전주 위 및 철탑 위 등 격리되어 있는 장소로서 관계 근로자가 아닌 사람이 접근할 우려가 없는 장소에 충전부를 설치할 것

63 220V 전압에 접촉된 사람의 인체저항이 약 1,000Ω일 때 인체 전류와 그 결과 값의 위험성 여부로 알맞은 것은?

① 22mA, 안전　　　② 220mA, 안전
③ 22mA, 위험　　　④ 220mA, 위험

해설

옴의 법칙

$$V = IR[\text{V}], \quad I = \frac{V}{R}[\text{A}], \quad R = \frac{V}{I}[\Omega]$$

여기서, V : 전압[V], I : 전류[A], R : 저항[Ω]

1. $I = \dfrac{V}{R} = \dfrac{220}{1,000} = 0.22[\text{A}] = 220[\text{mA}]$
2. 심실세동전류(치사전류)가 일반적으로 50~100mA이므로 100mA 이상이면 위험하다.

TIP 1A = 1,000mA, 1mA = 0.001A

64 대전이 큰 엷은 층상의 부도체를 박리할 때 또는 엷은 층상의 대전된 부도체의 뒷면에 밀접한 접지체가 있을 때 표면에 연한 수지상의 발광을 수반하여 발생하는 방전은?

① 불꽃 방전　　　② 스트리머 방전
③ 코로나 방전　　　④ 연면 방전

해설

연면(Surface) 방전

1. 공기 중에 놓여진 절연체 표면의 전계강도가 큰 경우 고체 표면을 따라 진행하는 방전
2. 부도체의 표면을 따라서 Star-Check 마크를 가지는 나뭇가지 형태의 발광을 수반한다.
3. 대전이 큰 엷은 층상의 부도체를 박리할 때 또는 엷은 층상의 대전된 부도체의 뒷면에 밀접한 접지체가 있을 때 표면에 연한 복수의 수지상 발광을 수반하여 발생하는 방전

65 감전되어 사망하는 주된 메커니즘으로 틀린 것은?

① 심장부에 전류가 흘러 심실세동이 발생하여 혈액순환기능이 상실되어 일어난 것
② 흉골에 전류가 흘러 혈압이 약해져 뇌에 산소공급기능이 정지되어 일어난 것
③ 뇌의 호흡중추 신경에 전류가 흘러 호흡기능이 정지되어 일어난 것
④ 흉부에 전류가 흘러 흉부수축에 의한 질식으로 일어난 것

해설

전격(감전)현상의 메커니즘

1. 심장부에 전류가 흘러 심실세동이 발생하여 혈액순환기능이 상실되어 일어난 것
2. 뇌의 호흡중추신경에 전류가 흘러 호흡기능이 정지되어 일어난 것
3. 흉부에 전류가 흘러 흉부근육수축에 의한 질식으로 일어난 것

66 감전 등의 재해를 예방하기 위하여 특고압용 기계·기구 주위에 관계자 외 출입을 금하도록 울타리를 설치할 때, 울타리의 높이와 울타리로부터 충전부분까지의 거리의 합이 최소 몇 m 이상이 되어야 하는가?(단, 사용전압이 35kV 이하인 특고압용 기계기구이다.)

① 5m　　　② 6m
③ 7m　　　④ 9m

해설

발전소 등의 울타리, 담 등의 시설

1. 울타리·담 등의 높이는 2m 이상으로 하고 지표면과 울타리·담 등의 하단사이의 간격은 0.15m 이하로 할 것
2. 울타리·담 등과 고압 및 특고압의 충전 부분이 접근하는 경우에는 울타리·담 등의 높이와 울타리·담 등으로부터 충전부분까지 거리의 합계는 다음 표에서 정한 값 이상으로 할 것

사용전압의 구분	울타리·담 등의 높이와 울타리·담 등으로부터 충전부분까지의 거리의 합계
35kV 이하	5m
35kV 초과 160kV 이하	6m
160kV 초과	6m에 160kV를 초과하는 10kV 또는 그 단수마다 0.12m를 더한 값

01 PART
02 PART
03 PART
04 PART
05 PART
06 PART
07 PART

67 계통접지로 적합하지 않는 것은?

① TN계통　　　　② TT계통
③ IN계통　　　　④ IT계통

해설

접지계통의 종류

TN계통	전원 측의 한 점을 직접 접지하고 설비의 노출 도전부를 보호도체로 접속시키는 방식
TT계통	전원 측의 한 점을 직접 접지하고 설비의 노출 도전부는 전원의 접지전극과 전기적으로 독립적인 접지극에 접속시키는 방식
IT계통	전력계통은 모든 충전부를 대지에서 절연하거나 또는 1점을 임피던스를 통하여 접지하고 설비의 노출 도전부를 단독 또는 일괄해서 접속시키는 방식

68 고장전류와 같은 대전류를 차단할 수 있는 것은?

① 차단기(CB)　　　② 유입 개폐기(OS)
③ 단로기(DS)　　　④ 선로 개폐기(LS)

해설

차단기(Circuit Breaker)
차단기는 통상의 부하전류를 개폐하고 사고 시 신속히 회로를 차단하여 전기기기 및 전선류를 보호하고 안전성을 유지하는 기기를 말한다.

69 다음 중 전동기를 운전하고자 할 때 개폐기의 조작순서로 옳은 것은?

① 메인 스위치 → 분전반 스위치 → 전동기용 개폐기
② 분전반 스위치 → 메인 스위치 → 전동기용 개폐기
③ 전동기용 개폐기 → 분전반 스위치 → 메인 스위치
④ 분전반 스위치 → 전동기용 스위치 → 메인 스위치

해설

전동기 운전 시 개폐기의 조작순서
메인 스위치 → 분전반 스위치 → 전동기용 개폐기

> **TIP** 개폐기
> 회로나 장치의 상태(ON, OFF)를 바꾸어 접속하기 위한 물리적 또는 전기적 장치

70 불꽃이나 아크 등이 발생하지 않는 기기의 경우 기기의 표면온도를 낮게 유지하여 고온으로 인한 착화의 우려를 없애고 또 기계적, 전기적으로 안정성을 높게 한 방폭구조를 무엇이라 하는가?

① 유입 방폭구조　　② 압력 방폭구조
③ 내압 방폭구조　　④ 안전증 방폭구조

해설

안전증 방폭구조(Increased Safety Type, e)
1. 전기기기의 정상 사용조건 및 특정 비정상 상태에서 과도한 온도 상승, 아크 또는 스파크의 발생 위험을 방지하기 위해 추가적인 안전조치를 통한 안전도를 증가시킨 방폭구조
2. 전기기구의 권선, 접점부, 단자부 등과 같은 부분이 정상적인 운전 중에는 불꽃, 아크 또는 과열이 발생 되지 않는 부분에 대하여 방지하기 위한 구조와 온도상승에 대해 특히 안전도를 증가시킨 구조
3. 정상운전 중에 아크나 불꽃을 발생시키는 전기기기는 안전증 방폭구조의 전기기기 범위에서 제외

71 전기설비를 방폭구조로 하는 이유 중 가장 타당한 것은?

① 노동안전위생법에 화재 폭발의 위험성이 있는 곳에는 전기설비를 방폭화하도록 되어 있으므로
② 사업장에서 발생하는 화재 폭발의 점화원으로서는 전기설비에 의한 것이 대단히 많으므로
③ 전기설비는 방폭화하면 접지 설비를 생략해도 되므로
④ 사업장에 있어서 자동화설비에 드는 비용이 가장 크므로 화재 폭발에 의한 어떤 사고에서도 전기 설비만은 보호하기 위해

해설

방폭화 이론
1. 전기설비로 인한 화재 폭발 방지를 위해서는 위험분위기 생성확률과 전기설비가 점화원으로 되는 확률과의 곱이 0이 되도록 하여야 한다.
2. 구체적인 조치사항은 먼저 위험분위기의 생성을 방지하고 다음으로는 전기설비를 방폭화하여야 한다.
3. 전기설비가 점화원의 역할을 하여 발생하는 화재 폭발이 많이 발생하므로 이를 예방하기 위하여 해당하는 전기설비는 방폭구조로 해야 한다.

72 가연성 가스 또는 인화성 액체의 용기류가 부식, 열화 등으로 파손되어 가스 또는 액체가 누출할 염려가 있는 경우의 방폭지역은?

① 0종 장소
② 1종 장소
③ 2종 장소
④ 비방폭지역

해설

가스폭발 위험장소

0종 장소	인화성 액체의 증기 또는 가연성 가스에 의한 폭발위험이 지속적으로 또는 장기간 존재하는 장소	용기 · 장치 · 배관 등의 내부 등
1종 장소	정상작동상태에서 폭발위험분위기가 존재하기 쉬운 장소	맨홀 · 벤트 · 피트 등의 주위
2종 장소	정상작동상태에서 폭발위험분위기가 존재할 우려가 없으나, 존재할 경우 그 빈도가 아주 적고 단기간만 존재할 수 있는 장소	개스킷 · 패킹 등의 주위

73 다음 중 전기설비기술기준에 따른 전압의 구분으로 틀린 것은?

① 저압 : 직류 1kV 이하
② 고압 : 교류 1kV 초과, 7kV 이하
③ 특고압 : 직류 7kV 초과
④ 특고압 : 교류 7kV 초과

해설

전압의 구분

전원의 종류	저압	고압	특고압
직류(DC)	1,500V 이하	1,500V 초과 7,000V 이하	7,000V 초과
교류(AC)	1,000V 이하	1,000V 초과 7,000V 이하	7,000V 초과

74 인체감전보호용 누전차단기의 정격감도전류(mA)와 동작시간(초)의 최댓값은?

① 10mA, 0.03초
② 20mA, 0.01초
③ 30mA, 0.03초
④ 50mA, 0.1초

해설

감전방지용 누전차단기
정격감도전류가 30mA 이하이고, 동작시간이 0.03초 이내인 누전차단기를 말한다.

75 피뢰침의 제한전압이 800kV, 충격절연강도가 1,260kV라 할 때, 보호여유도는 몇 %인가?

① 33.33
② 47.33
③ 57.5
④ 63.5

해설

피뢰침의 보호 여유도

$$여유도(\%) = \frac{충격절연강도 - 제한전압}{제한전압} \times 100$$

$$여유도(\%) = \frac{충격절연강도 - 제한전압}{제한전압} \times 100$$
$$= \frac{1,260 - 800}{800} \times 100 = 57.5[\%]$$

76 정전기의 발생원인 설명 중 맞는 것은?

① 정전기 발생은 처음 접촉, 분리 시 최소가 된다.
② 물질 표면이 오염된 표면일 경우 정전기 발생이 커진다.
③ 접촉면적이 작고 압력이 감소할수록 정전기 발생량이 크다.
④ 분리속도가 빠르면 정전기 발생이 작아진다.

해설

정전기 발생의 영향요인(정전기 발생요인)

물체의 특성	일반적으로 대전량은 접촉이나 분리하는 두 가지 물체가 대전서열 내에서 가까운 곳에 있으면 적고 먼 위치에 있을수록 대전량이 큰 경향이 있다.
물체의 표면상태	• 표면이 거칠수록 정전기 발생량이 커진다. • 기름, 수분, 불순물 등 오염이 심할수록, 산화 부식이 심할수록 정전기 발생량이 커진다.
물체의 이력	정전기 발생량은 처음 접촉, 분리가 일어날 때 최대가 되며, 발생횟수가 반복될수록 발생량이 감소한다.
접촉면적 및 압력	접촉면적 및 압력이 클수록 정전기 발생량은 커진다.
분리속도	분리속도가 빠를수록 정전기 발생량이 커진다.
완화시간	완화시간이 길면 전하분리에 주는 에너지도 커져서 정전기 발생량이 커진다.

01 PART
02 PART
03 PART
04 PART
05 PART
06 PART
07 PART

77 인체에 전기 저항을 500Ω이라 한다면, 심실세동을 일으키는 위험 한계 에너지는 약 몇 [J]인가? (단, 심실세동전류값 $I = \dfrac{165}{\sqrt{T}}$ [mA]의 Dalziel의 식을 이용하며, 통전시간은 1초로 한다.)

① 11.5
② 13.6
③ 15.3
④ 16.2

해설

위험한계에너지

$$W = I^2 RT[\text{J/s}] = \left(\frac{165}{\sqrt{T}} \times 10^{-3}\right)^2 \times R \times T$$

$W = \left(\dfrac{165}{\sqrt{1}} \times 10^{-3}\right)^2 \times 500 \times 1 = 13.61(\text{J})$

78 전기기기, 설비 및 전선로 등의 충전 유무 등을 확인하기 위한 장비는?

① 위상검출기
② 디스콘 스위치
③ COS
④ 저압 및 고압용 검전기

해설

검출용구
1. 정전작업 시작 전 설비의 정전여부를 확인하기 위한 용구
2. 검전기
   기기 설비, 전로 등의 충전유무를 확인하기 위해 사용
3. 종류
   ㉠ 저압 및 고압용 검전기
   ㉡ 특별고압용 검전기
   ㉢ 활선접근 경보기

79 다음 중 산업안전보건기준에 관한 규칙에 따라 누전차단기를 설치하지 않아도 되는 곳은?

① 철판 · 철골 위 등 도전성이 높은 장소에서 사용하는 이동형 전기기계 · 기구
② 대지전압이 220V인 휴대형 전기기계 · 기구
③ 임시배선의 전로가 설치되는 장소에서 사용하는 이동형 전기기계 · 기구
④ 절연대 위에서 사용하는 전기기계 · 기구

해설

감전방지용 누전차단기의 적용대상(누전차단기 설치장소)
1. 대지전압이 150볼트를 초과하는 이동형 또는 휴대형 전기기계 · 기구
2. 물 등 도전성이 높은 액체가 있는 습윤장소에서 사용하는 저압(1.5천 볼트 이하 직류전압이나 1천 볼트 이하의 교류전압)용 전기기계 · 기구
3. 철판 · 철골 위 등 도전성이 높은 장소에서 사용하는 이동형 또는 휴대형 전기기계 · 기구
4. 임시배선의 전로가 설치되는 장소에서 사용하는 이동형 또는 휴대형 전기기계 · 기구

> **TIP** 감전방지용 누전차단기의 적용제외 대상
> 1. 이중절연구조 또는 이와 같은 수준 이상으로 보호되는 구조로 된 전기기계 · 기구
> 2. 절연대 위 등과 같이 감전위험이 없는 장소에서 사용하는 전기기계 · 기구
> 3. 비접지방식의 전로

80 전기의 안전장구에 속하지 않는 것은?

① 활선장구
② 검출용구
③ 접지용구
④ 전선접속용구

해설

절연용 안전장구
1. 절연용 보호구
2. 절연용 방호구
3. 안전표시용구
4. 검출용구
5. 접지용구
6. 활선 작업용 기구 및 장치 등

81 메탄, 에탄, 프로판의 폭발하한계가 각각 5vol%, 3vol%, 2.1vol%일 때 다음 중 폭발하한계가 가장 낮은 것은?(단, Le Chatelier의 법칙을 이용한다.)

① 메탄 20vol%, 에탄 30vol%, 프로판 50vol%의 혼합가스

② 메탄 30vol%, 에탄 30vol%, 프로판 40vol%의 혼합가스

③ 메탄 40vol%, 에탄 30vol%, 프로판 30vol%의 혼합가스

④ 메탄 50vol%, 에탄 30vol%, 프로판 20vol%의 혼합가스

해설

르 샤틀리에의 법칙(순수한 혼합가스일 경우)

$$\frac{100}{L} = \frac{V_1}{L_1} + \frac{V_2}{L_2} + \frac{V_2}{L_3} \cdots$$

$$L = \frac{100}{\dfrac{V_1}{L_1} + \dfrac{V_2}{L_2} + \cdots + \dfrac{V_n}{L_n}}$$

여기서, V_n : 전체 혼합가스 중 각 성분 가스의 체적(비율)[%]
L_n : 각 성분 단독의 폭발한계(상한 또는 하한)
L : 혼합가스의 폭발한계(상한 또는 하한)[vol%]

1. $L = \dfrac{100}{\dfrac{20}{5} + \dfrac{30}{3} + \dfrac{50}{2.1}} = 2.64[\text{vol}\%]$

2. $L = \dfrac{100}{\dfrac{30}{5} + \dfrac{30}{3} + \dfrac{40}{2.1}} = 2.85[\text{vol}\%]$

3. $L = \dfrac{100}{\dfrac{40}{5} + \dfrac{30}{3} + \dfrac{30}{2.1}} = 3.09[\text{vol}\%]$

4. $L = \dfrac{100}{\dfrac{50}{5} + \dfrac{30}{3} + \dfrac{20}{2.1}} = 3.38[\text{vol}\%]$

82 니트로셀룰로오스의 취급 및 저장방법에 관한 설명으로 틀린 것은?

① 저장 중 충격과 마찰 등을 방지하여야 한다.

② 물과 격렬히 반응하여 폭발하므로 습기를 제거하고, 건조상태를 유지한다.

③ 자연발화 방지를 위하여 안전용제를 사용한다.

④ 화재 시 질식소화는 적응성이 없으므로 냉각소화를 한다.

해설

니트로셀룰로오스(NC ; Nitro Cellulose, 질화면, 질산섬유소)
1. 안전용제로 저장 중에 물(20%) 또는 알코올(30%)로 습윤하여 저장 운반한다.
2. 습윤상태에서 건조되면 충격, 마찰 시 예민하고 발화 폭발의 위험이 증대된다.

83 다음 중 산업안전보건법상 공정안전보고서에 포함되어야 할 사항으로 가장 거리가 먼 것은?

① 평균안전율
② 공정안전자료
③ 비상조치계획
④ 공정위험성 평가서

해설

공정안전보고서의 내용
1. 공정안전자료
2. 공정위험성 평가서
3. 안전운전계획
4. 비상조치계획
5. 그 밖에 공정상의 안전과 관련하여 고용노동부장관이 필요하다고 인정하여 고시하는 사항

84 다음 중 분진폭발의 특징을 가장 올바르게 설명한 것은?

① 연소속도가 가스폭발보다 크다.

② 완전연소로 가스중독의 위험은 적다.

③ 가스폭발보다 연소시간은 짧고, 발생에너지는 적다.

④ 화염의 파급속도보다 압력의 파급속도가 크다.

해설

분진폭발의 특징
1. 폭발한계 내에서 분진의 휘발성분이 많을수록 폭발이 쉽다.
2. 가스폭발에 비해 연소속도나 폭발압력이 작다.
3. 가스폭발에 비해 연소시간이 길고 발생에너지가 크기 때문에 파괴력과 타는 정도가 크다.
4. 가스에 비해 불완전연소의 가능성이 커서 일산화탄소의 존재로 인한 가스중독의 위험이 있다(가스폭발에 비하여 유독물의 발생이 많다).
5. 화염속도보다 압력속도가 빠르다.
6. 주위 분진의 비산에 의해 2차, 3차의 폭발로 파급되어 피해가 커진다.

01 PART
02 PART
03 PART
04 PART
05 PART
06 PART
07 PART

7. 연소열에 의한 화재가 동반되며, 연소입자의 비산으로 인체에 닿을 경우 심한 화상을 입는다.
8. 분진이 발화 폭발하기 위한 조건은 인화성, 미분상태, 공기 중에서의 교반과 유동, 점화원의 존재이다.

85 다음 중 유류화재의 화재급수에 해당하는 것은?

① A급
② B급
③ C급
④ D급

화재의 종류

분류	A급 화재	B급 화재	C급 화재	D급 화재
명칭	일반화재	유류화재	전기화재	금속화재
분류	보통 잔재의 작열에 의해 발생하는 연소에서 보통 유기 성질의 고체물질을 포함한 화재	액체 또는 액화할 수 있는 고체를 포함한 화재 및 가연성 가스 화재	통전 중인 전기 설비를 포함한 화재	금속을 포함한 화재
가연물	목재, 종이, 섬유 등	가솔린, 등유, 프로판 가스 등	전기기기, 변압기, 전기다리미 등	가연성 금속 (Mg분, Al분)
소화방법	냉각소화	질식소화	질식, 냉각소화	질식소화
적응소화제	• 물 소화기 • 강화액 소화기 • 산·알칼리 소화기	• 이산화탄소 소화기 • 할로겐화합물 소화기 • 분말 소화기 • 포말 소화기	• 이산화탄소 소화기 • 할로겐화합물 소화기 • 분말 소화기 • 무상강화액 소화기	• 건조사 • 팽창 질석 • 팽창 진주암
표시색	백색	황색	청색	무색

86 다음은 산업안전보건기준에 관한 규칙 중 급성 독성물질에 관한 기준 중 일부이다. (A)와 (B)에 알맞은 수치를 옳게 나타낸 것은?

• 쥐에 대한 경구투입실험에 의하여 실험동물의 50퍼센트를 사망시킬 수 있는 물질의 양, 즉 LD_{50}(경구, 쥐)이 킬로그램당 (A)밀리그램 − (체중) 이하인 화학물질
• 쥐 또는 토끼에 대한 경피흡수실험에 의하여 실험동물의 50퍼센트를 사망시킬 수 있는 물질의 양, 즉 LD_{50}(경피, 토끼 또는 쥐)이 킬로그램당 (B)밀리그램 − (체중) 이하인 화학물질

① A : 1,000, B : 300
② A : 1,000, B : 1,000
③ A : 300, B : 300
④ A : 300, B : 1,000

급성 독성물질
1. 쥐에 대한 경구투입실험에 의하여 실험동물의 50퍼센트를 사망시킬 수 있는 물질의 양, 즉 LD_{50}(경구, 쥐)이 킬로그램당 300밀리그램 − (체중) 이하인 화학물질
2. 쥐 또는 토끼에 대한 경피흡수실험에 의하여 실험동물의 50퍼센트를 사망시킬 수 있는 물질의 양, 즉 LD_{50}(경피, 토끼 또는 쥐)이 킬로그램당 1,000밀리그램 − (체중) 이하인 화학물질
3. 쥐에 대한 4시간 동안의 흡입실험에 의하여 실험동물의 50퍼센트를 사망시킬 수 있는 물질의 농도, 즉 가스 LC_{50}(쥐, 4시간 흡입)이 2,500ppm 이하인 화학물질, 증기 LC_{50}(쥐, 4시간 흡입)이 10mg/L 이하인 화학물질, 분진 또는 미스트 1mg/L 이하인 화학물질

87 폭발(연소)범위에 영향을 미치는 요소에 대한 설명으로 가장 거리가 먼 것은?

① 폭발(연소)하한계는 온도 증가에 따라 감소한다.
② 폭발(연소)상한계는 온도 증가에 따라 증가한다.
③ 폭발(연소)하한계는 압력 증가에 따라 감소한다.
④ 폭발(연소)상한계는 압력 증가에 따라 증가한다.

가연성가스의 폭발범위 영향 요소
1. 가스의 온도가 높을수록 폭발범위도 일반적으로 넓어진다.(폭발하한계는 감소, 폭발상한계는 증가)
2. 가스의 압력이 높아지면 폭발하한계는 영향이 없으나 폭발상한계는 증가한다.
3. 산소 중에서의 폭발범위는 공기 중에서 보다 넓어진다.
4. 압력이 상압인 1atm보다 낮아질 때 폭발범위는 큰 변화가 없다.
5. 일산화탄소는 압력이 높을수록 폭발범위가 좁아지고, 수소는 10atm까지는 좁아지지만 그 이상의 압력에서는 넓어진다.
6. 불활성 기체가 첨가될 경우 혼합가스의 농도가 희석되어 폭발범위가 좁아진다.
7. 화학양론농도 부근에서는 연소나 폭발이 가장 일어나기 쉽고 또한 격렬한 정도도 크다.

88 소화방식의 종류 중 주된 작용이 질식소화에 해당되는 것은?

① 스프링클러
② 에어 – 폼
③ 강화액
④ 할로겐화합물

해설

소화설비의 종류별 적응화재

소화기명	소화효과
포소화설비	질식소화
스프링클러설비	냉각소화
이산화탄소소화설비	질식소화
할로겐화합물소화설비	연소억제소화
강화액소화설비	냉각소화
에어 – 폼	질식소화

89 다음 중 산업안전보건법상 화학설비 및 그 부속설비에 안전밸브를 설치하여야 하는 설비가 아닌 것은?

① 원심펌프
② 정변위압축기
③ 안지름이 600mm 이상인 압력용기
④ 대기에서 액체의 열팽창에 의하여 구조적으로 파열이 우려되는 배관

해설

안전밸브 등의 설치

다음 각 호의 어느 하나에 해당하는 설비에 대해서는 과압에 따른 폭발을 방지하기 위하여 안전밸브 또는 파열판을 설치하여야 한다.
1. 압력용기(안지름이 150밀리미터 이하인 압력용기는 제외하며, 압력용기 중 관형 열교환기의 경우에는 관의 파열로 인하여 상승한 압력이 압력용기의 최고사용압력을 초과할 우려가 있는 경우)
2. 정변위 압축기
3. 정변위 펌프(토출 측에 차단밸브가 설치된 것만 해당)
4. 배관(2개 이상의 밸브에 의하여 차단되어 대기온도에서 액체의 열팽창에 의하여 파열될 우려가 있는 것으로 한정)
5. 그 밖의 화학설비 및 그 부속설비로서 해당 설비의 최고사용압력을 초과할 우려가 있는 것

90 다음 중 누설 발화형 폭발재해의 예방대책으로 가장 거리가 먼 것은?

① 발화원 관리
② 밸브의 오동작 방지
③ 가연성 가스의 연소
④ 누설물질의 검지 경보

해설

누설발화형(누설착화형) 폭발재해 방지대책
1. 위험물질의 누설방지
2. 밸브(설비)의 오동작 방지
3. 누설물질의 검지 경보
4. 발화원 관리
5. 피해확대 방지조치(방유제 등)

91 다음 정의에 해당하는 물질의 명칭으로 옳은 것은?

"금속의 증기가 공기 중에서 응고되어, 화학변화를 일으켜 고체의 미립자로 되어 공기 중에 부유하는 것"

① 흄(Fume)
② 분진(Dust)
③ 미스트(Mist)
④ 스모크(Smoke)

해설

유해물질의 종류

분진 (Dust)	기계적 작용에 의해 발생된 고체 미립자가 공기 중에 부유하고 있는 것(입경 $0.01 \sim 500 \mu m$ 정도)
미스트 (Mist)	액체의 미세한 입자가 공기 중에 부유하고 있는 것(입경 $0.1 \sim 100 \mu m$ 정도)
흄 (Fume)	고체 상태의 물질이 액체화된 다음 증기화되고, 증기화된 물질의 응축 및 산화로 인하여 생기는 고체상의 미립자(입경 $0.01 \sim 1 \mu m$ 정도)
스모크 (Smoke)	일반적으로 유기물이 불완전연소할 때 생긴 미립자를 말하며 주성분은 탄소의 미립자이다.($0.01 \sim 1 \mu m$)

92 다음 [보기]의 물질들이 가지고 있는 공통적인 특성은?

[보기]
$CuCl_2$, $Cu(NO_3)_2$, $Zn(NO_3)_2$

① 조해성
② 풍해성
③ 발화성
④ 산화성

01 PART
02 PART
03 PART
04 PART
05 PART
06 PART
07 PART

해설

조해성

공기 중의 수분을 흡수하여 녹아버리는 성질

1. 염화구리($CuCl_2$)
2. 질산구리($Cu(NO_3)_2$)
3. 질산아연($Zn(NO_3)_2$)

93 다음 중 질식소화에 해당하는 것은?

① 가연성 기체의 분출화재 시 주 밸브를 닫는다.

② 가연성 기체의 연쇄반응을 차단하여 소화한다.

③ 연료 탱크를 냉각하여 가연성 가스의 발생속도를 작게 한다.

④ 연소하고 있는 가연물이 존재하는 장소를 기계적으로 폐쇄하여 공기의 공급을 차단한다.

해설

질식소화

1. 공기 중에 존재하고 있는 산소의 농도 21%를 15% 이하로 낮추어 소화하는 방법
2. 연소하고 있는 가연물이 들어 있는 용기를 기계적으로 밀폐하여 산소의 공급을 차단

TIP 1. 제거소화
- 가연성 물질을 연소구역에서 제거하여 줌으로써 소화하는 방법
- 가연성 기체의 분출화재 시 주 밸브를 닫는다.
- 연료 탱크를 냉각하여 가연성 가스의 발생속도를 작게 한다.
2. 억제소화
- 가연성 물질과 산소와의 화학반응을 느리게 함으로써 소화하는 방법(연쇄반응을 억제시켜 소화하는 방법)
- 가연성 기체의 연쇄반응을 차단하여 소화한다.

94 건조설비의 구조를 구조부분, 가열장치, 부속설비로 구분할 때 다음 중 "부속설비"에 속하는 것은?

① 보온판

② 열원장치

③ 소화장치

④ 철골부

해설

건조설비의 구성

구조부분	몸체(철골부, 보온판, shell부 등) 및 내부구조를 말한다. 또 이들의 내부에 있는 구동장치도 포함한다.
가열장치	• 열원장치, 순환용 송풍기 등 열을 발생하고 이것을 이동하는 부분을 총괄한 것을 말한다. • 본체의 내부에 설치된 경우도 있고, 외부에 설치된 경우도 있다.
부속설비	• 본체에 부속되어 있는 설비의 전반을 말한다. • 환기장치, 온도조절장치, 온도측정장치, 안전장치, 소화장치, 전기설비, 집진장치 등이 포함된다.

95 압축하면 폭발할 위험성이 높아 아세톤 등에 용해시켜 다공성 물질과 함께 저장하는 물질은?

① 염소

② 아세틸렌

③ 에탄

④ 수소

해설

아세틸렌을 용해가스로 만들 때 분해, 폭발의 위험을 방지하기 위하여 일반적으로 아세톤 용액을 용제로 사용한다.

96 다음 중 황산(H_2SO_4)에 관한 설명으로 틀린 것은?

① 무취이며, 순수한 황산은 무색 투명하다.

② 진한 황산은 유기물과 접촉할 경우 발열반응을 한다.

③ 묽은 황산은 수소보다 이온화 경향이 큰 금속과 반응하면 수소를 발생한다.

④ 자신은 가연성이며, 강산화성 물질로서 진한 황산은 산화력이 강하다.

해설

황산(H_2SO_4)

1. 무색, 무취의 액체로 물보다 무겁다.
2. 불연성 물질이다.
3. 물과 접촉하면 다량의 열을 발생한다.
4. 희석된 황산(묽은 황산)은 금속을 부식하여 수소 가스를 발생한다.
5. 소화작업 : 물과 접촉하면 다량의 열을 발생하므로 물을 뿌려 소화하는 것을 금하며, 모래, 회(灰) 등이 효과적이다.

97 다음 중 자연발화를 방지하기 위한 일반적인 방법으로 적절하지 않은 것은?

① 주위의 온도를 낮춘다.
② 공기의 출입을 방지하고 밀폐시킨다.
③ 습도가 높은 곳에는 저장하지 않는다.
④ 황린의 경우 산소와의 접촉을 피한다.

해설
자연발화 방지법
1. 통풍이 잘되게 할 것
2. 저장실 온도를 낮출 것
3. 열이 축적되지 않는 퇴적방법을 선택할 것
4. 습도가 높지 않도록 할 것(습도가 높은 것을 피할 것)
5. 공기가 접촉되지 않도록 불활성액체 중에 저장할 것

98 산업안전보건법에 의한 공정안전보고서에 포함되어야 하는 내용 중 공정안전자료의 세부내용에 해당하지 않는 것은?

① 안전운전 지침서
② 유해·위험설비의 목록 및 사양
③ 각종 건물·설비의 배치도
④ 위험설비의 안전설계·제작 및 설치 관련 지침서

해설
공정안전자료
1. 취급·저장하고 있거나 취급·저장하려는 유해·위험물질의 종류 및 수량
2. 유해·위험물질에 대한 물질안전보건자료
3. 유해·위험설비의 목록 및 사양
4. 유해·위험설비의 운전방법을 알 수 있는 공정도면
5. 각종 건물·설비의 배치도
6. 폭발위험장소 구분도 및 전기단선도
7. 위험설비의 안전설계·제작 및 설치 관련 지침서

99 다음 중 방폭구조의 종류와 그 기호가 잘못 짝지어진 것은?

① 안전증방폭구조 : e
② 본질안전방폭구조 : ia
③ 몰드방폭구조 : m
④ 충전방폭구조 : n

해설
방폭구조의 종류 및 기호

종류	기호
내압 방폭구조	d
압력 방폭구조	p
유입 방폭구조	o
안전증 방폭구조	e
특수 방폭구조	s
본질안전 방폭구조	l(ia, ib)
비점화 방폭구조	n
몰드방폭구조	m
충전방폭구조	q

100 물질의 누출방지용으로서 접합면을 상호 밀착시키기 위하여 사용하는 것은?

① 개스킷
② 체크밸브
③ 플러그
④ 콕크

해설
덮개 등 접합부의 조치사항
화학설비 또는 그 배관의 덮개·플랜지·밸브 및 콕의 접합부에 대해서는 접합부에서 위험물질 등이 누출되어 폭발·화재 또는 위험물이 누출되는 것을 방지하기 위하여 적절한 개스킷(Gasket)을 사용하고 접합면을 서로 밀착시키는 등 적절한 조치를 하여야 한다.

6과목 건설안전기술

101 크레인 또는 데릭에서 붐각도 및 작업반경별로 작용시킬 수 있는 최대하중에서 후크(Hook), 와이어로프 등 달기구의 중량을 공제한 하중은?

① 작업하중
② 정격하중
③ 이동하중
④ 적재하중

해설
크레인의 정격하중
크레인의 권상(호이스팅)하중에서 혹, 크래브 또는 버킷 등 달기기구의 중량에 상당하는 하중을 뺀 하중을 말한다. 다만, 지브가 있는 크레인 등으로서 경사각의 위치에 따라 권상능력이 달라지는 것은 그 위치에서의 권상하중에서 달기기구의 중량을 뺀 하중을 말한다.

102 항만하역작업에서의 선박승강설비 설치기준으로 옳지 않은 것은?

① 200톤급 이상의 선박에서 하역작업을 하는 경우에 근로자들이 안전하게 오르내릴 수 있는 현문(舷門) 사다리를 설치하여야 하며, 이 사다리 밑에 안전망을 설치하여야 한다.

② 현문 사다리는 견고한 재료로 제작된 것으로 너비는 55cm 이상이어야 한다.

③ 현문 사다리의 양측에는 82cm 이상의 높이로 울타리를 설치하여야 한다.

④ 현문 사다리는 근로자의 통행에만 사용하여야 하며, 화물용 발판 또는 화물용 보관으로 사용하도록 해서는 아니 된다.

`해설`

선박승강설비의 설치

1. 300톤급 이상의 선박에서 하역작업을 하는 경우에 근로자들이 안전하게 오르내릴 수 있는 현문 사다리를 설치하여야 하며, 이 사다리 밑에 안전망을 설치하여야 한다.
2. 현문 사다리는 견고한 재료로 제작된 것으로 너비는 55센티미터 이상이어야 하고, 양측에 82센티미터 이상의 높이로 울타리를 설치하여야 하며, 바닥은 미끄러지지 않도록 적합한 재질로 처리되어야 한다.
3. 현문 사다리는 근로자의 통행에만 사용하여야 하며, 화물용 발판 또는 화물용 보관으로 사용하도록 해서는 아니 된다.

103 토류벽의 붕괴예방에 관한 조치 중 옳지 않은 것은?

① 웰 포인트(Well Point) 공법 등에 의해 수위를 저하시킨다.

② 근입깊이를 가급적 짧게 한다.

③ 어스앵커(Earth Anchor) 시공을 한다.

④ 토류벽 인접지반에 중량물 적치를 피한다.

`해설`

근입깊이를 깊게 하여야 한다.

104 다음 중 철골작업을 중지하여야 하는 기준으로 옳은 것은?

① 풍속이 초당 1m 이상인 경우

② 강우량이 시간당 1cm 이상인 경우

③ 강설량이 시간당 1cm 이상인 경우

④ 10분간 평균풍속이 초당 5m 이상인 경우

`해설`

작업의 제한(철골작업 중지)

1. 풍속이 초당 10미터 이상인 경우
2. 강우량이 시간당 1밀리미터 이상인 경우
3. 강설량이 시간당 1센티미터 이상인 경우

105 다음 중 건물 해체용 기구가 아닌 것은?

① 압쇄기

② 스크레이퍼

③ 잭

④ 철해머

`해설`

해체용 기구

1. 압쇄기
2. 대형 브레이커
3. 철제 해머
4. 핸드브레이커
5. 절단톱
6. 재키
7. 절단줄톱
8. 팽창제 등

106 다음 중 토사붕괴로 인한 재해를 방지하기 위한 흙막이 지보공 설비가 아닌 것은?

① 흙막이판 ② 말뚝

③ 턴버클 ④ 띠장

`해설`

턴버클(Turn Buckle)

지지막대나 지지 와이어 로프 등의 길이를 조절하기 위한 기구로 철골 구조나 목조의 현장 조립 등에서 다시 세우거나 철근 가새 등에 사용하는 것을 말한다.

우나사　　　　　　　좌나사

이 부분을 돌리면 양쪽 나사가 서로
접근하고 회전을 반대로 하면 멀어진다.

턴버클의 구조

흙막이 지보공 부재의 종류
1. 버팀기둥(H-pile) : 버팀대를 지지하는 기둥(엄지말뚝)
2. 흙막이 벽체(토류판, 널말뚝) : 수평 흙막이판
3. 띠장(Waling) : 널말뚝, 버팀기둥(H-Pile)을 지지하기 위하여 벽면에 수평으로 부착하는 부재
4. 수평버팀대(Strut) : 띠장을 수평방향으로 지지하는 부재
5. 기타 경사버팀대, 브래킷(Bracket)

107 강관을 사용하여 비계를 구성할 때의 설치기준으로 옳지 않은 것은?

① 비계기둥의 간격은 띠장 방향에서는 1.85m 이하로 한다.
② 띠장 간격은 1m 이하로 설치한다.
③ 비계기둥의 제일 윗부분으로부터 31m 되는 지점 밑부분의 비계기둥은 2개의 강관으로 묶어 세운다.
④ 비계기둥 간의 적재하중은 400kg을 초과하지 아니하도록 한다.

해설

강관비계의 구조
1. 비계기둥의 간격은 띠장 방향에서는 1.85미터 이하, 장선 방향에서는 1.5미터 이하로 할 것. 다만, 다음 각 목의 어느 하나에 해당하는 작업의 경우에는 안전성에 대한 구조 검토를 실시하고 조립도를 작성하면 띠장 방향 및 장선 방향으로 각각 2.7미터 이하로 할 수 있다.
   • 선박 및 보트 건조작업
   • 그 밖에 장비 반입·반출을 위하여 공간 등을 확보할 필요가 있는 등 작업의 성질상 비계기둥 간격에 관한 기준을 준수하기 곤란한 작업
2. 띠장 간격은 2.0미터 이하로 할 것. 다만, 작업의 성질상 이를 준수하기가 곤란하여 쌍기둥틀 등에 의하여 해당 부분을 보강한 경우에는 그러하지 아니하다.
3. 비계기둥의 제일 윗부분으로부터 31미터 되는 지점 밑부분의 비계기둥은 2개의 강관으로 묶어 세울 것. 다만, 브래킷(Bracket, 까치발) 등으로 보강하여 2개의 강관으로 묶을 경우 이상의 강도가 유지되는 경우에는 그러하지 아니하다.

4. 비계기둥 간의 적재하중은 400킬로그램을 초과하지 않도록 할 것

108 차량계 건설기계를 사용하여 작업할 때에 그 기계가 넘어지거나 굴러떨어짐으로써 근로자가 위험해질 우려가 있는 경우에 조치하여야 할 사항과 거리가 먼 것은?

① 갓길의 붕괴 방지
② 작업반경 유지
③ 지반의 부동침하 방지
④ 도로 폭의 유지

해설

차량계 건설기계의 전도 등의 방지조치
차량계 건설기계를 사용하는 작업할 때에 그 기계가 넘어지거나 굴러떨어짐으로써 근로자가 위험해질 우려가 있는 경우에는 유도하는 사람을 배치하고 지반의 부동침하 방지, 갓길의 붕괴 방지 및 도로 폭의 유지 등 필요한 조치를 하여야 한다.

109 항타기 또는 항발기의 권상장치 드럼축과 권상장치로부터 첫 번째 도르래의 축 간의 거리는 권상장치 드럼폭의 몇 배 이상으로 하여야 하는가?

① 5배　　　　　　② 8배
③ 10배　　　　　　④ 15배

해설

항타기 또는 항발기의 도르래의 위치
1. 항타기 또는 항발기의 권상장치의 드럼축과 권상장치로부터 첫 번째 도르래의 축 간의 거리를 권상장치 드럼폭의 15배 이상으로 하여야 한다.
2. 도르래는 권상장치의 드럼 중심을 지나야 하며 축과 수직면상에 있어야 한다.

110 다음 중 토석붕괴의 원인이 아닌 것은?

① 사면 법면의 경사 및 기울기의 증가
② 절토 및 성토의 높이 증가
③ 토석의 강도 상승
④ 지표수·지하수의 침투에 의한 토사 중량의 증가

01 PART
02 PART
03 PART
04 PART
05 PART
06 PART
07 PART

해설

토석붕괴의 원인

외적 원인	• 사면, 법면의 경사 및 기울기의 증가 • 절토 및 성토 높이의 증가 • 공사에 의한 진동 및 반복 하중의 증가 • 지표수 및 지하수의 침투에 의한 토사 중량의 증가 • 지진, 차량, 구조물의 하중작용 • 토사 및 암석의 혼합층두께
내적 원인	• 절토 사면의 토질 · 암질 • 성토 사면의 토질구성 및 분포 • 토석의 강도 저하

111 비계에서 벽 고정을 하고 기둥과 기둥을 수평재나 가새로 연결하는 가장 큰 이유는?

① 작업자의 추락재해를 방지하기 위해

② 인장파괴를 방지하기 위해

③ 좌굴을 방지하기 위해

④ 해체를 용이하게 하기 위해

해설

가설구조물의 좌굴현상

1. 부재의 강성이 부족하여 가늘고 긴 부재가 압축력에 의하여 파괴되는 현상
2. 좌굴방지를 위해 비계에서 벽고정을 하고 기둥과 기둥을 수평재나 가새로 연결한다.

112 잠함 또는 우물통의 내부에서 굴착작업을 할 때의 준수사항으로 옳지 않은 것은?

① 굴착 깊이가 10m를 초과하는 경우에는 해당 작업 장소와 외부와의 연락을 위한 통신설비 등을 설치하여야 한다.

② 산소 결핍의 우려가 있는 경우에는 산소의 농도를 측정하는 자를 지명하여 측정하도록 한다.

③ 근로자가 안전하게 승강하기 위한 설비를 설치한다.

④ 측정 결과 산소의 결핍이 인정될 경우에는 송기를 위한 설비를 설치하여 필요한 양의 공기를 공급하여야 한다.

해설

잠함 등 내부에서의 작업(잠함, 우물통, 수직갱 등 이와 유사한 건설물 또는 설비)

1. 산소 결핍 우려가 있는 경우에는 산소의 농도를 측정하는 사람을 지명하여 측정하도록 할 것
2. 근로자가 안전하게 오르내리기 위한 설비를 설치할 것
3. 굴착 깊이가 20미터를 초과하는 경우에는 해당 작업장소와 외부와의 연락을 위한 통신설비 등을 설치할 것
4. 산소 결핍이 인정되거나 굴착 깊이가 20미터를 초과하는 경우에는 송기를 위한 설비를 설치하여 필요한 양의 공기를 공급해야 한다.

113 다음 중 취급 · 운반의 원칙으로 옳지 않은 것은?

① 연속 운반을 할 것

② 곡선 운반을 할 것

③ 운반 작업을 집중하여 시킬 것

④ 최대한 시간과 경비를 절약할 수 있는 운반방법을 고려할 것

해설

취급운반의 원칙

구분	원칙 및 조건
운반의 5원칙	• 이동되는 운반은 직선으로 할 것 • 연속으로 운반을 행할 것 • 효율(생산성)을 최고로 높일 것 • 자재 운반을 집중화할 것 • 가능한 한 수작업을 없앨 것
운반의 3조건	• 운반(취급)거리는 극소화시킬 것 • 손이 가지 않는 작업 방법일 것 • 운반(이동)은 기계화 작업일 것

114 다음은 산업안전기준에 관한 규칙의 콘크리트 타설작업에 관한 사항이다. 팔호 안에 들어갈 적절한 용어는?

> 당일의 작업을 시작하기 전에 해당작업에 관한 거푸집 및 동바리의 (㉠), 변위 및 (㉡) 등을 점검하고 이상이 있으면 보수할 것

① ㉠ 변형, ㉡ 지반의 침하유무

② ㉠ 변형, ㉡ 개구부 방호설비

③ ㉠ 균열, ㉡ 깔판

④ ㉠ 균열, ㉡ 지주의 침하

콘크리트 타설 작업 시 준수사항

1. 당일의 작업을 시작하기 전에 해당 작업에 관한 거푸집 및 동바리의 변형·변위 및 지반의 침하 유무 등을 점검하고 이상이 있으면 보수할 것
2. 작업 중에는 감시자를 배치하는 등의 방법으로 거푸집 및 동바리의 변형·변위 및 침하 유무 등을 확인해야 하며, 이상이 있으면 작업을 중지하고 근로자를 대피시킬 것
3. 콘크리트 타설작업 시 거푸집 붕괴의 위험이 발생할 우려가 있으면 충분한 보강조치를 할 것
4. 설계도서상의 콘크리트 양생기간을 준수하여 거푸집 및 동바리를 해체할 것
5. 콘크리트를 타설하는 경우에는 편심이 발생하지 않도록 골고루 분산하여 타설할 것

115 다음 중 근로자의 추락위험을 방지하기 위한 안전난간의 설치기준으로 옳지 않은 것은?

① 상부난간대는 바닥면·발판 또는 경사로의 표면으로부터 90cm 이상 120cm 이하에 설치하고, 중간난간대는 상부난간대와 바닥면 등의 중간에 설치할 것
② 발끝막이판은 바닥면 등으로부터 20cm 이하의 높이를 유지할 것
③ 난간대는 지름 2.7cm 이상의 금속제파이프나 그 이상의 강도를 가진 재료일 것
④ 안전난간은 임의의 점에서 임의의 방향으로 움직이는 100kg 이상의 하중에 견딜 수 있는 튼튼한 구조일 것

안전난간의 구조 및 설치요건

구성	상부 난간대, 중간 난간대, 발끝막이판 및 난간기둥으로 구성할 것(다만, 중간 난간대, 발끝막이판 및 난간기둥은 이와 비슷한 구조와 성능을 가진 것으로 대체할 수 있음)
상부 난간대	상부 난간대는 바닥면·발판 또는 경사로의 표면 으로부터 90센티미터 이상 지점에 설치하고, 상부 난간대를 120센티미터 이하에 설치하는 경우에는 중간 난간대는 상부 난간대와 바닥면 등의 중간에 설치하여야 하며, 120센티미터 이상 지점에 설치하는 경우에는 중간 난간대를 2단 이상으로 균등하게 설치하고 난간의 상하 간격은 60센티미터 이하가 되도록 할 것

발끝막이판 (폭목)	바닥면 등으로부터 10센티미터 이상의 높이를 유지할 것(다만, 물체가 떨어지거나 날아올 위험이 없거나 그 위험을 방지할 수 있는 망을 설치하는 등 필요한 예방 조치를 한 장소는 제외)
난간기둥	상부 난간대와 중간 난간대를 견고하게 떠받칠 수 있도록 적정한 간격을 유지할 것
상부 난간대와 중간 난간대	상부 난간대와 중간 난간대는 난간 길이 전체에 걸쳐 바닥면등과 평행을 유지할 것
난간대	지름 2.7센티미터 이상의 금속제 파이프나 그 이상의 강도가 있는 재료일 것
하중	안전난간은 구조적으로 가장 취약한 지점에서 가장 취약한 방향으로 작용하는 100킬로그램 이상의 하중에 견딜 수 있는 튼튼한 구조일 것

116 사다리식 통로 등의 구조에 대한 설치기준으로 옳지 않은 것은?

① 발판의 간격은 일정하게 할 것
② 발판과 벽과의 사이는 15cm 이상의 간격을 유지할 것
③ 사다리식 통로의 길이가 10m 이상인 때에는 7m 이내마다 계단참을 설치할 것
④ 사다리의 상단은 걸쳐놓은 지점으로부터 60cm 이상 올라가도록 할 것

사다리식 통로

1. 견고한 구조로 할 것
2. 심한 손상·부식 등이 없는 재료를 사용할 것
3. 발판의 간격은 일정하게 할 것
4. 발판과 벽과의 사이는 15센티미터 이상의 간격을 유지할 것
5. 폭은 30센티미터 이상으로 할 것
6. 사다리가 넘어지거나 미끄러지는 것을 방지하기 위한 조치를 할 것
7. 사다리의 상단은 걸쳐놓은 지점으로부터 60센티미터 이상 올라가도록 할 것
8. 사다리식 통로의 길이가 10미터 이상인 경우에는 5미터 이내마다 계단참을 설치할 것
9. 사다리식 통로의 기울기는 75도 이하로 할 것. 다만, 고정식 사다리식 통로의 기울기는 90도 이하로 하고, 그 높이가 7미터 이상인 경우에는 다음 각 목의 구분에 따른 조치를 할 것
   가. 등받이울이 있어도 근로자 이동에 지장이 없는 경우 : 바닥으로부터 높이가 2.5미터 되는 지점부터 등받이울을 설치할 것

나. 등받이울이 있으면 근로자가 이동이 곤란한 경우 : 개
　　인용 추락 방지 시스템을 설치하고 근로자로 하여금
　　전신안전대를 사용하도록 할 것
10. 접이식 사다리 기둥은 사용 시 접혀지거나 펼쳐지지 않
　　도록 철물 등을 사용하여 견고하게 조치할 것

117 다음 중 백호(Back Hoe)의 운행방법으로 적절하지 않은 것은?

① 경사로나 연약지반에서는 무한궤도식보다는 타이
　어식이 안전하다.
② 작업계획서를 작성하고 계획에 따라 작업을 실시하
　여야 한다.
③ 작업장소의 지형 및 지반상태 등에 적합한 제한속
　도를 정하고 운전자로 하여금 이를 준수하도록 하
　여야 한다.
④ 작업 중 승차석 외의 위치에 근로자를 탑승시켜서
　는 안 된다.

해설

백호(Back Hoe, 드래그 셔블)
1. 주행방식에 따라 무한궤도식과 타이어식으로 분류
2. 무한궤도식은 작업 시 안전성이 더 높고, 타이어식은 기동
　성이 더 높다.
3. 경사로나 연약지반에서는 무한궤도식이 타이어식보다 안
　전하다.

118 그물코 크기가 가로, 세로 각각 10센티미터인 매듭방망 방망사의 신품에 대해 등속인장강도 시험을 하였을 경우 그 강도가 최소 얼마 이상이어야 하는가?

① 150kg　　　　　② 200kg
③ 220kg　　　　　④ 240kg

해설

방망사의 신품에 대한 인장강도

그물코의 크기 (단위 : 센티미터)	방망의 종류(단위 : 킬로그램)	
	매듭 없는 방망	매듭방망
10	240	200
5		110

119 달비계의 최대 적재하중을 정함에 있어서 활용하는 안전계수의 기준으로 옳은 것은?(단, 곤돌라의 달비계를 제외한다.)

① 달기 훅 : 5 이상
② 달기 강선 : 5 이상
③ 달기 체인 : 3 이상
④ 달기 와이어로프 : 5 이상

해설

달비계(곤돌라의 달비계 제외)의 안전계수

구분		안전계수
달기 와이어로프 및 달기 강선		10 이상
달기 체인 및 달기 훅		5 이상
달기 강대와 달비계의 하부 및 상부 지점	강재	2.5 이상
	목재	5 이상

> **TIP** 본 문제는 법 개정으로 내용이 삭제되었습니다. 참고만
> 하세요.

120 사업주는 높이가 3m를 초과하는 계단에는 높이 3m 이내마다 진행방향으로 최소 얼마 이상 계단참을 설치하여야 하는가?

① 3.5m　　　　　② 2.5m
③ 1.2m　　　　　④ 1.0m

해설

계단참의 설치
높이가 3미터를 초과하는 계단에 높이 3미터 이내마다 진행
방향으로 길이 1.2미터 이상의 계단참을 설치해야 한다.

02 | 2023년 2회 기출문제

1과목 안전관리론

01 재해예방의 4원칙에 대한 설명으로 틀린 것은?

① 재해발생은 반드시 원인이 있다.

② 손실과 사고와의 관계는 필연적이다.

③ 재해는 원인을 제거하면 예방이 가능하다.

④ 재해를 예방하기 위한 대책은 반드시 존재한다.

해설

하인리히의 재해예방 4원칙

예방 가능의 원칙	천재지변을 제외한 모든 재해는 원칙적으로 예방이 가능하다.
손실 우연의 원칙	사고로 생기는 상해의 종류 및 정도는 우연적이다.
원인 계기의 원칙	사고와 손실의 관계는 우연적이지만 사고와 원인관계는 필연적이다.(사고에는 반드시 원인이 있다.)
대책 선정의 원칙	원인을 정확히 규명해서 대책을 선정하고 실시되어야 한다.(3E, 즉 기술, 교육, 독려를 중심으로)

02 산업안전보건법령상 중대재해의 범위에 해당하지 않는 것은?

① 1명의 사망자가 발생한 재해

② 1개월의 요양을 요하는 부상자가 동시에 5명 발생한 재해

③ 3개월의 요양을 요하는 부상자가 동시에 3명 발생한 재해

④ 10명의 직업성 질병자가 동시에 발생한 재해

해설

중대재해

1. 사망자가 1명 이상 발생한 재해
2. 3개월 이상의 요양이 필요한 부상자가 동시에 2명 이상 발생한 재해
3. 부상자 또는 직업성 질병자가 동시에 10명 이상 발생한 재해

03 파블로프(Pavlov)의 조건반사설에 의한 학습이론의 원리가 아닌 것은?

① 준비성의 원리　　② 일관성의 원리

③ 계속성의 원리　　④ 강도의 원리

해설

학습의 원리

조건반사설 (Pavlov)	시행착오설 (Thorndike)	조작적 조건 형성이론 (Skinner)
• 강도의 원리 • 일관성의 원리 • 시간의 원리 • 계속성의 원리	• 효과의 법칙 • 준비성의 법칙 • 연습의 법칙	• 강화의 원리 • 소거의 원리 • 조형의 원리 • 자발적 회복의 원리 • 변별의 원리

04 다음 중 재해발생 시 조치사항에 있어 가장 우선적으로 실시해야 하는 것은?

① 재해자의 응급조치　　② 재해조사

③ 원인강구　　④ 대책수립

해설

긴급처리 순서
1. 피재기계의 정지
2. 피재자의 응급조치
3. 관계자에게 통보
4. 2차 재해 방지
5. 현장보존

05 안전교육의 3요소에 해당되지 않는 것은?

① 강사　　② 교육방법

③ 수강자　　④ 교재

해설

교육의 3요소
1. 교육의 주체 : 강사
2. 교육의 객체 : 수강자(교육대상)
3. 교육의 매개체 : 교재(교육내용)

정답　01 ②　02 ②　03 ①　04 ①　05 ②

06 플리커 검사(Flicker Test)의 목적으로 가장 적절한 것은?

① 혈중 알코올농도 측정
② 체내 산소량 측정
③ 작업강도 측정
④ 피로의 정도 측정

플리커(Flicker)법
1. 빛에 대한 눈의 깜박임을 살펴 정신피로의 척도로 사용하는 방법이다.
2. 광원 앞에 사이가 벌어진 원판을 놓고 회전함으로써 눈에 들어오는 빛을 단속시켜 원판의 회전속도를 바꾸면 빛의 주기가 변한다. 이때 회전속도가 느리면 빛이 아른거리다가 빨라지면 융합되어 하나의 광점으로 보인다. 이러한 빛의 단속주기를 플리커치라고 한다.
3. 플리커법은 피로의 정도를 측정하는 검사이다.
4. 융합한계빈도(Crifical Fusion Frequency of Flicker), 즉 CFF법이라고도 한다.

07 다음 중 레윈의 법칙 "$B = f(P \cdot E)$"에서 "B"에 해당되는 것은?

① 인간관계
② 행동
③ 환경
④ 함수

레윈(K. Lewin)의 행동법칙

$$B = f(P \cdot E)$$

여기서, B : Behavior(인간의 행동)
　　f : Function(함수관계) $P \cdot E$에 영향을 줄 수 있는 조건
　　P : Person(개체, 개인의 자질, 연령, 경험, 심신상태, 성격, 지능 등)
　　E : Environment(심리적 환경 – 작업환경, 인간관계, 설비적 결함 등)

레윈의 이론
인간의 행동(B)은 개인의 자질과 심리학적 환경과의 상호 함수관계이다.

08 안전인증 대상 보호구의 방독마스크에서 유기화합물용 정화통 외부 측면의 표시색으로 옳은 것은?

① 갈색
② 노랑색
③ 녹색
④ 백색과 녹색

방독마스크의 종류 및 표시색

종류	시험가스	정화통 외부 측면의 표시색
유기화합물용	시클로헥산 (C_6H_{12})	갈색
	디메틸에테르 (CH_3OCH_3)	
	이소부탄(C_4H_{10})	
할로겐용	염소가스 또는 증기(Cl_2)	회색
황화수소용	황화수소가스 (H_2S)	
시안화수소용	시안화수소가스 (HCN)	
아황산용	아황산가스(SO_2)	노랑색
암모니아용	암모니아가스 (NH_3)	녹색
복합용 및 겸용의 정화통		• 복합용의 경우 : 해당 가스 모두 표시(2층 분리) • 겸용의 경우 : 백색과 해당 가스 모두 표시(2층 분리)

09 안전보건관리조직 중 라인–스탭(Line–Staff) 조직에 관한 설명으로 틀린 것은?

① 조직원 전원을 자율적으로 안전 활동에 참여시킬 수 있다.
② 라인의 관리, 감독자에게도 안전에 관한 책임과 권한이 부여된다.
③ 중규모 사업장(100명 이상~500명 미만)에 적합하다.
④ 안전 활동과 생산업무가 유리될 우려가 없기 때문에 균형을 유지할 수 있어 이상적인 조직형태이다.

안전관리 조직의 형태

라인형(Line형) (직계형 조직)	100명 미만의 소규모 사업장에 적합한 조직형태
스태프형(Staff형) (참모형 조직)	100명 이상 1,000명 미만의 중규모 사업장에 적합한 조직형태
라인–스태프형 (Line–Staff형) (직계 참모형 조직)	1,000명 이상의 대규모 사업장에 적합한 조직형태

10 다음 중 교육방법의 4단계를 올바르게 나열한 것은?

① 제시 → 도입 → 적용 → 확인
② 제시 → 확인 → 도입 → 적용
③ 도입 → 확인 → 적용 → 제시
④ 도입 → 제시 → 적용 → 확인

해설
교육방법의 4단계

단계		내용
제1단계	도입 (준비)	• 학습할 준비를 시킨다. • 작업에 대한 흥미를 갖게 한다. • 학습자의 동기부여 및 마음의 안정
제2단계	제시 (설명)	• 작업을 설명한다. • 한 번에 하나하나씩 나누어 확실하게 이해시켜야 한다. • 강의순서대로 진행하고 설명, 교재를 통해 듣고 말하는 단계
제3단계	적용 (응용)	• 작업을 시켜본다. • 상호학습 및 토의 등으로 이해력을 향상시킨다. • 자율학습을 통해 배운 것을 학습한다.
제4단계	확인 (평가)	• 가르친 뒤 살펴본다. • 잘못된 것을 수정한다. • 요점을 정리하여 복습한다.

11 토의식 교육방법 중 새로운 교재를 제시하고 거기에서의 문제점을 피교육자로 하여금 제기하게 하거나, 의견을 여러 가지 방법으로 발표하게 하고, 다시 깊이 파고 들어서 토의하는 방법은?

① 포럼(Forum)
② 심포지엄(Symposium)
③ 패널 디스커션(Panel Discussion)
④ 버즈세션(Buzz Session)

해설
토의법의 종류
1. 자유토의법 : 참가자가 주어진 주제에 대하여 자유로운 발표와 토의를 통하여 서로의 의견을 교환하고 상호이해력을 높이며 의견을 절충해 나가는 방법
2. 패널 디스커션(Panel Discussion) : 전문가 4~5명이 피교육자 앞에서 자유로이 토의를 하고, 그 후에 피교육자 전원이 사회자의 사회에 따라 토의하는 방법
3. 심포지엄(Symposium) : 발제자 없이 몇 사람의 전문가에 의하여 과제에 관한 견해를 발표한 뒤에 참가자로 하여금 의견이나 질문을 하게 하여 토의하는 방법

4. 포럼(Forum)
ⓗ 사회자의 진행으로 몇 사람이 주제에 대하여 발표한후 피교육자가 질문을 하고 토론해 나가는 방법
ⓙ 새로운 자료나 주제를 내보이거나 발표한 후 피교육자로 하여금 문제나 의견을 제시하게 하고 다시 깊이 있게 토론해 나가는 방법
5. 버즈 세션(Buzz Session) : 6-6 회의라고도 하며, 참가자가 다수인 경우에 전원을 토의에 참가시키기 위한 방법으로 소집단을 구성하여 회의를 진행시키는 방법

12 재해 코스트 산정에 있어 시몬즈(R. H. Simonds) 방식에 의한 재해코스트 산정법으로 옳은 것은?

① 직접비 + 간접비
② 간접비 + 비보험코스트
③ 보험코스트 + 비보험코스트
④ 보험코스트 + 사업부보상금 지급액

해설
시몬즈(Simonds) 방식
총재해 코스트(Cost) = 보험코스트 + 비보험코스트
1. 보험코스트 : 산재보험료
2. 비보험코스트 = (A×휴업상해건수) + (B×통원상해건수) + (C×응급조치건수) + (D×무상해사고건수)
3. A, B, C, D는 상해 정도별 재해에 대한 비보험 코스트의 평균치이다.
4. 사망과 영구 전노동 불능 상해는 재해범주에서 제외된다.

13 다음 중 맥그리거(McGregor)의 Y이론과 관계가 없는 것은?

① 직무확장
② 인간관계 관리방식
③ 권위주의적 리더십
④ 책임과 창조력

해설
X, Y이론의 관리처방

X이론의 관리처방	Y이론의 관리처방
• 권위주의적 리더십의 확립 • 경제적 보상 체제의 강화 • 면밀한 감독과 엄격한 통제 • 상부 책임제도의 강화 • 설득, 보상, 벌, 통제에 의한 관리 • 조직구조의 고층성	• 분권화와 권한의 위임 • 목표에 의한 관리 • 비공식적 조직의 활용 • 민주적 리더십의 확립 • 직무확장 • 자체 평가제도의 활성화 • 조직 목표 달성을 위한 자율적인 통제 • 조직구조의 평면화

14 위험예지훈련의 문제해결 4라운드에 해당하지 않는 것은?

① 현상파악　　　　② 본질추구
③ 대책수립　　　　④ 원인결정

해설

위험예지훈련의 4라운드
1. 1라운드(1R) : 현상파악(사실을 파악한다)
2. 2라운드(2R) : 본질추구(요인을 찾아낸다)
3. 3라운드(3R) : 대책수립(대책을 선정한다)
4. 4라운드(4R) : 목표설정(행동계획을 정한다)

15 산업안전보건법령상 보안경 착용을 포함하는 안전보건표지의 종류는?

① 지시표지　　　　② 안내표지
③ 금지표지　　　　④ 경고표지

해설

지시표지
1. 보안경 착용
2. 방독마스크 착용
3. 방진마스크 착용
4. 보안면 착용
5. 안전모 착용
6. 귀마개 착용
7. 안전화 착용
8. 안전장갑 착용
9. 안전복 착용

16 근로자수 300명, 총근로시간수 48시간×50주이고, 연재해건수는 200건일 때 이 사업장의 강도율은?(단, 연 근로손실일수는 800일로 한다.)

① 1.11　　　　② 0.90
③ 0.16　　　　④ 0.84

해설

$$강도율 = \frac{근로손실일수}{연간 \ 총근로시간수} \times 1,000$$
$$= \frac{800}{300 \times 48 \times 50} \times 1,000$$
$$= 1.11$$

17 산소결핍이 예상되는 맨홀 내에서 작업을 실시할 때의 사고 방지 대책으로 적절하지 않은 것은?

① 직업 시작 전 및 작업 중 충분한 환기 실시
② 작업 장소의 입장 및 퇴장 시 인원점검
③ 방진마스크의 보급과 착용 철저
④ 작업장과 외부와의 상시 연락을 위한 설비 설치

해설

밀폐공간에서 작업을 하는 경우 근로자에게 공기호흡기 또는 송기마스크를 지급하여 착용하도록 하여야 한다.

> **TIP** 방진마스크
> • 방진마스크는 산소결핍장소에서는 사용하지 말아야 한다.
> • 방진마스크는 산소농도가 18% 이상인 장소에서 사용하여야 한다.

18 재해누발자의 유형 중 상황성 누발자와 관련이 없는 것은?

① 작업이 어렵기 때문에
② 기능이 미숙하기 때문에
③ 심신에 근심이 있기 때문에
④ 기계설비에 결함이 있기 때문에

해설

재해누발자의 유형

상황성 누발자	• 작업이 어렵기 때문에 • 기계설비에 결함이 있기 때문에 • 심신에 근심이 있기 때문에 • 환경상 주의력의 집중이 혼란되기 때문에
습관성 누발자	• 재해의 경험에 의해 겁을 먹거나 신경과민 • 일종의 슬럼프 상태
미숙성 누발자	• 기능이 미숙하기 때문에 • 환경에 익숙하지 못하기 때문에(환경에 적응 미숙)
소질성 누발자	• 개인의 소질 가운데 재해원인의 요소를 가진 자 • 개인의 특수성격 소유자

19 다음 중 재해발생에 관련된 하인리히의 도미노 이론을 올바르게 나열한 것은?

① 개인적 결함 → 사회적 환경 및 유전적 요소 → 불안전한 행동 및 불안전한 상태 → 사고 → 재해
② 사회적 환경 및 유전적 요소 → 개인적 결함 → 불안전한 행동 및 불안전한 상태 → 사고 → 재해
③ 사회적 환경 및 유전적 요소 → 불안전한 행동 및 불안전한 상태 → 개인적 결함 → 재해 → 사고
④ 개인적 결함 → 사회적 환경 및 유전적 요소 → 불안전한 행동 및 불안전한 상태 → 재해 → 사고

해설

하인리히(H. W. Heinrich)의 도미노이론(사고연쇄성)
1. 제1단계 : 사회적 환경 및 유전적 요인
2. 제2단계 : 개인적 결함
3. 제3단계 : 불안전한 행동 및 불안전한 상태
4. 제4단계 : 사고
5. 제5단계 : 재해
※ 불안전한 행동이나 불안전한 상태, 즉 제3단계를 제거하면 사고나 재해를 예방할 수 있다.

20 교육훈련기법 중 Off.J.T(Off the Job Training)의 장점에 해당되지 않는 것은?

① 우수한 전문가를 강사로 활용할 수 있다.
② 특별교재, 교구, 시설을 유효하게 활용할 수 있다.
③ 다수의 근로자에게 조직적 훈련이 가능하다.
④ 직장의 실정에 맞는 구체적이고, 실제적인 교육이 가능하다.

해설

Off J.T(Off the Job Training)
1. 정의
   공통된 교육목적을 가진 근로자를 현장 외의 장소에 모아 실시하는 집체교육으로 집단교육에 적합한 교육형태
2. 특징
   • 외부의 전문가를 활용할 수 있다(전문가를 초빙하여 강사로 활용이 가능하다).
   • 다수의 대상자에게 조직적 훈련이 가능하다.
   • 특별교재, 교구, 시설을 유효하게 사용할 수 있다.
   • 타 직종 사람과의 많은 지식, 경험을 교류할 수 있다.
   • 업무와 분리되어 교육에 전념하는 것이 가능하다.
   • 교육목표를 위하여 집단적으로 협조와 협력이 가능하다.
   • 법규, 원리, 원칙, 개념, 이론 등의 교육에 적합하다.

※ ④는 O.J.T(On the Job Training)의 특징이다.

2과목 인간공학 및 시스템 안전공학

21 정량적 표시장치에 관한 설명으로 맞는 것은?

① 정확한 값을 읽어야 하는 경우 일반적으로 디지털보다 아날로그 표시장치가 유리하다.
② 동목(Moving Scale)형 아날로그 표시장치는 표시장치의 면적을 최소화할 수 있는 장점이 있다.
③ 연속적으로 변화하는 양을 나타내는 데에는 일반적으로 아날로그보다 디지털 표시장치가 유리하다.
④ 동침(Moving Pointer)형 아날로그 표시장치는 바늘의 진행 방향과 증감 속도에 대한 인식적인 암시 신호를 얻는 것이 불가능한 단점이 있다.

해설

정량적 표시장치의 종류(정량적인 동적 표시장치)

아날로그 (Analog)	정목동침형 (Moving Pointer) (지침이동형)	• 눈금이 고정되고 지침이 움직이는 형(고정눈금 이동지침 표시장치) • 일정한 범위에서 수치가 자주 또는 계속 변하는 경우 가장 유용한 표시장치 • 지침의 위치는 인식적 암시 신호를 얻을 수 있다.
	정침동목형 (Moving Scale) (지침고정형)	• 지침이 고정되고 눈금이 움직이는 형(이동눈금 고정지침 표시장치) • 나타내고자 하는 값의 범위가 클 때, 비교적 작은 눈금판에 모두 나타내고자 할 때(공간을 적게 차지하는 이점이 있음)
디지털 (Digital)	계수형 (Digital)	• 전력계나 택시 요금 계기와 같이 기계, 전자적으로 숫자가 표시되는 형 • 출력되는 값을 정확하게 읽어야 하는 경우에 가장 적합하다.(수치를 정확하게 읽어야 할 경우) • 판독 오차는 원형 표시 장치보다 적을 뿐 아니라 판독(평균반응)시간도 짧다.(계수형 : 0.94초, 원형 : 3.54초)

22 다음 중 조작상의 과오로 기기의 일부에 고장이 발생하는 경우, 이 부분의 고장으로 인하여 사고가 발생하는 것을 방지하도록 설계하는 방법은?

① 신뢰성 설계
② 페일 세이프(Fail Safe) 설계
③ 풀 프루프(Fool Proof) 설계
④ 사고 방지(Accident Proof) 설계

해설

페일 세이프와 풀 프루프

구분	Fail Safe	Fool Proof
정의	기계나 그 부품에 파손·고장이나 기능불량이 발생하여도 항상 안전하게 작동할 수 있는 기능을 가진 구조	작업자가 기계를 잘못 취급하여 불안전 행동이나 실수를 하여도 기계설비의 안전 기능이 작동되어 재해를 방지할 수 있는 기능을 가진 구조
예	퓨즈(Fuse), 엘리베이터의 정전 시 제동장치 등	세탁기 탈수 중 문을 열면 정지, 프레스에서 실수로 손이 금형 사이로 들어가면 멈춘다.

23 산업안전보건기준에 관한 규칙상 "강렬한 소음작업"에 해당하는 기준은?

① 85데시벨 이상의 소음이 1일 4시간 이상 발생하는 작업
② 85데시벨 이상의 소음이 1일 8시간 이상 발생하는 작업
③ 90데시벨 이상의 소음이 1일 4시간 이상 발생하는 작업
④ 90데시벨 이상의 소음이 1일 8시간 이상 발생하는 작업

해설

강렬한 소음작업
1. 90데시벨 이상의 소음이 1일 8시간 이상 발생하는 작업
2. 95데시벨 이상의 소음이 1일 4시간 이상 발생하는 작업
3. 100데시벨 이상의 소음이 1일 2시간 이상 발생하는 작업
4. 105데시벨 이상의 소음이 1일 1시간 이상 발생하는 작업
5. 110데시벨 이상의 소음이 1일 30분 이상 발생하는 작업
6. 115데시벨 이상의 소음이 1일 15분 이상 발생하는 작업

24 사무실 의자나 책상에 적용할 인체 측정 자료의 설계 원칙으로 가장 적합한 것은?

① 평균치 설계
② 조절식 설계
③ 최대치 설계
④ 최소치 설계

해설

인체계측 자료의 응용원칙의 사례
1. 극단치를 이용한 설계
   ㉠ 최대 집단치 설계 : 출입문, 탈출구의 크기, 통로, 그네, 줄사다리, 버스 내 승객용 좌석 간 거리. 위험구역 울타리 등
   ㉡ 최소 집단치 설계 : 선반의 높이, 조종 장치까지의 거리, 비상벨의 위치 설계 등
2. 조절 가능한 설계
   자동차 좌석의 전후 조절, 사무실 의자의 상하 조절, 책상 높이 등
3. 평균치를 이용한 설계
   가게나 은행의 계산대, 식당 테이블, 출근버스 손잡이 높이, 안내 데스크 등

25 인간공학에 있어 기본적인 가정에 관한 설명으로 틀린 것은?

① 인간 기능의 효율은 인간-기계 시스템의 효율과 연계된다.
② 인간에게 적절한 동기부여가 된다면 좀 더 나은 성과를 얻게 된다.
③ 개인이 시스템에서 효과적으로 기능을 하지 못하여도 시스템의 수행도는 변함없다.
④ 장비, 물건, 환경 특성이 인간의 수행도와 인간-기계 시스템의 성과에 영향을 준다.

해설

인간공학의 정의
1. 인간의 특성과 한계 능력을 공학적으로 분석, 평가하여 이를 복잡한 체계의 설계에 응용함으로써 효율을 최대로 활용할 수 있도록 하는 학문분야이다.
2. 인간의 생리적, 심리적 요소를 연구하여 기계나 설비를 인간의 특성에 맞추어 설계하고자 하는 것이다.
3. 사람과 작업 간의 적합성에 관한 과학을 말한다.
4. 인간공학의 초점은 인간이 만들어 생활의 여러 가지 면에서 사용하는 물건, 기구 또는 환경을 설계하는 과정에서 인간을 고려하는 데 있다.

TIP 개인이 시스템에서 효과적으로 기능을 하지 못하면 시스템은 개인의 기능에 맞게 수행은 변하여야 한다.

26 "표시장치와 이에 대응하는 조종장치 간의 위치 또는 배열이 인간의 기대와 모순되지 않아야 한다."는 인간 공학적 설계원리와 가장 관계가 깊은 것은?

① 개념양립성
② 공간양립성
③ 운동양립성
④ 문화양립성

양립성의 종류

공간 양립성	• 표시장치와 이에 대응하는 조종장치 간의 위치 또는 배열이 인간의 기대와 모순되지 않아야 한다. • 가스버너에서 오른쪽 조리대는 오른쪽 조절장치로, 왼쪽 조리대는 왼쪽 조절장치로 조정하도록 배치한다.
운동 양립성	• 조작장치의 방향과 표시장치의 움직이는 방향이 사용자의 기대와 일치하는 것 • 자동차를 운전하는 과정에서 우측으로 회전하기 위하여 핸들을 우측으로 돌린다.
개념 양립성	• 사람들이 가지고 있는(이미 사람들이 학습을 통해 알고 있는) 개념적 연상에 관한 기대와 일치하는 것 • 냉온수기에서 빨간색은 온수, 파란색은 냉수가 나온다.
양식 양립성	음성과업에 대해서는 청각적 자극 제시와 이에 대한 음성 응답 등에 해당

27 다음 중 동작경제의 원칙에 있어 신체사용에 관한 원칙이 아닌 것은?

① 두 손의 동작은 같이 시작해서 같이 끝나야 한다.
② 손의 동작은 유연하고 연속적인 동작이어야 한다.
③ 공구, 재료 및 제어장치는 사용하기 가까운 곳에 배치해야한다.
④ 동작이 급작스럽게 크게 바뀌는 직선 동작은 피해야 한다.

동작경제의 원칙

신체 사용에 관한 원칙	• 두 손의 동작은 같이 시작하고 같이 끝나도록 한다. • 휴식시간을 제외하고는 양손이 같이 쉬지 않도록 한다. • 두 팔의 동작은 서로 반대방향으로 대칭적으로 움직인다. • 손과 신체의 동작은 작업을 원만하게 처리할 수 있는 범위 내에서 가장 낮은 동작 등급을 사용하도록 한다. • 가능한 한 관성을 이용하여 작업을 하도록 하되, 작업자가 관성을 억제하여야 하는 경우에는 발생되는 관성을 최소한도로 줄인다. • 손의 동작은 유연하고 연속적인 동작이 되도록 하며, 방향이 갑자기 크게 바뀌는 모양의 직선동작은 피하도록 한다. • 탄도동작(Ballistic Movements)은 제한되거나 통제된 동작보다 더 신속, 정확, 용이하다. • 가능하다면 쉽고도 자연스러운 리듬이 작업 동작에 생기도록 작업을 배치한다. • 눈의 초점을 모아야 작업을 할 수 있는 경우는 가능하면 없애고, 불가피한 경우에는 눈의 초점이 모아지는 서로 다른 두 작업 지점 간의 거리를 짧게 한다.
작업장 배치에 관한 원칙	• 모든 공구나 재료는 자기 위치에 있도록 한다. • 공구, 재료 및 제어장치는 사용위치에 가까이 두도록 한다. • 중력을 이용한 부품상자나 용기를 이용하여 부품을 제품 사용위치에 가까이 보낼 수 있도록 한다. • 가능하다면 낙하시키는 운반방법을 사용하라. • 공구 및 재료는 동작에 가장 편리한 순서로 배치하여야 한다. • 채광 및 조명장치를 잘 하여야 한다. • 작업자가 작업 중 자세를 변경, 즉 앉거나 서는 것을 임의로 할 수 있도록 작업대와 의자 높이가 조정되도록 한다. • 작업자가 좋은 자세를 취할 수 있도록 의자는 높이뿐만 아니라 디자인도 좋아야 한다.
공구 및 설비 디자인에 관한 원칙	• 치구나 발로 작동시키는 기기를 사용할 수 있는 작업에서는 이러한 기기를 활용하여 양손이 다른 일을 할 수 있도록 한다. • 공구의 기능은 결합하여서 사용하도록 한다. • 공구와 자재는 가능한 한 사용하기 쉽도록 미리 위치를 잡아준다. • 각 손가락에 서로 다른 작업을 할 때에는 작업량을 각 손가락의 능력에 맞게 분배해야 한다. • 레버, 핸들 및 제어장치는 작업자가 몸의 자세를 크게 바꾸지 않더라도 조작하기 쉽도록 배열한다.

01 PART
02 PART
03 PART
04 PART
05 PART
06 PART
07 PART

28 인간 – 기계 시스템에 관한 설명으로 틀린 것은?

① 자동 시스템에서는 인간요소를 고려하여야 한다.

② 자동차 운전이나 전기 드릴 작업은 반자동 시스템의 예시이다.

③ 자동 시스템에서 인간은 감시, 정비유지, 프로그램 등의 작업을 담당한다.

④ 수동 시스템에서 기계는 동력원을 제공하고 인간의 통제하에서 제품을 생산한다.

해설

인간 – 기계 통합 체계의 유형

수동시스템	• 수공구나 기타 보조물로 이루어지며 자신의 신체적인 힘을 원동력으로 사용하여 작업을 통제하는 시스템(인간이 사용자나 동력원으로 가능) • 다양성 있는 체계로 역할을 할 수 있는 능력을 충분히 활용하는 시스템 예 장인과 공구, 가수와 앰프
기계시스템	• 고도로 통합된 부품들로 구성되어 있으며, 일반적으로 변화가 거의 없는 기능들을 수행하는 시스템 • 운전자의 조종에 의해 운용되며 융통성이 없는 시스템 • 동력은 기계가 제공하며, 조종장치를 사용하여 통제하는 것은 사람이다. • 반자동 체계라고도 한다. 예 엔진, 자동차, 공작기계
자동시스템	• 체계가 감지, 정보보관, 정보처리 및 의사결정, 행동을 포함한 모든 임무를 수행하는 체계 • 대부분의 자동시스템은 폐회로를 갖는 체계이며, 인간요소를 고려하여야 한다. • 신뢰성이 완전한 자동체계란 불가능하므로 인간은 감시, 정비, 보전, 계획수립 등의 기능을 수행한다. 예 자동화된 처리공장, 자동교환대, 컴퓨터

29 경계 및 경보신호의 설계지침으로 틀린 것은?

① 주의를 환기시키기 위하여 변조된 신호를 사용한다.

② 배경소음의 진동수와 다른 진동수의 신호를 사용한다.

③ 귀는 중음역에 민감하므로 500~3,000Hz의 진동수를 사용한다.

④ 300m 이상의 장거리용으로는 1,000Hz를 초과하는 진동수를 사용한다.

해설

경계 및 경보 신호를 선택, 설계할 때의 지침

1. 귀는 중음역에 가장 민감하므로 500~3,000Hz의 진동수를 사용
2. 고음은 멀리 가지 못하므로 300m 이상의 장거리용으로는 1,000Hz 이하의 진동수를 사용
3. 신호가 장애물을 돌아가거나 칸막이를 통과해야 할 경우에는 500Hz 이하의 진동수를 사용
4. 주의를 끌기 위해서 변조된 신호를 사용(초당 1~8번 나는 소리나 초당 1~3번 오르내리는 변조된 신호)
5. 배경소음의 진동수와 다른 신호를 사용(신호는 최소 0.5~1초 지속)
6. 경보효과를 높이기 위해서 개시시간이 짧은 고강도 신호 사용
7. 주변 소음에 대한 은폐효과를 막기 위해 500~1,000Hz 신호를 사용하여, 적어도 30dB 이상 차이가 나야 함
8. 가능하다면 다른 용도에 쓰이지 않는 확성기, 경적 등과 같은 별도의 통신계통을 사용

30 다음 중 FTA에서 시스템의 기능을 살리는 데 필요한 최소요인이 집합을 무엇이라 하는가?

① Critical Set

② Minimal Gate

③ Minimal Path

④ Boolean Indicated Cut Set

해설

미니멀 패스셋(Minimal Path Set)

1. 미니멀 패스셋은 정상사상이 일어나지 않기 위한 필요한 최소한의 것을 말한다.
2. 미니멀 패스셋은 어느 고장이나 실수를 일으키지 않으면 재해가 일어나지 않는다는 것으로 시스템의 신뢰성을 타나내는 것이다.
3. 미니멀 패스셋은 시스템의 기능을 살리는 최소요인의 집합이다.

31 다음 중 안전성 평가의 기본원칙 6단계 과정에 해당 되지 않는 것은?

① 작업 조건의 분석

② 정성적 평가

③ 안전대책

④ 관계자료의 정비검토

PART 01
PART 02
PART 03
PART 04
PART 05
PART 06
PART 07

안전성 평가의 기본원칙

안전성 평가는 6단계에 의해 실시되며, 경우에 따라 5단계와 6단계가 동시에 이루어지는 경우도 있다.

1. 제1단계 : 관계자료의 정비검토
2. 제2단계 : 정성적 평가
3. 제3단계 : 정량적 평가
4. 제4단계 : 안전대책
5. 제5단계 : 재해정보에 의한 재평가
6. 제6단계 : FTA에 의한 재평가

32 다음 중 소음에 대한 대책으로 가장 적합하지 않은 것은?

① 소음원의 통제 　② 소음의 격리
③ 소음의 분배 　④ 적절한 배치

소음방지대책

1. 소음원의 제거 : 가장 적극적인 대책
2. 소음원을 통제 : 기계의 적절한 설계, 정비 및 주유, 고무 받침대 부착, 소음기 사용(차량) 등
3. 소음의 격리 : 씌우개(Enclosure), 장벽을 사용(창문을 닫으면 약 10dB 감음됨)
4. 적절한 배치(Layout)
5. 음향 처리제 사용
6. 차폐 장치(Baffle) 및 흡음재 사용
7. 방음 보호 용구

33 시스템의 수명 및 신뢰성에 관한 설명으로 틀린 것은?

① 병렬설계 및 디레이팅 기술로 시스템의 신뢰성을 증가시킬 수 있다.
② 직렬시스템에서는 부품들 중 최소 수명을 갖는 부품에 의해 시스템 수명이 정해진다.
③ 수리가 가능한 시스템의 평균수명(MTBF)은 평균고장률(λ)과 정비례 관계가 성립한다.
④ 수리가 불가능한 구성요소로 병렬구조를 갖는 설비는 중복도가 늘어날수록 시스템 수명이 길어진다.

평균고장간격(MTBF ; Mean Time Between Failure)

1. 수리하여 사용이 가능한 시스템에서 고장과 고장 사이의 정상적인 상태로 동작하는 평균시간(고장과 고장 사이 시간의 평균치)

2. 고장률

$$MTBF = \frac{1}{\lambda(\text{평균고장률})}$$

즉, MTBF는 평균고장률에 반비례한다.

34 시스템 안전분석 방법 중 HAZOP에서 "완전대체"를 의미하는 것은?

① NOT
② REVERSE
③ PART OF
④ OTHER THAN

지침단어(가이드 워드)의 의미

GUIDE WORD	의미
NO 혹은 NOT	설계의도의 완전한 부정
MORE 혹은 LESS	양의 증가 혹은 감소 (정량적 증가 혹은 감소)
AS WELL AS	성질상의 증가 (정성적 증가)
PART OF	성질상의 감소 (정성적 감소)
REVERSE	설계의도의 논리적인 역 (설계의도와 반대현상)
OTHER THAN	완전한 대체의 필요

35 의자 설계 시 고려해야 할 일반적인 원리와 가장 거리가 먼 것은?

① 자세고정을 줄인다.
② 조정이 용이해야 한다.
③ 디스크가 받는 압력을 줄인다.
④ 요추 부위의 후만곡선을 유지한다.

의자 설계 시 고려하여야 할 원리

1. 등받이의 굴곡은 요추 부위의 전만곡선을 유지한다.
2. 조정이 용이해야 한다.
3. 자세고정을 줄인다.
4. 디스크(추간판)가 받는 압력을 줄인다.
5. 정적인 부하를 줄인다.
6. 의자의 높이는 오금의 높이보다 같거나 낮아야 한다.

36 다음 중 FTA(Fault Tree Analysis)에 사용되는 논리기호와 명칭이 올바르게 연결된 것은?

① : 전이기호 ② ⬜ : 기본사상

③ : 통상사상 ④ ○ : 결함사상

FTA분석 기호

번호	기호	명칭	내용
1	⬜	결함사상	사고가 일어난 사상(사건)
2	○	기본사상	더 이상 전개가 되지 않는 기본적인 사상 또는 발생확률이 단독으로 얻어지는 낮은 레벨의 기본적인 사상
3	⌂	통상사상 (가형사상)	통상발생이 예상되는 사상(예상되는 원인)
4	◇	생략사상 (최후사상)	정보부족 또는 분석기술 불충분으로 더 이상 전개할 수 없는 사상(작업진행에 따라 해석이 가능할 때는 다시 속행한다.)
5	△	전이기호 (이행기호)	FT도상에서 다른 부분에 관한 이행 또는 연결을 나타낸다. 상부에 선이 있는 경우는 다른 부분으로 전입(IN)
6	△	전이기호 (이행기호)	FT도상에서 다른 부분에 관한 이행 또는 연결을 나타낸다. 측면에 선이 있는 경우는 다른 부분으로 전출(OUT)

37 반사경 없이 모든 방향으로 빛을 발하는 점광원에서 5m 떨어진 곳의 조도가 120lux라면 2m 떨어진 곳의 조도는?

① 150lux ② 192.2lux
③ 750lux ④ 3,000lux

조도

$$조도 = \frac{광도}{(거리)^2}$$

1. 광도 = 조도 × (거리)^2
2. 5m 거리의 광도 = 120 × 5^2 = 3,000[cd]이므로
3. 2m 거리의 조도 = $\frac{3,000}{2^2}$ = 750[lux]

38 자동차는 타이어가 4개인 하나의 시스템으로 볼 수 있다. 타이어 1개가 파열될 확률이 0.01이라면, 이 자동차의 신뢰도는 약 얼마인가?

① 0.91 ② 0.93
③ 0.96 ④ 0.99

신뢰도
1. 타이어 1개의 신뢰도(파열되지 않을 확률)
   $R = 1 - 0.01 = 0.99$
2. 자동차 타이어는 직렬로 연결(1개의 타이어만 파열되어도 시스템은 정지)
   $R = 0.99 × 0.99 × 0.99 × 0.99 = 0.96$

39 다음 중 인체에서 뼈의 주요 기능이 아닌 것은?

① 인체의 지주 ② 장기의 보호
③ 골수의 조혈 ④ 근육의 대사

골격의 주요 기능
1. 지지(Support) : 신체를 지지하고 형상을 유지하는 역할
2. 보호(Protection) : 주요한 부분(생명기관)을 보호하는 역할
3. 근부착(Muscle Attachment) : 골격근이 수축할 때 지렛대 역할을 하여 신체활동(인체운동)을 수행하는 역할
4. 조혈(Blood Cell Production) : 골수에서 혈구를 생산하는 조혈작용
5. 무기질 저장(Mineral Storage) : 칼슘, 인산의 중요한 저장고가 되며 나트륨과 마그네슘 이온의 작은 저장고 역할

40 다음 중 사고원인 가운데 인간의 과오에 기인된 원인분석, 확률을 계산함으로써 제품의 결함을 감소시키고, 인간공학적 대책을 수립하는 데 사용되는 분석기법은?

① CA ② FMEA
③ THERP ④ MORT

해설

인간과오율 예측기법(THERP ; Technique for Human Error Rate Prediction)

1. 사고원인 가운데 인간의 과오나 기인된 원인분석, 확률을 계산함으로써 제품의 결함을 감소시키고, 인간공학적 대책을 수립하는 데 사용되는 분석기법
2. 인간의 과오(Human error)를 정량적으로 평가하기 위해 개발된 기법(Swain 등에 의해 개발된 인간과오율 예측기법)

3과목 기계위험 방지기술

41 작업자의 신체부위가 위험한계 내로 접근하였을 때 기계적인 작용에 의하여 접근을 못하도록 하는 방호장치는?

① 위치제한형 방호장치
② 접근거부형 방호장치
③ 접근반응형 방호장치
④ 감지형 방호장치

해설

작업점의 방호방법

1. 격리형 방호장치
   작업점과 작업자 사이에 접촉되어 일어날 수 있는 재해를 방지하기 위해 차단벽이나 망을 설치하는 방호장치
2. 위치 제한형 방호장치
   작업자의 신체부위가 위험한계 밖에 있도록 기계의 조작 장치를 위험한 작업점에서 안전거리 이상 떨어지게 하거나 조작장치를 양손으로 동시에 조작하게 함으로써 위험한계에 접근하는 것을 제한하는 방호장치
3. 접근 반응형 방호장치
   작업자의 신체부위가 위험한계 또는 그 인접한 거리 내로 들어오면 이를 감지하여 그 즉시 기계의 동작을 정지시키고 경보등을 발하는 방호장치
4. 접근 거부형 방호장치
   작업자의 신체부위가 위험한계 내로 접근하였을 때 기계적인 작용에 의하여 접근을 못하도록 저지하는 방호장치
5. 포집형 방호장치
   작업자로부터 위험원을 차단하는 방호장치
6. 감지형 방호장치
   이상온도, 이상기압, 과부하 등 기계의 부하가 안전한계치를 초과하는 경우 이를 감지하고 자동으로 안전한 상태가 되도록 조정하거나 기계의 작동을 중지시키는 방호장치

---

42 롤러기의 가드와 위험점검간의 거리가 100mm일 경우 ILO 규정에 의한 가드 개구부의 안전간격은?

① 11mm
② 21mm
③ 26mm
④ 31mm

해설

롤러기 가드의 개구부 간격(ILO 기준(위험점이 전동체가 아닌 경우)

$$Y = 6 + 0.15X \, (X < 160mm)$$
$$(단, \ X \geq 160mm일 \ 때, \ Y = 30mm)$$

여기서, X : 가드와 위험점 간의 거리(안전거리)(mm)
Y : 가드 개구부 간격(안전간극)(mm)

$$Y = 6 + 0.15X = 6 + 0.15 \times 100 = 21[mm]$$

---

43 고용노동부장관이 실시하는 공정안전관리 이행 수준 평가결과가 우수한 사업장을 제외한 나머지 사업장은 보일러 압력방출장치에 대하여 몇 년마다 1회 이상 토출압력을 시험하여야 하는가?

① 1년
② 2년
③ 3년
④ 4년

해설

보일러의 압력방출장치

1. 보일러의 안전한 가동을 위하여 보일러 규격에 맞는 압력방출장치를 1개 또는 2개 이상 설치하고 최고사용압력(설계압력 또는 최고허용압력) 이하에서 작동되도록 하여야 한다.
2. 압력방출장치가 2개 이상 설치된 경우에는 최고사용압력 이하에서 1개가 작동되고, 다른 압력방출장치는 최고사용압력 1.05배 이하에서 작동되도록 부착하여야 한다.
3. 압력방출장치는 매년 1회 이상 교정을 받은 압력계를 이용하여 설정압력에서 압력방출장치가 적정하게 작동하는지를 검사한 후 납으로 봉인하여 사용하여야 한다.(공정안전보고서 이행상태 평가결과가 우수한 사업장은 압력방출장치에 대하여 4년마다 1회 이상 설정압력에서 압력방출장치가 적정하게 작동하는지를 검사할 수 있다.)
4. 스프링식, 중추식, 지렛대식(일반적으로 스프링식 안전밸브가 많이 사용)

01 PART
02 PART
03 PART
04 PART
05 PART
06 PART
07 PART

44 기계설비의 위험점에서 끼임점(Shear Point) 형성에 해당되지 않는 것은?

① 연삭숫돌과 작업대

② 체인과 스프로킷

③ 반복동작되는 링크기구

④ 교반기의 날개와 몸체사이

기계운동 형태에 따른 위험점 분류

협착점 (Squeeze Point)	왕복운동을 하는 운동부와 움직임이 없는 고정부 사이에서 형성되는 위험점(고정점 + 운동점)	• 프레스 • 전단기 • 성형기 • 조형기 • 밴딩기 • 인쇄기
끼임점 (Shear Point)	회전운동하는 부분과 고정부 사이에 위험이 형성되는 위험점(고정점 + 회전운동)	• 연삭숫돌과 작업대 • 반복동작되는 링크기구 • 교반기의 날개와 몸체사이 • 회전풀리와 벨트
절단점 (Cutting Point)	회전하는 운동부 자체의 위험이나 운동하는 기계부분 자체의 위험에서 형성되는 위험점 (회전운동 + 기계)	• 밀링커터 • 둥근 톱의 톱날 • 목공용 띠톱 날
물림점 (Nip Point)	회전하는 두 개의 회전체에 형성되는 위험점 (서로 반대방향의 회전체)(중심점 + 반대방향의 회전운동)	• 기어와 기어의 물림 • 롤러와 롤러의 물림 • 롤러분쇄기
접선 물림점 (Tangential Nip Point)	회전하는 부분의 접선 방향으로 물려들어갈 위험이 있는 위험점	• V벨트와 풀리 • 랙과 피니언 • 체인벨트 • 평벨트
회전 말림점 (Trapping Point)	회전하는 물체의 길이, 굵기, 속도 등의 불규칙 부위와 돌기 회전부위에 의해 장갑 또는 작업복 등이 말려들 위험이 있는 위험점	• 회전하는 축 • 커플링 • 회전하는 드릴

45 산업안전보건법령상 목재가공용 둥근톱 작업에서 분할날과 톱날 원주면과의 간격은 최대 얼마 이내가 되도록 조정하는가?

① 10mm   ② 12mm

③ 14mm   ④ 16mm

분할날의 설치구조
1. 분할 날의 두께는 둥근톱 두께의 1.1배 이상일 것

$$1.1t_1 \leq t_2 < b$$

여기서, t_1 : 톱두께
t_2 : 분할날두께
b : 치진폭

2. 견고히 고정할 수 있으며 분할날과 톱날 원주면과의 거리는 12mm 이내로 조정, 유지할 수 있어야 하고 표준 테이블면(승강반에 있어서도 테이블을 최하로 내린 때의 면)상의 톱 뒷날의 2/3 이상을 덮도록 할 것
3. 재료는 KS D 3751(탄소공구강재)에서 정한 STC 5(탄소공구강) 또는 이와 동등 이상의 재료를 사용할 것
4. 분할날 조임볼트는 2개 이상이어야 하며 볼트는 이완방지 조치가 되어 있어야 한다.

46 산소 – 아세틸렌 용접작업에 있어 고무호스에 역화 현상이 발생하였다면 다음 중 가장 먼저 취하여야 할 조치사항은?

① 산소 밸브를 잠근다.

② 토치를 물에 넣는다.

③ 아세틸렌 밸브를 잠근다.

④ 산소 밸브 및 아세틸렌 밸브를 동시에 잠근다.

토치 취급상 주의사항
1. 팁을 모래나 먼지 위에 놓지 말 것
2. 토치를 함부로 분해하지 말 것
3. 팁이 과열된 때는 아세틸렌 가스를 멈추고 산소만 다소 분출시키면서 물속에 넣어 냉각시킬 것
4. 점화 시 아세틸렌 밸브를 열고 점화 후 산소를 밸브를 열어 조절
5. 작업 종료 후 또는 고무호스에 역화·역류발생 시에는 산소밸브를 가장 먼저 잠근다.
6. 용접토치팁의 청소는 팁클리너로 하는 것이 가장 좋다.

47 산업안전보건법령상 산업용 로봇에 의한 작업 시 안전조치 사항으로 적절하지 않은 것은?

① 로봇의 운전으로 인해 근로자가 로봇에 부딪힐 위험이 있을 때에는 높이 1.8m 이상의 울타리를 설치하여야 한다.

② 작업을 하고 있는 동안 로봇의 기동스위치 등은 작업에 종사하고 있는 근로자가 아닌 사람이 그 스위치 등을 조작할 수 없도록 필요한 조치를 한다.

③ 로봇의 조작방법 및 순서, 작업 중의 매니퓰레이터의 속도 등에 관한 지침에 따라 작업을 하여야 한다.

④ 작업에 종사하는 근로자가 이상을 발견하면, 관리감독자에게 우선 보고하고, 지시가 나올 때까지 작업을 진행한다.

해설

교시 등의 작업 시 안전조치 사항
1. 다음 각 목의 사항에 관한 지침을 정하고 그 지침에 따라 작업을 시킬 것
   ㉠ 로봇의 조작방법 및 순서
   ㉡ 작업 중의 매니퓰레이터의 속도
   ㉢ 2명 이상의 근로자에게 작업을 시킬 경우의 신호방법
   ㉣ 이상을 발견한 경우의 조치
   ㉤ 이상을 발견하여 로봇의 운전을 정지시킨 후 이를 재가동시킬 경우의 조치
   ㉥ 그 밖에 로봇의 예기치 못한 작동 또는 오조작에 의한 위험을 방지하기 위하여 필요한 조치
2. 작업에 종사하고 있는 근로자 또는 그 근로자를 감시하는 사람은 이상을 발견하면 즉시 로봇의 운전을 정지시키기 위한 조치를 할 것
3. 작업을 하고 있는 동안 로봇의 기동스위치 등에 작업 중이라는 표시를 하는 등 작업에 종사하고 있는 근로자가 아닌 사람이 그 스위치 등을 조작할 수 없도록 필요한 조치를 할 것

운전 중 위험방지(근로자가 로봇에 부딪힐 위험이 있을 경우)
1. 높이 1.8미터 이상의 울타리 설치
2. 컨베이어 시스템의 설치 등으로 울타리를 설치할 수 없는 일부 구간 : 안전매트 또는 광전자식 방호장치 등 감응형 방호장치 설치

48 다음 중 지게차의 작업 상태별 안정도에 관한 설명으로 틀린 것은?(단, V는 최고속도(km/h)이다.)

① 기준 부하상태에서 하역작업 시의 전후 안정도는 20% 이내이다.

② 기준 부하상태에서 하역작업 시의 좌우 안정도는 6% 이내이다.

③ 기준 무부하상태에서 주행 시의 전후 안정도는 18% 이내이다.

④ 기준 무부하상태에서 주행 시의 좌우 안정도는 (15 + 1.1 V)% 이내이다.

해설

지게차의 안정도 기준
1. 하역작업 시의 전후안정도 4% 이내(5톤 이상 : 3.5%이내)(최대하중상태에서 포크를 가장 높이 올린 경우)
2. 주행 시의 전후안정도 18% 이내
3. 하역작업 시의 좌우안정도 6% 이내(최대하중상태에서 포크를 가장 높이 올리고 마스트를 가장 뒤로 기울인 경우)
4. 주행 시의 좌우안정도(15 + 1.1 V)% 이내, V : 최고속도(km/h)

49 프레스의 양수조작식 방호장치에서 양쪽 누름 버튼의 상호 간의 내측거리는 몇 mm 이상이어야 하는가?

① 400mm
② 300mm
③ 200mm
④ 100mm

해설

양수조작식 누름버튼의 상호 간 내측거리는 300mm 이상이어야 한다.

50 산업안전보건법령상 프레스의 작업시작 전 점검 사항이 아닌 것은?

① 금형 및 고정볼트 상태

② 방호장치의 기능

③ 전단기의 칼날 및 테이블의 상태

④ 트롤리(Trolley)가 횡행하는 레일의 상태

PART 01
PART 02
PART 03
PART 04
PART 05
PART 06
PART 07

프레스 등의 작업시작 전 점검사항
1. 클러치 및 브레이크의 기능
2. 크랭크축 · 플라이휠 · 슬라이드 · 연결봉 및 연결 나사의 풀림 여부
3. 1행정 1정지기구 · 급정지장치 및 비상정지장치의 기능
4. 슬라이드 또는 칼날에 의한 위험방지 기구의 기능
5. 프레스의 금형 및 고정볼트 상태
6. 방호장치의 기능
7. 전단기의 칼날 및 테이블의 상태

51 질량 100kg의 화물이 와이어로프에 매달려 2m/s²의 가속도로 권상되고 있다. 이때 와이어로프에 작용하는 장력의 크기는 몇 N인가?(단, 여기서 중력가속도는 10m/s²로 한다.)

① 200N
② 1,000N
③ 1,200N
④ 2,000N

해설

와이어로프에 걸리는 하중계산

와이어로프에 걸리는 총 하중	총하중(W) = 정하중(W_1) + 동하중(W_2) 동하중(W_2) = $\dfrac{W_1}{g} \times a$ [g : 중력가속도(9.8m/s²), a : 가속도(m/s²)]
와이어로프에 작용하는 장력	장력[N] = 총하중[kg] × 중력가속도[m/s²]

1. 동하중
$$동하중(W_2) = \frac{W_1}{g} \times a = \frac{100}{10} \times 2 = 20(\text{kgf})$$

2. 총하중
$$총하중(W) = 정하중(W_1) + 동하중(W_2) = 100 + 20 = 120(\text{kgf})$$

3. 장력
$$장력[\text{N}] = 총하중[\text{kg}] \times 중력가속도[\text{m/s}^2] = 120(\text{kgf}) \times 10 = 1,200(\text{N})$$

52 다음 중 연삭숫돌의 파괴원인으로 거리가 먼 것은?

① 플랜지가 현저히 클 때
② 숫돌에 균열이 있을 때
③ 숫돌의 측면을 사용할 때
④ 숫돌의 치수, 특히 내경의 크기가 적당하지 않을 때

해설

연삭숫돌의 파괴 원인
1. 숫돌의 회전속도가 너무 빠를 때
2. 숫돌 자체에 균열이 있을 때
3. 숫돌에 과대한 충격을 가할 때
4. 숫돌의 측면을 사용하여 작업할 때
5. 숫돌의 불균형이나 베어링 마모에 의한 진동이 있을 때 (숫돌이 경우에 따라 파손될 수 있다.)
6. 숫돌 반경방향의 온도변화가 심할 때
7. 작업에 부적당한 숫돌을 사용할 때
8. 숫돌의 치수가 부적당할 때
9. 플랜지가 현저히 작을 때

53 압력용기에 설치해야 하는 안전장치는?

① 압력방출장치
② 압력제한스위치
③ 고저수위조절장치
④ 화염검출기

해설

압력용기 및 공기압축기 안전장치

압력용기	최고사용압력이하에서 작동하는 압력방출장치 (안전밸브 및 파열판)를 설치하여야 한다.
공기압축기	압력방출장치 및 언로드밸브(압력제한스위치를 포함)를 설치하여야 한다.

54 드릴링 작업에서 일감의 고정방법에 대한 설명으로 적절하지 않은 것은?

① 일감이 작을 때는 바이스로 고정한다.
② 일감이 작고 길 때에는 플라이어로 고정한다.
③ 일감이 크고 복잡할 때에는 볼트와 고정구(클램프)로 고정한다.
④ 대량생산과 정밀도를 요구할 때에는 지그로 고정한다.

해설

드릴링 작업에서 일감(공작물)의 고정방법
1. 일감이 작을 때 : 바이스로 고정
2. 일감이 크고 복잡할 때 : 볼트와 고정구(클램프)로 고정
3. 대량 생산과 정밀도를 요할 때 : 지그(Jig)로 고정
4. 얇은 판의 재료일 때 : 나무판을 받치고 기구로 고정

55 확동 클러치의 봉합개소의 수는 4개, 300SPM(Stroke Per Minute)의 완전회전식 클러치 기구가 있는 프레스의 양수기동식 방호장치의 안전거리는 약 몇 mm 이상이어야 하는가?

① 360 　　　　② 315
③ 240 　　　　④ 225

방호장치 설치 안전거리(양수기동식)

$$D_m = 1.6\,T_m$$

여기서, D_m : 안전거리(mm)
　　　　T_m : 양손으로 누름단추 누르기 시작할 때부터 슬라이드가
　　　　　　　하사점에 도달하기까지 소요시간(ms)

$$T_m = \left(\frac{1}{\text{클러치 맞물림 개소수}} + \frac{1}{2}\right) \times \frac{60,000}{\text{매분 행정수}}\,(\text{ms})$$

1. $T_m = \left(\frac{1}{4} + \frac{1}{2}\right) \times \frac{60,000}{300} = 150(\text{ms})$

2. $D_m = 1.6 \times 150 = 240(\text{mm})$

56 연삭기에서 숫돌의 바깥지름이 150mm일 경우 평형 플랜지 지름은 몇 mm 이상이어야 하는가?

① 30 　　　　② 50
③ 60 　　　　④ 90

플랜지의 지름
플랜지의 지름은 숫돌지름의 1/3 이상인 것을 사용하며 양쪽 모두 같은 크기로 한다.

$$\text{플랜지의 지름} = \text{숫돌지름} \times \frac{1}{3}$$

플랜지의 지름 = 숫돌지름 $\times \frac{1}{3} = 150 \times \frac{1}{3} = 50(\text{mm})$

57 선반작업 시 발생되는 칩(Chip)으로 인한 재해를 예방하기 위하여 칩을 짧게 끊어지게 하는 것은?

① 방진구
② 브레이크
③ 칩 브레이커
④ 덮개

칩 브레이커(Chip Breaker)
절삭 중 칩을 자동적으로 끊어 주는 바이트에 설치된 안전장치

58 산업용 로봇의 작동 범위 내에서 교시 등의 작업을 하는 때에는 작업시작 전에 점검해야 하는 사항에 해당하는 것은?

① 언로드 밸브 기능의 이상 유무
② 자동제어방치 기능의 이상 유무
③ 제동장치 및 비상정지장치 기능의 이상 유무
④ 권과 방지 장치의 이상 유무

작업시작 전 점검사항
로봇의 작동 범위에서 그 로봇에 관하여 교시 등(로봇의 동력원을 차단하고 하는 것은 제외한다)의 작업을 할 때
1. 외부 전선의 피복 또는 외장의 손상 유무
2. 매니퓰레이터(Manipulator) 작동의 이상 유무
3. 제동장치 및 비상정지장치의 기능

59 방호장치의 설치목적과 가장 관계가 먼 것은?

① 가공물 등의 낙하에 의한 위험 방지
② 위험부위와 신체의 접촉방지
③ 방음이나 집진
④ 주유나 검사의 편리성

주유나 검사의 편리성을 위해서 방호장치를 설치하지는 않는다.

방호장치의 기본 목적
1. 작업자의 보호
2. 인적, 물적 손실의 방지
3. 기계 위험 부위의 접촉 방지 등

60 보일러 부하의 급변, 수위의 과상승 등에 의해 수분이 증기와 분리되지 않아 보일러 수면이 심하게 솟아올라 올바른 수위를 판단하지 못하는 현상은?

① 프라이밍 　　　　② 모세관
③ 워터해머 　　　　④ 역화

보일러 취급 시 이상현상

프라이밍 (Priming)	보일러수가 극심하게 끓어서 수면에서 계속하여 물방울이 비산하고 증기부가 물방울로 충만하여 수위가 불안정하게 되는 현상
포밍 (Foaming)	보일러수에 유지류, 고형물 등의 부유물로 인해 거품이 발생하여 수위를 판단하지 못하는 현상
캐리오버 (Carry Over)	• 보일러에서 증기관 쪽에 보내는 증기에 대량의 물방울이 포함되는 경우로 프라이밍이나 포밍이 생기면 필연적으로 발생 • 보일러에서 증기의 순도를 저하시킴으로써 관 내 응축수가 생겨 워터해머의 원인이 되는 것
워터해머 (Water Hammer) (수격작용)	• 증기관 내에서 증기를 보내기 시작할 때 해머로 치는 듯한 소리를 내며 관이 진동하는 현상 • 워터해머는 캐리오버에 기인한다.

4과목 전기위험 방지기술

61 누전차단기의 구성요소가 아닌 것은?

① 누전검출부
② 영상변류기
③ 차단장치
④ 전력퓨즈

누전차단기
누전 검출부, 영상변류기, 차단기구 등으로 구성된 장치로서, 이동형 또는 휴대형의 전기기계 · 기구 이하의 금속제 외함, 금속제 외피 등에서 누전, 절연파괴 등으로 인하여 지락전류가 발생하면 주어진 시간 이내에 전기기기의 전로를 차단하는 것을 말한다.

62 교류 아크용접기의 자동전격방지장치는 아크 발생이 중단된 후 출력 측 무부하 전압을 몇 [V] 이하로 저하시켜야 하는가?

① 25~30
② 35~50
③ 55~75
④ 80~100

자동전격방지기
1. 교류 아크 용접기는 65~90V의 무부하 전압이 인가되어 감전의 위험성이 높으며, 자동전격방지기를 설치하여 아크 발생을 중단할 때 용접기의 2차(출력) 측 무부하 전압을 25~30V 이하로 유지시켜 감전의 위험을 줄이도록 되어 있다.
2. 즉, 용접 시에만 용접기의 주회로가 접속되고 그 외는 용접기 2차 전압을 안전 전압이하로 제한한다.

> **TIP** 2차(출력) 측 무부하 전압을 자동적으로 25V 이하로 강하시켜야 하나 전원전압의 변동이 있을 경우 30V 이하로 강하시켜야 한다.

63 다음 ( ) 안에 들어갈 내용으로 옳은 것은?

A. 감전 시 인체에 흐르는 전류는 인가전압에 (㉠)하고 인체저항에 (㉡)한다.
B. 인체는 전류의 열작용이 (㉢)×(㉣)이 어느 정도 이상이 되면 발생한다.

① ㉠ 비례, ㉡ 반비례, ㉢ 전류의 세기, ㉣ 시간
② ㉠ 반비례, ㉡ 비례, ㉢ 전류의 세기, ㉣ 시간
③ ㉠ 비례, ㉡ 반비례, ㉢ 전압, ㉣ 시간
④ ㉠ 반비례, ㉡ 비례, ㉢ 전압, ㉣ 시간

옴의 법칙 및 전류의 열작용
1. 옴의 법칙
   임의의 도체에 흐르는 전류(I)의 크기는 전압(V)에 비례하고(R이 일정한 경우), 저항(R)에 반비례(V가 일정한 경우)한다.

$$V= IR[\text{V}], \ I= \frac{V}{R}[\text{A}], \ R= \frac{V}{I}[\Omega]$$

여기서, V : 전압[V]
　　　I : 전류[A]
　　　R : 저항[Ω]

2. 전류의 열작용
   인체에 전류가 흘러서 (전류의 세기)×(시간)이 어느 정도 이상이 되면 전류의 열작용에 의해 전기의 입구와 출구에 화상이 생기고 체내에서는 세포를 파괴하거나 혈구를 변질시키거나 한다.

64 가수전류(Let – go Current)에 대한 설명으로 옳은 것은?

① 마이크 사용 중 전격으로 사망에 이른 전류

② 전격을 일으킨 전류가 교류인지 직류인지 구별할 수 없는 전류

③ 충전부로부터 인체가 자력으로 이탈할 수 있는 전류

④ 몸이 물에 젖어 전압이 낮은 데도 전격을 일으킨 전류

통전전류에 따른 인체의 영향

분류	인체에 미치는 전류의 영향	통전전류
최소감지전류	전류의 흐름을 느낄 수 있는 최소전류	상용주파수 60Hz에서 성인남자 1mA
고통한계전류	고통을 참을 수 있는 한계전류	상용주파수 60Hz에서 성인남자 7~8mA
가수전류 (이탈전류, 마비한계전류)	인체가 자력으로 이탈할 수 있는 전류	상용주파수 60Hz에서 성인남자 10~15mA
불수전류	신경이 마비되고 신체를 움직일 수 없으며 말을 할 수 없는 상태(인체가 충전부에 접촉하여 감전되었을 때 자력으로 이탈할 수 없는 상태의 전류)	상용주파수 60Hz에서 성인남자 15~50mA
심실세동전류 (치사전류)	심장의 맥동에 영향을 주어 심장마비 상태를 유발하여 수분 이내에 사망	$I = \dfrac{165}{\sqrt{T}}[\text{mA}]$ 일반적으로 50~100mA

65 정전기가 대전된 물체를 제전시키려고 한다. 다음 중 대전된 물체의 절연저항이 증가되어 제전의 효과를 감소시키는 것은?

① 접지한다.

② 건조시킨다.

③ 도전성 재료를 첨가한다.

④ 주위를 가습한다.

정전기재해의 방지대책

1. 접지(도체의 대전방지)
2. 유속의 제한

3. 보호구의 착용
4. 대전방지제 사용
5. 가습(상대습도를 60~70% 정도 유지)
6. 제전기 사용
7. 대전물체의 차폐
8. 정치시간의 확보
9. 도전성 재료 사용

66 피뢰기로서 갖추어야 할 성능 중 옳지 않은 것은?

① 방전 개시 전압이 높을 것

② 뇌전류 방전 능력이 클 것

③ 제한전압이 낮을 것

④ 속류 차단을 확실하게 할 수 있을 것

피뢰기의 구비성능

1. 충격 방전 개시 전압과 제한 전압이 낮을 것
2. 반복 동작이 가능할 것
3. 구조가 견고하며 특성이 변화하지 않을 것
4. 점검, 보수가 간단할 것
5. 뇌전류의 방전능력이 클 것
6. 속류의 차단이 확실하게 될 것

67 감전사고를 방지하기 위한 대책으로 틀린 것은?

① 전기설비에 대한 보호 접지

② 전기기기에 대한 정격 표시

③ 전기설비에 대한 누전차단기 설치

④ 충전부가 노출된 부분에는 절연 방호구 사용

감전사고에 대한 일반적인 방지대책

1. 전기설비의 점검 철저
2. 전기기기 및 설비의 정비
3. 전기기기 및 설비의 위험부에 위험표시
4. 설비의 필요부분에 보호접지의 실시
5. 충전부가 노출된 부분에는 절연방호구를 사용
6. 고전압 선로 및 충전부에 근접하여 작업하는 작업자는 보호구 착용
7. 유자격자 이외는 전기기계 및 기구에 전기적인 접촉 금지
8. 관리감독자는 작업에 대한 안전교육 시행
9. 사고발생시의 처리순서를 미리 작성하여 둘 것
10. 전기설비에 대한 누전차단기 설치

68 내부에서 폭발하더라도 틈의 냉각 효과로 인하여 외부의 폭발성 가스에 착화될 우려가 없는 방폭구조는?

① 내압 방폭구조
② 유입 방폭구조
③ 안전증 방폭구조
④ 본질안전 방폭구조

내압 방폭구조(Flameproof Enclosure, d)
1. 점화원에 의해 용기 내부에서 폭발이 발생할 경우에 용기가 폭발압력에 견딜 수 있고, 화염이 용기 외부의 폭발성 분위기로 전파되지 않도록 한 방폭구조
2. 전폐형 구조로 용기 내에 외부의 폭발성 가스가 침입하여 내부에서 폭발하더라도 용기는 그 압력에 견뎌야 하고 폭발한 고열가스나 화염이 용기의 접합부 틈을 통하여 새어 나가는 동안 냉각되어 외부의 폭발성 가스에 화염이 파급될 우려가 없도록 한 방폭구조

TIP • 유입 방폭구조 : 유체 상부 또는 용기 외부에 존재할 수 있는 폭발성 분위기가 발화할 수 없도록 전기설비 또는 전기설비의 부품을 보호액에 함침시키는 방폭구조
• 안전증 방폭구조 : 전기 기기의 정상 사용조건 및 특정 비정상 상태에서 과도한 온도 상승, 아크 또는 스파크의 발생 위험을 방지하기 위해 추가적인 안전조치를 통한 안전도를 증가시킨 방폭구조
• 본질안전 방폭구조 : 정상작동 및 고장상태 시 발생하는 불꽃, 아크 또는 고온에 의해 폭발성 가스 또는 증기에 점화되지 않는 것이 점화시험, 기타에 의해 확인된 방폭구조

69 다음 중 정전기 발생에 영향을 주는 요인이 아닌 것은?

① 분리속도
② 접촉면적 및 압력
③ 물체의 질량
④ 물체의 표면상태

정전기 발생의 영향요인(정전기 발생요인)

물체의 특성	일반적으로 대전량은 접촉이나 분리하는 두 가지 물체가 대전서열 내에서 가까운 곳에 있으면 적고 먼 위치에 있을수록 대전량이 큰 경향이 있다.
물체의 표면상태	• 표면이 거칠수록 정전기 발생량이 커진다. • 기름, 수분, 불순물 등 오염이 심할수록, 산화 부식이 심할수록 정전기 발생량이 커진다.
물체의 이력	정전기 발생량은 처음 접촉, 분리가 일어날 때 최대가 되며, 발생횟수가 반복될수록 발생량이 감소한다.
접촉면적 및 압력	접촉면적 및 압력이 클수록 정전기 발생량은 커진다.
분리속도	분리속도가 빠를수록 정전기 발생량이 커진다.
완화시간	완화시간이 길면 전하분리에 주는 에너지도 커져서 정전기 발생량이 커진다.

70 전류가 흐르는 상태에서 단로기를 끊었을 때 여러 가지 파괴작용을 일으킨다. 다음 그림에서 유입차단기의 차단순위와 투입순위가 안전수칙에 가장 적합한 것은?

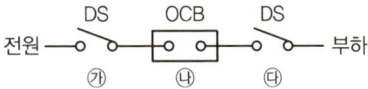

① 차단 : ㉮ → ㉯ → ㉰, 투입 : ㉮ → ㉯ → ㉰
② 차단 : ㉯ → ㉰ → ㉮, 투입 : ㉯ → ㉰ → ㉮
③ 차단 : ㉰ → ㉯ → ㉮, 투입 : ㉰ → ㉮ → ㉯
④ 차단 : ㉯ → ㉰ → ㉮, 투입 : ㉰ → ㉮ → ㉯

유입차단기(OCB)의 투입 및 차단 순서
1. 전원 차단 시 : 차단기(OCB)를 개방한 후 단로기(DS) 개방
2. 전원 투입 시 : 단로기(DS)를 투입한 후 차단기(OCB) 투입

TIP • 단로기가 많을 경우 항상 부하 측부터 먼저 조작한다.
• 차단기 : 차단기는 통상의 부하전류를 개폐하고 사고 시 신속히 회로를 차단하여 전기기기 및 전선류를 보호하고 안전성을 유지하는 기기를 말한다.
• 단로기 : 무부하 선로를 개폐하는 역할을 수행한다.

71 방전침에 약 7,000V의 전압을 인가하면 공기가 전리되어 코로나 방전을 일으킴으로써 발생한 이온으로 대전체의 전하를 중화시키는 방법을 이용한 제전기는?

① 전압인가식 제전기
② 자기방전식 제전기
③ 이온스프레이식 제전기
④ 이온식 제전기

제전기의 종류

전압인가식 제전기	약 7,000V 정도의 고전압으로 코로나 방전을 일으켜 제전에 필요한 이온을 발생시키는 장치
자기방전식 제전기	제전대상 물체의 정전에너지를 이용하여 제전에 필요한 이온을 발생시키는 장치
방사선식 제전기 (이온식 제전기)	방사선 동위원소 등으로부터 나오는 방사선의 전리작용을 이용하여 제전에 필요한 이온을 만들어 내는 장치

72 다음 중 화재경보 설비에 해당되지 않는 것은?

① 누전경보기설비   ② 제연설비

③ 비상방송설비   ④ 비상벨설비

해설

경보설비의 종류
화재발생 사실을 통보하는 기계 · 기구 또는 설비를 말한다.
1. 단독경보형 감지기
2. 비상경보설비(비상벨설비, 자동식사이렌설비)
3. 시각경보기
4. 자동화재탐지설비
5. 비상방송설비
6. 자동화재속보설비
7. 통합감시시설
8. 누전경보기
9. 가스누설경보기

73 다음 중 분진폭발의 위험이 가장 적은 것은?

① 알루미늄분   ② 유황

③ 생석회   ④ 적린

해설

분진폭발이 없는 물질
1. 생석회(시멘트의 주성분)
2. 석회석 분말
3. 시멘트
4. 수산화칼슘(소석회)

74 인체에 전격을 당하였을 경우 만약 통전시간이 1초간 걸렸다면 1,000명 중 5명이 심실세동을 일으킬 수 있는 전류치는 얼마인가?

① 165mA   ② 105mA

③ 50mA   ④ 0.5A

해설

심실세동 전류

$$I = \frac{165}{\sqrt{T}} (mA)$$

여기서, I : 심실세동전류
T : 통전시간(sec)
전류 I는 1,000명 중 5명 정도가 심실세동을 일으키는 값

$$I = \frac{165}{\sqrt{T}} (mA) = \frac{165}{\sqrt{1}} = 165 [mA]$$

75 정격사용률이 30%, 정격 2차 전류가 300A인 교류아크 용접기를 200A로 사용하는 경우의 허용사용률(%)은?

① 13.3   ② 67.5

③ 110.3   ④ 157.5

해설

허용사용률

$$\text{허용사용률} = \frac{(\text{정격 2차 전류})^2}{(\text{실제 용접전류})^2} \times \text{정격사용률}$$

$$\text{허용사용률} = \frac{(\text{정격 2차 전류})^2}{(\text{실제 용접전류})^2} \times \text{정격사용률}$$
$$= \frac{(300)^2}{(200)^2} \times 30 = 67.5 [\%]$$

76 극간 정전용량이 1,000pF이고, 착화에너지가 0.019mJ인 아세틸렌가스에서 폭발한계 전압은 약 얼마인가?(단, 소수점 이하는 반올림 적용)

① $4.0 \times 10^4 [V]$

② $4.0 \times 10^2 [V]$

③ $2.0 \times 10^4 [V]$

④ $2.0 \times 10^2 [V]$

해설

정전 에너지

$$W = \frac{1}{2} CV^2 = \frac{1}{2} QV = \frac{1}{2} \frac{Q^2}{C}$$

$$\text{대전 전하량}(Q) = C \cdot V, \text{대전전위}(V) = \frac{Q}{C}$$

여기서, W : 정전기 에너지(J)
C : 도체의 정전용량(F)
V : 대전 전위(V)
Q : 대전 전하량(C)

1. $W = \frac{1}{2} CV^2 \rightarrow 2W = CV^2 \rightarrow V^2 = \frac{2W}{C} \rightarrow V = \sqrt{\frac{2W}{C}}$

2. $V = \sqrt{\frac{2W}{C}} = \sqrt{\frac{2 \times 0.019 \times 10^{-3}}{1,000 \times 10^{-12}}} ≒ 195 ≒ 2.0 \times 10^2 [V]$

TIP $pF = 10^{-12}F$, $mJ = 10^{-3}J$

PART 01
PART 02
PART 03
PART 04
PART 05
PART 06
PART 07

77 누전차단기가 자주 동작하는 이유가 아닌 것은?

① 전동기의 기동전류에 비해 용량이 작은 차단기를 사용한 경우
② 배선과 전동기에 의해 누전이 발생한 경우
③ 전로의 대지정전용량이 큰 경우
④ 고주파가 발생하는 경우

해설

고주파가 발생하는 경우는 누전차단기의 오동작의 원인이다.

78 전기설비를 방폭구조로 설치하는 근본적인 이유 중 가장 타당한 것은?

① 전기안전관리법에 화재, 폭발의 위험성이 있는 곳에는 전기설비를 방폭화하도록 되어 있으므로
② 사업장에서 발생하는 화재, 폭발의 점화원으로서는 전기설비가 원인이 되지 않도록 하기 위하여
③ 전기설비를 방폭화하면 접지설비를 생략해도 되므로
④ 사업장에 있어서 전기설비에 드는 비용이 가장 크므로 화재, 폭발에 의한 어떤 사고에서도 전기설비만은 보호하기 위해

해설

방폭화 이론
1. 전기설비로 인한 화재, 폭발방지를 위해서는 위험분위기 생성확률과 전기설비가 점화원으로 되는 확률과의 곱이 0이 되도록 하여야 한다.
2. 구체적인 조치 사항은 먼저 위험분위기의 생성을 방지하고 다음으로는 전기설비를 방폭화하여야 한다.
3. 전기설비가 점화원의 역할을 하여 발생하는 화재 폭발이 많이 발생하므로 이를 예방하기 위하여 해당하는 전기설비는 방폭구조로 해야 한다.

79 전기절연재료의 허용온도가 낮은 온도에서 높은 온도 순으로 배치가 맞는 것은?

① Y−A−E−B종
② A−B−E−Y종
③ Y−E−B−A종
④ B−Y−A−E종

해설

절연방식에 따른 분류

절연종별	허용최고온도[℃]	용도
Y종	90	저전압의 기기
A종	105	보통의 회전기, 변압기
E종	120	대용량 및 보통의 기기
B종	130	고전압의 기기
F종	155	고전압의 기기
H종	180	건식 변압기
C종	180 초과	특수한 기기

80 감전사고의 방지대책으로 적합하지 않은 것은?

① 보호절연
② 사고회로의 신속한 차단
③ 보호접지
④ 절연저항 저감

해설

절연저항을 상승시켜야 감전사고를 예방할 수 있다.

간접 접촉에 의한 방지대책
1. 보호절연
2. 안전 전압 이하의 전기기기 사용
3. 접지
4. 누전차단기의 설치
5. 비접지식 전로의 채용
6. 이중절연구조

5과목 화학설비위험방지기술

81 다음 중 액체 표면에서 발생한 증기농도가 공기 중에서 연소하한농도가 될 수 있는 가장 낮은 액체온도를 무엇이라 하는가?

① 인화점
② 비등점
③ 연소점
④ 발화온도

해설

인화점
1. 가연성 물질에 점화원을 주었을 때 연소가 시작되는 최저온도
2. 사용중인 용기 내에서 인화성 액체가 증발하여 인화될 수 있는 가장 낮은 온도

3. 액체의 표면에서 발생한 증기농도가 공기 중에서 연소하한 농도가 될 수 있는 가장 낮은 액체온도

82 다음 중 노출기준(TWA, ppm) 값이 가장 작은 물질은?

① 염소
② 암모니아
③ 에탄올
④ 메탄올

해설

화학물질의 노출기준
1. 염소(Cl_2) : 0.5ppm
2. 암모니아(NH_3) : 25ppm
3. 에탄올(C_2H_5OH) : 1,000ppm
4. 메탄올(CH_3OH) : 200ppm

83 다음 중 니트로셀룰로오스의 취급 및 저장방법에 관한 설명으로 틀린 것은?

① 제조, 건조, 저장 중 충격과 마찰 등을 방지하여야 한다.
② 물과 격렬히 반응하여 폭발하므로 습기를 제거하고, 건조 상태를 유지시킨다.
③ 자연발화 방지를 위하여 에탄올, 메탄올 등의 안전 용제를 사용한다.
④ 할로겐화합물 소화약제는 적응성이 없으며, 다량의 물로 냉각 소화한다.

해설

니트로셀룰로오스(NC ; Nitro Cellulose, 질화면, 질산섬유소)
1. 안전 용제로 저장 중에 물(20%) 또는 알코올(30%)로 습윤하여 저장 운반한다.
2. 습윤상태에서 건조되면 충격, 마찰 시 예민하고 발화 폭발의 위험이 증대된다.

84 이상반응 또는 폭발로 인하여 발생되는 압력의 방출장치가 아닌 것은?

① 파열판
② 폭압방산구
③ 화염방지기
④ 가용합금안전밸브

해설

각종 차단 및 안전장치의 분류
1. 내부압력의 과잉에 대한 방출, 경감 안전장치 : 안전밸브, 파열판, 폭압방산공, 릴리프 밸브 등
2. 화염전파 방지대책 안전장치 : 화염방지기(Flame Arrester), 폭굉억제기
3. 설비 및 장치의 차단 안전장치 : 격리밸브, 차단밸브

85 산업안전보건법령에 따라 유해하거나 위험한 설비의 설치·이전 또는 주요 구조부분의 변경공사 시 공정안전보고서의 제출시기는 착공일 며칠 전까지 관련기관에 제출하여야 하는가?

① 15일
② 30일
③ 60일
④ 90일

해설

공정안전보고서의 제출시기 및 절차
유해하거나 위험한 설비의 설치·이전 또는 주요 구조부분의 변경공사의 착공일 30일 전까지 공정안전보고서 2부를 작성하여 공단에 제출해야 한다.

86 다음 중 퍼지(Purge)의 종류에 해당하지 않는 것은?

① 압력퍼지
② 진공퍼지
③ 스위프퍼지
④ 가열퍼지

해설

불활성화 방법

진공치환 (진공 퍼지, 저압퍼지)	용기에 대한 가장 통상적인 치환절차
압력치환 (압력 퍼지)	용기에 가압된 불활성가스를 주입하는 방법으로 가압한 가스가 용기 내에서 충분히 확산된 후 그것을 대기로 방출하여야 한다.
스위프치환 (스위프 퍼지)	용기의 한 개구부로 불활성가스를 인너팅하고 다른 개구부로 대기 등으로 혼합가스를 방출하는 방법
사이폰치환 (사이폰 퍼지)	용기에 물 또는 비가연성, 비반응성의 적합한 액체를 채운 후 액체를 뽑아내면서 불활성가스를 주입하는 방법

PART 01
PART 02
PART 03
PART 04
PART 05
PART 06
PART 07

87 다음 중 분진폭발에 관한 설명으로 틀린 것은?

① 가스폭발에 비교하여 연소시간이 짧고, 발생에너지가 작다.

② 최초의 부분적인 폭발이 분진의 비산으로 2차, 3차 폭발로 파급되어 피해가 커진다.

③ 가스에 비하여 불완전연소를 일으키기 쉬우므로 연소 후 가스에 의한 중독 위험이 있다.

④ 폭발 시 입자가 비산하므로 이것에 부딪치는 가연물은 국부적으로 심한 탄화를 일으킨다.

해설

분진 폭발의 특징
1. 폭발한계 내에서 분진의 휘발성분이 많을수록 폭발이 쉽다.
2. 가스폭발에 비해 연소속도나 폭발압력이 작다.
3. 가스폭발에 비해 연소시간이 길고 발생에너지가 크기 때문에 파괴력과 타는 정도가 크다.
4. 가스에 비해 불완전연소의 가능성이 커서 일산화탄소의 존재로 인한 가스중독의 위험이 있다(가스폭발에 비하여 유독물의 발생이 많다).
5. 화염속도보다 압력속도가 빠르다.
6. 주위 분진의 비산에 의해 2차, 3차의 폭발로 파급되어 피해가 커진다.
7. 연소열에 의한 화재가 동반되며, 연소입자의 비산으로 인체에 닿을 경우 심한 화상을 입는다.
8. 분진이 발화 폭발하기 위한 조건은 인화성, 미분상태, 공기 중에서의 교반과 유동, 점화원의 존재이다.

88 다음 중 유해화학물질의 중독에 대한 일반적인 응급처치 방법으로 적절하지 않은 것은?

① 알콜이나 필요한 약품을 투여한다.

② 호흡 정지 시 가능한 경우 인공호흡을 실시한다.

③ 환자를 안정시키고, 침대에 옆으로 누인다.

④ 신체를 따뜻하게 하고 신선한 공기를 확보한다.

해설

알콜이나 약품을 투여하는 것은 전문가의 진단을 받아 해야 하며 임의로 투여하면 안 된다.

유해물 중독에 대한 응급처지 방법
1. 신체를 따뜻하게 하고 신선한 공기를 확보한다.
2. 환자를 안정시키고, 침대에 옆으로 누인다.
3. 호흡 정지 시 인공호흡을 실시한다.

89 산업안전보건법령상 특수화학설비를 설치할 때 내부의 이상상태를 조기에 파악하기 위하여 필요한 계측장치를 설치하여야 한다. 이러한 계측장치로 거리가 먼 것은?

① 압력계
② 유량계
③ 온도계
④ 비중계

해설

계측장치의 설치
특수화학설비를 설치하는 경우에는 내부의 이상상태를 조기에 파악하기 위하여 필요한 온도계·유량계·압력계 등의 계측장치를 설치하여야 한다.

90 탄화수소 증기의 연소하한값 추정식은 연료의 양론농도(C_{st})의 0.55배이다. 프로판의 연소반응식이 다음과 같을 때 연소하한값은 약 몇 vol%인가?

$$C_3H_8 + 5O_2 \rightarrow 3CO_2 + 4H_2O$$

① 2.22
② 4.03
③ 4.44
④ 8.06

해설

완전연소 조성농도(화학양론농도)

$$C_{st} = \frac{100}{1 + 4.773\left(n + \dfrac{m - f - 2\lambda}{4}\right)}$$

여기서, n : 탄소의 원자수
m : 수소의 원자수
f : 할로겐 원소의 원자수
λ : 산소의 원자수

1. 프로판(C_3H_8)의 완전연소 조성농도
$$C_{st} = \frac{100}{1 + 4.773\left(n + \dfrac{m - f - 2\lambda}{4}\right)} = \frac{100}{1 + 4.773\left(3 + \dfrac{8}{4}\right)}$$
$$= 4.02[\%]$$
(단, $C_3H_8 \rightarrow n = 3,\ m = 8,\ f = 0,\ \lambda = 0$)
2. 연소(폭발)하한계
$$C_{st} \times 0.55 = 4.02 \times 0.55 = 2.211[vol\%]$$

91 다음 중 공기와 혼합 시 최소착화에너지가 가장 적은 것은?

① CH_4(메탄)
② C_3H_8(프로판)
③ C_6H_6(벤젠)
④ H_2(수소)

최소발화에너지의 연소범위

가연성가스	최소발화에너지 $[10^{-3}$ Joule)	가연성가스	최소발화에너지 $[10^{-3}$ Joule)
수소	0.019	에탄	0.31
메탄	0.28	프로판	0.26
이황화수소	0.064	아세틸렌	0.019
에틸렌	0.096	벤젠	0.20
시클로헥산	0.22	부탄	0.25
암모니아	0.77	아세톤	1.15

92 다음 설명에 해당하는 안전장치는?

"대형의 반응기, 탑, 탱크 등에 있어서 이상상태가 발생할 때 밸브를 정지시켜 원료공급을 차단하기 위한 안전장치로, 공기압식, 유압식, 전기식 등이 있다."

① 파열판
② 안전밸브
③ 스팀트랩
④ 긴급차단장치

해설

긴급차단장치

의의	대형의 반응기, 탑, 탱크 등에 있어서 이상상태가 발생할 때 밸브를 정지시켜 원료공급을 차단하기 위한 안전장치
종류 (작동 동력원에 의한 분류)	• 공기압식 • 유압식 • 전기식
운전 및 보수	• 외관검사 • 작동 상황검사 • 누출 및 기밀검사

93 다음 중 Halon 1211의 화학식으로 옳은 것은?

① $C_2F_4Br_2$
② CF_3Br
③ CCl_4
④ CF_2ClBr

해설

할론소화약제의 명명법
1. 일염화일취화메탄 소화기(CH_2ClBr) : 할론 1011
2. 이취화사불화에탄 소화기($C_2F_4Br_2$) : 할론 2402
3. 일취화삼불화메탄 소화기(CF_3Br) : 할론 1301
4. 일취화일염화이불화메탄 소화기(CF_2ClBr) : 할론 1211
5. 사염화탄소 소화기(CCl_4) : 할론 1040

94 다음 중 물과의 반응성이 가장 큰 물질은?

① 니트로글리세린
② 이황화탄소
③ 금속나트륨
④ 석유

해설

금수성 물질(물과 접촉을 금지해야 하는 물질)
1. 물과 접촉하면 격렬한 발열반응하는 것으로 물질이 공기 중의 습기를 흡수해서 화학반응을 일으켜 발열하거나, 수분과 접촉해서 발열하여 그 온도가 가속도적으로 높아져 발화되는 물질
2. 칼륨, 리튬, 칼슘, 마그네슘, 알킬알루미늄, 나트륨, 철분, 알킬리튬, 금속분, 탄화칼슘 등이 있다.

95 산업안전보건법령상 사업주가 인화성 액체 위험물을 액체상태로 저장하는 저장탱크를 설치하는 경우에는 위험물질이 누출되어 확산되는 것을 방지하기 위하여 무엇을 설치하여야 하는가?

① Flame Arrester
② Vent Stack
③ 긴급방출장치
④ 방유제

해설

방유제의 설치
위험물을 액체상태로 저장하는 저장탱크를 설치하는 경우에는 위험물질이 누출되어 확산되는 것을 방지하기 위하여 방유제를 설치하여야 한다.

96 다음 중 산업안전보건법상 폭발성 물질에 해당하는 것은?

① 리튬
② 유기과산화물
③ 아세틸렌
④ 셀룰로이드류

해설

폭발성 물질 및 유기과산화물
1. 질산에스테르류
2. 니트로화합물
3. 니트로소화합물
4. 아조화합물
5. 디아조화합물
6. 하이드라진 유도체
7. 유기과산화물
8. 그 밖에 1.목부터 7.목까지의 물질과 같은 정도의 폭발 위험이 있는 물질
9. 1.목부터 8.목까지의 물질을 함유한 물질

정답 92 ④ 93 ④ 94 ③ 95 ④ 96 ②

97 다음 중 종이, 목재, 섬유류 등에 의하여 발생한 화재의 화재급수로 옳은 것은?

① A급
② B급
③ C급
④ D급

해설

화재의 종류

분류	A급 화재	B급 화재	C급 화재	D급 화재
명칭	일반화재	유류화재	전기화재	금속화재
분류	보통 잔재의 작열에 의해 발생하는 연소에서 보통 유기 성질의 고체물질을 포함한 화재	액체 또는 액화할 수 있는 고체를 포함한 화재 및 가연성 가스 화재	통전 중인 전기설비를 포함한 화재	금속을 포함한 화재
가연물	목재, 종이, 섬유 등	가솔린, 등유, 프로판 가스 등	전기기기, 변압기, 전기다리미 등	가연성 금속 (Mg분, Al분)
소화방법	냉각소화	질식소화	질식, 냉각소화	질식소화
적응소화제	• 물 소화기 • 강화액 소화기 • 산 · 알칼리 소화기	• 이산화탄소 소화기 • 할로겐화합물 소화기 • 분말 소화기 • 포말 소화기	• 이산화탄소 소화기 • 할로겐화합물 소화기 • 분말 소화기 • 무상강화액 소화기	• 건조사 • 팽창 질석 • 팽창 진주암
표시색	백색	황색	청색	무색

98 가연성 물질의 LFL, UFL값이 다음 표와 같이 주어졌을 때 위험도가 가장 큰 물질은?

구분	프로판	부탄	벤젠	가솔린
UFL(Vol%)	9.5	8.4	6.7	6.2
LFL(Vol%)	2.4	1.8	1.4	1.4

① 프로판
② 부탄
③ 벤젠
④ 가솔린

해설

위험도

위험도 값이 클수록 위험성이 높은 물질이다.

$$H = \frac{UFL - LFL}{LFL}$$

여기서, UFL : 연소 상한값
LFL : 연소 하한값
H : 위험도

1. 프로판 위험도
$$H = \frac{UFL - LFL}{LFL} = \frac{9.5 - 2.4}{2.4} = 2.96$$

2. 부탄 위험도
$$H = \frac{UFL - LFL}{LFL} = \frac{8.4 - 1.8}{1.8} = 3.67$$

3. 벤젠 위험도
$$H = \frac{UFL - LFL}{LFL} = \frac{6.7 - 1.4}{1.4} = 3.79$$

4. 가솔린 위험도
$$H = \frac{UFL - LFL}{LFL} = \frac{6.2 - 1.4}{1.4} = 3.43$$

99 다음 중 자연발화가 가장 쉽게 일어나기 위한 조건에 해당하는 것은?

① 큰 열전도율
② 고온, 다습한 환경
③ 표면적이 작은 물질
④ 공기의 이동이 많은 장소

해설

자연발화

자연발화의 조건 (자연발화가 쉽게 일어나는 조건)	• 표면적이 넓을 것 • 열전도율이 작을 것 • 발열량이 클 것 • 주위의 온도가 높을 것(분자운동 활발) • 수분이 적당량 존재할 것
자연발화의 인자	• 열의 축적(클수록) : 열축적이 용이할수록 자연발화가 되기 쉽다. • 발열량(클수록) : 발열량이 큰 물질일수록 자연발화가 되기 쉽다. • 열전도율 : 열전도율이 작을수록 자연발화가 쉽다. • 수분 : 적당량의 수분이 존재할 때 자연발화가 쉽다. • 퇴적방법 : 열축적이 용이하게 가연물이 적재되어 있으면 자연발화가 쉽다. • 공기의 유동 : 공기의 이동이 잘 안 될수록 열축적이 용이하여 자연발화가 되기 쉽다.

100 다음 중 산업안전보건법상 화학설비에 해당하는 것은?

① 사이클론 · 백필터 · 전기집진기 등 분진처리설비
② 응축기 · 냉각기 · 가열기 · 증발기 등 열교환기류
③ 온도 · 압력 · 유량 등을 지시 · 기록 등을 하는 자동제어 관련설비
④ 안전밸브 · 안전판 · 긴급차단 또는 방출밸브 등 비상조치 관련설비

해설

화학설비의 종류
1. 반응기 · 혼합조 등 화학물질 반응 또는 혼합장치
2. 증류탑 · 흡수탑 · 추출탑 · 감압탑 등 화학물질 분리장치
3. 저장탱크 · 계량탱크 · 호퍼 · 사일로 등 화학물질 저장설비 또는 계량설비
4. 응축기 · 냉각기 · 가열기 · 증발기 등 열교환기류
5. 고로 등 점화기를 직접 사용하는 열교환기류
6. 캘린더(Calender) · 혼합기 · 발포기 · 인쇄기 · 압출기 등 화학제품 가공설비
7. 분쇄기 · 분체분리기 · 용융기 등 분체화학물질 취급장치
8. 결정조 · 유동탑 · 탈습기 · 건조기 등 분체화학물질 분리장치
9. 펌프류 · 압축기 · 이젝터(Ejector) 등의 화학물질 이송 또는 압축설비

6과목 건설안전기술

101 굴착작업에서 지반의 붕괴 또는 매설물, 기타 지하공작물의 손괴 등에 의하여 근로자에게 위험을 미칠 우려가 있을 때 작업장소 및 그 주변에 대한 사전 지반조사사항으로 가장 거리가 먼 것은?

① 형상 · 지질 및 지층의 상태
② 매설물 등의 유무 또는 상태
③ 지표수의 흐름 상태
④ 균열 · 함수 · 용수 및 동결의 유무 또는 상태

해설

굴착작업 시 지반조사 사항
1. 형상 · 지질 및 지층의 상태
2. 균열 · 함수 · 용수 및 동결의 유무 또는 상태
3. 매설물 등의 유무 또는 상태
4. 지반의 지하수위 상태

---

102 건립 중 강풍에 의한 풍압 등 외압에 대한 내력이 설계에 고려되었는지 확인하여야 하는 철골구조물의 기준으로 옳지 않은 것은?

① 높이 20m 이상의 구조물
② 구조물의 폭과 높이의 비가 1 : 4 이상인 구조물
③ 이음부가 공장 제작인 구조물
④ 연면적당 철골량이 50kg/m² 이하인 구조물

해설

외압(강풍에 의한 풍압 등)에 대한 내력 설계 확인 구조물
1. 높이 20미터 이상의 구조물
2. 구조물의 폭과 높이의 비가 1 : 4 이상인 구조물
3. 단면구조에 현저한 차이가 있는 구조물
4. 연면적당 철골량이 50kg/m² 이하인 구조물
5. 기둥이 타이플레이트(Tie Plate)형인 구조물
6. 이음부가 현장용접인 구조물

---

103 작업발판 및 통로의 끝이나 개구부로서 근로자가 추락할 위험이 있는 장소에서 난간 등의 설치가 매우 곤란하거나 작업의 필요상 임시로 난간등을 해체하여야 하는 경우에 설치하여야 하는 것은?

① 구명구
② 수직보호망
③ 석면포
④ 추락방호망

해설

개구부 등의 방호조치
1. 작업발판 및 통로의 끝이나 개구부로서 근로자가 추락할 위험이 있는 장소에는 안전난간, 울타리, 수직형 추락방망 또는 덮개 등의 방호 조치를 충분한 강도를 가진 구조로 튼튼하게 설치하여야 하며, 덮개를 설치하는 경우에는 뒤집히거나 떨어지지 않도록 설치하여야 한다. 이 경우 어두운 장소에서도 알아볼 수 있도록 개구부임을 표시하여야 한다.
2. 난간 등을 설치하는 것이 매우 곤란하거나 작업의 필요상 임시로 난간등을 해체하여야 하는 경우 추락방호망을 설치하여야 한다. 다만, 추락방호망을 설치하기 곤란한 경우에는 근로자에게 안전대를 착용하도록 하는 등 추락할 위험을 방지하기 위하여 필요한 조치를 하여야 한다.

01 PART
02 PART
03 PART
04 PART
05 PART
06 PART
07 PART

104 롤러의 표면에 돌기를 만들어 부착한 것으로 돌기가 전압층에 매입되어 풍화함을 파쇄하고 흙 속의 간극수압을 제거하는 롤러는?

① 머캐덤롤러   ② 탠덤롤러
③ 탬핑롤러   ④ 진동롤러

해설

탬핑 롤러(Tamping Roller)
1. 깊은 다짐이나 고함수비 지반의 다짐에 많이 이용
2. 롤러의 표면에 돌기를 만들어 부착한 것
3. 풍화함을 파쇄하고 흙 속의 간극수압을 제거
4. 점성토 지반에 효과적

105 철골작업에서의 승강로 설치기준 중 ( ) 안에 알맞은 것은?

> 사업주는 근로자가 수직방향으로 이동하는 철골부재에는 답단간격이 ( ) 이내인 고정된 승강로를 설치하여야 한다.

① 20cm   ② 30cm
③ 40cm   ④ 50cm

해설

철골작업시의 위험방지(승강로의 설치)
근로자가 수직방향으로 이동하는 철골부재에는 답단간격이 30센티미터 이내인 고정된 승강로를 설치하여야 하며, 수평방향 철골과 수직방향 철골이 연결되는 부분에는 연결작업을 위하여 작업발판 등을 설치하여야 한다.

106 이동식 크레인을 사용하여 작업을 할 때 작업시작 전 점검사항이 아닌 것은?

① 주행로의 상측 및 트롤리(Trolley)가 횡행하는 레일의 상태
② 권과방지장치 그 밖의 경보장치의 기능
③ 브레이크 · 클러치 및 조정장치의 기능
④ 와이어로프가 통하고 있는 곳 및 작업장소의 지반상태

해설

이동식 크레인을 사용하여 작업을 하는 때 작업시작 전 점검사항
1. 권과방지장치나 그 밖의 경보장치의 기능
2. 브레이크 · 클러치 및 조정장치의 기능
3. 와이어로프가 통하고 있는 곳 및 작업장소의 지반상태

107 연약지반에서 발생하는 히빙(Heaving) 현상에 관한 설명 중 옳지 않은 것은?

① 배면의 토사가 붕괴된다.
② 지보공이 파괴된다.
③ 굴착저면이 솟아오른다.
④ 저면이 액상화된다.

해설

히빙(Heaving) 현상

정의	연질점토 지반에서 굴착에 의한 흙막이 내 · 외면의 흙의 중량차이로 인해 굴착저면이 부풀어 올라오는 현상
안전대책	• 흙막이 근입깊이를 깊게 함 • 표토를 제거하여 하중 감소 • 굴착저면 지반개량(흙의 전단강도를 높임) • 굴착면 하중 증가 • 어스앵커 설치 • 주변 지하수위 저하 • 소단굴착을 하여 소단부 흙의 중량이 바닥을 누르게 함 • 토류벽의 배면토압을 경감

TIP 액상화 현상
모래지반에서 순간충격 등에 의해 간극수압의 상승으로 유효응력이 감소되어 전단저항을 상실하고 지반이 액체와 같이 되는 현상

108 달비계의 최대 적재하중을 정함에 있어 그 안전계수 기준으로 옳지 않은 것은?

① 달기와이어로프 및 달기강선의 안전계수는 10 이상
② 달기체인 및 달기훅의 안전계수는 5 이상
③ 달기강대와 달비계의 하부 및 상부지점의 안전계수는 강재의 경우 3 이상
④ 달기강대와 달비계의 하부 및 상부지점의 안전계수는 목재의 경우 5 이상

해설

달비계(곤돌라의 달비계 제외)의 안전계수

구분		안전계수
달기 와이어로프 및 달기 강선		10 이상
달기 체인 및 달기 훅		5 이상
달기 강대와 달비계의 하부 및 상부 지점	강재	2.5 이상
	목재	5 이상

TIP 본 문제는 법 개정으로 내용이 삭제되었습니다. 참고만 하세요.

109 콘크리트 타설 시 거푸집 측압에 관한 설명으로 옳지 않은 것은?

① 기온이 높을수록 측압은 크다.

② 타설속도가 클수록 측압은 크다.

③ 슬럼프가 클수록 측압은 크다.

④ 다짐이 과할수록 측압은 크다.

해설

거푸집 측압증가에 영향을 미치는 인자(측압의 영향요소)
1. 거푸집 수평단면이 클수록 크다.
2. 콘크리트 슬럼프치가 클수록 커진다.
3. 거푸집 표면이 평활할수록(평탄) 커진다.
4. 철골, 철근량이 적을수록 커진다.
5. 콘크리트 시공연도가 좋을수록 커진다.
6. 외기의 온도, 습도가 낮을수록 커진다.
7. 타설 속도가 빠를수록 커진다.
8. 다짐이 충분할수록 커진다.
9. 타설 시 상부에서 직접 낙하할 경우 커진다.
10. 거푸집의 강성이 클수록 크다.
11. 콘크리트의 비중(단위중량)이 클수록 크다.
12. 벽 두께가 두꺼울수록 커진다.

110 철골건립준비를 할 때 준수하여야 할 사항으로 옳지 않은 것은?

① 지상 작업장에서 건립준비 및 기계기구를 배치할 경우에는 낙하물의 위험이 없는 평탄한 장소를 선정하여 정비하여야 한다.

② 건립작업에 다소 지장이 있다하더라도 수목은 제거하거나 이설하여서는 안된다.

③ 사용 전에 기계기구에 대한 정비 및 보수를 철저히 실시하여야 한다.

④ 기계에 부착된 앵카 등 고정장치와 기초구조 등을 확인하여야 한다.

해설

철골건립준비 시 준수사항
1. 지상 작업장에서 건립준비 및 기계기구를 배치할 경우에는 낙하물의 위험이 없는 평탄한 장소를 선정하여 정비하고 경사지에서는 작업대나 임시발판 등을 설치하는 등 안전하게 한 후 작업하여야 한다.
2. 건립작업에 지장이 되는 수목은 제거하거나 이설하여야 한다.
3. 인근에 건축물 또는 고압선 등이 있는 경우에는 이에 대한 방호조치 및 안전조치를 하여야 한다.
4. 사용 전에 기계기구에 대한 정비 및 보수를 철저히 실시하여야 한다.
5. 기계가 계획대로 배치되어 있는가, 윈치는 작업구역을 확인할 수 있는 곳에 위치하였는가, 기계에 부착된 앵카 등 고정장치와 기초구조 등을 확인하여야 한다.

111 산업안전보건법령에서 규정하는 철골작업을 중지하여야 하는 기후조건에 해당하지 않는 것은?

① 풍속이 초당 10m 이상인 경우

② 강우량이 시간당 1mm 이상인 경우

③ 강설량이 시간당 1cm 이상인 경우

④ 기온이 영하 5℃ 이하인 경우

해설

작업의 제한(철골작업 중지)
1. 풍속이 초당 10미터 이상인 경우
2. 강우량이 시간당 1밀리미터 이상인 경우
3. 강설량이 시간당 1센티미터 이상인 경우

112 공사진척에 따른 공정률이 다음과 같을 때 안전관리비 사용기준으로 옳은 것은?(단, 공정률은 기성공정률을 기준으로 함)

> 공정률 : 70퍼센트 이상, 90퍼센트 미만

① 50퍼센트 이상   ② 60퍼센트 이상

③ 70퍼센트 이상   ④ 80퍼센트 이상

해설

공사진척에 따른 안전관리비 사용기준

공정률	50퍼센트 이상 70퍼센트 미만	70퍼센트 이상 90퍼센트 미만	90퍼센트 이상
사용기준	50퍼센트 이상	70퍼센트 이상	90퍼센트 이상

※ 공정률은 기성공정률을 기준으로 한다.

113 흙 속의 전단응력을 증대시키는 원인에 해당하지 않는 것은?

① 자연 또는 인공에 의한 지하공동의 형성

② 함수비의 감소에 따른 흙의 단위체적 중량의 감소

③ 지진, 폭파에 의한 진동 발생

④ 균열 내에 작용하는 수압증가

PART 01
PART 02
PART 03
PART 04
PART 05
PART 06
PART 07

전단응력 증가 요인
1. 외적하중 증가(건물하중, 강우, 눈, 성토 등)
2. 함수비 증가에 따른 흙의 단위체적 중량의 증가
3. 균열 내 작용하는 수압 증가
4. 인장응력에 의한 균열 발생
5. 지진, 폭파 등에 의한 진동
6. 자연 또는 인공에 의한 지하공동의 형성(투수, 침식, 인위적인 절토 등)

114 사면지반 개량공법으로 옳지 않은 것은?

① 전기 화학적 공법
② 석회 안정처리 공법
③ 이온 교환 공법
④ 옹벽 공법

비탈면지반 개량공법

주입공법	시멘트액, 모르타르액 등의 약액을 주입하여 지반을 강화하는 공법
이온 교환 공법	흙의 공학적 성질을 변경하여 사면의 안정을 강화하는 공법으로 특히 염화칼슘을 사면상부에 타설하여 칼슘이온을 흡착시키는 방법을 이용
전기화학적 공법	직류전기를 가해 전기화학적으로 흙을 개량하여 사면의 안정을 강화하는 공법
시멘트 안정 처리공법	흙에 시멘트 재료를 첨가하여 혼합, 교반하여 사면의 안정을 도모하는 공법
석회안정처리 공법	점성토에 소석회 또는 생석회를 가하여 화학적 결합작용 등에 따라 사면의 안정을 도모하는 공법
소결공법	가열에 의한 토성개량을 목적으로 하는 공법

115 안전난간대에 폭목(Toe Board)을 대는 이유는?

① 작업자의 손을 보호하기 위하여
② 작업자의 작업능률을 높이기 위하여
③ 안전난간대의 강도를 높이기 위하여
④ 공구 등 물체가 작업발판에서 지상으로 낙하되지 않도록 하기 위하여

공구 등 물체가 작업발판에서 지상으로 낙하되지 않도록 하기 위하여 바닥면 등으로부터 10cm 이상의 높이로 설치한다.

발끝막이판(폭목)
바닥면 등으로부터 10센티미터 이상의 높이를 유지할 것(다만, 물체가 떨어지거나 날아올 위험이 없거나 그 위험을 방지할 수 있는 망을 설치하는 등 필요한 예방 조치를 한 장소는 제외)

116 터널 지보공을 설치한 때 수시 점검하여 이상 발견 시 즉시 보강하거나 보수해야 할 사항이 아닌 것은?

① 부재의 손상 · 변형 · 부식 · 변위 · 탈락의 유무 및 상태
② 부재의 긴압 정도
③ 부재의 접속부 및 교차부의 상태
④ 경보장치의 작동 상태

터널지보공의 붕괴 등의 방지를 위한 점검사항
1. 부재의 손상 · 변형 · 부식 · 변위 탈락의 유무 및 상태
2. 부재의 긴압 정도
3. 부재의 접속부 및 교차부의 상태
4. 기둥침하의 유무 및 상태

117 작업 중이던 미장공이 상부에서 떨어지는 공구에 의해 상해를 입었다면 어느 부분에 대한 결함이 있었겠는가?

① 작업대 설치
② 작업방법
③ 낙하물 방지시설 설치
④ 비계설치

물체가 떨어지거나 날아올 위험이 있는 경우의 위험방지
1. 낙하물 방지망 설치
2. 수직보호망 설치
3. 방호선반 설치
4. 출입금지구역 설정
5. 보호구 착용

118 건설업 중 유해위험방지계획서 제출 대상 사업장으로 옳지 않은 것은?

① 지상높이가 31m 이상인 건축물 또는 인공구조물, 연면적 30,000m² 이상인 건축물 또는 연면적 5,000m² 이상의 문화 및 집회시설의 건설공사

② 연면적 3,000m² 이상의 냉동·냉장 창고시설의 설비공사 및 단열공사

③ 깊이 10m 이상인 굴착공사

④ 최대 지간길이가 50m 이상인 다리의 건설공사

해설

유해위험방지계획서를 제출해야 될 건설공사

1. 다음 각 목의 어느 하나에 해당하는 건축물 또는 시설 등의 건설·개조 또는 해체공사
   ㉠ 지상높이가 31미터 이상인 건축물 또는 인공구조물
   ㉡ 연면적 3만제곱미터 이상인 건축물
   ㉢ 연면적 5천제곱미터 이상인 시설로서 다음의 어느 하나에 해당하는 시설
   • 문화 및 집회시설(전시장 및 동물원·식물원은 제외)
   • 판매시설, 운수시설(고속철도의 역사 및 집배송시설은 제외)
   • 종교시설
   • 의료시설 중 종합병원
   • 숙박시설 중 관광숙박시설
   • 지하도상가
   • 냉동·냉장 창고시설

2. 연면적 5천제곱미터 이상인 냉동·냉장 창고시설의 설비공사 및 단열공사

3. 최대 지간길이(다리의 기둥과 기둥의 중심사이의 거리)가 50미터 이상인 다리의 건설등 공사

4. 터널의 건설등 공사

5. 다목적댐, 발전용댐, 저수용량 2천만톤 이상의 용수 전용 댐 및 지방상수도 전용 댐의 건설등 공사

6. 깊이 10미터 이상인 굴착공사

119 작업장에 계단 및 계단참을 설치하는 때에는 기준상으로 매 제곱미터당 최소 몇 킬로그램 이상의 하중에 견딜 수 있는 강도를 가진 구조로 설치하여야 하는가?

① 300kg   ② 400kg
③ 500kg   ④ 600kg

해설

계단 및 계단참의 강도

1. 매 제곱미터당 500킬로그램 이상의 하중에 견딜 수 있는 강도를 가진 구조로 설치하여야 한다.

2. 안전율(재료의 파괴응력도와 허용응력도의 비율)은 4 이상으로 하여야 한다.

3. 계단 및 승강구 바닥을 구멍이 있는 재료로 만드는 경우 렌치나 그 밖의 공구 등이 낙하할 위험이 없는 구조로 하여야 한다.

120 가설통로의 설치기준으로 옳지 않은 것은?

① 경사는 30° 이하로 할 것

② 경사가 15°를 초과하는 때에는 미끄러지지 아니하는 구조로 할 것

③ 추락의 위험이 있는 장소에는 안전난간을 설치할 것

④ 수직갱에 가설된 통로의 길이가 15m 이상인 때에는 12m 이내마다 계단참을 설치할 것

해설

가설통로

1. 견고한 구조로 할 것

2. 경사는 30도 이하로 할 것(다만, 계단을 설치하거나 높이 2미터 미만의 가설통로로서 튼튼한 손잡이를 설치한 경우에는 그러하지 아니하다)

3. 경사가 15도를 초과하는 경우에는 미끄러지지 아니하는 구조로 할 것

4. 추락할 위험이 있는 장소에는 안전난간을 설치할 것(다만, 작업상 부득이한 경우에는 필요한 부분만 임시로 해체할 수 있다)

5. 수직갱에 가설된 통로의 길이가 15미터 이상인 경우에는 10미터 이내마다 계단참을 설치할 것

6. 건설공사에 사용하는 높이 8미터 이상인 비계다리에는 7미터 이내마다 계단참을 설치할 것

03 2023년 3회 기출문제

1과목 안전관리론

01 산업안전보건법령상 안전보건관리규정 작성 시 포함되어야 하는 사항을 모두 고른 것은?(단, 그 밖에 안전 및 보건에 관한 사항은 제외한다.)

ㄱ. 안전보건교육에 관한 사항
ㄴ. 재해사례 연구ㆍ토의결과에 관한 사항
ㄷ. 사고 조사 및 대책 수립에 관한 사항
ㄹ. 작업장의 안전 및 보건 관리에 관한 사항
ㅁ. 안전 및 보건에 관한 관리조직과 그 직무에 관한 사항

① ㄱ, ㄴ, ㄷ, ㄹ
② ㄱ, ㄴ, ㄹ, ㅁ
③ ㄱ, ㄷ, ㄹ, ㅁ
④ ㄴ, ㄷ, ㄹ, ㅁ

해설

안전보건관리규정의 포함사항
1. 안전 및 보건에 관한 관리조직과 그 직무에 관한 사항
2. 안전보건교육에 관한 사항
3. 작업장의 안전 및 보건 관리에 관한 사항
4. 사고 조사 및 대책 수립에 관한 사항
5. 그 밖에 안전 및 보건에 관한 사항

02 산업안전보건법령상 안전보건표지의 종류와 형태 중 관계자 외 출입금지에 해당하지 않는 것은?

① 관리대상물질 작업장
② 허가대상물질 작업장
③ 석면취급ㆍ해체 작업장
④ 금지대상물질의 취급 실험실

해설

관계자외 출입금지

허가대상물질 작업장	석면취급/ 해체작업장	금지대상물질의 취급 실험실 등
관계자 외 출입금지 (허가물질 명칭) 제조/사용/보관 중	관계자 외 출입금지 석면취급/ 해체 중	관계자 외 출입금지 발암물질 취급 중
보호구/보호복 착용 흡연 및 음식물 섭취 금지	보호구/보호복 착용 흡연 및 음식물 섭취 금지	보호구/보호복 착용 흡연 및 음식물 섭취 금지

03 다음 중 브레인스토밍(Brainstorming) 기법에 관한 설명으로 옳은 것은?

① 지정된 표현방식을 벗어나 자유롭게 의견을 제시한다.
② 주제와 내용이 다르거나 잘못된 의견은 지적하여 조정한다.
③ 참여자에게는 동일한 회수의 의견제시 기회가 부여된다.
④ 타인의 의견을 수정하거나 동의하여 다시 제시하지 않는다.

해설

브레인스토밍(Brainstorming)의 원칙
1. 비판금지 : 「좋다」, 「나쁘다」라고 비판은 하지 않는다.
2. 대량발언 : 내용의 질적수준보다 양적으로 무엇이든 많이 발언한다.
3. 자유분방 : 자유로운 분위기에서 마음대로 편안한 마음으로 발언한다.
4. 수정발언 : 타인의 아이디어를 수정하거나 보충 발언해도 좋다.

04 강도율에 관한 설명 중 틀린 것은?

① 사망 및 영구전노동불능(신체장해등급 1~3급)의 손실일수는 7,500일로 환산한다.
② 신체장해 등급 중 제14급은 근로손실일수를 50일로 환산한다.
③ 영구 일부 노동불능은 신체 장해등급에 따른 근로손실일수에 $\frac{300}{365}$ 을 곱하여 환산한다.
④ 일시 전노동 불능은 휴업일수에 $\frac{300}{365}$ 을 곱하여 근로손실일수를 환산한다.

해설

근로손실일수의 산정 기준
1. 사망 및 영구 전노동불능(신체장해등급 1~3급) : 7,500일

2. 영구 일부노동불능(근로손실일수)

신체장해등급	4	5	6	7	8
근로손실일수	5,500	4,000	3,000	2,200	1,500

신체장해등급	9	10	11	12	13	14
근로손실일수	1,000	600	400	200	100	50

3. 일시 전노동불능 : 근로손실일수＝휴업일수$\times\dfrac{300}{365}$

05 산업현장에서 재해 발생 시 조치 순서로 옳은 것은?

① 긴급처리 → 재해조사 → 원인분석 → 대책수립
② 긴급처리 → 원인분석 → 대책수립 → 재해조사
③ 재해조사 → 원인분석 → 대책수립 → 긴급처리
④ 재해조사 → 대책수립 → 원인분석 → 긴급처리

해설

재해 발생 시 조치사항
산업재해 발생 → 긴급처리 → 재해조사 → 원인강구(원인분석) → 대책수립 → 대책실시계획 → 실시 → 평가

06 버드(Bird)의 신 도미노이론 5단계에 해당하지 않는 것은?

① 제어부족(관리)
② 직접원인(징후)
③ 간접원인(평가)
④ 기본원인(기원)

해설

버드(Bird)의 최신 도미노이론
1. 제1단계 : 제어의 부족(관리)
2. 제2단계 : 기본원인(기원)
3. 제3단계 : 직접원인(징후)
4. 제4단계 : 사고(접촉)
5. 제5단계 : 상해(손실)

TIP 재해발생의 근원적 원인은 경영자의 관리소홀이다.

07 다음 중 안전교육의 단계에 있어 올바른 행동의 습관화 및 가치관을 형성하도록 하는 교육은?

① 안전의식 교육
② 안전태도 교육
③ 안전지식 교육
④ 안전기능 교육

해설

안전교육 3단계
1. 제1단계 : 지식교육
   • 강의, 시청각교육을 통한 지식의 전달과 이해
   • 근로자가 지켜야할 규정의 숙지를 위한 교육
2. 제2단계 : 기능교육
   • 시범, 견학, 실습, 현장실습을 통한 경험체득과 이해
   • 교육 대상자가 스스로 행함으로서 습득하는 교육
   • 같은 내용을 반복해서 개인의 시행착오에 의해서만 얻어지는 교육
3. 제3단계 : 태도교육
   • 작업동작지도, 생활지도 등을 통한 안전의 습관화 및 일체감
   • 동기를 부여하는 데 가장 적절한 교육
   • 안전한 작업방법을 알고는 있으나 시행하지 않는 것에 대한 교육

08 다음 재해원인 중 간접원인에 해당하지 않는 것은?

① 기술적 원인
② 교육적 원인
③ 관리적 원인
④ 인적 원인

해설

산업재해의 원인
1. 직접원인
   • 불안전한 행동(인적 요인)
   • 불안전한 상태(물적 요인)
2. 간접원인

기술적 원인	• 건물, 기계장치의 설계불량 • 구조, 재료의 부적합 • 생산방법의 부적당 • 점검, 정비보존의 불량
교육적 원인	• 안전의식의 부족 • 안전수칙의 오해 • 경험훈련의 미숙 • 작업방법의 교육 불충분 • 유해위험 작업의 교육 불충분
신체적 원인	• 신체적 결함(두통, 현기증, 간질병, 난청) • 피로(수면부족)
정신적 원인	• 태도불량(태만, 불만, 반항) • 정신적 동요(공포, 긴장, 초조, 불화)
작업관리상의 원인	• 안전관리조직의 결함 • 안전수칙의 미제정 • 작업준비 불충분 • 인원배치 부적당 • 작업지시 부적당

09 헤드십의 특성이 아닌 것은?

① 지휘형태는 권위주의적이다.

② 권한행사는 임명된 헤드이다.

③ 구성원과의 사회적 간격은 넓다.

④ 상관과 부하와의 관계는 개인적인 영향이다.

> **해설**

헤드십과 리더십의 구분

구분	헤드십	리더십
권한행사 및 부여	위에서 위임하여 임명된 헤드	밑에서부터의 동의에 선출된 리더
권한근거	법적 또는 공식적	개인능력
상관과 부하와의 관계	지배적	개인적인 경향
책임귀속	상사	상사와 부하
부하와의 사회적 간격	넓다	좁다
지위형태	권위주의적	민주주의적
권한귀속	공식화된 규정에 의함	집단목표에 기여한 공로 인정

10 안전점검을 점검시기에 따라 구분할 때 다음에서 설명하는 안전점검은?

> 작업담당자 또는 해당 관리감독자가 맡고 있는 공정의 설비, 기계, 공구 등을 매일 작업 전 또는 작업 중에 일상적으로 실시하는 안전점검

① 정기점검　　　　② 수시점검

③ 특별점검　　　　④ 임시점검

> **해설**

안전점검(점검주기에 의한 구분)

정기점검 (계획점검)	일정기간마다 정기적으로 실시하는 점검으로 주간점검, 월간점검, 연간점검 등이 있다.(마모 상태, 부식, 손상, 균열 등 설비의 상태 변화나 이상 유무 등을 점검한다.)
수시점검 (일상점검, 일일점검)	• 매일 현장에서 작업 시작 전, 작업 중, 작업 후에 일상적으로 실시하는 점검(작업자, 작업담당자가 실시한다.) • 작업 시작 전 점검사항 : 주변의 정리정돈, 주변의 청소 상태, 설비의 방호장치 점검, 설비의 주유상태, 구동부분 등 • 작업 중 점검사항 : 이상소음, 진동, 냄새, 가스 및 기름 누출, 생산품질의 이상 여부 등 • 작업 종료 시 점검사항 : 기계의 청소와 정비, 안전장치의 작동 여부, 스위치 조작, 환기, 통로정리 등

임시점검	정기점검 실시 후 다음 점검기일 이전에 임시로 실시하는 점검(기계, 기구 또는 설비의 이상 발견 시에 임시로 점검)
특별점검	• 기계, 기구 또는 설비를 신설하거나 변경 내지는 고장 수리 등을 할 경우 • 강풍 또는 지진 등의 천재지변 발생 후의 점검 • 산업안전 보건 강조기간에도 실시

11 학습을 자극(Stimulus)에 의한 반응(Response)으로 보는 이론에 해당하는 것은?

① 장설(Field Theory)

② 통찰설(Insight Theory)

③ 기호형태설(Sign–Gestalt Theory)

④ 시행착오설(Trial and Error Theory)

> **해설**

학습이론

S(자극) – R(반응)이론 (행동주의 학습이론)	• 조건반사설(Pavlov) • 시행착오설(Thorndike) • 조직적 조건 형성이론(Skinner)
인지이론(형태이론)	• 통찰설(Köhler) • 장이론(Lewin) • 기호형태설(Tolman)

12 다음 중 Off.J.T(Off Job Training) 교육방법의 장점으로 옳은 것은?

① 개개인에게 적절한 지도훈련이 가능하다.

② 훈련에 필요한 업무의 계속성이 끊어지지 않는다.

③ 다수의 대상자를 일괄적, 조직적으로 교육할 수 있다.

④ 효과가 곧 업무에 나타나며, 훈련의 좋고 나쁨에 따라 개선이 용이하다.

> **해설**

OFF J.T(Off the Job Training)

1. 정의
   공통된 교육목적을 가진 근로자를 현장 외의 장소에 모아 실시하는 집체교육으로 집단교육에 적합한 교육형태

2. 특징
   • 외부의 전문가를 활용할 수 있다(전문가를 초빙하여 강사로 활용이 가능하다).
   • 다수의 대상자에게 조직적 훈련이 가능하다.
   • 특별교재, 교구, 시설을 유효하게 사용할 수 있다.
   • 타 직종 사람과의 많은 지식, 경험을 교류할 수 있다.

- 업무와 분리되어 교육에 전념하는 것이 가능하다.
- 교육목표를 위하여 집단적으로 협조와 협력이 가능하다.
- 법규, 원리, 원칙, 개념, 이론 등의 교육에 적합하다.

13 다음 중 학습에 대한 동기유발 방법 가운데 외적 동기 유발방법이 아닌 것은?

① 경쟁심을 일으키도록 한다.
② 학습의 결과를 알려준다.
③ 학습자의 요구 수준에 맞는 교재를 제시한다.
④ 적절한 상벌에 의한 학습의욕을 환기시킨다.

해설

동기유발 방법

내적 동기유발	• 목표의 인식 • 학습자의 요구 수준에 맞는 교재를 제시 • 성취의욕의 고취 • 지적호기심의 제고 • 흥미 등의 방법
외적 동기유발	• 학습의 결과를 알려줌 • 경쟁심을 일으키도록 함 • 적절한 상과 벌에 의한 학습의욕을 환기시킬 것

14 데이비스(Davis)의 동기부여이론 중 동기유발의 식으로 옳은 것은?

① 지식×기능
② 지식×태도
③ 상황×기능
④ 상황×태도

해설

데이비스(K. Davis)의 동기부여이론
1. 인간의 성과×물질적 성과 = 경영의 성과
2. 지식(Knowledge)×기능(Skill) = 능력(Ability)
3. 상황(Situation)×태도(Attitude) = 동기유발(Motivation)
4. 능력(Ability)×동기유발(Motivation) = 인간의 성과 (Human Performance)

15 다음 중 재해원인 분석기법의 하나인 특성요인도의 작성방법으로 잘못 설명된 것은?

① 특성의 결정은 무엇에 대한 특성요인도를 작성할 것인가를 결정하고 기입한다.
② 등뼈는 원칙적으로 우측에서 좌측으로 향하여 가는 화살표를 기입한다.

③ 큰뼈는 특성이 일어나는 요인이라고 생각하는 것을 크게 분류하여 기입한다.
④ 중뼈는 특성이 일어나는 큰뼈의 요인마다 다시 미세하게 원인을 결정하여 기입한다.

해설

특성 요인도
1. 특성과 요인관계를 어골상으로 도표화하여 분석하는 기법(원인과 결과를 연계하여 상호관계를 파악하기 위한 분석방법)
2. 등뼈는 원칙적으로 좌측에서 우측으로 향하여 굵은 화살표를 기입한다.

16 근로자 1,000명 이상의 대규모 사업장에 적합한 안전관리 조직의 유형은?

① 직계식 조직
② 참모식 조직
③ 병렬식 조직
④ 직계참모식 조직

해설

안전관리 조직의 형태

라인형(Line형) (직계형 조직)	100명 미만의 소규모 사업장에 적합한 조직형태
스태프형(Staff형) (참모형 조직)	100명 이상 1,000명 미만의 중규모 사업장에 적합한 조직형태
라인 - 스태프형 (Line - Staff형) (직계 참모형 조직)	1,000명 이상의 대규모 사업장에 적합한 조직형태

17 다음 중 적성의 기본요소라 할 수 있는 것은?

① 지능
② 교육수준
③ 환경조건
④ 가족관계

해설

적성의 요인
1. 직업적성
2. 지능
3. 흥미
4. 인간성

18 안전교육방법 중 학습자가 자신의 학습속도에 적합하도록 프로그램 자료를 가지고 단독으로 학습하도록 하는 교육방법은?

① 실연법
② 모의법
③ 토의법
④ 프로그램 학습법

01 PART
02 PART
03 PART
04 PART
05 PART
06 PART
07 PART

교육방법

토의법	다양한 과제와 문제에 대해 학습자 상호간에 솔직하게 의견을 내어 공통의 이해를 꾀하면서 그룹의 결론을 도출해가는 것으로 안전지식과 관리에 대한 유경험자에게 적합한 교육방법(쌍방적 의사전달 방법)
실연법	학습자가 이미 설명을 듣거나 시범을 보고 알게 된 지식이나 기능을 강사의 감독 아래 직접적으로 연습해 적용해 보게 하는 교육방법
프로그램학습법	학생이 자기 학습속도에 따른 학습이 허용되어 있는 상태에서 학습자가 프로그램 자료를 가지고 단독으로 학습하도록 하는 교육방법
모의법	실제의 장면이나 상태와 극히 유사한 상황을 인위적으로 만들어 그 속에서 학습하도록 하는 교육방법

19 레윈(Lewin)은 인간의 행동 특성을 다음과 같이 표현하였다. 변수 "E"가 의미하는 것으로 옳은 것은?

$$B = f(P \cdot E)$$

① 연령
② 성격
③ 작업환경
④ 지능

레윈(K. Lewin)의 행동법칙

$$B = f(P \cdot E)$$

여기서, B : Behavior(인간의 행동)
f : Function(함수관계) $P \cdot E$에 영향을 줄 수 있는 조건
P : Person(개체, 개인의 자질, 연령, 경험, 심신상태, 성격, 지능 등)
E : Environment(심리적 환경 – 작업환경, 인간관계, 설비적 결함 등)

레윈의 이론
인간의 행동(B)은 개인의 자질과 심리학적 환경과의 상호 함수관계이다.

20 다음 중 작업현장에서 낙하의 위험과 상부에 전선이 있어 감전위험이 있을 때 사용하여야 하는 안전모의 종류는?

① A형 안전모
② B형 안전모
③ AB형 안전모
④ AE형 안전모

추락 및 감전 위험방지용 안전모의 종류

종류(기호)	사용구분	비고
AB	물체의 낙하 또는 비래 및 추락에 의한 위험을 방지 또는 경감시키기 위한 것	
AE	물체의 낙하 또는 비래에 의한 위험을 방지 또는 경감하고, 머리부위 감전에 의한 위험을 방지하기 위한 것	내전압성[1]
ABE	물체의 낙하 또는 비래 및 추락에 의한 위험을 방지 또는 경감하고, 머리부위 감전에 의한 위험을 방지하기 위한 것	내전압성

1) 내전압성이란 7,000V 이하의 전압에 견디는 것을 말한다.

2과목 인간공학 및 시스템 안전공학

21 인간의 감각 중 반응시간이 가장 빠른 것은?

① 시각
② 통각
③ 청각
④ 미각

감각 기관별 자극반응시간

청각	촉각	시각	미각	통각
0.17초	0.18초	0.20초	0.29초	0.70초

22 산업안전보건법상 근로자가 상시로 정밀작업을 하는 장소의 작업면 조도기준으로 옳은 것은?

① 75럭스(lux) 이상
② 150럭스(lux) 이상
③ 300럭스(lux) 이상
④ 750럭스(lux) 이상

작업장의 적정 조도 기준

작업의 종류	작업면 조도(照度)
초정밀작업	750럭스(lux) 이상
정밀작업	300럭스(lux) 이상
보통작업	150럭스(lux) 이상
그 밖의 작업	75럭스(lux) 이상

23 다음 중 HAZOP기법에서 사용하는 가이드워드와 그 의미가 잘못 연결된 것은?

① PART OF : 성질상의 감소

② MORE/LESS : 정량적인 증가 또는 감소

③ NO/NOT : 설계 의도의 안전한 부정

④ OTHER THAN : 기타 환경적인 요인

해설

지침단어(가이드워드)의 의미

GUIDE WORD	의미
NO 혹은 NOT	설계의도의 완전한 부정
MORE 혹은 LESS	양의 증가 혹은 감소 (정량적 증가 혹은 감소)
AS WELL AS	성질상의 증가 (정성적 증가)
PART OF	성질상의 감소 (정성적 감소)
REVERSE	설계의도의 논리적인 역 (설계의도와 반대현상)
OTHER THAN	완전한 대체의 필요

24 FT도에 사용하는 기호에서 3개의 입력현상 중 임의의 시간에 2개가 발생하면 출력이 생기는 기호의 명칭은?

① 우선적 AND 게이트

② 조합 AND 게이트

③ 억제 게이트

④ 배타적 OR 게이트

해설

게이트

1. 우선적 AND 게이트
   입력사상 중 어떤 사상이 다른 사상보다 먼저 일어난 때에 출력사상이 생긴다.
2. 조합 AND 게이트
   3개 이상의 입력사상 중 어느 것이나 2개가 일어나면 출력이 생긴다.
3. 억제 게이트
   입력사상 중 어느 것이나 이 게이트로 나타내는 조건이 만족하는 경우에만 출력사상이 발생한다. (조건부확률)
4. 배타적 OR 게이트
   OR 게이트이지만 2개 또는 그 이상의 입력이 동시에 존재하는 경우에는 출력이 생기지 않는다.

25 다음 중 작업공간의 배치에 있어 구성요소 배치의 원칙에 해당하지 않는 것은?

① 기능성의 원칙 ② 사용빈도의 원칙

③ 사용순서의 원칙 ④ 사용방법의 원칙

해설

부품배치의 원칙

부품의 위치 결정	중요성의 원칙	체계의 목표달성에 긴요한 정도에 따른 우선순위를 설정
	사용빈도의 원칙	부품이 사용되는 빈도에 따른 우선순위 설정
부품의 배치 결정	기능별 배치의 원칙	기능적으로 관련된 부품들을 모아서 배치
	사용순서의 원칙	순서적으로 사용되는 장치들을 가까이에 순서적으로 배치

26 인간이 기계보다 우수한 기능으로 옳지 않은 것은?(단, 인공지능은 제외한다.)

① 암호화된 정보를 신속하게 대량으로 보관할 수 있다.

② 관찰을 통해서 일반화하여 귀납적으로 추리한다.

③ 항공사진의 피사체나 말소리처럼 상황에 따라 변화하는 복잡한 자극의 형태를 식별할 수 있다.

④ 수신 상태가 나쁜 음극선관에 나타나는 영상과 같이 배경 잡음이 심한 경우에도 신호를 인지할 수 있다.

해설

인간이 기계보다 우수한 기능

1. 매우 낮은 수준의 자극(시각, 청각, 촉각, 후각, 미각적인)을 감지한다.
2. 수신 상태가 나쁜 음극선과에 나타나는 영상과 같이 배경 잡음이 심한 경우에도 신호를 인지할 수 있다.
3. 항공 사진의 피사체나 말소리처럼 상황에 따라 변화하는 복잡한 자극의 형태를 식별할 수 있다.
4. 주의의 예기치 못한 상황을 감지할 수 있다.
5. 많은 양의 정보를 오랜 기간 동안 보관하였다가 적절한 정보를 상기한다.
6. 다양한 경험을 토대로 의사결정을 한다.
7. 어떤 운용 방법이 실패할 경우, 다른 방법을 선택한다.
8. 관찰을 통해서 일반화하여 귀납적으로 추리한다.
9. 원칙을 적용하여 다양한 문제를 해결한다.
10. 완전히 새로운 해결책을 찾을 수 있다.
11. 다양한 운용상의 요건에 맞추어서 신체적인 반응을 적응시킨다.

01 PART
02 PART
03 PART
04 PART
05 PART
06 PART
07 PART

12. 과부하 상황에서 불가피한 경우에는 중요한 일에만 전념한다.
13. 주관적으로 추산하고 평가한다.

> **TIP** 암호화된 정보를 신속하게 대량으로 보관할 수 있다. : 기계가 인간보다 우수한 기능

27 어느 부품 1,000개를 100,000시간 동안 가동하였을 때 5개의 불량품이 발생하였을 경우 평균동작시간(MTTF)은?

① 1×10^6시간
② 2×10^7시간
③ 1×10^8시간
④ 2×10^9시간

> **해설**

평균고장수명(고장까지의 평균시간, MTTF ; Mean Time To Failure)
고장이 발생되면 그것으로 수명이 없어지는 제품의 평균수명이며, 이는 수리하지 않는 시스템, 제품, 기기, 부품 등이 고장 날 때까지 동작시간의 평균치

$$MTTF(MTBF) = \frac{1}{\lambda} = \frac{T(\text{총 동작시간})}{r(\text{그 기간 중의 총 고장수})}$$

$$MTTF(MTBF) = \frac{T}{r} = \frac{1,000 \times 100,000}{5} = 2 \times 10^7$$

28 다음 중 소음에 의한 청력손실이 가장 심각한 주파수 범위는?

① $500 \sim 1,000$Hz
② $3,000 \sim 4,000$Hz
③ $8,000 \sim 10,000$Hz
④ $15,000 \sim 20,000$Hz

> **해설**

청력 손실의 성격
1. 청력 손실의 정도는 노출되는 소음 수준에 따라 증가한다.(비례관계)
2. 강한 소음에 대해서는 노출기간에 따라 청력 손실도 증가한다.
3. 약한 소음에 대해서는 노출기간과 청력손실 간에 관계가 없다.
4. 청력 손실은 4,000Hz에서 크게 나타난다.

29 발생 확률이 동일한 64가지의 대안이 있을 때 얻을 수 있는 총 정보량은?

① 6bit
② 16bit
③ 32bit
④ 64bit

> **해설**

정보의 측정 단위
1. Bit : 실현 가능성이 같은 2개의 대안 중 하나가 명시되었을 때 우리가 얻는 정보량
2. 실현 가능성이 같은 n개의 대안이 있을 때 총 정보량 H

$$H = \log_2 n$$

$$H = \log_2 64 = \frac{\log 64}{\log 2} = 6 \text{(bit)}$$

30 휴먼 에러 예방대책 중 인적 요인에 대한 대책이 아닌 것은?

① 설비 및 환경 개선
② 소집단 활동의 활성화
③ 작업에 대한 교육 및 훈련
④ 전문인력의 적재적소 배치

> **해설**

인적 요인에 대한 대책
1. 작업에 관한 교육 및 훈련과 작업 전, 후의 회의소집
2. 작업의 모의훈련으로 시나리오에 의한 리허설
3. 소집단 활동의 활성화로 작업방법 및 순서, 위험예지활동 등을 지속적으로 수행
4. 숙달된 전문인력의 적재적소에 배치 등

> **TIP** 관리요인에 대한 대책 : 설비, 환경의 사전 개선

31 다음 설명에 해당하는 인간의 오류모형은?

> 상황이나 목표의 해석은 정확하나 의도와는 다른 행동을 한 경우

① 착오(Mistake)
② 실수(Slip)
③ 건망증(Lapse)
④ 위반(Violation)

해설

인간의 오류 모형

착오 (Mistake)	상황해석을 잘못하거나 목표를 잘못 이해하고 착각하여 행하는 경우(어떤 목적으로 행동하려고 했는데 그 행동과 일치하지 않는 것)
실수 (Slip)	상황이나 목표의 해석을 제대로 했으나 의도와는 다른 행동을 하는 경우
건망증 (Lapse)	여러 과정이 연계적으로 계속하여 일어나는 행동 중 일부를 잊어버리고 하지 않거나 또는 기억의 실패에 의해 발생하는 오류
위반 (Violation)	정해진 규칙을 알고 있음에도 고의적으로 따르지 않거나 무시하는 행위

32 화학설비의 안전성 평가에서 정량적 평가의 항목에 해당되지 않는 것은?

① 훈련
② 조작
③ 취급물질
④ 화학설비용량

해설

화학설비에 대한 안전성 평가 단계
1. 제1단계 : 관계자료의 작성준비(정비검토)
   • 입지조건(지질도, 풍배도 등 입지에 관계있는 도표를 포함)
   • 화학설비 배치도
   • 건조물의 평면도와 단면도 및 입면도
   • 기계실 및 전기실의 평면도와 단면도 및 입면도
   • 원재료, 중간체, 제품 등의 물리적, 화학적 성질 및 인체에 미치는 영향
   • 제조공정상 일어나는 화학반응
   • 제조공정 개요
   • 공정기기 목록
   • 공정계통도
   • 배관, 계장 계통도
   • 안전설비의 종류와 설치장소
   • 운전요령
   • 요원배치계획, 안전보건 훈련계획
   • 기타 관련자료
2. 제2단계 : 정성적 평가

설계 관계 항목	입지조건, 공장내 배치, 건조물, 소방설비
운전 관계 항목	• 원재료, 중간체, 제품 등의 위험성 • 프로세스의 운전조건 수송, 저장 등에 대한 안전대책 • 프로세스기기의 선정요건

3. 제3단계 : 정량적 평가
   • 취급물질
   • 화학설비의 용량

   • 온도
   • 압력
   • 조작
4. 제4단계 : 안전대책
   • 설비 등에 관한 대책
   • 관리적 대책
5. 제5단계 : 재해정보에 의한 재평가
6. 제6단계 : FTA에 의한 재평가

> **TIP** 훈련은 제4단계인 안전대책 중 관리적 대책의 항목에 해당

33 다음 중 경고등의 점멸속도로 가장 적합한 것은?

① 3~10회/초
② 20~40회/초
③ 40~60회/초
④ 60~90회/초

해설

점멸속도
1. 점멸등의 경우 점멸속도는 불이 계속 켜진 것처럼 보이게 되는 점멸 : 융합주파수(약 30Hz)보다 훨씬 적어야 한다.
2. 주의를 끌기 위해서는 초당 3~10회의 점멸속도(지속시간 0.05초 이상)가 적당하다.

34 다음 중 은행 창구나 슈퍼마켓의 계산대에 적용하기에 가장 적합한 인체 측정 자료의 응용원칙은?

① 평균치 설계
② 최대 집단치 설계
③ 극단치 설계
④ 최소 집단치 설계

해설

인체계측 자료의 응용원칙의 사례
1. 극단치를 이용한 설계
   ㉠ 최대 집단치 설계 : 출입문, 탈출구의 크기, 통로, 그네, 줄사다리, 버스 내 승객용 좌석간 거리. 위험구역 울타리 등
   ㉡ 최소 집단치 설계 : 선반의 높이, 조종 장치까지의 거리, 비상벨의 위치 설계 등
2. 조절 가능한 설계
   자동차 좌석의 전후 조절, 사무실 의자의 상하 조절, 책상 높이 등
3. 평균치를 이용한 설계
   가게나 은행의 계산대, 식당 테이블, 출근버스 손잡이 높이, 안내 데스크 등

35 그림과 같은 FT도에 대한 미니멀 컷셋(Minimal Cut Sets)으로 옳은 것은?(단, Fussell의 알고리즘을 따른다.)

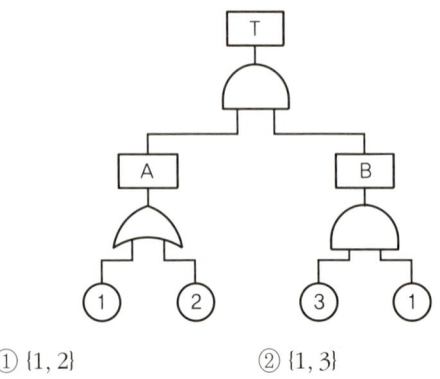

① {1, 2}　　　　② {1, 3}
③ {2, 3}　　　　④ {1, 2, 3}

미니멀 컷셋(Minimal Cut Set)

	ⓐ	ⓑ	ⓒ	ⓓ
T →	A, B →	1, B 2, B	→	1, 3, 1 2, 3, 1	→	1, 3

TIP ⓒ에서 1행의 컷셋은 (1)이 중복되어 있으므로 (1, 3)이 되고 ⓒ의 2행에서는 (1,3)이 포함되어 있기 때문에 최소 컷셋은 ⓓ와 같다.

36 '화재 발생'이라는 시작(초기)사상에 대하여, 화재감지기, 화재 경보, 스프링클러 등의 성공 또는 실패 작동여부와 그 확률에 따른 피해결과를 분석하는 데 가장 적합한 위험분석 기법은?

① FTA　　　　② ETA
③ FHA　　　　④ THERP

사건수 분석(ETA)
초기사건으로 알려진 특정한 장치의 이상 또는 운전자의 실수에 의해 발생되는 잠재적인 사고결과를 정량적으로 평가·분석하는 방법을 말한다.

37 자동화시스템에서 인간의 기능으로 적절하지 않은 것은?

① 설비보전
② 작업계획 수립
③ 조종장치로 기계를 통제
④ 모니터로 작업 상황 감시

인간 – 기계 통합 체계의 유형

수동 시스템	• 수공구나 기타 보조물로 이루어지며 자신의 신체적인 힘을 원동력으로 사용하여 작업을 통제하는 시스템(인간이 사용자나 동력원으로 가능) • 다양성 있는 체계로 역할을 할 수 있는 능력을 충분히 활용하는 시스템 **예** 장인과 공구, 가수와 앰프
기계 시스템	• 고도로 통합된 부품들로 구성되어 있으며, 일반적으로 변화가 거의 없는 기능들을 수행하는 시스템 • 운전자의 조종에 의해 운용되며 융통성이 없는 시스템 • 동력은 기계가 제공하며, 조종장치를 사용하여 통제하는 것은 사람이다. • 반자동 체계라고도 한다. **예** 엔진, 자동차, 공작기계
자동 시스템	• 체계가 감지, 정보보관, 정보처리 및 의사결정, 행동을 포함한 모든 임무를 수행하는 체계 • 신뢰성이 완전한 자동체계란 불가능하므로 인간은 감시, 정비, 보전, 계획수립 등의 기능을 수행한다. **예** 자동화된 처리공장, 자동교환대, 컴퓨터

38 불필요한 작업을 수행함으로써 발생하는 오류로 옳은 것은?

① Command Error　　　② Extraneous Error
③ Secondary Error　　　④ Commission Error

인간실수의 분류(심리적인 분류)

생략에러 (Omission Error) 부작위 실수	필요한 직무 및 절차를 수행하지 않아(생략) 발생하는 에러 **예** 가스밸브를 잠그는 것을 잊어 사고가 났다.
작위에러 (Commission Error)	필요한 작업 또는 절차의 불확실한 수행(잘못 수행)으로 인한 에러 **예** 전선이 바뀌었다, 틀린 부품을 사용하였다. 부품이 거꾸로 조립되었다 등
순서에러 (Sequential Error)	필요한 작업 또는 절차의 순서 착오로 인한 에러 **예** 자동차 출발 시 핸들브레이크를 해제하지 않고 출발하여 발생한 에러
시간에러 (Time Error)	필요한 직무 또는 절차의 수행지연으로 인한 에러 **예** 프레스 작업 중에 금형 내에 손이 오랫동안 남아 있어 발생한 재해
과잉행동에러 (Extraneous Error)	불필요한 작업 또는 절차를 수행함으로써 기인한 에러 **예** 자동차 운전 중 습관적으로 손을 창문으로 내밀어 발생한 재해

39 통화이해도를 측정하는 지표로서, 각 옥타브(Octave)대의 음성과 잡음의 데시벨(dB)값에 가중치를 곱하여 합계를 구하는 것을 무엇이라 하는가?

① 명료도 지수
② 통화 간섭 수준
③ 이해도 점수
④ 소음 기준 곡선

해설

통화 이해도의 척도

통화 이해도 시험	의미없는 음절, 음성학적으로 균형잡힌 단어 목록, 운율시험, 문장시험 문제들로 이루어진 자료를 수화자에게 전달하고 이를 반복하게 하여 정답 수를 평가
명료도 지수	옥타브대의 음성과 잡음의 dB값에 가중치를 곱하여 합계를 구하는 것
이해도 점수	송화 내용 중에서 알아 들은 비율(%)
통화간섭수준	통화 이해도에 끼치는 잡음의 영향을 추정하는 지수
소음기준 곡선	사무실, 회의실, 공장 등에서의 통화평가 방법

40 다음 중 인간공학의 정의로 가장 적합한 것은?

① 인간의 과오가 시스템에 미치는 영향을 최소화하기 위한 연구분야
② 인간, 기계, 물자, 환경으로 구성된 복잡한 체계의 효율을 최대로 활용하기 위하여 인간의 한계 능력을 최대화하는 학문분야
③ 인간, 기계, 물자, 환경으로 구성된 복잡한 체계의 효율을 최대로 활용하기 위하여 인간의 생리적, 심리적 조건을 시스템에 맞추는 학문분야
④ 인간의 특성과 한계 능력을 공학적으로 분석, 평가하여 이를 복잡한 체계의 설계에 응용함으로써 효율을 최대로 활용할 수 있도록 하는 학문분야

해설

인간공학의 정의
1. 인간의 특성과 한계 능력을 공학적으로 분석, 평가하여 이를 복잡한 체계의 설계에 응용함으로써 효율을 최대로 활용할 수 있도록 하는 학문분야이다.
2. 인간의 생리적, 심리적 요소를 연구하여 기계나 설비를 인간의 특성에 맞추어 설계하고자 하는 것이다.
3. 사람과 작업 간의 적합성에 관한 과학을 말한다.
4. 인간공학의 초점은 인간이 만들어 생활의 여러 가지 면에서 사용하는 물건, 기구 또는 환경을 설계하는 과정에서 인간을 고려하는 데 있다.

01 PART
02 PART
03 PART
04 PART
05 PART
06 PART
07 PART

3과목 기계위험 방지기술

41 아세틸렌 용접장치에 사용하는 역화방지기에서 요구되는 일반적인 구조로 옳지 않은 것은?

① 재사용 시 안전에 우려가 있으므로 역화방지 후 바로 폐기하도록 해야 한다.
② 다듬질 면이 매끈하고 사용상 지장이 없는 부식, 흠, 균열 등이 없어야 한다.
③ 가스의 흐름방향은 지워지지 않도록 돌출 또는 각인하여 표시하여야 한다.
④ 소염소자는 금망, 소결금속, 스틸울(Steel Wool), 다공성 금속물 또는 이와 동등 이상의 소염성능을 갖는 것이어야 한다.

해설

역화방지기의 일반구조
역화방지기는 역화를 방지한 후 복원이 되어 계속 사용할 수 있는 구조이어야 한다.

42 마찰클러치식 프레스에서 손이 광선을 차단한 순간부터 급정지 장치가 작동 개시하기까지의 시간이 0.05초이고, 급정지 장치가 작동을 개시하여 슬라이드가 정지할 때까지의 시간이 0.15초일 때 이 광전자식 방호장치의 최소 안전거리는 몇 mm인가?

① 80
② 160
③ 240
④ 320

해설

광전자식 방호장치의 설치 안전거리(위험기계 · 기구 의무안전인증 고시 별표1의 70)

$$D = 1,600 \times (T_c + T_s)$$

여기서, D : 안전거리(mm)

T_c : 방호장치의 작동시간[즉, 손이 광선을 차단했을 때부터 급정지기구가 작동을 개시할 때까지의 시간(초)]

T_s : 프레스 등의 최대정지시간[즉, 급정지기구가 작동을 개시했을 때부터 슬라이드 등이 정지할 때까지의 시간(초)]

$D = 1,600 \times (0.05 + 0.15) = 320 \text{(mm)}$

TIP 광전자식 방호장치

슬라이드 작동 중 정지 가능한 마찰클러치의 구조에만 적용가능하고 확동식 클러치(핀 클러치)를 갖는 크랭크 프레스에는 사용불가

정답 39 ① 40 ④ 41 ① 42 ④

43 산업용 로봇의 작동범위 내에서 해당 로봇에 대하여 교시 등의 작업 시 예기치 못한 작동 및 오조작에 의한 위험을 방지하기 위하여 수립해야 하는 지침사항에 해당하지 않는 것은?

① 로봇 구성품의 설계 및 조립방법
② 2명 이상의 근로자에게 작업을 시킬 경우의 신호방법
③ 로봇의 조작방법 및 순서
④ 작업 중의 매니퓰레이터의 속도

해설

교시 등의 작업시 안전조치 사항
1. 다음 각 목의 사항에 관한 지침을 정하고 그 지침에 따라 작업을 시킬 것
   ㉠ 로봇의 조작방법 및 순서
   ㉡ 작업 중의 매니퓰레이터의 속도
   ㉢ 2명 이상의 근로자에게 작업을 시킬 경우의 신호방법
   ㉣ 이상을 발견한 경우의 조치
   ㉤ 이상을 발견하여 로봇의 운전을 정지시킨 후 이를 재가동시킬 경우의 조치
   ㉥ 그 밖에 로봇의 예기치 못한 작동 또는 오조작에 의한 위험을 방지하기 위하여 필요한 조치
2. 작업에 종사하고 있는 근로자 또는 그 근로자를 감시하는 사람은 이상을 발견하면 즉시 로봇의 운전을 정지시키기 위한 조치를 할 것
3. 작업을 하고 있는 동안 로봇의 기동스위치 등에 작업 중이라는 표시를 하는 등 작업에 종사하고 있는 근로자가 아닌 사람이 그 스위치 등을 조작할 수 없도록 필요한 조치를 할 것

44 다음 중 선반의 방호장치로 가장 거리가 먼 것은?

① 실드(Shield)
② 슬라이딩
③ 척 커버
④ 칩 브레이커

해설

선반의 방호장치(안전장치)

칩 브레이커 (Chip Breaker)	절삭 중 칩을 자동적으로 끊어 주는 바이트에 설치된 안전장치
급정지 브레이크	가공작업 중 선반을 급정지시킬 수 있는 방호장치
실드 (Shield)	가공물의 칩이 비산되어 발생하는 위험을 방지하기 위해 사용하는 덮개(칩비산방지 투명판)
척 커버 (Chuck Cover)	척과 척으로 잡은 가공물의 돌출부에 작업자가 접촉하지 않도록 설치하는 덮개

45 산업안전보건법령상 프레스 및 전단기에서 안전블록을 사용해야 하는 작업으로 가장 거리가 먼 것은?

① 금형 가공작업
② 금형 해체작업
③ 금형 부착작업
④ 금형 조정작업

해설

금형조정작업의 위험방지
프레스등의 금형을 부착·해체 또는 조정하는 작업을 할 때에 해당 작업에 종사하는 근로자의 신체가 위험한계 내에 있는 경우 슬라이드가 갑자기 작동함으로써 근로자에게 발생할 우려가 있는 위험을 방지하기 위하여 안전블록을 사용하는 등 필요한 조치를 하여야 한다.

46 지게차의 방호장치에 해당하는 것은?

① 버킷
② 포크
③ 마스트
④ 헤드가드

해설

지게차 방호장치
1. 전조등 및 후미등
2. 헤드가드
3. 백레스트
4. 좌석 안전띠

47 로봇의 작동범위 내에서 그 로봇에 관하여 교시 등(로봇의 동력원을 차단하고 행하는 것을 제외한다)의 작업을 행하는 때 작업시작 전 점검사항으로 옳은 것은?

① 과부하방지장치의 이상 유무
② 압력제한 스위치 등의 기능의 이상 유무
③ 외부전선의 피복 또는 외장의 손상 유무
④ 권과방지장치의 이상 유무

해설

작업시작 전 점검사항
로봇의 작동 범위에서 그 로봇에 관하여 교시 등(로봇의 동력원을 차단하고 하는 것은 제외한다)의 작업을 할 때
1. 외부 전선의 피복 또는 외장의 손상 유무
2. 매니퓰레이터(Manipulator) 작동의 이상 유무
3. 제동장치 및 비상정지장치의 기능

48 산업안전보건법령상 연삭기 작업 시 작업자가 안심하고 작업을 할 수 있는 상태는?

① 탁상용 연삭기에서 숫돌과 작업 받침대의 간격이 5mm이다.

② 덮개 재료의 인장강도는 224MPa이다.

③ 숫돌 교체 후 2분 정도 시험운전을 실시하여 해당 기계의 이상 여부를 확인하였다.

④ 작업 시작 전 1분 정도 시험운전을 실시하여 해당 기계의 이상여부를 확인하였다.

해설

연삭기의 안전기준

1. 연삭숫돌과 작업대(워크레스트)와의 간격은 3mm 이내로 한다.
2. 덮개 재료는 인장강도 274.5메가파스칼(MPa) 이상이고 신장도가 14퍼센트 이상이어야 하며, 인장강도의 값(단위 : MPa)에 신장도(단위 : %)의 20배를 더한 값이 754.5 이상이어야 한다.
3. 연삭숫돌을 사용하는 작업의 경우 작업을 시작하기 전에는 1분 이상, 연삭숫돌을 교체한 후에는 3분 이상 시험운전을 하고 해당 기계에 이상이 있는지를 확인하여야 한다.

49 회전수가 300rpm, 연삭숫돌의 지름이 200mm일 때 숫돌의 원주속도는 약 몇 m/min인가?

① 60.0   ② 94.2

③ 150.0   ④ 188.5

해설

원주속도(회전속도)

$$V = \pi DN (\text{mm/min}) = \frac{\pi DN}{1,000} (\text{m/min})$$

여기서, V : 원주속도(회전속도)(m/min)
$\quad\quad\quad D$: 숫돌의 지름(mm)
$\quad\quad\quad N$: 숫돌의 매분 회전수(rpm)

$V = \dfrac{\pi DN}{1,000} (\text{m/min})$
$\quad = \dfrac{\pi \times 200 \times 300}{1,000} = 188.5 (\text{m/min})$

50 밀링 작업 시 안전수칙으로 옳지 않은 것은?

① 테이블 위에 공구나 기타 물건 등을 올려놓지 않는다.

② 제품 치수를 측정할 때는 절삭 공구의 회전을 정지한다.

③ 강력 절삭을 할 때는 일감을 바이스에 얇게 물린다.

④ 상하 좌우 이송장치의 핸들은 사용 후 풀어 둔다.

해설

밀링 작업에 대한 안전수칙

1. 제품을 따 내는 데에는 손끝을 대지 말아야 한다.
2. 운전 중 가공면에 손을 대지 말아야 하며 장갑 착용을 금지한다.
3. 칩을 제거할 때에는 커터의 운전을 중지하고 브러시(솔)를 사용하며 걸레를 사용하지 않는다.
4. 칩의 비산이 많으므로 보안경을 착용한다.
5. 커터 설치 시 및 측정은 반드시 기계를 정지시킨 후에 한다.
6. 일감(공작물)은 테이블 또는 바이스에 안전하게 고정한다.
7. 상하 이송장치의 핸들은 사용 후 반드시 빼 두어야 한다.
8. 가공 중에 밀링머신에 얼굴을 대지 않는다.
9. 절삭 속도는 재료에 따라 정한다.
10. 커터를 끼울 때는 아버를 깨끗이 닦는다.
11. 일감(공작물)을 고정하거나 풀어낼 때는 기계를 정지시킨다.
12. 테이블 위에 공구 등을 올려놓지 않는다.
13. 강력 절삭을 할 때는 일감을 바이스에 깊게 물린다.
14. 급속이송은 백래시 제거장치가 동작하지 않고 있음을 확인한 후 실시하고, 급속이송은 한 방향으로만 한다.

51 다음 중 기계설비에서 반대로 회전하는 두 개의 회전체가 맞닿는 사이에 발생하는 위험점으로 가장 적절한 것은?

① 물림점   ② 협착점

③ 끼임점   ④ 절단점

해설

기계운동 형태에 따른 위험점 분류

협착점	왕복운동을 하는 운동부와 움직임이 없는 고정부 사이에서 형성되는 위험점(고정점+운동점)	• 프레스 • 전단기 • 성형기 • 조형기 • 밴딩기 • 인쇄기

01 PART
02 PART
03 PART
04 PART
05 PART
06 PART
07 PART

끼임점	회전운동하는 부분과 고정부 사이에 위험이 형성되는 위험점(고정점 + 회전운동)	• 연삭숫돌과 작업대 • 반복동작되는 링크기구 • 교반기의 날개와 몸체 사이 • 회전풀리와 벨트
절단점	회전하는 운동부 자체의 위험이나 운동하는 기계부분 자체의 위험에서 형성되는 위험점(회전운동 + 기계)	• 밀링커터 • 둥근 톱의 톱날 • 목공용 띠톱 날
물림점	회전하는 두 개의 회전체에 형성되는 위험점(서로 반대 방향의 회전체)(중심점 + 반대방향의 회전운동)	• 기어와 기어의 물림 • 롤러와 롤러의 물림 • 롤러분쇄기
접선 물림점	회전하는 부분의 접선방향으로 물려들어갈 위험이 있는 위험점	• V벨트와 풀리 • 랙과 피니언 • 체인벨트 • 평벨트
회전 말림점	회전하는 물체의 길이, 굵기, 속도 등의 불규칙 부위와 돌기 회전부위에 의해 장갑 또는 작업복 등이 말려들 위험이 있는 위험점	• 회전하는 축 • 커플링 • 회전하는 드릴

52 정 작업 시의 작업안전수칙으로 틀린 것은?

① 정 작업 시에는 보안경을 착용하여야 한다.
② 정 작업 시에는 담금질된 재료를 가공해서는 안 된다.
③ 정 작업을 시작할 때와 끝날 무렵에는 세게 친다.
④ 철강재를 정으로 절단 시에는 철편이 날아 튀는 것에 주의한다.

해설

정(chisel)
1. 재료를 절단 또는 깎아 내는 데 사용하는 공구
2. 안전수칙
    ㉠ 칩이 튀는 작업에는 반드시 보호안경을 착용하여야 한다.
    ㉡ 처음에는 가볍게 때리고, 점차 힘을 가한다.
    ㉢ 절단된 가공물의 끝이 튕길 수 있는 위험의 발생을 방지하여야 한다.
    ㉣ 절단이 끝날 무렵에는 정을 세게 타격해서는 안 된다.
    ㉤ 정으로 담금질 된 재료를 절대로 가공할 수 없다.

53 다음 중 설비의 내부에 균열 결함을 확인할 수 있는 가장 적절한 검사방법은?

① 육안검사
② 초음파탐상검사
③ 피로검사
④ 액체침투탐상검사

해설

초음파검사(UT ; Ultrasonic Test)
1. 용접부위에 초음파 투입과 동시에 브라운관 화면에 나타난 형상으로 내부결함을 검출
2. 넓은 면을 판단하여 검사속도가 빠르고 경제적
3. 적용범위 : 결함의 종류, 위치, 범위 등을 검출, 현장에서 주로 사용

54 금속의 용접, 용단에 사용하는 가스의 용기를 취급할 시 유의사항으로 틀린 것은?

① 통풍이나 환기가 불충분한 장소는 설치를 피한다.
② 용기의 온도는 40℃가 넘지 않도록 한다.
③ 운반하는 경우에는 캡을 벗기고 운반한다.
④ 밸브의 개폐는 서서히 하도록 한다.

해설

금속의 용접 · 용단 또는 가열에 사용되는 가스 등의 용기를 취급하는 경우 준수사항
1. 다음 장소에서 사용하거나 해당 장소에 설치 · 저장 또는 방치하지 않도록 할 것
    ㉠ 통풍이나 환기가 불충분한 장소
    ㉡ 화기를 사용하는 장소 및 그 부근
    ㉢ 위험물 또는 인화성 액체를 취급하는 장소 및 그 부근
2. 용기의 온도를 섭씨 40도 이하로 유지할 것
3. 전도의 위험이 없도록 할 것
4. 충격을 가하지 않도록 할 것
5. 운반하는 경우에는 캡을 씌울 것
6. 사용하는 경우에는 용기의 마개에 부착되어 있는 유류 및 먼지를 제거할 것
7. 밸브의 개폐는 서서히 할 것
8. 사용 전 또는 사용 중인 용기와 그 밖의 용기를 명확히 구별하여 보관할 것
9. 용해아세틸렌의 용기는 세워 둘 것
10. 용기의 부식 · 마모 또는 변형상태를 점검한 후 사용할 것

55 인장강도가 250N/mm²인 강판의 안전율이 4라면 이 강판의 허용응력(N/mm²)은 얼마인가?

① 42.5
② 62.5
③ 82.5
④ 102.5

해설

안전율(안전계수)

$$안전율(안전계수) = \frac{인장강도}{허용응력}$$

$$허용응력 = \frac{인장강도}{안전율} = \frac{250}{4} = 62.5[\text{N/mm}^2]$$

56 다음 설명 중 ( ) 안에 알맞은 내용은?

산업안전보건법령상 롤러기의 급정지장치는 롤러를 무부하로 회전시킨 상태에서 앞면 롤러의 표면속도가 30m/min 미만일 때에는 급정지거리가 앞면 롤러 원주의 ( ) 이내에서 롤러를 정지시킬 수 있는 성능을 보유해야 한다.

① $\frac{1}{4}$
② $\frac{1}{3}$
③ $\frac{1}{2.5}$
④ $\frac{1}{2}$

해설

급정지장치의 성능조건

앞면 롤러의 표면속도(m/min)	급정지 거리
30 미만	앞면 롤러 원주의 1/3
30 이상	앞면 롤러 원주의 1/2.5

TIP

$$V = \pi DN(\text{mm/min}) = \frac{\pi DN}{1,000}(\text{m/min})$$

여기서, V : 표면속도(m/min)
D : 롤러 원통의 직경(mm)
N : 1분간에 롤러기가 회전되는 수(rpm)

57 산업안전보건법령상 아세틸렌 용접장치에 관한 설명이다. ( ) 안에 공통으로 들어갈 내용으로 옳은 것은?

- 사업주는 아세틸렌 용접장치의 취관마다 ( )를 설치하여야 한다.
- 사업주는 가스용기가 발생기와 분리되어 있는 아세틸렌 용접장치에 대하여 발생기와 가스용기 사이에 ( )를 설치하여야 한다.

① 분기장치
② 자동발생 확인장치
③ 유수 분리장치
④ 안전기

해설

안전기의 설치
1. 아세틸렌 용접장치의 취관마다 안전기를 설치하여야 한다(다만, 주관 및 취관에 가장 가까운 분기관마다 안전기를 부착한 경우에는 그러하지 아니하다).
2. 가스용기가 발생기와 분리되어 있는 아세틸렌 용접장치에 대하여 발생기와 가스용기 사이에 안전기를 설치하여야 한다.

58 산업안전보건법령상 다음 중 보일러의 방호장치와 가장 거리가 먼 것은?

① 언로드밸브
② 압력방출장치
③ 압력제한스위치
④ 고저수위 조절장치

해설

보일러 안전장치의 종류
1. 압력방출장치
2. 압력제한스위치
3. 고저수위조절장치
4. 화염검출기

59 이상온도, 이상기압, 과부하 등 기계의 부하가 안전 한계치를 초과하는 경우에 이를 감지하고 자동으로 안전상태가 되도록 조정하거나 기계의 작동을 중지시키는 방호장치는?

① 감지형 방호장치
② 접근거부형 방호장치
③ 위치제한형 방호장치
④ 접근반응형 방호장치

작업점의 방호방법
1. 격리형 방호장치
   작업점과 작업자 사이에 접촉되어 일어날 수 있는 재해를 방지하기 위해 차단벽이나 망을 설치하는 방호장치
2. 위치 제한형 방호장치
   작업자의 신체부위가 위험한계 밖에 있도록 기계의 조작장치를 위험한 작업점에서 안전거리 이상 떨어지게 하거나 조작장치를 양손으로 동시에 조작하게 함으로써 위험한계에 접근하는 것을 제한하는 방호장치
3. 접근 반응형 방호장치
   작업자의 신체부위가 위험한계 또는 그 인접한 거리 내로 들어오면 이를 감지하여 그 즉시 기계의 동작을 정지시키고 경보등을 발하는 방호장치
4. 접근 거부형 방호장치
   작업자의 신체부위가 위험한계 내로 접근하였을 때 기계적인 작용에 의하여 접근을 못하도록 저지하는 방호장치
5. 포집형 방호장치
   작업자로부터 위험원을 차단하는 방호장치
6. 감지형 방호장치
   이상온도, 이상기압, 과부하 등 기계의 부하가 안전한계치를 초과하는 경우 이를 감지하고 자동으로 안전한 상태가 되도록 조정하거나 기계의 작동을 중지시키는 방호장치

60 산업안전보건법령에 따라 아세틸렌 용접장치의 아세틸렌 발생기를 설치하는 경우, 발생기실의 설치장소에 대한 설명 중 A, B에 들어갈 내용으로 옳은 것은?

- 발생기실은 건물의 최상층에 위치하여야 하며, 화기를 사용하는 설비로부터 (A)를 초과하는 장소에 설치하여야 한다.
- 발생기실을 옥외에 설치한 경우에는 그 개구부를 다른 건축물로부터 (B) 이상 떨어지도록 하여야 한다.

① A : 1.5m, B : 3m   ② A : 2m, B : 4m
③ A : 3m, B : 1.5m   ④ A : 4m, B : 2m

발생기실의 설치장소
1. 아세틸렌 용접장치의 아세틸렌 발생기를 설치하는 경우에는 전용의 발생기실에 설치하여야 한다.
2. 건물의 최상층에 위치하여야 하며, 화기를 사용하는 설비로부터 3미터를 초과하는 장소에 설치하여야 한다.
3. 옥외에 설치한 경우에는 그 개구부를 다른 건축물로부터 1.5미터 이상 떨어지도록 하여야 한다.

4과목 전기위험 방지기술

61 내압 방폭구조에서 안전간극(Safe Gap)을 적게 하는 이유로 옳은 것은?

① 최소점화에너지를 높게 하기 위해
② 폭발화염이 외부로 전파되지 않도록 하기 위해
③ 폭발압력에 견디고 파손되지 않도록 하기 위해
④ 설치류가 전선 등을 훼손하지 않도록 하기 위해

안전간극(화염일주한계)
1. 화염이 틈새를 통하여 바깥쪽의 폭발성 가스에 전달되지 않는 한계의 틈새
2. 폭발화염이 외부로 전파되지 않도록 하기 위해 안전간극을 적게 한다.
3. 안전간극이 작은 가스일수록 위험하다.

> **TIP** 내압 방폭구조(Flameproof Enclosure, d)
> - 점화원에 의해 용기 내부에서 폭발이 발생할 경우에 용기가 폭발압력에 견딜 수 있고, 화염이 용기 외부의 폭발성 분위기로 전파되지 않도록 한 방폭구조
> - 전폐형 구조로 용기 내에 외부의 폭발성 가스가 침입하여 내부에서 폭발하더라도 용기는 그 압력에 견뎌야 하고 폭발한 고열가스나 화염이 용기의 접합부 틈을 통하여 새어나가는 동안 냉각되어 외부의 폭발성 가스에 화염이 파급될 우려가 없도록 한 방폭구조

62 동전기와 정전기에서 공통적으로 발생하는 것은?

① 감전에 의한 사망 · 실신 등
② 정전으로 인한 제반 장애 및 2차 재해
③ 충격으로 인한 추락, 전도에 의한 상해
④ 반복충격으로 인한 정신 및 피부질환

동전기나 정전기 모두 감전 시 충격이 발생하며 이로 인해 고소에서의 추락, 전도 등 2차적 재해를 일으키는 요인이 되기도 한다.

동전기와 정전기

동전기	움직이는 상태에 있는 전기(전류)를 말하며, 우리가 일반적으로 알고 있는 전기는 이 동전기를 말한다.
정전기	대전에 의해 얻어진 전하가 절연체 위에서 더 이상 이동하지 않고 정지하고 있는 것을 말한다.

63 전격의 위험을 결정하는 주된 인자로 가장 거리가 먼 것은?

① 통전전류
② 통전시간
③ 통전경로
④ 통전전압

해설

감전재해의 요인

1차적 감전요소	• 통전 전류의 크기 : 크면 위험, 인체의 저항이 일정할 때 접촉전압에 비례 • 통전경로 : 인체의 주요한 부분을 흐를수록 위험 • 통전시간 : 장시간 흐르면 위험 • 전원의 종류 : 전원의 크기(전압)가 동일한 경우 교류가 직류보다 위험하다.
2차적 감전요소	• 인체의 조건(저항) : 땀에 젖어 있거나 물에 젖어있는 경우 인체의 저항이 감소하므로 위험성이 높아진다. • 전압 : 전압의 크기가 클수록 위험하다. • 계절 : 계절에 따라 인체의 저항이 변화하므로 전격에 대한 위험도에 영향을 준다.

64 저압전로의 절연성능 시험에서 전로의 사용전압이 380V인 경우 전로의 전선 상호 간 및 전로와 대기 사이의 절연저항은 최소 몇 MΩ 이상이어야 하는가?

① 0.1
② 0.3
③ 0.5
④ 1.0

해설

저압전로의 절연저항

전로의 사용전압(V)	DC시험전압(V)	절연저항(MΩ)
SELV 및 PELV	250	0.5
FELV, 500V 이하	500	1.0
500V 초과	1,000	1.0

[주] 특별저압(Extra Low Voltage : 2차 전압이 AC 50V, DC 120V 이하)으로 SELV(비접지회로 구성) 및 PELV(접지회로 구성)는 1차와 2차가 전기적으로 절연된 회로, FELV는 1차와 2차가 전기적으로 절연되지 않은 회로

65 다음 중 불꽃(Spark) 방전의 발생 시 공기 중에 생성되는 물질은?

① O_2
② O_3
③ H_2
④ C

해설

불꽃(Spark) 방전
1. 도체가 대전되었을 때 접지된 도체사이에서 발생하는 강한 발광과 파괴음을 수반하는 방전
2. 스파크 방전 시 공기 중에 오존(O_3)이 생성되어 인화성 물질에 인화하거나 분진폭발을 일으킬 수 있다.

66 피뢰침의 제한전압이 800kV, 충격절연강도가 1,000kV라 할 때, 보호여유도는 몇 %인가?

① 25
② 33
③ 47
④ 63

해설

피뢰침의 보호 여유도

$$여유도(\%) = \frac{충격절연강도 - 제한전압}{제한전압} \times 100$$

$$
\begin{aligned}
여유도(\%) &= \frac{충격절연강도 - 제한전압}{제한전압} \times 100 \\
&= \frac{1000 - 800}{800} \times 100 = 25[\%]
\end{aligned}
$$

67 교류 아크용접기의 허용사용률[%]은?(단, 정격사용율은 10%, 2차 정격전류는 400A, 교류 아크용접기의 사용전류는 200A이다.)

① 40%
② 50%
③ 60%
④ 70%

해설

허용사용률

$$허용사용률 = \frac{(정격\ 2차\ 전류)^2}{(실제\ 용접전류)^2} \times 정격사용률$$

$$
\begin{aligned}
허용사용률 &= \frac{(정격\ 2차\ 전류)^2}{(실제\ 용접전류)^2} \times 정격사용률 \\
&= \frac{(400)^2}{(200)^2} \times 10 = 40[\%]
\end{aligned}
$$

68 다음 ( ) 안에 들어갈 내용으로 알맞은 것은?

과전류차단장치는 반드시 접지선이 아닌 전로에 ( )로 연결하여 과전류 발생 시 전로를 자동으로 차단하도록 설치할 것

정답 63 ④ 64 ④ 65 ② 66 ① 67 ① 68 ①

① 직렬　　　　　　　　② 병렬
③ 임시　　　　　　　　④ 직병렬

과전류 차단장치의 설치 기준
1. 과전류차단장치는 반드시 접지선이 아닌 전로에 직렬로 연결하여 과전류 발생 시 전로를 자동으로 차단하도록 설치할 것
2. 차단기 · 퓨즈는 계통에서 발생하는 최대 과전류에 대하여 충분하게 차단할 수 있는 성능을 가질 것
3. 과전류차단장치가 전기계통상에서 상호 협조 · 보완되어 과전류를 효과적으로 차단하도록 할 것

69 방폭전기설비의 용기 내부에 보호가스를 압입하여 내부압력을 유지함으로써 폭발성 가스 또는 증기가 내부로 유입하지 않도록 된 방폭구조는?

① 내압 방폭구조　　　　② 압력 방폭구조
③ 안전증 방폭구조　　　④ 유입 방폭구조

압력 방폭구조(Pressurized Type, p)
1. 점화원이 될 우려가 있는 부분을 용기 안에 넣고 보호 기체(신선한 공기 또는 불활성 기체)를 용기 안에 압입함으로써 폭발성 가스가 침입하는 것을 방지하도록 되어 있는 방폭구조(전폐형 구조)
2. 운전 중에 보호기체의 압력이 저하하는 경우 자동경보를 하거나, 운전을 정지하는 보호장치를 설치하도록 하고 있음

70 감전사고로 인한 전격사의 메커니즘으로 가장 거리가 먼 것은?

① 흉부수축에 의한 질식
② 심실세동에 의한 혈액순환기능의 상실
③ 내장파열에 의한 소화기계통의 기능상실
④ 호흡중추신경 마비에 따른 호흡기능 상실

전격(감전)현상의 메커니즘
1. 심장부에 전류가 흘러 심실세동이 발생하여 혈액순환기능이 상실되어 일어난 것
2. 뇌의 호흡중추신경에 전류가 흘러 호흡기능이 정지되어 일어난 것
3. 흉부에 전류가 흘러 흉부근육수축에 의한 질식으로 일어난 것

71 통전 경로별 위험도를 나타낸 경우 위험도가 큰 순서로 옳은 것은?

① 왼손-오른손 > 왼손-등 > 양손-양발 > 오른손-가슴
② 왼손-오른손 > 오른손-가슴 > 왼손-등 > 양손-양발
③ 오른손-가슴 > 양손-양발 > 왼손-등 > 왼손-오른손
④ 오른손-가슴 > 왼손-오른손 > 양손-양발 > 왼손-등

통전 경로별 위험도
감전 시의 영향은 전류의 경로에 따라 그 위험성이 달라지며, 전류가 심장 또는 그 주위를 통하게 되면 심장에 영향을 주어 가장 위험하다.

통전경로	심장전류계수	통전경로	심장전류계수
왼손-가슴	1.5	왼손-등	0.7
오른손-가슴	1.3	한손 또는 양손-앉아 있는 자리	0.7
왼손-한발 또는 양발	1.0	왼손-오른손	0.4
양손-양발	1.0	오른손-등	0.3
오른손-한발 또는 양발	0.8		

72 교류 아크 용접기의 자동전격방지장치는 전격의 위험을 방지하기 위하여 아크 발생이 중단된 후 약 1초 이내에 출력 측 무부하 전압을 자동적으로 몇 V 이하로 저하시켜야 하는가?

① 85　　　　　　　　　② 70
③ 50　　　　　　　　　④ 25

자동전격방지기의 성능조건
1. 자동전격방지기는 아크 발생을 중지하였을 때 지동시간이 1.0초 이내에 2차 무부하 전압을 25V 이하로 감압시켜 안전을 유지할 수 있어야 한다.
2. 시동시간은 0.04초 이내이고, 전격방지기를 시동시키는 데 필요한 용접봉의 접촉 소요시간은 0.03초 이내일 것

73 전격 재해를 가장 잘 설명한 것은?

① 30mA 이상의 전류가 1,000ms 이상 인체에 흘러 심실세동을 일으킬 정도의 감전재해를 말한다.
② 감전사고로 인한 상태이며, 2차적인 추락, 전도 등에 의한 인명 상해를 말한다.
③ 정전기 또는 충전부나 낙뢰에 인체가 접촉하는 감전사고로 인한 상해를 말하며 전자파에 의한 것은 전격재해라 하지 않는다.
④ 전격이란 감전과 구분하기 어려워 감전으로 인한 상해가 발생했을 때에만 전격재해라 말한다.

전격(감전)에 의한 재해
일반적으로 전격은 감전이라고도 하며, 인체의 일부 또는 전체에 전류가 흘렀을 때 인체 내에서 일어나는 생리적인 현상으로 근육의 수축, 호흡곤란, 심실세동 등으로 부상·사망하거나 추락·전도 등의 2차적 재해가 일어나는 것을 말한다.

74 내전압용 절연장갑의 등급에 따른 최대사용전압이 틀린 것은?(단, 교류 전압은 실효값이다.)

① 등급 00 : 교류 500V
② 등급 1 : 교류 7,500V
③ 등급 2 : 직류 17,000V
④ 등급 3 : 직류 39,750V

내전압용 절연장갑의 등급

등급	최대사용전압		등급별 색상
	교류(V, 실효값)	직류(V)	
00	500	750	갈색
0	1,000	1,500	빨강색
1	7,500	11,250	흰색
2	17,000	25,500	노랑색
3	26,500	39,750	녹색
4	36,000	54,000	등색

75 심실세동전류란?

① 최소 감지전류
② 치사적 전류
③ 고통 한계전류
④ 마비 한계전류

심실세동전류(치사전류)
1. 인체에 흐르는 전류가 더욱 증가하면 심장부를 흐르게 되어 정상적인 박동을 하지 못하고 불규칙적인 세동으로 혈액순환이 순조롭지 못하게 되는 현상을 말하며, 그대로 방치하면 수분 내로 사망하게 된다.
2. 심근의 미세한 진동으로 혈액을 방출하는 기능이 장애를 받는 현상을 심실세동이라 하고, 이때의 전류를 심실세동전류라 한다.
3. 일반적으로 50~100mA정도에서 일어나며 100mA 이상에서는 순간적 흐름에도 심실세동현상이 발생한다.

76 고압 및 특고압 전로에 시설하는 피뢰기의 설치장소로 잘못된 곳은?

① 가공전선로와 지중전선로가 접속되는 곳
② 발전소, 변전소의 가공전선 인입구 및 인출구
③ 고압 가공전선로에 접속하는 배전용 변압기의 저압측
④ 고압 가공전선로로부터 공급을 받는 수용장소의 인입구

피뢰기의 설치장소(고압 및 특고압 전로)
고압 및 특고압의 전로 중 다음의 곳 또는 이에 근접한 곳에는 피뢰기를 시설하고 피뢰기 접지저항 값은 10Ω 이하로 하여야 한다.
1. 발전소·변전소 또는 이에 준하는 장소의 가공전선 인입구 및 인출구
2. 특고압 가공전선로에 접속하는 배전용 변압기의 고압 측 및 특고압 측
3. 고압 또는 특고압의 가공전선로로부터 공급을 받는 수용장소의 인입구
4. 가공전선로와 지중전선로가 접속되는 곳

77 설비의 이상현상에 나타나는 아크(Arc)의 종류가 아닌 것은?

① 단락에 의한 아크
② 지락에 의한 아크
③ 차단기에서의 아크
④ 전선저항에 의한 아크

PART 01
PART 02
PART 03
PART 04
PART 05
PART 06
PART 07

아크(Arc)

흐르고 있는 전기를 끊을 때 즉 접점이 떨어지는 순간 갑자기 절단되어 열과 빛이 발생하는 현상

1. 교류 아크 용접기의 아크
2. 단락에 의한 아크
3. 지락(고장접지)에 의한 아크
4. 섬락(플래시오버)의 아크
5. 전선절단에 의한 아크
6. 차단기에 있어서의 아크

78 과전류에 의한 전선의 인화로부터 용단에 이르기까지 각 단계별 기준으로 옳지 않은 것은?(단, 전선 전류밀도의 단위는 A/mm²이다.)

① 인화 단계 : 40∼43A/mm²
② 착화 단계 : 43∼60A/mm²
③ 발화 단계 : 60∼150A/mm²
④ 용단 단계 : 120A/mm² 이상

해설

배선의 용단단계에 따른 전선 전류밀도(전선의 연소 과정)

단계	인화단계	착화단계	발화단계		순시용단단계
	허용전류의 3배정도	큰 전류, 점화원없이 착화연소	심선이 용단		심선용단 및 도선폭발
			발화 후 용단	용단과 동시발화	
전류밀도 (A/mm²)	40∼43	43∼60	60∼70	75∼120	120 이상

79 피뢰기가 갖추어야 할 이상적인 성능 중 잘못된 것은?

① 제한전압이 낮아야 한다.
② 반복작동이 가능하여야 한다.
③ 충격방전 개시전압이 높아야 한다.
④ 뇌전류의 방전능력이 크고 속류의 차단이 확실하여야 한다.

해설

피뢰기의 구비성능

1. 충격방전 개시전압과 제한전압이 낮을 것
2. 반복 동작이 가능할 것
3. 구조가 견고하며 특성이 변화하지 않을 것
4. 점검, 보수가 간단할 것

5. 뇌전류의 방전능력이 클 것
6. 속류의 차단이 확실하게 될 것

80 고장전류를 차단할 수 있는 것은?

① 차단기(CB)
② 유입 개폐기(OS)
③ 단로기(DS)
④ 선로 개폐기(LS)

해설

차단기(Circuit Breaker)

차단기는 통상의 부하전류를 개폐하고 사고 시 신속히 회로를 차단하여 전기기기 및 전선류를 보호하고 안전성을 유지하는 기기를 말한다.

5과목 화학설비위험방지기술

81 산업안전보건법령에서 인화성 액체를 정의할 때 기준이 되는 표준압력은 몇 kPa인가?

① 1
② 100
③ 101.3
④ 273.15

해설

인화성 액체

표준압력(101.3kPa)하에서 인화점이 60℃ 이하이거나 고온·고압의 공정운전조건으로 인하여 화재·폭발위험이 있는 상태에서 취급되는 가연성 물질을 말한다.

82 아세틸렌 용접장치로 금속을 용접할 때 아세틸렌 가스의 발생압력은 게이지 압력으로 몇 kPa을 초과하여서는 안 되는가?

① 49
② 98
③ 127
④ 196

해설

아세틸렌 용접장치 압력의 제한

아세틸렌 용접장치를 사용하여 금속의 용접·용단 또는 가열작업을 하는 경우에는 게이지 압력이 127킬로파스칼(1.3kgf·cm²)을 초과하는 압력의 아세틸렌을 발생시켜 사용해서는 아니 된다.

83 다음 중 금속화재에 해당하는 화재의 급수는?

① A급
② B급
③ C급
④ D급

화재의 종류

분류	A급 화재	B급 화재	C급 화재	D급 화재
명칭	일반화재	유류화재	전기화재	금속화재
분류	보통 잔재의 작열에 의해 발생하는 연소에서 보통 유기 성질의 고체물질을 포함한 화재	액체 또는 액화할 수 있는 고체를 포함한 화재 및 가연성 가스 화재	통전 중인 전기설비를 포함한 화재	금속을 포함한 화재
가연물	목재, 종이, 섬유 등	가솔린, 등유, 프로판 가스 등	전기기기, 변압기, 전기다리미 등	가연성 금속(Mg분, Al분)
소화방법	냉각소화	질식소화	질식, 냉각소화	질식소화
적응소화제	• 물 소화기 • 강화액 소화기 • 산 · 알칼리 소화기	• 이산화탄소 소화기 • 할로겐화합물 소화기 • 분말 소화기 • 포말 소화기	• 이산화탄소 소화기 • 할로겐화합물 소화기 • 분말 소화기 • 무상강화액 소화기	• 건조사 • 팽창 질석 • 팽창 진주암
표시색	백색	황색	청색	무색

84 위험물에 관한 설명으로 틀린 것은?

① 이황화탄소의 인화점은 0℃보다 낮다.
② 과염소산은 쉽게 연소되는 가연성 물질이다.
③ 황린은 물속에 저장한다.
④ 알킬알루미늄은 물과 격렬하게 반응한다.

위험물의 성질
1. 이황화탄소의 인화점 : $-30℃$
2. 과염소산은 산화성 액체로 무색무취의 유동하기 쉬운 액체이며 대단히 불안정한 강산이다.
3. 황린(백린 = P_4) : pH 9(약알칼리성) 정도의 물속에 저장하며 보호액이 증발되지 않도록 한다.
4. 알킬알루미늄은 금수성 물질로 물과 접촉하면 발열 또는 발화한다.

85 다음 중 "BLEVE"를 나타낸 용어로 옳은 것은?

① 개방계 증기운 폭발
② 비등액 팽창증기폭발
③ 고농도의 분진폭발
④ 저농도의 분해폭발

BLEVE(비등액 팽창증기 폭발 : Boliling Liquid Expanding Vapor Explosion)
비등점이 낮은 인화성액체 저장탱크가 화재로 인한 화염에 장시간 노출되어 탱크 내 액체가 급격히 증발하여 비등하고 증기가 팽창하면서 탱크 내 압력이 설계압력을 초과하여 폭발을 일으키는 현상

86 특수화학설비를 설치할 때 내부의 이상 상태를 조기에 파악하기 위하여 필요한 계측장치가 아닌 것은?

① 습도계
② 유량계
③ 온도계
④ 압력계

계측장치의 설치
특수화학설비를 설치하는 경우에는 내부의 이상 상태를 조기에 파악하기 위하여 필요한 온도계 · 유량계 · 압력계 등의 계측장치를 설치하여야 한다.

87 건조설비를 사용하여 작업을 하는 경우에 폭발이나 화재를 예방하기 위하여 준수하여야 하는 사항으로 틀린 것은?

① 위험물 건조설비를 사용하는 경우에는 미리 내부를 청소하거나 환기할 것
② 위험물 건조설비를 사용하여 가열건조하는 건조물은 쉽게 이탈되도록 할 것
③ 고온으로 가열건조한 인화성 액체는 발화의 위험이 없는 온도로 냉각한 후에 격납시킬 것
④ 바깥 면이 현저히 고온이 되는 건조설비에 가까운 장소에는 인화성 액체를 두지 않도록 할 것

건조설비의 사용 시 준수사항
1. 위험물 건조설비를 사용하는 경우에는 미리 내부를 청소하거나 환기할 것

PART 01 02 03 04 05 06 07

2. 위험물 건조설비를 사용하는 경우에는 건조로 인하여 발생하는 가스·증기 또는 분진에 의하여 폭발·화재의 위험이 있는 물질을 안전한 장소로 배출시킬 것

3. 위험물 건조설비를 사용하여 가열건조하는 건조물은 쉽게 이탈되지 않도록 할 것

4. 고온으로 가열건조한 인화성 액체는 발화의 위험이 없는 온도로 냉각한 후에 격납시킬 것

5. 건조설비(바깥 면이 현저히 고온이 되는 설비만 해당)에 가까운 장소에는 인화성 액체를 두지 않도록 할 것

88 공기 중에서 폭발범위가 12.5~74vol%인 일산화탄소의 위험도는 얼마인가?

① 4.92
② 5.26
③ 6.26
④ 7.05

해설

위험도

위험도 값이 클수록 위험성이 높은 물질이다.

$$H = \frac{UFL - LFL}{LFL}$$

여기서, UFL : 연소 상한값
LFL : 연소 하한값
H : 위험도

$$H = \frac{UFL - LFL}{LFL} = \frac{74 - 12.5}{12.5} = 4.92$$

89 다음 중 산업안전보건법상 폭발성 물질에 해당하는 것은?

① 유기과산화물
② 리튬
③ 황
④ 질산

해설

폭발성 물질 및 유기과산화물

1. 질산에스테르류
2. 니트로화합물
3. 니트로소화합물
4. 아조화합물
5. 디아조화합물
6. 하이드라진 유도체
7. 유기과산화물
8. 그 밖에 1.목부터 7.목까지의 물질과 같은 정도의 폭발 위험이 있는 물질
9. 1.목부터 8.목까지의 물질을 함유한 물질

90 산업안전보건법상 다음 내용에 해당하는 폭발위험 요소는?

> 20종 장소외의 장소로서, 분진운 형태의 인화성 분진이 폭발농도를 형성할 정도의 충분한 양이 정상작동 중에 존재할 수 있는 장소

① 21종 장소
② 22종 장소
③ 0종 장소
④ 1종 장소

해설

분진폭발위험장소

분류	적요
20종 장소	분진운 형태의 가연성 분진이 폭발농도를 형성할 정도로 충분한 양이 정상 작동 중에 연속적으로 또는 자주 존재하거나, 제어할 수 없을 정도의 양 및 두께의 분진층이 형성될 수 있는 장소를 말한다. 예 호퍼·분진저장소·집진장치·필터 등의 내부
21종 장소	20종 장소 밖으로서(장소 외의 장소로서) 분진운 형태의 가연성 분진이 폭발농도를 형성할 정도의 충분한 양이 정상 작동 중에 존재할 수 있는 장소를 말한다. 예 집진장치·백필터·배기구 등의 주위, 이송벨트 샘플링 지역 등
22종 장소	21종 장소 밖으로서(장소 외의 장소로서) 가연성 분진운 형태가 드물게 발생 또는 단기간 존재할 우려가 있거나, 이상 작동 상태 하에서 가연성 분진운이 형성될 수 있는 장소를 말한다. 예 21종 장소에서 예방조치가 취하여진 지역, 환기설비 등과 같은 안전장치 배출구 주위 등

91 산업안전보건법에서 분류한 위험물질의 종류 중 부식성 산류는 농도가 몇 % 이상인 염산, 황산, 질산, 그 밖에 이와 같은 정도 이상의 부식성을 가지는 물질을 말하는가?

① 10
② 15
③ 20
④ 25

해설

부식성 물질

부식성 산류	• 농도가 20% 이상인 염산, 황산, 질산, 그 밖에 이와 같은 정도 이상의 부식성을 가지는 물질 • 농도가 60% 이상인 인산, 아세트산, 불산, 그 밖에 이와 같은 정도 이상의 부식성을 가지는 물질
부식성 염기류	농도가 40% 이상인 수산화나트륨, 수산화칼륨, 그 밖에 이와 같은 정도 이상의 부식성을 가지는 염기류

92 다음 중 자연발화의 방지법에 관계가 없는 것은?

① 점화원을 제거한다.

② 저장소 등의 주위 온도를 낮게 한다.

③ 습기가 많은 곳에는 저장하지 않는다.

④ 통풍이나 저장법을 고려하여 열의 축적을 방지한다.

해설

자연발화 방지법

1. 통풍이 잘되게 할 것
2. 저장실 온도를 낮출 것
3. 열이 축적되지 않는 퇴적방법을 선택할 것
4. 습도가 높지 않도록 할 것(습도가 높은 것을 피할 것)
5. 공기가 접촉되지 않도록 불활성액체 중에 저장할 것

93 가연성 기체의 분출 화재 시 주 공급밸브를 닫아서 연료공급을 차단하여 소화하는 방법은?

① 제거소화
② 냉각소화
③ 희석소화
④ 억제소화

해설

제거소화

소화원리	가연성 물질을 연소구역에서 제거하여 줌으로써 소화하는 방법
소화의 예	• 가스의 화재 : 공급밸브를 차단하여 가스의 공급을 중단 • 산림화재 : 연소방면의 수목을 제거 • 촛불 : 입김으로 불어 가연성 증기를 제거

94 폭발을 기상폭발과 응상폭발로 분류할 때 기상폭발에 해당되지 않는 것은?

① 분진폭발
② 혼합가스폭발
③ 분무폭발
④ 수증기폭발

해설

폭발의 분류

공정에 따른 분류	핵 폭발	원자핵의 분열이나 융합에 의한 강렬한 에너지 방출 현상
	물리적 폭발	화학적 변화없이 물리 변화를 주체로 한 폭발의 형태(탱크의 감압폭발, 수증기 폭발, 고압용기의 폭발, 전선폭발, 보일러 폭발 등)
	화학적 폭발	화학반응이 관여하는 화학적 특성 변화에 의한 폭발(산화폭발, 분해폭발, 중합폭발, 반응폭주)

원인물질의 상태에 따른 분류	기상 폭발	가스폭발, 분무폭발, 분진폭발, 가스분해폭발, 증기운폭발
	응상 폭발	수증기폭발(액체일 때), 증기폭발(액화가스일 때), 전선폭발

95 다음 중 압축하면 폭발할 위험성이 높아서 아세톤 등에 용해시켜 다공성 물질과 함께 저장하는 물질은?

① 염소
② 에탄
③ 아세틸렌
④ 수소

해설

분해, 폭발의 위험을 방지하기 위하여 아세틸렌은 일반적으로 아세톤 용액으로 한다.

96 다음 중 관의 지름을 변경하고자 할 때 필요한 관 부속품은?

① Reducer
② Elbow
③ Plug
④ Valve

해설

피팅류(Fittings)

두 개의 관을 연결할 때	플랜지(Flange), 유니온(Union), 커플링(Coupling), 니플(Nipple), 소켓(Socket)
관로의 방향을 바꿀 때	엘보우(Elbow), Y지관(Y－branch), 티(Tee), 십자(Cross)
관로의 크기를 바꿀 때 (관의 지름을 변경할 때)	리듀서(Reducer), 부싱(Bushing)
가지관을 설치 할 때	Y지관(Y－branch), 티(Tee), 십자(Cross)
유로를 차단할 때	플러그(Plug), 캡(Cap), 밸브(Valve)
유량조절	밸브(Valve)

97 다음 중 Halon 1211의 화학식으로 옳은 것은?

① CH_2FBr
② CH_2ClBr
③ CF_2HCl
④ CF_2ClBr

해설

할론소화약제의 명명법

1. 일취화일염화메탄 소화기(CH_2ClBr) : 할론 1011
2. 이취화사불화에탄 소화기($C_2F_4Br_2$) : 할론 2402
3. 일취화삼불화메탄 소화기(CF_3Br) : 할론 1301

01 PART
02 PART
03 PART
04 PART
05 PART
06 PART
07 PART

4. 일취화일염화이불화메탄 소화기(CF₂ClBr) : 할론 1211
5. 사염화탄소 소화기(CCl₄) : 할론 1040

98 공기 중에는 암모니아가 20ppm(노출기준 25ppm), 톨루엔이 20ppm(노출기준 50ppm)이 완전 혼합되어 존재하고 있다. 혼합물질의 노출기준을 보정하는 데 활용하는 노출지수는 약 얼마인가?(단, 두 물질 간에 유해성이 인체의 서로 다른 부위에 작용한다는 증거는 없다.)

① 1.0 ② 1.2
③ 1.5 ④ 1.6

해설

노출지수(EI ; Exposure Index, 공기 중 혼합물질)
1. 2가지 이상의 독성이 유사한 유해화학 물질이 공기 중에 공존할 때 대부분의 물질은 유해성의 상가작용을 나타낸다고 가정하고 계산한 노출지수로 결정
2. 노출지수는 1을 초과하면 노출기준을 초과한다고 평가한다.
3. 다만, 독성이 서로 다른 물질이 혼합되어 있는 경우 혼합된 물질의 유해성이 상승작용 또는 상가작용이 없으므로 각 물질에 대하여 개별적으로 노출기준 초과 여부를 결정한다.(독립작용)

$$\text{노출지수}(EI) = \frac{C_1}{TLV_1} + \frac{C_2}{TLV_2} + \cdots\cdots + \frac{C_n}{TLV_n}$$

여기서, C_n : 각 혼합물질의 공기 중 농도
TLV_n : 각 혼합물질의 노출기준

$$\text{노출지수}(EI) = \frac{C_1}{TLV_1} + \frac{C_2}{TLV_2} = \frac{20}{25} + \frac{20}{50} = 1.2$$

99 다음 중 분진 폭발에 관한 설명으로 틀린 것은?

① 폭발한계 내에서 분진의 휘발성분이 많으면 폭발 위험성이 높다.
② 분진이 발화 폭발하기 위한 조건은 가연성, 미분상태, 공기 중에서의 교반과 유동 및 점화원의 존재이다.
③ 가스폭발과 비교하여 연소의 속도나 폭발의 압력이 크고, 연소시간이 짧으며, 발생에너지가 작다.
④ 폭발한계는 입자의 크기, 입도분포, 산소농도, 함유수분, 가연성가스의 혼입 등에 의해 같은 물질의 분진에서도 달라진다.

해설

분진 폭발의 특징
1. 폭발한계 내에서 분진의 휘발성분이 많을수록 폭발이 쉽다.
2. 가스폭발에 비해 연소속도나 폭발압력이 작다.
3. 가스폭발에 비해 연소시간이 길고 발생에너지가 크기 때문에 파괴력과 타는 정도가 크다.
4. 가스에 비해 불완전연소의 가능성이 커서 일산화탄소의 존재로 인한 가스중독의 위험이 있다(가스폭발에 비하여 유독물의 발생이 많다).
5. 화염속도보다 압력속도가 빠르다.
6. 주위 분진의 비산에 의해 2차, 3차의 폭발로 파급되어 피해가 커진다.
7. 연소열에 의한 화재가 동반되며, 연소입자의 비산으로 인체에 닿을 경우 심한 화상을 입는다.
8. 분진이 발화 폭발하기 위한 조건은 인화성, 미분상태, 공기 중에서의 교반과 유동, 점화원의 존재이다.

100 가연성 가스 혼합물을 구성하는 각 성분의 조성과 연소범위가 다음 표와 같을 때 혼합가스의 연소하한값은 약 몇 vol%인가?

성분	조성(vol%)	연소하한값(vol%)	연소상한값(vol%)
헥산	1	1.1	7.4
메탄	2.5	5.0	15.0
에틸렌	0.5	2.7	36.0
공기	95	–	–

① 2.51 ② 7.51
③ 12.07 ④ 15.01

해설

르 샤틀리에(Le Chatelier)의 법칙(혼합가스가 공기와 섞여 있을 경우)

$$L = \frac{V_1 + V_2 + \cdots\cdots + V_n}{\dfrac{V_1}{L_1} + \dfrac{V_2}{L_2} + \cdots\cdots + \dfrac{V_n}{L_n}}$$

여기서, V_n : 전체 혼합가스 중 각 성분 가스의 체적(비율)[%]
L_n : 각 성분 단독의 폭발한계(상한 또는 하한)
L : 혼합가스의 폭발한계(상한 또는 하한)[vol%]

$$L = \frac{1 + 2.5 + 0.5}{\dfrac{1}{1.1} + \dfrac{2.5}{5.0} + \dfrac{0.5}{2.7}} = 2.51[\text{vol\%}]$$

101 다음 중 건설공사 안전관리(安全管理) 순서로 옳은 것은?

① 계획(Plan) – 실시(Do) – 검토(Check) – 조치(Action)
② 실시(Do) – 조치(Action) – 검토(Check) – 계획(Plan)
③ 계획(Plan) – 실시(Do) – 조치(Action) – 검토(Check)
④ 검토(Check) – 계획(Plan) – 조치(Action) – 실시(Do)

해설

안전관리 PDCA Cycle

PDCA	PDCA 단계별 추진내용
계획(Plan)	현장에 적합한 안전관리방법 및 안전관리 계획의 수립
실시(Do)	안전관리활동의 실시, 교육 및 훈련 실시, 환경설비의 개선
검토(Check)	안전관리활동에 대한 검사 및 확인, 안전관리활동의 결과 검토
조치(Action)	검토된 안전관리활동의 수정 조치

102 강풍 시 타워크레인의 작업제한과 관련된 사항으로 타워크레인의 작업운전을 중지해야 하는 순간풍속 기준으로 옳은 것은?

① 순간풍속이 매 초당 10미터 초과
② 순간풍속이 매 초당 15미터 초과
③ 순간풍속이 매 초당 30미터 초과
④ 순간풍속이 매 초당 40미터 초과

해설

타워크레인의 작업제한(악천후 및 강풍 시 작업 중지)

순간풍속이 초당 10미터를 초과	타워크레인의 설치·수리·점검 또는 해체작업 중지
순간풍속이 초당 15미터를 초과	타워크레인의 운전작업 중지

103 이동식 크레인을 사용하여 작업을 할 때 작업시작 전 점검사항이 아닌 것은?

① 주행로의 상측 및 트롤리(Trolley)가 횡행하는 레일의 상태
② 권과방지장치 그 밖의 경보장치의 기능
③ 브레이크·클러치 및 조정장치의 기능
④ 와이어로프가 통하고 있는 곳 및 작업장소의 지반 상태

해설

이동식 크레인을 사용하여 작업을 하는 때 작업시작 전 점검사항
1. 권과방지장치나 그 밖의 경보장치의 기능
2. 브레이크·클러치 및 조정장치의 기능
3. 와이어로프가 통하고 있는 곳 및 작업장소의 지반상태

104 쇼벨계 굴착기의 작업안전대책으로 옳지 않은 것은?

① 항상 뒤쪽의 카운터웨이트의 회전반경을 측정한 후 작업에 임한다.
② 작업 시에는 항상 사람의 접근에 특별히 주의한다.
③ 유압계통 분리 시에는 붐을 지면에 놓고 엔진을 정지시킨 후 유압을 제거한다.
④ 장비의 주차 시에는 굴착작업에 주차하고 버킷은 지면에서 띄워 놓도록 한다.

해설

굴착기계 작업 안전대책
1. 버킷이나 다른 부수장치 혹은 뒷부분에 사람을 태우지 말아야 한다.
2. 절대로 운전 반경 내에 사람이 있을 때는 회전하여서는 안 된다.
3. 장비의 주차 시에는 경사지나 굴착작업장으로부터 충분히 이격시켜 주차하고, 버킷은 반드시 지면에 놓아야 한다.
4. 전선 밑에서는 주의하여 작업을 하여야 하며, 특히 전선과 장치의 안전간격을 반드시 유지한다.
5. 항상 뒤쪽의 카운터 웨이트의 회전반경을 측정한 후 작업에 임한다.
6. 작업 시에는 항상 사람의 접근에 특별히 주의한다.
7. 유압계통 분리 시에는 반드시 붐을 지면에 놓고 엔진을 정지시킨 다음 유압을 제거한 후 행한다.

105 흙막이 공법을 흙막이 지지방식에 의한 분류와 구조방식에 의한 분류로 나눌 때 다음 중 지지방식에 의한 분류에 해당하는 것은?

① 수평 버팀대식 흙막이 공법
② H – Pile 공법
③ 지하연속벽 공법
④ Top Down Method 공법

흙막이 공법

흙막이 지지방식에 의한 분류	• 자립공법 • 버팀대식 공법(빗버팀대식 공법, 수평버팀대식 공법) • 어스 앵커 공법
흙막이 구조방식에 의한 분류	• 엄지말뚝식 흙막이 공법(H – Pile) • 널말뚝 공법(강 널말뚝식 흙막이 공법, 강관 널말뚝식 흙막이 공법) • 지하연속벽 공법(주열식, 벽식) • 역타식 공법(Top Down)

106 토석붕괴의 외적 원인으로 옳지 않은 것은?

① 사면, 법면의 경사 및 기울기의 증가
② 절토 및 성토 높이의 증가
③ 토사 및 암석의 혼합층 두께
④ 토석의 강도 저하

토석붕괴의 원인

외적 원인	• 사면, 법면의 경사 및 기울기의 증가 • 절토 및 성토 높이의 증가 • 공사에 의한 진동 및 반복 하중의 증가 • 지표수 및 지하수의 침투에 의한 토사 중량의 증가 • 지진, 차량, 구조물의 하중작용 • 토사 및 암석의 혼합층두께
내적 원인	• 절토 사면의 토질 · 암질 • 성토 사면의 토질구성 및 분포 • 토석의 강도 저하

107 다음은 안전난간의 구조 및 설치요건에 대한 기준이다. (   ) 안에 적당한 숫자는?

> 안전난간은 구조적으로 가장 취약한 지점에서 가장 취약한 방향으로 작용하는 (   )킬로그램 이상의 하중에 견딜 수 있는 튼튼한 구조일 것

① 80
② 100
③ 120
④ 150

안전난간의 구조 및 설치요건

구성	상부 난간대, 중간 난간대, 발끝막이판 및 난간기둥으로 구성할 것(다만, 중간 난간대, 발끝막이판 및 난간기둥은 이와 비슷한 구조와 성능을 가진 것으로 대체할 수 있음)
상부 난간대	상부 난간대는 바닥면 · 발판 또는 경사로의 표면으로부터 90센티미터 이상 지점에 설치하고, 상부 난간대를 120센티미터 이하에 설치하는 경우에는 중간 난간대는 상부 난간대와 바닥면 등의 중간에 설치하여야 하며, 120센티미터 이상 지점에 설치하는 경우에는 중간 난간대를 2단 이상으로 균등하게 설치하고 난간의 상하 간격은 60센티미터 이하가 되도록 할 것
발끝막이판 (폭목)	바닥면 등으로부터 10센티미터 이상의 높이를 유지할 것(다만, 물체가 떨어지거나 날아올 위험이 없거나 그 위험을 방지할 수 있는 망을 설치하는 등 필요한 예방 조치를 한 장소는 제외)
난간기둥	상부 난간대와 중간 난간대를 견고하게 떠받칠 수 있도록 적정한 간격을 유지할 것
상부난간대와 중간난간대	상부 난간대와 중간 난간대는 난간 길이 전체에 걸쳐 바닥면등과 평행을 유지할 것
난간대	지름 2.7센티미터 이상의 금속제 파이프나 그 이상의 강도가 있는 재료일 것
하중	안전난간은 구조적으로 가장 취약한 지점에서 가장 취약한 방향으로 작용하는 100킬로그램 이상의 하중에 견딜 수 있는 튼튼한 구조일 것

108 클램셀(Clam Shell)의 용도로 옳지 않은 것은?

① 잠함 안의 굴착에 사용된다.
② 수면 아래의 자갈, 모래를 굴착하고 준설선에 많이 사용된다.
③ 건축구조물의 기초 등 정해진 범위의 깊은 굴착에 적합하다.
④ 단단한 지반의 작업도 가능하며 작업속도가 빠르고 특히 암반굴착에 적합하다.

클램셀(Clam Shell)
1. 좁고 깊은 곳의 수직굴착, 수중굴착에 적당
2. 지하연속벽 공사, 깊은 우물통 파기에 사용
3. 구조물의 기초바닥, 잠함 등과 같은 협소하고 깊은 범위의 굴착에 적합

109 로드(Rod) · 유압잭(Jack) 등을 이용하여 거푸집을 연속적으로 이동시키면서 콘크리트를 타설할 때 사용되는 것으로 Silo 공사 등에 적합한 거푸집은?

① 메탈폼
② 슬라이딩폼
③ 워플폼
④ 페코빔

슬라이딩 폼
1. 수평 · 수직적으로 반복된 구조물을 시공 이음이 없이 균일한 형상으로 시공하기 위하여 요크(Yoke), 로드(Rod), 유압잭(Jack)을 이용하여 거푸집을 연속적으로 이동시키면서 콘크리트를 타설하여 구조물을 시공하는 공법
2. 이동 거푸집의 하나로 슬립 폼, 미끄럼 거푸집이라고도 한다.
3. 사일로(Silo), 급수탑 등의 타설에 사용한다.

110 추락에 의한 위험방지를 위하여 설치하는 추락 방호망의 경우 작업면으로부터 망의 설치지점까지의 수직거리가 최대 몇 미터를 초과하지 않도록 설치하는가?

① 5m
② 7m
③ 8m
④ 10m

추락방호망의 설치기준
1. 추락방호망의 설치위치는 가능하면 작업면으로부터 가까운 지점에 설치하여야 하며, 작업면으로부터 망의 설치지점까지의 수직거리는 10미터를 초과하지 아니할 것
2. 추락방호망은 수평으로 설치하고, 망의 처짐은 짧은 변 길이의 12퍼센트 이상이 되도록 할 것
3. 건축물 등의 바깥쪽으로 설치하는 경우 추락방호망의 내민 길이는 벽면으로부터 3미터 이상 되도록 할 것. 다만, 그물코가 20밀리미터 이하인 추락방호망을 사용한 경우에는 낙하물에 의한 위험 방지에 따른 낙하물방지망을 설치한 것으로 본다.

111 굴착과 싣기를 동시에 할 수 있는 토공기계가 아닌 것은?

① 트랙터 셔블(Tractor Shovel)
② 백호(Back Hoe)
③ 파워 셔블(Power Shovel)
④ 모터 그레이더(Motor Grader)

모터 그레이더(Motor Grader)
지면을 절삭하여 평활하게 다듬는 장비로서 노면의 성형과 정지작업에 가장 적당한 장비

112 연약지반의 이상현상 중 하나인 히빙(Heaving) 현상에 대한 안전대책이 아닌 것은?

① 흙막이벽의 관입깊이를 깊게 한다.
② 굴착면에 토사 등으로 하중을 가한다.
③ 흙막이 배면의 표토를 제거하여 토압을 경감시킨다.
④ 주변 수위를 높인다.

히빙(Heaving) 현상
1. 정의
   연질점토 지반에서 굴착에 의한 흙막이 내 · 외면의 흙의 중량차이로 인해 굴착저면이 부풀어 올라오는 현상
2. 안전대책
   ㉠ 흙막이 근입깊이를 깊게 함
   ㉡ 표토제거 하중 감소
   ㉢ 굴착저면 지반개량(흙의 전단강도를 높임)
   ㉣ 굴착면 하중 증가
   ㉤ 어스앵커 설치
   ㉥ 주변 지하수위 저하
   ㉦ 소단굴착을 하여 소단부 흙의 중량이 바닥을 누르게 함
   ㉧ 토류벽의 배면토압을 경감

113 법면 붕괴에 의한 재해 예방조치로서 옳은 것은?

① 지표수와 지하수의 침투를 방지한다.
② 법면의 경사를 증가한다.
③ 절토 및 성토높이를 증가한다.
④ 토질의 상태에 관계없이 구배조건을 일정하게 한다.

붕괴예방대책
1. 적절한 경사면의 기울기를 계획하여야 한다.
2. 경사면의 기울기가 당초 계획과 차이가 발생되면 즉시 재검토하여 계획을 변경시켜야 한다.
3. 활동할 가능성이 있는 토석은 제거하여야 한다.
4. 경사면의 하단부에 압성토 등 보강공법으로 활동에 대한 저항대책을 강구하여야 한다.
5. 말뚝(강관, H형강, 철근 콘크리트)을 타입하여 지반을 강화시킨다.

PART 01 PART 02 PART 03 PART 04 PART 05 PART 06 PART 07

6. 빗물, 지표수, 지하수의 사전제거 및 침투를 방지하여야
   한다.

114 가설통로를 설치하는 경우 준수사항 기준으로 옳지 않은 것은?

① 건설공사에 사용하는 높이 8m 이상인 비계다리에
   는 5m 이내마다 계단참을 설치하는 것
② 수직갱에 가설된 통로의 길이가 15m 이상인 경우
   에는 10m 이내마다 계단참을 설치할 것
③ 경사가 15°를 초과하는 경우에는 미끄러지지 아니
   하는 구조로 할 것
④ 추락할 위험이 있는 장소에는 안전난간을 설치할 것

해설

가설통로
1. 견고한 구조로 할 것
2. 경사는 30도 이하로 할 것(다만, 계단을 설치하거나 높이
   2미터 미만의 가설통로로서 튼튼한 손잡이를 설치한 경우
   에는 그러하지 아니하다)
3. 경사가 15도를 초과하는 경우에는 미끄러지지 아니하는
   구조로 할 것
4. 추락할 위험이 있는 장소에는 안전난간을 설치할 것(다
   만, 작업상 부득이한 경우에는 필요한 부분만 임시로 해체
   할 수 있다)
5. 수직갱에 가설된 통로의 길이가 15미터 이상인 경우에는
   10미터 이내마다 계단참을 설치할 것
6. 건설공사에 사용하는 높이 8미터 이상인 비계다리에는 7미터
   이내마다 계단참을 설치할 것

115 10cm 그물코 크기의 방망사 신품에 대한 인장 강도는 얼마 이상이어야 하는가?(단, 매듭 없는 방망)

① 240kg   ② 200kg
③ 110kg   ④ 80kg

해설

방망사의 신품에 대한 인장강도

그물코의 크기 (단위 : 센티미터)	방망의 종류(단위 : 킬로그램)	
	매듭 없는 방망	매듭방망
10	240	200
5		110

116 미리 작업장소의 지형 및 지반상태 등에 적합한 제한속도를 정하지 않아도 되는 차량계 건설기계의 속도 기준은?

① 최대제한속도가 10km/h 이하
② 최대제한속도가 20km/h 이하
③ 최대제한속도가 30km/h 이하
④ 최대제한속도가 40km/h 이하

해설

제한속도의 지정
차량계 하역운반기계, 차량계 건설기계(최대제한속도가 시
속 10킬로미터 이하인 것은 제외)를 사용하여 작업을 하는
경우 미리 작업장소의 지형 및 지반 상태 등에 적합한 제한속
도를 정하고, 운전자로 하여금 준수하도록 하여야 한다.

117 콘크리트의 압축강도에 영향을 주는 요소로 가장 거리가 먼 것은?

① 콘크리트 양생 온도
② 콘크리트 재령
③ 물−시멘트비
④ 거푸집 강도

해설

콘크리트 압축강도에 영향을 미치는 요인
1. 구성 재료의 영향 : 시멘트 및 혼화재료의 종류, 골재 종류
   및 크기
2. 콘크리트 재령 및 배합 : 물−시멘트비(W/C비), 혼화재
   료 및 골재 사용량, 공기량
3. 양생의 영향(온도, 습도) : 양생기간, 건습상태
4. 시공방법의 영향 : 타설 및 다지기 등

118 다음은 낙하물 방지망 또는 방호선반을 설치하는 경우의 준수해야 할 사항이다. (   ) 안에 알맞은 숫자는?

높이 (㉠)미터 이내마다 설치하고, 내민 길이는 벽면으
로부터 (㉡)미터 이상으로 할 것

① ㉠ : 10, ㉡ : 2
② ㉠ : 8, ㉡ : 2
③ ㉠ : 10, ㉡ : 3
④ ㉠ : 8 , ㉡ : 3

낙하물방지망 또는 방호선반 설치 시 준수사항

1. 높이 10미터 이내마다 설치하고, 내민 길이는 벽면으로부터 2미터 이상으로 할 것
2. 수평면과의 각도는 20도 이상 30도 이하를 유지할 것

119 물체가 떨어지거나 날아올 위험이 있는 때 위험방지를 위해 준수해야 할 조치사항으로 가장 거리가 먼 것은?

① 낙하물방지망 설치
② 출입금지구역 설정
③ 보호구 착용
④ 작업지휘자 선정

물체가 떨어지거나 날아올 위험이 있는 경우의 위험방지

1. 낙하물 방지망 설치
2. 수직보호망 설치
3. 방호선반 설치
4. 출입금지구역 설정
5. 보호구 착용

120 철골 작업 시 기상조건에 따라 안전상 작업을 중지토록 하여야 한다. 다음 중 작업을 중지토록 하는 기준으로 옳은 것은?

① 강우량이 시간당 5mm 이상인 경우
② 강우량이 시간당 10mm 이상인 경우
③ 풍속이 초당 10m 이상인 경우
④ 강설량이 시간당 20mm 이상인 경우

작업의 제한(철골작업 중지)

1. 풍속이 초당 10미터 이상인 경우
2. 강우량이 시간당 1밀리미터 이상인 경우
3. 강설량이 시간당 1센티미터 이상인 경우

04 2024년 1회 기출문제

01 다음 중 KOSHA Guide의 분야별 또는 업종별 분류기호가 올바르게 연결된 것은?

① 기계일반지침 : M
② 공정안전지침 : W
③ 안전 · 보건 일반지침 : H
④ 건설안전지침 : A

해설

분류기호

분야별 또는 업종별	분류기호
기계일반지침	M
공정안전지침	P
안전 · 보건 일반지침	G
건설안전지침	C

02 다음 중 KOSHA Guide에 대한 설명으로 옳은 것은?

① KOSHA Guide는 산업안전보건법령에서 정한 최소한의 수준이 아니라, 사업장의 자기규율 예방체계 확립을 지원하고, 좀 더 높은 수준의 안전보건 향상을 위해 참고할 수 있는 기술적 내용을 기술한 강제적인 안전보건가이드이다.
② KOSHA Guide는 권고 기술기준으로서 대한산업안전협회에 의해서 제 · 개정되고 있는 지침이다.
③ KOSHA Guide는 법적 기준이 아닌 사업장의 이해를 돕기 위해 작성된 기술적 권고 지침으로서, 법적 구속력(효력)은 없다.
④ KOSHA Guide는 사업장의 안전 · 보건을 확보하기 위하여 위험설비 · 공정, 작업에 대한 선진 각국의 기술수준 및 국제표준을 참고하여 우리나라 실정에 맞게 일반, 기계, 전기, 화공, 건설, 보건 등 전문분야별로 세분화하여 산업안전보건법령으로 제정 · 공표하여 사업장에 보급 · 활용되고 있다.

해설

KOSHA Guide

1. KOSHA Guide는 산업안전보건법령에서 정한 최소한의 수준이 아니라, 사업장의 자기규율 예방체계 확립을 지원하고, 좀 더 높은 수준의 안전보건 향상을 위해 참고할 수 있는 기술적 내용을 기술한 자율적 안전보건가이드입니다.
2. KOSHA Guide는 산업안전보건법과 같은 강제적인 법률이 아닌 권고 기술기준으로서 한국산업안전보건공단에 의해서 제 · 개정되고 있는 지침입니다.
3. KOSHA Guide는 사업장의 안전 · 보건을 확보하기 위하여 위험설비 · 공정, 작업에 대한 선진 각국의 기술수준 및 국제표준을 참고하여 우리나라 실정에 맞게 일반, 기계, 전기, 화공, 건설, 보건 등 전문분야별로 세분화하여 안전보건기술지침(KOSHA Guide)으로 제정 · 공표하여 사업장에 보급 · 활용되고 있습니다.
4. KOSHA Guide는 법적 기준이 아닌 사업장의 이해를 돕기 위해 작성된 기술적 권고 지침으로서, 법적 구속력(효력)은 없습니다.

03 산업안전보건법령에 따른 근로자 안전보건 교육 중 근로자 정기교육의 교육내용에 해당하지 않는 것은?

① 건강증진 및 질병 예방에 관한 사항
② 산업보건 및 건강장해 예방에 관한 사항
③ 유해 · 위험 작업환경 관리에 관한 사항
④ 작업공정의 유해 · 위험과 재해 예방대책에 관한 사항

해설

근로자 정기교육

1. 산업안전 및 산업재해 예방에 관한 사항(화재 · 폭발 사고 발생 시 대피에 관한 사항을 포함)
2. 산업보건 및 건강장해 예방에 관한 사항(폭염 · 한파작업으로 인한 건강장해 발생 시 응급조치에 관한 사항을 포함)
3. 위험성 평가에 관한 사항
4. 건강증진 및 질병 예방에 관한 사항
5. 유해 · 위험 작업환경 관리에 관한 사항
6. 산업안전보건법령 및 산업재해보상보험 제도에 관한 사항
7. 직무스트레스 예방 및 관리에 관한 사항
8. 직장 내 괴롭힘, 고객의 폭언 등으로 인한 건강장해 예방 및 관리에 관한 사항

정답 01 ① 02 ③ 03 ④

04 라인(Line)형 안전관리조직에 대한 설명으로 옳은 것은?

① 명령계통과 조언이나 권고적 참여가 혼동되기 쉽다.
② 생산부서와의 마찰이 일어나기 쉽다.
③ 명령계통이 간단명료하다.
④ 생산부분에는 안전에 대한 책임과 권한이 없다.

해설

라인형(Line형, 직계형 조직)

의의	• 안전을 전문으로 분담하는 조직이 없고, 안전관리에 관한 계획에서부터 실시 · 평가에 이르기까지 생산라인(생산지시)을 통해서 이루어지는 조직 형태 • 100명 미만의 소규모 사업장에 적합한 조직 형태
장점	• 명령과 보고가 상하관계뿐이므로 간단명료한 조직 • 경영자의 명령이나 지휘가 신속 · 정확하게 전달되어 개선 조치가 빠르게 진행
단점	• 안전에 대한 전문지식이나 정보가 불충분 • 생산라인의 업무에 중점을 두어 안전보건관리가 소홀해질 수 있음

TIP
• 명령계통과 조언이나 권고적 참여가 혼동되기 쉽다. : 라인 – 스태프형(Line – staff형, 직계 참모형 조직)
• 생산부서와의 마찰이 일어나기 쉽다. : 스태프형(Staff형, 참모형 조직)
• 생산부분에는 안전에 대한 책임과 권한이 없다. : 스태프형(Staff형, 참모형 조직)

05 다음 중 헤드십(Head – ship)의 특성으로 옳지 않은 것은?

① 권한의 근거는 공식적이다.
② 지휘의 형태는 권위주의적이다.
③ 상사와 부하와의 사회적 간격은 좁다.
④ 상사와 부하와의 관계는 지배적이다.

해설

헤드십과 리더십의 구분

구분	헤드십	리더십
권한 행사 및 부여	위에서 위임하여 임명된 헤드	밑에서부터의 동의에 선출된 리더
권한근거	법적 또는 공식적	개인능력
상관과 부하와의 관계	지배적	개인적인 경향
책임귀속	상사	상사와 부하
부하와의 사회적 간격	넓다	좁다
지위형태	권위주의적	민주주의적
권한귀속	공식화된 규정에 의함	집단목표에 기여한 공로 인정

06 Off.J.T 교육의 특징에 해당되는 것은?

① 많은 지식, 경험을 교류할 수 있다.
② 교육 효과가 업무에 신속히 반영된다.
③ 현장의 관리 감독자가 강사가 되어 교육을 한다.
④ 다수의 대상자를 일괄적으로 교육하기 어려운 점이 있다.

해설

Off.J.T(Off the Job Training)
1. 정의
   공통된 교육목적을 가진 근로자를 현장 외의 장소에 모아 실시하는 집체교육으로 집단교육에 적합한 교육형태
2. 특징
   • 외부의 전문가를 활용할 수 있다.(전문가를 초빙하여 강사로 활용이 가능하다.)
   • 다수의 대상자에게 조직적 훈련이 가능하다.
   • 특별교재, 교구, 시설을 유효하게 사용할 수 있다.
   • 타 직종 사람과의 많은 지식, 경험을 교류할 수 있다.
   • 업무와 분리되어 교육에 전념하는 것이 가능하다.
   • 교육목표를 위하여 집단적으로 협조와 협력이 가능하다.
   • 법규, 원리, 원칙, 개념, 이론 등의 교육에 적합하다.

07 레윈(Lewin)은 인간의 행동 특성을 다음과 같이 표현하였다. 변수 'E'가 의미하는 것은?

$$B = f(P \cdot E)$$

① 연령
② 성격
③ 환경
④ 지능

해설

레윈(K. Lewin)의 행동법칙

$$B = f(P \cdot E)$$

여기서, B : Behavior(인간의 행동)
　　　　f : Function(함수관계) – $P \cdot E$에 영향을 줄 수 있는 조건
　　　　P : Person(개체, 개인의 자질, 연령, 경험, 심신상태, 성격, 지능 등)
　　　　E : Environment(심리적 환경 – 작업환경, 인간관계, 설비적 결함 등)

08 재해예방의 4원칙에 해당하지 않는 것은?

① 예방 가능의 원칙
② 손실 우연의 원칙
③ 원인 연계의 원칙
④ 계속성의 원칙

PART 01
PART 02
PART 03
PART 04
PART 05
PART 06
PART 07

하인리히의 재해예방 4원칙

예방 가능의 원칙	천재지변을 제외한 모든 재해는 원칙적으로 예방이 가능하다.
손실 우연의 원칙	사고로 생기는 상해의 종류 및 정도는 우연적이다.
원인 계기의 원칙	사고와 손실의 관계는 우연적이지만 사고와 원인관계는 필연적이다.(사고에는 반드시 원인이 있다.)
대책 선정의 원칙	원인을 정확히 규명해서 대책을 선정하고 실시되어야 한다.(3E, 즉 기술, 교육, 독려를 중심으로)

09 파블로프(Pavlov)의 조건반사설에 의한 학습이론의 원리가 아닌 것은?

① 일관성의 원리
② 계속성의 원리
③ 준비성의 원리
④ 강도의 원리

학습의 원리

조건반사설 (Pavlov)	시행착오설 (Thorndike)	조작적 조건 형성이론 (Skinner)
• 강도의 원리 • 일관성의 원리 • 시간의 원리 • 계속성의 원리	• 효과의 법칙 • 준비성의 법칙 • 연습의 법칙	• 강화의 원리 • 소거의 원리 • 조형의 원리 • 자발적 회복의 원리 • 변별의 원리

10 산업안전보건법령상 안전보건표지의 색채와 용도의 연결로 틀린 것은?

① 지시 – 파란색
② 안내 – 녹색
③ 경고 – 노란색
④ 금지 – 검은색

안전 · 보건표지의 색채, 색도기준 및 용도

색채	색도기준	용도	사용례
빨간색	7.5R 4/14	금지	정지신호, 소화설비 및 그 장소, 유해행위의 금지
		경고	화학물질 취급장소에서의 유해 · 위험경고
노란색	5Y 8.5/12	경고	화학물질 취급장소에서의 유해 · 위험경고 이외의 위험경고, 주의표지 또는 기계방호물
파란색	2.5PB 4/10	지시	특정 행위의 지시 및 사실의 고지

색채	색도기준	용도	사용례
녹색	2.5G 4/10	안내	비상구 및 피난소, 사람 또는 차량의 통행표지
흰색	N9.5		파란색 또는 녹색에 대한 보조색
검은색	N0.5		문자 및 빨간색 또는 노란색에 대한 보조색

11 아담스(Edward Adams)의 사고연쇄반응이론 5단계에서 불안전 행동 및 불안전 상태는 어느 단계에 해당되는가?

① 제1단계 : 관리구조
② 제2단계 : 작전적 에러
③ 제3단계 : 전술적 에러
④ 제4단계 : 사고

아담스(Adams)의 사고연쇄반응이론

제1단계 관리구조	→	제2단계 작전적 에러	→	제3단계 전술적 에러

제4단계 사고	→	제5단계 상해 · 손해

• 재해의 직접원인을 관리시스템 내의 불안전 행동과 불안전 상태에 두고 전술적 에러로 설명하였으며, 관리상의 잘못으로 인한 개념을 강조하고 있다.

12 인간관계의 메커니즘 중 다른 사람의 행동양식이나 태도를 투입시키거나 다른 사람 가운데서 자기와 비슷한 것을 발견하는 것은?

① 공감
② 모방
③ 동일화
④ 일체화

인간관계 메커니즘

투사 (Projection)	자기 마음속의 억압된 것을 다른 사람의 것으로 생각하는 것
암시 (Suggestion)	다른 사람으로부터의 판단이나 행동을 무비판적으로 논리적 · 사실적 근거 없이 받아들이는 것
동일화 (Identification)	다른 사람의 행동양식이나 태도를 투입하거나 다른 사람 가운데서 자기와 비슷한 것을 발견하게 되는 것
모방 (Imitation)	남의 행동이나 판단을 표본으로 하여 그것과 같거나 그것에 가까운 행동 또는 판단을 취하려는 것
커뮤니케이션 (Communication)	여러 가지 행동양식이 기호를 매개로 하여 한 사람으로부터 다른 사람에게 전달되는 과정 – 언어, 손짓, 몸짓, 표정 등

13 다음 중 알더퍼(Alderfer)의 ERG 이론에 해당하지 않는 것은?

① 생존욕구
② 관계욕구
③ 안전욕구
④ 성장욕구

알더퍼(Alderfer)의 ERG 이론

생존(Existence)욕구 (존재욕구)	유기체의 생존과 유지에 관련된 욕구 • 의식주와 같은 기본적인 욕구 • 임금, 안전한 작업조건 • 직무안전
관계(Relatedness) 욕구	다른 사람과의 상호작용을 통하여 만족을 추구하는 대인욕구 • 의미 있는 타인과의 상호작용 • 대인욕구
성장(Growth)욕구	개인적인 발전과 증진에 관한 욕구(잠재력의 발전으로 충족) • 개인의 발전능력 • 잠재력 충족

14 하인리히의 재해발생이론이 다음과 같이 표현될 때, α가 의미하는 것으로 옳은 것은?

> 재해의 발생＝설비적 결함＋관리적 결함＋α

① 노출된 위험의 상태
② 재해의 직접원인
③ 물적 불안전 상태
④ 잠재된 위험의 상태

하인리히의 법칙

> 재해 발생＝물적 불안전 상태＋인적 불안전 행위＋α
> ＝설비적 결함＋관리적 결함＋α

여기서, α : 잠재된 위험의 상태(potential)＝재해

15 안전인증 절연장갑에 안전인증 표시 외에 추가로 표시하여야 하는 등급별 색상의 연결로 옳은 것은?(단, 고용노동부 고시를 기준으로 한다.)

① 00등급 : 갈색
② 0등급 : 흰색
③ 1등급 : 노란색
④ 2등급 : 빨강색

내전압용 절연장갑의 등급

등급	최대사용전압		등급별 색상
	교류(V, 실효값)	직류(V)	
00	500	750	갈색
0	1,000	1,500	빨강색
1	7,500	11,250	흰색
2	17,000	25,500	노랑색
3	26,500	39,750	녹색
4	36,000	54,000	등색

16 생체리듬의 변화에 대한 설명으로 틀린 것은?

① 야간에는 체중이 감소한다.
② 야간에는 말초운동 기능이 저하된다.
③ 체온, 혈압, 맥박수는 주간에 상승하고 야간에 감소한다.
④ 혈액의 수분과 염분량은 주간에 증가하고 야간에 감소한다.

바이오리듬(Biorhythm)의 변화
1. 혈액의 수분, 염분량 : 주간 감소, 야간 증가
2. 체온, 혈압, 맥박수 : 주간 상승, 야간 감소
3. 야간에는 체중 감소, 소화분비액 불량, 말초신경 기능 저하, 피로의 자각 증상이 증대된다.

17 학습이론 중 자극과 반응의 이론이라 볼 수 없는 것은?

① Köhler의 통찰설(Insight Theory)
② Thorndike의 시행착오설(Trial and Error Theory)
③ Pavlov의 조건반사설(Classical Conditioning Theory)
④ Skinner의 조작적 조건화설(Operant Conditioning Theory)

학습이론

S(자극)－R(반응)이론 (행동주의 학습이론)	• 조건반사설(Pavlov) • 시행착오설(Thorndike) • 조작적 조건 형성이론(Skinner)
인지이론(형태이론)	• 통찰설(Köhler) • 장이론(Lewin) • 기호형태설(Tolman)

PART 01
PART 02
PART 03
PART 04
PART 05
PART 06
PART 07

18 토의법의 유형 중 다음에서 설명하는 것은?

> 새로운 자료나 교재를 제시하고, 문제점을 피교육자로 하여금 제기하도록 하거나 피교육자의 의견을 여러 가지 방법으로 발표하게 하고 청중과 토론자 간 활발한 의견 개진 과정을 통하여 합의를 도출해 내는 방법이다.

① 포럼
② 심포지엄
③ 자유토의
④ 패널 디스커션

해설

토의법의 종류

1. 자유토의법
   참가자가 주어진 주제에 대하여 자유로운 발표와 토의를 통하여 서로의 의견을 교환하고 상호이해력을 높이며 의견을 절충해 나가는 방법
2. 패널 디스커션(Panel Discussion)
   전문가 4~5명이 피교육자 앞에서 자유로이 토의를 하고, 그 후에 피교육자 전원이 사회자의 사회에 따라 토의하는 방법
3. 심포지엄(Symposium)
   발제자 없이 몇 사람의 전문가에 의하여 과제에 관한 견해를 발표한 뒤에 참가자로 하여금 의견이나 질문을 하게 하여 토의하는 방법
4. 포럼(Forum)
   • 사회자의 진행으로 몇 사람이 주제에 대하여 발표한 후 피교육자가 질문을 하고 토론해 나가는 방법
   • 새로운 자료나 주제를 내보이거나 발표한 후 피교육자로 하여금 문제나 의견을 제시하게 하고 다시 깊이 있게 토론해 나가는 방법
5. 버즈 세션(Buzz Session)
   6−6 회의라고도 하며, 참가자가 다수인 경우에 전원을 토의에 참가시키기 위한 방법으로 소집단을 구성하여 회의를 진행시키는 방법

19 다음 중 인간관계 관리기법에 있어 구성원 상호 간의 선호도를 기초로 집단 내부의 동태적 상호관계를 분석하는 방법으로 가장 적절한 것은?

① 소시오메트리(Sociometry)
② 그리드 훈련(Grid Training)
③ 집단역학(Group Dynamic)
④ 감수성 훈련(Sensitivity Training)

해설

소시오메트리
1. 사회 측정법으로 집단에 있어 각 구성원 사이의 견인과 배척관계를 조사하여 어떤 개인의 집단 내에서의 관계나 위치를 발견하고 평가하는 방법(집단의 인간관계를 조사하는 방법)
2. 구성원 상호 간의 선호도를 기초로 집단 내부의 동태적 상호관계를 분석하는 방법

20 사용장소에 따른 방진마스크의 등급을 구분할 때 베릴륨 등과 같이 독성이 강한 물질들을 함유한 분진 등 발생장소에 가장 적합한 등급은?

① 특급
② 1급
③ 2급
④ 3급

해설

방진마스크의 등급 및 사용장소

등급	특급	1급	2급
사용장소	• 베릴륨 등과 같이 독성이 강한 물질들을 함유한 분진 등 발생장소 • 석면 취급장소	• 특급 마스크 착용장소를 제외한 분진 등 발생장소 • 금속흄 등과 같이 열적으로 생기는 분진 등 발생장소 • 기계적으로 생기는 분진 등 발생장소(규소 등과 같이 2급 방진마스크를 착용하여도 무방한 경우는 제외)	• 특급 및 1급 마스크 착용장소를 제외한 분진 등 발생장소

배기밸브가 없는 안면부여과식 마스크는 특급 및 1급 장소에 사용해서는 안 된다.

2과목 인간공학 및 위험성 평가·관리

21 산업안전보건기준에 관한 규칙상 "강렬한 소음작업"에 해당하지 않는 것은?

① 85데시벨 이상의 소음이 1일 8시간 이상 발생하는 작업
② 90데시벨 이상의 소음이 1일 8시간 이상 발생하는 작업
③ 95데시벨 이상의 소음이 1일 4시간 이상 발생하는 작업
④ 100데시벨 이상의 소음이 1일 2시간 이상 발생하는 작업

01 PART
02 PART
03 PART
04 PART
05 PART
06 PART
07 PART

해설

강렬한 소음작업
1. 90데시벨 이상의 소음이 1일 8시간 이상 발생하는 작업
2. 95데시벨 이상의 소음이 1일 4시간 이상 발생하는 작업
3. 100데시벨 이상의 소음이 1일 2시간 이상 발생하는 작업
4. 105데시벨 이상의 소음이 1일 1시간 이상 발생하는 작업
5. 110데시벨 이상의 소음이 1일 30분 이상 발생하는 작업
6. 115데시벨 이상의 소음이 1일 15분 이상 발생하는 작업

22 컷셋(Cut Sets)과 최소 패스셋(Minimal Path Sets)의 정의로 옳은 것은?

① 컷셋은 시스템 고장을 유발시키는 필요 최소한의 고장들의 집합이며, 최소 패스셋은 시스템의 신뢰성을 표시한다.
② 컷셋은 시스템 고장을 유발시키는 기본고장들의 집합이며, 최소 패스셋은 시스템의 불신뢰도를 표시한다.
③ 컷셋은 그 속에 포함되어 있는 모든 기본사상이 일어났을 때 정상사상을 일으키는 기본사상의 집합이며, 최소 패스셋은 시스템의 신뢰성을 표시한다.
④ 컷셋은 그 속에 포함되어 있는 모든 기본사상이 일어났을 때 정상사상을 일으키는 기본사상의 집합이며, 최소 패스셋은 시스템의 성공을 유발하는 기본사상의 집합이다.

해설

컷셋과 패스셋

컷셋 (Cut Set)	정상사상을 발생시키는 기본사상의 집합으로 그 안에 포함되는 모든 기본사상이 발생할 때 정상사상을 발생시킬 수 있는 기본사상의 집합
패스셋 (Path Set)	그 안에 포함되는 모든 기본사상이 일어나지 않을 때 처음으로 정상사상이 일어나지 않는 기본사상의 집합, 즉 시스템이 고장나지 않도록 하는 사상의 조합이다.
미니멀 컷셋 (Minimal Cut Set)	컷셋의 집합 중에서 정상사상을 일으키기 위하여 필요한 최소한의 컷셋을 미니멀 컷셋이라 한다.
미니멀 패스셋 (Minimal Path Set)	미니멀 패스셋은 정상사상이 일어나지 않기 위한 필요한 최소한의 것을 말하며, 시스템의 신뢰성을 나타내는 것이다.

23 FTA에서 사용하는 수정게이트의 종류 중 3개의 입력현상 중 2개가 발생한 경우에 출력이 생기는 경우는?

① 위험지속기호
② 조합 AND 게이트
③ 배타적 OR 게이트
④ 억제 게이트

해설

게이트
1. 위험지속기호
   입력사상이 발생하여 어떤 일정한 시간이 지속될 때에 출력이 생긴다. 만약 지속되지 않으면 출력은 생기지 않는다.
2. 조합 AND 게이트
   3개 이상의 입력사상 중 어느 것이나 2개가 일어나면 출력이 생긴다.
3. 배타적 OR 게이트
   OR 게이트이지만 2개 또는 그 이상의 입력이 동시에 존재하는 경우에는 출력이 생기지 않는다.
4. 억제 게이트
   입력사상 중 어느 것이나 이 게이트로 나타내는 조건이 만족하는 경우에만 출력사상이 발생한다. (조건부확률)

24 인간 – 기계 시스템에서 시스템의 설계를 다음과 같이 구분할 때 제3단계인 기본설계에 해당되지 않는 것은?

- 1단계 : 시스템의 목표와 성능 명세 결정
- 2단계 : 시스템의 정의
- 3단계 : 기본설계
- 4단계 : 인터페이스 설계
- 5단계 : 보조물 설계
- 6단계 : 시험 및 평가

① 화면 설계   ② 작업 설계
③ 직무 분석   ④ 기능 할당

해설

인간 – 기계 체계 설계의 기본단계 순서
1. 제1단계 : 목표 및 성능 명세 결정
   체계가 설계되기 전에 우선 그 목적이나 존재 이유가 있어야 한다.
2. 제2단계 : 시스템(체계)의 정의
   어떤 체계(특히 복잡한 것)의 경우에 있어서는 목적을 달성하기 위해서 특정 기본적인 기능(임무)들이 수행되어야 한다.

3. 제3단계 : 기본설계

주요 인간공학 활동은 ㉠ 인간, 하드웨어, 소프트웨어에 기능 할당, ㉡ 인간 성능 요건 명세, ㉢ 직무 분석, ㉣ 작업 설계가 있다.

4. 제4단계 : 인터페이스(계면) 설계

인간 – 기계 체계에서 인간과 기계가 만나는 면(面)을 계면이라고 한다.

5. 제5단계 : 촉진물 설계

촉진물 설계 단계의 주 초점은 만족스러운 인간 성능을 증진시킬 보조물에 대해 설계하는 것이다.

6. 제6단계 : 시험 및 평가

체계 개발의 산물(기기, 절차 및 요원)이 계획된 대로 작동하는지 알아보기 위해 산물(産物)들을 측정하는 것이다.

25 손이나 특정 신체부위에 발생하는 누적손상장애(CTD)의 발생인자와 가장 거리가 먼 것은?

① 무리한 힘
② 다습한 환경
③ 장시간의 진동
④ 반복도가 높은 작업

해설

근골격계 질환

1. 반복적인 동작, 부적절한 작업자세, 무리한 힘의 사용, 날카로운 면과의 신체접촉, 진동 및 온도 등의 요인에 의하여 발생하는 건강장해로서 목, 어깨, 허리, 팔·다리의 신경·근육 및 그 주변 신체조직 등에 나타나는 질환을 말한다.

2. 유사용어로는 누적 외상성 질환(CTDs), 반복성 긴장 상해 등이 있다.

26 어떠한 신호가 전달하려는 내용과 연관성이 있어야 하는 것으로 정의되며, 예로써 위험신호는 빨간색, 주의신호는 노란색, 안전신호는 파란색으로 표시하는 것은 다음 중 어떠한 양립성(Compatibility)에 해당하는가?

① 공간양립성
② 개념양립성
③ 동작양립성
④ 형식양립성

해설

양립성의 종류

공간 (Spatial) 양립성	• 물리적 형태나 공간적인 배치가 사용자의 기대와 일치하는 것 • 표시장치와 이에 대응하는 조종장치 간의 위치 또는 배열이 인간의 기대와 모순되지 않아야 한다. • 가스버너에서 오른쪽 조리대는 오른쪽 조절장치로, 왼쪽 조리대는 왼쪽 조절장치로 조정하도록 배치한다.
운동 (Movement) 양립성	• 조작장치의 방향과 표시장치의 움직이는 방향이 사용자의 기대와 일치하는 것 • 자동차를 운전하는 과정에서 우측으로 회전하기 위하여 핸들을 우측으로 돌린다.
개념 (Conceptual) 양립성	• 사람들이 가지고 있는(이미 사람들이 학습을 통해 알고 있는) 개념적 연상에 관한 기대와 일치하는 것 • 냉온수기에서 빨간색은 온수, 파란색은 냉수가 나온다.
양식 (Modality) 양립성	• 직무에 알맞은 자극과 응답의 양식의 존재에 대한 양립성 • 음성과업에 대해서는 청각적 자극 제시와 이에 대한 음성 응답 등에 해당 • 기계가 특정 음성에 대해 정해진 반응을 하는 경우에 해당 • 소리로 제시된 정보는 말로 반응케 하는 것이, 시각적으로 제시된 정보는 손으로 반응하는 것이 양립성이 높다.

27 다음 중 인체와 환경 사이에서 발생하는 열교환 작용의 교환경로와 가장 거리가 먼 것은?

① 대류
② 복사
③ 증발
④ 분자량

해설

열균형 방정식

인간과 주위와의 열교환 과정은 다음과 같은 열균형 방정식으로 나타낼 수 있다.

$$S(\text{열축적}) = M(\text{대사}) - E(\text{증발}) \pm R(\text{복사}) \pm C(\text{대류}) - W(\text{한 일})$$

여기서, S는 열이득 및 열손실량이며 열평형 상태에서는 0이 된다.

28 태양광선이 내리쬐는 옥외장소의 자연습구온도 20℃, 흑구온도 18℃, 건구온도 30℃일 때 습구흑구온도지수(WBGT)는?

① 20.6℃
② 22.5℃
③ 25.0℃
④ 28.5℃

옥외장소(태양광선이 내리쬐는 장소)

$$WBGT(℃) = 0.7 × 자연습구온도 + 0.2 × 흑구온도 + 0.1 × 건구온도$$

$$WBGT(℃) = 0.7 × 20 + 0.2 × 18 + 0.1 × 30 = 20.6℃$$

TIP 옥내 또는 옥외장소(태양광선이 내리쬐지 않는 장소)

$$WBGT(℃) = 0.7 × 자연습구온도 + 0.3 × 흑구온도$$

29 경보사이렌으로부터 10m 떨어진 음압수준이 140 dB이면 100m 떨어진 곳에서 음의 강도는 얼마인가?

① 100dB
② 110dB
③ 120dB
④ 140dB

해설

거리에 따른 음의 강도 변화

$$dB_2 = dB_1 - 20\log\left(\frac{d_2}{d_1}\right)$$

여기서, dB_1 : 음원으로부터 d_1 떨어진 지점의 음압수준
dB_2 : 음원으로부터 d_2 떨어진 지점의 음압수준

$$dB_2 = dB_1 - 20\log\left(\frac{d_2}{d_1}\right) = 140 - 20\log\left(\frac{100}{10}\right) = 120(dB)$$

30 작업자가 계기판의 수치를 읽고 판단하여 밸브를 잠그는 작업을 수행한다고 할 때, 다음 중 이 작업자의 실수 확률을 예측하는 데 가장 적합한 기법은?

① THERP
② FMEA
③ OSHA
④ MORT

해설

인간과오율 예측기법(THERP : Technique for Human Error Rate Prediction)
1. 사고원인 가운데 인간의 과오나 기인된 원인분석, 확률을 계산함으로써 제품의 결함을 감소시키고, 인간공학적 대책을 수립하는 데 사용되는 분석기법
2. 인간의 과오(Human Error)를 정량적으로 평가하기 위해 개발된 기법(Swain 등에 의해 개발된 인간과오율 예측기법)

31 프레스에 설치된 안전장치의 수명은 지수분포를 따르며 평균수명은 100시간이다. 새로 구입한 안전장치가 50시간 동안 고장 없이 작동할 확률(A)과 이미 100시간을 사용한 안전장치가 앞으로 100시간 이상 견딜 확률(B)은 약 얼마인가?

① A : 0.368, B : 0.368
② A : 0.607, B : 0.368
③ A : 0.368, B : 0.607
④ A : 0.607, B : 0.607

해설

1. 평균고장시간 t_0인 요소가 t시간 고장을 일으키지 않을 확률(고장 없이 정상 작동할 확률)

$$R(t) = e^{-\frac{t}{t_0}} = e^{-\lambda t} = e^{-\frac{t}{MTBF}}$$

2. 계산
   - A : 평균 수명은 100시간이다. 새로 구입한 안전장치가 향후 50시간 동안 고장 없이 작동할 확률

   $$R(t) = e^{-\frac{t}{MTBF}} = e^{-\frac{50}{100}} = 0.607$$

   - B : 이미 100시간을 사용한 안전장치가 앞으로 100시간 이상 견딜 확률

   $$R(t) = e^{-\frac{t}{MTBF}} = e^{-\frac{100}{100}} = 0.368$$

32 근골격계부담작업의 범위 및 유해요인조사 방법에 관한 고시상 근골격계부담작업에 해당하지 않는 것은?(단, 상시작업을 기준으로 한다.)

① 하루에 10회 이상 25kg 이상의 물체를 드는 작업
② 하루에 총 2시간 이상 쪼그리고 앉거나 무릎을 굽힌 자세에서 이루어지는 작업
③ 하루에 총 2시간 이상 시간당 5회 이상 손 또는 무릎을 사용하여 반복적으로 충격을 가하는 작업
④ 하루에 4시간 이상 집중적으로 자료입력 등을 위해 키보드 또는 마우스를 조작하는 작업

해설

근골격계부담작업의 범위
1. 하루에 4시간 이상 집중적으로 자료입력 등을 위해 키보드 또는 마우스를 조작하는 작업
2. 하루에 총 2시간 이상 목, 어깨, 팔꿈치, 손목 또는 손을 사용하여 같은 동작을 반복하는 작업

3. 하루에 총 2시간 이상 머리 위에 손이 있거나, 팔꿈치가 어깨 위에 있거나, 팔꿈치를 몸통으로부터 들거나, 팔꿈치를 몸통 뒤쪽에 위치하도록 하는 상태에서 이루어지는 작업
4. 지지되지 않은 상태이거나 임의로 자세를 바꿀 수 없는 조건에서, 하루에 총 2시간 이상 목이나 허리를 구부리거나 트는 상태에서 이루어지는 작업
5. 하루에 총 2시간 이상 쪼그리고 앉거나 무릎을 굽힌 자세에서 이루어지는 작업
6. 하루에 총 2시간 이상 지지되지 않은 상태에서 1kg 이상의 물건을 한 손의 손가락으로 집어 옮기거나, 2kg 이상에 상응하는 힘을 가하여 한 손의 손가락으로 물건을 쥐는 작업
7. 하루에 총 2시간 이상 지지되지 않은 상태에서 4.5kg 이상의 물건을 한 손으로 들거나 동일한 힘으로 쥐는 작업
8. 하루에 10회 이상 25kg 이상의 물체를 드는 작업
9. 하루에 25회 이상 10kg 이상의 물체를 무릎 아래에서 들거나, 어깨 위에서 들거나, 팔을 뻗은 상태에서 드는 작업
10. 하루에 총 2시간 이상, 분당 2회 이상 4.5kg 이상의 물체를 드는 작업
11. 하루에 총 2시간 이상 시간당 10회 이상 손 또는 무릎을 사용하여 반복적으로 충격을 가하는 작업

33 비상통로에 적용할 인체 측정 자료의 설계원칙으로 가장 적합한 것은?

① 조절식 설계
② 극단치를 이용한 설계
③ 구조적 치수 기준의 설계
④ 평균치를 기준으로 한 설계

해설

인체 계측 자료의 응용원칙 사례
1. 극단치를 이용한 설계
   • 최대 집단치 설계 : 출입문, 탈출구의 크기, 통로, 그네, 줄사다리, 버스 내 승객용 좌석 간 거리, 위험구역 울타리 등
   • 최소 집단치 설계 : 선반의 높이, 조종 장치까지의 거리, 비상벨의 위치 설계 등
2. 조절 가능한 설계
   자동차 좌석의 전후 조절, 사무실 의자의 상하 조절, 책상 높이 등
3. 평균치를 이용한 설계
   가게나 은행의 계산대, 식당 테이블, 출근버스 손잡이 높이, 안내 데스크, 공원의 벤치 등

34 시각장치와 비교하여 청각장치 사용이 유리한 경우는?

① 메시지가 길 때
② 메시지가 복잡할 때
③ 정보 전달 장소가 너무 소란할 때
④ 메시지에 대한 즉각적인 반응이 필요할 때

해설

청각장치와 시각장치의 비교

청각적 표시장치	• 전언이 간단하다. • 전언이 짧다. • 전언이 후에 재참조되지 않는다. • 전언이 시간적 사상을 다룬다. • 전언이 즉각적인 행동을 요구한다.(긴급할 때) • 수신장소가 너무 밝거나 암조응 유지 필요시 • 직무상 수신자가 자주 움직일 때 • 수신자의 시각계통이 과부하 상태일 때
시각적 표시장치	• 전언이 복잡하다. • 전언이 길다. • 전언이 후에 재참조된다. • 전언이 공간적인 위치를 다룬다. • 전언이 즉각적인 행동을 요구하지 않는다. • 수신장소가 너무 시끄러울 때 • 직무상 수신자가 한곳에 머물 때 • 수신자의 청각계통이 과부하 상태일 때

35 동작경제의 원칙에 해당하지 않는 것은?

① 공구의 기능을 각각 분리하여 사용하도록 한다.
② 두 팔의 동작은 동시에 서로 반대방향으로 대칭적으로 움직이도록 한다.
③ 공구나 재료는 작업동작이 원활하게 수행되도록 그 위치를 정해준다.
④ 가능하다면 쉽고도 자연스러운 리듬이 작업동작에 생기도록 작업을 배치한다.

동작경제의 원칙

신체 사용에 관한 원칙	• 두손의 동작은 같이 시작하고 같이 끝나도록 한다. • 휴식시간을 제외하고는 양손이 같이 쉬지 않도록 한다. • 두 팔의 동작은 서로 반대방향으로 대칭적으로 움직인다. • 가능한 한 관성을 이용하여 작업을 하도록 하되, 작업자가 관성을 억제하여야 하는 경우에는 발생되는 관성을 최소한도로 줄인다. • 손의 동작은 유연하고 연속적인 동작이 되도록 하며, 방향이 갑자기 크게 바뀌는 모양의 직선동작은 피하도록 한다. • 가능하다면 쉽고도 자연스러운 리듬이 작업동작에 생기도록 작업을 배치한다.
작업장 배치에 관한 원칙	• 모든 공구나 재료는 자기 위치에 있도록 한다. • 공구, 재료 및 제어장치는 사용위치에 가까이 두도록 한다. • 중력을 이용한 부품상자나 용기를 이용하여 부품을 제품 사용위치에 가까이 보낼 수 있도록 한다. • 가능하다면 낙하시키는 운반방법을 사용하라. • 공구 및 재료는 동작에 가장 편리한 순서로 배치하여야 한다. • 작업자가 작업 중 자세를 변경, 즉 앉거나 서는 것을 임의로 할 수 있도록 작업대와 의자 높이가 조정되도록 한다.
공구 및 설비 디자인에 관한 원칙	• 공구의 기능은 결합하여서 사용하도록 한다. • 공구와 자재는 가능한 한 사용하기 쉽도록 미리 위치를 잡아준다.

36 다음 설명에 해당하는 설비보전방식의 유형은?

설비보전 정보와 신기술을 기초로 신뢰성, 조작성, 보전성, 안전성, 경제성 등이 우수한 설비의 선정, 조달 또는 설계를 통하여 궁극적으로 설비의 설계, 제작 단계에서 보전활동이 불필요한 체제를 목표로 한 설비보전 방법을 말한다.

① 개량보전　　　　② 보전예방
③ 사후보전　　　　④ 일상보전

설비의 보전

개량보전	설비의 고장이 일어나지 않도록 혹은 보전이나 수리가 쉽도록 설비를 개량하는 방법이다.
보전예방	새로운 설비를 계획·설계하는 단계에서 설비보전 정보나 새로운 기술을 기초로 신뢰성, 보전성, 경제성, 조작성, 안전성 등을 고려하여 보전비나 열화 손실을 적게 하는 활동을 말하며, 궁극적으로는 보전활동이 가급적 필요하지 않도록 하는 것을 목표로 하는 설비보전 방법이다.
사후보전	고장정지 또는 유해한 성능저하를 초래한 뒤 수리를 하는 보전 방법으로 기계설비가 고장을 일으키거나 파손되었을 때 신속히 교체 또는 보수하는 것을 지칭한다.
일상보전	설비의 열화를 방지하고 그 진행을 지연시켜 수명을 연장하기 위한 목적으로 설비의 점검, 청소, 주유 및 교체 등의 활동을 위한 보전 방법이다.

37 다음의 각 단계를 결함수분석법(FTA)에 의한 재해사례의 연구 순서대로 나열한 것은?

ㄱ 정상사상의 선정
ㄴ FT도 작성 및 분석
ㄷ 개선 계획의 작성
ㄹ 각 사상의 재해원인 규명

① ㄱ → ㄴ → ㄷ → ㄹ
② ㄱ → ㄹ → ㄷ → ㄴ
③ ㄱ → ㄷ → ㄴ → ㄹ
④ ㄱ → ㄹ → ㄴ → ㄷ

FTA에 의한 재해사례의 연구 순서
1. 제1단계 : 톱사상(정상사상)의 선정
2. 제2단계 : 각 사상의 재해원인 규명
3. 제3단계 : FT도의 작성
4. 제4단계 : 개선 계획의 작성

38 컴퓨터 스크린 상에 있는 버튼을 선택하기 위해 커서를 이동시키는 데 걸리는 시간을 예측하는 가장 적합한 법칙은?

① Fitts의 법칙　　　② Lewin의 법칙
③ Hick의 법칙　　　④ Weber의 법칙

핏츠(Fitts)의 법칙
1. 인간의 손이나 발을 이동시켜 조작장치를 조작하는 데 걸리는 시간을 표적까지의 거리와 표적 크기의 함수로 나타내는 모형이다.
2. 인간의 행동에 대해 속도와 정확성 간의 관계를 설명하는 기본적인 법칙을 나타낸다.
3. 목표물의 크기가 작아질수록 속도와 정확도가 나빠지고 목표물과의 거리가 멀어질수록 필요한 시간이 더 길어진다.

39 인간 에러(Human Error)에 관한 설명으로 틀린 것은?

① Omission Error : 필요한 작업 또는 절차를 수행하지 않는 데 기인한 에러
② Commission Error : 필요한 작업 또는 절차의 수행 지연으로 인한 에러
③ Extraneous Error : 불필요한 작업 또는 절차를 수행함으로써 기인한 에러
④ Sequential Error : 필요한 작업 또는 절차의 순서 착오로 인한 에러

해설

인간실수의 분류(심리적인 분류)

생략에러 (Omission Error, 부작위 실수)	필요한 직무 및 절차를 수행하지 않아(생략) 발생하는 에러 예 가스밸브를 잠그는 것을 잊어 사고가 났다.
작위에러 (Commission Error, 실행에러)	• 필요한 작업 또는 절차의 불확실한 수행(잘못 수행)으로 인한 에러 • 넓은 의미로 선택착오, 순서착오, 시간착오, 정성적 착오를 포함한다. 예 전선이 바뀌었다, 틀린 부품을 사용하였다, 부품이 거꾸로 조립되었다 등
순서에러 (Sequential Error)	필요한 작업 또는 절차의 순서 착오로 인한 에러 예 자동차 출발 시 핸드브레이크를 해제하지 않고 출발하여 발생한 에러
시간에러 (Time Error)	필요한 직무 또는 절차의 수행지연으로 인한 에러 예 프레스 작업 중에 금형 내에 손이 오랫동안 남아 있어 발생한 재해
과잉행동에러 (Extraneous Error, 불필요한 행동에러)	불필요한 작업 또는 절차를 수행함으로써 기인한 에러 예 자동차 운전 중 습관적으로 손을 창문으로 내밀어 발생한 재해

40 '화재 발생'이라는 시작(초기) 사상에 대하여, 화재감지기, 화재경보, 스프링클러 등의 성공 또는 실패 작동 여부와 그 확률에 따른 피해 결과를 분석하는 데 가장 적합한 위험 분석기법은?

① FTA
② ETA
③ FHA
④ THERP

해설

사건수 분석(ETA)
초기 사건으로 알려진 특정한 장치의 이상 또는 운전자의 실수에 의해 발생되는 잠재적인 사고결과를 정량적으로 평가·분석하는 방법을 말한다.

3과목 기계·기구 및 설비 안전 관리

41 회전하는 동작부분과 고정부분이 함께 만드는 위험점으로 주로 연삭숫돌과 작업대, 교반기의 교반날개와 몸체 사이에서 형성되는 위험점은?

① 협착점
② 절단점
③ 물림점
④ 끼임점

해설

기계운동 형태에 따른 위험점 분류

협착점	왕복운동을 하는 운동부와 움직임이 없는 고정부 사이에서 형성되는 위험점(고정점+운동점)	• 프레스 • 전단기 • 성형기 • 조형기 • 밴딩기 • 인쇄기
끼임점	회전운동하는 부분과 고정부 사이에 위험이 형성되는 위험점(고정점 + 회전운동)	• 연삭숫돌과 작업대 • 반복동작되는 링크기구 • 교반기의 날개와 몸체 사이 • 회전풀리와 벨트
절단점	회전하는 운동부 자체의 위험이나 운동하는 기계부분 자체의 위험에서 형성되는 위험점(회전운동 + 기계)	• 밀링커터 • 둥근 톱의 톱날 • 목공용 띠톱 날
물림점	회전하는 두 개의 회전체에 형성되는 위험점(서로 반대방향의 회전체) (중심점 + 반대방향의 회전운동)	• 기어와 기어의 물림 • 롤러와 롤러의 물림 • 롤러분쇄기
접선 물림점	회전하는 부분의 접선방향으로 물려들어갈 위험이 있는 위험점	• V벨트와 풀리 • 랙과 피니언 • 체인벨트 • 평벨트

회전 말림점	회전하는 물체의 길이, 굵 기, 속도 등의 불규칙 부위 와 돌기 회전부위에 의해 장 갑 또는 작업복 등이 말려들 위험이 있는 위험점	• 회전하는 축 • 커플링 • 회전하는 드릴

대상 기계 · 기구	방호조치
포장기계(진공포장기, 래핑기로 한정)	구동부 방호 연동장치

42 기계설비의 안전조건인 구조의 안전화와 거리가 가장 먼 것은?

① 전압 강하에 따른 오동작 방지
② 재료의 결함 방지
③ 설계상의 결함 방지
④ 가공의 결함 방지

해설

구조상의 안전화

설계상의 결함	• 가장 큰 원인은 강도산정(부하예측, 강도계산)상 의 오류 • 사용상 강도의 열화를 고려하여 안전율을 산정
재료의 결함	기계 재료 자체에 균열, 부식, 강도 저하 등 결함이 있으므로 설계 시 재료의 선택에 유의하여야 한다.
가공의 결함	재료 가공 도중 결함이 생길 수 있으므로 기계적 특 성을 갖는 적절한 열처리 등이 필요하다.

43 산업안전보건법령상 유해 · 위험 방지를 위한 방호조치를 하지 아니하고는 양도, 대여, 설치 또는 사용에 제공하거나, 양도 · 대여를 목적으로 진열해서는 아니 되는 기계 · 기구가 아닌 것은?

① 예초기 ② 지게차
③ 금속절단기 ④ 금속탐지기

해설

유해하거나 위험한 기계 · 기구에 대한 방호조치
동력으로 작동하는 기계 · 기구로서 유해 · 위험 방지를 위한 방호조치를 하지 아니하고는 양도, 대여, 설치 또는 사용에 제공하거나, 양도 · 대여를 목적으로 진열해서는 아니 되는 기계 · 기구는 다음과 같다.

대상 기계 · 기구	방호조치
예초기	날접촉 예방장치
원심기	회전체 접촉 예방장치
공기압축기	압력방출장치
금속절단기	날접촉 예방장치
지게차	헤드가드, 백레스트, 전조등, 후미등, 안전벨트

44 연강의 인장강도가 420MPa이고, 허용응력이 140MPa이라면 안전율은?

① 1 ② 2
③ 3 ④ 4

해설

안전율(안전계수)

$$\text{안전율(안전계수)} = \frac{\text{인장강도}}{\text{허용응력}}$$

$$\text{안전율} = \frac{\text{인장강도}}{\text{허용응력}} = \frac{420}{140} = 3$$

45 선반에서 일감의 길이가 지름에 비하여 상당히 길 때 사용하는 부속품에서 절삭 시 절삭저항에 의한 일감의 진동을 방지하는 장치는?

① 칩 브레이커 ② 척 커버
③ 방진구 ④ 실드

해설

방진구
1. 가공물의 길이가 외경에 비해 가늘고 긴 공작물을 가공할 경우 자중 및 절삭력으로 인하여 휘거나 처짐, 진동을 방지하기 위하여 사용하는 기구로 고정식과 이동식 방진구가 있다.
2. 가공물의 길이가 직경의 12배 이상일 때는 반드시 방진구를 사용하여야 한다.

46 다음 설명에 해당하는 기계는?

• Chip이 가늘고 예리하여 손을 잘 다치게 한다.
• 주로 평면공작물을 절삭 가공하나, 더브테일 가공이나 나사 가공 등의 복잡한 가공도 가능하다.
• 장갑은 착용을 금하고, 보안경을 착용해야 한다.

① 선반 ② 호빙 머신
③ 연삭기 ④ 밀링

밀링 머신

1. 공작물을 고정하고 많은 날을 가진 밀링커터를 회전시켜 테이블 위에 고정한 공작물을 이송하여 절삭하는 공작기계이다.
2. 주로 평면공작물을 절삭가공하나, 더브테일 가공이나 나사가공 등의 복잡한 가공도 가능하다.
3. 공작기계 중 칩(Chip)이 가장 가늘고 예리하여 손을 잘 다치게 한다.

47 산업안전보건법령상 아세틸렌 용접장치의 아세틸렌 발생기실을 설치하는 경우 준수하여야 하는 사항으로 옳은 것은?

① 벽은 가연성 재료로 하고 철근 콘크리트 또는 그 밖에 이와 동등하거나 그 이상의 강도를 가진 구조로 할 것
② 바닥면적의 16분의 1 이상의 단면적을 가진 배기통을 옥상으로 돌출시키고 그 개구부를 창이나 출입구로부터 1.5미터 이상 떨어지도록 할 것
③ 출입구의 문은 불연성 재료로 하고 두께 1.0밀리미터 이하의 철판이나 그 밖에 그 이상의 강도를 가진 구조로 할 것
④ 발생기실을 옥외에 설치한 경우에는 그 개구부를 다른 건축물로부터 1.0미터 이내 떨어지도록 할 것

해설

발생기실의 구조

1. 벽은 불연성 재료로 하고 철근 콘크리트 또는 그 밖에 이와 같은 수준이거나 그 이상의 강도를 가진 구조로 할 것
2. 지붕과 천장에는 얇은 철판이나 가벼운 불연성 재료를 사용할 것
3. 바닥면적의 16분의 1 이상의 단면적을 가진 배기통을 옥상으로 돌출시키고 그 개구부를 창이나 출입구로부터 1.5미터 이상 떨어지도록 할 것
4. 출입구의 문은 불연성 재료로 하고 두께 1.5밀리미터 이상의 철판이나 그 밖에 그 이상의 강도를 가진 구조로 할 것
5. 벽과 발생기 사이에는 발생기의 조정 또는 카바이드 공급 등의 작업을 방해하지 않도록 간격을 확보할 것

48 산업안전보건법령상 다음 중 보일러의 방호장치와 가장 거리가 먼 것은?

① 언로드 밸브
② 압력방출장치
③ 압력제한스위치
④ 고저수위조절장치

해설

보일러 안전장치의 종류

1. 압력방출장치
2. 압력제한스위치
3. 고저수위조절장치
4. 화염검출기

49 산업안전보건법령상 지게차의 최대하중의 2배 값이 6톤일 경우 헤드가드의 강도는 몇 톤의 등분포 정하중에 견딜 수 있어야 하는가?

① 4
② 6
③ 8
④ 12

해설

지게차의 헤드가드

1. 강도는 지게차의 최대하중의 2배 값(4톤을 넘는 값에 대해서는 4톤으로 한다)의 등분포정하중에 견딜 수 있을 것
2. 상부틀의 각 개구의 폭 또는 길이가 16cm 미만일 것
3. 운전자가 앉아서 조작하거나 서서 조작하는 지게차의 헤드가드는 한국산업표준에서 정하는 높이 기준 이상일 것
   • 좌승식 : 좌석기준점으로부터 903mm 이상
   • 입승식 : 조종사가 서 있는 플랫폼으로부터 1,880mm 이상

50 다음 중 크레인의 방호장치로 가장 거리가 먼 것은?

① 권과방지장치
② 과부하방지장치
③ 비상정지장치
④ 자동보수장치

방호장치의 조정

방호장치의 조정 대상	• 크레인 • 이동식 크레인 • 리프트 • 곤돌라 • 승강기
방호장치의 종류	• 과부하방지장치 • 권과방지장치 • 비상정지장치 및 제동장치 • 그 밖의 방호장치(승강기의 파이널 리미트 스위치, 속도조절기, 출입문 인터록 등)

51 어떤 양중기에서 3,000kg의 질량을 가진 물체를 한쪽이 45°인 각도로 그림과 같이 2개의 와이어로프로 직접 들어올릴 때, 안전율이 고려된 가장 적절한 와이어로프 지름을 표에서 구하면?(단, 안전율은 산업안전보건법령을 따르고, 두 와이어로프의 지름은 동일하며, 기준을 만족하는 가장 작은 지름을 선정한다.)

45°

3,000kg

와이어로프 지름 및 절단강도

와이어로프 지름	절단강도
10mm	56kN
12mm	88kN
14mm	110kN
16mm	144kN

① 10mm   ② 12mm
③ 14mm   ④ 16mm

해설

와이어로프에 걸리는 하중계산
1. 슬링와이어로프의 한 가닥에 걸리는 하중

$$\text{하중} = \frac{\text{화물의 무게}(W_1)}{2} \div \cos\frac{\theta}{2}$$

$$\text{하중} = \frac{3,000}{2} \div \cos\frac{90°}{2} = 1,500 \div \cos 45°$$
$$= 2,121.32(\text{kg})$$
$$= 2.12(\text{ton})$$

2. 안전계수

• 안전율(안전계수) $= \dfrac{\text{파단하중}}{\text{안전하중}}$

• 파단하중 = 안전율 × 안전하중 = 5 × 2.12 = 10.6(ton)
$= 10.6 × 9.8 = 103.88\text{kN}$

3. 파단하중이 103.88(kN)으로 근사값을 표에서 구하면 110(kN)이 된다.

∴ 와이어로프 지름은 14(mm)이다.

TIP • 안전계수
화물의 하중을 직접 지지하는 달기와이어로프 또는 달기체인의 경우 : 5 이상
• 1ton = 9.8kN

52 비파괴검사 방법으로 틀린 것은?

① 인장시험   ② 음향탐상시험
③ 와류탐상시험   ④ 초음파탐상시험

해설

인장시험
인장시험은 재료에 인장력을 가해 재료의 항복점, 인장강도 등을 알 수 있는 시험으로 파괴시험에 해당한다.

TIP 비파괴검사의 종류
• 육안검사   • 누설검사
• 침투검사   • 초음파검사
• 자기탐상검사   • 음향검사
• 방사선 투과검사   • 와류탐상검사

53 와이어로프 클립(Clip) 고정법의 클립 고정방법으로 옳은 것은?

①

②

③

④

해설

클립(Clip) 고정법
클립의 새들(Saddle)은 와이어로프의 힘이 걸리는 쪽에 있어야 한다.

01 PART
02 PART
03 PART
04 PART
05 PART
06 PART
07 PART

54 1년간 80건의 재해가 발생한 A사업장은 1,000 명의 근로자가 1주일당 48시간, 1년간 52주를 근무하고 있다. A사업장의 도수율은?(단, 근로자들은 재해와 관련 없는 사유로 연간 노동시간의 3%를 결근하였다.)

① 31.06   ② 32.05
③ 33.04   ④ 34.03

해설

도수율

$$도수율 = \frac{재해\ 발생\ 건수}{연간\ 총\ 근로시간\ 수} \times 1,000,000$$

1. 출근율 $= 1 - \dfrac{3}{100} = 0.97$

2. 도수율 $= \dfrac{80}{(1,000 \times 48 \times 52) \times 0.97} \times 1,000,000 = 33.04$

55 프레스기의 방호장치 중 위치제한형 방호장치에 해당되는 것은?

① 수인식 방호장치
② 광전자식 방호장치
③ 손쳐내기식 방호장치
④ 양수조작식 방호장치

해설

위치제한형 방호장치

1. 작업자의 신체부위가 위험한계 밖에 있도록 기계의 조작장치를 위험한 작업점에서 안전거리 이상 떨어지게 하거나 조작장치를 양손으로 동시에 조작하게 함으로써 위험한계에 접근하는 것을 제한하는 방호장치

2. 프레스의 양수조작식 방호장치

TIP 기타 프레스의 방호장치	
접근 반응형 방호장치	프레스 및 전단기의 광전자식 방호장치
접근 거부형 방호장치	프레스의 수인식 · 손쳐내기식 방호장치

56 광전자식 방호장치를 설치한 프레스에서 광선을 차단한 후 0.2초 후에 슬라이드가 정지하였다. 이때 방호장치의 안전거리는 최소 몇 mm 이상이어야 하는가?

① 140   ② 200
③ 260   ④ 320

해설

광전자식 방호장치의 설치 안전거리

$$D = 1,600 \times (T_c + T_s)$$

여기서, D : 안전거리(mm)
    T_c : 방호장치의 작동시간[즉, 손이 광선을 차단했을 때부터 급정지기구가 작동을 개시할 때까지의 시간(초)]
    T_s : 프레스 등의 최대정지시간[즉, 급정지기구가 작동을 개시했을 때부터 슬라이드 등이 정지할 때까지의 시간(초)]

1. $(T_c + T_s) =$ 급정지시간(초)
2. $D = 1,600 \times 0.2 = 320$(mm)

57 크레인, 리프트 및 곤돌라는 사업장에 설치가 끝난 날부터 몇 년 이내에 최초의 안전검사를 실시해야 하는가?(단, 이동식 크레인, 이삿짐운반용 리프트는 제외한다.)

① 1년   ② 2년
③ 3년   ④ 4년

해설

안전검사의 주기

크레인(이동식 크레인 제외), 리프트(이삿짐운반용 리프트 제외) 및 곤돌라	사업장에 설치가 끝난 날부터 3년 이내에 최초 안전검사를 실시하되, 그 이후부터 2년마다(건설현장에서 사용하는 것은 최초로 설치한 날부터 6개월마다)
이동식 크레인, 이삿짐운반용 리프트 및 고소작업대	자동차관리법에 따른 신규등록 이후 3년 이내에 최초 안전검사를 실시하되, 그 이후부터 2년마다
프레스, 전단기, 압력용기, 국소 배기장치, 원심기, 롤러기, 사출성형기, 컨베이어, 산업용 로봇, 혼합기, 파쇄기 또는 분쇄기	사업장에 설치가 끝난 날부터 3년 이내에 최초 안전검사를 실시하되, 그 이후부터 2년마다(공정안전보고서를 제출하여 확인을 받은 압력용기는 4년마다)

58 재해조사의 목적과 가장 거리가 먼 것은?

① 재해예방 자료수집

② 재해 관련 책임자 문책

③ 동종 및 유사재해 재발방지

④ 재해발생 원인 및 결함 규명

재해조사의 목적
재해원인과 결함을 규명하고 예방자료를 수집하여 동종 재해 및 유사재해의 재발 방지 대책을 강구하는 데 목적이 있다.
1. 재해발생 원인 및 결함 규명
2. 재해예방 자료수집
3. 동종 및 유사재해 재발방지

59 연삭기에서 숫돌의 바깥지름이 150mm일 경우 평형플랜지 지름은 몇 mm 이상이어야 하는가?

① 30
② 50
③ 60
④ 90

플랜지의 지름
플랜지의 지름은 숫돌 지름의 1/3 이상인 것을 사용하며 양쪽 모두 같은 크기로 한다.

$$\text{플랜지의 지름} = \text{숫돌 지름} \times \frac{1}{3}$$

$$\text{플랜지의 지름} = \text{숫돌 지름} \times \frac{1}{3} = 150 \times \frac{1}{3} = 50(\text{mm})$$

60 산업안전보건법령상 로봇의 작동범위 내에서 그 로봇에 관하여 교시 등 작업을 행하는 때 작업시작 전 점검 사항으로 옳은 것은?(단, 로봇의 동력원을 차단하고 행하는 것은 제외한다.)

① 과부하방지장치의 이상 유무

② 압력제한 스위치의 이상 유무

③ 외부 전선의 피복 또는 외장의 손상 유무

④ 권과방지장치의 이상 유무

작업시작 전 점검사항
로봇의 작동 범위에서 그 로봇에 관하여 교시 등(로봇의 동력원을 차단하고 하는 것은 제외한다)의 작업을 할 때
1. 외부 전선의 피복 또는 외장의 손상 유무
2. 매니퓰레이터(Manipulator) 작동의 이상 유무
3. 제동장치 및 비상정지장치의 기능

4과목 전기설비 안전관리

61 가수전류(Let-go Current)에 대한 설명으로 옳은 것은?

① 마이크 사용 중 전격으로 사망에 이른 전류

② 전격을 일으킨 전류가 교류인지 직류인지 구별할 수 없는 전류

③ 충전부로부터 인체가 자력으로 이탈할 수 있는 전류

④ 몸이 물에 젖어 전압이 낮은 데도 전격을 일으킨 전류

통전전류에 따른 인체의 영향

분류	인체에 미치는 전류의 영향	통전전류
최소감지전류	전류의 흐름을 느낄 수 있는 최소전류	상용주파수 60Hz에서 성인남자 1mA
고통한계전류	고통을 참을 수 있는 한계 전류	상용주파수 60Hz에서 성인남자 7~8mA
가수전류 (이탈전류, 마비한계전류)	인체가 자력으로 이탈할 수 있는 전류	상용주파수 60Hz에서 성인남자 10~15mA
불수전류	신경이 마비되고 신체를 움직일 수 없으며 말을 할 수 없는 상태(인체가 충전부에 접촉하여 감전되었을 때 자력으로 이탈할 수 없는 상태의 전류)	상용주파수 60Hz에서 성인남자 15~50mA
심실세동전류 (치사전류)	심장의 맥동에 영향을 주어 심장마비 상태를 유발하여 수분 이내에 사망	$I = \dfrac{165}{\sqrt{T}}[\text{mA}]$ 일반적으로 50~100mA

01 PART
02 PART
03 PART
04 PART
05 PART
06 PART
07 PART

62 교류 아크 용접기의 전격방지장치에서 시동감도를 바르게 정의한 것은?

① 용접봉을 모재에 접촉시켜 아크를 발생시킬 때 전격방지장치가 동작할 수 있는 용접기의 2차측 최대 저항을 말한다.

② 안전전압(24V 이하)이 2차측 전압(85～95V)으로 얼마나 빨리 전환되는가 하는 것을 말한다.

③ 용접봉을 모재로부터 분리시킨 후 주접점이 개로되어 용접기의 2차측 전압이 무부하전압(25V 이하)으로 될 때까지의 시간을 말한다.

④ 용접봉에서 아크를 발생시키고 있을 때 누설전류가 발생하면 전격방지 장치를 작동시켜야 할지 운전을 계속해야 할지를 결정해야 하는 민감도를 말한다.

> **해설**
>
> 시동감도
> 1. 용접봉을 모재에 접촉시켜 아크를 발생시킬 때 전격방지장치가 작동할 수 있는 용접기의 2차측 최대저항, 즉 용접봉과 모재 사이의 접촉저항을 말한다.
> 2. 시동감도가 클수록 아크 발생이 쉽고 검정규격상 500Ω이 상한치이다.

63 정전기의 유동대전에 가장 크게 영향을 미치는 요인은?

① 액체의 밀도
② 액체의 유동속도
③ 액체의 접촉면적
④ 액체의 분출온도

> **해설**
>
> 유동대전
> 1. 액체류를 파이프 등으로 수송할 때 액체류가 파이프 등과 접촉하여 두 물질의 경계에 전기 2중층이 형성되어 정전기가 발생한다.
> 2. 액체류의 유동속도가 정전기 발생에 큰 영향을 준다.
> 3. 파이프 속에 저항이 높은 액체가 흐를 때 발생한다.

64 인체에 전격을 당하였을 경우 만약 통전시간이 1초간 걸렸다면 1,000명 중 5명이 심실세동을 일으킬 수 있는 전류치는 얼마인가?

① 165mA
② 105mA
③ 50mA
④ 0.5A

> **해설**
>
> 심실세동 전류
>
> $$I = \frac{165}{\sqrt{T}}[\text{mA}]$$
>
> 여기서, I : 심실세동전류, T : 통전시간(sec)
> 전류 I는 1,000명 중 5명 정도가 심실세동을 일으키는 값
>
> $I = \frac{165}{\sqrt{T}}[\text{mA}] = \frac{165}{\sqrt{1}} = 165[\text{mA}]$

65 전기기계 · 기구에 설치되어 있는 감전방지용 누전차단기의 정격감도전류 및 작동시간으로 옳은 것은?(단, 정격전부하전류가 50A 미만이다.)

① 15mA 이하, 0.1초 이내

② 30mA 이하, 0.03초 이내

③ 50mA 이하, 0.5초 이내

④ 100mA 이하, 0.05초 이내

> **해설**
>
> 누전차단기 접속 시 준수사항
> 전기기계 · 기구에 설치되어 있는 누전차단기는 정격감도전류가 30mA 이하이고 작동시간은 0.03초 이내일 것(다만, 정격전부하전류가 50A 이상인 전기기계 · 기구에 접속되는 누전차단기는 오작동을 방지하기 위하여 정격감도전류는 200mA 이하로, 작동시간은 0.1초 이내로 할 수 있다.)

66 감전쇼크에 의해 호흡이 정지되었을 경우 일반적으로 약 몇 분 이내에 응급조치를 개시하면 95% 정도를 소생시킬 수 있는가?

① 1분 이내
② 3분 이내
③ 5분 이내
④ 7분 이내

> **해설**
>
> 감전사고 후 응급조치 개시시간에 따른 소생률

호흡정지 후 인공호흡 개시까지의 시간(분)	소생률 (100명당)	사망률 (100명당)
1	95	5
2	90	10
3	75	25
4	50	50
5	25	75

67 내압방폭구조의 기본적 성능에 관한 사항으로 틀린 것은?

① 내부에서 폭발할 경우 그 압력에 견딜 것

② 폭발화염이 외부로 유출되지 않을 것

③ 습기침투에 대한 보호가 될 것

④ 외함 표면온도가 주위의 가연성 가스에 점화하지 않을 것

해설

내압방폭구조(Flameproof Enclosure, d)

1. 점화원에 의해 용기 내부에서 폭발이 발생할 경우에 용기가 폭발압력에 견딜 수 있고, 화염이 용기 외부의 폭발성 분위기로 전파되지 않도록 한 방폭구조이다.
2. 전폐형구조로 용기 내에 외부의 폭발성 가스가 침입하여 내부에서 폭발하더라도 용기는 그 압력에 견뎌야 하고 폭발한 고열가스나 화염이 용기의 접합부 틈을 통하여 새어나가는 동안 냉각되어 외부의 폭발성 가스에 화염이 파급될 우려가 없도록 한 방폭구조이다.
3. 주요 성능 시험항목은 폭발압력(기준압력) 측정, 폭발강도(정적 및 동적)시험, 폭발인화시험 등이 있다.

68 한국전기설비규정에 따른 전선의 색상에 관한 내용이다. 다음 빈칸에 들어갈 내용으로 알맞은 것은?

- L1 – (A)
- L2 – 검은색
- L3 – 회색
- N – (B)

① A : 갈색, B : 흰색

② A : 노란색, B : 파란색

③ A : 갈색, B : 파란색

④ A : 노란색, B : 흰색

해설

전선식별

상(문자)	색상
L1	갈색
L2	검은색
L3	회색
N	파란색
보호도체	녹색 – 노란색

69 전기시설의 직접 접촉에 의한 감전방지 방법으로 적절하지 않은 것은?

① 충전부는 내구성이 있는 절연물로 완전히 덮어 감쌀 것

② 충전부는 노출되어 있는 구조로 할 것

③ 충전부에 충분한 절연효과가 있는 방호망 또는 절연덮개를 설치할 것

④ 충전부는 구획되어 있는 장소로서 관계 근로자가 아닌 사람의 출입이 금지되는 장소에 설치하고, 위험표시 등의 방법으로 방호를 강화할 것

해설

직접 접촉에 의한 방지대책(충전 부분에 대한 감전방지)

1. 충전부가 노출되지 않도록 폐쇄형 외함이 있는 구조로 할 것
2. 충전부에 충분한 절연효과가 있는 방호망이나 절연덮개를 설치할 것
3. 충전부는 내구성이 있는 절연물로 완전히 덮어 감쌀 것
4. 발전소·변전소 및 개폐소 등 구획되어 있는 장소로서 관계 근로자가 아닌 사람의 출입이 금지되는 장소에 충전부를 설치하고, 위험표시 등의 방법으로 방호를 강화할 것
5. 전주 위 및 철탑 위 등 격리되어 있는 장소로서 관계 근로자가 아닌 사람이 접근할 우려가 없는 장소에 충전부를 설치할 것

70 220V 전압에 접촉된 사람의 인체저항이 약 1,000Ω일 때 인체 전류와 그 결과 값의 위험성 여부로 알맞은 것은?

① 22mA, 안전

② 220mA, 안전

③ 22mA, 위험

④ 220mA, 위험

해설

옴의 법칙

$$V = IR[\text{V}], \quad I = \frac{V}{R}[\text{A}], \quad R = \frac{V}{I}[\Omega]$$

여기서, V : 전압[V], I : 전류[A], R : 저항[Ω]

1. $I = \dfrac{V}{R} = \dfrac{220}{1,000} = 0.22(\text{A}) = 220(\text{mA})$
2. 심실세동전류(치사전류)가 일반적으로 50~100mA이므로 100mA 이상이면 위험하다.

TIP 1A = 1,000mA, 1mA = 0.001A

01 PART
02 PART
03 PART
04 PART
05 PART
06 PART
07 PART

71 계통접지로 적합하지 않은 것은?

① TN 계통　　　　② TT 계통
③ IN 계통　　　　④ IT 계통

접지계통의 종류

TN 계통	전원측의 한 점을 직접 접지하고 설비의 노출 도전부를 보호도체로 접속시키는 방식
TT 계통	전원측의 한 점을 직접 접지하고 설비의 노출 도전부는 전원의 접지전극과 전기적으로 독립적인 접지극에 접속시키는 방식
IT 계통	전력계통은 모든 충전부를 대지에서 절연하거나 또는 1점을 임피던스를 통하여 접지하고 설비의 노출 도전부를 단독 또는 일괄해서 접속시키는 방식

72 전격의 위험을 결정하는 주된 인자로 가장 거리가 먼 것은?

① 통전전류　　　　② 통전시간
③ 통전경로　　　　④ 접촉전압

감전재해의 요인

1차적 감전요소	• 통전전류의 크기 : 크면 위험, 인체의 저항이 일정할 때 접촉전압에 비례 • 통전경로 : 인체의 주요한 부분을 흐를수록 위험 • 통전시간 : 장시간 흐르면 위험 • 전원의 종류 : 전원의 크기(전압)가 동일한 경우 교류가 직류보다 위험하다.
2차적 감전요소	• 인체의 조건(저항) : 땀에 젖어 있거나 물에 젖어 있는 경우 인체의 저항이 감소하므로 위험성이 높아진다. • 전압 : 전압의 크기가 클수록 위험하다. • 계절 : 계절에 따라 인체의 저항이 변화하므로 전격에 대한 위험도에 영향을 준다.

73 다음 중 정전기의 재해방지 대책으로 틀린 것은?

① 설비의 도체 부분을 접지
② 작업자는 정전화를 착용
③ 작업장의 습도를 30% 이하로 유지
④ 배관 내 액체의 유속 제한

정전기재해의 방지대책
1. 접지(도체의 대전방지)
2. 유속의 제한

3. 보호구의 착용
4. 대전방지제 사용
5. 가습(상대습도를 60~70% 정도 유지)
6. 제전기 사용
7. 대전물체의 차폐
8. 정치시간의 확보
9. 도전성 재료 사용

74 지락이 생긴 경우 접촉상태에 따라 접촉전압을 제한할 필요가 있다. 인체의 접촉상태에 따른 허용접촉전압을 나타낸 것으로 다음 중 옳지 않은 것은?

① 제1종 : 2.5V 이하
② 제2종 : 25V 이하
③ 제3종 : 35V 이하
④ 제4종 : 제한 없음

허용접촉전압

종별	접촉상태	허용접촉전압
제1종	• 인체의 대부분이 수중에 있는 상태	2.5V 이하
제2종	• 인체가 현저하게 젖어있는 상태 • 금속성의 전기기계장치나 구조물에 인체의 일부가 상시 접촉되어 있는 상태	25V 이하
제3종	• 제1종, 제2종 이외의 경우로 통상의 인체상태에 있어서 접촉전압이 가해지면 위험성이 높은 상태	50V 이하
제4종	• 제1종, 제2종 이외의 경우로 통상의 인체상태에 있어서 접촉전압이 가해지더라도 위험성이 낮은 상태 • 접촉전압이 가해질 우려가 없는 상태	제한 없음

75 전로에 시설하는 기계기구의 금속제 외함에 접지공사를 하지 않아도 되는 경우로 틀린 것은?

① 저압용의 기계기구를 건조한 목재의 마루 위에서 취급하도록 시설한 경우
② 외함 주위에 적당한 절연대를 설치한 경우
③ 교류 대지전압이 300V 이하인 기계기구를 건조한 곳에 시설한 경우
④ 전기용품 및 생활용품 안전관리법의 적용을 받는 2중 절연구조로 되어 있는 기계기구를 시설하는 경우

접지를 하지 않아도 되는 대상
사용전압이 직류 300V 또는 교류 대지전압이 150V 이하인 기계기구를 건조한 곳에 시설하는 경우

76 한국전기설비규정에 따라 피뢰시스템은 전기전자설비가 설치된 건축물 · 구조물로서 낙뢰로부터 보호가 필요한 것 또는 지상으로부터 높이가 몇 m 이상인 것에 적용하여야 하는가?

① 20m
② 30m
③ 40m
④ 50m

피뢰시스템의 적용범위
다음에 시설되는 피뢰시스템에 적용한다.
1. 전기전자설비가 설치된 건축물 · 구조물로서 낙뢰로부터 보호가 필요한 것 또는 지상으로부터 높이가 20m 이상인 것
2. 전기설비 및 전자설비 중 낙뢰로부터 보호가 필요한 설비

77 전기기계 · 기구의 조작 시 안전조치로서 사업주는 근로자가 안전하게 작업할 수 있도록 전기기계 · 기구로부터 폭 얼마 이상의 작업공간을 확보하여야 하는가?

① 30cm
② 50cm
③ 70cm
④ 100cm

전기기계 · 기구의 조작 시 등의 안전조치
1. 전기기계 · 기구의 조작부분을 점검하거나 보수하는 경우에는 근로자가 안전하게 작업할 수 있도록 전기기계 · 기구로부터 폭 70cm 이상의 작업공간을 확보하여야 한다. 다만, 작업공간을 확보하는 것이 곤란하여 근로자에게 절연용 보호구를 착용하도록 한 경우에는 그러하지 아니하다.
2. 전기적 불꽃 또는 아크에 의한 화상의 우려가 있는 고압 이상의 충전전로 작업에 근로자를 종사시키는 경우에는 방염처리된 작업복 또는 난연성능을 가진 작업복을 착용시켜야 한다.

78 정격사용률이 30%, 정격 2차 전류가 300A인 교류 아크 용접기를 200A로 사용하는 경우의 허용사용률(%)은?

① 13.3
② 67.5
③ 110.3
④ 157.5

허용사용률

$$허용사용률 = \frac{(정격\ 2차\ 전류)^2}{(실제\ 용접전류)^2} \times 정격사용률$$

$$허용사용률 = \frac{(정격\ 2차\ 전류)^2}{(실제\ 용접전류)^2} \times 정격사용률$$
$$= \frac{(300)^2}{(200)^2} \times 30 = 67.5(\%)$$

79 피뢰기의 제한전압이 752kV이고 변압기의 기준충격 절연강도가 1,050kV이라면, 보호 여유도(%)는 약 얼마인가?

① 18
② 28
③ 40
④ 43

피뢰침의 보호 여유도

$$여유도(\%) = \frac{충격절연강도 - 제한전압}{제한전압} \times 100$$

$$여유도(\%) = \frac{충격절연강도 - 제한전압}{제한전압} \times 100$$
$$= \frac{1,050 - 752}{752} \times 100$$
$$= 39.6 = 40(\%)$$

80 자동전격방지장치에 대한 설명으로 틀린 것은?

① 무부하 시 전력손실을 줄인다.
② 무부하 전압을 안전전압 이하로 저하시킨다.
③ 용접을 할 때에만 용접기의 주회로를 개로(OFF)시킨다.
④ 교류 아크 용접기의 안전장치로서 용접기의 1차 또는 2차 측에 부착한다.

01 PART
02 PART
03 PART
04 PART
05 PART
06 PART
07 PART

자동전격방지기
용접기의 주회로(변압기의 경우는 1차 회로 또는 2차 회로)를 제어하는 장치를 가지고 있어, 용접봉의 조작에 따라 용접할 때에만 용접기의 주회로를 폐로(ON), 그 외에는 용접기의 주회로를 개로(OFF)시켜 2차(출력) 측의 무부하 전압을 25볼트 이하로 저하시켜 감전의 위험 및 전력손실을 방지하는 장치를 말한다.

5과목 화학설비 안전관리

81 가스를 분류할 때 독성 가스에 해당하지 않는 것은?

① 황화수소
② 시안화수소
③ 이산화탄소
④ 산화에틸렌

해설

비독성 가스
독성 가스 이외의 독성이 없는 가스(헬륨, 네온, 질소, 아르곤, 이산화탄소, 수소, 프로판, 부탄 등)

82 물질의 누출방지용으로써 접합면을 상호 밀착시키기 위하여 사용하는 것은?

① 개스킷
② 체크 밸브
③ 플러그
④ 콕크

해설

덮개 등 접합부의 조치사항
화학설비 또는 그 배관의 덮개·플랜지·밸브 및 콕의 접합부에 대해서는 접합부에서 위험물질 등이 누출되어 폭발·화재 또는 위험물이 누출되는 것을 방지하기 위하여 적절한 개스킷(Gasket)을 사용하고 접합면을 서로 밀착시키는 등 적절한 조치를 하여야 한다.

83 산업안전보건법에서 분류한 위험물질의 종류 중 부식성 산류는 농도가 몇 % 이상인 염산, 황산, 질산, 그 밖에 이와 같은 정도 이상의 부식성을 가지는 물질을 말하는가?

① 10
② 15
③ 20
④ 25

해설

부식성 물질

부식성 산류	• 농도가 20% 이상인 염산, 황산, 질산, 그 밖에 이와 같은 정도 이상의 부식성을 가지는 물질 • 농도가 60% 이상인 인산, 아세트산, 불산, 그 밖에 이와 같은 정도 이상의 부식성을 가지는 물질
부식성 염기류	농도가 40% 이상인 수산화나트륨, 수산화칼륨, 그 밖에 이와 같은 정도 이상의 부식성을 가지는 염기류

84 산업안전보건기준에 관한 규칙 중 급성 독성 물질에 관한 기준 중 일부이다. (A)와 (B)에 알맞은 수치를 옳게 나타낸 것은?

• 쥐에 대한 경구투입실험에 의하여 실험동물의 50퍼센트를 사망시킬 수 있는 물질의 양, 즉 LD50(경구, 쥐)이 킬로그램당 (A)밀리그램－(체중) 이하인 화학물질
• 쥐 또는 토끼에 대한 경피흡수실험에 의하여 실험동물의 50퍼센트를 사망시킬 수 있는 물질의 양, 즉 LD50(경피, 토끼 또는 쥐)이 킬로그램당 (B)밀리그램－(체중) 이하인 화학물질

① A : 1,000, B : 300
② A : 1,000, B : 1,000
③ A : 300, B : 300
④ A : 300, B : 1,000

해설

급성 독성 물질
1. 쥐에 대한 경구투입실험에 의하여 실험동물의 50퍼센트를 사망시킬 수 있는 물질의 양, 즉 LD50(경구, 쥐)이 킬로그램당 300밀리그램－(체중) 이하인 화학물질
2. 쥐 또는 토끼에 대한 경피흡수실험에 의하여 실험동물의 50퍼센트를 사망시킬 수 있는 물질의 양, 즉 LD50(경피, 토끼 또는 쥐)이 킬로그램당 1,000밀리그램－(체중) 이하인 화학물질
3. 쥐에 대한 4시간 동안의 흡입실험에 의하여 실험동물의 50퍼센트를 사망시킬 수 있는 물질의 농도, 즉 가스 LC50(쥐, 4시간 흡입)이 2,500ppm 이하인 화학물질, 증기 LC50(쥐, 4시간 흡입)이 10mg/L 이하인 화학물질, 분진 또는 미스트 1mg/L 이하인 화학물질

85 메탄, 에탄, 프로판의 폭발하한계가 각각 5vol%, 3vol%, 2.1vol%일 때 다음 중 폭발하한계가 가장 낮은 것은?(단, Le Chatelier의 법칙을 이용한다.)

① 메탄 20vol%, 에탄 30vol%, 프로판 50vol%의 혼합가스

② 메탄 30vol%, 에탄 30vol%, 프로판 40vol%의 혼합가스

③ 메탄 40vol%, 에탄 30vol%, 프로판 30vol%의 혼합가스

④ 메탄 50vol%, 에탄 30vol%, 프로판 20vol%의 혼합가스

해설

르 샤틀리에의 법칙(순수한 혼합가스일 경우)

$$\frac{100}{L} = \frac{V_1}{L_1} + \frac{V_2}{L_2} + \frac{V_3}{L_3} \cdots$$

$$L = \frac{100}{\frac{V_1}{L_1} + \frac{V_2}{L_2} + \cdots + \frac{V_n}{L_n}}$$

여기서, V_n : 전체 혼합가스 중 각 성분 가스의 체적(비율)[%]
L_n : 각 성분 단독의 폭발한계(상한 또는 하한)
L : 혼합가스의 폭발한계(상한 또는 하한)[vol%]

① $L = \dfrac{100}{\frac{20}{5} + \frac{30}{3} + \frac{50}{2.1}} = 2.64(\text{vol}\%)$

② $L = \dfrac{100}{\frac{30}{5} + \frac{30}{3} + \frac{40}{2.1}} = 2.85(\text{vol}\%)$

③ $L = \dfrac{100}{\frac{40}{5} + \frac{30}{3} + \frac{30}{2.1}} = 3.09(\text{vol}\%)$

④ $L = \dfrac{100}{\frac{50}{5} + \frac{30}{3} + \frac{20}{2.1}} = 3.38(\text{vol}\%)$

86 금속의 용접·용단 또는 가열에 사용되는 가스 등의 용기를 취급할 때의 준수사항으로 옳지 않은 것은?

① 밸브의 개폐는 서서히 할 것

② 용기의 온도를 섭씨 40도 이하로 유지할 것

③ 운반할 때에는 환기를 위하여 캡을 씌우지 않을 것

④ 용기의 부식·마모 또는 변형상태를 점검한 후 사용할 것

해설

금속의 용접·용단 또는 가열에 사용되는 가스 등의 용기를 취급하는 경우 준수사항

1. 다음 장소에서 사용하거나 해당 장소에 설치·저장 또는 방치하지 않도록 할 것
   - 통풍이나 환기가 불충분한 장소
   - 화기를 사용하는 장소 및 그 부근
   - 위험물 또는 인화성 액체를 취급하는 장소 및 그 부근
2. 용기의 온도를 섭씨 40도 이하로 유지할 것
3. 전도의 위험이 없도록 할 것
4. 충격을 가하지 않도록 할 것
5. 운반하는 경우에는 캡을 씌울 것
6. 사용하는 경우에는 용기의 마개에 부착되어 있는 유류 및 먼지를 제거할 것
7. 밸브의 개폐는 서서히 할 것
8. 사용 전 또는 사용 중인 용기와 그 밖의 용기를 명확히 구별하여 보관할 것
9. 용해아세틸렌의 용기는 세워 둘 것
10. 용기의 부식·마모 또는 변형상태를 점검한 후 사용할 것

87 다음 중 증기배관 내에 생성된 증기의 누설을 막고 응축수를 자동적으로 배출하기 위한 안전장치는?

① Steam Trap

② Vent Stack

③ Blow Down

④ Flame Arrester

해설

스팀 트랩(Steam Trap)
증기배관 내에 생성하는 응축수를 제거할 때 증기가 배출되지 않도록 하면서 응축수를 자동적으로 배출하기 위한 장치

TIP

Vent Stack	탱크 내의 압력을 정상적인 상태로 유지하기 위한 가스 방출 안전장치
Blow Down	응축성 증기, 열유, 열액 등 공정 액체를 빼내고 이것을 안전하게 유지 또는 처리하기 위한 장치
Flame Arrester	유류저장탱크에서 화염의 차단을 목적으로 외부에 증기를 방출하기도 하고 탱크 내 외기를 흡입하기도 하는 부분에 설치하는 안전장치

88 사업주는 안전밸브 등의 전단·후단에 차단밸브를 설치해서는 아니 된다. 다만, 별도로 정한 경우에 해당할 때는 자물쇠형 또는 이에 준하는 형식의 차단밸브를 설치할 수 있다. 이에 해당하는 경우가 아닌 것은?

① 화학설비 및 그 부속설비에 안전밸브 등이 복수방식으로 설치되어 있는 경우

② 예비용 설비를 설치하고 각각의 설비에 안전밸브 등이 설치되어 있는 경우

③ 파열판과 안전밸브를 직렬로 설치한 경우

④ 열팽창에 의하여 상승된 압력을 낮추기 위한 목적으로 안전밸브가 설치된 경우

해설

차단밸브 설치금지

1. 안전밸브 등의 전단·후단에 차단밸브를 설치해서는 아니 된다.
2. 다만, 다음의 어느 하나에 해당하는 경우에는 자물쇠형 또는 이에 준하는 형식의 차단밸브를 설치할 수 있다.
   - 인접한 화학설비 및 그 부속설비에 안전밸브 등이 각각 설치되어 있고, 해당 화학설비 및 그 부속설비의 연결배관에 차단밸브가 없는 경우
   - 안전밸브 등의 배출용량의 2분의 1 이상에 해당하는 용량의 자동압력조절밸브(구동용 동력원의 공급을 차단하는 경우 열리는 구조인 것으로 한정한다)와 안전밸브 등이 병렬로 연결된 경우
   - 화학설비 및 그 부속설비에 안전밸브 등이 복수방식으로 설치되어 있는 경우
   - 예비용 설비를 설치하고 각각의 설비에 안전밸브 등이 설치되어 있는 경우
   - 열팽창에 의하여 상승된 압력을 낮추기 위한 목적으로 안전밸브가 설치된 경우
   - 하나의 플레어 스택(Flare Stack)에 둘 이상의 단위공정의 플레어 헤더(Flare Header)를 연결하여 사용하는 경우로서 각각의 단위공정의 플레어 헤더에 설치된 차단밸브의 열림·닫힘 상태를 중앙제어실에서 알 수 있도록 조치한 경우

89 다음 중 포소화설비 적용대상이 아닌 것은?

① 유류저장탱크

② 비행기 격납고

③ 주차장 또는 차고

④ 유입차단기 등의 전기기기 설치장소

해설

포소화기의 소화약제는 물을 다량 함유하고 있어, 전기설비에 사용할 수 없다.

90 다음 중 물과 반응하였을 때 흡열반응을 나타내는 것은?

① 질산암모늄

② 탄화칼슘

③ 나트륨

④ 과산화칼륨

해설

질산암모늄

조해성과 흡습성이 있고, 물에 녹을 때 열을 대량 흡수한다. (흡열반응)

91 금속의 증기가 공기 중에서 응고되어 화학변화를 일으켜 고체의 미립자로 되어 공기 중에 부유하는 것을 의미하는 용어는?

① 흄(Fume)

② 분진(Dust)

③ 미스트(Mist)

④ 스모크(Smoke)

해설

유해물질의 종류

분진 (Dust)	기계적 작용에 의해 발생된 고체 미립자가 공기 중에 부유하고 있는 것(입경 0.01~500 μm 정도)
미스트 (Mist)	액체의 미세한 입자가 공기 중에 부유하고 있는 것 (입경 0.1~100 μm 정도)
흄 (Fume)	고체 상태의 물질이 액체화된 다음 증기화되고, 증기화된 물질의 응축 및 산화로 인하여 생기는 고체상의 미립자(입경 0.01~1 μm 정도)
스모크 (Smoke)	일반적으로 유기물이 불완전연소할 때 생긴 미립자를 말하며 주성분은 탄소의 미립자이다. (0.01~1 μm)

92 질화면(Nitrocellulose)은 저장·취급 중에는 에틸알코올 등으로 습면상태를 유지해야 한다. 그 이유를 옳게 설명한 것은?

① 질화면은 건조상태에서는 자연적으로 분해하면서 발화할 위험이 있기 때문이다.
② 질화면은 알코올과 반응하여 안정한 물질을 만들기 때문이다.
③ 질화면은 건조상태에서 공기 중의 산소와 환원반응을 하기 때문이다.
④ 질화면은 건조상태에서 유독한 중합물을 형성하기 때문이다.

해설

니트로셀룰로오스(NC : Nitro Cellulose, 질화면, 질산섬유소)
1. 안전 용제로 저장 중에 물(20%) 또는 알코올(30%)로 습윤하여 저장·운반한다.
2. 습윤상태에서 건조되면 충격·마찰 시 예민하고 발화 폭발의 위험이 증대된다.

93 폭발에 관한 용어 중 'BLEVE'가 의미하는 것은?

① 고농도의 분진폭발
② 저농도의 분해폭발
③ 개방계 증기운 폭발
④ 비등액 팽창 증기 폭발

해설

BLEVE(비등액 팽창 증기 폭발 : Boiliing Liquid Expanding Vapor Explosion)
비등점이 낮은 인화성 액체 저장탱크가 화재로 인한 화염에 장시간 노출되어 탱크 내 액체가 급격히 증발하여 비등하고 증기가 팽창하면서 탱크 내 압력이 설계압력을 초과하여 폭발을 일으키는 현상

94 다음 중 물과 반응하여 수소가스를 발생시키지 않는 물질은?

① Mg
② Zn
③ Cu
④ Li

해설

1. Mg(마그네슘), Zn(아연), Li(리튬), 나트륨(Na) 등은 물과 반응하여 수소가스를 발생시킨다.
2. Cu(구리)는 순수한 물과 반응하지 않는다.

95 다음 중 증기운 폭발에 대한 설명으로 옳은 것은?

① 폭발효율은 BLEVE보다 크다.
② 증기운의 크기가 증가하면 점화 확률이 높아진다.
③ 증기운 폭발의 방지대책으로 가장 좋은 방법은 점화방지용 안전장치의 설치이다.
④ 증기와 공기의 난류 혼합, 방출점으로부터 먼 지점에서 증기운의 점화는 폭발의 충격을 감소시킨다.

해설

UVCE(개방계 증기운 폭발 : Unconfined Vapor Cloud Explosion)
1. 정의
   가연성 가스 또는 기화하기 쉬운 가연성 액체 등이 저장된 고압가스 용기(저장탱크)의 파괴로 인하여 대기 중으로 유출된 가연성 증기가 구름을 형성(증기운)한 상태에서 점화원이 증기운에 접촉하여 폭발하는 현상
2. 특징
   • 증기운의 크기가 증가되면 점화 확률이 높아진다.
   • 증기운에 의한 재해는 폭발보다는 화재가 일반적이다.
   • 증기와 공기의 난류 혼합, 방출점으로부터 먼 지점에서의 증기운의 점화는 폭발 충격을 증가시킨다.
   • 폭발효율은 BLEVE보다 작다. 즉, 연소에너지의 약 20%만 폭풍파로 변한다.

96 다음 중 공기 중 최소 발화에너지 값이 가장 작은 물질은?

① 에틸렌
② 아세트알데히드
③ 메탄
④ 에탄

해설

최소 발화에너지

가연성 가스	최소 발화에너지[10^{-3} Joule]
에틸렌	0.096
아세트알데히드	0.36
메탄	0.28

97 분진폭발의 특징으로 옳은 것은?

① 연소속도가 가스폭발보다 크다.
② 완전연소로 가스중독의 위험이 작다.
③ 화염의 파급속도보다 압력의 파급속도가 빠르다.
④ 가스폭발보다 연소시간은 짧고 발생에너지는 작다.

01 PART
02 PART
03 PART
04 PART
05 PART
06 PART
07 PART

분진폭발의 특징

1. 폭발한계 내에서 분진의 휘발성분이 많을수록 폭발이 쉽다.
2. 가스폭발에 비해 연소속도나 폭발압력이 작다.
3. 가스폭발에 비해 연소시간이 길고 발생에너지가 크기 때문에 파괴력과 타는 정도가 크다.
4. 가스에 비해 불완전연소의 가능성이 커서 일산화탄소의 존재로 인한 가스중독의 위험이 있다.(가스폭발에 비하여 유독물의 발생이 많다.)
5. 화염속도보다 압력속도가 빠르다.
6. 주위 분진의 비산에 의해 2차, 3차의 폭발로 파급되어 피해가 커진다.
7. 연소열에 의한 화재가 동반되며, 연소입자의 비산으로 인체에 닿을 경우 심한 화상을 입는다.
8. 분진이 발화 폭발하기 위한 조건은 인화성, 미분상태, 공기 중에서의 교반과 유동, 점화원의 존재이다.

---

98 다음 중 자연발화를 방지하기 위한 일반적인 방법으로 적절하지 않은 것은?

① 주위의 온도를 낮춘다.
② 공기의 출입을 방지하고 밀폐시킨다.
③ 습도가 높은 곳에는 저장하지 않는다.
④ 황린의 경우 산소와의 접촉을 피한다.

자연발화 방지법

1. 통풍이 잘 되게 할 것
2. 저장실 온도를 낮출 것
3. 열이 축적되지 않는 퇴적방법을 선택할 것
4. 습도가 높지 않도록 할 것(습도가 높은 것을 피할 것)
5. 공기가 접촉되지 않도록 불활성액체 중에 저장할 것

---

99 사업주는 인화성 액체 및 인화성 가스를 저장 취급하는 화학설비에서 증기나 가스를 대기로 방출하는 경우에는 외부로부터의 화염을 방지하기 위하여 화염방지기를 설치하여야 한다. 다음 중 화염방지기의 설치 위치로 옳은 것은?

① 설비의 상단
② 설비의 하단
③ 설비의 측면
④ 설비의 조작부

통기설비 및 화염방지기 설치

1. 인화성 액체를 저장·취급하는 대기압탱크에는 통기관 또는 통기밸브(Breather Valve) 등을 설치하여야 한다.
2. 인화성 액체 및 인화성 가스를 저장 취급하는 화학설비에서 증기나 가스를 대기로 방출하는 경우에는 외부로부터의 화염을 방지하기 위하여 화염방지기를 그 설비 상단에 설치하여야 한다.

---

100 물이 관 속을 흐를 때 유동하는 물속의 어느 부분의 정압이 그때의 물의 증기압보다 낮을 경우 물이 증발하여 부분적으로 증기가 발생되어 배관의 부식을 초래하는 경우가 있다. 이러한 현상을 무엇이라 하는가?

① 서어징(Surging)
② 공동현상(Cavitation)
③ 비말동반(Entrainment)
④ 수격작용(Water Hammering)

펌프의 현상

공동현상 (Cavitation)	물이 관 내를 유동하고 있을 때에 흐르는 물속의 어떤 부분의 정압력이 그때의 수온에 상당하는 증기압 이하가 되면 부분적으로 증기를 발생하는 현상을 공동현상이라 하며, 펌프의 임펠러나 동체 안에서 자주 일어난다.
서징 [맥동현상] (Surging)]	펌프나 기타 유체기계에 펌프출구, 입구에 부착한 압력계 및 진공계의 바늘이 흔들리고 동시에 송출유량이 변화하는 현상
수격현상 (Water Hammering)	관 속의 액체가 충만하게 흐르고 있을 때 정전 등으로 펌프가 급히 멈추거나 수량조절밸브를 급히 폐쇄할 때 관 속의 유속이 급격히 변화하면 액체에 큰 압력의 변화가 생기는 현상

6과목 건설공사 안전관리

101 경암지반을 인력으로 굴착 시 연직높이가 2m일 때, 수평길이는 최소 얼마 이상이 필요한가?

① 2.0m 이상
② 1.5m 이상
③ 1.0m 이상
④ 0.5m 이상

굴착면의 기울기

지반의 종류	굴착면의 기울기
모래	1 : 1.8
연암 및 풍화암	1 : 1.0
경암	1 : 0.5
그 밖의 흙	1 : 1.2

경암의 기울기가 1 : 0.5이므로 1 : 0.5 = 2 : x(수평길이)
∴ x(수평길이) = 0.5 × 2 = 1.0(m)

102 차량계 건설기계에 해당되지 않는 것은?

① 불도저　　　　② 콘크리트 펌프카
③ 드래그 셔블　　④ 가이데릭

가이데릭은 철골 세우기용 기계이다.

차량계 건설기계의 종류
1. 도저형 건설기계(불도저, 스트레이트도저, 틸트도저, 앵글도저, 버킷도저 등)
2. 모터그레이더
3. 로더(포크 등 부착물 종류에 따른 용도 변경 형식을 포함한다)
4. 스크레이퍼
5. 크레인형 굴착기계(크램쉘, 드래그라인 등)
6. 굴삭기(브레이커, 크러셔, 드릴 등 부착물 종류에 따른 용도 변경 형식을 포함)
7. 항타기 및 항발기
8. 천공용 건설기계(어스드릴, 어스오거, 크롤러드릴, 점보드릴 등)
9. 지반 압밀침하용 건설기계(샌드드레인머신, 페이퍼드레인머신, 팩드레인머신 등)
10. 지반 다짐용 건설기계(타이어롤러, 매커덤롤러, 탠덤롤러 등)
11. 준설용 건설기계(버킷준설선, 그래브준설선, 펌프준설선 등)
12. 콘크리트 펌프카
13. 덤프트럭
14. 콘크리트 믹서 트럭
15. 도로포장용 건설기계(아스팔트 살포기, 콘크리트 살포기, 아스팔트 피니셔, 콘크리트 피니셔 등)
16. 1.부터 15.까지와 유사한 구조 또는 기능을 갖는 건설기계로서 건설작업에 사용하는 것

103 크레인을 사용하여 작업을 할 때 작업시작 전에 점검하여야 하는 사항에 해당하지 않는 것은?

① 권과방지장치 · 브레이크 · 클러치 및 운전장치의 기능
② 주행로의 상측 및 트롤리가 횡행하는 레일의 상태
③ 와이어로프가 통하고 있는 곳의 상태
④ 압력방출장치의 기능

크레인을 사용하여 작업을 하는 때 작업시작 전 점검사항
1. 권과방지장치 · 브레이크 · 클러치 및 운전장치의 기능
2. 주행로의 상측 및 트롤리(Trolley)가 횡행하는 레일의 상태
3. 와이어로프가 통하고 있는 곳의 상태

104 굴착공사에서 비탈면 또는 비탈면 하단을 성토하여 붕괴를 방지하는 공법은?

① 배수공
② 배토공
③ 공작물에 의한 방지공
④ 압성토공

압성토 공법
성토의 활동파괴를 방지하기 위해 사면선단에 성토하여 측방 유동을 구속시키는 공법

105 강관비계의 수직방향 벽이음 조립간격(m)으로 옳은 것은?(단, 틀비계이며 높이가 5m 이상일 경우)

① 2m　　　　② 4m
③ 6m　　　　④ 9m

강관비계의 조립 간격

강관비계의 종류	조립간격(단위 : m)	
	수직방향	수평방향
단관비계	5	5
틀비계(높이가 5m 미만인 것은 제외)	6	8

01 PART
02 PART
03 PART
04 PART
05 PART
06 PART
07 PART

106 달비계의 구조에서 달비계 작업발판의 폭은 최소 얼마 이상이어야 하는가?

① 30cm   ② 40cm
③ 50cm   ④ 60cm

달비계의 구조
작업발판은 폭을 40cm 이상으로 하고 틈새가 없도록 할 것

107 사다리식 통로 등의 구조에 대한 설치기준으로 옳지 않은 것은?

① 발판의 간격은 일정하게 할 것
② 발판과 벽과의 사이는 15cm 이상의 간격을 유지할 것
③ 사다리식 통로의 길이가 10m 이상인 때에는 7m 이내마다 계단참을 설치할 것
④ 사다리의 상단은 걸쳐놓은 지점으로부터 60cm 이상 올라가도록 할 것

사다리식 통로
1. 견고한 구조로 할 것
2. 심한 손상 · 부식 등이 없는 재료를 사용할 것
3. 발판의 간격은 일정하게 할 것
4. 발판과 벽과의 사이는 15cm 이상의 간격을 유지할 것
5. 폭은 30cm 이상으로 할 것
6. 사다리가 넘어지거나 미끄러지는 것을 방지하기 위한 조치를 할 것
7. 사다리의 상단은 걸쳐놓은 지점으로부터 60cm 이상 올라가도록 할 것
8. 사다리식 통로의 길이가 10m 이상인 경우에는 5m 이내마다 계단참을 설치할 것
9. 사다리식 통로의 기울기는 75° 이하로 할 것, 다만, 고정식 사다리식 통로의 기울기는 90° 이하로 하고, 그 높이가 7m 이상인 경우에는 다음의 구분에 따른 조치를 할 것
　－등받이울이 있어도 근로자 이동에 지장이 없는 경우 : 바닥으로부터 높이가 2.5m 되는 지점부터 등받이울을 설치할 것
　－등받이울이 있으면 근로자가 이동이 곤란한 경우 : 개인용 추락 방지 시스템을 설치하고 근로자로 하여금 전신안전대를 사용하도록 할 것
10. 접이식 사다리 기둥은 사용 시 접혀지거나 펼쳐지지 않도록 철물 등을 사용하여 견고하게 조치할 것

108 사다리식 통로 등을 설치하는 경우 고정식 사다리식 통로의 기울기는 최대 몇 도 이하로 하여야 하는가?

① 60도   ② 75도
③ 80도   ④ 90도

문제 107번 해설 참고

109 동바리를 조립하는 경우에 준수해야 할 기준으로 옳지 않은 것은?

① 동바리의 상하 고정 및 미끄러짐 방지조치를 하고, 하중의 지지상태를 유지한다.
② 강재의 접속부 및 교차부는 볼트 · 클램프 등 전용철물을 사용하여 단단히 연결한다.
③ 동바리로 사용하는 파이프 서포트의 경우 높이가 3.5m를 초과하는 경우에는 높이 2m 이내마다 수평연결재를 2개 방향으로 만들고 수평연결재의 변위를 방지할 것
④ 동바리로 사용하는 파이프 서포트는 4개 이상 이어서 사용하지 않도록 할 것

동바리로 사용하는 파이프 서포트의 경우 조립 시 안전조치
1. 파이프 서포트를 3개 이상 이어서 사용하지 않도록 할 것
2. 파이프 서포트를 이어서 사용하는 경우에는 4개 이상의 볼트 또는 전용철물을 사용하여 이을 것
3. 높이가 3.5m를 초과하는 경우에는 높이 2m 이내마다 수평연결재를 2개 방향으로 만들고 수평연결재의 변위를 방지할 것

110 항만하역작업에서의 선박승강설비 설치기준으로 옳지 않은 것은?

① 200톤급 이상의 선박에서 하역작업을 하는 때에는 근로자들이 안전하게 승강할 수 있는 현문사다리를 설치하여야 한다.

② 현문사다리는 견고한 재료로 제작된 것으로 너비는 55cm 이상이어야 한다.

③ 현문사다리의 양측에는 82cm 이상의 높이로 방책을 설치하여야 한다.

④ 현문사다리는 근로자의 통행에만 사용하여야 하며, 화물용 발판 또는 화물용 보판으로 사용하도록 하여서는 아니 된다.

해설

선박승강설비의 설치

1. 300톤급 이상의 선박에서 하역작업을 하는 경우에 근로자들이 안전하게 오르내릴 수 있는 현문사다리를 설치하여야 하며, 이 사다리 밑에 안전망을 설치하여야 한다.

2. 현문사다리는 견고한 재료로 제작된 것으로 너비는 55cm 이상이어야 하고, 양측에 82cm 이상의 높이로 방책을 설치하여야 하며, 바닥은 미끄러지지 않도록 적합한 재질로 처리되어야 한다.

3. 현문사다리는 근로자의 통행에만 사용하여야 하며, 화물용 발판 또는 화물용 보판으로 사용하도록 해서는 아니 된다.

111 화물을 적재하는 경우의 준수사항으로 옳지 않은 것은?

① 침하 우려가 없는 튼튼한 기반 위에 적재할 것

② 건물의 칸막이나 벽 등이 화물의 압력에 견딜 만큼의 강도를 지니지 아니한 경우에는 칸막이나 벽에 기대어 적재하지 않도록 할 것

③ 불안정할 정도로 높이 쌓아 올리지 말 것

④ 하중을 한쪽으로 치우치더라도 화물을 최대한 효율적으로 적재할 것

해설

화물의 적재 시 준수사항

1. 침하 우려가 없는 튼튼한 기반 위에 적재할 것

2. 건물의 칸막이나 벽 등이 화물의 압력에 견딜 만큼의 강도를 지니지 아니한 경우에는 칸막이나 벽에 기대어 적재하지 않도록 할 것

3. 불안정할 정도로 높이 쌓아 올리지 말 것

4. 하중이 한쪽으로 치우치지 않도록 쌓을 것

112 건설업 산업안전보건관리비 내역 중 사용항목에 해당되지 않는 것은?

① 근로자 건강장해 예방비

② 안전시설비

③ 건설재해예방기술지도비

④ 외부비계, 작업발판 등의 가설구조물 설치 소요비

해설

건설업 산업안전보건관리비의 사용내역

1. 안전관리자 · 보건관리자의 임금 등

2. 안전시설비 등

3. 보호구 등

4. 안전보건진단비 등

5. 안전보건교육비 등

6. 근로자 건강장해 예방비 등

7. 건설재해예방전문지도기관의 지도에 대한 대가로 자기공사자가 지급하는 비용

 TIP 안전발판, 안전통로, 안전계단 등과 같이 명칭에 관계없이 원활한 공사수행을 위한 가설시설 등은 사용이 불가하도록 정하고 있습니다.

113 철골작업에서는 강풍과 같은 악천후 시 작업을 중지하도록 하여야 하는데, 건립작업을 중지하여야 하는 풍속기준은?

① 7m/s 이상

② 10m/s 이상

③ 14m/s 이상

④ 17m/s 이상

해설

작업의 제한(철골작업 중지)

1. 풍속이 초당 10미터 이상인 경우

2. 강우량이 시간당 1밀리미터 이상인 경우

3. 강설량이 시간당 1센티미터 이상인 경우

01 PART
02 PART
03 PART
04 PART
05 PART
06 PART
07 PART

114 강관비계를 사용하여 비계를 구성하는 경우 준수해야 할 기준으로 옳지 않은 것은?

① 비계기둥의 간격은 띠장 방향에서는 1.85m 이하, 장선(長線) 방향에서는 1.5m 이하로 할 것
② 띠장 간격은 2.0m 이하로 할 것
③ 비계기둥의 제일 윗부분으로부터 31m 되는 지점 밑부분의 비계기둥은 2개의 강관으로 묶어 세울 것
④ 비계기둥 간의 적재하중은 600kg을 초과하지 않도록 할 것

해설

강관비계의 구조
1. 비계기둥의 간격은 띠장 방향에서는 1.85m 이하, 장선 방향에서는 1.5m 이하로 할 것
2. 띠장 간격은 2.0m 이하로 할 것
3. 비계기둥의 제일 윗부분으로부터 31m 되는 지점 밑부분의 비계기둥은 2개의 강관으로 묶어 세울 것
4. 비계기둥 간의 적재하중은 400kg을 초과하지 않도록 할 것

115 근로자의 추락 등의 위험을 방지하기 위한 안전난간의 구조 및 설치요건에 관한 기준으로 옳지 않은 것은?

① 상부 난간대는 바닥면·발판 또는 경사로의 표면으로부터 90cm 이상 지점에 설치할 것
② 발끝막이판은 바닥면 등으로부터 10cm 이상의 높이를 유지할 것
③ 난간대는 지름 1.5cm 이상의 금속제 파이프나 그 이상의 강도를 가진 재료일 것
④ 안전난간은 구조적으로 가장 취약한 지점에서 가장 취약한 방향으로 작용하는 100kg 이상의 하중에 견딜 수 있는 튼튼한 구조일 것

해설

안전난간의 구조 및 설치요건

구성	상부 난간대, 중간 난간대, 발끝막이판 및 난간기둥으로 구성할 것(다만, 중간 난간대, 발끝막이판 및 난간기둥은 이와 비슷한 구조와 성능을 가진 것으로 대체할 수 있음)

상부 난간대	상부 난간대는 바닥면·발판 또는 경사로의 표면으로부터 90cm 이상 지점에 설치하고, 상부 난간대를 120cm 이하에 설치하는 경우에는 중간 난간대는 상부 난간대와 바닥면 등의 중간에 설치하여야 하며, 120cm 이상 지점에 설치하는 경우에는 중간 난간대를 2단 이상으로 균등하게 설치하고 난간의 상하 간격은 60cm 이하가 되도록 할 것
발끝막이판 (폭목)	바닥면 등으로부터 10cm 이상의 높이를 유지할 것(다만, 물체가 떨어지거나 날아올 위험이 없거나 그 위험을 방지할 수 있는 망을 설치하는 등 필요한 예방조치를 한 장소는 제외)
난간기둥	상부 난간대와 중간 난간대를 견고하게 떠받칠 수 있도록 적정한 간격을 유지할 것
상부 난간대와 중간 난간대	상부 난간대와 중간 난간대는 난간 길이 전체에 걸쳐 바닥면 등과 평행을 유지할 것
난간대	지름 2.7cm 이상의 금속제 파이프나 그 이상의 강도가 있는 재료일 것
하중	안전난간은 구조적으로 가장 취약한 지점에서 가장 취약한 방향으로 작용하는 100kg 이상의 하중에 견딜 수 있는 튼튼한 구조일 것

116 추락방지용 방망 중 그물코의 크기가 5cm인 매듭방망 신품의 인장강도는 최소 몇 kg 이상이어야 하는가?

① 60
② 110
③ 150
④ 200

해설

방망사의 신품에 대한 인장강도

그물코의 크기 (단위 : cm)	방망의 종류 (단위 : kg)	
	매듭 없는 방망	매듭방망
10	240(150)	200(135)
5		110(60)

단, ( )은 폐기 시 인장강도

117 건립 중 강풍에 의한 풍압 등 외압에 대한 내력이 설계에 고려되었는지 확인하여야 하는 철골구조물의 기준으로 옳지 않은 것은?

① 높이 20m 이상의 구조물
② 구조물의 폭과 높이의 비가 1 : 4 이상인 구조물
③ 이음부가 공장 제작인 구조물
④ 연면적당 철골량이 50kg/m² 이하인 구조물

외압(강풍에 의한 풍압 등)에 대한 내력 설계 확인 구조물
1. 높이 20m 이상의 구조물
2. 구조물의 폭과 높이의 비가 1 : 4 이상인 구조물
3. 단면구조에 현저한 차이가 있는 구조물
4. 연면적당 철골량이 50kg/m² 이하인 구조물
5. 기둥이 타이플레이트(Tie Plate)형인 구조물
6. 이음부가 현장 용접인 구조물

118 건설업 중 유해위험방지계획서 제출 대상 사업장으로 옳지 않은 것은?

① 지상높이가 31m 이상인 건축물 또는 인공구조물, 연면적 30,000m² 이상인 건축물 또는 연면적 5,000m² 이상의 문화 및 집회시설의 건설공사
② 연면적 3,000m² 이상의 냉동·냉장 창고시설의 설비공사 및 단열공사
③ 깊이 10m 이상인 굴착공사
④ 최대 지간길이가 50m 이상인 다리의 건설공사

유해위험방지계획서를 제출해야 될 건설공사
1. 다음의 어느 하나에 해당하는 건축물 또는 시설 등의 건설·개조 또는 해체공사
   • 지상높이가 31미터 이상인 건축물 또는 인공구조물
   • 연면적 3만제곱미터 이상인 건축물
   • 연면적 5천제곱미터 이상인 시설로서 다음의 어느 하나에 해당하는 시설
     −문화 및 집회시설(전시장 및 동물원·식물원은 제외)
     −판매시설, 운수시설(고속철도의 역사 및 집배송시설은 제외)
     −종교시설
     −의료시설 중 종합병원
     −숙박시설 중 관광숙박시설
     −지하도상가
     −냉동·냉장 창고시설
2. 연면적 5천제곱미터 이상인 냉동·냉장 창고시설의 설비공사 및 단열공사
3. 최대 지간길이(다리의 기둥과 기둥의 중심 사이의 거리)가 50미터 이상인 다리의 건설 등 공사
4. 터널의 건설 등 공사
5. 다목적댐, 발전용댐, 저수용량 2천만 톤 이상의 용수 전용 댐 및 지방상수도 전용 댐의 건설 등 공사
6. 깊이 10미터 이상인 굴착공사

119 점토지반의 토공사에서 흙막이 밖에 있는 흙이 안으로 밀려 들어와 내측 흙이 부풀어 오르는 현상은?

① 보일링(Boiling)
② 히빙(Heaving)
③ 파이핑(Piping)
④ 액상화

지반의 이상현상

구분	정의
히빙(Heaving) 현상	연질점토 지반에서 굴착에 의한 흙막이 내·외면의 흙의 중량 차이로 인해 굴착저면이 부풀어 올라오는 현상
보일링(Boiling) 현상	사질토 지반에서 굴착저면과 흙막이 배면과의 수위 차이로 인해 굴착저면의 흙과 물이 함께 위로 솟구쳐 오르는 현상
파이핑(Piping) 현상	보일링 현상으로 인하여 지반 내에서 물의 통로가 생기면서 흙이 세굴되는 현상

120 가설구조물의 특징으로 옳지 않은 것은?

① 연결재가 적은 구조로 되기 쉽다.
② 부재 결합이 간략하여 불안전 결합이다.
③ 구조물이라는 개념이 확고하여 조립의 정밀도가 높다.
④ 사용부재는 과소 단면이거나 결함재가 되기 쉽다.

가설구조물의 특징
1. 연결재가 적은 구조가 되기 쉽다.
2. 부재 결합이 간략하여 불안전 결합이 되기 쉽다.
3. 구조물이라는 개념이 확고하지 않아 조립 정밀도가 낮다.
4. 사용부재는 과소 단면이거나 결함재가 되기 쉽다.

01 PART
02 PART
03 PART
04 PART
05 PART
06 PART
07 PART

1과목 산업재해 예방 및 안전보건교육

01 산업안전보건법령상 안전보건교육 교육대상별 교육내용 중 관리감독자 정기교육의 내용으로 틀린 것은?

① 정리정돈 및 청소에 관한 사항

② 유해·위험 작업환경 관리에 관한 사항

③ 표준안전 작업방법 결정 및 지도·감독 요령에 관한 사항

④ 작업공정의 유해·위험과 재해 예방대책에 관한 사항

해설

관리감독자 정기교육

1. 산업안전 및 산업재해 예방에 관한 사항(화재·폭발 사고 발생 시 대피에 관한 사항을 포함)
2. 산업보건 및 건강장해 예방에 관한 사항(폭염·한파작업으로 인한 건강장해 발생 시 응급조치에 관한 사항을 포함)
3. 위험성평가에 관한 사항
4. 유해·위험 작업환경 관리에 관한 사항
5. 산업안전보건법령 및 산업재해보상보험 제도에 관한 사항
6. 직무스트레스 예방 및 관리에 관한 사항
7. 직장 내 괴롭힘, 고객의 폭언 등으로 인한 건강장해 예방 및 관리에 관한 사항
8. 작업공정의 유해·위험과 재해 예방대책에 관한 사항
9. 사업장 내 안전보건관리체제 및 안전·보건조치 현황에 관한 사항
10. 표준안전 작업방법 결정 및 지도·감독 요령에 관한 사항
11. 현장근로자와의 의사소통능력 및 강의능력 등 안전보건 교육 능력 배양에 관한 사항
12. 비상시 또는 재해 발생 시 긴급조치에 관한 사항
13. 그 밖의 관리감독자의 직무에 관한 사항

02 안전교육방법 중 구안법(Project Method)의 4단계의 순서로 옳은 것은?

① 계획수립 → 목적결정 → 활동 → 평가

② 평가 → 계획수립 → 목적결정 → 활동

③ 목적결정 → 계획수립 → 활동 → 평가

④ 활동 → 계획수립 → 목적결정 → 평가

해설

구안법(Project Method)

1. 학습자 마음속에 생각하고 있는 것을 외부에 구체적으로 실현하고 형상화하기 위해 학습자 스스로가 계획을 세워서 수행하는 학습활동으로 이루어지는 교육방법
2. 구안법의 4단계

1단계	2단계	3단계	4단계
목표결정 (목적)	→ 계획수립 (계획)	→ 활동 (수행)	→ 평가

03 산업안전보건법령상 안전·보건표지의 종류 중 다음 표지의 명칭은?(단, 마름모 테두리는 빨간색이며, 안의 내용은 검은색이다.)

① 폭발성 물질 경고

② 산화성 물질 경고

③ 부식성 물질 경고

④ 급성 독성 물질 경고

해설

안전보건표지

폭발성 물질 경고	산화성 물질 경고	부식성 물질 경고	급성 독성 물질 경고

04 산업안전보건법령상 유기화합물용 방독마스크의 시험가스로 옳지 않은 것은?

① 이소부탄

② 시클로헥산

③ 디메틸에테르

④ 염소가스 또는 증기

해설

방독마스크의 종류 및 표시색

종류	시험가스	정화통 외부 측면의 표시색
유기화합물용	시클로헥산(C_6H_{12})	갈색
	디메틸에테르(CH_3OCH_3)	
	이소부탄(C_4H_{10})	
할로겐용	염소가스 또는 증기(Cl_2)	회색
황화수소용	황화수소가스(H_2S)	
시안화수소용	시안화수소가스(HCN)	
아황산용	아황산가스(SO_2)	노랑색
암모니아용	암모니아가스(NH_3)	녹색

05 인간의 의식 수준을 5단계로 구분할 때 의식이 몽롱한 상태의 단계는?

① Phase Ⅰ
② Phase Ⅱ
③ Phase Ⅲ
④ Phase Ⅳ

해설

의식수준의 단계

단계	의식의 상태	신뢰성
Phase 0 (제0단계)	무의식, 실신	0(Zero)
Phase Ⅰ (제Ⅰ단계)	정상 이하, 의식 흐림, 의식 몽롱함	0.9 이하
Phase Ⅱ (제Ⅱ단계)	정상, 이완상태, 느긋한 기분	0.99~0.99999
Phase Ⅲ (제Ⅲ단계)	정상, 상쾌한 상태, 분명한 의식	0.999999 이상 (신뢰도가 가장 높은 상태)
Phase Ⅳ (제Ⅳ단계)	과긴장, 흥분상태	0.9 이하

06 산업안전보건법령상 안전보건관리규정에 반드시 포함되어야 할 사항이 아닌 것은?(단, 그 밖에 안전 및 보건에 관한 사항은 제외한다.)

① 재해코스트 분석 방법
② 사고 조사 및 대책 수립
③ 작업장 안전 및 보건 관리
④ 안전 및 보건 관리조직과 그 직무

해설

안전보건관리규정의 포함사항
1. 안전 및 보건에 관한 관리조직과 그 직무에 관한 사항
2. 안전보건교육에 관한 사항
3. 작업장의 안전 및 보건 관리에 관한 사항
4. 사고 조사 및 대책 수립에 관한 사항
5. 그 밖에 안전 및 보건에 관한 사항

07 안전보건관리조직의 유형 중 스태프형(Staff형) 조직의 특징이 아닌 것은?

① 생산부분은 안전에 대한 책임과 권한이 없다.
② 권한 다툼이나 조정 때문에 통제수속이 복잡해지며 시간과 노력이 소모된다.
③ 생산부분에 협력하여 안전명령을 전달, 실시하므로 안전지시가 용이하지 않으며 안전과 생산을 별개로 취급하기 쉽다.
④ 명령 계통과 조언 권고적 참여가 혼동되기 쉽다.

해설

스태프형(Staff형) – 참모형 조직
1. 의의
   - 회사 내에 별도로 안전활동 전담부서를 두는 방식의 조직 형태
   - 100명 이상 1,000명 미만의 중규모 사업장에 적합한 조직 형태
   - 안전관리에 관한 계획과 조정, 조사, 검토, 보고 등의 일과 현장에 대한 기술지원을 담당하도록 편성된 조직
2. 장점
   - 경영자의 조언과 자문역할을 한다.
   - 안전에 관한 지식, 기술의 정보 수집이 용이하고 빠르다.
3. 단점
   - 생산부분은 안전에 대한 책임과 권한이 없다.
   - 안전과 생산을 별개로 취급하기 쉽다.

TIP 라인 – 스태프형(Line – staff형) – 직계 참모형 조직은 명령 계통과 조언 권고적 참여가 혼동되기 쉽다.

08 관리감독자를 대상으로 교육하는 TWI의 교육내용이 아닌 것은?

① 문제해결훈련
② 작업지도훈련
③ 인간관계훈련
④ 작업방법훈련

TWI의 교육과정
1. Job Method Training(JMT) : 작업방법훈련, 작업개선훈련
2. Job Instruction Training(JIT) : 작업지도훈련
3. Job Relations Training(JRT) : 인간관계훈련, 부하통솔법
4. Job Safety Training(JST) : 작업안전훈련

09 다음 중 부주의의 발생 현상으로 혼미한 정신상태에서 심신의 피로나 단조로운 반복작업 시 일어나는 현상은?

① 의식의 과잉
② 의식의 집중
③ 의식의 우회
④ 의식수준의 저하

해설

부주의 발생 현상

의식의 단절 (중단)	• 의식의 흐름에 단절이 생기고 공백상태가 나타나는 경우 • 의식수준 제0단계의 상태(특수한 질병의 경우)
의식의 우회	• 의식의 흐름이 옆으로 빗나가 발생한 경우 • 의식수준 제0단계의 상태(걱정, 고민, 욕구불만 등)
의식수준의 저하	• 뚜렷하지 않은 의식의 상태로 심신이 피로하거나 단조로운 작업 등의 경우 • 의식수준 제Ⅰ단계 이하의 상태
의식의 과잉	• 돌발사태 및 긴급이상사태에 직면하면 순간적으로 긴장되고 의식이 한 방향으로 쏠리는 주의의 일점집중현상의 경우 • 의식수준 제Ⅳ단계의 상태
의식의 혼란	• 외적조건에 문제가 있을 때 의식이 혼란되고 분산되어 작업에 잠재되어 있는 위험요인에 대응할 수 없는 경우 • 외부의 자극이 애매모호하거나, 너무 강하거나 약할 때

10 다음 중 데이비스(K. Davis)의 동기부여이론에서 인간의 성과(Human Performance)를 가장 적합하게 나타낸 것은?

① 지식(Knowledge) × 기능(Skill)
② 기능(Skill) × 상황(Situation)
③ 상황(Situation) × 태도(Attitude)
④ 능력(Ability) × 동기유발(Motivation)

해설

데이비스(K. Davis)의 동기부여이론
1. 인간의 성과 × 물질적 성과 → 경영의 성과
2. 지식(Knowledge) × 기능(Skill) → 능력(Ability)
3. 상황(Situation) × 태도(Attitude) → 동기유발(Motivation)
4. 능력(Ability) × 동기유발(Motivation) → 인간의 성과 (Human Performance)

11 매슬로우(Maslow)의 욕구단계이론 중 제2단계 욕구에 해당하는 것은?

① 자아실현의 욕구
② 안전에 대한 욕구
③ 사회적 욕구
④ 생리적 욕구

해설

매슬로우(Maslow)의 욕구단계이론

제1단계	생리적 욕구	기아, 갈증, 호흡, 배설, 성욕 등 생명 유지의 기본적 욕구
제2단계	안전의 욕구	• 자기보존 욕구 – 안전을 구하려는 욕구 • 전쟁, 재해, 질병의 위험으로부터 자유로워지려는 욕구
제3단계	사회적 욕구	• 소속감과 애정에 대한 욕구 • 사회적으로 관계를 향상시키는 욕구
제4단계	인정받으려는 욕구 (자기존중의 욕구)	자존심, 명예, 성취, 지위 등 인정받으려는 욕구
제5단계	자아실현의 욕구	• 잠재능력을 실현하고자 하는 성취욕구 • 특유의 창의력을 발휘

12 산업현장에서 재해 발생 시 조치 순서로 옳은 것은?

① 긴급처리 → 재해조사 → 원인분석 → 대책수립
② 긴급처리 → 원인분석 → 대책수립 → 재해조사
③ 재해조사 → 원인분석 → 대책수립 → 긴급처리
④ 재해조사 → 대책수립 → 원인분석 → 긴급처리

해설

재해 발생 시 조치사항
산업재해 발생 → 긴급처리 → 재해조사 → 원인강구(원인분석) → 대책수립 → 대책실시계획 → 실시 → 평가

13 인간의 동작특성 중 판단과정의 착오요인이 아닌 것은?

① 합리화
② 정서불안정
③ 작업조건 불량
④ 정보부족

착오의 요인

종류	내용
인지과정 착오	• 심리 또는 생리적 요인 • 정보량 저장의 한계 : 한계정보량보다 더 많은 정보가 들어오는 경우 정보를 처리하지 못하는 현상 • 감각차단 현상 : 단조로운 업무가 장시간 지속될 때 작업자의 감각기능 및 판단능력이 둔화 또는 마비되는 현상(예 고도비행, 단독비행, 계기비행, 직선고속도로 운행 등) • 정서적 불안정(불안, 공포) • 정보수용 능력의 한계 : 인간의 감지범위 밖의 정보
판단과정 착오	• 정보부족(옹고집, 지나친 자기중심적 인간) • 능력부족(지식부족, 경험부족) • 자기합리화(자기에게 유리하게 판단) • 환경조건 불비(작업조건 불량)
조치과정 착오	• 기술능력 미숙 • 경험 부족 • 피로

14 재해코스트 산정에 있어 시몬즈(R. H. Simonds) 방식에 의한 재해코스트 산정법으로 옳은 것은?

① 직접비＋간접비
② 간접비＋비보험코스트
③ 보험코스트＋비보험코스트
④ 보험코스트＋사업부보상금 지급액

시몬즈(Simonds) 방식

$$총재해코스트(Cost) = 보험코스트(Cost) + 비보험코스트$$

1. 보험코스트 : 산재보험료
2. 비보험코스트 = $(A \times$ 휴업상해건수) + $(B \times$ 통원상해건수) + $(C \times$ 응급조치건수) + $(D \times$ 무상해사고건수)
3. A, B, C, D는 상해 정도별 재해에 대한 비보험코스트의 평균치이다.
4. 사망과 영구 전노동 불능 상해는 재해범주에서 제외된다.

15 산업재해보험 적용 근로자 1,000명인 플라스틱 제조 사업장에서 작업 중 재해 5건이 발생하였고, 1명이 사망하였을 때 이 사업장의 사망만인율은?

① 2
② 5
③ 10
④ 20

사망만인율

$$사망만인율 = \frac{사망자\ 수}{산재보험\ 적용\ 근로\ 수} \times 10,000$$

$$사망만인율 = \frac{1}{1,000} \times 10,000 = 10$$

16 보호구 안전인증 고시에 따른 안전화의 정의 중 ( ) 안에 알맞은 것은?

경작업용 안전화란 (㉠)mm의 낙하높이에서 시험했을 때 충격과 (㉡±0.1)kN의 압축하중에서 시험했을 때 압박에 대하여 보호해 줄 수 있는 선심을 부착하여, 착용자를 보호하기 위한 안전화를 말한다.

① ㉠ 500, ㉡ 10.0
② ㉠ 250, ㉡ 10.0
③ ㉠ 500, ㉡ 4.4
④ ㉠ 250, ㉡ 4.4

안전화의 시험방법

구분	내충격시험 충격조건	내압박성시험 하중
중작업용	1,000mm의 낙하높이에서 시험	(15.0±0.1)킬로뉴턴(KN)의 압축하중에서 시험
보통 작업용	500mm의 낙하높이에서 시험	(10.0±0.1)킬로뉴턴(KN)의 압축하중에서 시험
경작업용	250mm의 낙하높이에서 시험	(4.4±0.1)킬로뉴턴(KN)의 압축하중에서 시험

17 Y－K(Yutaka－Kohate) 성격검사에 관한 사항으로 옳은 것은?

① C,C′형은 적응이 빠르다.
② M,M′형은 내구성, 집념이 부족하다.
③ S,S′형은 담력, 자신감이 강하다.
④ P,P′형은 운동, 결단이 빠르다.

Y－K(Yutaka－Kohate) 성격검사

작업 성격 유형	작업 성격 인자
C,C′형 : 담금질 (진공성형)	① 운동, 결단, 기민이 빠름 ② 적응 빠름 ③ 세심하지 않음 ④ 내구, 집념 부족 ⑤ 자신감 강함
M,M′형 : 흑담즙질 (신경질형)	① 운동성 느리고 지속성 풍부 ② 적응 느림 ③ 세심, 억제, 정확함 ④ 내구성, 집념, 지속성 ⑤ 담력, 자신감 강함
S,S′형 : 다혈질 (운동성형)	①, ②, ③, ④ : C,C′형과 동일 ⑤ 담력, 자신감 약함
P,P′형 : 점액질 (평범수동성형)	①, ②, ③, ④ : M,M′형과 동일 ⑤ 자신감 약함
Am형(이상질)	① 극도로 나쁨 ② 극도로 느림 ③ 극도로 결핍 ④ 극도로 강하거나 약함

18 다음 설명에 해당하는 학습지도의 원리는?

> 학습자가 지니고 있는 각자의 요구와 능력 등에 알맞은 학습활동의 기회를 마련해주어야 한다는 원리

① 직관의 원리
② 자기활동의 원리
③ 개별화의 원리
④ 사회화의 원리

학습지도의 원리

자발성의 원리	학습자의 내적 동기가 유발된 학습, 즉 학습자 자신이 자발적으로 학습에 참여하는 데 중점을 둔 원리
개별화의 원리	학습자가 지니고 있는 각자의 요구와 능력 등 개인차에 맞도록 지도해야 한다는 원리
사회화의 원리	학교에서 경험한 것과 사회에서 경험한 것을 교류시키고 함께하는 학습을 통하여 협력적이고 우호적인 학습을 진행하는 원리
통합의 원리	학습을 통합적인 전체로서 학습자의 모든 능력을 조화적으로 발달시키는 원리
직관의 원리	구체적인 사물을 직접 제시하거나 경험시킴으로써 큰 효과를 볼 수 있다는 원리

19 보호구 안전인증 고시에 따른 안전모의 일반구조 중 턱끈의 최소폭 기준은?

① 5mm 이상
② 7mm 이상
③ 10mm 이상
④ 12mm 이상

안전모의 일반구조
1. 안전모는 모체, 착장체 및 턱끈을 가질 것
2. 착장체의 머리고정대는 착용자의 머리 부위에 적합하도록 조절할 수 있을 것
3. 착장체의 구조는 착용자의 머리에 균등한 힘이 분배되도록 할 것
4. 모체, 착장체 등 안전모의 부품은 착용자에게 상해를 줄 수 있는 날카로운 모서리 등이 없을 것
5. 모체에 구멍이 없을 것(착장체 및 턱끈의 설치 또는 안전 등, 보안면 등을 붙이기 위한 구멍은 제외)
6. 턱끈은 사용 중 탈락되지 않도록 확실히 고정되는 구조일 것
7. 안전모의 착용높이는 85mm 이상이고 외부수직거리는 80mm 미만일 것
8. 안전모의 내부수직거리는 25mm 이상 50mm 미만일 것
9. 안전모의 수평간격은 5mm 이상일 것
10. 머리받침끈이 섬유인 경우에는 각각의 폭이 15mm 이상이어야 하며, 교차지점 중심으로부터 방사되는 끈 폭의 총합은 72mm 이상일 것
11. 턱끈의 폭은 10mm 이상일 것

20 학습지도의 형태 중 참가자에게 일정한 역할을 주어 실제적으로 연기를 시켜봄으로써 자기의 역할을 보다 확실히 인식시키는 방법은?

① 포럼(Forum)
② 심포지엄(Symposium)
③ 롤 플레잉(Role Playing)
④ 사례연구법(Case Study Method)

역할연기법(Role Playing)
참석자에게 어떤 역할을 주어서 실제로 직접 연기해 본 후 훈련이나 평가에 사용하는 교육방법

01 PART
02 PART
03 PART
04 PART
05 PART
06 PART
07 PART

TIP

포럼 (Forum)	새로운 자료나 주제를 내보이거나 발표한 후 피교육자로 하여금 문제나 의견을 제시하게 하고 다시 깊이 있게 토론해 나가는 방법
심포지엄 (Symposium)	발제자 없이 몇 사람의 전문가에 의하여 과제에 관한 견해를 발표한 뒤에 참가자로 하여금 의견이나 질문을 하게 하여 토의하는 방법
사례연구법 (Case Study Method)	먼저 사례를 제시하고 문제가 되는 사실들과 그의 상호관계에 대해서 검토하고 대책을 토의하는 방법

2과목 인간공학 및 위험성 평가·관리

21 다음 중 인간이 현존하는 기계보다 우월한 기능이 아닌 것은?

① 귀납적으로 추리한다.

② 원칙을 적용하여 다양한 문제를 해결한다.

③ 다양한 경험을 토대로 하여 의사 결정을 한다.

④ 명시된 절차에 따라 신속하고, 정량적인 정보처리를 한다.

해설

1. 기계가 인간보다 우수한 기능 : 명시된 절차에 따라 신속하고, 정량적인 정보처리를 한다.
2. 인간이 기계보다 우수한 기능
   - 매우 낮은 수준의 자극(시각, 청각, 촉각, 후각, 미각적인)을 감지한다.
   - 수신 상태가 나쁜 음극선과에 나타나는 영상과 같이 배경잡음이 심한 경우에도 신호를 인지할 수 있다.
   - 항공 사진의 피사체나 말소리처럼 상황에 따라 변화하는 복잡한 자극의 형태를 식별할 수 있다.
   - 주의의 예기치 못한 상황을 감지할 수 있다.
   - 많은 양의 정보를 오랜 기간 동안 보관하였다가 적절한 정보를 상기한다.
   - 다양한 경험을 토대로 의사결정을 한다.
   - 어떤 운용 방법이 실패할 경우, 다른 방법을 선택한다.
   - 관찰을 통해서 일반화하여 귀납적으로 추리한다.
   - 원칙을 적용하여 다양한 문제를 해결한다.
   - 완전히 새로운 해결책을 찾을 수 있다.
   - 다양한 운용상의 요건에 맞추어서 신체적인 반응을 적응시킨다.

- 과부하 상황에서 불가피한 경우에는 중요한 일에만 전념한다.
- 주관적으로 추산하고 평가한다.

22 Swain에 의해 분류된 휴먼에러 중 독립행동에 관한 분류에 해당하지 않는 것은?

① Omission Error
② Commission Error
③ Extraneous Error
④ Command Error

해설

인간실수의 분류(심리적인 분류)

생략에러 (Omission Error) 부작위 실수	필요한 직무 및 절차를 수행하지 않아(생략) 발생하는 에러 예 • 가스밸브를 잠그는 것을 잊어 사고가 났다. • 어떤 제품의 분해 · 조립 과정을 거쳐서 수리를 마친 후 부품 하나가 남았다.
작위에러 (Commission Error)	필요한 작업 또는 절차의 불확실한 수행(잘못 수행)으로 인한 에러 예 전선이 바뀌었다, 틀린 부품을 사용하였다, 부품이 거꾸로 조립되었다.
순서에러 (Sequential Error)	필요한 작업 또는 절차의 순서 착오로 인한 에러
시간에러 (Time Error)	필요한 직무 또는 절차의 수행지연으로 인한 에러 예 프레스 작업 중에 금형 내에 손이 오랫동안 남아 있어 발생한 재해
과잉행동에러 (Extraneous Error)	불필요한 작업 또는 절차를 수행함으로써 기인한 에러 예 자동차 운전 중 습관적으로 손을 창문으로 내밀어 발생한 재해

23 다음 중 인간이 감지할 수 있는 외부의 물리적 자극 변화의 최소범위는 기준이 되는 자극의 크기에 비례하는 현상을 설명한 이론은?

① 웨버(Weber) 법칙
② 피츠(Fitts) 법칙
③ 신호검출이론(SDT)
④ 힉 – 하이만(Hick – Hyman) 법칙

해설

웨버(Weber)의 법칙

1. 음의 높이, 무게, 빛의 밝기 등 물리적 자극을 상대적으로 판단하는 데 있어 특정 감각기관의 변화감지역은 표준자극에 비례한다는 법칙

2. 감각기관의 표준자극과 변화감지역의 연관관계
3. 변화감지역은 사용되는 표준자극의 크기에 비례
4. 원래 자극의 강도가 클수록 변화 감지를 위한 자극의 변화량은 커지게 된다.

$$\text{Weber 비} = \frac{\Delta I}{I} = \frac{\text{변화감지역}}{\text{표준자극}}$$

여기서, ΔI : 변화감지역
I : 표준자극

24 다음 중 인간 - 기계 시스템에서 기계의 표시장치와 인간의 눈은 어느 요소에 해당하는가?

① 감지
② 정보저장
③ 정보처리
④ 행동기능

해설

체계(System)의 기본기능 및 업무

정보입력	원하는 결과를 얻기 위한 재료(물체나 물질, 정보, 전력, 열 등과 같은 에너지 등)
감지	• 정보수용의 과정 • 인간에 의한 감지는 시각, 청각, 촉각과 같은 여러 종류의 기관이 사용
정보보관	• 인간의 정보저장 : 학습과정을 통해 축적한 기억 • 기계의 정보저장 : 펀치카드, 자기테이프, 기록, 자료표, 녹음테이프 등으로 보관 • 정보의 보관형태 : 암호화, 부호화된 형태로 보관
정보처리 및 의사결정	• 정보처리 : 감지한(받은) 정보를 가지고 수행하는 여러 종류의 조작 • 인간의 정보처리시간 : 0.5초
행동기능	• 내려진 의사결정의 결과로 발생하는 조작행위를 일컫는다. • 본질적 통신행위 : 음성(사람의 경우), 신호, 기록 등의 행위
출력	제품의 변화, 전달된 통신, 제공된 용역(Service)과 같은 체계의 성과나 결과

25 3개 공정의 소음 수준 측정 결과 1공정은 100dB에서 1시간, 2공정은 95dB에서 1시간, 3공정은 90dB에서 1시간이 소요될 때 총 소음량(TND)과 소음설계의 적합성을 맞게 나열한 것은?(단, 90dB에 8시간 노출될 때를 허용기준으로 하며, 5dB 증가할 때 허용시간은 1/2로 감소되는 법칙을 적용한다.)

① TND = 0.785, 적합
② TND = 0.875, 적합
③ TND = 0.985, 적합
④ TND = 1.085, 부적합

해설

소음 노출 분량과 소음 노출 허용 수준
1. 소음 노출 분량(Noise Dose)

$$\text{부분 노출 분량} = \frac{\text{실제 노출 시간}}{\text{최대 허용 시간}}$$

※ 허용 노출 수준 : 1의 소음 투여량(총 소음 투여량은 부분 노출분량의 합과 같다.)

2. 소음 노출 허용 수준

음압 수준	90dB	95dB	100dB	105dB	110dB
허용 시간	8	4	2	1	0.5

3. 계산
• 소음 노출 수준 $= \left(\frac{1}{2} + \frac{1}{4} + \frac{1}{8} \right) = 0.875$
• 소음 노출 기준 초과 여부 : 1 미만이므로 적합

26 양립성(Compatibility)에 대한 설명 중 틀린 것은?

① 개념 양립성, 운동 양립성, 공간 양립성 등이 있다.
② 인간의 기대에 맞는 자극과 반응의 관계를 의미한다.
③ 양립성의 효과가 크면 클수록 코딩의 시간이나 반응의 시간은 길어진다.
④ 양립성이란 제어장치와 표시장치의 연관성이 인간의 예상과 어느 정도 일치하는 것을 의미한다.

해설

양립성의 효과가 크면 클수록 코딩의 시간이나 반응의 시간은 줄어든다.

> **TIP 양립성**
> • 자극들 간의, 반응들 간의, 자극 - 반응 조합의 관계가 인간의 기대와 모순되지 않는 것이다.(인간의 기대하는 바와 자극 또는 반응들이 일치하는 관계)
> • 양립성의 종류
>   - 공간 양립성
>   - 운동 양립성
>   - 개념 양립성
>   - 양식 양립성

27 A작업의 평균 에너지 소비량이 다음과 같을 때, 60분간의 총 작업시간 내에 포함되어야 하는 휴식시간(분)은?

- 휴식 중 에너지소비량 : 1.5kcal/min
- A작업 시 평균 에너지 소비량 : 6kcal/min
- 기초대사를 포함한 작업에 대한 평균 에너지 소비량 상한 : 5kcal/min

① 10.3　　　　　　② 11.3
③ 12.3　　　　　　④ 13.3

해설

휴식시간

$$R = \frac{60(E-5)}{E-1.5}$$

여기서, R = 휴식시간(분)
E = 작업 시 평균 에너지 소비량(kcal/분)
60 = 총작업 시간(분)
1.5kcal/분 = 휴식시간 중의 에너지 소비량

$$R = \frac{60(E-5)}{E-1.5} = \frac{60(6-5)}{6-1.5} = 13.3$$

28 상완을 자연스럽게 수직으로 늘어뜨린 상태에서 전완만을 편하게 파악할 수 있는 영역을 무엇이라 하는가?

① 정상작업파악한계　　② 정상작업역
③ 최대작업역　　　　　④ 작업공간포락면

해설

수평 작업대

정상작업역 (표준영역)	위팔(상완)을 자연스럽게 수직으로 늘어뜨린 채, 아래팔(전완)만으로 편하게 뻗어 파악할 수 있는 구역
최대작업역 (최대영역)	아래팔(전완)과 위팔(상완)을 곧게 펴서 파악할 수 있는 구역

29 시스템안전 MIL-STD-882B 분류기준의 위험성 평가 매트릭스에서 발생빈도에 속하지 않는 것은?

① 거의 발생하지 않는(Remote)
② 전혀 발생하지 않는(Impossible)
③ 보통 발생하는(Reasonably Probable)
④ 극히 발생하지 않을 것 같은(Extremely Improbable)

해설

시스템안전 MIL-STD-882B 위험성 평가 발생빈도 분류기준
1. 자주 발생(Frequent)
2. 보통 발생하는(Reasonably Probable)
3. 가끔 발생(Occasional)
4. 거의 발생하지 않은(Remote)
5. 극히 발생하지 않을 것 같은(Extremely Improbable)

TIP 전혀 발생하지 않는(impossible)은 Chapanis의 위험분석에 포함된다.

30 정량적 표시장치에 관한 설명으로 맞는 것은?

① 정확한 값을 읽어야 하는 경우 일반적으로 디지털보다 아날로그 표시장치가 유리하다.
② 동목(Moving Scale)형 아날로그 표시장치는 표시장치의 면적을 최소화할 수 있는 장점이 있다.
③ 연속적으로 변화하는 양을 나타내는 데에는 일반적으로 아날로그보다 디지털 표시장치가 유리하다.
④ 동침(Moving Pointer)형 아날로그 표시장치는 바늘의 진행 방향과 증감 속도에 대한 인식적인 암시 신호를 얻는 것이 불가능한 단점이 있다.

해설

정량적 표시장치의 종류(정량적인 동적 표시장치)

아날로그 (Analog)	정목동침형 (Moving Pointer) (지침이동형)	• 눈금이 고정되고 지침이 움직이는 형 (고정눈금 이동지침 표시장치) • 일정한 범위에서 수치가 자주 또는 계속 변하는 경우 가장 유용한 표시장치 • 지침의 위치는 인식적인 암시 신호를 얻을 수 있다.
	정침동목형 (Moving Scale) (지침고정형)	• 지침이 고정되고 눈금이 움직이는 형 (이동눈금 고정지침 표시장치) • 나타내고자 하는 값의 범위가 클 때, 비교적 작은 눈금판에 모두 나타내고자 할 때 공간을 적게 차지하는 이점이 있음
디지털 (Digital)	계수형 (Digital)	• 전력계나 택시 요금 계기와 같이 기계, 전자적으로 숫자가 표시되는 형 • 출력되는 값을 정확하게 읽어야 하는 경우에 가장 적합하다.(수치를 정확하게 읽어야 할 경우) • 판독 오차는 원형 표시 장치보다 적을 뿐 아니라 판독(평균반응)시간도 짧다.(계수형 : 0.94초, 원형 : 3.54초)

01 PART
02 PART
03 PART
04 PART
05 PART
06 PART
07 PART

31 다음과 같은 실내 표면에서 일반적으로 추천 반사율의 크기를 맞게 나열한 것은?

㉠ 바닥	㉡ 천정
㉢ 가구	㉣ 벽

① ㉠ < ㉣ < ㉢ < ㉡
② ㉣ < ㉠ < ㉡ < ㉢
③ ㉠ < ㉢ < ㉣ < ㉡
④ ㉣ < ㉡ < ㉠ < ㉢

해설

실내 면(面)의 추천 반사율

바닥	가구, 사무용 기기, 책상	창문 발(Blind), 벽	천정
20~40%	25~45%	40~60%	80~90%

32 일반적으로 은행의 접수대 높이나 안내 데스크를 설계할 때 가장 적합한 인체 측정 자료의 응용원칙은?

① 조절식 설계
② 평균치를 이용한 설계
③ 최대치수를 이용한 설계
④ 최소치수를 이용한 설계

해설

인체 계측 자료의 응용원칙 사례
1. 극단치를 이용한 설계
   • 최대 집단치 설계 : 출입문, 탈출구의 크기, 통로, 그네, 줄사다리, 버스 내 승객용 좌석 간 거리. 위험구역 울타리 등
   • 최소 집단치 설계 : 선반의 높이, 조종 장치까지의 거리, 비상벨의 위치 설계 등
2. 조절 가능한 설계
   자동차 좌석의 전후 조절, 사무실 의자의 상하 조절, 책상 높이 등
3. 평균치를 이용한 설계
   가게나 은행의 계산대, 식당 테이블, 출근버스 손잡이 높이, 안내 데스크 등

33 다음 중 제한된 실내 공간에서의 소음문제에 대한 대책으로 가장 적절하지 않은 것은?

① 진동부분의 표면을 줄인다.
② 소음에 적응된 인원으로 배치한다.
③ 소음의 전달 경로를 차단한다.
④ 벽, 천정, 바닥에 흡음재를 부착한다.

해설

소음방지대책
1. 소음원의 제거 : 가장 적극적인 대책
2. 소음원을 통제 : 기계의 적절한 설계, 정비 및 주유, 고무 받침대 부착, 소음기 사용(차량) 등
3. 소음의 격리 : 씌우개(Enclosure), 장벽을 사용(창문을 닫으면 약 10dB 감음됨)
4. 적절한 배치(Lay Out)
5. 음향 처리제 사용
6. 차폐 장치(Baffle) 및 흡음재 사용
7. 방음 보호 용구

34 국소진동에 지속적으로 노출된 근로자에게 발생할 수 있으며, 말초혈관 장해로 손가락이 창백해지고 동통을 느끼는 질환의 명칭은?

① 레이노 병(Raynaud's Phenomenon)
② 파킨슨 병(Parkinson's Disease)
③ 규폐증
④ C5-dip 현상

해설

레이노 현상(Raynaud's Phenomenon)
손가락에 있는 말초혈관 운동의 장애로 손가락이 창백해지고 손이 차며 저리거나 통증이 오는 현상으로 추위에 노출되면 이러한 현상은 더욱 악화되며 백납병을 초래하게 된다.

35 빨강, 노랑, 파랑의 3가지 색으로 구성된 교통 신호등이 있다. 신호등은 항상 3가지 색 중 하나가 켜지도록 되어 있다. 1시간 동안 조사한 결과, 파란등은 총 30분 동안, 빨간등과 노란등은 각각 총 15분 동안 켜진 것으로 나타났다. 이 신호등의 총 정보량은 몇 bit인가?

① 0.5
② 0.75
③ 1.0
④ 1.5

해설

정보의 측정 단위
여러 개의 실현 가능한 대안이 있을 경우 평균 정보량은 각 대안의 정보량에 실현 확률을 곱한 것을 모두 합하면 된다.

$$H = \sum_{i=1}^{n} P_i \log_2 \left(\frac{1}{P_i} \right)$$

여기서, P_i = 각 대안의 실현확률

정답 31 ③ 32 ② 33 ② 34 ① 35 ④

2-314 PART 07 과년도 기출문제

1. 확률 계산
   - 파란등 확률 $= \dfrac{30}{60} = 0.5$
   - 빨간등 확률 $= \dfrac{15}{60} = 0.25$
   - 노란등 확률 $= \dfrac{15}{60} = 0.25$
2. 총 정보량

$$H = 0.5 \times \log_2\left(\dfrac{1}{0.5}\right) + 0.25 \times \log_2\left(\dfrac{1}{0.25}\right)$$
$$+ 0.25 \times \log_2\left(\dfrac{1}{0.25}\right) = 1.5 (\text{bit})$$

36 상황해석을 잘못하거나 목표를 잘못 설정하여 발생하는 인간의 오류 유형은?

① 실수(Slip)
② 착오(Mistake)
③ 위반(Violation)
④ 건망증(Lapse)

해설

인간의 오류 모형

착오 (Mistake)	상황해석을 잘못하거나 목표를 잘못 이해하고 착각하여 행하는 경우(어떤 목적으로 행동하려고 했는데 그 행동과 일치하지 않는 것)
실수 (Slip)	상황이나 목표의 해석을 제대로 했으나 의도와는 다른 행동을 하는 경우
건망증 (Lapse)	여러 과정이 연계적으로 계속하여 일어나는 행동 중 일부를 잊어버리고 하지 않거나 또는 기억의 실패에 의해 발생하는 오류
위반 (Violation)	정해진 규칙을 알고 있음에도 고의적으로 따르지 않거나 무시하는 행위

37 부품 배치의 원칙 중 기능적으로 관련된 부품들을 모아서 배치한다는 원칙은?

① 중요성의 원칙
② 사용 빈도의 원칙
③ 사용 순서의 원칙
④ 기능별 배치의 원칙

해설

부품 배치의 원칙

부품의 위치 결정	중요성의 원칙	체계의 목표달성에 긴요한 정도에 따른 우선순위를 설정
	사용 빈도의 원칙	부품이 사용되는 빈도에 따른 우선순위 설정
부품의 배치 결정	기능별 배치의 원칙	기능적으로 관련된 부품들을 모아서 배치
	사용 순서의 원칙	순서적으로 사용되는 장치들을 가까이에 순서적으로 배치

38 동작경제 원칙에 해당되지 않는 것은?

① 신체사용에 관한 원칙
② 작업장 배치에 관한 원칙
③ 사용자 요구 조건에 관한 원칙
④ 공구 및 설비 디자인에 관한 원칙

해설

동작경제의 원칙

작업자가 에너지의 낭비 없이 효과적으로 작업할 수 있도록 작업자의 동작을 세밀하게 분석하여 가장 경제적이고 합리적인 표준동작을 설정하는 것을 말한다.
1. 신체사용에 관한 원칙
2. 작업장 배치에 관한 원칙
3. 공구 및 설비 디자인에 관한 원칙

39 암호체계의 사용상에 있어서, 일반적인 지침에 포함되지 않는 것은?

① 암호의 검출성
② 부호의 양립성
③ 암호의 표준화
④ 암호의 단일 차원화

해설

암호 체계 사용상의 일반적 지침
1. 암호의 검출성(Detectability) : 검출이 가능하여야 한다.
2. 암호의 변별성(Discriminability) : 다른 암호 표시와 구별될 수 있어야 한다.
3. 부호의 양립성(Compatibility) : 자극들 간의, 반응들 간의, 자극 – 반응 조합의 관계가 인간의 기대와 모순되지 않는 것이다.
4. 부호의 의미 : 사용자가 그 뜻을 분명히 알 수 있어야 한다.
5. 암호의 표준화(Standardization) : 암호를 표준화하여야 한다.
6. 다차원 암호의 사용(Multidimensional) : 2가지 이상의 암호 차원을 조합해서 사용하면 정보전달이 촉진된다.

40 다음 중 인간공학에 대한 설명으로 틀린 것은?

① 인간이 사용하는 물건, 설비, 환경의 설계에 적용된다.

② 인간의 생리적, 심리적인 면에서의 특성이나 한계점을 고려한다.

③ 인간을 작업과 기계에 맞추는 설계 철학이 바탕이 된다.

④ 인간－기계 시스템의 안전성과 편리성, 효율성을 높인다.

해설

인간공학의 정의

1. 인간의 특성과 한계 능력을 공학적으로 분석, 평가하여 이를 복잡한 체계의 설계에 응용함으로써 효율을 최대로 활용할 수 있도록 하는 학문분야이다.

2. 인간의 생리적, 심리적 요소를 연구하여 기계나 설비를 인간의 특성에 맞추어 설계하고자 하는 것이다.

3. 사람과 작업 간의 적합성에 관한 과학을 말한다.(인적오류 예방에 관한 인간공학적 안전보건관리 지침)

4. 인간공학의 초점은 인간이 만들어 생활의 여러 가지 면에서 사용하는 물건, 기구 또는 환경을 설계하는 과정에서 인간을 고려하는 데 있다.

3과목 기계·기구 및 설비 안전 관리

41 롤러의 급정지를 위한 방호장치를 설치하고자 한다. 앞면 롤러 직경이 36cm이고, 분당회전속도가 50rpm이라면 급정지거리는 약 얼마 이내이어야 하는가?(단, 무부하동작에 해당한다.)

① 45cm   ② 50cm

③ 55cm   ④ 60cm

해설

롤러기의 급정지거리

$$V = \frac{\pi DN}{1,000} (\text{m/min})$$

여기서, V : 표면속도
D : 롤러 원통의 직경(mm)
N : 1분간에 롤러기가 회전되는 수(rpm)

1. $V = \frac{\pi DN}{1,000}(\text{m/min})$

$= \frac{\pi \times 360 \times 50}{1,000}$

$= 56.52(\text{m/min})$

2. 무부하 동작에서 급정지거리
표면속도(V)가 56.52(m/min)로 30(m/min) 이상이므로 앞면 롤러 원주의 $\frac{1}{2.5}$이다.

앞면 롤러의 표면속도 (m/min)	급정지 거리
30 미만	앞면 롤러 원주의 1/3
30 이상	앞면 롤러 원주의 1/2.5

3. 급정지 거리 $= \pi \times D \times \frac{1}{2.5} = \pi \times 36 \times \frac{1}{2.5}$

$= 45.216 = 45(\text{cm})$

 TIP

원둘레 길이 $= \pi D = 2\pi r$

여기서, D : 지름
r : 반지름

---

42 다음 중 연삭숫돌의 파괴 원인으로 거리가 먼 것은?

① 플랜지가 현저히 클 때

② 숫돌에 균열이 있을 때

③ 숫돌의 측면을 사용할 때

④ 숫돌의 치수 특히 내경의 크기가 적당하지 않을 때

해설

연삭숫돌의 파괴 원인

1. 숫돌의 회전속도가 너무 빠를 때

2. 숫돌 자체에 균열이 있을 때

3. 숫돌에 과대한 충격을 가할 때

4. 숫돌의 측면을 사용하여 작업할 때

5. 숫돌의 불균형이나 베어링 마모에 의한 진동이 있을 때 (숫돌이 경우에 따라 파손될 수 있다.)

6. 숫돌 반경방향의 온도변화가 심할 때

7. 작업에 부적당한 숫돌을 사용할 때

8. 숫돌의 치수가 부적당할 때

9. 플랜지가 현저히 작을 때

43 다음 중 지게차의 작업상태별 안정도에 관한 설명으로 틀린 것은?[단, V는 최고속도(km/h)이다.]

① 기준 부하상태에서 하역작업 시의 전후 안정도는 20% 이내이다.

② 기준 부하상태에서 하역작업 시의 좌우 안정도는 6% 이내이다.

③ 기준 무부하상태에서 주행 시의 전후 안정도는 18% 이내이다.

④ 기준 무부하상태에서 주행 시의 좌우 안정도는 (15 +1.1V)% 이내이다.

해설

지게차의 안정도 기준
1. 하역작업 시의 전후 안정도 4% 이내(5톤 이상 : 3.5% 이내) : 최대하중상태에서 포크를 가장 높이 올린 경우
2. 주행 시의 전후 안정도 18% 이내
3. 하역작업 시의 좌우 안정도 6% 이내 : 최대하중상태에서 포크를 가장 높이 올리고 마스트를 가장 뒤로 기울인 경우
4. 주행 시의 좌우 안정도(15+1.1V)% 이내
V : 최고속도(km/h)

44 그림과 같이 2줄의 와이어로프로 중량물을 달아 올릴 때, 로프에 가장 힘이 적게 걸리는 각도(θ)는?

① 0°
② 60°
③ 120°
④ 모두 같음

해설

슬링와이어로프의 한 가닥에 걸리는 하중

$$하중 = \frac{화물의\ 무게(W_1)}{2} \div \cos\frac{\theta}{2}$$

여기서, 각도 θ가 작을수록 힘이 적게 걸린다.

45 용접부 결함에서 전류가 과대하고, 용접속도가 너무 빨라 용접부의 일부가 홈 또는 오목하게 생기는 결함은?

① 언더컷
② 기공
③ 균열
④ 융합불량

해설

언더컷(Under Cut)

결함의 모양	원인	상태
	과대전류, 운봉속도가 빠를 때, 부당한 용접봉을 사용할 때	용접된 경계 부근에 움푹 파여 들어가 홈이 생긴 것

46 프레스기의 SPM(Stroke Per Minute)이 200이고, 클러치의 맞물림 개소수가 6인 경우 양수기동식 방호장치의 안전거리는?

① 120mm
② 200mm
③ 320mm
④ 400mm

해설

방호장치 설치 안전거리(양수기동식)

$$D_m = 1.6\,T_m$$

여기서, D_m : 안전거리(mm)
　　　 T_m : 양손으로 누름단추를 누르기 시작할 때부터 슬라이드가 하사점에 도달하기까지 소요시간(ms)

$$T_m = \left(\frac{1}{클러치\ 맞물림\ 개소수} + \frac{1}{2}\right) \times \frac{60,000}{매분\ 행정수}\text{(ms)}$$

1. $T_m = \left(\dfrac{1}{클러치\ 맞물림\ 개소수} + \dfrac{1}{2}\right) \times \dfrac{60,000}{매분\ 행정수}$
$= \left(\dfrac{1}{6} + \dfrac{1}{2}\right) \times \dfrac{60,000}{200} = 200\text{(ms)}$

2. $D_m = 1.6 \times 200 = 320\text{(mm)}$

47 회전하는 부분의 접선방향으로 물려 들어갈 위험이 존재하는 점으로 주로 체인, 풀리, 벨트, 기어와 랙 등에서 형성되는 위험점은?

① 끼임점
② 협착점
③ 절단점
④ 접선물림점

기계운동 형태에 따른 위험점 분류

협착점	왕복운동을 하는 운동부와 움직임이 없는 고정부 사이에서 형성되는 위험점(고정점＋운동점)	• 프레스 • 전단기 • 성형기 • 조형기 • 밴딩기 • 인쇄기
끼임점	회전운동하는 부분과 고정부 사이에 위험이 형성되는 위험점(고정점＋회전운동)	• 연삭숫돌과 작업대 • 반복동작되는 링크기구 • 교반기의 날개와 몸체 사이 • 회전풀리와 벨트
절단점	회전하는 운동부 자체의 위험이나 운동하는 기계부분 자체의 위험에서 형성되는 위험점(회전운동＋기계)	• 밀링커터 • 둥근 톱의 톱날 • 목공용 띠톱 날
물림점	회전하는 두 개의 회전체에 형성되는 위험점(서로 반대 방향의 회전체) (중심점＋반대방향의 회전운동)	• 기어와 기어의 물림 • 롤러와 롤러의 물림 • 롤러분쇄기
접선 물림점	회전하는 부분의 접선방향으로 물려들어갈 위험이 있는 위험점	• V벨트와 풀리 • 랙과 피니언 • 체인벨트 • 평벨트
회전 말림점	회전하는 물체의 길이, 굵기, 속도 등의 불규칙 부위와 돌기 회전부위에 의해 장갑 또는 작업복 등이 말려들 위험이 있는 위험점	• 회전하는 축 • 커플링 • 회전하는 드릴

48 산업안전기준에 관한 규칙에서 정의하고 있는 동력을 사용하여 사람이나 화물을 운반하는 것을 목적으로 사용하는 리프트의 종류에 해당하지 않는 것은?

① 승강용 리프트

② 건설용 리프트

③ 산업용 리프트

④ 이삿짐운반용 리프트

리프트

1. 동력을 사용하여 사람이나 화물을 운반하는 것을 목적으로 하는 기계설비
2. 종류
   • 건설용 리프트
   • 산업용 리프트
   • 자동차정비용 리프트
   • 이삿짐운반용 리프트

49 산업안전보건법령상 목재가공용 둥근톱 작업에서 분할날과 톱날 원주면과의 간격은 최대 얼마 이내가 되도록 조정하는가?

① 10mm ② 12mm

③ 14mm ④ 16mm

분할날의 설치구조

1. 분할 날의 두께는 둥근톱 두께의 1.1배 이상일 것

$$1.1t_1 \leq t_2 < b$$

여기서, t_1 : 톱 두께
t_2 : 분할날 두께
b : 치진폭

2. 견고히 고정할 수 있으며 분할날과 톱날 원주면과의 거리는 12mm 이내로 조정, 유지할 수 있어야 하고 표준 테이블면(승강반에 있어서도 테이블을 최하로 내린 때의 면) 상의 톱 뒷날의 2/3 이상을 덮도록 할 것
3. 재료는 KS D 3751(탄소공구강재)에서 정한 STC 5(탄소공구강) 또는 이와 동등 이상의 재료를 사용할 것
4. 분할날 조임볼트는 2개 이상이어야 하며 볼트는 이완방지 조치가 되어 있어야 한다.

50 다음 중 선반의 안전장치 및 작업 시 주의사항으로 잘못된 것은?

① 선반의 바이트는 되도록 짧게 물린다.

② 방진구는 공작물의 길이가 지름의 5배 이상일 때 사용한다.

③ 선반의 베드 위에는 공구를 올려놓지 않는다.

④ 칩 브레이커는 바이트에 직접 설치한다.

선반 작업 시 주의사항

1. 칩(Chip)이 비산할 때는 보안경을 쓰고 방호판을 설치·사용한다.
2. 베드 위에 공구를 올려 놓지 않아야 한다.
3. 작업 중에 가공품을 만지지 않는다.
4. 장갑 착용을 금한다.
5. 작업 시 공구는 항상 정리해 둔다.
6. 가능한 한 절삭 방향은 주축대 쪽으로 한다.
7. 기계 점검을 한 후 작업을 시작한다.
8. 칩(Chip)이나 부스러기를 제거할 때는 기계를 정지시키고 압축공기를 사용하지 말고 반드시 브러시(솔)를 사용한다.

9. 치수 측정, 주유 및 청소를 할 때는 반드시 기계를 정지시키고 한다.
10. 기계를 운전 중에 백 기어(Back Gear)를 사용하지 말고 시동 전에 심압대가 잘 좌여 있는가를 확인한다.
11. 바이트는 가급적 짧게 장치하며 가공물의 길이가 직경의 12배 이상일 때는 반드시 방진구를 사용하여 진동을 막는다.
12. 리드 스크루에는 작업자의 하부가 걸리기 쉬우므로 조심해야 한다.

51 산업안전보건법령상 고속회전체의 회전시험을 하는 경우 미리 회전축의 재질 및 형상 등에 상응하는 종류의 비파괴검사를 해서 결함 유무를 확인해야 한다. 이때 검사 대상이 되는 고속회전체의 기준은?

① 회전축의 중량이 0.5톤을 초과하고, 원주속도가 100 m/s 이내인 것
② 회전축의 중량이 0.5톤을 초과하고, 원주속도가 120 m/s 이상인 것
③ 회전축의 중량이 1톤을 초과하고, 원주속도가 100 m/s 이내인 것
④ 회전축의 중량이 1톤을 초과하고, 원주속도가 120 m/s 이상인 것

해설

고속회전체의 위험방지

고속회전체(원주속도가 25m/s를 초과하는 것)의 회전시험을 하는 경우	전용의 견고한 시설물의 내부 또는 견고한 장벽 등으로 격리된 장소에서 하여야 한다.
회전축의 중량이 1톤을 초과하고, 원주속도가 120m/s 이상인 것의 회전시험을 하는 경우	미리 회전축의 재질 및 형상 등에 상응하는 종류의 비파괴검사를 해서 결함 유무를 확인하여야 한다.

52 지게차의 방호장치에 해당하는 것은?

① 버킷   ② 포크
③ 마스트   ④ 헤드가드

해설

지게차 방호장치
1. 전조등 및 후미등
2. 헤드가드
3. 백레스트
4. 좌석 안전띠

53 베어링을 생산하는 사업장에 300명의 근로자가 근무하고 있다. 1년에 21건의 재해가 발생하였다면 이 사업장에서 근로자 1명이 평생 작업 시 약 몇 건의 재해를 당할 수 있겠는가?(단, 1일 8시간씩 1년 300일을 근무하며, 평생근로시간은 10만 시간으로 가정한다.)

① 1건   ② 3건
③ 5건   ④ 6건

해설

1. 도수율

$$도수율 = \frac{재해\ 발생\ 건수}{연간\ 총근로시간수} \times 1,000,000$$

$$= \frac{21}{300 \times 8 \times 300} \times 1,000,000$$

$$= 29.17$$

2. 환산도수율
환산도수율 = 도수율 × 0.1 = 29.17 × 0.1 = 2.92 ≒ 3(건)

- 환산 재해율
  - 환산강도율(S) : 10만 시간(평생근로)당의 근로손실일수
  - 환산도수율(F) : 10만 시간(평생근로)당의 재해건수

- 환산강도율(S) = 강도율 × $\frac{100,000}{1,000}$
  = 강도율 × 100(일)

- 환산강도율(F) = 도수율 × $\frac{100,000}{1,000,000}$
  = 도수율 × $\frac{1}{10}$(건)

- $\frac{S}{F}$ = 재해 1건당의 근로손실일수

TIP 총근로시간수(평생근로시간)이 다를 경우

평생근로시간이 100,000시간	평생근로시간이 120,000시간
• 환산도수율 = 도수율 × 0.1	• 환산도수율 = 도수율 × 0.12
• 환산강도율 = 강도율 × 100	• 환산강도율 = 강도율 × 120

54 산업안전보건법령상 프레스 및 전단기에서 안전블록을 사용해야 하는 작업으로 가장 거리가 먼 것은?

① 금형가공작업
② 금형해체작업
③ 금형부착작업
④ 금형조정작업

01 PART
02 PART
03 PART
04 PART
05 PART
06 PART
07 PART

정답 51 ④ 52 ④ 53 ② 54 ①

금형조정작업의 위험 방지

프레스 등의 금형을 부착 · 해체 또는 조정하는 작업을 할 때에 해당 작업에 종사하는 근로자의 신체가 위험한계 내에 있는 경우 슬라이드가 갑자기 작동함으로써 근로자에게 발생할 우려가 있는 위험을 방지하기 위하여 안전블록을 사용하는 등 필요한 조치를 하여야 한다.

55 보일러 발생증기의 이상 현상이 아닌 것은?

① 역화(Back Fire) ② 프라이밍(Priming)
③ 포밍(Forming) ④ 캐리오버(Carry Over)

이상현상의 종류

프라이밍 (Priming)	보일러수가 극심하게 끓어서 수면에서 계속하여 물방울이 비산하고 증기부가 물방울로 충만하여 수위가 불안정하게 되는 현상
포밍 (Foaming)	보일러수에 유지류, 고형물 등의 부유물로 인해 거품이 발생하여 수위를 판단하지 못하는 현상
캐리오버 (Carry Over)	• 보일러에서 증기관 쪽에 보내는 증기에 대량의 물방울이 포함되는 경우로 프라이밍이나 포밍이 생기면 필연적으로 발생 • 보일러에서 증기의 순도를 저하시킴으로써 관내 응축수가 생겨 워터해머의 원인이 되는 것
워터해머 (Water Hammer) (수격작용)	증기관 내에서 증기를 보내기 시작할 때 해머로 치는 듯한 소리를 내며 관이 진동하는 현상으로, 워터해머는 캐리오버에 기인한다.

TIP 역화(Back Fire)

연소실 내에서 폭발 등에 의해 화염이 연도로 나가지 못하고 연소실 입구로 분출되는 현상

56 곤돌라형 달비계에 사용하는 와이어로프의 사용금지 기준으로 옳지 않은 것은?

① 이음매가 있는 것
② 열과 전기충격에 의해 손상된 것
③ 지름의 감소가 공칭지름의 7%를 초과하는 것
④ 와이어로프의 한 꼬임에서 끊어진 소선의 수가 7% 이상인 것

달비계의 와이어로프 사용금지 사항
1. 이음매가 있는 것

2. 와이어로프의 한 꼬임에서 끊어진 소선의 수가 10% 이상인 것
3. 지름의 감소가 공칭지름의 7%를 초과하는 것
4. 꼬인 것
5. 심하게 변형되거나 부식된 것
6. 열과 전기충격에 의해 손상된 것

57 다음 중 가공재료의 칩이나 절삭유 등이 비산되어 나오는 위험으로부터 보호하기 위한 선반의 방호장치는?

① 바이트 ② 권과방지장치
③ 압력제한스위치 ④ 쉴드(Shield)

선반의 방호장치(안전장치)

칩 브레이커 (Chip Breaker)	절삭 중 칩을 자동적으로 끊어주는 바이트에 설치된 안전장치
급정지 브레이크	가공작업 중 선반을 급정지시킬 수 있는 방호장치
쉴드 (Shield)	가공물의 칩이 비산되어 발생하는 위험을 방지하기 위해 사용하는 덮개(칩비산방지 투명판)
척 커버 (Chuck Cover)	척과 척으로 잡은 가공물의 돌출부에 작업자가 접촉하지 않도록 설치하는 덮개

58 다음 중 아세틸렌 용접장치에서 역화의 원인으로 가장 거리가 먼 것은?

① 아세틸렌의 공급 과다
② 토치 성능의 부실
③ 압력조정기의 고장
④ 토치 팁에 이물질이 묻은 경우

역화(Back Fire)

정의	용접 도중에 모재에 팁 끝이 닿아 불꽃이 팁 끝에서 순간적으로 폭음을 내며 불꽃이 들어갔다가 꺼지는 현상
원인	• 압력조정기의 고장 • 과열되었을 때 • 산소 공급이 과다할 때 • 토치의 성능이 좋지 않을 때 • 토치 팁에 이물질이 묻었을 때
방지법	• 용접 팁을 물에 담궈서 식힘 • 아세틸렌을 차단 • 토치의 기능을 점검

59 밀링 작업 시 안전수칙으로 틀린 것은?

① 보안경을 착용한다.
② 칩은 기계를 정지시킨 다음에 브러시로 제거한다.
③ 가공 중에는 손으로 가공면을 점검하지 않는다.
④ 면장갑을 착용하여 작업한다.

해설

밀링 작업에 대한 안전수칙

1. 제품을 따 내는 데에는 손끝을 대지 말아야 한다.
2. 운전 중 가공면에 손을 대지 말아야 하며 장갑 착용을 금지한다.
3. 칩을 제거할 때에는 커터의 운전을 중지하고 브러시(솔)를 사용하며 걸레를 사용하지 않는다.
4. 칩의 비산이 많으므로 보안경을 착용한다.
5. 커터 설치 시 및 측정은 반드시 기계를 정지시킨 후에 한다.
6. 일감(공작물)은 테이블 또는 바이스에 안전하게 고정한다.
7. 상하 이송장치의 핸들은 사용 후 반드시 빼 두어야 한다.
8. 가공 중에 밀링 머신에 얼굴을 대지 않는다.
9. 절삭 속도는 재료에 따라 정한다.
10. 커터를 끼울 때는 아버를 깨끗이 닦는다.
11. 일감(공작물)을 고정하거나 풀어낼 때는 기계를 정지시킨다.
12. 테이블 위에 공구 등을 올려놓지 않는다.
13. 강력 절삭을 할 때는 일감을 바이스에 깊게 물린다.
14. 급속이송은 백래시 제거장치가 동작하지 않고 있음을 확인한 후 실시하고, 급속이송은 한 방향으로만 한다.

60 페일 세이프(Fail Safe)의 기능적인 면에서 분류할 때 거리가 가장 먼 것은?

① Fool Proof
② Fail Passive
③ Fail Active
④ Fail Operational

해설

페일 세이프의 기능면에서의 분류

Fail Passive	부품이 고장나면 기계가 정지하는 방향으로 이동하는 것(일반적인 산업기계)
Fail Active	부품이 고장나면 경보를 울리며 잠시 동안 계속 운전이 가능한 것
Fail Operational	부품이 고장나도 추후에 보수가 될 때까지 안전한 기능을 유지하는 것

TIP 풀 프루프와 페일 세이프

풀 프루프 (Fool Proof)	작업자가 기계를 잘못 취급하여 불안전 행동이나 실수를 하여도 기계설비의 안전 기능이 작용되어 재해를 방지할 수 있는 기능을 가진 구조
페일 세이프 (Fail Safe)	기계나 그 부품에 파손·고장이나 기능 불량이 발생하여도 항상 안전하게 작동할 수 있는 기능을 가진 구조

4과목 전기설비 안전관리

61 다음 중 산업안전보건기준에 관한 규칙에 따라 누전차단기를 설치하지 않아도 되는 곳은?

① 철판·철골 위 등 도전성이 높은 장소에서 사용하는 이동형 전기기계·기구
② 대지전압이 220V인 휴대형 전기기계·기구
③ 임시배선의 전로가 설치되는 장소에서 사용하는 이동형 전기기계·기구
④ 절연대 위에서 사용하는 전기기계·기구

해설

감전방지용 누전차단기의 적용대상(누전차단기 설치장소)

1. 대지전압이 150V를 초과하는 이동형 또는 휴대형 전기기계·기구
2. 물 등 도전성이 높은 액체가 있는 습윤장소에서 사용하는 저압(1.5천V 이하 직류전압이나 1천V 이하의 교류전압)용 전기기계·기구
3. 철판·철골 위 등 도전성이 높은 장소에서 사용하는 이동형 또는 휴대형 전기기계·기구
4. 임시배선의 전로가 설치되는 장소에서 사용하는 이동형 또는 휴대형 전기기계·기구

TIP 감전방지용 누전차단기의 적용제외 대상

- 이중절연구조 또는 이와 같은 수준 이상으로 보호되는 구조로 된 전기기계·기구
- 절연대 위 등과 같이 감전위험이 없는 장소에서 사용하는 전기기계·기구
- 비접지방식의 전로

62 인체저항을 500Ω이라 한다면, 심실세동을 일으키는 위험한계에너지는 약 몇 J인가?(단, 심실세동전류값 $I = \dfrac{165}{\sqrt{T}}\,\mathrm{mA}$의 Dalziel의 식을 이용하며, 통전시간은 1초로 한다.)

① 11.5   ② 13.6
③ 15.3   ④ 16.2

해설

위험한계에너지

$$W = I^2 RT[\mathrm{J/S}] = \left(\frac{165}{\sqrt{T}} \times 10^{-3}\right)^2 \times R \times T$$

$$W = \left(\frac{165}{\sqrt{1}} \times 10^{-3}\right)^2 \times 500 \times 1 = 13.6(\mathrm{J})$$

63 교류 아크 용접기의 자동전격방지장치는 아크 발생이 중단된 후 출력 측 무부하 전압을 1초 이내 몇 V 이하로 저하시켜야 하는가?

① 25~30   ② 35~50
③ 55~75   ④ 80~100

해설

자동전격방지기
1. 교류 아크 용접기는 65~90(V)의 무부하 전압이 인가되어 감전의 위험성이 높으며, 자동전격방지기를 설치하여 아크 발생을 중단할 때 용접기의 2차(출력) 측 무부하 전압을 25~30(V) 이하로 유지시켜 감전의 위험을 줄이도록 되어 있다.
2. 즉, 용접 시에만 용접기의 주회로가 접속되고 그 외는 용접기 2차 전압을 안전전압 이하로 제한한다.

> **TIP** 2차(출력) 측 무부하 전압을 자동적으로 25V 이하로 강하시켜야 하나 전원전압의 변동이 있을 경우 30V 이하로 강하시켜야 한다.

64 1종 위험장소로 분류되지 않는 것은?

① 탱크류의 벤트(Vent) 개구부 부근
② 인화성 액체 탱크 내의 액면 상부의 공간부
③ 점검수리 작업에서 가연성 가스 또는 증기를 방출하는 경우의 밸브 부근

④ 탱크롤리, 드럼관 등이 인화성 액체를 충전하고 있는 경우의 개구부 부근

해설

가스폭발 위험장소의 구분(1종)
1. 탱크롤리, 드럼관 등 인화성 액체를 충전하고 있는 경우의 개구부 부근
2. 릴리프 밸브가 가끔 작동하여 가연성 가스 또는 증기가 방출되는 경우의 부근
3. 탱크류의 벤트 개구부 부근
4. 점검 및 수리작업 시에 가연성 가스 또는 증기가 방출되는 경우
5. 실내에서 가연성 가스 또는 증기가 방출될 염려가 있는 장소
6. 위험한 가스가 누출될 염려가 있는 장소로서 피트(PIT)와 같이 가스가 축적되는 장소
7. 플로팅 루프 탱크상의 셀 내의 부분

> **TIP** 0종 장소
> - 인화성 액체 또는 가연성 용기와 설비의 내부
> - 인화성 액체의 용기 또는 탱크 내 액면상부 공간
> - 가연성 액체 내의 액중 펌프

65 피뢰기가 구비하여야 할 조건으로 틀린 것은?

① 제한전압이 낮아야 한다.
② 상용 주파 방전 개시 전압이 높아야 한다.
③ 충격방전 개시전압이 높아야 한다.
④ 속류 차단 능력이 충분하여야 한다.

해설

피뢰기의 구비성능
1. 충격방전 개시전압과 제한전압이 낮을 것
2. 반복 동작이 가능할 것
3. 구조가 견고하며 특성이 변화하지 않을 것
4. 점검, 보수가 간단할 것
5. 뇌전류의 방전능력이 클 것
6. 속류의 차단이 확실하게 될 것

66 누전으로 인한 화재의 3요소에 대한 요건이 아닌 것은?

① 접속점   ② 출화점
③ 누전점   ④ 접지점

누전화재의 3요소

누전화재는 전선의 충전부에서 금속 조영재 등으로 전류가 흘러들어 오는 누전점, 과열 개소의 출화점, 접지물로 전기가 들어오는 접지점의 3요소가 있다. 누전으로 인한 전기화재의 원인조사에 있어서도 이것을 분명히 하는 것이 중요하다.

67 단로기를 사용하는 주된 목적은?

① 과부하 차단

② 변성기의 개폐

③ 이상전압의 차단

④ 무부하 선로의 개폐

단로기(DS : Disconnecting Switch)

1. 무부하상태에서만 차단이 가능하며, 부하상태에서 개폐하면 위험하다.
2. 차단기의 전후 또는 차단기의 측로회로 및 회로접속의 변환에 사용한다.
3. 단로기 전원 개방 시(끊을 경우) : 차단기를 개방한 후에 단로기를 개방
4. 단로기 전원 투입 시(넣을 경우) : 단로기를 투입한 후에 차단기를 투입

68 누전화재가 발생하기 전에 나타나는 현상으로 거리가 가장 먼 것은?

① 인체 감전현상

② 전등 밝기의 변화현상

③ 빈번한 퓨즈 용단현상

④ 전기 사용 기계장치의 오동작 감소

누전으로 전기 사용 기계장치의 오동작이 증가하면서 누전화재의 발생이 커진다.

69 심장의 맥동주기 중 어느 때에 전격이 인가되면 심실세동을 일으킬 확률이 크고, 위험한가?

① 심방의 수축이 있을 때

② 심실의 수축이 있을 때

③ 심실의 수축 종료 후 심실의 휴식이 있을 때

④ 심실의 수축이 있고 심방의 휴식이 있을 때

심장의 맥동주기

1. P파 : 심방수축에 따른 파형이다.
2. Q-R-S파 : 심실수축에 따른 파형이다.
3. T파 : 심실의 수축 종료 후 심실의 휴식 시 발생하는 파형이다.
4. R-R : 심장의 맥동주기

※ 전격이 인가되면 심실세동을 일으키는 확률이 가장 크고 위험한 부분은 심실의 휴식 시 발생하는 T파 부분이다.

심장의 맥동주기

70 다음 중 유입차단기의 기호로 옳은 것은?

① VCB 　　　　② MCCB

③ OCB 　　　　④ ACB

차단기의 종류

진공차단기(VCB : Vacuum Circuit Breaker)	진공 속에서 전극을 개폐하여 소호하는 방식
배선용 차단기(MCCB : Molded Case Circuit Breaker)	과전류에 대하여 자동차단하는 브레이크를 내장한 것으로 평상시에는 수동으로 개폐하고 과부하 및 단락 시에는 자동으로 전류를 차단하는 것
유입차단기(OCB : Oil Circuit Breaker)	전로의 차단을 절연유를 매질로 하여 동작하는 것
기중차단기(ACB : Air Circuit Breaker)	대기의 공기 내에서 회로를 차단할 시 공기의 자연소호방식을 이용한 것(압축공기를 사용하여 아크를 끄는 것)

71 다음은 어떤 방전에 대한 설명인가?

정전기가 대전되어 있는 부도체에 접지체가 접근한 경우 대전물체와 접지체 사이에 발생하는 방전과 거의 동시에 부도체의 표면을 따라서 발생하는 나뭇가지 형태의 발광을 수반하는 방전

① 코로나 방전 　　　② 뇌상 방전

③ 연면 방전 　　　　④ 불꽃 방전

정전기 방전의 형태

코로나 방전	고체에 정전기가 축적되면 전위가 높아지게 되고 고체 표면의 전위경도가 어느 일정치를 넘어서면 낮은 소리와 연한 빛을 수반하는 방전
뇌상 방전	번개와 같은 수지상의 발광을 수반하고 강력하게 대전한 입자군이 대규모의 구름 모양(대전운)으로 확산되어 일어나는 특수한 방전
연면 방전	부도체의 표면을 따라서 Star-check 마크를 가지는 나뭇가지 형태의 발광을 수반하는 방전
불꽃 방전	도체가 대전되었을 때 접지된 도체 사이에서 발생하는 강한 발광과 파괴음을 수반하는 방전

72 대전서열을 올바르게 나열한 것은?

| (+)   (−) |

① 폴리에틸렌 – 셀룰로이드 – 염화비닐 – 테프론

② 셀룰로이드 – 폴리에틸렌 – 염화비닐 – 테프론

③ 염화비닐 – 폴리에틸렌 – 셀룰로이드 – 테프론

④ 테프론 – 셀룰로이드 – 염화비닐 – 폴리에틸렌

고분자 물질의 대전서열

| 유리 | 머리털 | 나일론 | 양모 견 | 레이온 | 견모방 | 비단 | 면 | 견인 | 아연 | 오프셋 | 펄프 | 고무인견 | 테프론이면 | 테프론노지 | 사린 | 다크론 | 테릴론 | 카클릴 | 폴리에 | 카네칼로 | 셀비론 | 사란 | 셀렌이름 | 영진테프론 | 테프론 | 비닐 |

> **TIP** 일반적으로 대전량은 접촉이나 분리하는 두 가지 물체가 대전서열 내에서 가까운 곳에 있으면 적고 먼 위치에 있을수록 대전량이 큰 경향이 있다.

73 유자격자가 아닌 근로자가 방호되지 않은 충전전로 인근의 높은 곳에서 작업할 때에 근로자의 몸은 충전전로에서 몇 cm 이내로 접근할 수 없도록 하여야 하는가?(단, 대지전압이 50kV이다.)

① 50   ② 100

③ 200   ④ 300

충전전로를 취급하거나 그 인근에서의 작업

유자격자가 아닌 근로자가 충전전로 인근의 높은 곳에서 작업할 때에 근로자의 몸 또는 긴 도전성 물체가 방호되지 않은 충전전로에서 대지전압이 50kV 이하인 경우에는 300cm 이내로, 대지전압이 50kV를 넘는 경우에는 10kV당 10cm씩 더한 거리 이내로 각각 접근할 수 없도록 할 것

74 감전 등의 재해를 예방하기 위하여 특고압용 기계ㆍ기구 주위에 관계자 외 출입을 금하도록 울타리를 설치할 때, 울타리의 높이와 울타리로부터 충전부분까지의 거리의 합이 최소 몇 m 이상이 되어야 하는가?(단, 사용전압이 35kV 이하인 특고압용 기계기구이다.)

① 5m   ② 6m

③ 7m   ④ 9m

발전소 등의 울타리, 담 등의 시설

1. 울타리ㆍ담 등의 높이는 2m 이상으로 하고 지표면과 울타리ㆍ담 등의 하단 사이의 간격은 0.15m 이하로 할 것
2. 울타리ㆍ담 등과 고압 및 특고압의 충전부분이 접근하는 경우에는 울타리ㆍ담 등의 높이와 울타리ㆍ담 등으로부터 충전부분까지 거리의 합계는 다음 표에서 정한 값 이상으로 할 것

사용전압의 구분	울타리ㆍ담 등의 높이와 울타리ㆍ담 등으로부터 충전부분까지의 거리의 합계
35kV 이하	5m
35kV 초과 160 kV 이하	6m
160kV 초과	6m에 160kV를 초과하는 10kV 또는 그 단수마다 0.12m를 더한 값

75 접지 목적에 따른 분류에서 병원설비의 의료용 전기전자(MㆍE)기기와 모든 금속부분 또는 도전바닥에도 접지하여 전위를 동일하게 하기 위한 접지를 무엇이라 하는가?

① 계통 접지

② 등전위 접지

③ 노이즈 방지용 접지

④ 정전기 장해방지 이용 접지

해설
목적에 따른 접지의 분류

접지의 종류	목적
계통 접지	고압전로와 저압전로가 혼촉되었을 때의 감전이나 화재 방지를 위해 변압기의 중성점을 접지하는 방식
기기 접지	누전되고 있는 기기에 접촉되었을 때의 감전 방지
피뢰기 접지	낙뢰로부터 전기기기의 손상을 방지
정전기 장해방지용 접지	정전기 축적에 의한 폭발 재해 방지
지락 검출용 접지	누전 차단기의 동작을 확실하게 함
등전위 접지	병원에 있어서의 의료기기 사용 시의 안전
잡음 대책용 접지	잡음에 의한 전자장치의 파괴나 오동작 방지
기능용 접지	전기 방식 설비 등의 접지
노이즈 방지용 접지	노이즈에 의한 전기장치의 파괴나 오동작 방지를 위한 접지

76 전선로 등에서 아크화상 사고 시 전선이나 개폐기 터미널 등의 금속분자가 고열로 용융되어 피부 속으로 녹아 들어가는 현상은?

① 피부의 광성변화   ② 전문
③ 표피 박탈   ④ 전류반점

해설
감전에 의한 국소 증상

피부의 광성변화	감전 사고 시 전선이나 금속분자가 그 열로 용융됨으로써 피부 속으로 침투하는 현상
표피 박탈	고전압에 의한 아크 등으로 폭발적인 고열이 발생하여 인체의 표피가 벗겨져 떨어지는 현상
전문	감전전류의 유출입 부분에 회백색 또는 붉은색의 수지상 선이 나타나는 것으로 피부에 상처, 흉터가 남는 현상
전류반점	화상 부위가 검게 반점을 이루고 움푹 들어간 모양
감전성 궤양	신체 내부 조직의 급성 십이지장 궤양, 위궤양

77 다음 중 전기설비기술기준에 따른 전압의 구분으로 틀린 것은?

① 저압 : 직류 1kV 이하
② 고압 : 교류 1kV 초과 7kV 이하
③ 특고압 : 직류 7kV 초과
④ 특고압 : 교류 7kV 초과

해설
전압의 구분

전원의 종류	저압	고압	특고압
직류[DC]	1,500V 이하	1,500V 초과 7,000V 이하	7,000V 초과
교류[AC]	1,000V 이하	1,000V 초과 7,000V 이하	7,000V 초과

78 작업자가 교류전압 7,000V 이하의 전로에 활선 근접작업 시 감전사고 방지를 위한 절연용 보호구는?

① 고무절연관   ② 절연시트
③ 절연커버   ④ 절연안전모

해설
절연안전모
물체의 낙하·비래, 추락 등에 의한 위험을 방지하고, 작업자 머리 부분의 감전에 의한 위험으로부터 보호하기 위해 전압 7,000V 이하에서 사용한다.

79 다음 ( ) 안에 들어갈 내용으로 옳은 것은?

A. 감전 시 인체에 흐르는 전류는 인가전압에 (㉠)하고 인체저항에 (㉡)한다.
B. 인체는 전류의 열작용이 (㉢)×(㉣)이 어느 정도 이상이 되면 발생한다.

① ㉠ 비례   ㉡ 반비례   ㉢ 전류의 세기   ㉣ 시간
② ㉠ 반비례   ㉡ 비례   ㉢ 전류의 세기   ㉣ 시간
③ ㉠ 비례   ㉡ 반비례   ㉢ 전압   ㉣ 시간
④ ㉠ 반비례   ㉡ 비례   ㉢ 전압   ㉣ 시간

해설
옴의 법칙 및 전류의 열작용
1. 옴의 법칙
   임의의 도체에 흐르는 전류(I)의 크기는 전압(V)에 비례하고(R이 일정한 경우), 저항(R)에 반비례(V가 일정한 경우)한다.

$$V = IR[\text{V}], \ I = \frac{V}{R}[\text{A}], \ R = \frac{V}{I}[\Omega]$$

여기서, V : 전압[V]
       I : 전류[A]
       R : 저항[Ω]

01 PART
02 PART
03 PART
04 PART
05 PART
06 PART
07 PART

2. 전류의 열작용

인체에 전류가 흘러서 (전류의 세기)×(시간)이 어느 정도 이상이 되면 전류의 열작용에 의해 전기의 입구와 출구에 화상이 생기고 체내에서는 세포를 파괴하거나 혈구를 변질시킨다.

80 전압이 동일한 경우 교류가 직류보다 위험한 이유를 가장 잘 설명한 것은?

① 교류의 경우 전압의 극성 변화가 있기 때문이다.
② 교류는 감전 시 화상을 입히기 때문이다.
③ 교류는 감전 시 수축을 일으킨다.
④ 직류는 교류보다 사용빈도가 낮기 때문이다.

해설

직류와 교류
• 직류 : 전류와 전압이 시간의 변화에 따라 방향과 크기가 변하지 않거나 일정하다.
• 교류 : 전류와 전압이 시간의 변화에 따라 방향과 크기가 변화한다.

5과목 화학설비 안전관리

81 두 물질을 혼합하면 위험성이 커지는 경우가 아닌 것은?

① 이황화탄소+물   ② 나트륨+물
③ 과산화나트륨+염산   ④ 염소산칼륨+적린

해설

이황화탄소
1. 물보다 무겁고 물에 녹기 어렵기 때문에 가연성 증기의 발생을 억제하기 위하여 물속에 저장한다.
2. 고온(150℃ 이상)의 물과 반응하면 이산화탄소와 황화수소를 발생한다.

> **TIP** 금수성 물질
> 1. 정의 : 물과 접촉하면 격렬한 발열반응하는 것으로 물질이 공기 중의 습기를 흡수해서 화학반응을 일으켜 발열하거나, 수분과 접촉해서 발열하여 그 온도가 가속도적으로 높아져 발화되는 물질
> 2. 종류
>   • 칼륨   • 리튬   • 칼슘   • 마그네슘
>   • 알킬알루미늄 • 나트륨   • 철분   • 알킬리튬
>   • 금속분 등   • 탄화칼슘 등

82 물과의 반응으로 유독한 포스핀 가스를 발생하는 것은?

① HCl   ② NaCl
③ Ca_3P_2 ④ $Al(OH)_3$

해설

인화칼슘(Ca_3P_2)
인화석회라고도 하며 적갈색의 고체로 수분(H_2O)과 반응하여 유독성 가스인 인화수소(PH_3 : 포스핀) 가스를 발생시킨다.

$$Ca_3P_2 + 6H_2O \rightarrow 3Ca(OH)_2 + 2PH_3 \uparrow$$
(인화칼슘) (물)   (수산화칼슘) (포스핀)

83 자연발화성을 가진 물질이 자연발화를 일으키는 원인으로 거리가 먼 것은?

① 분해열   ② 증발열
③ 산화열   ④ 중합열

해설

자연발화의 형태
1. 산화열에 의한 발열(석탄, 건성유, 기름걸레 등)
2. 분해열에 의한 발열(셀룰로이드, 니트로셀룰로오스 등)
3. 흡착열에 의한 발열(활성탄, 목탄분말, 석탄분 등)
4. 미생물에 의한 발열(퇴비, 먼지, 볏짚 등)
5. 중합에 의한 발열(아크릴로니트릴 등)

84 유류저장탱크에서 화염의 차단을 목적으로 외부에 증기를 방출하기도 하고 탱크 내 외기를 흡입하기도 하는 부분에 설치하는 안전장치는?

① Vent Stack   ② Safety Valve
③ Gate Valve   ④ Flame Arrester

해설

화염방지기(Flame Arrester)
1. 유류저장탱크에서 화염의 차단을 목적으로 외부에 증기를 방출하기도 하고 탱크 내 외기를 흡입하기도 하는 부분에 설치하는 안전장치
2. 화염방지기 중에서 금속망형으로 된 것을 인화방지망이라고도 하며, 40메시(mesh) 이상의 가는 눈의 철망을 여러 겹으로 해서 화염이 통과할 때 화염을 차단할 목적으로 한다.

85 뜨거운 금속에 물이 닿으면 튀는 현상과 같이 핵비등(Nucleate Boiling) 상태에서 막비등(Film Boiling)으로 이행하는 온도를 무엇이라 하는가?

① Burn－out Point

② Leidenfrost Point

③ Entrainment Point

④ Sub－cooling Boiling Point

해설

라이덴프로스트 점(Leidenfrost Point)
핵비등에서 막비등으로 넘어가는 온도(물은 200℃ 근방)

86 메탄 50vol%, 에탄 30vol%, 프로판 20vol% 혼합가스의 공기 중 폭발하한계는?(단, 메탄, 에탄, 프로판의 폭발하한계는 각각 5.0vol%, 3.0vol%, 2.1vol%이다.)

① 1.6vol% ② 2.1vol%

③ 3.4vol% ④ 4.8vol%

해설

르 샤틀리에의 법칙(순수한 혼합가스일 경우)

$$\frac{100}{L} = \frac{V_1}{L_1} + \frac{V_2}{L_2} + \frac{V_3}{L_3} \cdots$$

$$L = \frac{100}{\dfrac{V_1}{L_1} + \dfrac{V_2}{L_2} + \cdots + \dfrac{V_n}{L_n}}$$

여기서, V_n : 전체 혼합가스 중 각 성분 가스의 체적(비율)[%]
L_n : 각 성분 단독의 폭발한계(상한 또는 하한)
L : 혼합가스의 폭발한계(상한 또는 하한)[vol%]

$$L = \frac{100}{\dfrac{50}{5} + \dfrac{30}{3} + \dfrac{20}{2.1}} = 3.387 = 3.4(\text{vol\%})$$

87 공기 중에서 A가스의 폭발하한계는 2.2vol% 이다. 이 폭발하한계 값을 기준으로 하여 표준상태에서 A가스와 공기의 혼합기체 1m³에 함유되어 있는 A가스의 질량을 구하면 약 몇 g인가?(단, A가스의 분자량은 26이다.)

① 19.02 ② 25.54

③ 29.02 ④ 35.54

해설

질량
1. A가스의 부피
$$1,000\text{L} \times \frac{2.2}{100} = 22\text{L}$$

2. 표준상태(0℃, 1기압)에서 A가스의 분자량은 26g이므로
A가스의 질량 $= 22\text{L} \times \dfrac{26\text{g}}{22.4\text{L}} = 25.54(\text{g})$

TIP 1m³ = 1,000L

88 연소에 관한 설명으로 틀린 것은?

① 인화점이 상온보다 낮은 가연성 액체는 상온에서 인화의 위험이 있다.

② 가연성 액체를 발화점 이상으로 공기 중에서 가열하면 별도의 점화원이 없어도 발화할 수 있다.

③ 가연성 액체는 가열되어 완전 열분해되지 않으면 착화원이 있어도 연소하지 않는다.

④ 열 전도도가 클수록 연소하기 어렵다.

해설

가연성 액체의 인화점
1. 가연성 액체의 인화에 대한 위험성을 결정하는 요소로 인화점을 사용
2. 가연성 액체의 경우 인화점 이상에서 점화원의 접촉에 의해 인화
3. 인화점이 낮을수록 위험한 물질

89 분진폭발의 요인을 물리적 인자와 화학적 인자로 분류할 때 화학적 인자에 해당하는 것은?

① 연소열 ② 입도 분포

③ 열전도율 ④ 입자의 형성

해설

분진의 화학적 성질과 조성
분진의 발열량이 클수록 폭발성이 크며 휘발성분의 함유량이 많을수록 폭발하기 쉽다.

90 화학물질 및 물리적 인자의 노출기준에서 정한 유해인자에 대한 노출기준의 표시단위가 잘못 연결된 것은?

① 에어로졸 : ppm
② 증기 : ppm
③ 가스 : ppm
④ 고온 : 습구흑구온도지수(WBGT)

노출기준의 표시단위

가스 및 증기	피피엠(ppm)
분진 및 미스트 등 에어로졸	세제곱미터당 밀리그램(mg/m³) [다만, 석면 및 내화성 세라믹 섬유의 노출기준 표시단위는 세제곱센티미터당 개수(개/cm³)를 사용]
고온	습구흑구온도지수(WBGT) • 태양광선이 내리쬐는 옥외장소 : WBGT(℃) = 0.7×자연습구온도＋0.2×흑구온도＋0.1×건구온도 • 태양광선이 내리쬐지 않는 옥내 또는 옥외 장소 : WBGT(℃) = 0.7×자연습구온도＋0.3×흑구온도

91 다음 중 전기설비에 의한 화재에 사용할 수 없는 소화기의 종류는?

① 포소화기
② 이산화탄소소화기
③ 할로겐화합물소화기
④ 무상수(霧狀水)소화기

전기설비 소화설비의 적응성
무상수소화기, 무상강화액소화기, 이산화탄소소화기, 할로겐화합물소화기, 분말소화기(인산염류소화기, 탄산수소염류소화기)

92 자동화재탐지설비의 감지기 종류 중 열감지기가 아닌 것은?

① 차동식
② 정온식
③ 보상식
④ 광전식

자동화재탐지설비 감지기의 종류

감지원리		개념
열 감지기	차동식	온도의 상승률이 소정의 값 이상일 때 동작하는 감지기
	정온식	일정 온도 이상이 될 때 작동하는 감지기
	보상식	저온도에서는 차동식으로 주위 온도가 공칭 작동온도에 도달하면 온도상승률에 상관없이 정온식으로 작동되는 감지기
연기 감지기	광전식	연기에 의한 빛의 양 변화를 광전기 같은 전기적 변화에 의해 화재발생을 감지하는 감지기
	이온화식	주위의 공기가 일정한 농도의 연기를 포함하게 되는 경우에 작동하는 감지기

93 CF₃Br 소화약제의 하론 번호를 옳게 나타낸 것은?

① 하론 1031
② 하론 1311
③ 하론 1301
④ 하론 1310

할론소화약제의 명명법
1. 일취화일염화메탄 소화기(CH_2ClBr) : 할론 1011
2. 이취화사불화에탄 소화기($C_2F_4Br_2$) : 할론 2402
3. 일취화삼불화메탄 소화기(CF_3Br) : 할론 1301
4. 일취화일염화이불화메탄 소화기(CF_2ClBr) : 할론 1211
5. 사염화탄소 소화기(CCl_4) : 할론 1040

94 산업안전보건법령에 따라 유해하거나 위험한 설비의 설치·이전 또는 주요 구조부분의 변경공사 시 공정안전보고서의 제출시기는 착공일 며칠 전까지 관련 기관에 제출하여야 하는가?

① 15일
② 30일
③ 60일
④ 90일

공정안전보고서의 제출시기 및 절차
유해하거나 위험한 설비의 설치·이전 또는 주요 구조부분의 변경공사의 착공일 30일 전까지 공정안전보고서를 2부를 작성하여 공단에 제출해야 한다.

95 산업안전보건법령에 따라 사업주가 급성 독성물질의 누출로 인한 위험을 방지하기 위한 조치사항으로 옳지 않은 것은?

① 사업장 내 급성 독성물질의 저장 및 취급량을 최소화할 것
② 급성 독성물질을 취급 저장하는 설비의 연결 부분은 누출되지 않도록 밀착시키고 매년 1회 이상 연결 부분에 이상이 있는지를 점검할 것
③ 급성 독성물질을 폐기·처리하여야 하는 경우에는 냉각·분리·흡수·흡착·소각 등의 처리공정을 통하여 급성 독성물질이 외부로 방출되지 않도록 할 것
④ 급성 독성물질이 외부로 누출된 경우에는 감지·경보할 수 있는 설비를 갖출 것

해설

독성이 있는 물질의 누출방지
1. 사업장 내 급성 독성물질의 저장 및 취급량을 최소화할 것
2. 급성 독성물질을 취급 저장하는 설비의 연결 부분은 누출되지 않도록 밀착시키고 매월 1회 이상 연결부분에 이상이 있는지를 점검할 것
3. 급성 독성물질을 폐기·처리하여야 하는 경우에는 냉각·분리·흡수·흡착·소각 등의 처리공정을 통하여 급성 독성물질이 외부로 방출되지 않도록 할 것
4. 급성 독성물질 취급설비의 이상 운전으로 급성 독성물질이 외부로 방출될 경우에는 저장·포집 또는 처리설비를 설치하여 안전하게 회수할 수 있도록 할 것
5. 급성 독성물질을 폐기·처리 또는 방출하는 설비를 설치하는 경우에는 자동으로 작동될 수 있는 구조로 하거나 원격조정할 수 있는 수동조작구조로 설치할 것
6. 급성 독성물질을 취급하는 설비의 작동이 중지된 경우에는 근로자가 쉽게 알 수 있도록 필요한 경보설비를 근로자와 가까운 장소에 설치할 것
7. 급성 독성물질이 외부로 누출된 경우에는 감지·경보할 수 있는 설비를 갖출 것

96 폭발을 기상폭발과 응상폭발로 분류할 때 기상폭발에 해당되지 않는 것은?

① 분진폭발
② 혼합가스폭발
③ 분무폭발
④ 수증기폭발

해설

폭발의 분류

공정에 따른 분류	핵폭발	원자핵의 분열이나 융합에 의한 강렬한 에너지 방출 현상
	물리적 폭발	화학적 변화 없이 물리 변화를 주체로 한 폭발의 형태(탱크의 감압폭발, 수증기 폭발, 고압용기의 폭발, 전선폭발, 보일러 폭발 등)
	화학적 폭발	화학반응이 관여하는 화학적 특성 변화에 의한 폭발(산화폭발, 분해폭발, 중합 폭발, 반응폭주)
원인물질의 상태에 따른 분류	기상폭발	가스폭발, 분무폭발, 분진폭발, 가스분해 폭발, 증기운폭발
	응상폭발	수증기폭발(액체일 때), 증기폭발(액화가스일 때), 전선폭발

97 다음 중 전기화재의 종류에 해당하는 것은?

① A급
② B급
③ C급
④ D급

해설

화재의 종류
1. A급 화재 : 일반화재
2. B급 화재 : 유류·가스화재
3. C급 화재 : 전기화재
4. D급 화재 : 금속화재

98 인화성 가스가 발생할 우려가 있는 지하작업장에서 작업을 할 경우 폭발이나 화재를 방지하기 위한 조치사항 중 가스의 농도를 측정하는 기준으로 적절하지 않은 것은?

① 매일 작업을 시작하기 전에 측정한다.
② 가스의 누출이 의심되는 경우 측정한다.
③ 장시간 작업할 때에는 매 8시간마다 측정한다.
④ 가스나 발생하거나 정체할 위험이 있는 장소에 대하여 측정한다.

해설

인화성 가스에 의한 폭발이나 화재 방지조치
인화성 가스가 발생할 우려가 있는 지하작업장에서 작업하는 경우 또는 가스도관에서 가스가 발산될 위험이 있는 장소에서 굴착작업을 하는 경우에는 폭발이나 화재를 방지하기 위하여 다음의 조치를 하여야 한다.

PART 01
PART 02
PART 03
PART 04
PART 05
PART 06
PART 07

정답 95 ② 96 ④ 97 ③ 98 ③

1. 가스의 농도를 측정하는 사람을 지명하고 다음의 경우에 해당 가스의 농도를 측정하도록 할 것
   - 매일 작업을 시작하기 전
   - 가스의 누출이 의심되는 경우
   - 가스가 발생하거나 정체할 위험이 있는 장소의 경우
   - 장시간 작업을 계속하는 경우(이 경우 4시간마다 가스 농도 측정)
2. 가스의 농도가 인화하한계 값의 25% 이상으로 밝혀진 때에는 즉시 근로자를 안전한 장소에 대피시키고 화기나 그 밖에 점화원이 될 우려가 있는 기계 · 기구 등의 사용을 중지하며 통풍 · 환기 등을 할 것

99 위험물을 저장 · 취급하는 화학설비 및 그 부속설비를 설치할 때 '단위공정시설 및 설비로부터 다른 단위공정시설 및 설비의 사이'의 안전거리는 설비의 바깥 면으로부터 몇 m 이상이 되어야 하는가?

① 5 ② 10
③ 15 ④ 20

해설

위험물을 저장 · 취급하는 화학설비 및 그 부속설비를 설치하는 경우의 안전거리

구분	안전거리
단위공정시설 및 설비로부터 다른 단위공정시설 및 설비의 사이	설비의 바깥 면으로부터 10m 이상
플레어스택으로부터 단위공정시설 및 설비, 위험물질 저장탱크 또는 위험물질 하역설비의 사이	플레어스택으로부터 반경 20m 이상(다만, 단위공정시설 등이 불연재로 시공된 지붕 아래에 설치된 경우에는 제외)
위험물질 저장탱크로부터 단위공정시설 및 설비, 보일러 또는 가열로의 사이	저장탱크의 바깥 면으로부터 20m 이상(다만, 저장탱크의 방호벽, 원격조종화설비 또는 살수설비를 설치한 경우에는 제외)
사무실 · 연구실 · 실험실 · 정비실 또는 식당으로부터 단위공정시설 및 설비, 위험물질 저장탱크, 위험물질 하역설비, 보일러 또는 가열로의 사이	사무실 등의 바깥 면으로부터 20m 이상(다만, 난방용 보일러인 경우 또는 사무실 등의 벽을 방호구조로 설치한 경우에는 제외)

100 다음 정의에 해당하는 물질의 명칭으로 옳은 것은?

금속의 증기가 공기 중에서 응고되어, 화학변화를 일으켜 고체의 미립자로 되어 공기 중에 부유하는 것

① 흄(Fume) ② 분진(Dust)
③ 미스트(Mist) ④ 스모크(Smoke)

해설

유해물질의 종류

분진 (Dust)	기계적 작용에 의해 발생된 고체 미립자가 공기 중에 부유하고 있는 것(입경 0.01~500μm 정도)
미스트 (Mist)	액체의 미세한 입자가 공기 중에 부유하고 있는 것(입경 0.1~100μm 정도)
흄 (Fume)	고체 상태의 물질이 액체화된 다음 증기화되고, 증기화된 물질의 응축 및 산화로 인하여 생기는 고체상의 미립자(입경 0.01~1μm 정도)
스모크 (Smoke)	일반적으로 유기물이 불완전연소할 때 생긴 미립자를 말하며, 주성분은 탄소의 미립자임(0.01~1μm)

6과목 건설공사 안전관리

101 산업안전보건법령에 따른 지반의 종류별 굴착면의 기울기 기준에 관한 사항이다. ( ) 안에 들어갈 내용으로 옳은 것은?

- 모래 − 1 : 1.8
- 연암 및 풍화암 −( )
- 경암 − 1 : 0.5
- 그 밖의 흙 : 1 : 1.2

① 1 : 1 ② 1 : 1.0
③ 1 : 0.3 ④ 1 : 1.5

해설

굴착면의 기울기

지반의 종류	굴착면의 기울기
모래	1 : 1.8
연암 및 풍화암	1 : 1.0
경암	1 : 0.5
그 밖의 흙	1 : 1.2

102 공사진척에 따른 공정률이 다음과 같을 때 산업안전보건관리비 사용기준으로 옳은 것은?(단, 공정률은 기성공정률을 기준으로 한다.)

> 공정률 : 70퍼센트 이상 90퍼센트 미만

① 50퍼센트 이상
② 60퍼센트 이상
③ 70퍼센트 이상
④ 80퍼센트 이상

해설

공사진척에 따른 산업안전보건관리비 사용기준

공정률	50퍼센트 이상 70퍼센트 미만	70퍼센트 이상 90퍼센트 미만	90퍼센트 이상
사용기준	50퍼센트 이상	70퍼센트 이상	90퍼센트 이상

※ 공정률은 기성공정률을 기준으로 한다.

103 동력을 사용하는 항타기 또는 항발기에 대하여 무너짐을 방지하기 위하여 준수하여야 할 기준으로 옳지 않은 것은?

① 연약한 지반에 설치하는 경우에는 아웃트리거 · 받침 등 지지구조물의 침하를 방지하기 위하여 깔판 · 받침목 등을 사용할 것
② 시설 또는 가설물 등에 설치하는 경우에는 그 내력을 확인하고 내력이 부족하면 그 내력을 보강할 것
③ 궤도 또는 차로 이동하는 항타기 또는 항발기에 대해서는 불시에 이동하는 것을 방지하기 위하여 레일 클램프(Rail Clamp) 및 쐐기 등으로 고정시킬 것
④ 상단 부분은 버팀 · 말뚝 또는 철골로 고정하여 안정시키고, 그 하단 부분은 견고한 버팀대 · 버팀줄 등으로 고정시킬 것

해설

무너짐의 방지 준수사항

사업주는 동력을 사용하는 항타기 또는 항발기에 대하여 무너짐을 방지하기 위하여 다음의 사항을 준수해야 한다.
1. 연약한 지반에 설치하는 경우에는 아웃트리거 · 받침 등 지지구조물의 침하를 방지하기 위하여 깔판 · 받침목 등을 사용할 것
2. 시설 또는 가설물 등에 설치하는 경우에는 그 내력을 확인하고 내력이 부족하면 그 내력을 보강할 것
3. 아웃트리거 · 받침 등 지지구조물이 미끄러질 우려가 있는 경우에는 말뚝 또는 쐐기 등을 사용하여 해당 지지구조물을 고정시킬 것

4. 궤도 또는 차로 이동하는 항타기 또는 항발기에 대해서는 불시에 이동하는 것을 방지하기 위하여 레일 클램프(Rail Clamp) 및 쐐기 등으로 고정시킬 것
5. 상단 부분은 버팀대 · 버팀줄로 고정하여 안정시키고, 그 하단 부분은 견고한 버팀 · 말뚝 또는 철골 등으로 고정시킬 것

104 다음 중 앵커 볼트 매립 시 준수사항으로 옳지 않은 것은?

① 앵커 볼트는 매립 후에 수정하지 않도록 설치하여야 한다.
② 기둥중심은 기준선 및 인접기둥의 중심에서 7밀리미터 이상 벗어나지 않을 것
③ 앵커 볼트는 기둥중심에서 2밀리미터 이상 벗어나지 않을 것
④ 베이스 플레이트의 하단은 기준 높이 및 인접기둥의 높이에서 3밀리미터 이상 벗어나지 않을 것

해설

앵커 볼트의 매립 시 준수사항
1. 앵커 볼트는 매립 후에 수정하지 않도록 설치하여야 한다.
2. 앵커 볼트를 매립하는 정밀도 범위
   - 기둥중심은 기준선 및 인접기둥의 중심에서 5밀리미터 이상 벗어나지 않을 것
   - 인접기둥 간 중심거리의 오차는 3밀리미터 이하일 것
   - 앵커 볼트는 기둥중심에서 2밀리미터 이상 벗어나지 않을 것
   - 베이스 플레이트의 하단은 기준 높이 및 인접기둥의 높이에서 3밀리미터 이상 벗어나지 않을 것
3. 앵커 볼트는 견고하게 고정시키고 이동, 변형이 발생하지 않도록 주의하면서 콘크리트를 타설해야 한다.

105 건물해체공사 시 화염방사기 유의사항으로 옳지 않은 것은?

① 고온의 용융물이 비산하고 연기가 많이 발생되므로 화재발생에 주의하여야 한다.
② 작업자는 방열복, 마스크, 장갑 등의 보호구를 착용하여야 한다.
③ 산소용기가 넘어지지 않도록 밑받침 등으로 고정시키고 빈용기와 채워진 용기의 저장을 통합하여야 한다.
④ 용기 내 압력은 온도에 의해 상승하기 때문에 항상 섭씨 40도 이하로 보존하여야 한다.

화염방사기 준수사항
1. 고온의 용용물이 비산하고 연기가 많이 발생되므로 화재발생에 주의하여야 한다.
2. 소화기를 준비하여 불꽃비산에 의한 인접부분의 발화에 대비하여야 한다.
3. 작업자는 방열복, 마스크, 장갑 등의 보호구를 착용하여야 한다.
4. 산소용기가 넘어지지 않도록 밑받침 등으로 고정시키고 빈용기와 채워진 용기의 저장을 분리하여야 한다.
5. 용기 내 압력은 온도에 의해 상승하기 때문에 항상 섭씨 40도 이하로 보존하여야 한다.
6. 호스는 결속물로 확실하게 결속하고, 균열되었거나 노후된 것은 사용하지 말아야 한다.
7. 게이지의 작동을 확인하고 고장 및 작동불량품은 교체하여야 한다.

106 말비계를 조립하여 사용하는 경우 지주부재와 수평면의 기울기는 얼마 이하로 하여야 하는가?

① 65°   ② 70°
③ 75°   ④ 80°

말비계 조립 시의 준수사항
1. 지주부재의 하단에는 미끄럼 방지장치를 하고, 근로자가 양측 끝부분에 올라서서 작업하지 않도록 할 것
2. 지주부재와 수평면의 기울기를 75° 이하로 하고, 지주부재와 지주부재 사이를 고정시키는 보조부재를 설치할 것
3. 말비계의 높이가 2m를 초과하는 경우에는 작업발판의 폭을 40cm 이상으로 할 것

107 다음은 사다리식 통로 등을 설치하는 경우의 준수사항이다. ( ) 안에 들어갈 숫자로 옳은 것은?

사다리식 통로의 길이가 10미터 이상인 경우에는 ( )미터 이내마다 계단참을 설치할 것

① 3   ② 4
③ 5   ④ 6

사다리식 통로
1. 견고한 구조로 할 것
2. 심한 손상·부식 등이 없는 재료를 사용할 것
3. 발판의 간격은 일정하게 할 것

4. 발판과 벽과의 사이는 15센티미터 이상의 간격을 유지할 것
5. 폭은 30센티미터 이상으로 할 것
6. 사다리가 넘어지거나 미끄러지는 것을 방지하기 위한 조치를 할 것
7. 사다리의 상단은 걸쳐놓은 지점으로부터 60센티미터 이상 올라가도록 할 것
8. 사다리식 통로의 길이가 10미터 이상인 경우에는 5미터 이내마다 계단참을 설치할 것
9. 사다리식 통로의 기울기는 75도 이하로 할 것(다만, 고정식 사다리식 통로의 기울기는 90도 이하로 하고, 그 높이가 7미터 이상인 경우에는 바닥으로부터 높이가 2.5미터 되는 지점부터 등받이울을 설치할 것)
10. 접이식 사다리 기둥은 사용 시 접혀지거나 펼쳐지지 않도록 철물 등을 사용하여 견고하게 조치할 것

108 다음은 산업안전보건법령에 따른 동바리로 사용하는 파이프 서포트에 관한 사항이다. ( ) 안에 들어갈 내용을 순서대로 옳게 나타낸 것은?

• 파이프 서포트를 (A) 이상 이어서 사용하지 않도록 할 것
• 파이프 서포트를 이어서 사용하는 경우에는 (B) 이상의 볼트 또는 전용철물을 사용하여 이을 것

① A : 2개, B : 2개
② A : 3개, B : 4개
③ A : 4개, B : 3개
④ A : 4개, B : 4개

동바리로 사용하는 파이프 서포트의 경우 조립 시 안전조치
1. 파이프 서포트를 3개 이상 이어서 사용하지 않도록 할 것
2. 파이프 서포트를 이어서 사용하는 경우에는 4개 이상의 볼트 또는 전용철물을 사용하여 이을 것
3. 높이가 3.5미터를 초과하는 경우에는 높이 2미터 이내마다 수평연결재를 2개 방향으로 만들고 수평연결재의 변위를 방지할 것

109 외줄비계·쌍줄비계 또는 돌출비계는 벽이음 및 버팀을 설치하여야 하는데 강관비계 중 단관비계로 설치할 때의 조립간격으로 옳은 것은?(단, 수직방향, 수평방향의 순서이다.)

① 4m, 4m   ② 5m, 5m
③ 5.5m, 7.5m   ④ 6m, 8m

01 PART
02 PART
03 PART
04 PART
05 PART
06 PART
07 PART

해설

강관비계의 조립간격

강관비계의 종류	조립간격(단위 : m)	
	수직방향	수평방향
단관비계	5	5
틀비계(높이가 5m 미만인 것은 제외)	6	8

110 굴착공사에 있어서 비탈면붕괴를 방지하기 위하여 실시하는 대책으로 옳지 않은 것은?

① 지표수의 침투를 막기 위해 표면배수공을 한다.
② 지하수위를 내리기 위해 수평배수공을 설치한다.
③ 비탈면 하단을 성토한다.
④ 비탈면 상부에 토사를 적재한다.

해설

비탈면 상부의 토사를 제거하여 비탈면의 안정을 확보한다.

TIP 붕괴예방대책
- 적절한 경사면의 기울기를 계획하여야 한다.
- 경사면의 기울기가 당초 계획과 차이가 발생되면 즉시 재검토하여 계획을 변경시켜야 한다.
- 활동할 가능성이 있는 토석은 제거하여야 한다.
- 경사면의 하단부에 압성토 등 보강공법으로 활동에 대한 저항대책을 강구하여야 한다.
- 말뚝(강관, H형강, 철근 콘크리트)을 타입하여 지반을 강화시킨다.
- 빗물, 지표수, 지하수의 사전제거 및 침투를 방지하여야 한다.

111 다음은 산업안전보건법령에 따른 계단의 강도에 관한 사항이다. ( ) 안에 들어갈 내용으로 옳은 것은?

- 사업주는 계단 및 계단참을 설치하는 경우 매제곱미터당 ( )킬로그램 이상의 하중에 견딜 수 있는 강도를 가진 구조로 설치하여야 하며, 안전율은 ( ) 이상으로 하여야 한다.
- 사업주는 계단 및 승강구 바닥을 구멍이 있는 재료로 만드는 경우 렌치나 그 밖의 공구 등이 낙하할 위험이 없는 구조로 하여야 한다.

① 400, 4
② 400, 5
③ 500, 4
④ 500, 5

해설

계단의 강도
1. 사업주는 계단 및 계단참을 설치하는 경우 매제곱미터당 500킬로그램 이상의 하중에 견딜 수 있는 강도를 가진 구조로 설치하여야 하며, 안전율은 4 이상으로 하여야 한다.
2. 사업주는 계단 및 승강구 바닥을 구멍이 있는 재료로 만드는 경우 렌치나 그 밖의 공구 등이 낙하할 위험이 없는 구조로 하여야 한다.

112 보일링(Boiling) 현상을 방지하기 위한 대책으로 가장 거리가 먼 것은?

① 굴착배면의 지하수위를 낮춘다.
② 토류벽의 근입 깊이를 깊게 한다.
③ 토류벽 상단부에 버팀대(Strut)를 보강한다.
④ 토류벽 선단에 코어 및 필터층을 설치한다.

해설

토류벽(흙막이벽) 하단부에 버팀대를 보강한다.

TIP 보일링(Boiling) 현상

정의	사질토 지반에서 굴착저면과 흙막이 배면과의 수위 차이로 인해 굴착저면의 흙과 물이 함께 위로 솟구쳐 오르는 현상
안전대책	• 차수성이 높은 흙막이벽 설치 • 흙막이 근입 깊이를 깊게 • 약액 주입 등의 굴착면 고결 • 주변의 지하수위 저하(웰포인트 공법 등) • 압성토 공법

113 안전대의 종류는 사용구분에 따라 벨트식과 안전그네식으로 구분되는데, 이 중 안전그네식에만 적용하는 것은?

① 추락방지대, 안전블록
② 1개 걸이용, U자 걸이용
③ 1개 걸이용, 추락방지대
④ U자 걸이용, 안전블록

해설

안전대의 종류

종류	사용 구분
벨트식, 안전그네식	1개 걸이용
	U자 걸이용
	추락방지대
	안전블록

※ 추락방지대 및 안전블록은 안전그네식에만 적용한다.

114 시스템 비계를 사용하여 비계를 구성하는 경우의 준수사항으로 옳지 않은 것은?

① 수직재 · 수평재 · 가새재를 견고하게 연결하는 구조가 되도록 할 것
② 수평재는 수직재와 직각으로 설치하여야 하며, 체결 후 흔들림이 없도록 견고하게 설치할 것
③ 비계 밑단의 수직재와 받침철물은 밀착되도록 설치하고, 수직재와 받침철물의 연결부의 겹침길이는 받침철물 전체 길이의 3분의 1 이상이 되도록 할 것
④ 벽 연결재의 설치간격은 시공자가 안전을 고려하여 임의대로 결정한 후 설치할 것

> **해설**
>
> 시스템 비계의 구조
> 1. 수직재 · 수평재 · 가새재를 견고하게 연결하는 구조가 되도록 할 것
> 2. 비계 밑단의 수직재와 받침철물은 밀착되도록 설치하고, 수직재와 받침철물의 연결부의 겹침길이는 받침철물 전체 길이의 3분의 1 이상이 되도록 할 것
> 3. 수평재는 수직재와 직각으로 설치하여야 하며, 체결 후 흔들림이 없도록 견고하게 설치할 것
> 4. 수직재와 수직재의 연결철물은 이탈되지 않도록 견고한 구조로 할 것
> 5. 벽 연결재의 설치간격은 제조사가 정한 기준에 따라 설치할 것

115 미리 작업장소의 지형 및 지반상태 등에 적합한 제한속도를 정하지 않아도 되는 차량계 건설기계의 속도 기준은?

① 최대제한속도가 10km/h 이하
② 최대제한속도가 20km/h 이하
③ 최대제한속도가 30km/h 이하
④ 최대제한속도가 40km/h 이하

> **해설**
>
> 제한속도의 지정
> 차량계 하역운반기계, 차량계 건설기계(최대제한속도가 10km/h 이하인 것은 제외)를 사용하여 작업을 하는 경우 미리 작업장소의 지형 및 지반 상태 등에 적합한 제한속도를 정하고, 운전자로 하여금 준수하도록 하여야 한다.

116 철근 콘크리트 구조물의 해체를 위한 장비가 아닌 것은?

① 램머(Rammer)
② 압쇄기
③ 철제 해머
④ 핸드 브레이커(Hand Breaker)

> **해설**
>
> 해체용 기구
> 1. 압쇄기
> 2. 대형 브레이커
> 3. 철제 해머
> 4. 핸드 브레이커
> 5. 절단톱
> 6. 재키
> 7. 절단줄톱
> 8. 팽창제 등

> **TIP** 램머(Rammer)
> 충격식 다짐기계로 소형이고 가볍기 때문에 대형 기계를 사용할 수 없는 협소한 장소의 다짐에 적합하다.

117 중량물을 운반할 때의 바른 자세로 옳은 것은?

① 허리를 구부리고 양손으로 들어올린다.
② 중량은 보통 체중의 60%가 적당하다.
③ 물건은 최대한 몸에서 멀리 떼어서 들어 올린다.
④ 길이가 긴 물건은 앞쪽을 높게 하여 운반한다.

> **해설**
>
> 인력운반작업 준수사항
> 1. 길이가 긴 물건은 앞쪽을 높게 하여 운반할 것
> 2. 들어 올릴 때는 팔과 무릎을 사용하며, 척추는 곧은 자세로 할 것
> 3. 중량기준은 일반적으로 자신의 체중의 40% 이내만 들도록 할 것
> 4. 화물에 최대한 근접하여 중심을 낮게 할 것
> 5. 무거운 물건은 공동작업으로 실시하고 보조기구를 사용할 것

118 겨울철 공사 중인 건축물의 벽체 콘크리트 타설 시 거푸집이 터져서 콘크리트가 쏟아지는 사고가 발생하였다. 이 사고의 발생 원인으로 추정 가능한 사안 중 가장 타당한 것은?

① 콘크리트의 타설속도가 빨랐다.
② 진동기를 사용하지 않았다.
③ 철근 사용량이 많았다.
④ 콘크리트의 슬럼프가 작았다.

해설

거푸집 측압 증가에 영향을 미치는 인자(측압의 영향요소)
1. 거푸집 수평단면이 클수록 크다.
2. 콘크리트 슬럼프치가 클수록 커진다.
3. 거푸집 표면이 평활할수록(평탄) 커진다.
4. 철골, 철근량이 적을수록 커진다.
5. 콘크리트 시공연도가 좋을수록 커진다.
6. 외기의 온도, 습도가 낮을수록 커진다.
7. 타설속도가 빠를수록 커진다.
8. 다짐이 충분할수록 커진다.
9. 타설 시 상부에서 직접 낙하할 경우 커진다.
10. 거푸집의 강성이 클수록 크다.
11. 콘크리트의 비중(단위중량)이 클수록 크다.
12. 벽 두께가 두꺼울수록 커진다.

> **TIP** 겨울철 외기의 온도가 낮고 타설속도가 빠를수록 측압이 커지게 되므로 거푸집이 터지는 사고가 발생할 수 있다.

119 콘크리트 타설작업을 하는 경우에 준수해야 할 사항으로 옳지 않은 것은?

① 당일의 작업을 시작하기 전에 해당 작업에 관한 거푸집 및 동바리 등의 변형·변위 및 지반의 침하 유무 등을 점검하고 이상이 있으면 보수한다.
② 작업 중에는 감시자를 배치하는 등의 방법으로 거푸집 및 동바리의 변형·변위 및 침하 유무 등을 확인해야 하며, 이상이 있으면 작업을 빠른 시간 내 우선 완료하고 근로자를 대피시킬 것
③ 콘크리트 타설작업 시 거푸집 붕괴의 위험이 발생할 우려가 있으면 충분한 보강조치를 한다.
④ 콘크리트를 타설하는 경우에는 편심이 발생하지 않도록 골고루 분산하여 타설한다.

해설

콘크리트 타설작업 시 준수사항
1. 당일의 작업을 시작하기 전에 해당 작업에 관한 거푸집 및 동바리의 변형·변위 및 지반의 침하 유무 등을 점검하고 이상이 있으면 보수할 것
2. 작업 중에는 감시자를 배치하는 등의 방법으로 거푸집 및 동바리의 변형·변위 및 침하 유무 등을 확인해야 하며, 이상이 있으면 작업을 중지하고 근로자를 대피시킬 것
3. 콘크리트 타설작업 시 거푸집 붕괴의 위험이 발생할 우려가 있으면 충분한 보강조치를 할 것
4. 설계도서상의 콘크리트 양생기간을 준수하여 거푸집 및 동바리를 해체할 것
5. 콘크리트를 타설하는 경우에는 편심이 발생하지 않도록 골고루 분산하여 타설할 것

120 장비가 위치한 지면보다 낮은 장소를 굴착하는 데 적합한 장비는?

① 트럭크레인
② 파워셔블
③ 백호
④ 진폴

해설

백호(Back Hoe, 드래그 셔블)
1. 굴삭기가 위치한 지면보다 낮은 곳을 굴착하는 데 적당
2. 도랑파기에 적당하며 굴삭력이 우수
3. 비교적 굳은 지반의 토질에서도 사용 가능
4. 경사로나 연약지반에서는 무한궤도식이 타이어식보다 안전하다.

> **TIP** 파워셔블
> • 굴삭기가 위치한 지면보다 높은 곳의 굴착에 적당
> • 작업대가 견고하여 단단한 토질의 굴착에도 용이

01 PART
02 PART
03 PART
04 PART
05 PART
06 PART
07 PART

06 2024년 3회 기출문제

1과목 산업재해 예방 및 안전보건교육

01 아담스(Edward Adams)의 사고연쇄반응이론 중 근로자의 행동 실수와 작업조건 결함이 있을 때의 단계에 해당되는 것은?

① 사고
② 작전적 에러
③ 관리구조
④ 전술적 에러

해설

아담스(Adams)의 사고연쇄반응이론

제1단계 관리구조 → 제2단계 작전적 에러 → 제3단계 전술적 에러

→ 제4단계 사고 → 제5단계 상해·손해

재해의 직접원인을 관리시스템 내의 불안전 행동과 불안전 상태에 두고 전술적 에러로 설명하였으며, 관리상의 잘못으로 인한 개념을 강조하고 있다.

TIP • 작전적 에러 : 관리자나 감독자에 의해서 의사결정을 잘못하여 만들어진 에러
• 전술적 에러 : 불안전한 행동 및 불안전한 상태, 근로자의 행동 실수 및 작업조건 결함 에러

02 위험예지훈련의 문제해결 4라운드에 해당하지 않는 것은?

① 현상파악
② 본질추구
③ 대책수립
④ 원인결정

해설

위험예지훈련의 4라운드
1. 1라운드(1R) : 현상파악(사실을 파악한다)
2. 2라운드(2R) : 본질추구(요인을 찾아낸다)
3. 3라운드(3R) : 대책수립(대책을 선정한다)
4. 4라운드(4R) : 목표설정(행동계획을 정한다)

03 인간의 적응기제 중 방어기제로 볼 수 없는 것은?

① 승화
② 고립
③ 합리화
④ 보상

해설

적응기제의 기본유형

구분	공격적 기제 (행동)	도피적 기제 (행동)	방어적(절충적) 기제(행동)
개념	욕구 불만에 대한 반항이나 자기를 괴롭히는 대상에 대하여 적극적이고 능동적으로 적대시하는 감정이나 태도를 취하는 행위	욕구불만에 의한 긴장이나 압박으로부터 벗어나 비합리적인 행동으로 공상에 도피하고 현실세계에서 벗어나 안정을 얻으려는 기제	자신의 약점이나 무능력, 열등감을 위장하여 유리하게 보호함으로써 안정감을 찾으려는 기제
유형	• 직접적 공격 기제 : 폭행, 싸움, 기물파손 등 • 간접적 공격 기제 : 비난, 폭언, 욕설 등	• 백일몽 • 퇴행 • 억압 • 반동형성 • 고립 등	• 승화 • 보상 • 합리화 • 투사 • 동일화 등

04 맥그리거(Mcgregor)의 X, Y이론에서 X이론에 대한 관리처방으로 볼 수 없는 것은?

① 직무의 확장
② 권위주의적 리더십의 확립
③ 경제적 보상체제의 강화
④ 면밀한 감독과 엄격한 통제

해설

X, Y이론의 관리처방

X이론의 관리처방	Y이론의 관리처방
• 권위주의적 리더십의 확립 • 경제적 보상체제의 강화 • 면밀한 감독과 엄격한 통제 • 상부 책임제도의 강화 • 설득, 보상, 벌, 통제에 의한 관리 • 조직구조의 고층성	• 분권화와 권한의 위임 • 목표에 의한 관리 • 비공식적 조직의 활용 • 민주적 리더십의 확립 • 직무 확장 • 자체 평가제도의 활성화 • 조직목표 달성을 위한 자율적인 통제 • 조직구조의 평면화

05 어느 사업장에서 당해 연도에 총 660명의 재해자가 발생하였다. 하인리히의 재해구성비율에 의하면 경상의 재해자는 몇 명으로 추정되겠는가?

① 58
② 64
③ 600
④ 631

해설

하인리히(H.W.Heinrich)의 재해구성비율(1 : 29 : 300)

중상 및 사망	경상해	무상해사고	합계
1	29	300	$1+29+300=330$
①	②	③	$①+②+③=660$
$1\times2=2$	$29\times2=58$	$300\times2=600$	$330:660=1:x$ 비율$(x)=\dfrac{660}{330}=2$배

06 산업안전보건법령상 사업 내 안전보건교육의 교육시간에 관한 설명으로 옳은 것은?

① 일용근로자 및 근로계약기간이 1주일 이하인 기간제근로자의 작업내용 변경 시의 교육은 2시간 이상이다.

② 사무직 종사 근로자의 정기교육은 매반기 6시간 이상이다.

③ 일용근로자 및 근로계약기간이 1주일 이하인 기간제근로자의 채용 시 교육은 4시간 이상이다.

④ 관리감독자의 지위에 있는 사람의 정기교육은 연간 8시간 이상이다.

해설

근로자 안전보건교육

교육과정	교육대상		교육시간
정기교육	사무직 종사 근로자		매반기 6시간 이상
	그 밖의 근로자	판매업무에 직접 종사하는 근로자	매반기 6시간 이상
		판매업무에 직접 종사하는 근로자 외의 근로자	매반기 12시간 이상
채용 시 교육	일용근로자 및 근로계약기간이 1주일 이하인 기간제근로자		1시간 이상
	근로계약기간이 1주일 초과 1개월 이하인 기간제근로자		4시간 이상
	그 밖의 근로자		8시간 이상
작업내용 변경 시 교육	일용근로자 및 근로계약기간이 1주일 이하인 기간제근로자		1시간 이상
	그 밖의 근로자		2시간 이상

교육과정	교육대상	교육시간
특별교육	일용근로자 및 근로계약기간이 1주일 이하인 기간제근로자 : 특별교육 대상 작업에 해당하는 작업에 종사하는 근로자에 한정(타워크레인을 사용하는 작업 시 신호업무를 하는 작업은 제외)	2시간 이상
	일용근로자 및 근로계약기간이 1주일 이하인 기간제근로자 : 타워크레인을 사용하는 작업 시 신호업무를 하는 작업에 종사하는 근로자에 한정	8시간 이상
	일용근로자 및 근로계약기간이 1주일 이하인 기간제근로자를 제외한 근로자 : 특별교육 대상 작업에 종사하는 근로자에 한정	• 16시간 이상(최초 작업에 종사하기 전 4시간 이상 실시하고 12시간은 3개월 이내에서 분할하여 실시 가능) • 단기간 작업 또는 간헐적 작업인 경우에는 2시간 이상
건설업 기초안전 · 보건교육	건설 일용근로자	4시간 이상

TIP 관리감독자 안전보건교육

교육과정	교육시간
정기교육	연간 16시간 이상
채용 시 교육	8시간 이상
작업내용 변경 시 교육	2시간 이상
특별교육	16시간 이상(최초 작업에 종사하기 전 4시간 이상 실시하고, 12시간은 3개월 이내에서 분할하여 실시 가능)
	단기간 작업 또는 간헐적 작업인 경우에는 2시간 이상

07 다음 중 안전점검의 목적으로 볼 수 없는 것은?

① 사고원인을 찾아 재해를 미연에 방지하기 위함이다.

② 작업자의 잘못된 부분을 점검하여 책임을 부여하기 위함이다.

③ 재해의 재발을 방지하여 사전대책을 세우기 위함이다.

④ 현장의 불안전 요인을 찾아 계획에 적절히 반영시키기 위함이다.

해설

안전점검의 목적

1. 기기 및 설비의 결함이나 불안전한 상태의 제거로 사전에 안전성을 확보하기 위함

PART 01 PART 02 PART 03 PART 04 PART 05 PART 06 PART 07

2. 기기 및 설비의 안전상태 유지 및 본래의 성능을 유지하기 위함
3. 재해 방지를 위하여 그 재해 요인의 대책과 실시를 계획적으로 하기 위함
4. 합리적인 생산관리를 하기 위함

08 재해누발자의 유형 중 상황성 누발자와 관련이 없는 것은?

① 작업이 어렵기 때문에
② 기능이 미숙하기 때문에
③ 심신에 근심이 있기 때문에
④ 기계설비에 결함이 있기 때문에

해설

재해누발자의 유형

상황성 누발자	• 작업이 어렵기 때문에 • 기계설비에 결함이 있기 때문에 • 심신에 근심이 있기 때문에 • 환경상 주의력의 집중이 혼란되기 때문에
습관성 누발자	• 재해의 경험에 의해 겁을 먹거나 신경과민 • 일종의 슬럼프 상태
미숙성 누발자	• 기능이 미숙하기 때문에 • 환경에 익숙하지 못하기 때문에(환경에 적응 미숙)
소질성 누발자	• 개인의 소질 가운데 재해원인의 요소를 가진 자 • 개인의 특수성격 소유자

09 내전압용 절연장갑의 등급에 따른 최대사용전압이 틀린 것은?(단, 교류 전압은 실효값이다.)

① 등급 00 : 교류 500V
② 등급 1 : 교류 7,500V
③ 등급 2 : 직류 17,000V
④ 등급 3 : 직류 39,750V

해설

내전압용 절연장갑의 등급

등급	최대사용전압		등급별 색상
	교류(V, 실효값)	직류(V)	
00	500	750	갈색
0	1,000	1,500	빨강색
1	7,500	11,250	흰색
2	17,000	25,500	노랑색
3	26,500	39,750	녹색
4	36,000	54,000	등색

10 다음 중 부주의의 현상으로 볼 수 없는 것은?

① 의식의 단절
② 의식수준의 지속
③ 의식의 과잉
④ 의식의 우회

해설

부주의 발생현상

의식의 단절 (중단)	• 의식의 흐름에 단절이 생기고 공백상태가 나타나는 경우 • 의식수준 제0단계의 상태(특수한 질병의 경우)
의식의 우회	• 의식의 흐름이 옆으로 빗나가 발생한 경우 • 의식수준 제0단계의 상태(걱정, 고민, 욕구불만 등)
의식수준의 저하	• 뚜렷하지 않은 의식의 상태로 심신이 피로하거나 단조로운 작업 등의 경우 • 의식수준 제Ⅰ단계 이하의 상태
의식의 과잉	• 돌발사태 및 긴급이상사태에 직면하면 순간적으로 긴장되고 의식이 한 방향으로 쏠리는 주의의 일점집중현상의 경우 • 의식수준 제Ⅳ단계의 상태
의식의 혼란	• 외적 조건에 문제가 있을 때 의식이 혼란되고 분산되어 작업에 잠재되어 있는 위험요인에 대응할 수 없는 경우 • 외부의 자극이 애매모호하거나, 너무 강하거나 약할 때

11 산업안전보건법령상 안전관리자의 업무가 아닌 것은?(단, 그 밖에 고용노동부장관이 정하는 사항은 제외한다.)

① 업무 수행 내용의 기록
② 산업재해에 관한 통계의 유지 · 관리 · 분석을 위한 보좌 및 지도 · 조언
③ 안전교육계획의 수립 및 안전교육 실시에 관한 보좌 및 지도 · 조언
④ 작업장 내에서 사용되는 전체 환기장치 및 국소 배기장치 등에 관한 설비의 점검

해설

안전관리자의 업무
1. 산업안전보건위원회 또는 안전 및 보건에 관한 노사협의체에서 심의 · 의결한 업무와 해당 사업장의 안전보건관리규정 및 취업규칙에서 정한 업무
2. 위험성평가에 관한 보좌 및 지도 · 조언
3. 안전인증대상 기계 등과 자율안전확인대상 기계 등 구입 시 적격품의 선정에 관한 보좌 및 지도 · 조언
4. 해당 사업장 안전교육계획의 수립 및 안전교육 실시에 관한 보좌 및 지도 · 조언

5. 사업장 순회점검, 지도 및 조치 건의
6. 산업재해 발생의 원인 조사 · 분석 및 재발 방지를 위한 기술적 보좌 및 지도 · 조언
7. 산업재해에 관한 통계의 유지 · 관리 · 분석을 위한 보좌 및 지도 · 조언
8. 법 또는 법에 따른 명령으로 정한 안전에 관한 사항의 이행에 관한 보좌 및 지도 · 조언
9. 업무수행 내용의 기록 · 유지
10. 그 밖에 안전에 관한 사항으로서 고용노동부장관이 정하는 사항

> **TIP** 보건관리자의 업무
> • 작업장 내에서 사용되는 전체 환기장치 및 국소 배기장치 등에 관한 설비의 점검
> • 작업방법의 공학적 개선에 관한 보좌 및 지도 · 조언

12 다음 중 학습목적을 세분하여 구체적으로 결정한 것을 무엇이라 하는가?

① 주제
② 학습목표
③ 학습정도
④ 학습성과

해설

학습성과의 개요
학습목적을 세분하여 구체적으로 결정한 것이다.
1. 학습성과의 설정에는 반드시 주제와 학습정도가 포함될 것
2. 학습목적에 적합하고 타당할 것
3. 구체적으로 서술할 것
4. 수강자의 입장에서 기술할 것

13 재해발생의 직접원인 중 불안전한 상태가 아닌 것은?

① 불안전한 인양
② 부적절한 보호구
③ 결함 있는 기계설비
④ 불안전한 방호장치

해설

불안전한 행동과 상태의 분류

불안전한 행동 (인적 요인)	설비 · 기계 및 물질의 부적절한 사용 · 관리, 구조물 등 그 밖의 위험방치 및 미확인, 작업수행 소홀 및 절차 미준수, 불안전한 작업자세, 작업수행 중 과실, 무모한 또는 불필요한 행위 및 동작, 복장 · 보호구의 부적절한 사용, 불안전한 속도 조작, 안전장치의 기능 제거, 불안전한 인양 및 운반
불안전한 상태 (물적 요인)	물체 및 설비 자체의 결함, 방호조치의 부적절, 작업통로 등 장소불량 및 위험, 물체 · 기계기구 등의 취급상 위험, 작업공정 · 절차의 부적절, 작업환경 등의 부적절, 보호구의 성능 불량, 불안전한 설계로 인한 결함 발생

14 산업안전보건법령상 중대재해의 범위에 해당하지 않는 것은?

① 1명의 사망자가 발생한 재해
② 1개월의 요양을 요하는 부상자가 동시에 5명 발생한 재해
③ 3개월의 요양을 요하는 부상자가 동시에 3명 발생한 재해
④ 10명의 직업성 질병자가 동시에 발생한 재해

해설

중대재해
1. 사망자가 1명 이상 발생한 재해
2. 3개월 이상의 요양이 필요한 부상자가 동시에 2명 이상 발생한 재해
3. 부상자 또는 직업성 질병자가 동시에 10명 이상 발생한 재해

15 허츠버그(Herzberg)의 일을 통한 동기부여 원칙으로 틀린 것은?

① 새롭고 어려운 업무의 부여
② 교육을 통한 간접적 정보제공
③ 자기과업을 위한 작접자의 책임감 증대
④ 작업자에게 불필요한 통제를 배제

해설

일을 통한 동기부여 원칙(직무확대방법)
1. 근로자에게 정기 보고서를 통하여 직접적인 정보를 제공한다.
2. 자기과업을 위한 근로자의 책임을 증대시킨다.
3. 특정 과업을 수행할 기회를 부여한다.
4. 근로자에게 단위의 분배작업을 부여하도록 조정한다.
5. 근로자에게 보다 새롭고 힘든 과업을 부여한다.
6. 근로자에게 불필요한 통제를 배제한다.

16 안전교육방법의 4단계의 순서로 옳은 것은?

① 도입 → 확인 → 적용 → 제시
② 도입 → 제시 → 적용 → 확인
③ 제시 → 도입 → 적용 → 확인
④ 제시 → 확인 → 도입 → 적용

01 PART
02 PART
03 PART
04 PART
05 PART
06 PART
07 PART

교육방법의 4단계

단계		내용
제1단계	도입 (준비)	• 학습할 준비를 시킨다. • 작업에 대한 흥미를 갖게 한다. • 학습자의 동기부여 및 마음의 안정
제2단계	제시 (설명)	• 작업을 설명한다. • 한 번에 하나하나씩 나누어 확실하게 이해시켜야 한다. • 강의순서대로 진행하고 설명, 교재를 통해 듣고 말하는 단계
제3단계	적용 (응용)	• 작업을 시켜본다. • 상호학습 및 토의 등으로 이해력을 향상시킨다. • 자율학습을 통해 배운 것을 학습한다.
제4단계	확인 (평가)	• 가르친 뒤 살펴본다. • 잘못된 것을 수정한다. • 요점을 정리하여 복습한다.

17 교육심리학의 기본이론 중 학습지도의 원리가 아닌 것은?

① 직관의 원리
② 개별화의 원리
③ 계속성의 원리
④ 사회화의 원리

해설

학습지도의 원리

자발성의 원리	학습자의 내적 동기가 유발된 학습, 즉 학습자 자신이 자발적으로 학습에 참여하는 데 중점을 둔 원리
개별화의 원리	학습자가 지니고 있는 각자의 요구와 능력 등 개인차에 맞도록 지도해야 한다는 원리
사회화의 원리	학교에서 경험한 것과 사회에서 경험한 것을 교류시키고 함께하는 학습을 통하여 협력적이고 우호적인 학습을 진행하는 원리
통합의 원리	학습을 통합적인 전체로서 학습자의 모든 능력을 조화적으로 발달시키는 원리
직관의 원리	구체적인 사물을 직접 제시하거나 경험시킴으로써 큰 효과를 볼 수 있다는 원리

18 산업안전보건법상 근로시간 연장의 제한에 관한 기준에서 아래의 ( ) 안에 알맞은 것은?

사업주는 유해하거나 위험한 작업으로서 높은 기압에서 하는 작업 등 대통령령으로 정하는 작업에 종사하는 근로자에게는 1일 (㉠)시간, 1주 (㉡)시간을 초과하여 근로하게 하여서는 아니 된다.

① ㉠ 6, ㉡ 34
② ㉠ 7, ㉡ 36
③ ㉠ 8, ㉡ 40
④ ㉠ 8, ㉡ 44

해설

유해 · 위험작업에 대한 근로시간 제한 등
사업주는 유해하거나 위험한 작업으로서 높은 기압에서 하는 작업 등 대통령령으로 정하는 작업(잠함 또는 잠수 작업 등 높은 기압에서 하는 작업)에 종사하는 근로자에게는 1일 6시간, 1주 34시간을 초과하여 근로하게 해서는 아니 된다.

19 다음 설명의 학습지도 형태는 어떤 토의법 유형인가?

6-6 회의라고도 하며, 6명씩 소집단으로 구분하고, 집단별로 각각의 사회자를 선발하여 6분간씩 자유토의를 행하여 의견을 종합하는 방법

① 포럼(Forum)
② 버즈 세션(Buzz Session)
③ 케이스 메소드(Case Method)
④ 패널 디스커션(Panel Discussion)

해설

토의법의 종류
1. 자유토의법
   참가자가 주어진 주제에 대하여 자유로운 발표와 토의를 통하여 서로의 의견을 교환하고 상호이해력을 높이며 의견을 절충해 나가는 방법
2. 패널 디스커션(Panel Discussion)
   전문가 4~5명이 피교육자 앞에서 자유로이 토의를 하고, 그 후에 피교육자 전원이 사회자의 사회에 따라 토의하는 방법
3. 심포지엄(Symposium)
   발제자 없이 몇 사람의 전문가에 의하여 과제에 관한 견해를 발표한 뒤에 참가자로 하여금 의견이나 질문을 하게 하여 토의하는 방법
4. 포럼(Forum)
   • 사회자의 진행으로 몇 사람이 주제에 대하여 발표한 후 피교육자가 질문을 하고 토론해 나가는 방법
   • 새로운 자료나 주제를 내보이거나 발표한 후 피교육자로 하여금 문제나 의견을 제시하게 하고 다시 깊이 있게 토론해 나가는 방법
5. 버즈 세션(Buzz Session)
   6-6 회의라고도 하며, 참가자가 다수인 경우에 전원을 토의에 참가시키기 위한 방법으로 소집단을 구성하여 회의를 진행시키는 방법

20 의식의 레벨(Phase)을 5단계로 구분할 때 의식의 신뢰도가 가장 높은 단계는?

① Phase Ⅰ
② Phase Ⅱ
③ Phase Ⅲ
④ Phase Ⅳ

의식수준의 단계

단계	의식의 상태	신뢰성
Phase 0 (제0단계)	무의식, 실신	0(Zero)
Phase Ⅰ (제Ⅰ단계)	정상 이하, 의식흐림, 의식 몽롱함	0.9 이하
Phase Ⅱ (제Ⅱ단계)	정상, 이완상태, 느긋한 기분	0.99~0.99999
Phase Ⅲ (제Ⅲ단계)	정상, 상쾌한 상태, 분명한 의식	0.999999 이상 (신뢰도가 가장 높은 상태)
Phase Ⅳ (제Ⅳ단계)	과긴장, 흥분상태	0.9 이하

2과목 인간공학 및 위험성 평가·관리

21 다음 중 서서하는 작업에서 정밀한 작업, 경작업, 중작업 등을 위한 작업대의 높이에 기준이 되는 신체부위는?

① 어깨
② 팔꿈치
③ 손목
④ 허리

입식 작업대의 높이는 작업자의 체격에 따라 팔꿈치 높이를 기준으로 하여 작업대의 높이를 조정해야 한다.

입식 작업대 높이

1. 경(輕)조립 또는 이와 비슷한 조작 작업 : 팔꿈치 높이보다 5~10cm 정도 낮게
2. 아래로 많은 힘을 필요로 하는 중작업(무거운 물건을 다루는 작업) : 팔꿈치 높이를 10~30cm 정도 낮게
3. 전자조립과 같은 정밀작업(높은 정밀도를 요구하는 작업) : 작업면을 팔꿈치 높이보다 10~20cm 정도 높게 하는 것이 유리
4. 섬세한 작업일수록 높아야 하며, 거친 작업은 약간 낮은 편이 유리
5. 높이 설계 시 고려사항으로는 근전도(EMG), 인체 계측, 무게 중심 결정 등

22 중량물 들기 작업 시 5분간의 산소 소비량을 측정한 결과 90L의 배기량 중에 산소가 16%, 이산화탄소가 4%로 분석되었다. 해당 작업에 대한 산소소비량(L/min)은 약 얼마인가?(단, 공기 중 질소는 79vol%, 산소는 21vol%이다.)

① 0.948
② 1.948
③ 4.74
④ 5.74

산소 소비량의 측정

흡기부피를 V_1, 배기부피(분당배기량)를 V_2라 하면

$$79\% \times V_1 = N_2\% \times V_2$$

$$V_1 = \frac{(100 - O_2\% - CO_2\%)}{79} \times V_2$$

산소 소비량 $= (21\% \times V_1) - (O_2\% \times V_2)$

에너지가(價)(kcal/min) = 분당 산소 소비량(L) × 5kcal

※ 1L의 산소소비 = 5kcal

1. 분당 배기량(V_2) $= \dfrac{90}{5} = 18$(L/min)

2. 흡기부피(V_1) $= \dfrac{(100 - 16 - 4)}{79} \times 18 = 18.23$(L/min)

3. 산소 소비량 $= (21\% \times V_1) - (O_2\% \times V_2)$
$= (0.21 \times 18.23) - (0.16 \times 18) = 0.948$(L/min)

23 일반적인 시스템의 수명곡선(욕조곡선)에서 고장 형태 중 증가형 고장률을 나타내는 기간으로 옳은 것은?

① 우발 고장기간
② 마모 고장기간
③ 초기 고장기간
④ Burn-in 고장기간

시스템 수명곡선(욕조곡선)

1. 초기 고장 : 감소형[DFR(Decreasing Failure Rate)]－고장률이 시간에 따라 감소
2. 우발 고장 : 일정형[CFR(Constant Failure Rate)]－고장률이 시간에 관계없이 거의 일정
3. 마모 고장 : 증가형[IFR(Increasing Failure Rate)]－고장률이 시간에 따라 증가

고장률 곡선[욕조곡선(Bath-tub Curve)]

24 다음 중 수공구 설계의 기본원리로 가장 적절하지 않은 것은?

① 손목은 곧게 유지되도록 설계한다.
② 손바닥 부위에 압력을 가하는 구조로 설계한다.
③ 공구의 무게를 줄이고 사용 시 무게의 균형이 유지되도록 한다.
④ 동력공구의 손잡이는 두 손가락 이상으로 작동하도록 한다.

해설

수공구 설계원칙
1. 손잡이의 길이는 95%tile(백분위수)의 남성의 손 폭을 기준으로 한다. 최소 11cm가 되어야 하며, 장갑 사용 시 최소 12.5cm가 되어야 한다.
2. 손바닥 부위에 압박을 주는 손잡이의 형태는 피할 것(손잡이의 단면이 원형을 이루어야 한다.)
3. 손잡이의 직경은 사용 용도에 따라
   • 힘을 요하는 작업도구일 경우 : 2.5~4cm
   • 정밀을 요하는 작업의 경우 : 0.75~1.5cm
4. 플라이어 형태의 손잡이는 스프링 장치 등을 이용하여 자동으로 손잡이가 열리도록 설계할 것
5. 양손잡이를 모두 고려한 설계를 할 것
6. 손잡이의 재질은 미끄러지지 않고, 비전도성, 열과 땀에 강한 소재로 선택할 것
7. 손목을 꺾지말고 손잡이를 꺾을 것(손목은 곧게 유지되도록 설계한다.)
8. 가능한 수동공구가 아닌 동력공구를 사용할 것
9. 동력공구의 손잡이는 최소 두 손가락 이상으로 작동하도록 설계할 것
10. 최대한 공구의 무게를 줄이고 사용 시 무게의 균형이 유지되도록 설계할 것

25 작업개선을 위하여 도입되는 원리인 ECRS에 포함되지 않는 것은?

① Combine   ② Standard
③ Eliminate   ④ Rearrange

해설

작업방법의 개선원칙(새로운 작업 방법의 개선원칙, ECRS)
1. 제거(Eliminate)
2. 결합(Combine)
3. 재배치(Rearrange)
4. 단순화(Simplify)

26 시스템 수명주기에 있어서 예비위험분석(PHA)이 이루어지는 단계에 해당하는 것은?

① 구상단계   ② 점검단계
③ 운전단계   ④ 생산단계

해설

예비위험분석(PHA)
1. 시스템안전 위험분석(SSHA)을 수행하기 위한 예비적인 최초의 작업으로 위험요소가 얼마나 위험한지를 정성적으로 평가하는 것이다.
2. PHA는 구상단계나 설계 및 발주의 극히 초기에 실시된다.

27 가스밸브를 잠그는 것을 잊어 사고가 발생했다면 작업자는 어떤 인적오류를 범한 것인가?

① 생략오류(Omission Error)
② 시간 지연 오류(Time Error)
③ 순서오류(Sequential Error)
④ 작위적 오류(Commission Error)

해설

인간실수의 분류(심리적인 분류)

생략에러 (Omission Error, 부작위 실수)	필요한 직무 및 절차를 수행하지 않아(생략) 발생하는 에러 예 • 가스밸브를 잠그는 것을 잊어 사고가 났다. • 어떤 제품의 분해·조립과정을 거쳐서 수리를 마친 후 부품 하나가 남았다.
작위에러 (Commission Error, 실행에러)	• 필요한 작업 또는 절차의 불확실한 수행(잘못 수행)으로 인한 에러 • 넓은 의미로 선택착오, 순서착오, 시간착오, 정성적 착오를 포함한다. 예 전선이 바뀌었다. 틀린 부품을 사용하였다. 부품이 거꾸로 조립되었다 등
순서에러 (Sequential Error)	필요한 작업 또는 절차의 순서 착오로 인한 에러 예 자동차 출발 시 핸드브레이크를 해제하지 않고 출발하여 발생한 에러
시간에러 (Time Error)	필요한 직무 또는 절차의 수행지연으로 인한 에러 예 프레스 작업 중에 금형 내에 손이 오랫동안 남아 있어 발생한 재해
과잉행동에러 (Extraneous Error, 불필요한 행동에러)	불필요한 작업 또는 절차를 수행함으로써 기인한 에러 예 자동차 운전 중 습관적으로 손을 창문으로 내밀어 발생한 재해

28 인간실수확률에 대한 추정기법으로 가장 적절하지 않은 것은?

① CIT(Critical Incident Technique) : 위급사건기법
② FMEA(Failure Mode and Effect Analysis) : 고장형태 영향분석
③ TCRAM(Task Criticality Rating Analysis Method) : 직무위급도 분석법
④ THERP(Technique for Human Error Rate Prediction) : 인간 실수율 예측기법

해설

인간실수확률에 대한 추정기법
1. 위급사건기법(CIT : Critical Incident Technique)
2. 직무위급도 분석(TCRAM : Task Criticality Rating Analysis Method)
3. 인간 실수율 예측기법(THERP : Technique for Human Error Rate Prediction)
4. 조작자 행동 나무(OAT : Operator Action Tree)
5. 인간 실수 자료 은행(Human Error Rate Bank)
6. 간헐적 사건의 결함 나무 분석(FTA : Fault Tree Analysis)
7. 인간 신뢰도 예측을 위한 컴퓨터 모의실험

> **TIP** 고장형태와 영향분석(FMEA : Failure Mode and Effects Analysis)
> • 시스템 내의 위험요소가 얼마나 위험한 상태에 있는가를 정성적으로 평가하는 기법
> • 고장 발생을 최소로 하고자 하는 경우에 유효하다.

29 자동차를 타이어가 4개인 하나의 시스템으로 볼 때, 타이어 1개가 파열될 확률이 0.01이라면, 이 자동차의 신뢰도는 약 얼마인가?

① 0.91　　　　② 0.93
③ 0.96　　　　④ 0.99

해설

신뢰도
1. 타이어 1개의 신뢰도(파열되지 않을 확률)
　$R = 1 - 0.01 = 0.99$
2. 자동차 타이어는 직렬로 연결(1개의 타이어만 파열되어도 시스템은 정지)
　$R = 0.99 \times 0.99 \times 0.99 \times 0.99 = 0.96$

30 위험성 평가의 절차를 간략히 나열한 것이다. 다음 중 절차를 올바르게 나타낸 것은?

① 사전준비 → 유해 · 위험요인 파악 → 위험성 결정 → 위험성 감소대책 수립 및 실행 → 위험성 평가의 공유 → 기록 및 보존
② 유해 · 위험요인 파악 → 사전준비 → 위험성 결정 → 위험성 감소대책 수립 및 실행 → 위험성 평가의 공유 → 기록 및 보존
③ 유해 · 위험요인 파악 → 위험성 결정 → 사전준비 → 위험성 감소대책 수립 및 실행 → 위험성 평가의 공유 → 기록 및 보존
④ 위험성 감소대책 수립 및 실행 → 사전준비 → 위험성 결정 → 유해 · 위험요인 파악 → 위험성 평가의 공유 → 기록 및 보존

해설

위험성 평가 절차 및 주요 내용

31 격렬한 육체적 작업의 작업부담 평가 시 활용되는 주요 생리적 척도로만 이루어진 것은?

① 부정맥, 작업량
② 맥박수, 산소 소비량
③ 점멸융합주파수, 폐활량
④ 점멸융합주파수, 근전도

생리적 부담의 척도

작업이 인체에 끼치는 생리적 부담은 흔히 맥박수와 산소 소비량으로 측정한다.

> **TIP** 동적 근력작업에 따른 생리학적 측정법
> 에너지 대사량, 산소 소비량 및 CO_2 배출량 등과 호흡량, 맥박수, 근전도 등

32 1sone에 관한 설명으로 ( ) 안에 알맞은 수치는?

> 1sone : (㉠)Hz, (㉡)dB의 음압수준을 가진 순음의 크기

① ㉠ : 1,000, ㉡ : 1   ② ㉠ : 4,000, ㉡ : 1

③ ㉠ : 1,000, ㉡ : 40   ④ ㉠ : 4,000, ㉡ : 40

sone

1,000Hz 순음의 음의 세기 레벨 40dB의 음의 크기를 1sone으로 정의한다.

> **TIP** sone치 = 2(phon치 − 40)/10
> ※ 음량 수준이 10phon 증가하면 음량(sone)은 2배로 증가된다.

33 반경 10cm의 조종구(Ball Control)를 30° 움직였을 때 표시장치는 1cm 이동하였다. 이때 통제표시비(C/D)는 약 얼마인가?

① 2.56   ② 3.12

③ 4.05   ④ 5.24

조종 − 표시장치 이동비율(C/D비 : Control − Display Ratio)

회전운동을 하는 조종장치가 선형 표시장치를 움직일 경우

$$C/D \,비(C/R\,비) = \frac{(a/360) \times 2\pi L}{표시장치의 \ 이동거리}$$

여기서, L : 반경(지레의 길이)
　　　　a : 조종장치가 움직인 각도

$$C/D비 = \frac{(a/360) \times 2\pi L}{표시장치의 \ 이동거리}$$

$$= \frac{(30/360) \times 2 \times \pi \times 10}{1} = 5.24$$

34 다음 중 NOISH Lifting Guideline에서 권장무게한계(RWL) 산출에 사용되는 평가 요소가 아닌 것은?

① 수평거리   ② 수직거리

③ 휴식시간   ④ 비대칭각도

권장무게한계(RWL) 산출 관계식

$$RWL(\text{kg}) = LC \times HM \times VM \times DM \times AM \times FM \times CM$$

여기서, LC : 부하상수(23kg : 최적 작업상태 권장 최대무게, 즉 모든 조건이 가장 좋지 않을 경우 허용되는 최대중량의 의미)
　　　　HM : 수평계수(수평거리에 따른 계수)
　　　　VM : 수직계수(수직거리에 따른 계수)
　　　　DM : 거리계수(물체의 이동거리에 따른 계수, 수직방향의 이동거리)
　　　　AM : 비대칭계수(비대칭각도계수)
　　　　FM : 빈도계수(작업빈도에 따른 계수)
　　　　CM : 결합계수(손잡이 계수)

35 음원 수준이 50phon일 때 sone 값은 얼마인가?

① 2   ② 5

③ 10   ④ 100

phon(음량 수준)과 sone(음량)의 관계

$$\text{sone치} = 2(\text{phon치} - 40)/10$$

※ 음량 수준이 10phon 증가하면 음량(sone)은 2배로 증가된다.

sone치 $= 2(\text{phon치} - 40)/10 = 2(50 - 40)/10 = 2$

36 다음 중 동작경제의 원칙에 있어 '신체사용에 관한 원칙'에 해당하지 않는 것은?

① 두 손의 동작은 동시에 시작해서 동시에 끝나야 한다.

② 손의 동작은 유연하고 연속적인 동작이어야 한다.

③ 공구, 재료 및 제어장치는 사용하기 가까운 곳에 배치해야 한다.

④ 동작이 급작스럽게 크게 바뀌는 직선 동작은 피해야 한다.

동작경제의 원칙

신체 사용에 관한 원칙	• 두 손의 동작은 같이 시작하고 같이 끝나도록 한다. • 휴식시간을 제외하고는 양손이 같이 쉬지 않도록 한다. • 두 팔의 동작은 서로 반대방향으로 대칭적으로 움직인다. • 손과 신체의 동작은 작업을 원만하게 처리할 수 있는 범위 내에서 가장 낮은 동작 등급을 사용하도록 한다. • 가능한 한 관성을 이용하여 작업을 하도록 하되, 작업자가 관성을 억제하여야 하는 경우에는 발생되는 관성을 최소한도로 줄인다. • 손의 동작은 유연하고 연속적인 동작이 되도록 하며, 방향이 갑자기 크게 바뀌는 모양의 직선 동작은 피하도록 한다. • 탄도동작(Ballistic Movements)은 제한되거나 통제된 동작보다 더 신속·정확·용이하다. • 가능하다면 쉽고도 자연스러운 리듬이 작업동작에 생기도록 작업을 배치한다. • 눈의 초점을 모아야 작업을 할 수 있는 경우는 가능하면 없애고, 불가피한 경우에는 눈의 초점이 모아지는 서로 다른 두 작업 지점 간의 거리를 짧게 한다.
작업장 배치에 관한 원칙	• 모든 공구나 재료는 자기 위치에 있도록 한다. • 공구, 재료 및 제어장치는 사용위치에 가까이 두도록 한다. • 중력을 이용한 부품상자나 용기를 이용하여 부품을 제품 사용위치에 가까이 보낼 수 있도록 한다. • 가능하다면 낙하시키는 운반방법을 사용하라. • 공구 및 재료는 동작에 가장 편리한 순서로 배치하여야 한다. • 채광 및 조명장치를 잘 하여야 한다. • 작업자가 작업 중 자세를 변경, 즉 앉거나 서는 것을 임의로 할 수 있도록 작업대와 의자 높이가 조정되도록 한다. • 작업자가 좋은 자세를 취할 수 있도록 의자는 높이뿐만 아니라 디자인도 좋아야 한다.
공구 및 설비 디자인에 관한 원칙	• 치구나 발로 작동시키는 기기를 사용할 수 있는 작업에서는 이러한 기기를 활용하여 양손이 다른 일을 할 수 있도록 한다. • 공구의 기능은 결합하여서 사용하도록 한다. • 공구와 자재는 가능한 한 사용하기 쉽도록 미리 위치를 잡아준다. • 각 손가락에 서로 다른 작업을 할 때에는 작업량을 각 손가락의 능력에 맞게 분배해야 한다. • 레버, 핸들 및 제어장치는 작업자가 몸의 자세를 크게 바꾸지 않더라도 조작하기 쉽도록 배열한다.

37 다음 중 소음에 대한 대책으로 가장 적합하지 않은 것은?

① 소음원의 통제
② 소음의 격리
③ 소음의 분배
④ 적절한 배치

소음방지대책

1. 소음원의 제거 : 가장 적극적인 대책
2. 소음원의 통제 : 기계의 적절한 설계, 정비 및 주유, 고무 받침대 부착, 소음기 사용(차량) 등
3. 소음의 격리 : 씌우개(Enclosure), 장벽을 사용(창문을 닫으면 약 10dB 감음됨)
4. 적절한 배치(Lay Out)
5. 음향 처리제 사용
6. 차폐 장치(Baffle) 및 흡음재 사용
7. 방음 보호 용구

38 FTA에서 사용되는 사상기호 중 결함사상을 나타낸 기호로 옳은 것은?

①   ②   ③   ④

FTA분석 기호

기호	명칭	내용
▭	결함사상	사고가 일어난 사상(사건)
○	기본사상	더 이상 전개가 되지 않는 기본적인 사상 또는 발생확률이 단독으로 얻어지는 낮은 레벨의 기본적인 사상
⌂	통상사상 (가형사상)	통상발생이 예상되는 사상(예상되는 원인)
◇	생략사상 (최후사상)	정보부족 또는 분석기술 불충분으로 더 이상 전개할 수 없는 사상(작업진행에 따라 해석이 가능할 때는 다시 속행한다.)
△	전이기호 (이행기호)	• FT도상에서 다른 부분에 관한 이행 또는 연결을 나타낸다. • 상부에 선이 있는 경우는 다른 부분으로 전입(IN)
△	전이기호 (이행기호)	• FT도상에서 다른 부분에 관한 이행 또는 연결을 나타낸다. • 측면에 선이 있는 경우는 다른 부분으로 전출(OUT)

PART 01 PART 02 PART 03 PART 04 PART 05 PART 06 PART 07

39 다음 중 은행 창구나 슈퍼마켓의 계산대에 적용하기에 가장 적합한 인체 측정 자료의 응용원칙은?

① 평균치 설계
② 최대 집단치 설계
③ 극단치 설계
④ 최소 집단치 설계

인체 계측 자료의 응용원칙의 사례
1. 극단치를 이용한 설계
   • 최대 집단치 설계 : 출입문, 탈출구의 크기, 통로, 그네, 줄사다리, 버스 내 승객용 좌석 간 거리. 위험구역 울타리 등
   • 최소 집단치 설계 : 선반의 높이, 조종 장치까지의 거리, 비상벨의 위치 설계 등
2. 조절 가능한 설계
   자동차 좌석의 전후 조절, 사무실 의자의 상하 조절, 책상 높이 등
3. 평균치를 이용한 설계
   가게나 은행의 계산대, 식당 테이블, 출근버스 손잡이 높이, 안내 데스크 등

40 종이의 반사율이 70%이고, 인쇄된 글자의 반사율이 10%라면 대비(Luminance Contrast)는 약 얼마인가?

① 85.7%
② 89.5%
③ 95.3%
④ 99.1%

대비
표적의 광도와 배경 광도의 차를 나타내는 척도이며, 광도대비 또는 휘도대비란 표면의 광도와 배경의 광도의 차를 나타내는 척도이다.

$$대비(\%) = \frac{배경의\ 광도(L_b) - 표적의\ 광도(L_t)}{배경의\ 광도(L_b)} \times 100$$
$$= \frac{70 - 10}{70} \times 100 = 85.7(\%)$$

---

41 다음 중 지게차의 안정도에 관한 설명으로 틀린 것은?

① 지게차의 등판능력을 표시한다.
② 좌우 안정도와 전후 안정도가 있다.
③ 주행과 하역작업의 안정도가 다르다.
④ 작업 또는 주행 시 안정도 이하로 유지해야 한다.

지게차의 안정도 기준
1. 하역작업 시의 전후 안정도 4% 이내(5톤 이상 : 3.5% 이내) : 최대하중상태에서 포크를 가장 높이 올린 경우
2. 주행 시의 전후 안정도 18% 이내
3. 하역작업 시의 좌우 안정도 6% 이내 : 최대하중상태에서 포크를 가장 높이 올리고 마스트를 가장 뒤로 기울인 경우
4. 주행 시의 좌우 안정도(15 + 1.1V)% 이내
   V : 최고속도(km/h)

TIP 등판능력
지게차가 짐을 싣고 올라갈 수 있는 언덕의 경사도를 말한다.

42 산업안전보건법령상 산업용 로봇으로 인하여 근로자에게 발생할 수 있는 부상 등의 위험이 있는 경우 위험을 방지하기 위하여 울타리를 설치할 때 높이는 최소 몇 m 이상으로 해야 하는가?(단, 산업표준화법 및 국제적으로 통용되는 안전기준은 제외한다.)

① 1.8
② 2.1
③ 2.4
④ 1.2

운전 중 위험방지(근로자가 로봇에 부딪힐 위험이 있을 경우)
1. 높이 1.8m 이상의 울타리 설치
2. 컨베이어 시스템의 설치 등으로 울타리를 설치할 수 없는 일부 구간 : 안전매트 또는 광전자식 방호장치 등 감응형 방호장치 설치

43 다음 설명은 보일러의 장해 원인 중 어느 것에 해당되는가?

> 보일러 수중에 용해고형분이나 수분이 발생, 공기 중에 다량 함유되어 증기의 순도를 저하시킴으로써 관 내 응축수가 생겨 워터해머의 원인이 되고 증기과열기나 터빈 등의 고장의 원인이 된다.

① 프라이밍(Priming)

② 포밍(Forming)

③ 캐리오버(Carry Over)

④ 역화(Back Fire)

해설

보일러 취급 시 이상현상

프라이밍 (Priming)	보일러수가 극심하게 끓어서 수면에서 계속하여 물방울이 비산하고 증기부가 물방울로 충만하여 수위가 불안정하게 되는 현상
포밍 (Foaming)	보일러수에 유지류, 고형물 등의 부유물로 인해 거품이 발생하여 수위를 판단하지 못하는 현상
캐리오버 (Carry Over)	• 보일러에서 증기관 쪽에 보내는 증기에 대량의 물방울이 포함되는 경우로 프라이밍이나 포밍이 생기면 필연적으로 발생 • 보일러에서 증기의 순도를 저하시킴으로써 관 내 응축수가 생겨 워터해머의 원인이 되는 것
워터해머 (Water Hammer) (수격작용)	증기관 내에서 증기를 보내기 시작할 때 해머로 치는 듯한 소리를 내며 관이 진동하는 현상. 워터해머는 캐리오버에 기인한다.

44 프레스의 양수조작식 방호장치에서 양쪽 누름 버튼 간의 상호 간의 내측 거리는 몇 mm 이상이어야 하나?

① 300mm

② 400mm

③ 200mm

④ 100mm

해설

양수조작식

누름 버튼의 상호 간 내측거리는 300mm 이상이어야 한다.

300mm 이상

45 이상온도, 이상기압, 과부하 등 기계의 부하가 안전한계치를 초과하는 경우에 이를 감지하고 자동으로 안전상태가 되도록 조정하거나 기계의 작동을 중지시키는 방호장치는?

① 감지형 방호장치

② 접근거부형 방호장치

③ 위치제한형 방호장치

④ 접근반응형 방호장치

해설

작업점의 방호방법

1. 격리형 방호장치 : 작업점과 작업자 사이에 접촉되어 일어날 수 있는 재해를 방지하기 위해 차단벽이나 망을 설치하는 방호장치
2. 위치제한형 방호장치 : 작업자의 신체부위가 위험한계 밖에 있도록 기계의 조작장치를 위험한 작업점에서 안전거리 이상 떨어지게 하거나 조작장치를 양손으로 동시에 조작하게 함으로써 위험한계에 접근하는 것을 제한하는 방호장치
3. 접근반응형 방호장치 : 작업자의 신체부위가 위험한계 또는 그 인접한 거리 내로 들어오면 이를 감지하여 그 즉시 기계의 동작을 정지시키고 경보등을 발하는 방호장치
4. 접근거부형 방호장치 : 작업자의 신체부위가 위험한계 내로 접근하였을 때 기계적인 작용에 의하여 접근을 못하도록 저지하는 방호장치
5. 포집형 방호장치 : 작업자로부터 위험원을 차단하는 방호장치
6. 감지형 방호장치 : 이상온도, 이상기압, 과부하 등 기계의 부하가 안전한계치를 초과하는 경우 이를 감지하고 자동으로 안전한 상태가 되도록 조정하거나 기계의 작동을 중지시키는 방호장치

46 산업안전보건법령상 산업용 로봇의 작업시작 전 점검사항으로 가장 거리가 먼 것은?

① 외부 전선의 피복 또는 외장의 손상 유무

② 압력방출장치의 이상 유무

③ 매니퓰레이터 작동 이상 유무

④ 제동장치 및 비상정지장치의 기능

해설

작업시작 전 점검사항

로봇의 작동 범위에서 그 로봇에 관하여 교시 등(로봇의 동력원을 차단하고 하는 것은 제외)의 작업을 할 때

1. 외부 전선의 피복 또는 외장의 손상 유무
2. 매니퓰레이터(Manipulator) 작동의 이상 유무
3. 제동장치 및 비상정지장치의 기능

47 사람이 작업하는 기계장치에서 작업자가 실수를 하거나 오조작을 하여도 안전하게 유지되게 하는 안전설계방법은?

① Fail Safe
② 다중계화
③ Fool Proof
④ Back Up

해설

풀 프루프와 페일 세이프

풀 프루프 (Fool Proof)	작업자가 기계를 잘못 취급하여 불안전 행동이나 실수를 하여도 기계설비의 안전기능이 작용되어 재해를 방지할 수 있는 기능을 가진 구조
페일 세이프 (Fail Safe)	기계나 그 부품에 파손·고장이나 기능 불량이 발생하여도 항상 안전하게 작동할 수 있는 기능을 가진 구조

48 산업안전보건법령상 보일러의 안전한 가동을 위하여 보일러 규격에 맞는 압력방출장치가 2개 이상 설치된 경우에 최고사용압력 이하에서 1개가 작동되고, 다른 압력방출장치는 최고사용압력의 몇 배 이하에서 작동되도록 부착하여야 하는가?

① 1.03배
② 1.05배
③ 1.2배
④ 1.5배

해설

보일러의 압력방출장치

1. 보일러의 안전한 가동을 위하여 보일러 규격에 맞는 압력방출장치를 1개 또는 2개 이상 설치하고 최고사용압력(설계압력 또는 최고허용압력) 이하에서 작동되도록 하여야 한다.
2. 압력방출장치가 2개 이상 설치된 경우에는 최고사용압력 이하에서 1개가 작동되고, 다른 압력방출장치는 최고사용압력 1.05배 이하에서 작동되도록 부착하여야 한다.
3. 압력방출장치는 매년 1회 이상 교정을 받은 압력계를 이용하여 설정압력에서 압력방출장치가 적정하게 작동하는지를 검사한 후 납으로 봉인하여 사용하여야 한다.(공정안전보고서 이행상태 평가결과가 우수한 사업장은 압력방출장치에 대하여 4년마다 1회 이상 설정압력에서 압력방출장치가 적정하게 작동하는지를 검사할 수 있다.)
4. 스프링식, 중추식, 지렛대식(일반적으로 스프링식 안전밸브가 많이 사용)

TIP 보일러 안전장치의 종류
• 압력방출장치   • 압력제한스위치
• 고저수위조절장치   • 화염검출기

49 산업안전보건법령에 따른 가스집합용접장치의 안전에 관한 설명으로 옳지 않은 것은?

① 가스집합장치에 대해서는 화기를 사용하는 설비로부터 5m 이상 떨어진 장소에 설치해야 한다.
② 가스집합용접장치의 배관에서 플랜지, 밸브 등의 접합부에는 개스킷을 사용하고 접합면을 상호 밀착시킨다.
③ 주관 및 분기관에 안전기를 설치해야 하며 이 경우 하나의 취관에 2개 이상의 안전기를 설치해야 한다.
④ 용해아세틸렌을 사용하는 가스집합용접장치의 배관 및 부속기구는 구리나 구리 함유량이 60퍼센트 이상인 합금을 사용해서는 아니 된다.

해설

구리 사용의 제한

용해아세틸렌의 가스집합용접장치의 배관 및 부속기구는 구리나 구리 함유량이 70퍼센트 이상인 합금을 사용해서는 아니 된다.

50 롤러기의 급정지장치 설치기준으로 틀린 것은?

① 손조작식 급정지장치의 조작부는 밑면에서 1.8m 이내에 설치한다.
② 복부조작식 급정지장치의 조작부는 밑면에서 0.8m 이상 1.1m 이내에 설치한다.
③ 무릎조작식 급정지장치의 조작부는 밑면에서 0.8m 이내에 설치한다.
④ 설치위치는 급정지장치의 조작부 중심점을 기준으로 한다.

해설

급정지장치의 설치방법

급정지장치 조작부의 종류	위치	비고
손으로 조작하는 것	밑면으로부터 1.8m 이내	위치는 급정지장치 조작부의 중심점을 기준으로 함
복부로 조작하는 것	밑면으로부터 0.8m 이상 1.1m 이내	
무릎으로 조작하는 것	밑면으로부터 0.4m 이상 0.6m 이내	

51 프레스 작업 중 부주의로 프레스의 페달을 밟는 것에 대비하여 페달에 설치하는 것을 무엇이라 하는가?

① 클램프

② 로크너트

③ 커버

④ 스프링 와셔

U자형 덮개(커버)

페달의 불시작동으로 인한 사고예방을 위해 프레스기 페달에 U자형 덮개를 씌운다.

52 크레인의 로프에 질량 2,000kg의 물건을 10m/s²의 가속도로 감아올릴 때, 로프에 걸리는 총 하중은 약 몇 kN인가?

① 9.6

② 19.6

③ 29.6

④ 39.6

와이어로프에 걸리는 하중계산

와이어로프에 걸리는 총하중	총하중(W) = 정하중(W_1) + 동하중(W_2) 동하중(W_2) = $\dfrac{W_1}{g} \times a$ 여기서, g : 중력가속도(9.8m/s²) a : 가속도(m/s²)
와이어로프에 작용하는 장력	장력[N] = 총하중[kg] × 중력가속도[m/s²]

1. 동하중

$$동하중(W_2) = \frac{W_1}{g} \times a = \frac{2,000}{9.8} \times 10 = 2,040.82(kgf)$$

2. 총하중

$$총하중(W) = 정하중(W_1) + 동하중(W_2)$$
$$= 2,000 + 2,040.82 = 4,040.82(kgf)$$

3. 장력

$$장력[N] = 총하중[kg] \times 중력가속도[m/s^2]$$
$$= 4,040.82(kgf) \times 9.8$$
$$= 39,600(N) = 39.6(kN)$$

53 산업안전보건법령상 공기압축기를 가동할 때 작업시작 전 점검사항에 해당하지 않는 것은?

① 윤활유의 상태

② 회전부의 덮개 또는 울

③ 과부하방지장치의 작동 유무

④ 공기저장 압력용기의 외관상태

공기압축기 작업시작 전 점검사항

1. 공기저장 압력용기의 외관상태
2. 드레인 밸브(Drain Valve)의 조작 및 배수
3. 압력방출장치의 기능
4. 언로드 밸브(Unloading Valve)의 기능
5. 윤활유의 상태
6. 회전부의 덮개 또는 울
7. 그 밖의 연결 부위의 이상 유무

54 다음 중 드릴 작업의 안전수칙으로 가장 적합한 것은?

① 손을 보호하기 위하여 장갑을 착용한다.

② 작은 일감은 양손으로 견고히 잡고 작업한다.

③ 정확한 작업을 위하여 구멍에 손을 넣어 확인한다.

④ 작업시작 전 척 렌치(Chuck Wrench)를 반드시 제거하고 작업한다.

드릴 작업에 대한 안전수칙

1. 일감은 견고하게 고정시키며 관통된 것을 확인하기 위해 손으로 만져서는 안 된다.
2. 드릴을 끼운 후 척 렌치(Chuck Wrench)는 반드시 뺀다.
3. 작업모를 착용하고 옷소매가 긴 작업복은 입지 않는다.
4. 드릴작업에서는 보안경 및 안전덮개(Shield)를 설치한다.
5. 칩은 브러시(와이어 브러시)로 제거하고 장갑 착용은 금지한다.
6. 구멍 끝 작업에서는 절삭압력을 주어서는 안 된다.
7. 고정구를 사용하여 작업 중 공작물의 유동을 방지한다.
8. 가공 중에 구멍이 관통되면 기계를 멈추고 손으로 돌려서 드릴을 뺀다.
9. 일감의 설치, 테이블의 고정이나 조정은 기계를 정지시킨 후에 실시한다.
10. 큰 구멍을 뚫을 때는 반드시 작은 구멍을 먼저 뚫은 후 큰 구멍을 뚫는다.
11. 얇은 판에 구멍을 뚫을 때에는 나무판을 밑에 받치고 뚫는다.

12. 구멍이 거의 다 뚫리는 끝부분에서 일감이 드릴과 함께 맞물려 회전하기 쉬우므로 주의하여야 한다.

55 산업안전보건법령상 프레스의 작업 시작 전 점검사항이 아닌 것은?

① 슬라이드 또는 칼날에 의한 위험방지 기구의 기능
② 프레스의 금형 및 고정볼트 상태
③ 전단기의 칼날 및 테이블의 상태
④ 권과방지장치 및 그 밖의 경보장치의 기능

프레스 등을 사용하여 작업을 할 때 작업 시작 전 점검사항
1. 클러치 및 브레이크의 기능
2. 크랭크축 · 플라이휠 · 슬라이드 · 연결봉 및 연결 나사의 풀림 여부
3. 1행정 1정지기구 · 급정지장치 및 비상정지장치의 기능
4. 슬라이드 또는 칼날에 의한 위험방지 기구의 기능
5. 프레스의 금형 및 고정볼트 상태
6. 방호장치의 기능
7. 전단기의 칼날 및 테이블의 상태

56 산업안전보건법령상 아세틸렌 용접장치를 사용하여 금속의 용접 · 용단 또는 가열작업을 하는 경우 게이지 압력은 얼마를 초과하는 압력의 아세틸렌을 발생시켜 사용하면 안 되는가?

① 98kPa
② 127kPa
③ 147kPa
④ 196kPa

압력의 제한
아세틸렌 용접장치를 사용하여 금속의 용접 · 용단 또는 가열작업을 하는 경우에는 게이지 압력이 127kPa을 초과하는 압력의 아세틸렌을 발생시켜 사용해서는 아니 된다.

57 기계의 각 작동 부분 상호 간을 전기적, 기구적, 공유압장치 등으로 연결해서 기계의 각 작동 부분이 정상으로 작동하기 위한 조건이 만족되지 않을 경우 자동적으로 그 기계를 작동할 수 없도록 하는 것을 무엇이라 하는가?

① 인터록 기구
② 과부하방지장치
③ 트립 기구
④ 오버런 기구

인터록(Interlock)
1. 기계의 각 작동 부분 상호 간을 전기적, 기구적, 유공압장치 등으로 연결해서 기계의 각 작동 부분이 정상으로 작동하기 위한 조건이 만족되지 않을 경우 자동적으로 그 기계를 작동할 수 없도록 하는 것
2. 인터록(연동장치)의 요건
   • 가드가 완전히 닫히기 전에는 기계가 작동되어서는 안 된다.
   • 가드가 열리는 순간 기계의 작동은 반드시 정지되어야 한다.

58 다음 중 회전축, 커플링 등 회전하는 물체에 작업복 등이 말려드는 위험을 초래하는 위험점은?

① 협착점
② 접선물림점
③ 절단점
④ 회전말림점

기계운동 형태에 따른 위험점 분류

협착점	왕복운동을 하는 운동부와 움직임이 없는 고정부 사이에서 형성되는 위험점(고정점+운동점)	• 프레스 • 성형기 • 밴딩기	• 전단기 • 조형기 • 인쇄기
끼임점	회전운동하는 부분과 고정부 사이에 위험이 형성되는 위험점(고정점+회전운동)	• 연삭숫돌과 작업대 • 반복동작되는 링크기구 • 교반기의 날개와 몸체 사이 • 회전풀리와 벨트	
절단점	회전하는 운동부 자체의 위험이나 운동하는 기계부분 자체의 위험에서 형성되는 위험점(회전운동+기계)	• 밀링커터 • 둥근 톱의 톱날 • 목공용 띠톱 날	
물림점	회전하는 두 개의 회전체에 형성되는 위험점(서로 반대방향의 회전체) (중심점+반대방향의 회전운동)	• 기어와 기어의 물림 • 롤러와 롤러의 물림 • 롤러분쇄기	
접선 물림점	회전하는 부분의 접선방향으로 물려들어갈 위험이 있는 위험점	• V벨트와 풀리 • 랙과 피니언 • 체인벨트 • 평벨트	
회전 말림점	회전하는 물체의 길이, 굵기, 속도 등의 불규칙 부위와 돌기 회전부위에 의해 장갑 또는 작업복 등이 말려들 위험이 있는 위험점	• 회전하는 축 • 커플링 • 회전하는 드릴	

59 안전계수가 5인 체인의 최대설계하중이 1,000N 이라면 이 체인의 극한하중은 약 몇 N인가?

① 200　　　　　　　② 2,000

③ 5,000　　　　　　④ 12,000

해설

안전율(안전계수)

안전율(안전계수) = $\dfrac{극한하중}{최대설계하중}$

극한하중 = 안전계수 × 최대설계하중

　　　　= 5 × 1,000N = 5,000(N)

60 산업안전보건법령상 양중기를 사용하여 작업하는 운전자 또는 작업자가 보기 쉬운 곳에 해당 양중기에 대해 표시하여야 할 내용으로 가장 거리가 먼 것은?(단, 승강기는 제외한다.)

① 정격하중　　　　② 운전속도

③ 경고표시　　　　④ 최대 인양 높이

해설

정격하중 등의 표시

양중기(승강기 제외) 및 달기구를 사용하여 작업하는 운전자 또는 작업자가 보기 쉬운 곳에 해당 기계의 정격하중, 운전속도, 경고표시 등을 부착하여야 한다.(다만, 달기구는 정격하중만 표시)

4과목　전기설비 안전관리

61 교류 아크 용접기의 자동전격방지장치는 전격의 위험을 방지하기 위하여 아크 발생이 중단된 후 약 1초 이내에 출력 측 무부하 전압을 자동적으로 몇 V 이하로 저하시켜야 하는가?

① 85　　　　　　　② 70

③ 50　　　　　　　④ 25

해설

자동전격방지기의 성능조건

1. 자동전격방지기는 아크 발생을 중지하였을 때 지동시간이 1.0초 이내에 2차 무부하 전압을 25V 이하로 감압시켜 안전을 유지할 수 있어야 한다.
2. 시동시간은 0.04초 이내이고, 전격방지기를 시동시키는 데 필요한 용접봉의 접촉 소요시간은 0.03초 이내일 것

62 정전기 방전현상에 해당되지 않는 것은?

① 연면방전　　　　② 코로나 방전

③ 낙뢰방전　　　　④ 스팀방전

해설

정전기 방전의 형태

코로나 (Corona) 방전	고체에 정전기가 축적되면 전위가 높아지게 되고 고체 표면의 전위경도가 어느 일정치를 넘어서면 낮은 소리와 연한 빛을 수반하는 방전
스트리머 (Streamer) 방전	일반적으로 브러시(brush) 코로나에서 다소 강해져서 파괴음과 발광을 수반하는 방전
불꽃(Spark) 방전	도체가 대전되었을 때 접지된 도체 사이에서 발생하는 강한 발광과 파괴음을 수반하는 방전
연면(Surface) 방전	공기 중에 놓여진 절연체 표면의 전계강도가 큰 경우 고체 표면을 따라 진행하는 방전
브러시(Brush) 방전	비교적 평활한 대전물체가 만드는 불평등전계 중에서 발생하는 나뭇가지 모양의 방전
뇌상방전	번개와 같은 수지상의 발광을 수반하고 강력하게 대전한 입자군이 대규모의 구름 모양(대전운)으로 확산되어 일어나는 특수한 방전

63 유자격자가 아닌 근로자가 방호되지 않은 충전전로 인근의 높은 곳에서 작업할 때에 근로자의 몸은 충전전로에서 몇 cm 이내로 접근할 수 없도록 하여야 하는가?(단, 대지전압이 50kV이다.)

① 50　　　　　　　② 100

③ 200　　　　　　④ 300

해설

충전전로를 취급하거나 그 인근에서의 작업

유자격자가 아닌 근로자가 충전전로 인근의 높은 곳에서 작업할 때에 근로자의 몸 또는 긴 도전성 물체가 방호되지 않은 충전전로에서 대지전압이 50kV 이하인 경우에는 300cm 이내로, 대지전압이 50kV를 넘는 경우에는 10kV당 10cm씩 더한 거리 이내로 각각 접근할 수 없도록 할 것

64 절연물의 절연계급을 최고허용온도가 낮은 온도에서 높은 온도 순으로 배치한 것은?

① Y종 → A종 → E종 → B종

② A종 → B종 → E종 → Y종

③ Y종 → E종 → B종 → A종

④ B종 → Y종 → A종 → E종

정답 59 ③　60 ④　61 ④　62 ④　63 ④　64 ①

절연방식에 따른 분류

절연종별	허용최고온도[℃]	용도
Y종	90	저전압의 기기
A종	105	보통의 회전기, 변압기
E종	120	대용량 및 보통의 기기
B종	130	고전압의 기기
F종	155	고전압의 기기
H종	180	건식 변압기
C종	180 초과	특수한 기기

65 고압 및 특고압 전로에 시설하는 피뢰기의 설치 장소로 잘못된 곳은?

① 가공전선로와 지중전선로가 접속되는 곳
② 발전소, 변전소의 가공전선 인입구 및 인출구
③ 고압 가공전선로에 접속하는 배전용 변압기의 저압 측
④ 고압 가공전선로로부터 공급을 받는 수용장소의 인입구

피뢰기의 설치장소(고압 및 특고압 전로)

고압 및 특고압의 전로 중 다음의 곳 또는 이에 근접한 곳에는 피뢰기를 시설하고 피뢰기 접지저항 값은 10Ω 이하로 하여야 한다.

1. 발전소 · 변전소 또는 이에 준하는 장소의 가공전선 인입구 및 인출구
2. 특고압 가공전선로에 접속하는 배전용 변압기의 고압 측 및 특고압 측
3. 고압 또는 특고압의 가공전선로로부터 공급을 받는 수용장소의 인입구
4. 가공전선로와 지중전선로가 접속되는 곳

66 방폭전기설비의 용기 내부에서 폭발성 가스 또는 증기가 폭발하였을 때 용기가 그 압력에 견디고 접합면 개구부를 통해서 외부의 폭발성 가스나 증기에 인화되지 않도록 한 방폭구조?

① 내압 방폭구조　　② 압력 방폭구조
③ 유입 방폭구조　　④ 본질안전 방폭구조

내압 방폭구조(Flameproof Enclosure, d)

1. 점화원에 의해 용기 내부에서 폭발이 발생할 경우에 용기가 폭발압력에 견딜 수 있고, 화염이 용기 외부의 폭발성 분위기로 전파되지 않도록 한 방폭구조
2. 전폐형 구조로 용기 내에 외부의 폭발성 가스가 침입하여 내부에서 폭발하더라도 용기는 그 압력에 견뎌야 하고 폭발한 고열가스나 화염이 용기의 접합부 틈을 통하여 새어 나가는 동안 냉각되어 외부의 폭발성 가스에 화염이 파급될 우려가 없도록 한 방폭구조

> **TIP** • 압력 방폭구조 : 점화원이 될 우려가 있는 부분을 용기 안에 넣고 보호 기체(신선한 공기 또는 불활성 기체)를 용기 안에 압입함으로써 폭발성 가스가 침입하는 것을 방지하도록 되어 있는 방폭구조(전폐형 구조)
> • 유입 방폭구조 : 유체 상부 또는 용기 외부에 존재할 수 있는 폭발성 분위기가 발화할 수 없도록 전기설비 또는 전기설비의 부품을 보호액에 함침시키는 방폭구조
> • 본질안전 방폭구조 : 정상작동 및 고장상태 시 발생하는 불꽃, 아크 또는 고온에 의해 폭발성 가스

67 욕조나 샤워시설이 있는 욕조 또는 화장실에 콘센트가 시설되어 있다. 해당 전로에 설치된 누전차단기의 정격감도전류와 동작시간은?

① 정격감도전류 15mA 이하, 동작시간 0.01초 이하
② 정격감도전류 15mA 이하, 동작시간 0.03초 이하
③ 정격감도전류 30mA 이하, 동작시간 0.01초 이하
④ 정격감도전류 30mA 이하, 동작시간 0.03초 이하

설치장소에 따른 누전차단기의 선정기준

설치장소	선정기준
욕조나 샤워시설이 있는 욕실 또는 화장실 등 인체가 물에 젖어있는 상태에서 전기를 사용하는 장소	인체감전보호용 누전차단기(정격감도전류 15mA 이하, 동작시간 0.03초 이하의 전류동작형의 것에 한함) 또는 절연변압기(정격용량 3kVA 이하인 것에 한함)로 보호된 전로에 접속하거나, 인체감전보호용 누전차단기가 부착된 콘센트를 시설하여야 한다.
의료장소의 전로	정격 감도전류 30mA 이하, 동작시간 0.03초 이내의 누전차단기를 설치할 것

68 지락이 생긴 경우 접촉상태에 따라 접촉전압을 제한할 필요가 있다. 인체의 접촉상태에 따른 허용접촉전압을 나타낸 것으로 다음 중 옳지 않은 것은?

① 제1종 : 2.5V 이하

② 제2종 : 25V 이하

③ 제3종 : 35V 이하

④ 제4종 : 제한 없음

해설

허용접촉전압

종별	접촉상태	허용접촉전압
제1종	• 인체의 대부분이 수중에 있는 상태	2.5V 이하
제2종	• 인체가 현저하게 젖어있는 상태 • 금속성의 전기기계장치나 구조물에 인체의 일부가 상시 접촉되어 있는 상태	25V 이하
제3종	• 제1종, 제2종 이외의 경우로 통상의 인체상태에 있어서 접촉전압이 가해지면 위험성이 높은 상태	50V 이하
제4종	• 제1종, 제2종 이외의 경우로 통상의 인체상태에 있어서 접촉전압이 가해지더라도 위험성이 낮은 상태 • 접촉전압이 가해질 우려가 없는 상태	제한 없음

69 저압전로의 절연성능 시험에서 전로의 사용전압이 380V인 경우 전로의 전선 상호 간 및 전로와 대기 사이의 절연저항은 최소 몇 MΩ 이상이어야 하는가?

① 0.1

② 0.3

③ 0.5

④ 1.0

해설

저압전로의 절연저항

전로의 사용전압 (V)	DC시험전압 (V)	절연저항 (MΩ)
SELV 및 PELV	250	0.5
FELV, 500V 이하	500	1.0
500V 초과	1,000	1.0

※ 특별저압(Extra Low Voltage : 2차 전압이 AC 50V, DC 120V 이하) 으로 SELV(비접지회로 구성) 및 PELV(접지회로 구성)는 1차와 2차가 전기적으로 절연된 회로, FELV는 1차와 2차가 전기적으로 절연되지 않은 회로

70 감전 재해자가 발생하였을 때 취하여야 할 최우선 조치는?(단, 감전자가 질식상태라 가정한다.)

① 부상 부위를 치료한다.

② 심폐소생술을 실시한다.

③ 의사의 왕진을 요청한다.

④ 우선 병원으로 이동시킨다.

해설

감전사고 시 응급조치

질식으로 인하여 맥박과 호흡이 정지하는 경우 인공호흡과 심장마사지를 병행하는 심폐소생술을 실시하여 재해자를 구호하여야 한다.

71 어느 변전소에서 고장전류가 유입되었을 때 도전성 구조물과 그 부근 지표상의 점과의 사이(약 1m)의 허용접촉전압은 약 몇 V인가?(단, 심실세동전류 : $I_k = \dfrac{0.165}{\sqrt{t}}$ A, 인체의 저항 : 1,000Ω, 지표면의 저항률 : 150Ω · m, 통전시간 : 1초로 한다.)

① 164

② 186

③ 202

④ 228

해설

허용접촉전압

$$\text{허용접촉전압}(E) = \left(R_b + \frac{3\rho_s}{2}\right) \times I_k$$

여기서, R_b : 인체의 저항(Ω)

ρ_s : 지표상층 저항률(Ω · m)

$I_k : \dfrac{0.165}{\sqrt{T}}$ (A)

$$\text{허용접촉전압}(E) = \left(R_b + \frac{3\rho_s}{2}\right) \times I_k$$
$$= \left(1,000 + \frac{3 \times 150}{2}\right) \times \frac{0.165}{\sqrt{1}}$$
$$= 202(\text{V})$$

72 방폭전기기기의 등급에서 위험장소의 등급분류에 해당되지 않는 것은?

① 3종 장소

② 2종 장소

③ 1종 장소

④ 0종 장소

해설

가스폭발 위험장소

0종 장소	인화성 액체의 증기 또는 가연성 가스에 의한 폭발위험이 지속적으로 또는 장기간 존재하는 장소	용기 · 장치 · 배관 등의 내부 등
1종 장소	정상 작동상태에서 폭발위험분위기가 존재하기 쉬운 장소	맨홀 · 벤트 · 피트 등의 주위
2종 장소	정상 작동상태에서 폭발위험분위기가 존재할 우려가 없으나, 존재할 경우 그 빈도가 아주 적고 단기간만 존재할 수 있는 장소	개스킷 · 패킹 등의 주위

73 최소 착화에너지가 0.26mJ인 가스에 정전용량이 100pF인 대전 물체로부터 정전기 방전에 의하여 착화할 수 있는 전압은 약 몇 V인가?

① 2,240   ② 2,260
③ 2,280   ④ 2,300

해설

정전기 에너지

$$W = \frac{1}{2}CV^2 = \frac{1}{2}QV = \frac{1}{2}\frac{Q^2}{C}$$

대전 전하량$(Q) = C \cdot V$, 대전 전위$(V) = \frac{Q}{C}$

여기서, W : 정전기 에너지[J]
C : 도체의 정전용량[F]
V : 대전 전위[V]
Q : 대전 전하량[C]

1. $W = \frac{1}{2}CV^2 \rightarrow 2W = CV^2 \rightarrow V^2 = \frac{2W}{C}$

$\rightarrow V = \sqrt{\frac{2W}{C}}$

2. $V = \sqrt{\frac{2W}{C}} = \sqrt{\frac{2 \times 0.26 \times 10^{-3}}{100 \times 10^{-12}}}$

$= 2,280(V)$

TIP $pF = 10^{-12}F$, $mJ = 10^{-3}J$

74 정전기 발생에 영향을 주는 요인에 대한 설명으로 틀린 것은?

① 물체의 분리속도가 빠를수록 발생량은 적어진다.
② 접촉면적이 크고 접촉압력이 높을수록 발생량이 많아진다.

③ 물체 표면이 수분이나 기름으로 오염되면 산화 및 부식에 의해 발생량이 많아진다.
④ 정전기의 발생은 처음 접촉, 분리할 때가 최대로 되고 접촉, 분리가 반복됨에 따라 발생량은 감소한다.

해설

정전기 발생의 영향요인(정전기 발생요인)

물체의 특성	일반적으로 대전량은 접촉이나 분리하는 두 가지 물체가 대전서열 내에서 가까운 곳에 있으면 적고 먼 위치에 있을수록 대전량이 큰 경향이 있다.
물체의 표면상태	• 표면이 거칠수록 정전기 발생량이 커진다. • 기름, 수분, 불순물 등 오염이 심할수록, 산화 부식이 심할수록 정전기 발생량이 커진다.
물체의 이력	정전기 발생량은 처음 접촉, 분리가 일어날 때 최대가 되며, 발생횟수가 반복될수록 발생량이 감소한다.
접촉면적 및 압력	접촉면적 및 압력이 클수록 정전기 발생량은 커진다.
분리속도	분리속도가 빠를수록 정전기 발생량이 커진다.
완화시간	완화시간이 길면 전하 분리에 주는 에너지도 커져서 정전기 발생량이 커진다.

75 전류가 흐르는 상태에서 단로기를 끊었을 때 여러 가지 파괴작용을 일으킨다. 다음 그림에서 유입차단기의 차단순서와 투입순서가 안전수칙에 가장 적합한 것은?

① 차단 : ㉮ → ㉯ → ㉰, 투입 : ㉮ → ㉯ → ㉰
② 차단 : ㉯ → ㉰ → ㉮, 투입 : ㉯ → ㉰ → ㉮
③ 차단 : ㉰ → ㉯ → ㉮, 투입 : ㉰ → ㉮ → ㉯
④ 차단 : ㉯ → ㉰ → ㉮, 투입 : ㉰ → ㉮ → ㉯

해설

유입차단기(OCB)의 투입 및 차단 순서
1. 전원 차단 시 : 차단기(OCB)를 개방한 후 단로기(DS) 개방
2. 전원 투입 시 : 단로기(DS)를 투입한 후 차단기(OCB) 투입

TIP • 단로기가 많을 경우 항상 부하 측부터 먼저 조작한다.
• 차단기 : 차단기는 통상의 부하전류를 개폐하고 사고 시 신속히 회로를 차단하여 전기기기 및 전선류를 보호하고 안전성을 유지하는 기기를 말한다.
• 단로기 : 무부하 선로를 개폐하는 역할을 수행한다.

76 인체저항에 대한 설명으로 옳지 않은 것은?

① 인체저항은 인가전압의 함수이다.

② 인가시간이 길어지면 온도상승으로 인체저항은 증가한다.

③ 인체저항은 접촉면적에 따라 변한다.

④ 1,000V 부근에서 피부의 절연파괴가 발생할 수 있다.

해설

인가시간에 의한 변화

인가시간이 길어지면 인체의 온도상승에 의해 저항치가 감소된다.

77 절연열화가 진행되어 누설전류가 증가하면 여러 가지 사고를 유발하게 되는 경우로서 거리가 먼 것은?

① 감전사고

② 누전화재

③ 정전기 증가

④ 아크 지락에 의한 기기의 손상

해설

1. 누설전류와 정전기 증가는 무관하다.
2. 누설전류가 증가하게 되면 인체에 대한 감전사고, 누전에 의한 화재, 아크 지락에 의한 기기의 손상이 발생한다. 이를 방지하기 위하여 누전차단기를 설치한다.

78 전기시설의 직접 접촉에 의한 감전방지 방법으로 적절하지 않은 것은?

① 충전부는 내구성이 있는 절연물로 완전히 덮어 감쌀 것

② 충전부가 노출되지 않도록 폐쇄형 외함이 있는 구조로 할 것

③ 충전부에 충분한 절연효과가 있는 방호망 또는 절연덮개를 설치할 것

④ 충전부는 출입이 용이한 전개된 장소에 설치하고, 위험표시 등의 방법으로 방호를 강화할 것

해설

직접 접촉에 의한 방지대책(충전 부분에 대한 감전방지)

1. 충전부가 노출되지 않도록 폐쇄형 외함이 있는 구조로 할 것

2. 충전부에 충분한 절연효과가 있는 방호망이나 절연덮개를 설치할 것

3. 충전부는 내구성이 있는 절연물로 완전히 덮어 감쌀 것

4. 발전소 · 변전소 및 개폐소 등 구획되어 있는 장소로서 관계 근로자가 아닌 사람의 출입이 금지되는 장소에 충전부를 설치하고, 위험표시 등의 방법으로 방호를 강화할 것

5. 전주 위 및 철탑 위 등 격리되어 있는 장소로서 관계 근로자가 아닌 사람이 접근할 우려가 없는 장소에 충전부를 설치할 것

79 개폐기로 인한 발화는 스파크에 의한 가연물의 착화화재가 많이 발생한다. 이를 방지하기 위한 대책으로 틀린 것은?

① 가연성 증기, 분진 등이 있는 곳은 방폭형을 사용한다.

② 개폐기를 불연성 상자 안에 수납한다.

③ 비포장 퓨즈를 사용한다.

④ 접속부분의 나사풀림이 없도록 한다.

해설

스파크에 의한 화재방지 대책

1. 개폐기를 불연성의 외함 내에 내장시키거나 통형 퓨즈를 사용할 것

2. 접촉부분의 산화, 변형, 퓨즈의 나사풀림 등으로 인한 접촉저항이 증가되는 것을 방지

3. 가연성, 증기, 분진 등 위험한 물질이 있는 곳에는 방폭형 개폐기를 사용할 것

4. 유입개폐기는 절연유의 열화 정도, 유량에 주의하고 주위에는 내화벽을 설치할 것

80 산업안전보건법령에 따라 감전될 우려가 있는 장소에서 작업을 하기 위해서는 전로를 차단하여야 한다. 전로 차단을 위한 시행 절차 중 틀린 것은?

① 전기기기 등에 공급되는 모든 전원을 관련 도면, 배선도 등으로 확인

② 각 단로기를 개방한 후 전원 차단

③ 단로기 개방 후 차단장치나 단로기 등에 잠금장치 및 꼬리표를 부착

④ 잔류전하 방전 후 검전기를 이용하여 작업 대상 기기가 충전되어 있는지 확인

01 PART
02 PART
03 PART
04 PART
05 PART
06 PART
07 PART

정전전로에서의 전로 차단 절차

1. 전기기기 등에 공급되는 모든 전원을 관련 도면, 배선도 등으로 확인할 것
2. 전원을 차단한 후 각 단로기 등을 개방하고 확인할 것
3. 차단장치나 단로기 등에 잠금장치 및 꼬리표를 부착할 것
4. 개로된 전로에서 유도전압 또는 전기에너지가 축적되어 근로자에게 전기위험을 끼칠 수 있는 전기기기 등은 접촉하기 전에 잔류전하를 완전히 방전시킬 것
5. 검전기를 이용하여 작업 대상 기기가 충전되었는지를 확인할 것
6. 전기기기 등이 다른 노출 충전부와의 접촉, 유도 또는 예비동력원의 역송전 등으로 전압이 발생할 우려가 있는 경우에는 충분한 용량을 가진 단락 접지기구를 이용하여 접지할 것

5과목 화학설비 안전관리

81 산업안전보건기준에 관한 규칙에서 규정하고 있는 급성 독성 물질의 정의에 해당되지 않는 것은?

① 가스 LC50(쥐, 4시간 흡입)이 2,500ppm 이하인 화학물질
② LD50(경구, 쥐)이 킬로그램당 300밀리그램 – (체중) 이하인 화학물질
③ LD50(경피, 쥐)이 킬로그램당 1,000밀리그램 – (체중) 이하인 화학물질
④ LD50(경피, 토끼)이 킬로그램당 2,000밀리그램 – (체중) 이하인 화학물질

급성 독성 물질

1. 쥐에 대한 경구투입실험에 의하여 실험동물의 50퍼센트를 사망시킬 수 있는 물질의 양, 즉 LD50(경구, 쥐)이 킬로그램당 300밀리그램 – (체중) 이하인 화학물질
2. 쥐 또는 토끼에 대한 경피흡수실험에 의하여 실험동물의 50퍼센트를 사망시킬 수 있는 물질의 양, 즉 LD50(경피, 토끼 또는 쥐)이 킬로그램당 1,000밀리그램 – (체중) 이하인 화학물질
3. 쥐에 대한 4시간 동안의 흡입실험에 의하여 실험동물의 50퍼센트를 사망시킬 수 있는 물질의 농도, 즉 가스 LC50(쥐, 4시간 흡입)이 2,500ppm 이하인 화학물질, 증기 LC50(쥐, 4시간 흡입)이 10mg/L 이하인 화학물질, 분진 또는 미스트 1mg/L 이하인 화학물질

82 다음 중 산업안전보건법령상 산화성 액체 또는 산화성 고체에 해당하지 않는 것은?

① 질산
② 중크롬산
③ 과산화수소
④ 질산에스테르

산화성 액체 및 산화성 고체

1. 차아염소산 및 그 염류
2. 아염소산 및 그 염류
3. 염소산 및 그 염류
4. 과염소산 및 그 염류
5. 브롬산 및 그 염류
6. 요오드산 및 그 염류
7. 과산화수소 및 무기 과산화물
8. 질산 및 그 염류
9. 과망간산 및 그 염류
10. 중크롬산 및 그 염류
11. 그 밖에 1.부터 10.까지의 물질과 같은 정도의 산화성이 있는 물질
12. 1.부터 11.까지의 물질을 함유한 물질

> **TIP** 질산에스테르 : 폭발성 물질 및 유기과산화물

83 송풍기의 회전차 속도가 1,300rpm일 때 송풍량이 분당 300m³였다. 송풍량을 분당 400m³로 증가시키고자 한다면 송풍기의 회전차 속도는 약 몇 rpm으로 하여야 하는가?

① 1,533
② 1,733
③ 1,967
④ 2,167

상사의 법칙(송풍량)

$$Q' = Q \times \left(\frac{N'}{N}\right) \times \left(\frac{D'}{D}\right)^3$$

여기서, Q : 회전수 및 송풍기의 크기(회전차 직경) 변경 전 송풍량(유량)
Q' : 회전수 및 송풍기의 크기(회전차 직경) 변경 후 송풍량(유량)
N : 변경 전 회전 수
N' : 변경 후 회전 수
D : 변경 전 송풍기의 크기(회전차 직경)
D' : 변경 후 송풍기의 크기(회전차 직경)

1. $Q = 300(\text{m}^3/\text{min})$, $Q' = 400(\text{m}^3/\text{min})$
$N = 1,300(\text{rpm})$

2. $Q' = Q \times \left(\dfrac{N'}{N}\right) \rightarrow Q' = \dfrac{Q \times N'}{N}$

$\rightarrow Q' \times N = Q \times N' \rightarrow N' = \dfrac{Q' \times N}{Q}$

3. $N' = \dfrac{400 \times 1,300}{300} = 1,733(\text{rpm})$

84 위험물의 저장방법으로 적절하지 않은 것은?

① 탄화칼슘은 물속에 저장한다.
② 벤젠은 산화성 물질과 격리시킨다.
③ 금속나트륨은 석유 속에 저장한다.
④ 질산은 갈색병에 넣어 냉암소에 보관한다.

해설
탄화칼슘은 물과 반응하여 아세틸렌가스를 발생시켜 화재 · 폭발의 위험이 있으며 밀폐용기에 저장하고 불연성 가스로 봉입한다.

85 가연성 가스 A의 연소범위를 2.2~9.5vol%라 할 때 가스 A의 위험도는 얼마인가?

① 2.52 ② 3.32
③ 4.91 ④ 5.64

해설
위험도
위험도 값이 클수록 위험성이 높은 물질이다.

$$H = \dfrac{UFL - LFL}{LFL}$$

여기서, UFL : 연소 상한값
LFL : 연소 하한값
H : 위험도

$H = \dfrac{UFL - LFL}{LFL} = \dfrac{9.5 - 2.2}{2.2} = 3.32$

86 공기 중 아세톤의 농도가 200ppm(TLV 500 ppm), 메틸에틸케톤(MEK)의 농도가 100ppm(TLV 200ppm)일 때 혼합물질의 허용농도(ppm)는?(단, 두 물질은 서로 상가작용을 하는 것으로 가정한다.)

① 150 ② 200
③ 270 ④ 333

해설
노출지수(EI : Exposure Index) : 공기 중 혼합물질

$$\text{노출지수}(EI) = \dfrac{C_1}{TLV_1} + \dfrac{C_2}{TLV_2} + \cdots + \dfrac{C_n}{TLV_n}$$

여기서, C_n : 각 혼합물질의 공기 중 농도
TLV_n : 각 혼합물질의 노출기준

$$\begin{aligned}&\text{보정된 허용농도(기준)}\\&= \dfrac{\text{혼합물의 공기 중 농도}(C_1 + C_2 + \cdots + C_n)}{\text{노출지수}(EI)}\end{aligned}$$

1. 노출지수$(EI) = \dfrac{C_1}{TLV_1} + \dfrac{C_2}{TLV_2} = \dfrac{200}{500} + \dfrac{100}{200} = 0.9$

2. 보정된 허용농도(기준)
$= \dfrac{\text{혼합물의 공기 중 농도}(C_1 + C_2 + \cdots + C_n)}{\text{노출지수}(EI)}$
$= \dfrac{200 + 100}{0.9} = 333.33(\text{ppm})$

87 다음 중 공기와 혼합 시 최소착화에너지 값이 가장 작은 것은?

① CH_4(메탄) ② C_3H_8(프로판)
③ C_6H_6(벤젠) ④ H_2(수소)

해설
최소발화에너지의 연소범위

가연성 가스	최소발화에너지 (10^{-3} Joule)	가연성 가스	최소발화에너지 (10^{-3} Joule)
수소	0.019	에탄	0.31
메탄	0.28	프로판	0.26
이황화수소	0.064	아세틸렌	0.019
에틸렌	0.096	벤젠	0.20
시클로헥산	0.22	부탄	0.25
암모니아	0.77	아세톤	1.15

88 다음 중 폭발방호(Explosion Protection) 대책과 가장 거리가 먼 것은?

① 불활성화(Inerting)
② 억제(Suppression)
③ 방산(Venting)
④ 봉쇄(Containment)

해설

불활성화는 폭발방지(예방) 대책이다.

폭발방호(Explosion Protection) 대책

폭발 봉쇄 (Explosion Containment)	유독성 물질이나 공기 중에 방출되어서는 안 되는 물질의 폭발 시 안전밸브나 파열판을 통하여 다른 탱크나 저장소 등으로 보내어 압력을 완화시켜 파열을 방지하는 방법
폭발 억제 (Explosion Suppression)	압력이 상승하였을 때 폭발억제장치가 작동하여 고압 불활성 가스가 담겨 있는 소화기가 터져서 증기, 가스, 분진폭발 등의 폭발을 진압하여 큰 파괴적인 폭발압력이 되지 않도록 하는 방법
폭발 방산 (Explosion Venting)	안전밸브나 파열판 등에 의해 탱크 내의 기체를 밖으로 방출시켜 압력을 정상화하는 방법

89 다음 중 자연발화가 쉽게 일어나는 조건으로 틀린 것은?

① 주위 온도가 높을수록
② 열 축적이 클수록
③ 적당량의 수분이 존재할 때
④ 표면적이 작을수록

해설

자연발화의 조건(자연발화가 쉽게 일어나는 조건)
1. 표면적이 넓을 것
2. 열전도율이 작을 것
3. 발열량이 클 것
4. 주위의 온도가 높을 것(분자운동 활발)
5. 수분이 적당량 존재할 것

90 다음 중 폭발범위에 관한 설명으로 틀린 것은?

① 상한값과 하한값이 존재한다.
② 온도에는 비례하지만 압력과는 무관하다.
③ 가연성 가스의 종류에 따라 각각 다른 값을 갖는다.
④ 공기와 혼합된 가연성 가스의 체적 농도로 나타낸다.

해설

가연성 가스의 폭발범위 영향 요소
1. 가스의 온도가 높을수록 폭발범위도 일반적으로 넓어진다.(폭발하한계는 감소, 폭발상한계는 증가)
2. 가스의 압력이 높아지면 폭발하한계는 영향이 없으나 폭발상한계는 증가한다.

3. 산소 중에서의 폭발범위는 공기 중에서 보다 넓어진다.
4. 압력이 상압인 1atm보다 낮아질 때 폭발범위는 큰 변화가 없다.
5. 일산화탄소는 압력이 높을수록 폭발범위가 좁아지고, 수소는 10atm까지는 좁아지지만 그 이상의 압력에서는 넓어진다.
6. 불활성 기체가 첨가될 경우 혼합가스의 농도가 희석되어 폭발범위가 좁아진다.
7. 화학양론농도 부근에서는 연소나 폭발이 가장 일어나기 쉽고 또한 격렬한 정도도 크다.

91 다음 중 분진폭발에 관한 설명으로 틀린 것은?

① 폭발한계 내에서 분진의 휘발성분이 많으면 폭발 위험성이 높다.
② 분진이 발화 폭발하기 위한 조건은 가연성, 미분상태, 공기 중에서의 교반과 유동 및 점화원의 존재이다.
③ 가스폭발과 비교하여 연소의 속도나 폭발의 압력이 크고, 연소시간이 짧으며, 발생에너지가 작다.
④ 폭발한계는 입자의 크기, 입도분포, 산소농도, 함유수분, 가연성 가스의 혼입 등에 의해 같은 물질의 분진에서도 달라진다.

해설

분진 폭발의 특징
1. 폭발한계 내에서 분진의 휘발성분이 많을수록 폭발이 쉽다.
2. 가스폭발에 비해 연소속도나 폭발압력이 작다.
3. 가스폭발에 비해 연소시간이 길고 발생에너지가 크기 때문에 파괴력과 타는 정도가 크다.
4. 가스에 비해 불완전연소의 가능성이 커서 일산화탄소의 존재로 인한 가스중독의 위험이 있다.(가스폭발에 비하여 유독물의 발생이 많다.)
5. 화염속도보다 압력속도가 빠르다.
6. 주위 분진의 비산에 의해 2차, 3차의 폭발로 파급되어 피해가 커진다.
7. 연소열에 의한 화재가 동반되며, 연소입자의 비산으로 인체에 닿을 경우 심한 화상을 입는다.
8. 분진이 발화 폭발하기 위한 조건은 인화성, 미분상태, 공기 중에서의 교반과 유동, 점화원의 존재이다.

92 산업안전보건법령상 특수화학설비를 설치할 때 내부의 이상 상태를 조기에 파악하기 위하여 필요한 계측장치를 설치하여야 한다. 이러한 계측장치로 거리가 먼 것은?

① 압력계 　　　　② 유량계
③ 온도계 　　　　④ 비중계

해설

계측장치의 설치

특수화학설비를 설치하는 경우에는 내부의 이상 상태를 조기에 파악하기 위하여 필요한 온도계·유량계·압력계 등의 계측장치를 설치하여야 한다.

93 화염방지기의 설치에 관한 사항으로 (　)에 알맞은 것은?

사업주는 인화성 액체 및 인화성 가스를 저장·취급하는 화학설비에서 증기나 가스를 대기로 방출하는 경우에는 외부로부터의 화염을 방지하기 위하여 화염방지기를 그 설비 (　)에 설치하여야 한다.

① 상단 　　　　② 하단
③ 중앙 　　　　④ 무게중심

해설

통기설비 및 화염방지기 설치

1. 인화성 액체를 저장·취급하는 대기압 탱크에는 통기관 또는 통기밸브(Breather Valve) 등을 설치하여야 한다.
2. 인화성 액체 및 인화성 가스를 저장·취급하는 화학설비에서 증기나 가스를 대기로 방출하는 경우에는 외부로부터의 화염을 방지하기 위하여 화염방지기를 그 설비 상단에 설치하여야 한다.

94 포스겐 가스 누설 검지의 시험지로 사용되는 것은?

① 연당지
② 염화파라듐지
③ 하리슨 시험지
④ 초산벤젠지

해설

시험지법

검지하고자 하는 가스와 반응하여 색이 변하는 시약을 종이 등에 침투시킨 것을 사용하는 방법

검지가스	시험지	반응
황화수소	연당지	회흑색
일산화탄소	염화파라듐지	흑색
포스겐	하리슨 시험지	유자색
시안화수소	초산벤젠지	청색

95 다음 중 분해폭발의 위험성이 있는 아세틸렌의 용제로 가장 적절한 것은?

① 에테르
② 에틸알코올
③ 아세톤
④ 아세트알데히드

해설

분해폭발의 위험을 방지하기 위하여 아세틸렌은 일반적으로 아세톤 용액을 용제로 사용한다.

96 다음 중 종이, 목재, 섬유류 등에 의하여 발생한 일반화재의 화재급수로 옳은 것은?

① A급 　　　　② B급
③ C급 　　　　④ D급

해설

화재의 종류

분류	A급 화재	B급 화재	C급 화재	D급 화재
명칭	일반화재	유류·가스화재	전기화재	금속화재
분류	보통 잔재의 작열에 의해 발생하는 연소에서 보통 유기 성질의 고체물질을 포함한 화재	액체 또는 액화할 수 있는 고체를 포함한 화재 및 가연성 가스화재	통전 중인 전기설비를 포함한 화재	금속을 포함한 화재
가연물	목재, 종이, 섬유 등	가솔린, 등유, 프로판 가스 등	전기기기, 변압기 전기다리미 등	가연성 금속(Mg분, Al분)
소화방법	냉각 소화	질식 소화	질식·냉각 소화	질식 소화
적응소화제	• 물 소화기 • 강화액 소화기 • 산·알칼리 소화기	• 이산화탄소 소화기 • 할로겐화합물 소화기 • 분말 소화기 • 포말 소화기	• 이산화탄소 소화기 • 할로겐화합물 소화기 • 분말 소화기 • 무상강화액 소화기	• 건조사 • 팽창 질석 • 팽창 진주암
표시색	백색	황색	청색	무색

PART 01
PART 02
PART 03
PART 04
PART 05
PART 06
PART 07

97 다음 중 퍼지(Purge)의 종류에 해당하지 않는 것은?

① 압력퍼지　　② 진공퍼지
③ 스위프 퍼지　　④ 가열퍼지

해설

불활성화 방법

진공치환 (진공퍼지, 저압퍼지)	용기에 대한 가장 통상적인 치환절차
압력치환 (압력퍼지)	용기에 가압된 불활성 가스를 주입하는 방법으로, 가압한 가스가 용기 내에서 충분히 확산된 후 그것을 대기로 방출하여야 한다.
스위프치환 (스위프 퍼지)	용기의 한 개구부로 불활성 가스를 이너팅하고 다른 개구부로 대기 등으로 혼합 가스를 방출하는 방법
사이폰치환 (사이폰 퍼지)	용기에 물 또는 비가연성, 비반응성의 적합한 액체를 채운 후 액체를 뽑아내면서 불활성 가스를 주입하는 방법

98 5% NaOH 수용액과 10% NaOH 수용액을 반응기에 혼합하여 6% 100kg의 NaOH 수용액을 만들려면 각각 몇 kg의 NaOH 수용액이 필요한가?

① 5% NaOH 수용액 : 33.3, 10% NaOH 수용액 : 66.7
② 5% NaOH 수용액 : 50, 10% NaOH 수용액 : 50
③ 5% NaOH 수용액 : 66.7, 10% NaOH 수용액 : 33.3
④ 5% NaOH 수용액 : 80, 10% NaOH 수용액 : 20

해설

혼합 수용액의 양

5% NaOH 수용액 양 : x, 10% NaOH 수용액 양 : y

$0.05x + 0.1y = 0.06 \times 100$

$x + y = 100 \rightarrow x = 100 - y$

- y값 : $0.05(100-y) + 0.1y = 6 \rightarrow 5 - 0.05y + 0.1y = 6$
  $\rightarrow 0.05y = 1 \rightarrow y = 20(kg)$
- x값 : $x + y = 100 \rightarrow x = 100 - y = 100 - 20 = 80(kg)$

99 압축기와 송풍의 관로에 심한 공기의 맥동과 진동이 발생하면서 불안정한 운전이 되는 서징(Surging) 현상의 방지법으로 옳지 않은 것은?

① 풍량을 감소시킨다.
② 배관의 경사를 완만하게 한다.
③ 교축밸브를 기계에서 멀리 설치한다.
④ 토출가스를 흡입 측에 바이패스 시키거나 방출밸브에 의해 대기로 방출시킨다.

해설

조치사항
1. 베인을 컨트롤하여 풍량을 감소시킨다.
2. 배관의 경사를 완만하게 한다.
3. 교축밸브를 기계에 가까이 설치한다.
4. 토출가스를 흡입 측에 바이패스 시키거나 방출밸브에 의해 대기로 방출시킨다.
5. 임펠러의 회전수를 변경시킨다.

100 메탄 50vol%, 에탄 30vol%, 프로판 20vol% 혼합가스의 공기 중 폭발하한계는?(단, 메탄, 에탄, 프로판의 폭발하한계는 각각 5.0vol%, 3.0vol%, 2.1vol%이다.)

① 1.6vol%　　② 2.1vol%
③ 3.4vol%　　④ 4.8vol%

해설

르 샤틀리에의 법칙(순수한 혼합가스일 경우)

$$\frac{100}{L} = \frac{V_1}{L_1} + \frac{V_2}{L_2} + \frac{V_3}{L_3} \cdots$$

$$L = \frac{100}{\dfrac{V_1}{L_1} + \dfrac{V_2}{L_2} + \cdots + \dfrac{V_n}{L_n}}$$

여기서, V_n : 전체 혼합가스 중 각 성분 가스의 체적(비율)[%]
　　　　L_n : 각 성분 단독의 폭발한계(상한 또는 하한)
　　　　L : 혼합가스의 폭발한계(상한 또는 하한)[vol%]

$$L = \frac{100}{\dfrac{50}{5.0} + \dfrac{30}{3.0} + \dfrac{20}{2.1}} = 3.387 = 3.4(vol\%)$$

6과목 건설공사 안전관리

101 산업안전보건법령에 따른 양중기의 종류에 해당하지 않는 것은?

① 고소작업차 ② 이동식 크레인
③ 승강기 ④ 리프트(Lift)

해설
양중기의 종류
1. 크레인(호이스트 포함)
2. 이동식 크레인
3. 리프트(이삿짐운반용 리프트의 경우 적재하중 0.1톤 이상인 것)
4. 곤돌라
5. 승강기

102 다음은 낙하물 방지망 또는 방호선반을 설치하는 경우의 준수해야 할 사항이다. ( ) 안에 알맞은 숫자는?

- 높이 (A)미터 이내마다 설치하고, 내민 길이는 벽면으로부터 (B)미터 이상으로 할 것
- 수평면과의 각도는 20도 이상 30도 이하를 유지할 것

① A : 10, B : 2 ② A : 8, B : 2
③ A : 10, B : 3 ④ A : 8, B : 3

해설
낙하물 방지망 또는 방호선반 설치 시 준수사항
1. 높이 10미터 이내마다 설치하고, 내민 길이는 벽면으로부터 2미터 이상으로 할 것
2. 수평면과의 각도는 20도 이상 30도 이하를 유지할 것

103 비계의 높이가 2m 이상인 작업장소에 작업발판을 설치할 경우 준수하여야 할 기준으로 옳지 않은 것은?

① 작업발판의 폭은 30cm 이상으로 한다.
② 발판재료 간의 틈은 3cm 이하로 한다.
③ 추락의 위험성이 있는 장소에는 안전난간을 설치한다.
④ 발판재료는 뒤집히거나 떨어지지 않도록 2개 이상의 지지물에 연결하거나 고정시킨다.

해설
비계(달비계, 달대비계 및 말비계는 제외)의 높이가 2m 이상인 작업장소의 작업발판 설치기준
작업발판의 폭은 40cm 이상으로 하고, 발판재료 간의 틈은 3cm 이하로 할 것

104 차량계 건설기계를 사용하여 작업할 때에 그 기계가 넘어지거나 굴러떨어짐으로써 근로자가 위험해질 우려가 있는 경우에 조치하여야 할 사항과 거리가 먼 것은?

① 갓길의 붕괴 방지
② 작업반경 유지
③ 지반의 부동침하 방지
④ 도로 폭의 유지

해설
차량계 건설기계의 전도 등의 방지조치
차량계 건설기계를 사용하는 작업할 때에 그 기계가 넘어지거나 굴러떨어짐으로써 근로자가 위험해질 우려가 있는 경우에는 유도하는 사람을 배치하고 지반의 부동침하 방지, 갓길의 붕괴 방지 및 도로 폭의 유지 등 필요한 조치를 하여야 한다.

105 산업안전보건관리비 계상기준에 따른 건축공사, 대상액 「5억 원 이상~50억 원 미만」의 산업안전보건관리비 비율 및 기초액으로 옳은 것은?

① 비율 : 2.28%, 기초액 : 4,325,000원
② 비율 : 1.99%, 기초액 : 5,499,000원
③ 비율 : 2.35%, 기초액 : 5,400,000원
④ 비율 : 1.20%, 기초액 : 3,250,000원

해설
공사 종류 및 규모별 산업안전보건관리비 계상기준표

구분 / 공사 종류	대상액 5억 원 미만인 경우 적용비율(%)	대상액 5억 원 이상 50억 원 미만인 경우 적용비율(%)	대상액 5억 원 이상 50억 원 미만인 경우 기초액	대상액 50억 원 이상인 경우 적용비율(%)	보건관리자 선임대상 건설공사의 적용비율(%)
건축공사	3.11%	2.28%	4,325,000원	2.37%	2.64%
토목공사	3.15%	2.53%	3,300,000원	2.60%	2.73%
중건설공사	3.64%	3.05%	2,975,000원	3.11%	3.39%
특수건설공사	2.07%	1.59%	2,450,000원	1.64%	1.78%

안전관리비 대상액 = 공사원가계산서 구성항목 중 직접재료비, 간접재료비와 직접노무비를 합한 금액(발주자가 재료를 제공할 경우에는 해당 재료비를 포함)

01 PART
02 PART
03 PART
04 PART
05 PART
06 PART
07 PART

106 다음 중 공사용 가설도로에 대한 설명 중 옳지 않은 것은?

① 도로는 장비 및 차량이 안전하게 운행할 수 있도록 견고하게 설치한다.

② 도로와 작업장이 접하여 있을 경우에는 울타리 등을 설치한다.

③ 부득이한 경우를 제외하는 경우 최고 허용 경사도는 20%이다.

④ 도로는 배수를 위하여 경사지게 설치하거나 배수시설을 설치할 것

해설

공사용 가설도로 설치기준

1. 도로는 장비와 차량이 안전하게 운행할 수 있도록 견고하게 설치할 것
2. 도로와 작업장이 접하여 있을 경우에는 울타리 등을 설치할 것
3. 도로는 배수를 위하여 경사지게 설치하거나 배수시설을 설치할 것
4. 차량의 속도제한 표지를 부착할 것

> **TIP** 최고 허용 경사도는 부득이한 경우를 제외하고는 10%를 넘어서는 안 된다.

107 강풍이 불어올 때 타워크레인의 운전작업을 중지하여야 하는 순간풍속의 기준으로 옳은 것은?

① 순간풍속이 초당 10m 초과

② 순간풍속이 초당 15m 초과

③ 순간풍속이 초당 25m 초과

④ 순간풍속이 초당 30m 초과

해설

타워크레인의 작업제한(악천 후 및 강풍 시 작업 중지)

순간풍속이 초당 10m를 초과	타워크레인의 설치·수리·점검 또는 해체작업 중지
순간풍속이 초당 15m를 초과	타워크레인의 운전작업 중지

108 흙막이 공법을 흙막이 지지방식에 의한 분류와 구조방식에 의한 분류로 나눌 때 다음 중 지지방식에 의한 분류에 해당하는 것은?

① 수평 버팀대식 흙막이 공법

② H−Pile 공법

③ 지하연속벽 공법

④ Top Down Method 공법

해설

흙막이 공법

흙막이 지지방식에 의한 분류	• 자립공법 • 버팀대식 공법(빗버팀대식 공법, 수평 버팀대식 공법) • 어스 앵커 공법
흙막이 구조방식에 의한 분류	• 엄지말뚝식 흙막이 공법(H−Pile) • 널말뚝 공법(강 널말뚝식 흙막이 공법, 강관 널말뚝식 흙막이 공법) • 지하연속벽 공법(주열식, 벽식) • 역타식 공법(Top Down)

109 터널공사 등의 건설작업 시 자동경보장치에 대하여 당일의 작업 시작 전 점검하여야 할 사항으로 옳지 않은 것은?

① 검지부의 이상 유무

② 조명시설의 이상 유무

③ 경보장치의 작동 상태

④ 계기의 이상 유무

해설

자동경보장치의 작업시작 전 점검사항

당일 작업 시작 전 다음의 사항을 점검하고 이상을 발견하면 즉시 보수하여야 한다.

1. 계기의 이상 유무
2. 검지부의 이상 유무
3. 경보장치의 작동 상태

110 근로자의 추락 등의 위험을 방지하기 위한 안전난간의 구조 및 설치요건으로 옳지 않은 것은?

① 상부 난간대와 중간 난간대는 난간 길이 전체에 걸쳐 바닥면 등과 평행을 유지할 것

② 발끝막이판은 바닥면 등으로부터 20cm 이상의 높이를 유지할 것

③ 난간대는 지름 2.7cm 이상의 금속제 파이프나 그 이상의 강도가 있는 재료일 것

④ 안전난간은 구조적으로 가장 취약한 지점에서 가장 취약한 방향으로 작용하는 100kg 이상의 하중에 견딜 수 있는 튼튼한 구조일 것

해설

안전난간의 구조 및 설치요건

구성	상부 난간대, 중간 난간대, 발끝막이판 및 난간기둥으로 구성할 것(다만, 중간 난간대, 발끝막이판 및 난간기둥은 이와 비슷한 구조와 성능을 가진 것으로 대체할 수 있음)
상부 난간대	상부 난간대는 바닥면·발판 또는 경사로의 표면으로부터 90cm 이상 지점에 설치하고, 상부 난간대를 120cm 이하에 설치하는 경우에는 중간 난간대는 상부 난간대와 바닥면 등의 중간에 설치하여야 하며, 120cm 이상 지점에 설치하는 경우에는 중간 난간대를 2단 이상으로 균등하게 설치하고 난간의 상하 간격은 60cm 이하가 되도록 할 것
발끝막이판 (폭목)	바닥면 등으로부터 10cm 이상의 높이를 유지할 것(다만, 물체가 떨어지거나 날아올 위험이 없거나 그 위험을 방지할 수 있는 망을 설치하는 등 필요한 예방조치를 한 장소는 제외)
난간기둥	상부 난간대와 중간 난간대를 견고하게 떠받칠 수 있도록 적정한 간격을 유지할 것
상부 난간대와 중간 난간대	상부 난간대와 중간 난간대는 난간 길이 전체에 걸쳐 바닥면 등과 평행을 유지할 것
난간대	지름 2.7cm 이상의 금속제 파이프나 그 이상의 강도가 있는 재료일 것
하중	안전난간은 구조적으로 가장 취약한 지점에서 가장 취약한 방향으로 작용하는 100kg 이상의 하중에 견딜 수 있는 튼튼한 구조일 것

111 부두, 안벽 등 하역작업을 하는 장소에서 부두 또는 안벽의 선을 따라 통로를 설치하는 경우에는 폭을 최소 얼마 이상으로 하여야 하는가?

① 85cm ② 90cm
③ 100cm ④ 120cm

해설

부두·안벽 등 하역작업장 조치사항

1. 작업장 및 통로의 위험한 부분에는 안전하게 작업할 수 있는 조명을 유지할 것
2. 부두 또는 안벽의 선을 따라 통로를 설치하는 경우에는 폭을 90cm 이상으로 할 것
3. 육상에서의 통로 및 작업장소로서 다리 또는 선거 갑문을 넘는 보도 등의 위험한 부분에는 안전난간 또는 울타리 등을 설치할 것

112 다음 중 토사붕괴의 내적 원인인 것은?

① 토석의 강도 저하
② 사면법면의 기울기 증가
③ 절토 및 성토 높이 증가
④ 공사에 의한 진동 및 반복 하중 증가

해설

토석붕괴의 원인

외적 원인	• 사면, 법면의 경사 및 기울기의 증가 • 절토 및 성토 높이의 증가 • 공사에 의한 진동 및 반복 하중의 증가 • 지표수 및 지하수의 침투에 의한 토사 중량의 증가 • 지진, 차량, 구조물의 하중작용 • 토사 및 암석의 혼합층 두께
내적 원인	• 절토 사면의 토질·암질 • 성토 사면의 토질 구성 및 분포 • 토석의 강도 저하

113 이동식 비계를 조립하여 작업을 하는 경우의 준수기준으로 옳지 않은 것은?

① 비계의 최상부에서 작업을 할 때에는 안전난간을 설치하여야 한다.

② 작업발판의 최대적재하중은 400kg을 초과하지 않도록 한다.

③ 승강용 사다리는 견고하게 설치하여야 한다.

④ 작업발판은 항상 수평을 유지하고 작업발판 위에서 안전난간을 딛고 작업을 하거나 받침대 또는 사다리를 사용하여 작업하지 않도록 한다.

해설

이동식 비계 조립 시의 준수사항

1. 이동식 비계의 바퀴에는 뜻밖의 갑작스러운 이동 또는 전도를 방지하기 위하여 브레이크·쐐기 등으로 바퀴를 고

정시킨 다음 비계의 일부를 견고한 시설물에 고정하거나 아웃트리거를 설치하는 등 필요한 조치를 할 것

2. 승강용 사다리는 견고하게 설치할 것
3. 비계의 최상부에서 작업을 하는 경우에는 안전난간을 설치할 것
4. 작업발판은 항상 수평을 유지하고 작업발판 위에서 안전난간을 딛고 작업을 하거나 받침대 또는 사다리를 사용하여 작업하지 않도록 할 것
5. 작업발판의 최대적재하중은 250kg을 초과하지 않도록 할 것

114 다음은 말비계를 조립하여 사용하는 경우에 관한 준수사항이다. (   ) 안에 들어갈 내용으로 옳은 것은?

- 지주부재와 수평면의 기울기를 (A)° 이하로 하고 지주부재와 지주부재 사이를 고정시키는 보조부재를 설치할 것
- 말비계의 높이가 2m를 초과하는 경우에는 작업발판의 폭을 (B)cm 이상으로 할 것

① A : 75, B : 30 　② A : 75, B : 40
③ A : 85, B : 30 　④ A : 85, B : 40

해설
말비계 조립 시의 준수사항
1. 지주부재의 하단에는 미끄럼 방지장치를 하고, 근로자가 양측 끝부분에 올라서서 작업하지 않도록 할 것
2. 지주부재와 수평면의 기울기를 75° 이하로 하고, 지주부재와 지주부재 사이를 고정시키는 보조부재를 설치할 것
3. 말비계의 높이가 2m를 초과하는 경우에는 작업발판의 폭을 40cm 이상으로 할 것

115 콘크리트 타설을 위한 거푸집 동바리의 구조검토 시 가장 선행되어야 할 작업은?

① 각 부재에 생기는 응력에 대하여 안전한 단면을 산정한다.
② 가설물에 작용하는 하중 및 외력의 종류, 크기를 산정한다.
③ 하중 및 외력에 의하여 각 부재에 생기는 응력을 구한다.
④ 사용할 거푸집 동바리의 설치간격을 결정한다.

해설
거푸집 동바리의 구조검토 순서

하중 계산	거푸집 동바리에 작용하는 하중 및 외력의 종류, 크기를 산정한다.
응력 계산	하중 · 외력에 의하여 각 부재에 생기는 응력을 구한다.
단면, 배치간격 계산	각 부재에 발생되는 응력에 대하여 안전한 단면 및 배치간격을 결정한다.

116 거푸집 동바리 조립 시 안전조치사항으로 옳지 않은 것은?

① 받침목이나 깔판의 사용, 콘크리트 타설, 말뚝박기 등 동바리의 침하를 위한 조치를 할 것
② 동바리의 이음은 같은 품질의 재료를 사용할 것
③ 강재의 접속부 및 교차부는 볼트 · 클램프 등 전용철물을 사용하여 단단히 연결할 것
④ 상부 · 하부의 동바리가 동일 수평선상에 위치하도록 하여 깔판 · 받침목에 고정시킬 것

해설
동바리 조립 시 안전조치
사업주는 동바리를 조립하는 경우에는 하중의 지지상태를 유지할 수 있도록 다음의 사항을 준수해야 한다.
1. 받침목이나 깔판의 사용, 콘크리트 타설, 말뚝박기 등 동바리의 침하를 방지하기 위한 조치를 할 것
2. 동바리의 상하 고정 및 미끄러짐 방지 조치를 할 것
3. 상부 · 하부의 동바리가 동일 수직선상에 위치하도록 하여 깔판 · 받침목에 고정시킬 것
4. 개구부 상부에 동바리를 설치하는 경우에는 상부하중을 견딜 수 있는 견고한 받침대를 설치할 것
5. U헤드 등의 단판이 없는 동바리의 상단에 멍에 등을 올릴 경우에는 해당 상단에 U헤드 등의 단판을 설치하고, 멍에 등이 전도되거나 이탈되지 않도록 고정시킬 것
6. 동바리의 이음은 같은 품질의 재료를 사용할 것
7. 강재의 접속부 및 교차부는 볼트 · 클램프 등 전용철물을 사용하여 단단히 연결할 것
8. 거푸집의 형상에 따른 부득이한 경우를 제외하고는 깔판이나 받침목은 2단 이상 끼우지 않도록 할 것
9. 깔판이나 받침목을 이어서 사용하는 경우에는 그 깔판 · 받침목을 단단히 연결할 것

117 항타기 또는 항발기의 권상장치 드럼축과 권상장치로부터 첫 번째 도르래의 축 간의 거리는 권상장치 드럼폭의 몇 배 이상으로 하여야 하는가?

① 5배　　　　　② 8배
③ 10배　　　　　④ 15배

해설

항타기 또는 항발기의 도르래의 위치

항타기 또는 항발기의 권상장치의 드럼축과 권상장치로부터 첫 번째 도르래의 축 간의 거리를 권상장치 드럼폭의 15배 이상으로 하여야 한다.

118 강관비계를 사용하여 비계를 구성하는 경우 준수해야 할 기준으로 옳지 않은 것은?

① 비계기둥의 간격은 띠장 방향에서는 1.85m 이하, 장선(長線) 방향에서는 1.5m 이하로 할 것
② 띠장 간격은 2.0m 이하로 할 것
③ 비계기둥의 제일 윗부분으로부터 31m 되는 지점 밑부분의 비계기둥은 2개의 강관으로 묶어 세울 것
④ 비계기둥 간의 적재하중은 600kg을 초과하지 않도록 할 것

해설

강관비계의 구조
1. 비계기둥의 간격은 띠장 방향에서는 1.85m 이하, 장선 방향에서는 1.5m 이하로 할 것
2. 띠장 간격은 2.0m 이하로 할 것
3. 비계기둥의 제일 윗부분으로부터 31m 되는 지점 밑부분의 비계기둥은 2개의 강관으로 묶어 세울 것
4. 비계기둥 간의 적재하중은 400kg을 초과하지 않도록 할 것

119 철골작업 시 철골부재에서 근로자가 수직방향으로 이동하는 경우에 설치하여야 하는 고정된 승강로의 최대 답단 간격은 얼마 이내인가?

① 20cm　　　　　② 25cm
③ 30cm　　　　　④ 40cm

해설

철골작업 시의 위험방지(승강로의 설치)
근로자가 수직방향으로 이동하는 철골부재에는 답단 간격이 30cm 이내인 고정된 승강로를 설치하여야 하며, 수평방향 철골과 수직방향 철골이 연결되는 부분에는 연결작업을 위하여 작업발판 등을 설치하여야 한다.

120 흙막이 지보공을 설치하였을 때 정기적으로 점검하여 이상 발견 시 즉시 보수하여야 할 사항이 아닌 것은?

① 굴착 깊이의 정도
② 버팀대의 긴압의 정도
③ 부재의 접속부 · 부착부 및 교차부의 상태
④ 부재의 손상 · 변형 · 부식 · 변위 및 탈락의 유무와 상태

해설

흙막이 지보공의 붕괴 등의 방지를 위한 점검사항
1. 부재의 손상 · 변형 · 부식 · 변위 및 탈락의 유무와 상태
2. 버팀대의 긴압의 정도
3. 부재의 접속부 · 부착부 및 교차부의 상태
4. 침하의 정도

01 PART
02 PART
03 PART
04 PART
05 PART
06 PART
07 PART

1과목 산업재해 예방 및 안전보건교육

01 산업안전보건법에 따라 안전관리자를 정수 이상으로 증원하거나 교체하여 임명할 것을 명할 수 있는 경우가 아닌 것은?

① 중대재해가 연간 5건 발생한 경우

② 해당 사업장의 연간재해율이 같은 업종의 평균재해율의 2배 이상인 경우

③ 안전관리자가 질병 외의 사유로 인하여 6개월 동안 직무를 수행할 수 없게 된 경우

④ 관리자가 질병이나 그 밖의 사유로 1개월 이상 직무를 수행할 수 없게 된 경우

해설

안전관리자 등의 증원·교체임명

지방고용노동관서의 장은 다음 각 호의 어느 하나에 해당하는 사유가 발생한 경우에는 사업주에게 안전관리자, 보건관리자 또는 안전보건관리담당자를 정수 이상으로 증원하게 하거나 교체하여 임명할 것을 명할 수 있다.

1. 해당 사업장의 연간재해율이 같은 업종의 평균재해율의 2배 이상인 경우
2. 중대재해가 연간 2건 이상 발생한 경우
3. 관리자가 질병이나 그 밖의 사유로 3개월 이상 직무를 수행할 수 없게 된 경우
4. 화학적 인자로 인한 직업성 질병자가 연간 3명 이상 발생한 경우. 이 경우 직업성 질병자 발생일은 요양급여의 결정일로 한다(직업성 질병자 발생 당시 사업장에서 해당 화학적 인자를 사용하지 아니하는 경우에는 그렇지 않다).

02 산업재해보험적용근로자 1,000명인 플라스틱 제조 사업장에서 작업 중 재해 5건이 발생하였고, 1명이 사망하였을 때 이 사업장의 사망만인율은?

① 2 　　　　② 5

③ 10 　　　　④ 20

해설

사망만인율

$$사망만인율 = \frac{사망자\ 수}{산재보험\ 적용\ 근로자\ 수} \times 10,000$$

$$사망만인율 = \frac{1}{1,000} \times 10,000 = 10$$

03 안전교육방법 중 구안법(Project Method)의 4단계가 아닌 것은?

① 목표결정 　　　　② 계획수립

③ 활동 　　　　④ 대책비교

해설

구안법(Project Method)

1. 학습자 마음속에 생각하고 있는 것을 외부로 구체적으로 실현하고 형상화하기 위해 학습자 스스로가 계획을 세워서 수행하는 학습활동으로 이루어지는 교육방법

2. 구안법의 4단계

1단계	2단계	3단계	4단계
목표결정 (목적) →	계획수립 (계획) →	활동 (수행) →	평가

04 사고예방대책의 기본원리 5단계 중 틀린 것은?

① 1단계 : 안전관리조직

② 2단계 : 현상파악

③ 3단계 : 분석평가

④ 5단계 : 대책의 선정

해설

하인리히의 재해예방 5단계(사고예방대책의 기본원리)

• 제1단계 : 조직(안전관리조직)
• 제2단계 : 사실의 발견(현상파악)
• 제3단계 : 분석평가
• 제4단계 : 시정책의 선정(대책의 선정)
• 제5단계 : 시정책의 적용(목표달성)

05 안전관리조직의 참모식(Staff)형의 장점으로 맞는 것은?

① 안전에 관한 명령과 지시는 생산라인을 통해 신속하게 전달한다.
② 명령계통과 조언이나 권고적 참여가 혼동되기 쉽다.
③ 안전에 대한 전문지식이나 정보가 불충분하다.
④ 안전전문가가 안전계획을 세워 문제해결방안을 모색하고 조치한다.

해설

스태프형(Staff형, 참모형 조직)

특징	• 회사 내에 별도로 안전활동 전담부서를 두는 방식의 조직 형태 • 안전관리에 관한 계획과 조정, 조사, 검토, 보고 등의 일과 현장에 대한 기술지원을 담당하도록 편성된 조직 • 100명 이상 1,000명 미만의 중규모 사업장에 적합한 조직 형태
장점	• 사업장 특성에 적합한 기술연구를 전문적으로 할 수 있음 • 경영자의 조언과 자문역할을 함 • 안전정보 수집이 용이하고 빠름 • 안전전문가가 안전계획을 세워 문제해결방안을 모색하고 조치함
단점	• 생산부분은 안전에 대한 책임과 권한이 없음 • 권한다툼이나 조정 때문에 시간과 노력이 소모됨 • 안전과 생산을 별개로 취급하기 쉬움

06 보호구 안전인증 고시상 안전인증 방독마스크의 정화통 종류와 외부 측면의 표시색이 올바르게 연결된 것은?

① 황화수소용 – 갈색
② 할로겐용 – 노란색
③ 시안화수소용 – 회색
④ 유기화합물용 – 회색

해설

방독마스크의 종류 및 표시색

종류	시험가스	정화통 외부 측면의 표시색
유기화합물용	시클로헥산(C_6H_{12})	갈색
	디메틸에테르(CH_3OCH_3)	
	이소부탄(C_4H_{10})	
할로겐용	염소가스 또는 증기(Cl_2)	회색
황화수소용	황화수소가스(H_2S)	
시안화수소용	시안화수소가스(HCN)	
아황산용	아황산가스(SO_2)	노랑색
암모니아용	암모니아가스(NH_3)	녹색

07 산업안전보건법령상 안전모의 시험성능기준 항목으로 옳지 않은 것은?

① 내전압성
② 내관통성
③ 내연성
④ 내수성

해설

안전모의 시험성능 항목 및 기준

항목	시험성능기준
내관통성	• 안전인증 : AE, ABE종 안전모는 관통거리가 9.5mm 이하이고, AB종 안전모는 관통거리가 11.1mm 이하이어야 한다. • 자율안전확인 : 안전모는 관통거리가 11.1mm 이하이어야 한다.
충격흡수성	최고전달충격력이 4,450N을 초과해서는 안 되며, 모체와 착장체의 기능이 상실되지 않아야 한다.
내전압성	AE, ABE종 안전모는 교류 20kV에서 1분간 절연파괴 없이 견뎌야 하고, 이때 누설되는 충전전류는 10mA 이하이어야 한다.(※ 자율안전확인에서는 제외)
내수성	AE, ABE종 안전모는 질량증가율이 1% 미만이어야 한다. (※ 자율안전확인에서는 제외)
난연성	모체가 불꽃을 내며 5초 이상 연소되지 않아야 한다.
턱끈 풀림	150N 이상 250N 이하에서 턱끈이 풀려야 한다.

08 안전교육 중 한 그룹에 10~15명, 2시간씩 20회의 교육시간과 TWI보다 약간 높은 관리자를 교육하는 방법은?

① ATT(American Telephone & Telegram Co.)
② MTP(Management Training Program)
③ CCS(Civil Communication Section)
④ TWI(Training Within Industry)

해설

기업 내 정형교육

TWI	주로 관리감독자를 교육대상자로 하며 작업을 가르치는 능력, 작업방법을 개선하는 기능 등을 교육 내용으로 하는 기업 내 정형교육
MTP	TWI보다 약간 높은 관리자(관리 문제에 치중하는 관리자)
CCS	당초에는 일부 회사의 최고 관리자에 대해서만 행하였던 것이 널리 보급된 것
ATT	교육대상이 한정되어 있지 않고, 한 번 훈련을 받은 관리자는 그 부하인 감독자에 대해 지도원이 될 수 있음

01 PART
02 PART
03 PART
04 PART
05 PART
06 PART
07 PART

09 보호구에 관한 설명으로 옳은 것은?

① 유해물질이 발생하는 산소결핍지역에서는 필히 방독마스크를 착용하여야 한다.

② 차광용보안경의 사용구분에 따른 종류에는 자외선용, 적외선용, 복합용, 용접용이 있다.

③ 선반작업과 같이 손에 재해가 많이 발생하는 작업장에서는 장갑 착용을 의무화한다.

④ 귀마개는 처음에는 저음만을 차단하는 제품부터 사용하며, 일정 기간이 지난 후 고음까지 모두 차단할 수 있는 제품을 사용한다.

해설

차광보안경(안전인증)의 종류

종류	사용구분
자외선용	자외선이 발생하는 장소
적외선용	적외선이 발생하는 장소
복합용	자외선 및 적외선이 발생하는 장소
용접용	산소용접작업 등과 같이 자외선, 적외선 및 강렬한 가시광선이 발생하는 장소

TIP
• 산소결핍장소에서는 방독마스크를 착용하여서는 안 되며 공기호흡기 또는 송기마스크를 착용한다.
• 선반작업 중 회전물에 장갑이 말려들어 갈 위험이 있어 면장갑 착용을 금지하고 근로자의 손에 밀착이 잘되는 가죽장갑 등과 같이 손이 말려들어 갈 위험이 없는 장갑을 사용한다.
• 1종 귀마개는 저음부터 고음까지 차음하고, 2종 귀마개는 주로 고음을 차음하고 저음(회화음영역)은 차음하지 않는다.

10 다음 재해사례에서 기인물에 해당하는 것은?

기계작업에 배치된 작업자가 반장의 지시를 받기 전에 정지된 선반을 운전시키면서 변속치차의 덮개를 벗겨내고 치차를 저속으로 운전하면서 급유하려고 할 때 오른손이 변속치차에 맞물려 손가락이 절단되었다.

① 덮개　　　　　② 급유
③ 선반　　　　　④ 변속치차

해설

1. 기인물 : 선반
2. 가해물 : 변속치차

TIP 기인물과 가해물의 정의
• 기인물 : 직접적으로 재해를 유발하거나 영향을 끼친 에너지원(운동, 위치, 열, 전기 등)을 지닌 기계 · 장치, 구조물, 물체 · 물질, 사람 또는 환경 등을 말한다.
• 가해물 : 사람에게 직접적으로 상해를 입힌 기계 · 장치, 구조물, 물체 · 물질, 사람 또는 환경요인을 말한다.

11 허즈버그(F. Herzberg)의 위생-동기이론에서 동기요인에 해당하는 것은?

① 감독　　　　　② 안전
③ 책임감　　　　④ 작업조건

해설

허즈버그(F. Herzberg)의 2요인(동기-위생) 이론
허즈버그는 연구를 통해 사람들이 직무에 만족을 느낄 때에는 직무의 내용에 관계되고, 불만족을 느낄 때에는 직무환경과 관련된다는 것을 입증하였다.

동기요인(직무내용)	위생요인(직무환경)
• 성취감 • 책임감 • 성장과 발전 • 안정감 • 도전감 • 일 그 자체	• 보수 • 작업조건 • 관리감독 • 임금 • 지위 • 회사 정책과 관리

12 다음 중 맥그리거(D. McGregor)의 인간해석에 있어 X이론 관리처방으로 가장 적합한 것은?

① 직무의 확장
② 분권화와 권한의 위임
③ 민주적 리더십의 확립
④ 경제적 보상체제의 강화

해설

X, Y이론의 관리처방

X이론의 관리처방	Y이론의 관리처방
• 권위주의적 리더십의 확립 • 경제적 보상 체제의 강화 • 면밀한 감독과 엄격한 통제 • 상부 책임제도의 강화 • 설득, 보상, 벌, 통제에 의한 관리 • 조직구조의 고층성	• 분권화와 권한의 위임 • 목표에 의한 관리 • 비공식적 조직의 활용 • 민주적 리더십의 확립 • 직무확장 • 자체 평가제도의 활성화 • 조직 목표 달성을 위한 자율적인 통제 • 조직구조의 평면화

13 직무적성검사의 특징과 가장 거리가 먼 것은?

① 다양성

② 객관성

③ 타당성

④ 표준화

해설

심리검사의 구비조건

표준화	검사의 관리를 위한 조건, 절차의 일관성과 통일성에 대한 심리검사의 표준화가 마련되어야 한다.
객관성	검사결과를 채점하는 과정에서 채점자의 편견이나 주관성이 배제되어야 하며, 공정한 평가가 이루어져야 한다.
규준성	검사결과의 해석에 있어 상대적 위치를 결정하기 위한 참조 또는 비교의 기준이 있어야 한다.
타당성	측정하고자 하는 것을 실제로 측정하고 있는가를 나타내는 것이다.
신뢰성	검사의 일관성을 의미하는 것으로 동일한 문제를 재측정할 경우 오차가 적어야 한다.

14 안전대에 관한 용어 중 다음 설명에 해당하는 것은?

> 안전그네와 연결하여 추락 발생 시 추락을 억제할 수 있는 자동잠김장치가 갖추어져 있고 죔줄이 자동적으로 수축되는 장치

① 안전블록

② 죔줄

③ 신축조절기

④ 충격흡수장치

해설

안전대 용어의 정의

1. "죔줄"이란 벨트 또는 안전그네를 구명줄 또는 구조물 등 그 밖의 걸이설비와 연결하기 위한 줄모양의 부품을 말한다.
2. "신축조절기"란 죔줄의 길이를 조절하기 위해 죔줄에 부착된 금속의 조절장치를 말한다.
3. "안전블록"이란 안전그네와 연결하여 추락 발생 시 추락을 억제할 수 있는 자동잠김장치가 갖추어져 있고 죔줄이 자동적으로 수축되는 장치를 말한다.
4. "충격흡수장치"란 추락 시 신체에 가해지는 충격하중을 완화시키는 기능을 갖는 죔줄에 연결되는 부품을 말한다.

15 제조물책임법에 명시된 결함의 종류에 해당되지 않는 것은?

① 제조상의 결함

② 표시상의 결함

③ 사용상의 결함

④ 설계상의 결함

해설

결함

제조상의 결함	제조업자가 제조물에 대하여 제조상·가공상의 주의의무를 이행하였는지에 관계없이 제조물이 원래 의도한 설계와 다르게 제조·가공됨으로써 안전하지 못하게 된 경우를 말한다.
설계상의 결함	제조업자가 합리적인 대체설계를 채용하였더라면 피해나 위험을 줄이거나 피할 수 있었음에도 대체설계를 채용하지 아니하여 해당 제조물이 안전하지 못하게 된 경우를 말한다.
표시상의 결함	제조업자가 합리적인 설명·지시·경고 또는 그 밖의 표시를 하였더라면 해당 제조물에 의하여 발생할 수 있는 피해나 위험을 줄이거나 피할 수 있었음에도 이를 하지 아니한 경우를 말한다.

16 보호구 안전인증 고시에 따른 안전모의 일반구조 중 턱끈의 최소폭 기준은?

① 5mm 이상

② 7mm 이상

③ 10mm 이상

④ 12mm 이상

해설

안전모의 일반구조

1. 안전모는 모체, 착장체 및 턱끈을 가질 것
2. 착장체의 머리고정대는 착용자의 머리 부위에 적합하도록 조절할 수 있을 것
3. 착장체의 구조는 착용자의 머리에 균등한 힘이 분배되도록 할 것
4. 모체, 착장체 등 안전모의 부품은 착용자에게 상해를 줄 수 있는 날카로운 모서리 등이 없을 것
5. 모체에 구멍이 없을 것(착장체 및 턱끈의 설치 또는 안전등, 보안면 등을 붙이기 위한 구멍은 제외한다)
6. 턱끈은 사용 중 탈락되지 않도록 확실히 고정되는 구조일 것
7. 안전모의 착용높이는 85mm 이상이고 외부수직거리는 80mm 미만일 것
8. 안전모의 내부수직거리는 25mm 이상 50mm 미만일 것

9. 안전모의 수평간격은 5mm 이상일 것
10. 머리받침끈이 섬유인 경우에는 각각의 폭이 15mm 이상
    이어야 하며, 교차지점 중심으로부터 방사되는 끈 폭의
    총합은 72mm 이상일 것
11. 턱끈의 폭은 10mm 이상일 것

17 산업안전보건법령에 따른 근로자 안전보건 교육 중 근로자 정기교육의 교육내용에 해당하지 않는 것은?

① 건강증진 및 질병 예방에 관한 사항
② 산업보건 및 건강장해 예방에 관한 사항
③ 유해ㆍ위험 작업환경 관리에 관한 사항
④ 작업공정의 유해ㆍ위험과 재해 예방대책에 관한
   사항

해설

근로자 정기교육
1. 산업안전 및 산업재해 예방에 관한 사항(화재ㆍ폭발 사고
   발생 시 대피에 관한 사항을 포함)
2. 산업보건 및 건강장해 예방에 관한 사항(폭염ㆍ한파작업
   으로 인한 건강장해 발생 시 응급조치에 관한 사항을 포함)
3. 위험성 평가에 관한 사항
4. 건강증진 및 질병 예방에 관한 사항
5. 유해ㆍ위험 작업환경 관리에 관한 사항
6. 산업안전보건법령 및 산업재해보상보험 제도에 관한 사항
7. 직무스트레스 예방 및 관리에 관한 사항
8. 직장 내 괴롭힘, 고객의 폭언 등으로 인한 건강장해 예방
   및 관리에 관한 사항

18 하인리히의 재해발생이론이 다음과 같이 표현될 때, α가 의미하는 것으로 옳은 것은?

> 재해의 발생 = 설비적 결함 + 관리적 결함 + α

① 노출된 위험의 상태   ② 재해의 직접원인
③ 물적 불안전 상태   ④ 잠재된 위험의 상태

해설

하인리히의 법칙

> 재해 발생 = 물적 불안전 상태 + 인적 불안전 행위 + α
>   = 설비적 결함 + 관리적 결함 + α

여기서, α : 잠재된 위험의 상태(Potential) = 재해

19 학습이론 중 자극과 반응의 이론에 해당되지 않는 것은?

① Tolman의 기호형태설
② Thorndike의 시행착오설
③ Pavlov의 조건반사설
④ Skinner의 조작적 조건화설

해설

학습이론

S(자극) – R(반응)이론 (행동주의 학습이론)	• 조건반사설(Pavlov) • 시행착오설(Thorndike) • 조작적 조건 형성이론(Skinner)
인지이론(형태이론)	• 통찰설(Köhler) • 장이론(Lewin) • 기호형태설(Tolman)

20 산업재해의 분석 및 평가를 위하여 재해 발생건수 등의 추이에 대해 한계선을 설정하여 목표 관리를 수행하는 재해통계 분석기법은?

① 관리도
② 안전 T점수
③ 파레토도
④ 특성 요인도

해설

통계에 의한 원인분석
1. 파레토도 : 사고의 유형, 기인물 등 분류항목을 큰 값에서
   작은 값의 순서로 도표화하며, 문제나 목표의 이해에 편리
   하다.
2. 특성 요인도 : 특성과 요인관계를 어골상으로 도표화하
   여 분석하는 기법이다(원인과 결과를 연계하여 상호 관계
   를 파악하기 위한 분석방법).
3. 클로즈(Close) 분석 : 두 개 이상의 문제관계를 분석하는
   데 사용하는 것으로, 데이터를 집계하고 표로 표시하여 요
   인별 결과내역을 교차한 클로즈 그림을 작성하여 분석하
   는 기법이다.
4. 관리도 : 재해 발생건수 등의 추이에 대해 한계선을 설정
   하여 목표 관리를 수행하는 데 사용되는 방법으로 관리선
   은 관리상한선, 중심선, 관리하한선으로 구성된다.

21 다음 중 인간－기계 시스템에서 기계의 표시장치와 인간의 눈은 어느 요소에 해당하는가?

① 감지
② 정보저장
③ 정보처리
④ 행동기능

해설

체계(System)의 기본기능 및 업무

정보입력	원하는 결과를 얻기 위한 재료(물체나 물질, 정보, 전력, 열 등과 같은 에너지 등)
감지	• 정보수용의 과정 • 인간에 의한 감지는 시각, 청각, 촉각과 같은 여러 종류의 기관이 사용
정보보관	• 인간의 정보저장 : 학습과정을 통해 축적한 기억 • 기계의 정보저장 : 펀치카드, 자기테이프, 기록, 자료표, 녹음테이프 등으로 보관 • 정보의 보관형태 : 암호화, 부호화된 형태로 보관
정보처리 및 의사결정	• 정보처리 : 감지한(받은) 정보를 가지고 수행하는 여러 종류의 조작 • 인간의 정보처리시간 : 0.5초
행동기능	• 내려진 의사결정의 결과로 발생하는 조작행위를 일컫는다. • 본질적 통신행위 : 음성(사람의 경우), 신호, 기록 등의 행위
출력	제품의 변화, 전달된 통신, 제공된 용역(Service)과 같은 체계의 성과나 결과

22 다음 중 인체계측치의 상위 백분위수(Percentile)를 기준으로 하는 최대 집단치의 사용 예로 적절하지 않은 것은?

① 선반의 높이
② 위험구역 울타리
③ 출입문의 크기
④ 통로의 높이

해설

인체계측 자료의 응용원칙의 사례
1. 극단치를 이용한 설계
   • 최대 집단치 설계 : 출입문, 탈출구의 크기, 통로, 그네, 줄사다리, 버스 내 승객용 좌석 간 거리, 위험구역 울타리 등
   • 최소 집단치 설계 : 선반의 높이, 조종 장치까지의 거리, 비상벨의 위치 설계 등
2. 조절 가능한 설계
   자동차 좌석의 전후 조절, 사무실 의자의 상하 조절, 책상 높이 등

3. 평균치를 이용한 설계
   가게나 은행의 계산대, 식당 테이블, 출근버스 손잡이 높이, 안내 데스크 등

23 위치나 구조가 변하는 항공기표시장치 등과 같이 배경에 변화되는 상황을 중첩하여 나타내는 표시장치로 효과적인 상황 파악을 위해 사용되는 장치는?

① 헤드업 표시장치
② 정성적 표시장치
③ 묘사적 표시장치
④ 정량적 표시장치

해설

묘사적 표시장치
위치나 구조가 변하는 경향이 있는 요소를 배경에 중첩시켜서 변화되는 상황을 나타내는 장치이다.

24 국소진동에 지속적으로 노출된 근로자에게 발생할 수 있으며, 말초혈관 장해로 손가락이 창백해지고 동통을 느끼는 질환의 명칭은?

① 레이노병(Raynaud's Phenomenon)
② 파킨슨병(Parkinson's Disease)
③ 규폐증
④ C5－dip 현상

해설

레이노 현상(Raynaud's Phenomenon)
손가락에 있는 말초혈관운동의 장애로 손가락이 창백해지고 손이 차며 절이거나 통증이 오는 현상으로 추위에 노출되면 이러한 현상은 더욱 악화되며 백납병을 초래하게 된다.

25 3개 공정의 소음수준 측정 결과 1공정은 100dB에서 1시간, 2공정은 95dB에서 1시간, 3공정은 90dB에서 1시간이 소요될 때 총소음량(TND)과 소음설계의 적합성을 맞게 나열한 것은?(단, 90dB에 8시간 노출될 때를 허용기준으로 하며, 5dB 증가할 때 허용시간은 1/2로 감소되는 법칙을 적용한다.)

① TND＝0.785, 적합
② TND＝0.875, 적합
③ TND＝0.985, 적합
④ TND＝1.085, 부적합

소음 노출분량과 소음 노출 허용수준

1. 소음 노출분량(Noise Dose)

$$부분\ 노출\ 분량 = \frac{실제\ 노출시간}{최대\ 허용시간}$$

※ 허용 노출수준 : 1의 소음 투여량(총 소음 투여량은 부분 노출 분량의 합과 같다.)

2. 소음 노출 허용수준

음압수준	90dB	95dB	100dB	105dB	110dB
허용시간	8	4	2	1	0.5

3. 계산

- 소음 노출수준 $= \left(\dfrac{1}{2} + \dfrac{1}{4} + \dfrac{1}{8}\right) = 0.875 = 0.88$
- 소음 노출기준 초과 여부 : 1 미만이므로 적합

26 고용노동부 고시의 근골격계부담작업의 범위에서 근골격계부담작업에 대한 설명으로 옳은 것은?

① 하루에 10회 이상 25kg 이상의 물체를 드는 작업

② 하루에 총 2시간 이상 집중적으로 자료입력 등을 위해 키보드 또는 마우스를 조작하는 작업

③ 하루에 총 1시간 이상 쪼그리고 앉거나 무릎을 굽힌 자세에서 이루어지는 작업

④ 하루에 총 4시간 이상 지지되지 않은 상태에서 4.5 kg 이상의 물건을 한 손으로 들거나 동일한 힘으로 쥐는 작업

근골격계부담작업의 범위

1. 하루에 4시간 이상 집중적으로 자료입력 등을 위해 키보드 또는 마우스를 조작하는 작업
2. 하루에 총 2시간 이상 목, 어깨, 팔꿈치, 손목 또는 손을 사용하여 같은 동작을 반복하는 작업
3. 하루에 총 2시간 이상 머리 위에 손이 있거나, 팔꿈치가 어깨 위에 있거나, 팔꿈치를 몸통으로부터 들거나, 팔꿈치를 몸통 뒤쪽에 위치하도록 하는 상태에서 이루어지는 작업
4. 지지되지 않은 상태이거나 임의로 자세를 바꿀 수 없는 조건에서, 하루에 총 2시간 이상 목이나 허리를 구부리거나 트는 상태에서 이루어지는 작업
5. 하루에 총 2시간 이상 쪼그리고 앉거나 무릎을 굽힌 자세에서 이루어지는 작업
6. 하루에 총 2시간 이상 지지되지 않은 상태에서 1kg 이상의 물건을 한 손의 손가락으로 집어 옮기거나, 2kg 이상에 상응하는 힘을 가하여 한 손의 손가락으로 물건을 쥐는 작업
7. 하루에 총 2시간 이상 지지되지 않은 상태에서 4.5kg 이상의 물건을 한 손으로 들거나 동일한 힘으로 쥐는 작업
8. 하루에 10회 이상 25kg 이상의 물체를 드는 작업
9. 하루에 25회 이상 10kg 이상의 물체를 무릎 아래에서 들거나, 어깨 위에서 들거나, 팔을 뻗은 상태에서 드는 작업
10. 하루에 총 2시간 이상, 분당 2회 이상 4.5kg 이상의 물체를 드는 작업
11. 하루에 총 2시간 이상 시간당 10회 이상 손 또는 무릎을 사용하여 반복적으로 충격을 가하는 작업

27 인간 에러(Human Error)에 관한 설명으로 틀린 것은?

① Omission Error : 필요한 작업 또는 절차를 수행하지 않는 데 기인한 에러

② Commission Error : 필요한 작업 또는 절차의 수행 지연으로 인한 에러

③ Extraneous Error : 불필요한 작업 또는 절차를 수행함으로써 기인한 에러

④ Sequential Error : 필요한 작업 또는 절차의 순서 착오로 인한 에러

인간실수의 분류(심리적인 분류)

분류	설명
생략에러 (Omission Error, 부작위 실수)	필요한 직무 및 절차를 수행하지 않아(생략) 발생하는 에러 예 가스밸브를 잠그는 것을 잊어 사고가 났다.
작위에러 (Commission Error, 실행에러)	• 필요한 작업 또는 절차의 불확실한 수행(잘못 수행)으로 인한 에러 • 넓은 의미로 선택착오, 순서착오, 시간착오, 정성적 착오를 포함한다. 예 전선이 바뀌었다, 틀린 부품을 사용하였다, 부품이 거꾸로 조립되었다 등
순서에러 (Sequential Error)	필요한 작업 또는 절차의 순서 착오로 인한 에러 예 자동차 출발 시 핸드브레이크를 해제하지 않고 출발하여 발생한 에러
시간에러 (Time Error)	필요한 직무 또는 절차의 수행지연으로 인한 에러 예 프레스 작업 중에 금형 내에 손이 오랫동안 남아 있어 발생한 재해
과잉행동에러 (Extraneous Error, 불필요한 행동에러)	불필요한 작업 또는 절차를 수행함으로써 기인한 에러 예 자동차 운전 중 습관적으로 손을 창문으로 내밀어 발생한 재해

28 설비의 고장과 같이 발생확률이 낮은 사건의 특정시간 또는 구간에서의 발생횟수를 측정하는 데 가장 적합한 확률분포는?

① 이항분포(Binomial Distribution)

② 푸아송 분포(Poisson Distribution)

③ 와이블 분포(Weibull Distribution)

④ 지수분포(Exponential Distribution)

해설

확률분포

이항분포	결과가 성공과 실패 두 가지인 경우에, 단 하나의 실험이 아니라 여러 번의 연속된 복원 추출실험의 확률분포
푸아송 분포	특정시간이나 단위구간 및 공간에 대하여 어떤 사건의 발생횟수가 갖는 분포(예를 들어 철판의 흠의 수, 공장의 사고건수와 같은 확률값을 구하려고 할 때)
와이블 분포	신뢰성 모델로써 가장 자주 사용되는 분포로 고장률 함수 $\lambda(t)$가 상수, 증가 또는 감소함수인 수명분포들을 모형화할 때 적당한 분포
지수분포	여러 개의 부품이 조합되어 만들어진 기기나 시스템의 고장확률 밀도함수는 지수분포에 따르게 되며, 이때의 고장률은 시간에 관계없이 일정하게 된다(시간당 고장률이 일정).

29 초음파를 이용한 초음파탐상시험 방법의 종류에 속하지 않는 것은?

① 펄스 반사법

② 진공법

③ 투과법

④ 공진법

해설

초음파검사(Ultrasonic Test : UT)의 종류

펄스 반사법	전자파나 초음파의 펄스를 발사하여 측정대상으로부터의 반사파를 수신하고, 반사파의 시간지연으로부터 대상까지의 거리를 측정하는 것이다(가장 널리 이용).
투과법	시험체를 투과하는 투과파를 이용하여 시험체의 한쪽 면에서 송신 탐촉자로 일정한 강도의 초음파 펄스를 연속파로 보내고, 반대 면에서 투과되어 나오는 초음파를 수신 탐촉자로 받는 것이다.
공진법	시험체의 한쪽 면에서 초음파의 연속파를 입사시키면 시험체 두께가 이 파장의 1/2 정수 배에 해당할 때 공진이 생기므로 결함 위치를 파악하는 것이다.

30 신호검출이론(SDT)의 판정결과 중 신호가 없었는데도 있었다고 말하는 경우는?

① 긍정(Hit)

② 누락(Miss)

③ 허위(False Alarm)

④ 부정(Correct Rejection)

해설

신호 유무의 판정

1. 신호의 정확한 판정(Hit) : 신호가 나타났을 때 신호라고 판정
2. 허위 경보(False Alarm) : 잡음을 신호로 판정
3. 신호검출 실패(Miss) : 신호가 나타났는데도 잡음으로 판정
4. 잡음을 제대로 판정(Correct Noise) : 잡음만 있을 때 잡음이라고 판정

> **TIP** 신호검출이론(SDT)
> 인간이 자극을 감지하여 신호를 판단할 경우 잡음이나 소음이 있는 상황에서 이루어질 때, 잡음이 신호검출에 미치는 영향을 다루는 이론을 말한다.

31 그림과 같은 시스템의 전체 신뢰도는 약 얼마인가?(단, 네모 안의 수치는 각 구성요소의 신뢰도이다.)

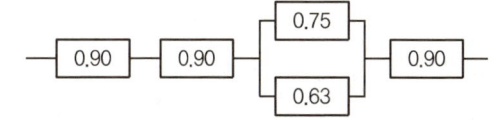

① 0.5275

② 0.6616

③ 0.7575

④ 0.8516

해설

시스템의 신뢰도

$R = 0.90 \times 0.90 \times [1 - (1 - 0.75)(1 - 0.63)] \times 0.90 = 0.6616$

32 시각 표시장치보다 청각 표시장치의 사용이 바람직한 경우는?

① 전언이 복잡한 경우

② 전언이 재참조되는 경우

③ 전언이 즉각적인 행동을 요구하는 경우

④ 직무상 수신자가 한곳에 머무는 경우

01 PART
02 PART
03 PART
04 PART
05 PART
06 PART
07 PART

청각장치와 시각장치의 비교

청각적 표시장치	• 전언이 간단하다. • 전언이 짧다. • 전언이 후에 재참조되지 않는다. • 전언이 시간적 사상을 다룬다. • 전언이 즉각적인 행동을 요구한다(긴급할 때). • 수신장소가 너무 밝거나 암조응 유지 필요시 • 직무상 수신자가 자주 움직일 때 • 수신자의 시각계통이 과부하 상태일 때
시각적 표시장치	• 전언이 복잡하다. • 전언이 길다. • 전언이 후에 재참조된다. • 전언이 공간적인 위치를 다룬다. • 전언이 즉각적인 행동을 요구하지 않는다. • 수신장소가 너무 시끄러울 때 • 직무상 수신자가 한곳에 머물 때 • 수신자의 청각계통이 과부하 상태일 때

33 양립성(Compatibility)에 대한 설명 중 틀린 것은?

① 개념양립성, 운동양립성, 공간양립성 등이 있다.
② 인간의 기대에 맞는 자극과 반응의 관계를 의미한다.
③ 양립성의 효과가 크면 클수록 코딩의 시간이나 반응의 시간은 길어진다.
④ 양립성이란 제어장치와 표시장치의 연관성이 인간의 예상과 어느 정도 일치하는 것을 의미한다.

양립성의 효과가 크면 클수록 코딩의 시간이나 반응의 시간은 줄어든다.

> **TIP** 양립성
> 1. 자극들 간의, 반응들 간의, 자극 – 반응 조합의 관계가 인간의 기대와 모순되지 않는 것이다(인간의 기대하는 바와 자극 또는 반응들이 일치하는 관계).
> 2. 양립성의 종류
>
> | 공간 양립성 | 표시장치와 이에 대응하는 조종장치 간의 위치 또는 배열이 인간의 기대와 모순되지 않아야 한다.
예 가스버너에서 오른쪽 조리대는 오른쪽 조절장치로, 왼쪽 조리대는 왼쪽 조절장치로 조정하도록 배치한다. |
> |---|---|
> | 운동 양립성 | 조작장치의 방향과 표시장치의 움직이는 방향이 사용자의 기대와 일치하는 것
예 자동차를 운전하는 과정에서 우측으로 회전하기 위하여 핸들을 우측으로 돌린다. |

개념 양립성	사람들이 가지고 있는(이미 사람들이 학습을 통해 알고 있는) 개념적 연상에 관한 기대와 일치하는 것 예 냉온수기에서 빨간색은 온수, 파란색은 냉수가 나온다.
양식 양립성	음성과업에 대해서는 청각적 자극 제시와 이에 대한 음성 응답 등에 해당

34 '화재 발생'이라는 시작(초기) 사상에 대하여, 화재감지기, 화재 경보, 스프링클러 등의 성공 또는 실패 작동 여부와 그 확률에 따른 피해 결과를 분석하는 데 가장 적합한 위험 분석 기법은?

① FTA
② ETA
③ FHA
④ THERP

사건수 분석(ETA)
초기사건으로 알려진 특정한 장치의 이상 또는 운전자의 실수에 의해 발생되는 잠재적인 사고결과를 정량적으로 평가·분석하는 방법을 말한다.

35 컴퓨터 스크린상에 있는 버튼을 선택하기 위해 커서를 이동시키는 데 걸리는 시간을 예측하는 가장 적합한 법칙은?

① Fitts의 법칙
② Lewin의 법칙
③ Hick의 법칙
④ Weber의 법칙

핏츠(Fitts)의 법칙
1. 인간의 손이나 발을 이동시켜 조작장치를 조작하는 데 걸리는 시간을 표적까지의 거리와 표적 크기의 함수로 나타내는 모형이다.
2. 인간의 행동에 대해 속도와 정확성 간의 관계를 설명하는 기본적인 법칙을 타나낸다.
3. 목표물의 크기가 작아질수록 속도와 정확도가 나빠지고 목표물과의 거리가 멀어질수록 필요한 시간이 더 길어진다.

36 인간의 오류 모형에 있어 상황이나 목표해석은 제대로 하였으나 의도와는 다른 행동을 하는 경우에 발생하는 오류는?

① 착오(Mistake)　　② 실수(Slip)

③ 건망증(Lapse)　　④ 위반(Violation)

해설

인간의 오류 모형

착오 (Mistake)	상황해석을 잘못하거나 목표를 잘못 이해하고 착각하여 행하는 경우(어떤 목적으로 행동하려고 했는데 그 행동과 일치하지 않는 것)
실수 (Slip)	상황이나 목표의 해석을 제대로 했으나 의도와는 다른 행동을 하는 경우
건망증 (Lapse)	여러 과정이 연계적으로 계속하여 일어나는 행동 중 일부를 잊어버리고 하지 않거나 또는 기억의 실패에 의해 발생하는 오류
위반 (Violation)	정해진 규칙을 알고 있음에도 고의적으로 따르지 않거나 무시하는 행위

37 혈액으로 인한 감염매개체가 아닌 것은?

① 선천성 면역력 감염

② B형 · C형 감염

③ 인간면역결핍 감염

④ 매독

해설

생물학적 유해요인의 분류

혈액매개 감염인자	인간면역결핍바이러스, B형 · C형 간염바이러스, 매독바이러스 등 혈액을 매개로 다른 사람에게 전염되어 질병을 유발하는 인자
공기매개 감염인자	결핵 · 수두 · 홍역 등 공기 또는 비말감염 등을 매개로 호흡기를 통하여 전염되는 인자
곤충 및 동물매개 감염인자	쯔쯔가무시증, 렙토스피라증, 유행성 출혈열 등 동물의 배설물 등에 의하여 전염되는 인자 및 탄저병, 브루셀라병 등 가축 또는 야생동물로부터 사람에게 감염되는 인자

38 HAZOP 기법에서 사용하는 가이드 워드와 그 의미가 잘못 연결된 것은?

① Part of : 성질상의 감소

② As well as : 성질상의 증가

③ Other than : 기타 환경적인 요인

④ More/Less : 정량적인 증가 또는 감소

해설

지침단어(가이드 워드)의 의미

Guide Word	의미
No 혹은 Not	설계의도의 완전한 부정
More 혹은 Less	양의 증가 혹은 감소 (정량적 증가 혹은 감소)
As well as	성질상의 증가(정성적 증가)
Part of	성질상의 감소(정성적 감소)
Reverse	설계의도의 논리적인 역 (설계의도와 반대현상)
Other than	완전한 대체의 필요

39 신체활동의 생리학적 측정법 중 전신의 육체적인 활동을 측정하는 데 가장 적합한 방법은?

① 플리커(Flicker) 측정

② 산소 소비량 측정

③ 근전도(EMG) 측정

④ 피부전기반사(GSR) 측정

해설

생리적 부담의 척도

작업이 인체에 끼치는 생리적 부담은 흔히 맥박 수와 산소 소비량으로 측정한다.

40 인간 – 기계 시스템을 설계할 때에는 특정 기능을 기계에 할당하거나 인간에게 할당하게 된다. 이러한 기능할당과 관련된 사항으로 옳지 않은 것은?(단, 인공지능과 관련된 사항은 제외한다.)

① 인간은 원칙을 적용하여 다양한 문제를 해결하는 능력이 기계에 비해 우월하다.

② 일반적으로 기계는 장시간 일관성이 있는 작업을 수행하는 능력이 인간에 비해 우월하다.

③ 인간은 소음, 이상온도 등의 환경에서 작업을 수행하는 능력이 기계에 비해 우월하다.

④ 일반적으로 인간은 주위가 이상하거나 예기치 못한 사건을 감지하여 대처하는 능력이 기계에 비해 우월하다.

해설

인간과 기계의 기능 비교

기계는 주의가 소란하거나 과부하에서도 효율적으로 작동한다.

정답 36 ② 37 ① 38 ③ 39 ② 40 ③

PART 01

PART 02

PART 03

PART 04

PART 05

PART 06

PART 07

41 재료의 강도시험 중 항복점을 알 수 있는 시험의 종류는?

① 비파괴 시험　　　② 충격시험
③ 인장시험　　　　④ 피로시험

해설

인장시험
1. 재료에 인장력을 가해 기계적인 성질을 조사하는 재료시험을 말한다.
2. 종류 : 항복점, 내력, 인장강도, 비례한도, 탄성한도, 신장, 연신율, 단면수축률

42 기능의 안전화 방안을 소극적 대책과 적극적 대책으로 구분할 때 다음 중 적극적 대책에 해당하는 것은?

① 기계의 이상을 확인하고 급정지시켰다.
② 원활한 작동을 위해 급유를 하였다.
③ 회로를 개선하여 오동작을 방지하도록 하였다.
④ 기계의 볼트 및 너트가 이완되지 않도록 다시 조립하였다.

해설

기능적 안전화
1. 기계나 기구를 사용할 때 기계의 기능이 저하하지 않고 안전하게 작업하는 것으로, 능률적이고 재해방지를 위한 설계를 한다.
2. 적절한 조치가 필요한 이상상태(자동화된 기계설비가 재해 측면에서의 불리한 조건)
   • 전압강하, 정전 시의 기계 오동작
   • 단락, 스위치 릴레이 고장 시 오동작
   • 사용압력 변동 시 오동작
   • 밸브계통의 고장에 의한 오동작
3. 안전화 대책

소극적 대책	• 이상 시 기계를 급정지 • 방호장치 작동
적극적 대책	• 회로를 개선하여 오동작 방지 • 별도의 완전한 회로에 의해 정상기능을 찾을 수 있도록 함 • 페일 세이프(Fail Safe)화

43 다음 중 프레스 작업에서 금형 안에 손을 넣을 필요가 없도록 한 장치가 아닌 것은?

① 롤 피더
② 스트리퍼
③ 다이얼 피더
④ 이젝터

해설

스트리퍼(Stripper)
펀치로부터 가공물 또는 스크랩을 제거하기 위한 기구 또는 금형 부분을 말한다.

이송장치(금형 사이에 손을 넣을 필요가 없도록 한 장치)
1. 1차 가공용 송급배출장치(롤 피더, 그리퍼 피드 등)
2. 2차 가공용 송급배출장치(슈트, 다이얼 피더, 푸셔 피더, 트랜스퍼 피더, 프레스용 로봇 등)
3. 제품 및 스크랩이 금형에 부착되는 것을 방지하기 위해 녹아웃, 키커핀 등을 설치한다.
4. 가공 완료한 제품 및 스크랩은 자동적으로 또는 위험한계 밖으로 배출하기 위해 에어분사장치, 키커, 이젝터 등을 설치한다.

44 인간이 기계 등의 취급을 잘못해도 그것이 바로 사고나 재해와 연결되는 일이 없는 기능을 의미하는 것은?

① Fail Safe　　　② Fail Active
③ Fail Operational　　④ Fool Proof

해설

풀 프루프와 페일 세이프

풀 프루프 (Fool Proof)	작업자가 기계를 잘못 취급하여 불안전 행동이나 실수를 하여도 기계설비의 안전기능이 작용되어 재해를 방지할 수 있는 기능을 가진 구조
페일 세이프 (Fail Safe)	기계나 그 부품에 파손 · 고장이나 기능 불량이 발생하여도 항상 안전하게 작동할 수 있는 기능을 가진 구조

45 급정지기구가 부착되어 있지 않아도 유효한 프레스의 방호장치로 옳지 않은 것은?

① 양수기동식　　　② 가드식
③ 손쳐내기식　　　④ 양수조작식

급정지기구에 따른 방호장치

급정지기구가 부착되어 있어야만 유효한 방호장치	• 양수조작식 방호장치 • 감응식 방호장치
급정지기구가 부착되어 있지 않아도 유효한 방호장치	• 양수기동식 방호장치 • 게이트 가드식 방호장치 • 수인식 방호장치 • 손쳐내기식 방호장치

46 양중기에 사용하지 않아야 하는 와이어로프의 기준에 해당하지 않는 것은?

① 이음매가 있는 것

② 심하게 변형 또는 부식된 것

③ 지름의 감소가 공칭지름의 5% 이상인 것

④ 한 꼬임에서 끊어진 소선의 수가 10% 이상인 것

양중기의 와이어로프 사용금지 조건

1. 이음매가 있는 것
2. 와이어로프의 한 꼬임에서 끊어진 소선의 수가 10% 이상인 것
3. 지름의 감소가 공칭지름의 7%를 초과하는 것
4. 꼬인 것
5. 심하게 변형되거나 부식된 것
6. 열과 전기충격에 의해 손상된 것

47 다음 중 기계설비에서 반대로 회전하는 두 개의 회전체가 맞닿는 사이에 발생하는 위험점으로 가장 적절한 것은?

① 물림점   ② 협착점

③ 끼임점   ④ 절단점

기계운동 형태에 따른 위험점 분류

협착점	왕복운동을 하는 운동부와 움직임이 없는 고정부 사이에서 형성되는 위험점(고정점+운동점)	• 프레스 • 전단기 • 성형기 • 조형기 • 밴딩기 • 인쇄기
끼임점	회전운동하는 부분과 고정부 사이에 위험이 형성되는 위험점(고정점+회전운동)	• 연삭숫돌과 작업대 • 반복동작되는 링크기구 • 교반기의 날개와 몸체 사이 • 회전풀리와 벨트

절단점	회전하는 운동부 자체의 위험이나 운동하는 기계부분 자체의 위험에서 형성되는 위험점(회전운동+기계)	• 밀링커터 • 둥근 톱의 톱날 • 목공용 띠톱 날
물림점	회전하는 두 개의 회전체에 형성되는 위험점(서로 반대 방향의 회전체)(중심점+반대방향의 회전운동)	• 기어와 기어의 물림 • 롤러와 롤러의 물림 • 롤러분쇄기
접선 물림점	회전하는 부분의 접선방향으로 물려 들어갈 위험이 있는 위험점	• V벨트와 풀리 • 랙과 피니언 • 체인벨트 • 평벨트
회전 말림점	회전하는 물체의 길이, 굵기, 속도 등의 불규칙 부위와 돌기 회전부위에 의해 장갑 또는 작업복 등이 말려들 위험이 있는 위험점	• 회전하는 축 • 커플링 • 회전하는 드릴

48 다음 중 드릴작업의 안전사항이 아닌 것은?

① 옷소매가 길거나 찢어진 옷은 입지 않는다.

② 작고, 길이가 긴 물건은 플라이어로 잡고 뚫는다.

③ 회전하는 드릴에 걸레 등을 가까이 하지 않는다.

④ 스핀들에서 드릴을 뽑아낼 때에는 드릴 아래에 손을 내밀지 않는다.

드릴링 작업에서 일감(공작물)의 고정방법

1. 일감이 작을 때 : 바이스로 고정
2. 일감이 크고 복잡할 때 : 볼트와 고정구(클램프)로 고정
3. 대량생산과 정밀도를 요할 때 : 지그(Jig)로 고정
4. 얇은 판의 재료일 때 : 나무판을 받치고 기구로 고정

49 다음 설명 중 ( ) 안에 들어갈 알맞은 내용은?

산업안전보건법령상 롤러기의 급정지장치는 롤러를 무부하로 회전시킨 상태에서 앞면 롤러의 표면속도가 30 m/min 미만일 때에는 급정지거리가 앞면 롤러 원주의 ( ) 이내에서 롤러를 정지시킬 수 있는 성능을 보유해야 한다.

① $\frac{1}{4}$ ② $\frac{1}{3}$

③ $\frac{1}{2.5}$ ④ $\frac{1}{2}$

급정지장치의 성능조건

앞면 롤러의 표면속도(m/min)	급정지거리
30 미만	앞면 롤러 원주의 1/3
30 이상	앞면 롤러 원주의 1/2.5

TIP

$$V = \pi DN(\text{mm/min}) = \frac{\pi DN}{1,000}(\text{m/min})$$

여기서, V : 표면속도(m/min)
D : 롤러 원통의 직경(mm)
N : 1분간에 롤러기가 회전되는 수(rpm)

50 산업안전보건법령상 지게차의 최대하중의 2배 값이 6톤일 경우 헤드가드의 강도는 몇 톤의 등분포 정하중에 견딜 수 있어야 하는가?

① 4 　　　　　② 6
③ 8 　　　　　④ 12

해설

지게차의 헤드가드
1. 강도는 지게차의 최대하중의 2배 값(4톤을 넘는 값에 대해서는 4톤으로 한다)의 등분포정하중에 견딜 수 있을 것
2. 상부 틀의 각 개구의 폭 또는 길이가 16cm 미만일 것
3. 운전자가 앉아서 조작하거나 서서 조작하는 지게차의 헤드가드는 한국산업표준에서 정하는 높이 기준 이상일 것

51 산업안전보건법령상 프레스 및 전단기에서 안전 블록을 사용해야 하는 작업으로 가장 거리가 먼 것은?

① 금형 가공작업
② 금형 해체작업
③ 금형 부착작업
④ 금형 조정작업

해설

금형 조정작업의 위험 방지
프레스 등의 금형을 부착·해체 또는 조정하는 작업을 할 때에 해당 작업에 종사하는 근로자의 신체가 위험한계 내에 있는 경우 슬라이드가 갑자기 작동함으로써 근로자에게 발생할 우려가 있는 위험을 방지하기 위하여 안전블록을 사용하는 등 필요한 조치를 하여야 한다.

52 크레인 로프에 질량 2,000kg의 물건을 10m/s² 의 가속도로 감아올릴 때, 로프에 걸리는 총하중(kN) 은?(단, 중력가속도는 9.8m/s²)

① 9.6 　　　　　② 19.6
③ 29.6 　　　　　④ 39.6

해설

와이어로프에 걸리는 하중계산

와이어로프에 걸리는 총하중	총하중(W)=정하중(W_1)+동하중(W_2) 동하중(W_2)= $\dfrac{W_1}{g} \times a$ [g : 중력가속도(9.8m/s²), a : 가속도(m/s²)]
와이어로프에 작용하는 장력	장력[N]=총하중[kg]×중력가속도[m/s²]

1. 동하중(W_2) = $\dfrac{W_1}{g} \times a = \dfrac{2,000}{9.8} \times 10 = 2,040.82(\text{kgf})$
2. 총하중(W) = 정하중(W_1) + 동하중(W_2)
　　　　 = $2,000 + 2,040.82 = 4,040.82(\text{kgf})$
3. 장력(N) = 총하중(kg) × 중력가속도(m/s²)
　　　　 = $4,040.82(\text{kgf}) \times 9.8$
　　　　 = $39,600(\text{N}) ≒ 39.6(\text{kN})$

53 산업안전보건법령상 보일러의 안전한 가동을 위하여 보일러 규격에 맞는 압력방출장치가 2개 이상 설치된 경우에 최고사용압력 이하에서 1개가 작동되고, 다른 압력방출장치는 최고사용압력의 몇 배 이하에서 작동되도록 부착하여야 하는가?

① 1.03배 　　　　② 1.05배
③ 1.2배 　　　　④ 1.5배

해설

보일러의 압력방출장치
1. 보일러의 안전한 가동을 위하여 보일러 규격에 맞는 압력방출장치를 1개 또는 2개 이상 설치하고 최고사용압력(설계압력 또는 최고허용압력) 이하에서 작동되도록 하여야 한다.
2. 압력방출장치가 2개 이상 설치된 경우에는 최고사용압력 이하에서 1개가 작동되고, 다른 압력방출장치는 최고사용압력 1.05배 이하에서 작동되도록 부착하여야 한다.
3. 압력방출장치는 매년 1회 이상 교정을 받은 압력계를 이용하여 설정압력에서 압력방출장치가 적정하게 작동하는지를 검사한 후 납으로 봉인하여 사용하여야 한다(공정안전보고서 이행상태 평가결과가 우수한 사업장은 압력방출장치에 대하여 4년마다 1회 이상 설정압력에서 압력방출장치가 적정하게 작동하는지를 검사할 수 있다).

4. 스프링식, 중추식, 지렛대식(일반적으로 스프링식 안전밸브가 많이 사용)

> **TIP 보일러 안전장치의 종류**
> - 압력방출장치
> - 압력제한스위치
> - 고저수위조절장치
> - 화염검출기

54 유해 · 위험기계 · 기구 중에서 진동과 소음을 동시에 수반하는 기계설비로 가장 거리가 먼 것은?

① 컨베이어
② 사출 성형기
③ 가스 용접기
④ 공기 압축기

> **해설**
>
> 가스 용접기는 진동과 소음을 동시에 수반하지 않는다.

55 컨베이어에 사용되는 방호장치와 그 목적에 관한 설명이 옳지 않은 것은?

① 운전 중인 컨베이어 등의 위로 넘어가고자 할 때를 위하여 급정지장치를 설치한다.
② 근로자의 신체 일부가 말려들 위험이 있을 때 이를 즉시 정지시키기 위한 비상정지장치를 설치한다.
③ 정전, 전압강하 등에 따른 화물 이탈을 방지하기 위해 이탈 및 역주행 방지장치를 설치한다.
④ 낙하물에 의한 위험 방지를 위한 덮개 또는 울을 설치한다.

> **해설**
>
> 컨베이어 안전조치사항
>
> | 이탈 등의 방지 | 컨베이어, 이송용 롤러 등을 사용하는 경우에는 정전 · 전압강하 등에 따른 화물 또는 운반구의 이탈 및 역주행을 방지하는 장치를 갖추어야 한다. 다만, 무동력상태 또는 수평상태로만 사용하여 근로자가 위험해질 우려가 없는 경우에는 그러하지 아니하다. |
> |---|---|
> | 비상정지 장치 | 컨베이어 등에 해당 근로자의 신체의 일부가 말려드는 등 근로자가 위험해질 우려가 있는 경우 및 비상 시에는 즉시 컨베이어 등의 운전을 정지시킬 수 있는 장치를 설치하여야 한다. 다만, 무동력상태로만 사용하여 근로자가 위험해질 우려가 없는 경우에는 그러하지 아니하다. |

낙하물에 의한 위험 방지	컨베이어 등으로부터 화물이 떨어져 근로자가 위험해질 우려가 있는 경우에는 해당 컨베이어 등에 덮개 또는 울을 설치하는 등 낙하방지를 위한 조치를 하여야 한다.
트롤리 컨베이어	트롤리 컨베이어(Trolley Conveyor)를 사용하는 경우에는 트롤리와 체인 · 행거(Hanger)가 쉽게 벗겨지지 않도록 서로 확실하게 연결하여 사용하도록 하여야 한다.
통행의 제한	• 운전 중인 컨베이어 등의 위로 근로자를 넘어가도록 하는 경우에는 위험을 방지하기 위하여 건널다리를 설치하는 등 필요한 조치를 하여야 한다. • 동일선상에 구간별 설치된 컨베이어에 중량물을 운반하는 경우에는 중량물 충돌에 대비한 스토퍼를 설치하거나 작업자 출입을 금지하여야 한다.

56 다음 설명에 해당하는 기계는?

- 칩(Chip)이 가늘고 예리하여 손을 잘 다치게 한다.
- 주로 평면공작물을 절삭 가공하나, 더브테일 가공이나 나사 가공 등의 복잡한 가공도 가능하다.
- 장갑은 착용을 금하고, 보안경을 착용해야 한다.

① 선반
② 호빙 머신
③ 연삭기
④ 밀링

> **해설**
>
> 밀링 머신
> 1. 공작물을 고정하고 많은 날을 가진 밀링커터를 회전시켜 테이블 위에 고정한 공작물을 이송하여 절삭하는 공작기계이다.
> 2. 주로 평면공작물을 절삭 가공하나, 더브테일 가공이나 나사 가공 등의 복잡한 가공도 가능하다.
> 3. 공작기계 중 칩(Chip)이 가장 가늘고 예리하여 손을 잘 다치게 한다.

57 연삭작업에서 숫돌의 파괴 원인으로 가장 적절하지 않은 것은?

① 숫돌의 회전속도가 너무 빠를 때
② 연삭작업 시 숫돌의 정면을 사용할 때
③ 숫돌에 큰 충격을 주었을 때
④ 숫돌의 회전중심이 제대로 잡히지 않았을 때

> **해설**
>
> 연삭숫돌의 파괴 원인
> 1. 숫돌의 회전속도가 너무 빠를 때
> 2. 숫돌 자체에 균열이 있을 때
> 3. 숫돌에 과대한 충격을 가할 때

01 PART
02 PART
03 PART
04 PART
05 PART
06 PART
07 PART

4. 숫돌의 측면을 사용하여 작업할 때
5. 숫돌의 불균형이나 베어링 마모에 의한 진동이 있을 때
   (숫돌이 경우에 따라 파손될 수 있다.)
6. 숫돌 반경방향의 온도변화가 심할 때
7. 작업에 부적당한 숫돌을 사용할 때
8. 숫돌의 치수가 부적당할 때
9. 플랜지가 현저히 작을 때

58 다음 중 아세틸렌 용접장치에서 역화의 원인으로 가장 거리가 먼 것은?

① 아세틸렌의 공급 과다
② 토치 성능의 부실
③ 압력조정기의 고장
④ 토치 팁에 이물질이 묻은 경우

해설

역화(Back Fire)
1. 정의 : 용접 도중에 모재에 팁 끝이 닿아 불꽃이 팁 끝에서 순간적으로 폭음을 내며 불꽃이 들어갔다가 꺼지는 현상
2. 원인
   • 압력 조정기의 고장
   • 과열되었을 때
   • 산소 공급이 과다할 때
   • 토치의 성능이 좋지 않을 때
   • 토치 팁에 이물질이 묻었을 때
3. 방지법
   • 용접 팁을 물에 담가서 식힘
   • 아세틸렌을 차단
   • 토치의 기능을 점검

59 회전수가 300rpm, 연삭숫돌의 지름이 200mm일 때 숫돌의 원주속도는 약 몇 m/min인가?

① 60.0 　　　　② 94.2
③ 150.0 　　　④ 188.5

해설

원주속도(회전속도)

$$V = \pi DN(\text{mm/min}) = \frac{\pi DN}{1,000}(\text{m/min})$$

여기서, V : 원주속도(회전속도)(m/min)
　　　　D : 숫돌의 지름(mm)
　　　　N : 숫돌의 매분 회전수(rpm)

$$V = \frac{\pi DN}{1,000} = \frac{\pi \times 200 \times 300}{1,000} = 188.5(\text{m/min})$$

60 기계의 각 작동 부분 상호 간을 전기적, 기구적, 공유압장치 등으로 연결해서 기계의 각 작동 부분이 정상으로 작동하기 위한 조건이 만족되지 않을 경우 자동적으로 그 기계를 작동할 수 없도록 하는 것을 무엇이라 하는가?

① 인터록기구
② 과부하방지장치
③ 트립기구
④ 오버런기구

해설

인터록(Interlock)
1. 기계의 각 작동 부분 상호 간을 전기적, 기구적, 공유압장치 등으로 연결해서 기계의 각 작동 부분이 정상으로 작동하기 위한 조건이 만족되지 않을 경우 자동적으로 그 기계를 작동할 수 없도록 하는 것
2. 인터록(연동장치)의 요건
   • 가드가 완전히 닫히기 전에는 기계가 작동되어서는 안 된다.
   • 가드가 열리는 순간 기계의 작동은 반드시 정지되어야 한다.

4과목 전기설비 안전관리

61 누전으로 인한 화재의 3요소에 대한 요건이 아닌 것은?

① 접속접 　　　② 출화점
③ 누전점 　　　④ 접지점

해설

누전 화재의 3요소
누전 화재는 전선의 충전부에서 금속 조영재 등으로 전류가 흘러들어 오는 누전점, 과열 개소의 출화점, 접지물로 전기가 들어오는 접지점의 3요소가 있다. 누전으로 인한 전기화재의 원인조사에 있어서도 이것을 분명히 하는 것이 중요하다.

62 전로에 시설하는 기계·기구의 철대 및 금속제 외함에 접지공사를 생략할 수 없는 경우는?

① 30V 이하의 기계·기구를 건조한 곳에 시설하는 경우
② 물기 없는 장소에 설치하는 저압용 기계·기구를 위한 전로에 정격감도전류 40mA 이하, 동작시간 2초 이하의 전류동작형 누전차단기를 시설하는 경우
③ 철대 또는 외함의 주위에 적당한 절연대를 설치하는 경우
④ 「전기용품 및 생활용품 안전관리법」의 적용을 받는 이중절연구조로 되어 있는 기계·기구를 시설하는 경우

기계·기구의 철대 및 외함의 접지를 하지 않아도 되는 대상
1. 사용전압이 직류 300V 또는 교류 대지전압이 150V 이하인 기계·기구를 건조한 곳에 시설하는 경우
2. 저압용의 기계·기구를 건조한 목재의 마루 기타 이와 유사한 절연성 물건 위에서 취급하도록 시설하는 경우
3. 저압용이나 고압용의 기계·기구, 특고압 전선로에 접속하는 배전용 변압기나 이에 접속하는 전선에 시설하는 기계·기구 또는 특고압 가공전선로의 전로에 시설하는 기계·기구를 사람이 쉽게 접촉할 우려가 없도록 목주 기타 이와 유사한 것의 위에 시설하는 경우
4. 철대 또는 외함의 주위에 적당한 절연대를 설치하는 경우
5. 외함이 없는 계기용 변성기가 고무·합성수지 기타의 절연물로 피복한 것일 경우
6. 「전기용품 및 생활용품 안전관리법」의 적용을 받는 이중절연구조로 되어 있는 기계·기구를 시설하는 경우
7. 저압용 기계·기구에 전기를 공급하는 전로의 전원 측에 절연변압기(2차 전압이 300V 이하이며, 정격용량이 3kVA 이하인 것에 한한다)를 시설하고 또한 그 절연변압기의 부하 측 전로를 접지하지 않은 경우
8. 물기 있는 장소 이외의 장소에 시설하는 저압용의 개별 기계·기구에 전기를 공급하는 전로에 「전기용품 및 생활용품 안전관리법」의 적용을 받는 인체감전보호용 누전차단기(정격감도전류가 30mA 이하, 동작시간이 0.03초 이하의 전류동작형에 한한다)를 시설하는 경우
9. 외함을 충전하여 사용하는 기계·기구에 사람이 접촉할 우려가 없도록 시설하거나 절연대를 시설하는 경우

63 특고압 계통의 접지극과 저압 접지계통의 접지극을 독립적으로 시설하는 접지방식은?

① 단독접지
② 공통접지
③ 통합접지
④ 등전위 접지

접지시스템의 종류
1. 단독접지 : (특)고압 계통의 접지극과 저압 접지계통의 접지극을 독립적으로 시설하는 접지방식
2. 공통접지 : (특)고압 접지계통과 저압 접지계통을 등전위 형성을 위해 공통으로 접지하는 방식
3. 통합접지 : 계통접지, 통신접지, 피뢰접지극의 접지극을 통합하여 접지하는 방식

64 변압기의 최소 IP등급은?(단, 유입 방폭구조의 변압기이다.)

① IP55
② IP56
③ IP65
④ IP66

유입 방폭구조
IP66 이상의 보호등급을 가져야 한다.

> **TIP** IP등급(IP코드)
> 위험 부분으로의 접근, 외부 분진의 침투 또는 물의 침투에 대한 외함의 방진 보호 및 방수 보호등급을 표시하는 코딩(Coding) 방식으로 보호에 대한 추가 정보를 나타낸다.

65 누전차단기의 구성요소가 아닌 것은?

① 누전검출부
② 영상변류기
③ 차단장치
④ 전력퓨즈

누전차단기
누전검출부, 영상변류기, 차단기구 등으로 구성된 장치로서, 이동형 또는 휴대형의 전기기계·기구 이하의 금속제 외함, 금속제 외피 등에서 누전, 절연파괴 등으로 인하여 지락전류가 발생하면 주어진 시간 이내에 전기기기의 전로를 차단하는 것을 말한다.

66 다음 중 산업안전보건기준에 관한 규칙에 따라 누전차단기를 설치하지 않아도 되는 곳은?

① 철판·철골 위 등 도전성이 높은 장소에서 사용하는 이동형 전기기계·기구
② 대지전압이 220V인 휴대형 전기기계·기구
③ 임시배선의 전로가 설치되는 장소에서 사용하는 이동형 전기기계·기구
④ 절연대 위에서 사용하는 전기기계·기구

해설

감전방지용 누전차단기의 적용대상(누전차단기 설치장소)

1. 대지전압이 150V를 초과하는 이동형 또는 휴대형 전기기계·기구
2. 물 등 도전성이 높은 액체가 있는 습윤장소에서 사용하는 저압(1.5천V 이하 직류전압이나 1천V 이하의 교류전압)용 전기기계·기구
3. 철판·철골 위 등 도전성이 높은 장소에서 사용하는 이동형 또는 휴대형 전기기계·기구
4. 임시배선의 전로가 설치되는 장소에서 사용하는 이동형 또는 휴대형 전기기계·기구

> **TIP** 감전방지용 누전차단기의 적용 제외 대상
> • 이중절연구조 또는 이와 같은 수준 이상으로 보호되는 구조로 된 전기기계·기구
> • 절연대 위 등과 같이 감전위험이 없는 장소에서 사용하는 전기기계·기구
> • 비접지방식의 전로

67 한국전기설비규정에 따른 전선의 색상에 관한 내용이다. 다음 빈칸에 들어갈 내용으로 알맞은 것은?

| • L1 – (A) | • L2 – 검은색 |
| • L3 – 회색 | • N – (B) |

① A : 갈색, B : 흰색 　② A : 노란색, B : 파란색
③ A : 갈색, B : 파란색 ④ A : 노란색, B : 흰색

해설

전선식별

상(문자)	색상
L1	갈색
L2	검은색
L3	회색
N	파란색
보호도체	녹색 – 노란색

68 감전쇼크에 의해 호흡이 정지되었을 경우 일반적으로 약 몇 분 이내에 응급조치를 개시하면 95% 정도를 소생시킬 수 있는가?

① 1분 이내　　　② 3분 이내
③ 5분 이내　　　④ 7분 이내

해설

감전사고 후 응급조치 개시시간에 따른 소생률

호흡정지 후 인공호흡 개시까지의 시간(분)	소생률 (100명당)	사망률 (100명당)
1	95	5
2	90	10
3	75	25
4	50	50
5	25	75

69 감전사고를 일으키는 주된 형태가 아닌 것은?

① 충전전로에 인체가 접촉되는 경우
② 이중절연 구조로 된 전기 기계·기구를 사용하는 경우
③ 고전압의 전선로에 인체가 근접하여 섬락이 발생된 경우
④ 충전 전기회로에 인체가 단락회로의 일부를 형성하는 경우

해설

감전사고의 형태

충전된 전로에 인체가 접촉되는 경우	인체를 통해 대지로 지락전류가 흘러 감전된다.
누전된 전기기기에 인체가 접촉하는 경우	• 절연이 불량한 전기기기에 주로 발생한다. • 누전이 발생하면 외함이 철재로 되어 있기 때문에 기기 내부의 전선에서 외함으로 전류가 흐르게 된다.
충전 전기회로에 인체가 단락회로를 형성하는 경우	인체가 직접 또는 도전성 물체를 통해 단락되며, 교류아크용접기에서 많이 발생한다.
고전압의 전선로에 인체가 근접하여 섬락을 이루는 경우	• 공기의 절연파괴(섬락) : 인체가 고전압 전로에 너무 가깝게 접근하게 되면 공기의 절연파괴 현상이 발생하여 감전사고를 당하게 된다. • 공기의 절연파괴는 30kv/cm 정도이므로 전압이 높을수록 공기의 절연파괴에 의한 감전사고의 발생 위험이 커진다.

초고압 전선로에 인체가 접근하여 인체에 대전된 전하가 접지된 금속체를 통해 방전하는 경우	송전선로 주변서 주로 발생하고 작게는 찌릿한 느낌에서 크게는 전격으로 사망한다.

> **TIP** 감전사고를 방지하기 위하여 이중절연 구조로 된 전기 기계·기구를 사용한다.

70 두 가지 용제를 사용하고 있는 어느 도장 공장에서 폭발사고가 발생하여 3명의 부상자를 발생시켰다. 부상자와 동일 조건의 복장으로 정전용량이 120pF인 사람이 5m 도보 후에 표면전위를 측정했더니 3,000V가 측정되었다. 사용한 혼합용제 가스의 최소 착화에너지 상한치는 얼마인가?

① 0.54mJ   ② 0.54J

③ 1.08mJ   ④ 1.08J

해설

정전 에너지

$$W = \frac{1}{2}CV^2 = \frac{1}{2}QV = \frac{1}{2}\frac{Q^2}{C}$$

대전 전하량$(Q) = C \cdot V$, 대전 전위$(V) = \frac{Q}{C}$

여기서, W : 정전기 에너지(J), C : 도체의 정전용량(F)
V : 대전 전위(V), Q : 대전 전하량(C)

$W = \frac{1}{2}CV^2 = \frac{1}{2} \times (120 \times 10^{-12}) \times (3,000)^2$
$= 0.00054[J] = 0.54[mJ]$

71 전기화상 사고 시의 응급조치 사항으로 틀린 것은?

① 상처에 달라붙지 않은 의복은 모두 벗긴다.

② 상처 부위에 파우더, 향유, 기름 등을 바른다.

③ 감전자를 담요 등으로 감싸되 상처부위가 닿지 않도록 한다.

④ 화상부위를 세균 감염으로부터 보호하기 위하여 화상용 붕대를 감는다.

해설

전기화상 사고의 응급조치
1. 불이 붙은 곳은 물, 소화용 담요 등을 이용하여 소화하거나 급한 경우에는 피해자를 굴리면서 소화한다.

2. 상처에 달라붙지 않은 의복은 모두 벗긴다.
3. 화상부위를 세균 감염으로부터 보호하기 위하여 화상용 붕대를 감는다.
4. 화상을 사지에만 입었을 경우 통증이 줄어들도록 약 10분간 화상부위를 물에 담그거나 물을 뿌릴 수도 있다.
5. 상처부위에 파우더, 향유, 기름 등을 발라서는 안 된다.
6. 진정, 진통제는 의사의 처방에 의하지 않고는 사용하지 말아야 한다.
7. 의식을 잃은 환자에게는 물이나 차를 조금씩 먹이되 알코올은 삼가야 하며 구토증 환자에게는 물, 차 등의 취식을 금해야 한다.
8. 피해자를 담요 등으로 감싸되 상처부위가 닿지 않도록 한다.

72 대지를 접지로 이용하는 이유는?

① 대지는 넓어서 무수한 전류통로가 있기 때문에 저항이 작다.

② 대지는 철분을 많이 포함하고 있기 때문에 저항이 작다.

③ 대지는 토양의 주성분이 산화알루미늄(Al_2O_3)이므로 저항이 작다.

④ 대지는 토양의 주성분이 규소(SiO_2)이므로 저항이 영(Zero)에 가깝다.

해설

접지의 개요
1. 접지란 각종 전기, 전자, 통신장비를 대지와 전기적으로 접속하는 것을 말한다.
2. 접지전극은 지구의 표면이 대단히 넓어 대단히 많은 전하를 충전할 수 있으며, 무수한 전류통로가 있기 때문에 저항이 작아서 대지를 접지로 이용한다.

73 인체의 전기저항 R을 $1,000\Omega$이라고 할 때 위험 한계에너지의 최저는 약 몇 J인가?(단, 통전시간은 1초이고, 심실세동전류 $I = \frac{165}{\sqrt{T}}$ mA이다.)

① 17.23

② 27.23

③ 37.23

④ 47.23

01 PART
02 PART
03 PART
04 PART
05 PART
06 PART
07 PART

정답 70 ① 71 ② 72 ① 73 ②

위험한계에너지

$$W = I^2 RT[\text{J/s}] = \left(\frac{165}{\sqrt{T}} \times 10^{-3}\right)^2 \times R \times T$$

$$W = \left(\frac{165}{\sqrt{1}} \times 10^{-3}\right)^2 \times 1{,}000 \times 1 = 27.23[\text{J}]$$

74 내전압용 절연장갑의 등급에 따른 최대사용전압이 틀린 것은?(단, 교류 전압은 실효값이다.)

① 등급 00 : 교류 500V

② 등급 1 : 교류 7,500V

③ 등급 2 : 직류 17,000V

④ 등급 3 : 직류 39,750V

해설

내전압용 절연장갑의 등급

등급	최대사용전압		등급별 색상
	교류(V, 실효값)	직류(V)	
00	500	750	갈색
0	1,000	1,500	빨강색
1	7,500	11,250	흰색
2	17,000	25,500	노랑색
3	26,500	39,750	녹색
4	36,000	54,000	등색

75 가연성 증기나 먼지 등이 체류할 우려가 있는 장소의 전기회로에 설치하여야 하는 누전경보기의 수신기가 갖추어야 할 성능으로 옳은 것은?

① 음향장치를 가진 수신기

② 차단기구를 가진 수신기

③ 가스감지기를 가진 수신기

④ 분진농도 측정기를 가진 수신기

해설

수신부의 설치장소

누전경보기의 수신부는 옥내의 점검에 편리한 장소에 설치하되, 가연성의 증기 · 먼지 등이 체류할 우려가 있는 장소의 전기회로에는 해당 부분의 전기회로를 차단할 수 있는 차단기구를 가진 수신부를 설치하여야 한다. 이 경우 차단기구의 부분은 해당 장소 외의 안전한 장소에 설치하여야 한다.

76 산업안전보건기준에 관한 규칙에 따른 전기기계 · 기구의 설치 시 고려할 사항으로 거리가 먼 것은?

① 전기기계 · 기구의 충분한 전기적 용량 및 기계적 강도

② 전기기계 · 기구의 안전효율을 높이기 위한 시간 가동률

③ 습기 · 분진 등 사용장소의 주위 환경

④ 전기적 · 기계적 방호수단의 적정성

해설

전기기계 · 기구 설치 시 고려사항

1. 전기 기계 · 기구의 충분한 전기적 용량 및 기계적 강도

2. 습기 · 분진 등 사용장소의 주위 환경

3. 전기적 · 기계적 방호수단의 적정성

77 정전기 발생에 영향을 주는 요인으로 가장 적절하지 않은 것은?

① 분리속도

② 물체의 질량

③ 접촉면적 및 압력

④ 물체의 표면상태

해설

정전기 발생의 영향요인(정전기 발생요인)

물체의 특성	일반적으로 대전량은 접촉이나 분리하는 두 가지 물체가 대전서열 내에서 가까운 곳에 있으면 적고, 먼 위치에 있을수록 대전량이 큰 경향이 있다.
물체의 표면상태	• 표면이 거칠수록 정전기 발생량이 커진다. • 기름, 수분, 불순물 등 오염이 심할수록, 산화 부식이 심할수록 정전기 발생량이 커진다.
물체의 이력	정전기 발생량은 처음 접촉, 분리가 일어날 때 최대가 되며, 발생횟수가 반복될수록 발생량이 감소한다.
접촉면적 및 압력	접촉면적 및 압력이 클수록 정전기 발생량은 커진다.
분리속도	분리속도가 빠를수록 정전기 발생량이 커진다.
완화시간	완화시간이 길면 전하분리에 주는 에너지도 커져서 정전기 발생량이 커진다.

78 정전기 방전현상에 해당되지 않는 것은?

① 연면 방전

② 코로나 방전

③ 낙뢰 방전

④ 자외선 방전

정전기 방전의 형태

코로나 (Corona) 방전	고체에 정전기가 축적되면 전위가 높아지게 되고 고체 표면의 전위경도가 어느 일정치를 넘어서면 낮은 소리와 연한 빛을 수반하는 방전
스트리머 (Streamer) 방전	일반적으로 브러시(Brush) 코로나에서 다소 강해져서 파괴음과 발광을 수반하는 방전
불꽃(Spark) 방전	도체가 대전되었을 때 접지된 도체 사이에서 발생하는 강한 발광과 파괴음을 수반하는 방전
연면(Surface) 방전	공기 중에 놓여진 절연체 표면의 전계강도가 큰 경우 고체 표면을 따라 진행하는 방전
브러시(Brush) 방전	비교적 평활한 대전물체가 만드는 불평등전계 중에서 발생하는 나뭇가지 모양의 방전
뇌상방전	번개와 같은 수지상의 발광을 수반하고 강력하게 대전한 입자군이 대규모의 구름 모양(대전운)으로 확산되어 일어나는 특수한 방전

79 방폭전기설비의 용기 내부에서 폭발성 가스 또는 증기가 폭발하였을 때 용기가 그 압력에 견디고 접합면 개구부를 통해서 외부의 폭발성 가스나 증기에 인화되지 않도록 한 방폭구조는?

① 내압 방폭구조
② 압력 방폭구조
③ 유입 방폭구조
④ 본질안전 방폭구조

내압 방폭구조(Flameproof Enclosure, d)
1. 점화원에 의해 용기 내부에서 폭발이 발생할 경우에 용기가 폭발압력에 견딜 수 있고, 화염이 용기 외부의 폭발성 분위기로 전파되지 않도록 한 방폭구조
2. 전폐형 구조로 용기 내에 외부의 폭발성 가스가 침입하여 내부에서 폭발하더라도 용기는 그 압력에 견뎌야 하고 폭발한 고열가스나 화염이 용기의 접합부 틈을 통하여 새어나가는 동안 냉각되어 외부의 폭발성 가스에 화염이 파급될 우려가 없도록 한 방폭구조

TIP
- 압력 방폭구조 : 점화원이 될 우려가 있는 부분을 용기 안에 넣고 보호 기체(신선한 공기 또는 불활성 기체)를 용기 안에 압입함으로써 폭발성 가스가 침입하는 것을 방지하도록 되어 있는 방폭구조(전폐형 구조)
- 유입 방폭구조 : 유체 상부 또는 용기 외부에 존재할 수 있는 폭발성 분위기가 발화할 수 없도록 전기설비 또는 전기설비의 부품을 보호액에 함침시키는 방폭구조
- 본질안전 방폭구조 : 정상작동 및 고장상태 시 발생하는 불꽃, 아크 또는 고온에 의해 폭발성 가스 또는 증기에 점화되지 않는 것이 점화시점, 기타에 의해 확인된 방폭구조

80 전력에 의해 심실세동이 일어날 확률이 가장 큰 심장 맥동주기 파형의 설명으로 옳은 것은?(단, 심장 맥동주기를 심전도에서 보았을 때의 파형이다.)

① 심실의 수축에 따른 파형이다.
② 심실의 팽창에 따른 파형이다.
③ 심실의 수축 종료 후 심실의 휴식 시 발생하는 파형이다.
④ 심실의 수축 시작 후 심실의 휴식 시 발생하는 파형이다.

심장의 맥동주기
1. P파 : 심방 수축에 따른 파형이다.
2. Q−R−S파 : 심실 수축에 따른 파형이다.
3. T파 : 심실의 수축 종료 후 심실의 휴식 시 발생하는 파형이다.
4. R−R : 심장의 맥동주기
※ 전격이 인가되면 심실세동을 일으키는 확률이 가장 크고 위험한 부분은 심실의 휴식 시 발생하는 T파 부분이다.

심장의 맥동주기

5과목 화학설비 안전관리

81 다음 중 질식소화에 해당하는 것은?

① 가연성 기체의 분출화재 시 주밸브를 닫는다.
② 가연성 기체의 연쇄반응을 차단하여 소화한다.
③ 연료 탱크를 냉각하여 가연성 가스의 발생속도를 작게 한다.
④ 연소하고 있는 가연물이 존재하는 장소를 기계적으로 폐쇄하여 공기의 공급을 차단한다.

01 PART
02 PART
03 PART
04 PART
05 PART
06 PART
07 PART

85 다음 중 가연성 가스가 밀폐된 용기 안에서 폭발할 때 최대폭발압력에 영향을 주는 인자로 가장 거리가 먼 것은?

① 가연성 가스의 농도(몰수)
② 가연성 가스의 초기 온도
③ 가연성 가스의 유속
④ 가연성 가스의 초기 압력

밀폐된 용기 내에서의 최대 폭발압력(Pm)
1. 다른 조건이 일정할 때 처음 온도가 높을수록 감소한다.
2. 다른 조건이 일정할 때 초기 압력이 상승할수록 증가한다.
3. 용기의 형태 및 부피에 큰 영향을 받지 않는다.
4. 발화원의 강도가 클수록 증가된다.
5. 가연성 가스의 유량이 클수록 증가한다.
6. 가연성 가스의 농도 증가에 따라 증가한다.

86 금속의 증기가 공기 중에서 응고되어 화학변화를 일으켜 고체의 미립자로 되어 공기 중에 부유하는 것을 의미하는 용어는?

① 흄(Fume)
② 분진(Dust)
③ 미스트(Mist)
④ 스모크(Smoke)

유해물질의 종류

분진(Dust)	기계적 작용에 의해 발생된 고체 미립자가 공기 중에 부유하고 있는 것(입경 0.01~500 μm 정도)
미스트(Mist)	액체의 미세한 입자가 공기 중에 부유하고 있는 것(입경 0.1~100 μm 정도)
흄(Fume)	고체 상태의 물질이 액체화된 다음 증기화되고, 증기화된 물질의 응축 및 산화로 인하여 생기는 고체상의 미립자(입경 0.01~1 μm 정도)
스모크(Smoke)	일반적으로 유기물이 불완전연소할 때 생긴 미립자를 말하며 주성분은 탄소의 미립자이다(0.01~1 μm).

87 숯, 코크스, 목탄의 대표적인 연소 형태는?

① 혼합연소
② 증발연소
③ 표면연소
④ 비혼합연소

표면연소
고체 가연물이 열분해나 증발을 하지 않고 표면에서 산소와 반응하여 연소하는 형태[목탄(숯), 코크스, 금속분, 알루미늄 등]

88 위험물을 저장·취급하는 화학설비 및 그 부속설비를 설치할 때 '단위공정시설 및 설비로부터 다른 단위공정시설 및 설비의 사이'의 안전거리는 설비의 바깥 면으로부터 몇 m 이상이 되어야 하는가?

① 5
② 10
③ 15
④ 20

위험물을 저장·취급하는 화학설비 및 그 부속설비를 설치하는 경우의 안전거리

구분	안전거리
단위공정시설 및 설비로부터 다른 단위공정시설 및 설비의 사이	설비의 바깥 면으로부터 10미터 이상
플레어스택으로부터 단위공정시설 및 설비, 위험물질 저장탱크 또는 위험물질 하역설비의 사이	플레어스택으로부터 반경 20미터 이상(다만, 단위공정시설 등이 불연재로 시공된 지붕 아래에 설치된 경우에는 제외)
위험물질 저장탱크로부터 단위공정시설 및 설비, 보일러 또는 가열로의 사이	저장탱크의 바깥 면으로부터 20미터 이상(다만, 저장탱크의 방호벽, 원격조종화설비 또는 살수설비를 설치한 경우에는 제외)
사무실·연구실·실험실·정비실 또는 식당으로부터 단위공정시설 및 설비, 위험물질 저장탱크, 위험물질 하역설비, 보일러 또는 가열로의 사이	사무실 등의 바깥 면으로부터 20미터 이상(다만, 난방용 보일러인 경우 또는 사무실 등의 벽을 방호구조로 설치한 경우에는 제외)

89 다음 중 C급 화재에 해당하는 것은?

① 금속화재
② 전기화재
③ 일반화재
④ 유류화재

화재의 종류

분류	A급 화재	B급 화재	C급 화재	D급 화재
명칭	일반화재	유류화재	전기화재	금속화재
분류	보통 잔재의 작열에 의해 발생하는 연소에서 보통 유기 성질의 고체물질을 포함한 화재	액체 또는 액화할 수 있는 고체를 포함한 화재 및 가연성 가스 화재	통전 중인 전기설비를 포함한 화재	금속을 포함한 화재
가연물	목재, 종이, 섬유 등	가솔린, 등유, 프로판 가스 등	전기기기, 변압기, 전기다리미 등	가연성 금속(Mg분, Al분)

01 PART
02 PART
03 PART
04 PART
05 PART
06 PART
07 PART

분류	A급 화재	B급 화재	C급 화재	D급 화재
소화 방법	냉각소화	질식소화	질식, 냉각소화	질식소화

적응
소화제
	• 물 소화기
	• 강화액
	  소화기
	• 산 · 알칼리
	  소화기
		• 이산화탄소
		  소화기
		• 할로겐화합물
		  소화기
		• 분말 소화기
		• 포말 소화기
			• 이산화탄소
			  소화기
			• 할로겐화합물
			  소화기
			• 분말 소화기
			• 무상강화액
			  소화기
				• 건조사
				• 팽창 질석
				• 팽창 진주암

표시색	백색	황색	청색	무색

90 자동화재탐지설비의 감지기 종류 중 열감지기가 아닌 것은?

① 차동식 　　　　② 정온식
③ 보상식 　　　　④ 광전식

해설
자동화재탐지설비 감지기의 종류

감지원리		개념
열 감지기	차동식	온도의 상승률이 소정의 값 이상일 때 동작하는 감지기
	정온식	일정 온도 이상이 될 때 작동하는 감지기
	보상식	저온도에서는 차동식으로 주위 온도가 공칭 작동온도에 도달하면 온도상승률에 상관없이 정온식으로 작동되는 감지기
연기 감지기	광전식	연기에 의한 빛의 양 변화를 광전기 같은 전기적 변화에 의해 화재발생을 감지하는 감지기
	이온화식	주위의 공기가 일정한 농도의 연기를 포함하게 되는 경우에 작동하는 감지기

91 다음 중 산업안전보건법상 공정안전보고서에 포함되어야 할 사항으로 가장 거리가 먼 것은?

① 평균안전율 　　　② 공정안전자료
③ 비상조치계획 　　④ 공정위험성 평가서

해설
공정안전보고서의 내용
1. 공정안전자료
2. 공정위험성 평가서
3. 안전운전계획
4. 비상조치계획
5. 그 밖에 공정상의 안전과 관련하여 고용노동부장관이 필요하다고 인정하여 고시하는 사항

92 크롬에 대한 설명으로 옳은 것은?

① 은백색 광택이 있는 금속이다.
② 중독 시 미나마타병이 발병한다.
③ 비중이 물보다 작은 값을 나타낸다.
④ 3가 크롬이 인체에 가장 유해하다.

해설
크롬(Cr)
1. 비점 2,200℃의 은백색의 금속이다.
2. 비중격천공증을 유발, 궤양, 폐암을 유발하고 3가 크롬은 피부 흡수가 어려우나 6가 크롬은 쉽게 피부를 통과하여 6가 크롬이 더 해롭다.

93 소화약제 IG-100의 구성성분은?

① 질소
② 산소
③ 이산화탄소
④ 수소

해설
불연성 · 불활성 기체혼합가스 소화약제

IG-01	아르곤(Ar)
IG-100	질소(N₂)
IG-541	질소(N₂) : 52%, 아르곤(Ar) : 40%, 이산화탄소(CO₂) : 8%
IG-55	질소(N₂) : 50%, 아르곤(Ar) : 50%

94 건조설비를 사용하여 작업을 하는 경우에 폭발이나 화재를 예방하기 위하여 준수하여야 하는 사항으로 틀린 것은?

① 위험물 건조설비를 사용하는 경우에는 미리 내부를 청소하거나 환기할 것
② 위험물 건조설비를 사용하여 가열건조하는 건조물은 쉽게 이탈되도록 할 것
③ 고온으로 가열건조한 인화성 액체는 발화의 위험이 없는 온도로 냉각한 후에 격납시킬 것
④ 바깥 면이 현저히 고온이 되는 건조설비에 가까운 장소에는 인화성 액체를 두지 않도록 할 것

PART 01
PART 02
PART 03
PART 04
PART 05
PART 06
PART 07

건조설비의 사용 시 준수사항
1. 위험물 건조설비를 사용하는 경우에는 미리 내부를 청소하거나 환기할 것
2. 위험물 건조설비를 사용하는 경우에는 건조로 인하여 발생하는 가스 · 증기 또는 분진에 의하여 폭발 · 화재의 위험이 있는 물질을 안전한 장소로 배출시킬 것
3. 위험물 건조설비를 사용하여 가열건조하는 건조물은 쉽게 이탈되지 않도록 할 것
4. 고온으로 가열건조한 인화성 액체는 발화의 위험이 없는 온도로 냉각한 후에 격납시킬 것
5. 건조설비(바깥 면이 현저히 고온이 되는 설비만 해당)에 가까운 장소에는 인화성 액체를 두지 않도록 할 것

95 NH_4NO_3의 가열, 분해로부터 생성되는 무색의 가스로 일명 웃음가스라고도 하는 것은?

① N_2O
② NO_2
③ N_2O_4
④ NO

아산화질소(N_2O)
1. 웃음가스라고도 하며 여러 가지 질소 산화물 중의 하나이다.
2. 상쾌하고 달콤한 냄새와 맛을 가진 무색의 기체로 마취작용이 있다.

> **TIP** · N_2O : 아산화질소 · NO_2 : 이산화질소
> · N_2O_4 : 사산화질소 · NO : 질소

96 다음 중 인화성 물질이 아닌 것은?

① 디에틸에테르
② 아세톤
③ 에틸알코올
④ 과염소산칼륨

과염소산 및 그 염류는 산화성 액체 및 산화성 고체에 해당된다.

97 일산화탄소에 대한 설명으로 틀린 것은?

① 무색무취의 기체이다.
② 염소와 촉매 존재하에 반응하여 포스겐이 된다.
③ 인체 내의 헤모글로빈과 결합하여 산소운반기능을 저하시킨다.
④ 불연성 가스로서, 허용농도가 10ppm이다.

일산화탄소
1. 무색무취의 기체이며 산소가 부족한 상태로 연료가 연소할 때 불완전연소로 발생한다.
2. 사람의 폐로 들어가면 혈액 중의 헤모글로빈과 결합하여 산소공급을 막아 심한 경우 사망에 이른다.
3. 폭발범위가 12.5~74%의 가연성 가스이다.

98 가스 또는 분진폭발 위험장소에 설치되는 건축물의 내화구조를 설명한 것으로 틀린 것은?

① 건축물 기둥 및 보는 지상 1층까지 내화구조로 한다.
② 위험물 저장 · 취급용기의 지지대는 지상으로부터 지지대의 끝부분까지 내화구조로 한다.
③ 건축물 주변에 자동소화설비를 설치한 경우 건축물 화재 시 1시간 이상 그 안전성을 유지한 경우는 내화구조로 하지 아니할 수 있다.
④ 배관 · 전선관 등의 지지대는 지상으로부터 1단까지 내화구조로 한다.

가스폭발 위험장소 또는 분진폭발 위험장소에 설치되는 건축물 다음에 해당하는 부분을 내화구조로 하여야 하며, 그 성능이 항상 유지될 수 있도록 점검 · 보수 등 적절한 조치를 하여야 한다.
1. 건축물의 기둥 및 보 : 지상 1층(지상 1층의 높이가 6미터를 초과하는 경우에는 6미터)까지
2. 위험물 저장 · 취급용기의 지지대(높이가 30센티미터 이하인 것은 제외) : 지상으로부터 지지대의 끝부분까지
3. 배관 · 전선관 등의 지지대 : 지상으로부터 1단(1단의 높이가 6미터를 초과하는 경우에는 6미터)까지
4. 건축물 등의 주변에 화재에 대비하여 물 분무시설 또는 폼 헤드(Foam Head) 설비 등의 자동소화설비를 설치하여 건축물 등이 화재 시에 2시간 이상 그 안전성을 유지할 수 있도록 한 경우에는 내화구조로 하지 아니할 수 있다.

99 분진폭발의 발생 순서로 옳은 것은?

① 비산 → 분산 → 퇴적분진 → 발화원 → 2차 폭발 → 전면 폭발

② 비산 → 퇴적분진 → 분산 → 발화원 → 2차 폭발 → 전면 폭발

③ 퇴적분진 → 발화원 → 분산 → 비산 → 전면 폭발 → 2차 폭발

④ 퇴적분진 → 비산 → 분산 → 발화원 → 전면 폭발 → 2차 폭발

해설

분진폭발 발생 순서

| 퇴적
분진 | ➡ | 비산 | ➡ | 분산 | ➡ | 발화원 | ➡ | 전면
폭발 | ➡ | 2차
폭발 |

---

100 다음 중 폭발방호대책과 가장 거리가 먼 것은?

① 불활성화   ② 억제

③ 방산   ④ 봉쇄

해설

불활성화는 폭발방지(예방) 대책이다.

TIP 폭발방호대책	
폭발 봉쇄 (Explosion Containment)	유독성 물질이나 공기 중에 방출되어서는 안 되는 물질의 폭발 시 안전밸브나 파열판을 통하여 다른 탱크나 저장소 등으로 보내어 압력을 완화시켜 파열을 방지하는 방법
폭발 억제 (Explosion Suppression)	압력이 상승하였을 때 폭발억제장치가 작동하여 고압불활성 가스가 담겨 있는 소화기가 터져서 증기, 가스, 분진폭발 등의 폭발을 진압하여 큰 파괴적인 폭발압력이 되지 않도록 하는 방법
폭발 방산 (Explosion Venting)	안전밸브나 파열판 등에 의해 탱크 내의 기체를 밖으로 방출시켜 압력을 정상화하는 방법

---

101 화물취급작업과 관련한 위험방지를 위해 조치하여야 할 사항으로 옳지 않은 것은?

① 작업장 및 통로의 위험한 부분에는 안전하게 작업할 수 있는 조명을 유지할 것

② 차량 등에서 화물을 내리는 작업을 하는 경우에 해당 작업에 종사하는 근로자에게 쌓여 있는 화물 중간에서 화물을 빼내도록 하지 말 것

③ 육상에서의 통로 및 작업장소로서 다리 또는 선거 갑문을 넘는 보도 등의 위험한 부분에는 안전난간 또는 울타리 등을 설치할 것

④ 부두 또는 안벽의 선을 따라 통로를 설치하는 경우에는 폭을 50cm 이상으로 할 것

해설

부두·안벽 등 하역작업장 조치사항

1. 작업장 및 통로의 위험한 부분에는 안전하게 작업할 수 있는 조명을 유지할 것

2. 부두 또는 안벽의 선을 따라 통로를 설치하는 경우에는 폭을 90cm 이상으로 할 것

3. 육상에서의 통로 및 작업장소로서 다리 또는 선거 갑문을 넘는 보도 등의 위험한 부분에는 안전난간 또는 울타리 등을 설치할 것

---

102 크레인을 사용하여 작업을 할 때 작업시작 전에 점검하여야 하는 사항에 해당하지 않는 것은?

① 권과방지장치·브레이크·클러치 및 운전장치의 기능

② 주행로의 상측 및 트롤리가 횡행하는 레일의 상태

③ 와이어로프가 통하고 있는 곳의 상태

④ 압력방출장치의 기능

해설

크레인을 사용하여 작업을 하는 때 작업시작 전 점검사항

1. 권과방지장치·브레이크·클러치 및 운전장치의 기능

2. 주행로의 상측 및 트롤리(Trolley)가 횡행하는 레일의 상태

3. 와이어로프가 통하고 있는 곳의 상태

---

103 동력을 사용하는 항타기 또는 항발기에 대하여 무너짐을 방지하기 위하여 준수하여야 할 기준으로 옳지 않은 것은?

① 연약한 지반에 설치하는 경우에는 아웃트리거 · 받침 등 지지구조물의 침하를 방지하기 위하여 깔판 · 받침목 등을 사용할 것

② 시설 또는 가설물 등에 설치하는 경우에는 그 내력을 확인하고 내력이 부족하면 그 내력을 보강할 것

③ 궤도 또는 차로 이동하는 항타기 또는 항발기에 대해서는 불시에 이동하는 것을 방지하기 위하여 레일 클램프(Rail Clamp) 및 쐐기 등으로 고정시킬 것

④ 상단 부분은 버팀 · 말뚝 또는 철골로 고정하여 안정시키고, 그 하단 부분은 견고한 버팀대 · 버팀줄 등으로 고정시킬 것

해설

항타기 및 항발기 무너짐의 방지 준수사항

사업주는 동력을 사용하는 항타기 또는 항발기에 대하여 무너짐을 방지하기 위하여 다음의 사항을 준수해야 한다.

1. 연약한 지반에 설치하는 경우에는 아웃트리거 · 받침 등 지지구조물의 침하를 방지하기 위하여 깔판 · 받침목 등을 사용할 것
2. 시설 또는 가설물 등에 설치하는 경우에는 그 내력을 확인하고 내력이 부족하면 그 내력을 보강할 것
3. 아웃트리거 · 받침 등 지지구조물이 미끄러질 우려가 있는 경우에는 말뚝 또는 쐐기 등을 사용하여 해당 지지구조물을 고정시킬 것
4. 궤도 또는 차로 이동하는 항타기 또는 항발기에 대해서는 불시에 이동하는 것을 방지하기 위하여 레일 클램프(Rail Clamp) 및 쐐기 등으로 고정시킬 것
5. 상단 부분은 버팀대 · 버팀줄로 고정하여 안정시키고, 그 하단 부분은 견고한 버팀 · 말뚝 또는 철골 등으로 고정시킬 것

104 항타기 또는 항발기의 권상용 와이어로프의 사용금지기준에 해당하지 않는 것은?

① 이음매가 없는 것
② 지름의 감소가 공칭지름의 7%를 초과하는 것
③ 꼬인 것
④ 열과 전기충격에 의해 손상된 것

해설

항타기 또는 항발기의 권상용 와이어로프 사용금지 조건

1. 이음매가 있는 것
2. 와이어로프의 한 꼬임에서 끊어진 소선의 수가 10% 이상인 것
3. 지름의 감소가 공칭지름의 7%를 초과하는 것
4. 꼬인 것
5. 심하게 변형되거나 부식된 것
6. 열과 전기충격에 의해 손상된 것

105 크레인의 운전실 또는 운전대를 통하는 통로의 끝과 건설물 등의 벽체의 간격은 최대 얼마 이하로 하여야 하는가?

① 0.2m   ② 0.3m
③ 0.4m   ④ 0.5m

해설

건설물 등의 벽체와 통로의 간격

다음 각 호의 간격을 0.3미터 이하로 하여야 한다. 다만, 근로자가 추락할 위험이 없는 경우에는 그 간격을 0.3미터 이하로 유지하지 아니할 수 있다.

1. 크레인의 운전실 또는 운전대를 통하는 통로의 끝과 건설물 등의 벽체의 간격
2. 크레인 거더(Girder)의 통로 끝과 크레인 거더의 간격
3. 크레인 거더의 통로로 통하는 통로의 끝과 건설물 등의 벽체의 간격

106 점토지반의 토공사에서 흙막이 밖에 있는 흙이 안으로 밀려 들어와 내측 흙이 부풀어 오르는 현상은?

① 보일링(Boiling)   ② 히빙(Heaving)
③ 파이핑(Piping)   ④ 액상화

해설

지반의 이상현상

구분	정의
히빙(Heaving) 현상	연질점토 지반에서 굴착에 의한 흙막이 내 · 외면의 흙의 중량 차이로 인해 굴착저면이 부풀어 올라오는 현상
보일링(Boiling) 현상	사질토 지반에서 굴착저면과 흙막이 배면과의 수위 차이로 인해 굴착저면의 흙과 물이 함께 위로 솟구쳐 오르는 현상
파이핑(Piping) 현상	보일링 현상으로 인하여 지반 내에서 물의 통로가 생기면서 흙이 세굴되는 현상

01 PART
02 PART
03 PART
04 PART
05 PART
06 PART
07 PART

107 차량계 하역운반기계 등에 화물을 적재하는 경우에 준수하여야 할 사항으로 옳지 않은 것은?

① 하중이 한쪽으로 치우쳐서 효율적으로 적재되도록 할 것

② 구내운반차 또는 화물자동차의 경우 화물의 붕괴 또는 낙하에 의한 위험을 방지하기 위하여 화물에 로프를 거는 등 필요한 조치를 할 것

③ 운전자의 시야를 가리지 않도록 화물을 적재할 것

④ 최대적재량을 초과하지 않도록 할 것

해설

화물 적재 시의 조치
1. 하중이 한쪽으로 치우치지 않도록 적재할 것
2. 구내운반차 또는 화물자동차의 경우 화물의 붕괴 또는 낙하에 의한 위험을 방지하기 위하여 화물에 로프를 거는 등 필요한 조치를 할 것
3. 운전자의 시야를 가리지 않도록 화물을 적재할 것
4. 화물을 적재하는 경우에는 최대적재량을 초과하지 않을 것

108 차량계 건설기계를 사용하여 작업을 하는 경우 작업계획서 내용에 포함되지 않는 것은?

① 사용하는 차량계 건설기계의 종류 및 성능

② 차량계 건설기계의 운행경로

③ 차량계 건설기계에 의한 작업방법

④ 차량계 건설기계의 유지보수방법

해설

차량계 건설기계의 작업계획서 내용
1. 사용하는 차량계 건설기계의 종류 및 성능
2. 차량계 건설기계의 운행경로
3. 차량계 건설기계에 의한 작업방법

109 이동식 비계를 조립하여 작업을 하는 경우의 준수기준으로 옳지 않은 것은?

① 비계의 최상부에서 작업을 할 때에는 안전난간을 설치하여야 한다.

② 작업발판의 최대적재하중은 400kg을 초과하지 않도록 한다.

③ 승강용 사다리는 견고하게 설치하여야 한다.

④ 작업발판은 항상 수평을 유지하고 작업발판 위에서 안전난간을 딛고 작업을 하거나 받침대 또는 사다리를 사용하여 작업하지 않도록 한다.

해설

이동식 비계 조립 시의 준수사항
1. 이동식 비계의 바퀴에는 뜻밖의 갑작스러운 이동 또는 전도를 방지하기 위하여 브레이크·쐐기 등으로 바퀴를 고정시킨 다음 비계의 일부를 견고한 시설물에 고정하거나 아웃트리거(Outrigger, 전도방지용 지지대)를 설치하는 등 필요한 조치를 할 것
2. 승강용사다리는 견고하게 설치할 것
3. 비계의 최상부에서 작업을 하는 경우에는 안전난간을 설치할 것
4. 작업발판은 항상 수평을 유지하고 작업발판 위에서 안전난간을 딛고 작업을 하거나 받침대 또는 사다리를 사용하여 작업하지 않도록 할 것
5. 작업발판의 최대적재하중은 250kg을 초과하지 않도록 할 것

110 장비가 위치한 지면보다 낮은 장소를 굴착하는 데 적합한 장비는?

① 트럭크레인   ② 파워 셔블

③ 백호   ④ 진폴

해설

백호(Back Hoe, 드래그 셔블)
1. 굴삭기가 위치한 지면보다 낮은 곳을 굴착하는 데 적당
2. 도랑파기에 적당하며 굴삭력이 우수
3. 비교적 굳은 지반의 토질에서도 사용 가능
4. 경사로나 연약지반에서는 무한궤도식이 타이어식보다 안전

> **TIP 파워 셔블**
> • 굴삭기가 위치한 지면보다 높은 곳의 굴착에 적당
> • 작업대가 견고하여 단단한 토질의 굴착에도 용이

111 안전계수가 4이고 2,000kg/cm²의 인장강도를 갖는 강선의 최대허용응력은?

① 500kg/cm²

② 1,000kg/cm²

③ 1,500kg/cm²

④ 2,000kg/cm²

안전율(안전계수)

$$안전율(안전계수) = \frac{인장강도}{최대허용응력}$$

1. $안전율(안전계수) = \dfrac{인장강도}{최대허용응력}$

   $\rightarrow 최대허용응력 = \dfrac{인장강도}{안전계수}$

2. $최대허용응력 = \dfrac{인장강도}{안전계수} = \dfrac{2,000}{4}$

   $= 500[kg/cm^2]$

112 터널 지보공을 조립하는 경우에는 미리 그 구조를 검토한 후 조립도를 작성하고, 그 조립도에 따라 조립하도록 하여야 하는데 이 조립도에 명시하여야 할 사항과 가장 거리가 먼 것은?

① 이음방법
② 단면규격
③ 재료의 재질
④ 재료의 구입처

조립도

흙막이 지보공	흙막이판 · 말뚝 · 버팀대 및 띠장 등 부재의 배치 · 치수 · 재질 및 설치방법과 순서가 명시되어야 한다.
터널 지보공	재료의 재질, 단면규격, 설치간격 및 이음방법 등을 명시하여야 한다.
거푸집 동바리	동바리 · 멍에 등 부재의 재질 · 단면규격 · 설치간격 및 이음방법 등을 명시하여야 한다.

113 산업안전보건관리비 계상기준에 따른 건축공사, 대상액 「5억 원 이상~50억 원 미만」의 산업안전보건관리비 비율 및 기초액으로 옳은 것은?

① 비율 : 2.28%, 기초액 : 4,325,000원
② 비율 : 2.53%, 기초액 : 3,300,000원
③ 비율 : 3.05%, 기초액 : 2,975,000원
④ 비율 : 1.59%, 기초액 : 2,450,000원

공사 종류 및 규모별 산업안전보건관리비 계상기준표

공사 종류	대상액 5억 원 미만인 경우 적용비율(%)	대상액 5억 원 이상 50억 원 미만인 경우		대상액 50억 원 이상인 경우 적용비율(%)	보건관리자 선임대상 건설공사의 적용비율(%)
		적용비율(%)	기초액		
건축공사	3.11%	2.28%	4,325,000원	2.37%	2.64%
토목공사	3.15%	2.53%	3,300,000원	2.60%	2.73%
중건설공사	3.64%	3.05%	2,975,000원	3.11%	3.39%
특수건설공사	2.07%	1.59%	2,450,000원	1.64%	1.78%

안전관리비 대상액 = 공사원가계산서 구성항목 중 직접재료비, 간접재료비와 직접노무비를 합한 금액(발주자가 재료를 제공할 경우에는 해당 재료비를 포함)

114 달비계의 구조에서 달비계 작업발판의 폭은 최소 얼마 이상이어야 하는가?

① 30cm
② 40cm
③ 50cm
④ 60cm

달비계의 구조
작업발판은 폭을 40cm 이상으로 하고 틈새가 없도록 할 것

115 중량물을 운반할 때의 바른 자세로 옳은 것은?

① 허리를 구부리고 양손으로 들어올린다.
② 중량은 보통 체중의 60%가 적당하다.
③ 물건은 최대한 몸에서 멀리 떼어서 들어 올린다.
④ 길이가 긴 물건은 앞쪽을 높게 하여 운반한다.

인력운반작업 시 준수사항
1. 길이가 긴 물건은 앞쪽을 높게 하여 운반할 것
2. 들어 올릴 때는 팔과 무릎을 사용하며, 척추는 곧은 자세로 할 것
3. 중량기준은 일반적으로 자신의 체중의 40% 이내만 들도록 할 것
4. 화물에 최대한 근접하여 중심을 낮게 할 것
5. 무거운 물건은 공동작업으로 실시하고 보조기구를 사용할 것

116 다음은 산업안전보건법령에 따른 계단의 강도에 관한 사항이다. ( )에 들어갈 내용으로 옳은 것은?

> • 사업주는 계단 및 계단참을 설치하는 경우 매제곱미터당 ( )킬로그램 이상의 하중에 견딜 수 있는 강도를 가진 구조로 설치하여야 하며, 안전율은 ( ) 이상으로 하여야 한다.
> • 사업주는 계단 및 승강구 바닥을 구멍이 있는 재료로 만드는 경우 렌치나 그 밖의 공구 등이 낙하할 위험이 없는 구조로 하여야 한다.

① 400, 4　　　　② 400, 5
③ 500, 4　　　　④ 500, 5

해설

계단의 강도
1. 사업주는 계단 및 계단참을 설치하는 경우 매제곱미터당 500킬로그램 이상의 하중에 견딜 수 있는 강도를 가진 구조로 설치하여야 하며, 안전율은 4 이상으로 하여야 한다.
2. 사업주는 계단 및 승강구 바닥을 구멍이 있는 재료로 만드는 경우 렌치나 그 밖의 공구 등이 낙하할 위험이 없는 구조로 하여야 한다.

117 사다리식 통로 등을 설치하는 경우 고정식 사다리식 통로의 기울기는 최대 몇 도 이하로 하여야 하는가?

① 60도　　　　② 75도
③ 80도　　　　④ 90도

해설

사다리식 통로
1. 견고한 구조로 할 것
2. 심한 손상·부식 등이 없는 재료를 사용할 것
3. 발판의 간격은 일정하게 할 것
4. 발판과 벽과의 사이는 15센티미터 이상의 간격을 유지할 것
5. 폭은 30센티미터 이상으로 할 것
6. 사다리가 넘어지거나 미끄러지는 것을 방지하기 위한 조치를 할 것
7. 사다리의 상단은 걸쳐 놓은 지점으로부터 60센티미터 이상 올라가도록 할 것
8. 사다리식 통로의 길이가 10미터 이상인 경우에는 5미터 이내마다 계단참을 설치할 것
9. 사다리식 통로의 기울기는 75도 이하로 할 것. 다만, 고정식 사다리식 통로의 기울기는 90도 이하로 하고, 그 높이가 7미터 이상인 경우에는 다음 각 목의 구분에 따른 조치를 할 것

㉠ 등받이울이 있어도 근로자 이동에 지장이 없는 경우 : 바닥으로부터 높이가 2.5미터 되는 지점부터 등받이울을 설치할 것
㉡ 등받이울이 있으면 근로자가 이동이 곤란한 경우 : 개인용 추락 방지 시스템을 설치하고 근로자로 하여금 전신안전대를 사용하도록 할 것
10. 접이식 사다리 기둥은 사용 시 접혀지거나 펼쳐지지 않도록 철물 등을 사용하여 견고하게 조치할 것

118 차량계 건설기계에 해당되지 않는 것은?

① 불도저
② 콘크리트 펌프카
③ 드래그 셔블
④ 가이데릭

해설

가이데릭은 철골세우기용 기계이다.

차량계 건설기계의 종류
1. 도저형 건설기계(불도저, 스트레이트도저, 틸트도저, 앵글도저, 버킷도저 등)
2. 모터그레이더
3. 로더(포크 등 부착물 종류에 따른 용도 변경 형식을 포함한다)
4. 스크레이퍼
5. 크레인형 굴착기계(크램쉘, 드래그라인 등)
6. 굴삭기(브레이커, 크러셔, 드릴 등 부착물 종류에 따른 용도 변경 형식을 포함한다)
7. 항타기 및 항발기
8. 천공용 건설기계(어스드릴, 어스오거, 크롤러드릴, 점보드릴 등)
9. 지반 압밀침하용 건설기계(샌드드레인머신, 페이퍼드레인머신, 팩드레인머신 등)
10. 지반 다짐용 건설기계(타이어롤러, 매커덤롤러, 탠덤롤러 등)
11. 준설용 건설기계(버킷준설선, 그래브준설선, 펌프준설선 등)
12. 콘크리트 펌프카
13. 덤프트럭
14. 콘크리트 믹서 트럭
15. 도로포장용 건설기계(아스팔트 살포기, 콘크리트 살포기, 아스팔트 피니셔, 콘크리트 피니셔 등)
16. 1.부터 15.까지와 유사한 구조 또는 기능을 갖는 건설기계로서 건설작업에 사용하는 것

119 산업안전보건법령에 따른 지반의 종류별 굴착면의 기울기 기준으로 옳지 않은 것은?

① 경암 – 1 : 0.5

② 모래 – 1 : 1.0

③ 풍화암 – 1 : 1.0

④ 연암 – 1 : 1.0

해설

굴착면의 기울기

지반의 종류	굴착면의 기울기
모래	1 : 1.8
연암 및 풍화암	1 : 1.0
경암	1 : 0.5
그 밖의 흙	1 : 1.2

120 굴착공사에서 비탈면 또는 비탈면 하단을 성토하여 붕괴를 방지하는 공법은?

① 배수공

② 배토공

③ 공작물에 의한 방지공

④ 압성토공

해설

압성토 공법

성토의 활동파괴를 방지하기 위해 사면선단에 성토하여 측방 유동을 구속시키는 공법

PART 01
PART 02
PART 03
PART 04
PART 05
PART 06
PART 07

08 2025년 2회 기출문제

1과목 산업재해 예방 및 안전보건교육

01 교육훈련기법 중 Off.J.T(Off the Job Training)의 장점이 아닌 것은?

① 업무의 계속성이 유지된다.
② 외부의 전문가를 강사로 활용할 수 있다.
③ 특별교재, 시설을 유효하게 사용할 수 있다.
④ 다수의 대상자에게 조직적 훈련이 가능하다.

해설

OFF J.T(Off the Job Training)
1. 외부의 전문가를 활용할 수 있다(전문가를 초빙하여 강사로 활용이 가능하다).
2. 다수의 대상자에게 조직적 훈련이 가능하다.
3. 특별교재, 교구, 시설을 유효하게 사용할 수 있다.
4. 타 직종 사람과의 많은 지식, 경험을 교류할 수 있다.
5. 업무와 분리되어 교육에 전념하는 것이 가능하다.
6. 교육목표를 위하여 집단적으로 협조와 협력이 가능하다.
7. 법규, 원리, 원칙, 개념, 이론 등의 교육에 적합하다.

02 다음 그림과 같은 안전관리 조직의 특징으로 틀린 것은?

① 1,000명 이상의 대규모 사업장에 적합하다.
② 생산부분은 안전에 대한 책임과 권한이 없다.
③ 사업장의 특수성에 적합한 기술연구를 전문적으로 할 수 있다.
④ 권한다툼이나 조정 때문에 통제수속이 복잡해지며, 시간과 노력이 소모된다.

해설

스태프형(Staff형) – 참모형 조직
1. 의의
   • 회사 내에 별도로 안전활동 전담부서를 두는 방식의 조직 형태
   • 100명 이상 1,000명 미만의 중규모 사업장에 적합한 조직 형태
   • 안전관리에 관한 계획과 조정, 조사, 검토, 보고 등의 일과 현장에 대한 기술지원을 담당하도록 편성된 조직
2. 장점
   • 경영자의 조언과 자문역할을 한다.
   • 안전에 관한 지식, 기술의 정보 수집이 용이하고 빠르다.
3. 단점
   • 생산부분은 안전에 대한 책임과 권한이 없다.
   • 안전과 생산을 별개로 취급하기 쉽다.

03 인간관계의 메커니즘 중 다른 사람의 행동양식이나 태도를 투입시키거나 다른 사람 가운데서 자기와 비슷한 것을 발견하는 것은?

① 공감
② 모방
③ 동일화
④ 일체화

해설

인간관계 메커니즘

투사 (Projection)	자기 마음속의 억압된 것을 다른 사람의 것으로 생각하는 것
암시 (Suggestion)	다른 사람으로부터의 판단이나 행동을 무비판적으로 논리적·사실적 근거 없이 받아들이는 것
동일화 (Identification)	다른 사람의 행동양식이나 태도를 투입하거나 다른 사람 가운데서 자기와 비슷한 것을 발견하게 되는 것
모방 (Imitation)	남의 행동이나 판단을 표본으로 하여 그것과 같거나 그것에 가까운 행동 또는 판단을 취하려는 것
커뮤니케이션 (Communication)	여러 가지 행동양식이 기호를 매개로 하여 한 사람으로부터 다른 사람에게 전달되는 과정으로 언어, 손짓, 몸짓, 표정 등

정답 01 ① 02 ① 03 ③

04 안전교육의 3요소에 해당되지 않는 것은?

① 강사　　　　② 교육방법
③ 수강자　　　④ 교재

> **해설**

교육의 3요소
1. 교육의 주체 : 강사
2. 교육의 객체 : 수강자(교육대상)
3. 교육의 매개체 : 교재(교육내용)

05 레윈(K. Lewin)은 인간의 행동 특성을 다음과 같이 표현하였다. 변수 'E'가 의미하는 것은?

$$B = f(P \cdot E)$$

① 연령　　　　② 성격
③ 환경　　　　④ 지능

> **해설**

레윈(K. Lewin)의 행동법칙

$$B = f(P \cdot E)$$

여기서, B : Behavior(인간의 행동)
f : Function(함수관계) $P \cdot E$에 영향을 줄 수 있는 조건
P : Person(개체, 개인의 자질, 연령, 경험, 심신상태, 성격, 지능 등)
E : Environment(심리적 환경 － 작업환경, 인간관계, 설비적 결함 등)

06 산업안전보건법령상 안전보건교육 교육대상별 교육내용 중 관리감독자 정기교육의 내용으로 틀린 것은?

① 정리정돈 및 청소에 관한 사항
② 유해 · 위험 작업환경 관리에 관한 사항
③ 표준안전 작업방법 결정 및 지도 · 감독 요령에 관한 사항
④ 작업공정의 유해 · 위험과 재해 예방대책에 관한 사항

> **해설**

관리감독자 정기교육 내용
1. 산업안전 및 산업재해 예방에 관한 사항(화재 · 폭발 사고 발생 시 대피에 관한 사항을 포함)
2. 산업보건 및 건강장해 예방에 관한 사항(폭염 · 한파작업으로 인한 건강장해 발생 시 응급조치에 관한 사항을 포함)

3. 위험성평가에 관한 사항
4. 유해 · 위험 작업환경 관리에 관한 사항
5. 산업안전보건법령 및 산업재해보상보험 제도에 관한 사항
6. 직무스트레스 예방 및 관리에 관한 사항
7. 직장 내 괴롭힘, 고객의 폭언 등으로 인한 건강장해 예방 및 관리에 관한 사항
8. 작업공정의 유해 · 위험과 재해 예방대책에 관한 사항
9. 사업장 내 안전보건관리체제 및 안전 · 보건조치 현황에 관한 사항
10. 표준안전 작업방법 결정 및 지도 · 감독 요령에 관한 사항
11. 현장근로자와의 의사소통능력 및 강의능력 등 안전보건 교육 능력 배양에 관한 사항
12. 비상시 또는 재해 발생 시 긴급조치에 관한 사항
13. 그 밖의 관리감독자의 직무에 관한 사항

07 헤드십(Headship)의 특성에 관한 설명으로 틀린 것은?

① 지휘형태는 권위주의적이다.
② 상사의 권한 근거는 비공식적이다.
③ 상사와 부하의 관계는 지배적이다.
④ 상사와 부하의 사회적 간격은 넓다.

> **해설**

헤드십과 리더십의 구분

구분	헤드십	리더십
권한행사 및 부여	위에서 위임하여 임명된 헤드	밑에서부터의 동의에 의해 선출된 리더
권한근거	법적 또는 공식적	개인능력
상관과 부하와의 관계	지배적	개인적인 경향
책임귀속	상사	상사와 부하
부하와의 사회적 간격	넓다.	좁다.
지위형태	권위주의적	민주주의적
권한귀속	공식화된 규정에 의함	집단목표에 기여한 공로 인정

08 위험예지훈련 중 작업현장에서 그때 그 장소의 상황에 즉응하여 실시하는 것은?

① 자문자답 위험예지훈련
② T.B.M 위험예지훈련
③ 시나리오 역할연기훈련
④ 1인 위험예지훈련

TBM(Tool Box Meeting)
직장에서 행하는 미팅으로 사고의 직접원인 중에서 주로 불안전한 행동을 근절시키기 위하여 5~7명 정도의 소집단으로 나누어 작업장 내의 적당한 장소에서 실시하는 단시간 미팅으로 현장에서 그때그때 주어진 상황에 적응하여 실시하여 즉시 즉응법이라고도 한다.

09 하인리히 사고예방대책의 기본원리 5단계로 옳은 것은?

① 조직 → 사실의 발견 → 분석 → 시정방법의 선정 → 시정책의 적용
② 조직 → 분석 → 사실의 발견 → 시정방법의 선정 → 시정책의 적용
③ 사실의 발견 → 조직 → 분석 → 시정방법의 선정 → 시정책의 적용
④ 사실의 발견 → 분석 → 조직 → 시정방법의 선정 → 시정책의 적용

하인리히의 재해예방 5단계(사고예방대책의 기본원리)
1. 제1단계 : 조직
2. 제2단계 : 사실의 발견
3. 제3단계 : 분석평가
4. 제4단계 : 시정책의 선정
5. 제5단계 : 시정책의 적용

10 억측판단이 발생하는 배경으로 볼 수 없는 것은?

① 정보가 불확실할 때
② 타인의 의견에 동조할 때
③ 희망적인 관측이 있을 때
④ 과거에 성공한 경험이 있을 때

억측판단
1. 억측판단 : 자기 멋대로 하는 주관적인 판단
2. 억측판단의 발생 배경
   - 정보가 불확실할 때
   - 희망적인 관측이 있을 때
   - 과거의 성공한 경험이 있을 때
   - 초조한 심정

11 재해예방의 4원칙에 대한 설명으로 틀린 것은?

① 재해발생은 반드시 원인이 있다.
② 손실과 사고와의 관계는 필연적이다.
③ 재해는 원인을 제거하면 예방이 가능하다.
④ 재해를 예방하기 위한 대책은 반드시 존재한다.

하인리히의 재해예방 4원칙

예방 가능의 원칙	천재지변을 제외한 모든 재해는 원칙적으로 예방이 가능하다.
손실 우연의 원칙	사고로 생기는 상해의 종류 및 정도는 우연적이다.
원인 계기의 원칙	사고와 손실의 관계는 우연적이지만 사고와 원인관계는 필연적이다(사고에는 반드시 원인이 있다).
대책 선정의 원칙	원인을 정확히 규명해서 대책을 선정하고 실시되어야 한다(3E, 즉 기술, 교육, 독려를 중심으로).

12 Y-K(Yutaka-Kohate) 성격검사에 관한 사항으로 옳은 것은?

① C,C′형은 적응이 빠르다.
② M,M′형은 내구성, 집념이 부족하다.
③ S,S′형은 담력, 자신감이 강하다.
④ P,P′형은 운동, 결단이 빠르다.

Y-K(Yutaka-Kohata) 성격검사

작업 성격 유형	작업 성격 인자	
C,C′형 : 담금질 (진공성형)	① 운동, 결단, 기민이 빠름	
	② 적응 빠름	④ 내구, 집념 부족
	③ 세심하지 않음	⑤ 자신감 강함
M,M′형 : 흑담즙질 (신경질형)	① 운동성 느리고 지속성 풍부	
	② 적응 느림	
	③ 세심, 억제, 정확함	
	④ 내구성, 집념, 지속성	
	⑤ 담력, 자신감 강함	
S,S′형 : 다혈질 (운동성형)	①, ②, ③, ④ : C,C′형과 동일	
	⑤ 담력, 자신감 약함	
P,P′형 : 점액질 (평범수동성형)	①, ②, ③, ④ : M,M′형과 동일	
	⑤ 자신감 약함	
Am형(이상질)	① 극도로 나쁨	
	② 극도로 느림	
	③ 극도로 결핍	
	④ 극도로 강하거나 약함	

13 학습지도의 형태 중 몇 사람의 전문가가 주제에 대한 견해를 발표하고 참가자로 하여금 의견을 내거나 질문을 하게 하는 토의방식은?

① 포럼(Forum)

② 심포지엄(Symposium)

③ 버즈세션(Buzz Session)

④ 자유토의법(Free Discussion Method)

해설

토의법의 종류

1. 자유토의법 : 참가자가 주어진 주제에 대하여 자유로운 발표와 토의를 통하여 서로의 의견을 교환하고 상호이해력을 높이며 의견을 절충해 나가는 방법

2. 패널 디스커션(Panel Discussion) : 전문가 4~5명이 피교육자 앞에서 자유로이 토의를 하고, 그 후에 피교육자 전원이 사회자의 사회에 따라 토의하는 방법

3. 심포지엄(Symposium) : 발제자 없이 몇 사람의 전문가에 의하여 과제에 관한 견해를 발표한 뒤에 참가자로 하여금 의견이나 질문을 하게 하여 토의하는 방법

4. 포럼(Forum)
   ㉠ 사회자의 진행으로 몇 사람이 주제에 대하여 발표한 후 피교육자가 질문을 하고 토론해 나가는 방법
   ㉡ 새로운 자료나 주제를 내보이거나 발표한 후 피교육자로 하여금 문제나 의견을 제시하게 하고 다시 깊이 있게 토론해 나가는 방법

5. 버즈 세션(Buzz Session) : 6-6 회의라고도 하며, 참가자가 다수인 경우에 전원을 토의에 참가시키기 위한 방법으로 소집단을 구성하여 회의를 진행시키는 방법

14 주의의 수준이 Phase 0인 상태에서의 의식 상태는?

① 무의식상태

② 의식의 이완상태

③ 명료한 상태

④ 과긴장상태

해설

의식수준의 단계

단계	의식의 상태	신뢰성
Phase 0 (제0단계)	무의식, 실신	0(Zero)
Phase I (제 I 단계)	정상 이하, 의식 흐림, 의식 몽롱함	0.9 이하

단계	의식의 상태	신뢰성
Phase II (제II단계)	정상, 이완상태, 느긋한 기분	0.99~0.99999
Phase III (제III단계)	정상, 상쾌한 상태, 분명한 의식	0.999999 이상 (신뢰도가 가장 높은 상태)
Phase IV (제IV단계)	과긴장, 흥분상태	0.9 이하

15 다음 재해사례에서 기인물에 해당하는 것은?

기계작업에 배치된 작업자가 반장의 지시를 받기 전에 정지된 선반을 운전시키면서 변속치차의 덮개를 벗겨내고 치차를 저속으로 운전하면서 급유하려고 할 때 오른손이 변속치차에 맞물려 손가락이 절단되었다.

① 덮개　　　　　② 급유

③ 선반　　　　　④ 변속치차

해설

1. 기인물 : 선반
2. 가해물 : 변속치차

기인물과 가해물의 정의

• 기인물 : 직접적으로 재해를 유발하거나 영향을 끼친 에너지원(운동, 위치, 열, 전기 등)을 지닌 기계·장치, 구조물, 물체·물질, 사람 또는 환경 등을 말한다.

• 가해물 : 사람에게 직접적으로 상해를 입힌 기계·장치, 구조물, 물체·물질, 사람 또는 환경요인을 말한다.

16 산업안전보건법령상 안전관리자의 업무가 아닌 것은?(단, 그 밖에 고용노동부장관이 정하는 사항은 제외한다.)

① 업무 수행 내용의 기록

② 산업재해에 관한 통계의 유지·관리·분석을 위한 보좌 및 지도·조언

③ 안전교육계획의 수립 및 안전교육 실시에 관한 보좌 및 지도·조언

④ 작업장 내에서 사용되는 전체 환기장치 및 국소배기장치 등에 관한 설비의 점검

해설

안전관리자의 업무

1. 산업안전보건위원회 또는 안전 및 보건에 관한 노사협의체에서 심의·의결한 업무와 해당 사업장의 안전보건관리규정 및 취업규칙에서 정한 업무

정답 13 ②　14 ①　15 ③　16 ④

2. 위험성평가에 관한 보좌 및 지도 · 조언
3. 안전인증대상 기계 등과 자율안전확인대상 기계 등 구입 시 적격품의 선정에 관한 보좌 및 지도 · 조언
4. 해당 사업장 안전교육계획의 수립 및 안전교육 실시에 관한 보좌 및 지도 · 조언
5. 사업장 순회점검, 지도 및 조치 건의
6. 산업재해 발생의 원인 조사 · 분석 및 재발 방지를 위한 기술적 보좌 및 지도 · 조언
7. 산업재해에 관한 통계의 유지 · 관리 · 분석을 위한 보좌 및 지도 · 조언
8. 법 또는 법에 따른 명령으로 정한 안전에 관한 사항의 이행에 관한 보좌 및 지도 · 조언
9. 업무수행 내용의 기록 · 유지
10. 그 밖에 안전에 관한 사항으로서 고용노동부장관이 정하는 사항

> **TIP** 보건관리자의 업무
> • 작업장 내에서 사용되는 전체 환기장치 및 국소배기장치 등에 관한 설비의 점검
> • 작업방법의 공학적 개선에 관한 보좌 및 지도 · 조언

17 산업현장에서 재해 발생 시 조치 순서로 옳은 것은?

① 긴급처리 → 재해조사 → 원인분석 → 대책수립
② 긴급처리 → 원인분석 → 대책수립 → 재해조사
③ 재해조사 → 원인분석 → 대책수립 → 긴급처리
④ 재해조사 → 대책수립 → 원인분석 → 긴급처리

해설

재해 발생 시 조치사항
산업재해 발생 → 긴급처리 → 재해조사 → 원인강구(원인분석) → 대책수립 → 대책실시계획 → 실시 → 평가

18 일반적으로 시간의 변화에 따라 야간에 상승하는 생체리듬은?

① 혈압   ② 맥박 수
③ 체중   ④ 혈액의 수분

해설

바이오리듬(Biorhythm)의 변화
1. 혈액의 수분, 염분량 : 주간감소, 야간증가
2. 체온, 혈압, 맥박 수 : 주간상승, 야간감소
3. 야간에는 체중감소, 소화분비액 불량, 말초신경기능 저하, 피로의 자각 증상이 증대된다.

19 1년간 80건의 재해가 발생한 A사업장은 1,000명의 근로자가 1주일당 48시간, 1년간 52주를 근무하고 있다. A사업장의 도수율은?(단, 근로자들은 재해와 관련 없는 사유로 연간 노동시간의 3%를 결근하였다.)

① 31.06   ② 32.05
③ 33.04   ④ 34.03

해설

도수율

$$도수율 = \frac{재해발생건수}{연간\ 총근로시간수} \times 1,000,000$$

1. 출근율 $= 1 - \dfrac{3}{100} = 0.97$

2. 도수율 $= \dfrac{80}{(1,000 \times 48 \times 52) \times 0.97} \times 1,000,000 = 33.04$

20 교육심리학의 기본이론 중 학습지도의 원리에 속하지 않는 것은?

① 직관의 원리
② 개별화의 원리
③ 사회화의 원리
④ 계속성의 원리

해설

학습지도의 원리

자발성의 원리	학습자의 내적 동기가 유발된 학습, 즉 학습자 자신이 자발적으로 학습에 참여하는 데 중점을 둔 원리
개별화의 원리	학습자가 지니고 있는 각자의 요구와 능력 등 개인차에 맞도록 지도해야 한다는 원리
사회화의 원리	학교에서 경험한 것과 사회에서 경험한 것을 교류시키고 함께하는 학습을 통하여 협력적이고 우호적인 학습을 진행하는 원리
통합의 원리	학습을 통합적인 전체로서 학습자의 모든 능력을 조화적으로 발달시키는 원리
직관의 원리	구체적인 사물을 직접 제시하거나 경험시킴으로써 큰 효과를 볼 수 있다는 원리

21 다음 그림에서 명료도 지수는?

말소리(S)/방해자극(N)	1/2	3/2	4/1	5/1
Log(S/N)	−0.7	0.18	0.6	0.7
말소리 중요도 가중치	1	1	2	1

① 0.38 ② 0.68
③ 1.38 ④ 5.68

해설

명료도 지수

옥타브대의 음성과 잡음의 dB값에 가중치를 곱하여 합계를 구하는 것을 말한다.

명료도 지수 = (−0.7×1) + (0.18×1) + (0.6×2) + (0.7×1)
= 1.38

22 제한된 실내 공간에서 소음문제의 음원에 관한 대책이 아닌 것은?

① 저소음 기계로 대체한다.
② 소음 발생원을 밀폐한다.
③ 방음 보호구를 착용한다.
④ 소음 발생원을 제거한다.

해설

소음방지대책

1. 소음원의 제거 : 가장 적극적인 대책
2. 소음원의 통제 : 기계의 적절한 설계, 정비 및 주유, 고무 받침대 부착, 소음기 사용(차량) 등
3. 소음의 격리 : 씌우개(Enclosure), 장벽을 사용(창문을 닫으면 약 10dB이 감음됨)
4. 적절한 배치(Layout)
5. 음향 처리제 사용
6. 차폐 장치(Baffle) 및 흡음재 사용
7. 방음 보호 용구

TIP 작업자의 보호구 착용은 음원에 대한 대책이 아니라 근로자에 대한 대책에 해당된다.

23 산업안전보건기준에 관한 규칙상 "강렬한 소음작업"에 해당하는 기준은?

① 85데시벨 이상의 소음이 1일 4시간 이상 발생하는 작업
② 85데시벨 이상의 소음이 1일 8시간 이상 발생하는 작업
③ 90데시벨 이상의 소음이 1일 4시간 이상 발생하는 작업
④ 90데시벨 이상의 소음이 1일 8시간 이상 발생하는 작업

해설

강렬한 소음작업

1. 90데시벨 이상의 소음이 1일 8시간 이상 발생하는 작업
2. 95데시벨 이상의 소음이 1일 4시간 이상 발생하는 작업
3. 100데시벨 이상의 소음이 1일 2시간 이상 발생하는 작업
4. 105데시벨 이상의 소음이 1일 1시간 이상 발생하는 작업
5. 110데시벨 이상의 소음이 1일 30분 이상 발생하는 작업
6. 115데시벨 이상의 소음이 1일 15분 이상 발생하는 작업

24 위험분석기법 중 고장이 시스템의 손실과 인명의 사상에 연결되는 높은 위험도를 가진 요소나 고장의 형태에 따른 분석법은?

① CA
② ETA
③ FHA
④ FTA

해설

치명도 해석(Criticality Analysis : CA)

1. 고장이 직접 시스템의 손실과 인명의 사상에 연결되는 높은 위험도를 가진 요소나 고장의 형태에 따른 분석기법
2. FMEA를 실시한 결과 고장등급이 높은 고장모드가 시스템이나 기기의 고장에 어느 정도로 기여하는가를 정량적으로 계산하고, 고장모드가 시스템이나 기기에 미치는 영향을 정량적으로 평가하는 해석 기법
3. FMEA에다 치명도 해석을 포함시킨 것을 FMECA(Failure Mode Effect and Criticality Analysis)라고 한다.

01 PART
02 PART
03 PART
04 PART
05 PART
06 PART
07 PART

25 8시간 근무를 기준으로 남성작업자 A의 대사량을 측정한 결과, 산소소비량이 1.3L/min으로 측정되었다. Murrell 방법으로 계산 시, 8시간의 총근로시간에 포함되어야 할 휴식시간은?

① 124분

② 134분

③ 144분

④ 154분

해설

휴식시간

$$R = \frac{60(E-5)}{E-1.5}$$

여기서, R : 휴식시간(분)
E : 작업 시 평균 에너지소비량(kcal/분)
60 : 총작업시간(분)
1.5kcal/분 : 휴식시간 중의 에너지소비량

1. 1(L/분)당 평균 에너지소비량은 5kcal이다.
2. 작업 시 평균 에너지소비량은
   1.3L/분 × 5kcal = 6.5(kcal/분)이 된다.
3. 총작업시간 = 8시간 × 60분 = 480분
4. $R = \dfrac{480(6.5-5)}{6.5-1.5} = 144$(분)

> **TIP** Murrell은 작업활동에 필요한 휴식시간을 추산할 때 작업에 대한 평균에너지값의 상한을 5(kcal/분)으로 잡아서 계산하였다.

26 어떤 설비의 시간당 고장률이 일정하다고 할 때 이 설비의 고장간격은 다음 중 어떤 확률분포를 따르는가?

① t분포

② 와이블분포

③ 지수분포

④ 아이링(Eyring) 분포

해설

지수분포

여러 개의 부품이 조합되어 만들어진 기기나 시스템의 고장확률 밀도함수는 지수분포에 따르게 되며, 이때의 고장률은 시간에 관계없이 일정하게 된다(시간당 고장률이 일정).

27 건구온도 30℃, 습구온도 35℃일 때의 옥스퍼드(Oxford) 지수는?

① 20.75

② 24.58

③ 30.75

④ 34.25

해설

옥스퍼스(Oxford) 지수

습건(WD) 지수라고도 부르며, 습구온도(W)와 건구온도(D)의 가중 평균치로서 정의된다.

$$WD = 0.85W + 0.15D$$

$WD = 0.85W + 0.15D = 0.85 \times 35 + 0.15 \times 30 = 34.25\,(℃)$

28 시스템 안전분석 방법 중 예비위험분석(PHA) 단계에서 식별하는 4가지 범주에 속하지 않는 것은?

① 위기상태

② 무시가능상태

③ 파국적상태

④ 예비조치상태

해설

예비위험분석(PHA)의 범주

구분	위험분류	특징
Class 1	파국적 (Catastrophic)	시스템의 성능을 현저히 저하시키고 그 결과 시스템의 손실, 인원의 사망 또는 다수의 부상자를 내는 상태
Class 2	중대 (위험, Critical)	인원의 부상 및 시스템의 중대한 손해를 초래하거나 인원의 생존 및 시스템의 존속을 위하여 즉시 수정조치를 필요로 하는 상태
Class 3	한계적 (Marginal)	인원의 부상 및 시스템의 중대한 손해를 초래하지 않고 대처 또는 제어할 수 있는 상태
Class 4	무시가능 (Negligible)	시스템의 성능을 그다지 저하시키지도 않고 또한 시스템의 기능도 손해도 인원의 부상도 초래하지 않는 상태

29 위험구역의 울타리 설계 시 인체 측정자료 중 적용해야 할 인체체수로 가장 적절한 것은?

① 인체측정 최대치

② 인체측정 평균치

③ 인체측정 최소치

④ 구조적 인체 측정치

극단치를 이용한 설계

구분	최대 집단치 설계	최소 집단치 설계
개념	• 대상 집단에 대한 인체 측정 변수의 상위 백분위수를 기준으로 90, 95 혹은 99%치가 사용 • 대표치는 남성의 95백분위수를 이용	• 관련 인체 측정 변수 분포의 1, 5, 10% 등과 같은 하위 백분위수를 기준으로 결정 • 대표치는 여성의 5백분위수를 이용
사례	• 출입문, 탈출구의 크기, 통로 등과 같은 공간여유를 정할 때 사용 • 그네, 줄사다리와 같은 지지물 등의 최소지지 중량(강도) • 버스 내 승객용 좌석 간의 거리, 위험구역 울타리	• 선반의 높이 • 조종 장치까지의 거리(조작자와 제어버튼 사이의 거리) • 비상벨의 위치 설계

30 인간의 에러 중 불필요한 작업 또는 절차를 수행함으로써 기인한 에러를 무엇이라 하는가?

① Omission Error

② Sequential Error

③ Extraneous Error

④ Commission Error

해설

인간실수의 분류(심리적인 분류)

생략에러 (Omission Error) 부작위 실수	필요한 직무 및 절차를 수행하지 않아(생략) 발생하는 에러 예 가스밸브를 잠그는 것을 잊어 사고가 났다.
작위에러 (Commission Error)	• 필요한 작업 또는 절차의 불확실한 수행(잘못 수행)으로 인한 에러 • 넓은 의미로 선택 착오, 순서 착오, 시간 착오, 정성적 착오를 포함한다. 예 전선이 바뀌었다, 틀린 부품을 사용하였다, 부품이 거꾸로 조립되었다 등
순서에러 (Sequential Error)	필요한 작업 또는 절차의 순서 착오로 인한 에러 예 자동차 출발 시 핸들브레이크를 해제하지 않고 출발하여 발생한 에러
시간에러 (Time Error)	필요한 직무 또는 절차의 수행지연으로 인한 에러 예 프레스 작업 중에 금형 내에 손이 오랫동안 남아 있어 발생한 재해
과잉행동에러 (Extraneous Error)	불필요한 작업 또는 절차를 수행함으로써 기인한 에러 예 자동차 운전 중 습관적으로 손을 창문으로 내밀어 발생한 재해

31 NOISH Lifting Guideline에서 권장무게한계(RWL) 산출에 사용되는 계수가 아닌 것은?

① 휴식 계수

② 수평 계수

③ 수직 계수

④ 비대칭 계수

해설

권장무게한계(RWL) 산출 관계식

$$RWL(kg) = LC \times HM \times VM \times DM \times AM \times FM \times CM$$

여기서, LC : 부하상수(23kg : 최적 작업상태 권장 최대무게, 즉 모든 조건이 가장 좋지 않을 경우 허용되는 최대중량의 의미)

HM : 수평계수(수평거리에 따른 계수)

VM : 수직계수(수직거리에 따른 계수)

DM : 거리계수(물체의 이동거리에 따른 계수 ; 수직방향의 이동거리)

AM : 비대칭계수(비대칭각도계수)

FM : 빈도계수(작업빈도에 따른 계수)

CM : 결합계수(손잡이 계수)

32 다음 내용의 ( ) 안에 들어갈 내용을 순서대로 정리한 것은?

근섬유의 수축단위는 (A)(이)라 하는데, 이것은 두 가지 기본형의 단백질 필라멘트로 구성되어 있으며, (B)이(가) (C) 사이로 미끄러져 들어가는 현상으로 근육의 수축을 설명하기도 한다.

① A : 근막, B : 마이오신, C : 액틴

② A : 근막, B : 액틴, C : 마이오신

③ A : 근원섬유, B : 근막, C : 근섬유

④ A : 근원섬유, B : 액틴, C : 마이오신

해설

근원섬유는 전체 근섬유의 90% 정도를 차지하는 원통형 구조로 액틴(Actin)과 마이오신(Myosin)의 작용에 의해 근육의 수축 및 이완작용을 한다.

33 작업개선을 위하여 도입되는 원리인 ECRS에 포함되지 않는 것은?

① Combine

② Standard

③ Eliminate

④ Rearrange

작업방법의 개선원칙(새로운 작업방법의 개선원칙, ECRS)
- 제거(Eliminate)
- 결합(Combine)
- 재배치(Rearrange)
- 단순화(Simplify)

34 인간 – 기계시스템 설계과정 중 직무분석을 하는 단계는?

① 제1단계 : 시스템의 목표와 성능명세 결정
② 제2단계 : 시스템의 정의
③ 제3단계 : 기본 설계
④ 제4단계 : 인터페이스 설계

해설

인간 – 기계 체계설계의 기본단계 순서
1. 제1단계 : 목표 및 성능명세 결정
   체계가 설계되기 전에 우선 그 목적이나 존재 이유가 있어야 한다.
2. 제2단계 : 시스템(체계)의 정의
   어떤 체계(특히 복잡한 것)의 경우에 있어서는 목적을 달성하기 위해서 특정한 기본적인 기능(임무)들이 수행되어야 한다.
3. 제3단계 : 기본설계
   주요 인간공학 활동은 ㉠ 인간, 하드웨어, 소프트웨어에 기능할당, ㉡ 인간 성능 요건 명세, ㉢ 직무분석, ㉣ 작업설계가 있다.
4. 제4단계 : 인터페이스(계면) 설계
   인간 – 기계체계에서 인간과 기계가 만나는 면(面)을 계면이라고 한다.
5. 제5단계 : 촉진물 설계
   촉진물 설계 단계의 주 초점은 만족스러운 인간 성능을 증진시킬 보조물에 대해 설계하는 하는 것이다.
6. 제6단계 : 시험 및 평가
   체계 개발의 산물(기기, 절차 및 요원)이 계획된 대로 작동하는지 알아보기 위해 산물(産物)들을 측정하는 것이다.

35 다음 중 청각적 표시장치보다 시각적 표시장치를 이용하는 것이 더 유리한 경우는?

① 메시지가 간단한 경우
② 메시지가 추후에 재참조되지 않는 경우
③ 직무상 수신자가 자주 움직이는 경우
④ 메시지가 즉각적인 행동을 요구하지 않는 경우

해설

청각장치와 시각장치의 비교

청각적 표시장치	• 전언이 간단하다. • 전언이 짧다. • 전언이 후에 재참조되지 않는다. • 전언이 시간적 사상을 다룬다. • 전언이 즉각적인 행동을 요구한다(긴급할 때). • 수신장소가 너무 밝거나 암조응 유지 필요시 • 직무상 수신자가 자주 움직일 때 • 수신자의 시각계통이 과부하 상태일 때
시각적 표시장치	• 전언이 복잡하다. • 전언이 길다. • 전언이 후에 재참조된다. • 전언이 공간적인 위치를 다룬다. • 전언이 즉각적인 행동을 요구하지 않는다. • 수신장소가 너무 시끄러울 때 • 직무상 수신자가 한곳에 머물 때 • 수신자의 청각계통이 과부하 상태일 때

36 인간과 기계의 신뢰도가 인간 0.40, 기계 0.95인 경우, 병렬작업 시 전체 신뢰도는?

① 0.89
② 0.92
③ 0.95
④ 0.97

해설

신뢰도
$R = 1 - (1 - 0.40)(1 - 0.95) = 0.97$

> **TIP** 인간 – 기계(Man – Machine) 체계의 신뢰도(병렬연결)
> ① r_1 : 인간의 신뢰도, r_2 : 기계의 신뢰도
> ② $R = r_1 + r_2(1 - r_1) = 0.40 + 0.95(1 - 0.40) = 0.97$

37 휴먼에러(Human Error) 원인의 레벨(Level) 분류 중 다음 설명의 에러 종류는?

요구된 기능을 실행하고자 하여도 필요한 물건, 정보, 에너지 등의 공급이 없기 때문에 작업자가 움직이려고 해도 움직일 수 없으므로 발생하는 과오

① Command Error
② Extraneous Error
③ Secondary Error
④ Commission Error

원인의 레벨(Level)적 분류

Primary Error (1차 에러)	작업자 자신으로부터 발생한 에러
Secondary Error (2차 에러)	작업형태나 작업조건 중에서 다른 문제가 발생하여 필요한 직무나 절차를 수행할 수 없는 에러
Command Error (지시 에러)	작업자가 움직이려 해도 필요한 물건, 정보, 에너지 등이 공급되지 않아서 작업자가 움직일 수 없는 상황에서 발생한 에러

38 암호체계의 사용상에 있어서, 일반적인 지침에 포함되지 않는 것은?

① 암호의 검출성
② 부호의 양립성
③ 암호의 표준화
④ 암호의 단일 차원화

암호체계 사용상의 일반적 지침

1. 암호의 검출성(Detectability) : 검출이 가능하여야 한다.
2. 암호의 변별성(Discriminability) : 다른 암호 표시와 구별될 수 있어야 한다.
3. 부호의 양립성(Compatibility) : 자극들 간의, 반응들 간의, 자극 – 반응 조합의 관계가 인간의 기대와 모순되지 않는 것이다.
4. 부호의 의미 : 사용자가 그 뜻을 분명히 알 수 있어야 한다.
5. 암호의 표준화(Standardization) : 암호를 표준화하여야 한다.
6. 다차원 암호의 사용(Multidimensional) : 2가지 이상의 암호 차원을 조합해서 사용하면 정보전달이 촉진된다.

39 다음 현상을 설명한 이론은?

인간이 감지할 수 있는 외부의 물리적 자극 변화의 최소범위는 표준 자극의 크기에 비례한다.

① 피츠(Fitts) 법칙
② 웨버(Weber) 법칙
③ 신호검출이론(SDT)
④ 힉 – 하이만(Hick – hyman) 법칙

웨버(Weber)의 법칙

1. 음의 높이, 무게, 빛의 밝기 등 물리적 자극을 상대적으로 판단하는 데 있어 특정감각기관의 변화감지역은 표준자극에 비례한다는 법칙
2. 감각기관의 표준자극과 변화감지역의 연관관계
3. 변화감지역은 사용되는 표준자극의 크기에 비례
4. 원래 자극의 강도가 클수록 변화 감지를 위한 자극의 변화량은 커지게 된다.

$$웨버(Weber)비 = \frac{\Delta I}{I} = \frac{변화감지역}{표준자극}$$

여기서, ΔI : 변화감지역
$\quad\quad I$: 표준자극

40 다음 중 동작경제의 원칙으로 틀린 것은?

① 가능한 한 관성을 이용하여 작업을 한다.
② 공구의 기능을 결합하여 사용하도록 한다.
③ 휴식시간을 제외하고는 양손이 같이 쉬도록 한다.
④ 작업자가 작업 중에 자세를 변경할 수 있도록 한다.

동작경제의 원칙

신체 사용에 관한 원칙	• 두 손의 동작은 같이 시작하고 같이 끝나도록 한다. • 휴식시간을 제외하고는 양손이 같이 쉬지 않도록 한다. • 두 팔의 동작은 서로 반대방향으로 대칭적으로 움직인다. • 손과 신체의 동작은 작업을 원만하게 처리할 수 있는 범위 내에서 가장 낮은 동작 등급을 사용하도록 한다. • 가능한 한 관성을 이용하여 작업을 하도록 하되, 작업자가 관성을 억제하여야 하는 경우에는 발생되는 관성을 최소한도로 줄인다. • 손의 동작은 유연하고 연속적인 동작이 되도록 하며, 방향이 갑자기 크게 바뀌는 모양의 직선동작은 피하도록 한다. • 탄도동작(Ballistic Movements)은 제한되거나 통제된 동작보다 더 신속, 정확, 용이하다. • 가능하다면 쉽고도 자연스러운 리듬이 작업 동작에 생기도록 작업을 배치한다. • 눈의 초점을 모아야 작업을 할 수 있는 경우는 가능하면 없애고, 불가피한 경우에는 눈의 초점이 모아지는 서로 다른 두 작업 지점 간의 거리를 짧게 한다.

작업장 배치에 관한 원칙	• 모든 공구나 재료는 자기 위치에 있도록 한다. • 공구, 재료 및 제어장치는 사용위치에 가까이 두도록 한다. • 중력을 이용한 부품상자나 용기를 이용하여 부품을 제품 사용위치에 가까이 보낼 수 있도록 한다. • 가능하다면 낙하시키는 운반방법을 사용하라. • 공구 및 재료는 동작에 가장 편리한 순서로 배치하여야 한다. • 채광 및 조명장치를 잘 하여야 한다. • 작업자가 작업 중 자세를 변경, 즉 앉거나 서는 것을 임의로 할 수 있도록 작업대와 의자 높이가 조정되도록 한다. • 작업자가 좋은 자세를 취할 수 있도록 의자는 높이뿐만 아니라 디자인도 좋아야 한다.
공구 및 설비 디자인에 관한 원칙	• 치구나 발로 작동시키는 기기를 사용할 수 있는 작업에서는 이러한 기기를 활용하여 양손이 다른 일을 할 수 있도록 한다. • 공구의 기능은 결합하여서 사용하도록 한다. • 공구와 자재는 가능한 한 사용하기 쉽도록 미리 위치를 잡아준다. • 각 손가락에 서로 다른 작업을 할 때에는 작업량을 각 손가락의 능력에 맞게 분배해야 한다. • 레버, 핸들 및 제어장치는 작업자가 몸의 자세를 크게 바꾸지 않더라도 조작하기 쉽도록 배열한다.

3과목 기계·기구 및 설비 안전 관리

41 산업안전보건법령상 공기압축기를 가동할 때 작업시작 전 점검사항에 해당하지 않는 것은?

① 윤활유의 상태
② 회전부의 덮개 또는 울
③ 과부하방지장치의 작동 유무
④ 공기저장 압력용기의 외관상태

해설

공기압축기 작업시작 전 점검사항
1. 공기저장 압력용기의 외관상태
2. 드레인밸브(Drain Valve)의 조작 및 배수
3. 압력방출장치의 기능
4. 언로드밸브(Unloading Valve)의 기능
5. 윤활유의 상태
6. 회전부의 덮개 또는 울
7. 그 밖의 연결 부위의 이상 유무

42 프레스 작동 후 슬라이드가 하사점에 도달할 때까지의 소요시간이 0.3s일 때 양수기동식 방호장치의 안전거리는 최소 얼마인가?

① 180
② 280
③ 380
④ 480

해설

방호장치 설치 안전거리(양수기동식)

$$D_m = 1.6\,T_m$$

여기서, D_m : 안전거리(mm)
　　　　T_m : 양손으로 누름단추 누르기 시작할 때부터 슬라이드가 하사점에 도달하기까지 소요시간(ms)

$$T_m = \left(\frac{1}{\text{클러치 맞물림 개수 수}} + \frac{1}{2} \right) \times \frac{60,000}{\text{매분 행정수}} \text{(ms)}$$

1. $\text{ms} = \dfrac{1}{1,000}$ 초 즉, $1\text{ms} = 0.001\text{s}$

　여기서는 0.3초 $\times 1,000 = 300\text{(ms)}$
2. $D_m = 1.6\,T_m = 1.6 \times 300 = 480\text{(mm)}$

 단위환산에 주의할 것

43 기계설비의 안전조건인 구조의 안전화와 거리가 가장 먼 것은?

① 전압 강하에 따른 오동작 방지
② 재료의 결함 방지
③ 설계상의 결함 방지
④ 가공 결함 방지

해설

구조상의 안전화

설계상의 결함	• 가장 큰 원인은 강도산정(부하예측, 강도계산)상의 오류 • 사용상 강도의 열화를 고려하여 안전율을 산정
재료의 결함	기계 재료 자체에 균열, 부식, 강도 저하 등 결함이 있으므로 설계 시 재료의 선택에 유의하여야 한다.
가공의 결함	재료 가공 도중 결함이 생길 수 있으므로 기계적 특성을 갖는 적절한 열처리 등이 필요하다.

44 산업안전보건법령상 롤러기의 방호장치 중 롤러의 앞면 표면속도가 30m/min 이상일 때 무부하 동작에서 급정지거리는?

① 앞면 롤러 원주의 1/2.5 이내
② 앞면 롤러 원주의 1/3 이내
③ 앞면 롤러 원주의 1/3.5 이내
④ 앞면 롤러 원주의 1/5.5 이내

급정지거리

앞면 롤러의 표면속도(m/min)	급정지거리
30 미만	앞면 롤러 원주의 1/3
30 이상	앞면 롤러 원주의 1/2.5

45 프레스의 종류에서 슬라이드 운동기구에 의한 분류에 해당하지 않는 것은?

① 액압 프레스
② 크랭크 프레스
③ 너클 프레스
④ 마찰 프레스

슬라이드 운동기구에 의한 분류
1. 크랭크프레스
2. 크랭크레스프레스
3. 너클프레스
4. 마찰프레스
5. 랙프레스
6. 스크류프레스
7. 링크프레스
8. 캠프레스

46 회전하는 부분의 접선방향으로 물려 들어갈 위험이 존재하는 점으로 주로 체인, 풀리, 벨트, 기어와 랙 등에서 형성되는 위험점은?

① 끼임점
② 협착점
③ 절단점
④ 접선물림점

기계운동 형태에 따른 위험점 분류

협착점	왕복운동을 하는 운동부와 움직임이 없는 고정부 사이에서 형성되는 위험점(고정점＋운동점)	• 프레스 • 전단기 • 성형기 • 조형기 • 밴딩기 • 인쇄기
끼임점	회전운동하는 부분과 고정부 사이에 위험이 형성되는 위험점(고정점＋회전운동)	• 연삭숫돌과 작업대 • 반복동작되는 링크기구 • 교반기의 날개와 몸체 사이 • 회전풀리와 벨트
절단점	회전하는 운동부 자체의 위험이나 운동하는 기계부분 자체의 위험에서 형성되는 위험점(회전운동＋기계)	• 밀링커터 • 둥근 톱의 톱날 • 목공용 띠톱 날
물림점	회전하는 두 개의 회전체에 형성되는 위험점(서로 반대방향의 회전체)(중심점＋반대방향의 회전운동)	• 기어와 기어의 물림 • 롤러와 롤러의 물림 • 롤러분쇄기
접선 물림점	회전하는 부분의 접선방향으로 물려 들어갈 위험이 있는 위험점	• V벨트와 풀리 • 랙과 피니언 • 체인벨트 • 평벨트
회전 말림점	회전하는 물체의 길이, 굵기, 속도 등의 불규칙 부위와 돌기 회전부위에 의해 장갑 또는 작업복 등이 말려들 위험이 있는 위험점	• 회전하는 축 • 커플링 • 회전하는 드릴

47 프레스 작업 중 부주의로 프레스의 페달을 밟는 것에 대비하여 페달에 설치하는 것을 무엇이라 하는가?

① 클램프
② 로크너트
③ 커버
④ 스프링 와셔

U자형 덮개(커버)
페달의 불시작동으로 인한 사고 예방을 위해 프레스기 페달에 U자형 덮개를 씌운다.

48 산업안전보건기준에 관한 규칙상 지게차의 헤드가드 설치기준에 관한 설명으로 틀린 것은?

① 강도는 지게차의 최대하중의 2배 값의 등분포정하중에 견딜 수 있을 것
② 상부 틀의 각 개구의 폭 또는 길이가 16cm 미만일 것
③ 강도는 지게차의 최대하중의 값이 4톤을 넘는 것에 대하여서는 4톤으로 할 것
④ 상부 틀의 각 개구의 폭 또는 길이가 26cm 미만일 것

해설

지게차의 헤드가드
1. 강도는 지게차의 최대하중의 2배 값(4톤을 넘는 값에 대해서는 4톤으로 한다)의 등분포정하중에 견딜 수 있을 것
2. 상부 틀의 각 개구의 폭 또는 길이가 16cm 미만일 것
3. 운전자가 앉아서 조작하거나 서서 조작하는 지게차의 헤드가드는 한국산업표준에서 정하는 높이 기준 이상일 것

49 와이어로프로 중량물을 달아 올릴 때, 로프에 가장 힘이 적게 걸리는 각도는?

① 각도와 관계없다.
② 0°일 때 최소이다.
③ 120°일 때 최소이다.
④ 60°일 때 최소이다.

해설

슬링와이어로프의 한 가닥에 걸리는 하중

$$하중 = \frac{화물의\ 무게(W_1)}{2} \div \cos\frac{\theta}{2}$$

여기서, 각도 θ가 작을수록 힘이 적게 걸린다.

50 보일러 발생증기의 이상현상이 아닌 것은?

① 역화(Back Fire)
② 프라이밍(Priming)
③ 포밍(Forming)
④ 캐리오버(Carry Over)

해설

이상현상의 종류

프라이밍 (Priming)	보일러수가 극심하게 끓어서 수면에서 계속하여 물방울이 비산하고 증기부가 물방울로 충만하여 수위가 불안정하게 되는 현상
포밍 (Foaming)	보일러수에 유지류, 고형물 등의 부유물로 인해 거품이 발생하여 수위를 판단하지 못하는 현상
캐리오버 (Carry Over)	• 보일러에서 증기관 쪽에 보내는 증기에 대량의 물방울이 포함되는 경우로 프라이밍이나 포밍이 생기면 필연적으로 발생 • 보일러에서 증기의 순도를 저하시킴으로써 관내 응축수가 생겨 워터해머의 원인이 되는 것
워터해머 (Water Hammer, 수격작용)	증기관 내에서 증기를 보내기 시작할 때 해머로 치는 듯한 소리를 내며 관이 진동하는 현상으로, 워터해머는 캐리오버에 기인한다.

TIP 역화(Back Fire)
연소실 내에서 폭발 등에 의해 화염이 연도로 나가지 못하고 연소실 입구로 분출되는 현상

51 프레스기의 방호장치 중 위치제한형 방호장치에 해당되는 것은?

① 수인식 방호장치
② 광전자식 방호장치
③ 손쳐내기식 방호장치
④ 양수조작식 방호장치

해설

위치제한형 방호장치
1. 작업자의 신체부위가 위험한계 밖에 있도록 기계의 조작장치를 위험한 작업점에서 안전거리 이상 떨어지게 하거나 조작장치를 양손으로 동시에 조작하게 함으로써 위험한계에 접근하는 것을 제한하는 방호장치
2. 프레스의 양수조작식 방호장치

TIP 기타 프레스의 방호장치

접근 반응형 방호장치	프레스 및 전단기의 광전자식 방호장치
접근 거부형 방호장치	프레스의 수인식 · 손쳐내기식 방호장치

52 가공기계에 쓰이는 주된 풀 푸르프(Fool Proof)에서 가드(Guard)의 형식으로 틀린 것은?

① 인터록 가드(Interlock Guard)

② 안내 가드(Guide Guard)

③ 조정 가드(Adjustable Guard)

④ 고정 가드(Fixed Guard)

가드(Guard)의 형식

형식	기능
고정 가드 (Fixed Guard)	개구부로부터 가공물과 공구 등을 넣어도 손은 위험영역에 머무르지 않음
조절 가드 (Adjustable Guard)	가공물과 공구에 맞도록 형상과 크기를 조절함
경고 가드 (Warning Guard)	손이 위험영역에 들어가기 전에 경고함
인터록 가드 (Interlock Guard)	기계가 작동 중에 개폐되는 경우 기계가 정지함

53 산업안전보건법령상 강렬한 소음작업에서 데시벨에 따른 노출시간으로 적합하지 않은 것은?

① 100데시벨 이상의 소음이 1일 2시간 이상 발생하는 작업

② 110데시벨 이상의 소음이 1일 30분 이상 발생하는 작업

③ 115데시벨 이상의 소음이 1일 15분 이상 발생하는 작업

④ 120데시벨 이상의 소음이 1일 7분 이상 발생하는 작업

강렬한 소음작업

1. 90데시벨 이상의 소음이 1일 8시간 이상 발생하는 작업
2. 95데시벨 이상의 소음이 1일 4시간 이상 발생하는 작업
3. 100데시벨 이상의 소음이 1일 2시간 이상 발생하는 작업
4. 105데시벨 이상의 소음이 1일 1시간 이상 발생하는 작업
5. 110데시벨 이상의 소음이 1일 30분 이상 발생하는 작업
6. 115데시벨 이상의 소음이 1일 15분 이상 발생하는 작업

54 프레스기의 SPM(Stroke Per Minute)이 200이고, 클러치의 맞물림 개소 수가 6인 경우 양수기동식 방호장치의 안전거리는?

① 120mm

② 200mm

③ 320mm

④ 400mm

방호장치 설치 안전거리(양수기동식)

$$D_m = 1.6\,T_m$$

여기서, D_m : 안전거리(mm)

T_m : 양손으로 누름단추 누르기 시작할 때부터 슬라이드가 하사점에 도달하기까지 소요시간(ms)

$$T_m = \left(\frac{1}{\text{클러치 맞물림 개소 수}} + \frac{1}{2}\right) \times \frac{60{,}000}{\text{매분 행정수}}\,(\text{ms})$$

1. $T_m = \left(\dfrac{1}{\text{클러치 맞물림 개소 수}} + \dfrac{1}{2}\right) \times \dfrac{60{,}000}{\text{매분 행정수}}$

$= \left(\dfrac{1}{6} + \dfrac{1}{2}\right) \times \dfrac{60{,}000}{200} = 200(\text{ms})$

2. $D_m = 1.6 \times 200 = 320(\text{mm})$

55 산업용 로봇의 작동범위 내에서 해당 로봇에 대하여 교시 등의 작업 시 예기치 못한 작동 및 오조작에 의한 위험을 방지하기 위하여 수립해야 하는 지침사항에 해당하지 않는 것은?

① 로봇의 조작방법 및 순서

② 작업 중의 매니퓰레이터의 속도

③ 로봇 구성품의 설계 및 조립방법

④ 2명 이상의 근로자에게 작업을 시킬 경우의 신호방법

교시 등의 작업 시 안전조치 사항

1. 다음 각 목의 사항에 관한 지침을 정하고 그 지침에 따라 작업을 시킬 것
   ㉠ 로봇의 조작방법 및 순서
   ㉡ 작업 중의 매니퓰레이터의 속도
   ㉢ 2명 이상의 근로자에게 작업을 시킬 경우의 신호방법
   ㉣ 이상을 발견한 경우의 조치
   ㉤ 이상을 발견하여 로봇의 운전을 정지시킨 후 이를 재가동시킬 경우의 조치
   ㉥ 그 밖에 로봇의 예기치 못한 작동 또는 오조작에 의한 위험을 방지하기 위하여 필요한 조치
2. 작업에 종사하고 있는 근로자 또는 그 근로자를 감시하는 사람은 이상을 발견하면 즉시 로봇의 운전을 정지시키기 위한 조치를 할 것
3. 작업을 하고 있는 동안 로봇의 기동스위치 등에 작업 중이라는 표시를 하는 등 작업에 종사하고 있는 근로자가 아닌 사람이 그 스위치 등을 조작할 수 없도록 필요한 조치를 할 것

PART 01
PART 02
PART 03
PART 04
PART 05
PART 06
PART 07

56 일반적으로 장갑을 착용해야 하는 작업은?

① 드릴작업
② 밀링작업
③ 선반작업
④ 전기용접작업

해설

장갑의 사용 금지
1. 회전체에 말려들어 가는 위험을 방지하기 위해 장갑 착용 금지
2. 날·공작물 또는 축이 회전하는 기계를 취급하는 경우 : 근로자의 손에 밀착이 잘되는 가죽장갑 등과 같이 손이 말려들어 갈 위험이 없는 장갑을 사용

57 산업안전보건법령상 승강기의 종류에 해당하지 않는 것은?

① 리프트
② 에스컬레이터
③ 화물용 엘리베이터
④ 승객용 엘리베이터

해설

승강기
1. 개요
   건축물이나 고정된 시설물에 설치되어 일정한 경로에 따라 사람이나 화물을 승강장으로 옮기는 데에 사용되는 설비를 말한다.
2. 종류
   • 승객용 엘리베이터 : 사람의 운송에 적합하게 제조·설치된 엘리베이터
   • 승객화물용 엘리베이터 : 사람의 운송과 화물 운반을 겸용하는 데 적합하게 제조·설치된 엘리베이터
   • 화물용 엘리베이터 : 화물 운반에 적합하게 제조·설치된 엘리베이터로서 조작자 또는 화물취급자 1명은 탑승할 수 있는 것(적재용량이 300kg 미만인 것은 제외)
   • 소형화물용 엘리베이터 : 음식물이나 서적 등 소형 화물의 운반에 적합하게 제조·설치된 엘리베이터로서 사람의 탑승이 금지된 것
   • 에스컬레이터 : 일정한 경사로 또는 수평로를 따라 위·아래 또는 옆으로 움직이는 디딤판을 통해 사람이나 화물을 승강장으로 운송시키는 설비

58 재료가 변형 시에 외부응력이나 내부의 변형과정에서 방출되는 낮은 응력파(Stress Wave)를 감지하여 측정하는 비파괴시험은?

① 와류탐상 시험
② 침투탐상 시험
③ 음향탐상 시험
④ 방사선투과 시험

해설

음향방출검사
하중을 받고 있는 재료의 결함부에서 방출되는 응력파(Stress Wave)를 수신하여 분석함으로써 결함의 위치판정, 손상의 진전감시 등 동적거동을 판단하는 검사방법이다.

59 질량이 100kg인 물체를 그림과 같이 길이가 같은 2개의 와이어로프로 매달아 옮기고자 할 때 와이어로프 Ta에 걸리는 장력은 약 몇 N인가?

① 200
② 400
③ 490
④ 980

해설

슬링와이어로프의 한 가닥에 걸리는 하중

$$하중 = \frac{화물의\ 무게(W_1)}{2} \div \cos\frac{\theta}{2}$$

$하중 = \dfrac{100}{2} \div \cos\dfrac{120°}{2} = 50 \div \cos 60°$

$= 100(kg) \times 9.8 = 980[N]$

TIP 장력[N] = 총하중[kg] × 중력가속도[m/s²]

60 크레인을 사용하여 작업을 할 때 작업시작 전에 점검하여야 하는 사항에 해당하지 않는 것은?

① 권과방지장치 · 브레이크 · 클러치 및 운전장치의 기능
② 주행로의 상측 및 트롤리가 횡행하는 레일의 상태
③ 와이어로프가 통하고 있는 곳의 상태
④ 압력방출장치의 기능

크레인을 사용하여 작업을 하는 때 작업시작 전 점검사항
1. 권과방지장치 · 브레이크 · 클러치 및 운전장치의 기능
2. 주행로의 상측 및 트롤리(Trolley)가 횡행하는 레일의 상태
3. 와이어로프가 통하고 있는 곳의 상태

4과목 전기설비 안전관리

61 인체 피부의 전기저항에 영향을 주는 주요인자와 가장 거리가 먼 것은?

① 접촉면적
② 인가전압의 크기
③ 통전경로
④ 인가시간

피부의 전기저항
1. 접촉부위에 따른 저항
2. 습기에 의한 변화
3. 피부와 전극 접촉면적에 의한 변화
4. 인가전압에 따른 변화
5. 인가시간에 의한 변화

62 일반 허용접촉전압과 그 종별을 짝지은 것으로 틀린 것은?

① 제1종 : 0.5V 이하
② 제2종 : 25V 이하
③ 제3종 : 50V 이하
④ 제4종 : 제한 없음

허용접촉전압

종별	접촉상태	허용접촉전압
제1종	인체의 대부분이 수중에 있는 상태	2.5V 이하
제2종	• 인체가 현저하게 젖어 있는 상태 • 금속성의 전기기계장치나 구조물에 인체의 일부가 상시 접촉되어 있는 상태	25V 이하
제3종	제1종, 제2종 이외의 경우로 통상의 인체상태에 있어서 접촉전압이 가해지면 위험성이 높은 상태	50V 이하
제4종	• 제1종, 제2종 이외의 경우로 통상의 인체상태에 있어서 접촉전압이 가해지더라도 위험성이 낮은 상태 • 접촉전압이 가해질 우려가 없는 상태	제한 없음

63 저압전로의 절연성능에 관한 설명으로 적합하지 않은 것은?

① 전로의 사용전압이 SELV 및 PELV일 때 절연저항은 0.5MΩ 이상이어야 한다.
② 전로의 사용전압이 FELV일 때 절연저항은 1.0MΩ 이상이어야 한다.
③ 전로의 사용전압이 FELV일 때 DC 시험전압은 500V이다.
④ 전로의 사용전압이 600V일 때 절연저항은 1.5MΩ 이상이어야 한다.

저압전로의 절연저항

전로의 사용전압(V)	DC시험전압(V)	절연저항(MΩ)
SELV 및 PELV	250	0.5
FELV, 500V 이하	500	1.0
500V 초과	1,000	1.0

[주] 특별저압(Extra Low Voltage : 2차 전압이 AC 50V, DC 120V 이하)으로 SELV(비접지회로 구성) 및 PELV(접지회로 구성)은 1차와 2차가 전기적으로 절연된 회로, FELV는 1차와 2차가 전기적으로 절연되지 않은 회로

64 고압전로에 설치된 전동기용 고압전류 제한퓨즈의 불용단전류의 조건은?

① 정격전류 1.3배의 전류로 1시간 이내에 용단되지 않을 것
② 정격전류 1.3배의 전류로 2시간 이내에 용단되지 않을 것

③ 정격전류 2배의 전류로 1시간 이내에 용단되지 않을 것

④ 정격전류 2배의 전류로 2시간 이내에 용단되지 않을 것

해설

고압전로에 사용하는 퓨즈

포장퓨즈	비포장 퓨즈
• 정격전류의 1.3배의 전류에 견딜 것 • 2배의 전류로 120분 안에 용단되는 것	• 정격전류의 1.25배의 전류에 견딜 것 • 2배의 전류로 2분 안에 용단되는 것

65 감전에 의해 호흡이 정지한 후에 인공호흡을 즉시 실시하면 소생할 수 있는데, 감전에 의한 호흡정지 후 3분 이내에 올바른 방법으로 인공호흡을 실시하였을 경우 소생률은 약 몇 % 정도인가?

① 25
② 50
③ 75
④ 95

해설

감전사고 후 응급조치 개시시간에 따른 소생률

호흡정지 후 인공호흡 개시까지의 시간(분)	소생률 (100명당)	사망률 (100명당)
1	95	5
2	90	10
3	75	25
4	50	50
5	25	75

66 절연전선의 과전류에 의한 연소단계 중 착화단계의 전선전류밀도(A/mm²)로 알맞은 것은?

① 50~65
② 43~60
③ 40~45
④ 60~70

해설

배선의 용단단계에 따른 전선전류밀도(전선의 연소 과정)

단계	인화단계	착화단계	발화단계		순시용단단계
	허용전류의 3배 정도	큰 전류, 점화원 없이 착화연소	심선이 용단		심선용단 및 도선폭발
			발화 후 용단	용단과 동시 발화	
전류밀도 (A/mm²)	40~43	43~60	60~70	75~120	120 이상

67 정전용량 $C = 10\mu F$, 방전 시 전압 $V = 2kV$일 때 정전에너지(J)는 얼마인가?

① 20
② 80
③ 400
④ 800

해설

정전에너지

$$W = \frac{1}{2}CV^2 = \frac{1}{2}QV = \frac{1}{2}\frac{Q^2}{C}$$

$$\text{대전전하량}(Q) = C \cdot V, \text{ 대전전위}(V) = \frac{Q}{C}$$

여기서, W : 정전기 에너지(J)
C : 도체의 정전용량(F)
V : 대전전위(V)
Q : 대전전하량(C)

$$W = \frac{1}{2}CV^2 = \frac{1}{2} \times (100 \times 10^{-6}) \times (2 \times 10^3)^2 = 20[J]$$

TIP $\mu F = 10^{-6}F$, $kV = 1,000V$

68 교류아크용접기의 자동전격방지장치는 아크 발생이 중단된 후 출력 측 무부하 전압을 1초 이내 몇 V 이하로 저하시켜야 하는가?

① 25~30
② 35~50
③ 55~75
④ 80~100

해설

자동전격방지기

1. 교류아크용접기는 65~90V의 무부하 전압이 인가되어 감전의 위험성이 높으며, 자동전격방지기를 설치하여 아크 발생을 중단할 때 용접기의 2차(출력) 측 무부하 전압을 25~30V 이하로 유지시켜 감전의 위험을 줄이도록 되어 있다.

2. 즉, 용접 시에만 용접기의 주회로가 접속되고 그 외는 용접기 2차 전압을 안전전압 이하로 제한한다.

TIP 2차(출력) 측 무부하 전압을 자동적으로 25V 이하로 강하시켜야 하나 전원전압의 변동이 있을 경우 30V 이하로 강하시켜야 한다.

69 전자파 중에서 광량자 에너지가 가장 큰 것은?

① 극저주파

② 마이크로파

③ 가시광선

④ 적외선

전자파

전자파란 전기 및 자기의 흐름에서 발생하는 일종의 전자기 에너지이다. 즉, 전기가 흐를 때 그 주위에 전기장과 자기장이 동시에 발생하는데 이들이 주기적으로 바뀌면서 생기는 파동을 전자파라고 하며 광량자 에너지의 크기는 자외선 > 가시광선 > 적외선 > 마이크로파 순이다.

> **TIP** 광량자 에너지
> 빛을 입자로 보았을 때 그 빛의 입자들(광량자)의 에너지를 말한다.

70 제전기의 제전효과에 영향을 미치는 요인으로 볼 수 없는 것은?

① 제전기의 설치 위치 및 설치 각도

② 대전물체의 대전전위 및 대전분포

③ 제전기의 이온 생성 능력

④ 전원의 극성 및 전선의 길이

제전기의 제전효과에 영향을 미치는 요인
1. 단위시간당 이온 생성 능력
2. 설치 위치와 거리 및 설치 각도
3. 대전물체의 대전전위 및 대전분포
4. 피대전물체의 이동속도
5. 대전물체와 제전기 사이의 기류
6. 피대전물체의 형상
7. 근접 접지체의 형상 위치 크기

71 충격전압시험 시 표준충격파형을 $1.2 \times 60 \mu s$로 나타내는 경우 1.2와 60이 뜻하는 것은?

① 파두장 – 파미장

② 파미장 – 파두장

③ 파두장 – 스테이블타임

④ 파미장 – 충격전압인가시간

충격파 표시방법
1. 파두장 : 파고값 30%에서 파고값 90%까지 직선을 그었을 때 가로축과 만나는 기점~파고값과 만나는 교점까지의 파형을 그리는 시간
2. 파미장 : 파고값 30%에서 파고값 90%까지 직선을 그을 때 가로축과 만나는 기점~파고점의 50%까지 내려오는 파형을 그리는 시간
3. 충격파 표시법
   • 충격파 : 파두장 × 파미장(μs)
   • 우리나라 표준충격파 : $1.2 \times 50 \mu s$

72 저압 충전부에 인체가 접촉할 때 전격으로 인한 재해사고 중 1차적인 인자로 볼 수 없는 것은?

① 통전전류

② 통전경로

③ 인가전압

④ 통전시간

감전재해의 요인

1차적 감전요소	• 통전전류의 크기 : 크면 위험, 인체의 저항이 일정할 때 접촉전압에 비례 • 통전경로 : 인체의 주요한 부분을 흐를수록 위험 • 통전시간 : 장시간 흐르면 위험 • 전원의 종류 : 전원의 크기(전압)가 동일한 경우 교류가 직류보다 위험하다.
2차적 감전요소	• 인체의 조건(저항) : 땀에 젖어 있거나 물에 젖어 있는 경우 인체의 저항이 감소하므로 위험성이 높아진다. • 전압 : 전압의 크기가 클수록 위험하다. • 계절 : 계절에 따라 인체의 저항이 변화하므로 전격에 대한 위험도에 영향을 준다.

73 온도 $t[℃]$에서 동선의 저항을 R_t, 온도계수 a_t일 때 $T[℃]$에 있어서의 저항 R_T는 어떻게 구해지는가?

① $R_t\{1 + a_t(T-t)\}$

② $R_t\{a_t + 234.5(t-T)\}$

③ $a_t\{1 + R_t(T-t)\}$

④ $R_t\{1 + a_t(T+t)\}$

저항의 온도계수
저항값이 온도에 따라 변화하는 비율을 나타내는 것이다.

$$R_T = R_t\{1+\alpha_t(T-t)\}$$

여기서, R_T : $T[℃]$에서의 저항값
　　　R_t : $t[℃]$에서의 저항값
　　　α_t : $t[℃]$에서의 저항의 온도계수

74 대전서열을 올바르게 나열한 것은?

　(+)　　　　　　　　　　　　　　　(−)
① 폴리에탈린 − 셀룰로이드 − 염화비닐 − 테프론
② 셀룰로이드 − 폴리에틸렌 − 염화비닐 − 테프론
③ 염화비닐 − 폴리에틸렌 − 셀룰로이드 − 테프론
④ 테프론 − 셀룰로이드 − 염화비닐 − 폴리에틸렌

해설

고분자 물질의 대전서열

(+)　　　　　　　　　　　　0　　　　　　　　　　　　(−)

유리 머리틸론 나일론 양모 레이온 견모포면 비닐론 견인혼방 아모인견 오프인방견 펄프노지 고무 테론이면 비스코스이면혼 사란 다론 테클린 카프론 폴리에틸렌 리네칼로 네필판 카룰이름 셀이트렌드 사셀룰로이드 셀틸론 영닐 테프닐

75 내압 방폭구조의 필요충분조건에 대한 사항으로 틀린 것은?

① 폭발화염이 외부로 유출되지 않을 것
② 습기침투에 대한 보호를 충분히 할 것
③ 내부에서 폭발한 경우 그 압력에 견딜 것
④ 외함의 표면온도가 외부의 폭발성 가스를 점화하지 않을 것

해설

내압 방폭구조(Flameproof Enclosure, d)
1. 점화원에 의해 용기 내부에서 폭발이 발생할 경우에 용기가 폭발압력에 견딜 수 있고, 화염이 용기 외부의 폭발성 분위기로 전파되지 않도록 한 방폭구조
2. 전폐형구조로 용기 내에 외부의 폭발성 가스가 침입하여 내부에서 폭발하더라도 용기는 그 압력에 견뎌야 하고 폭발한 고열가스나 화염이 용기의 접합부 틈을 통하여 새어 나가는 동안 냉각되어 외부의 폭발성 가스에 화염이 파급될 우려가 없도록 한 방폭구조
3. 주요 성능 시험항목은 폭발압력(기준압력) 측정, 폭발강도(정적 및 동적)시험, 폭발인화시험 등이 있다.

76 한국전기설비규정에 따라 피뢰설비에서 외부피뢰시스템의 수뢰부시스템으로 적합하지 않은 것은?

① 돌침
② 수평도체
③ 메시도체
④ 환상도체

해설

수뢰부시스템(Air − termination System)
낙뢰를 포착할 목적으로 돌침, 수평도체, 메시도체 등과 같은 금속 물체를 이용한 외부피뢰시스템의 일부를 말한다.

77 고압 및 특고압 전로에 시설하는 피뢰기의 설치장소로 잘못된 곳은?

① 가공전선로와 지중전선로가 접속되는 곳
② 발전소, 변전소의 가공전선 인입구 및 인출구
③ 고압 가공전선로에 접속하는 배전용·변압기의 저압 측
④ 고압 가공전선로로부터 공급을 받는 수용장소의 인입구

해설

피뢰기의 설치장소(고압 및 특고압 전로)
고압 및 특고압의 전로 중 다음의 곳 또는 이에 근접한 곳에는 피뢰기를 시설하고 피뢰기 접지저항값은 10Ω 이하로 하여야 한다.
1. 발전소·변전소 또는 이에 준하는 장소의 가공전선 인입구 및 인출구
2. 특고압 가공전선로에 접속하는 배전용 변압기의 고압 측 및 특고압 측
3. 고압 또는 특고압의 가공전선로로부터 공급을 받는 수용장소의 인입구
4. 가공전선로와 지중전선로가 접속되는 곳

78 50kW, 60Hz 3상 유도전동기가 380V 전원에 접속된 경우 흐르는 전류(A)는 약 얼마인가?(단, 역률은 80%이다.)

① 82.24
② 94.96
③ 116.30
④ 164.47

PART 01
PART 02
PART 03
PART 04
PART 05
PART 06
PART 07

전류

1. 3상 전력

$$P = \sqrt{3}\, VI\cos\theta$$

여기서, P : 전력[W], V : 전압[V], I : 전류[A]
$\cos\theta$: 역률

2. 전류 계산

$$I = \frac{P}{\sqrt{3}\, V\cos\theta} = \frac{50,000}{\sqrt{3}\times380\times0.8} = 94.96$$

> **TIP** 1kW = 1,000W

79 최소 착화에너지가 0.26mJ인 가스에 정전용량이 100pF인 대전물체로부터 정전기 방전에 의하여 착화할 수 있는 전압은 약 몇 V인가?

① 2,240

② 2,260

③ 2,280

④ 2,300

정전에너지

$$W = \frac{1}{2}CV^2 = \frac{1}{2}QV = \frac{1}{2}\frac{Q^2}{C}$$

$$\text{대전전하량}(Q) = C \cdot V,\ \text{대전전위}(V) = \frac{Q}{C}$$

여기서, W : 정전기 에너지(J)
　　　　C : 도체의 정전용량(F)
　　　　V : 대전전위(V)
　　　　Q : 대전전하량(C)

1. $W = \frac{1}{2}CV^2 \rightarrow 2W = CV^2 \rightarrow V^2 = \frac{2W}{C} \rightarrow V = \sqrt{\frac{2W}{C}}$

2. $V = \sqrt{\frac{2W}{C}} = \sqrt{\frac{2\times0.26\times10^{-3}}{100\times10^{-12}}} = 2,280\text{[V]}$

> **TIP** $pF = 10^{-12}F,\ mJ = 10^{-3}J$

80 누전차단기를 설치하여야 하는 곳은?

① 기계기구를 건조한 장소에 시설한 경우

② 대지전압이 220V에서 기계기구를 물기가 없는 장소에 시설한 경우

③ 전기용품안전 관리법의 적용을 받는 2중 절연구조의 기계기구

④ 전원 측에 절연변압기(2차 전압이 300V 이하)를 시설한 경우

누전차단기의 적용 대상

1. 대지전압이 150V를 초과하는 이동형 또는 휴대형 전기기계·기구

2. 물 등 도전성이 높은 액체가 있는 습윤장소에서 사용하는 저압(750V 이하 직류전압이나 600V 이하의 교류전압을 말한다)용 전기기계·기구

3. 철판·철골 위 등 도전성이 높은 장소에서 사용하는 이동형 또는 휴대형 전기기계·기구

4. 임시배선의 전로가 설치되는 장소에서 사용하는 이동형 또는 휴대형 전기기계·기구

> **TIP** 누전차단기 설치 제외 대상
> 1. 기계기구를 발전소·변전소·개폐소 또는 이에 준하는 곳에 시설하는 경우
> 2. 기계기구를 건조한 곳에 시설하는 경우
> 3. 대지전압이 150V 이하인 기계기구를 물기가 있는 곳 이외의 곳에 시설하는 경우
> 4. 「전기용품 및 생활용품 안전관리법」의 적용을 받는 이중 절연구조의 기계기구를 시설하는 경우
> 5. 그 전로의 전원 측에 절연변압기(2차 전압이 300V 이하인 경우에 한함)를 시설하고 또한 그 절연 변압기의 부하 측의 전로에 접지하지 아니하는 경우
> 6. 기계기구가 고무·합성수지 기타 절연물로 피복된 경우
> 7. 기계기구가 유도전동기의 2차 측 전로에 접속되는 것일 경우
> 8. 기계기구가 전기욕기·전기로·전기보일러·전해조 등 대지로부터 절연하는 것이 기술상 곤란한 것
> 9. 기계기구 내에 「전기용품 및 생활용품 안전관리법」의 적용을 받는 누전차단기를 설치하고 또한 기계기구의 전원 연결선이 손상을 받을 우려가 없도록 시설하는 경우

81 알루미늄분이 고온의 물과 반응하였을 때 생성되는 가스는?

① 이산화탄소
② 수소
③ 메탄
④ 에탄

해설

알루미늄

$$2Al \;+\; 6H_2O \;\rightarrow\; 2Al(OH)_3 \;+\; 3H_2$$
(알루미늄)　(물)　(수산화알루미늄)　(수소)

TIP 물과 반응 시 생성되는 가스
- 칼륨, 알루미늄분 : 수소 발생
- 인화칼슘 : 포스핀 발생
- 탄화칼슘(카바이드) : 아세틸렌 발생

82 다음 관(Pipe) 부속품 중 관로의 방향을 변경하기 위하여 사용하는 부속품은?

① 니플(Nipple)
② 유니온(Union)
③ 플랜지(Flange)
④ 엘보우(Elbow)

해설

피팅류(Fittings)

두 개의 관을 연결할 때	플랜지(Flange), 유니온(Union), 커플링(Coupling), 니플(Nipple), 소켓(Socket)
관로의 방향을 바꿀 때	엘보우(Elbow), Y지관(Y − branch), 티(Tee), 십자(Cross)
관로의 크기를 바꿀 때 (관의 지름을 변경할 때)	리듀서(Reducer), 부싱(Bushing)
가지관을 설치할 때	Y지관(Y − branch), 티(Tee), 십자(Cross)
유로를 차단할 때	플러그(Plug), 캡(Cap), 밸브(Valve)
유량조절	밸브(Valve)

83 다음 중 분진폭발이 발생하기 쉬운 조건으로 적절하지 않은 것은?

① 발열량이 클 때
② 입자의 표면적이 작을 때
③ 입자의 형상이 복잡할 때
④ 분진의 초기 온도가 높을 때

해설

분진폭발의 영향 인자

분진의 화학적 성질과 조성	분진의 발열량이 클수록 폭발성이 크며 휘발성분의 함유량이 많을수록 폭발하기 쉽다.
입도와 입도분포	• 분진의 표면적이 입자체적에 비하여 커지면 열의 발생속도가 방열속도보다 커져서 폭발이 용이해진다. • 평균 입자의 직경이 작고 밀도가 작을수록 비표면적은 크게 되고 표면에너지도 크게 되어 폭발이 용이해진다.
입자의 형상과 표면의 상태	평균입경이 동일한 분진인 경우, 입자의 형상이 복잡하면 폭발이 잘된다.
수분	• 수분 함유량이 적을수록 폭발성이 급격히 증가한다. • 분진 속에 존재하는 수분은 분진의 부유성을 억제하고 대전성을 감소시켜 폭발성을 둔감하게 한다.
분진의 농도	분진의 농도가 양론조성농도보다 약간 높을 때, 폭발속도가 최대가 된다.
분진의 온도	• 초기 온도가 높을수록 최소폭발농도가 적어져서 위험하다. • 초기 온도가 높을수록 최소점화에너지(MIE)는 감소된다.
분진의 부유성	• 입자가 작고 가벼운 것은 공기 중에서 부유하기 쉽다. • 부유성이 큰 것일수록 공기 중에서의 체류시간도 길고 위험성도 증가한다.
산소의 농도	• 산소나 공기가 증가하면 폭발하한농도가 낮아짐과 동시에 입자가 큰 것도 폭발성을 갖게 된다. • 불활성 가스(CO₂, N₂ 등)를 사용하여 산소농도를 낮춘다.

84 포스겐가스 누설검지의 시험지로 사용되는 것은?

① 연당지
② 염화파라듐지
③ 하리슨 시험지
④ 초산벤젠지

시험지법

검지하고자 하는 가스와 반응하여 색이 변하는 시약을 종이 등에 침투시킨 것을 사용하는 방법

검지가스	시험지	반응
황화수소	연당지	회흑색
일산화탄소	염화파라듐지	흑색
포스겐	하리슨 시험지	유자색
시안화수소	초산벤젠지	청색

85 처음 온도가 20℃인 공기를 절대압력 1기압에서 3기압으로 단열압축하면 최종온도는 약 몇 도인가? (단, 공기의 비열비는 1.4이다.)

① 68℃
② 75℃
③ 128℃
④ 164℃

해설

단열압축 과정에서의 온도 변화

$$\frac{T_2}{T_1} = \left(\frac{P_2}{P_1}\right)^{(k-1)/k} \qquad T_2 = T_1 \times \left(\frac{P_2}{P_1}\right)^{(k-1)/k}$$

여기서, T_1 : 압축 전 절대온도(K)
T_2 : 단열압축 후의 절대온도(K)
P_1 : 압축 전 압력, P_2 : 단열압축 시의 압력
k : 압축비(통상 1.4를 기준)[1.1~1.8의 값]

절대온도[K] = ℃ + 273, ℃ = 절대온도[K] − 273

1. $T_2 = T_1 \times \left(\frac{P_2}{P_1}\right)^{(k-1)/k}$

$= (273 + 20) \times \left(\frac{3}{1}\right)^{(1.4-1)/1.4} = 401.04(K)$

2. 절대온도를 섭씨온도로 바꾸면,
$401.04 - 273 = 128.04 = 128[℃]$

86 액체 표면에서 발생한 증기농도가 공기 중에서 연소하한농도가 될 수 있는 가장 낮은 액체온도를 무엇이라 하는가?

① 인화점
② 비등점
③ 연소점
④ 발화온도

해설

인화점

1. 가연성 물질에 점화원을 주었을 때 연소가 시작되는 최저 온도
2. 사용 중인 용기 내에서 인화성 액체가 증발하여 인화될 수 있는 가장 낮은 온도
3. 액체의 표면에서 발생한 증기농도가 공기 중에서 연소하한 농도가 될 수 있는 가장 낮은 액체온도

87 분진폭발의 요인을 물리적 인자와 화학적 인자로 분류할 때 화학적 인자에 해당하는 것은?

① 연소열
② 입도분포
③ 열전도율
④ 입자의 형성

해설

분진의 화학적 성질과 조성

분진의 발열량이 클수록 폭발성이 크며 휘발성분의 함유량이 많을수록 폭발하기 쉽다.

88 어떤 습한 고체재료 10kg을 완전 건조 후 무게를 측정하였더니 6.8kg이었다. 이 재료의 건량기준 함수율은 몇 kg·H_2O/kg인가?

① 0.25
② 0.36
③ 0.47
④ 0.58

해설

함수율

1. 재료가 함유하고 있는 물의 양을 정량적으로 표시한 것을 말한다.
2. 재료의 질량에 대한 물의 질량의 비율로 표시된다.

$$함수율 = \frac{W_1 - W_2}{W_2}$$

여기서, W_1 : 건조 전 질량
W_2 : 건조 후 질량

$함수율 = \frac{W_1 - W_2}{W_2} = \frac{10 - 6.8}{6.8} = 0.47[kg \cdot H_2O/kg]$

01 PART
02 PART
03 PART
04 PART
05 PART
06 PART
07 PART

89 폭발에 관한 용어 중 "BLEVE"가 의미하는 것은?

① 고농도의 분진폭발
② 저농도의 분해폭발
③ 개방계 증기운 폭발
④ 비등액 팽창증기 폭발

해설

BLEVE(비등액 팽창증기 폭발 : Boliling Liquid Expanding Vapor Explosion)
비등점이 낮은 인화성액체 저장탱크가 화재로 인한 화염에 장시간 노출되어 탱크 내 액체가 급격히 증발하여 비등하고 증기가 팽창하면서 탱크 내 압력이 설계압력을 초과하여 폭발을 일으키는 현상

90 다음 중 공기 중 최소발화에너지 값이 가장 작은 물질은?

① 에틸렌
② 아세트알데히드
③ 메탄
④ 에탄

해설

최소발화에너지

가연성 가스	최소발화에너지[10^{-3} Joule]
에틸렌	0.096
아세트알데히드	0.36
메탄	0.28
에탄	0.31

91 다음 중 왕복펌프에 속하지 않는 것은?

① 피스톤 펌프
② 플런저 펌프
③ 기어 펌프
④ 격막 펌프

해설

왕복펌프
피스톤의 왕복운동에 의해 액체를 압송하는 펌프를 말한다.

> **TIP 회전펌프**
> • 스크루, 기어, 편심모터 등의 회전운동에 의해 액체를 압송하는 펌프
> • 종류 : 기어 펌프, 스크루 펌프, 나사 펌프, 캠 펌프, 베인 펌프

92 다음 중 퍼지(Purge)의 종류에 해당하지 않는 것은?

① 압력 퍼지
② 진공 퍼지
③ 스위프 퍼지
④ 가열 퍼지

해설

불활성화 방법

진공 치환 (진공 퍼지, 저압 퍼지)	용기에 대한 가장 통상적인 치환절차
압력 치환 (압력 퍼지)	용기에 가압된 불활성 가스를 주입하는 방법으로 가압한 가스가 용기 내에서 충분히 확산된 후 그것을 대기로 방출하여야 한다.
스위프 치환 (스위프 퍼지)	용기의 한 개구부로 불활성 가스를 이너팅하고 다른 개구부로 대기 등으로 혼합가스를 방출하는 방법
사이폰 치환 (사이폰 퍼지)	용기에 물 또는 비가연성, 비반응성의 적합한 액체를 채운 후 액체를 뽑아내면서 불활성 가스를 주입하는 방법

93 공정안전보고서 중 공정안전자료에 포함하여야 할 세부내용에 해당하는 것은?

① 비상조치계획에 따른 교육계획
② 안전운전지침서
③ 각종 건물 · 설비의 배치도
④ 도급업체 안전관리계획

해설

공정안전자료
1. 취급 · 저장하고 있거나 취급 · 저장하려는 유해 · 위험물질의 종류 및 수량
2. 유해 · 위험물질에 대한 물질안전보건자료
3. 유해하거나 위험한 설비의 목록 및 사양
4. 유해하거나 위험한 설비의 운전방법을 알 수 있는 공정도면
5. 각종 건물 · 설비의 배치도
6. 폭발위험장소 구분도 및 전기단선도
7. 위험설비의 안전설계 · 제작 및 설치 관련 지침서

94 다음 중 산업안전보건법령상 산화성 액체 또는 산화성 고체에 해당하지 않는 것은?

① 질산
② 중크롬산
③ 과산화수소
④ 질산에스테르

해설

산화성 액체 및 산화성 고체
1. 차아염소산 및 그 염류
2. 아염소산 및 그 염류
3. 염소산 및 그 염류
4. 과염소산 및 그 염류
5. 브롬산 및 그 염류
6. 요오드산 및 그 염류
7. 과산화수소 및 무기과산화물
8. 질산 및 그 염류
9. 과망간산 및 그 염류
10. 중크롬산 및 그 염류
11. 그 밖에 1.부터 10.까지의 물질과 같은 정도의 산화성이 있는 물질
12. 1.부터 11.까지의 물질을 함유한 물질

TIP 질산에스테르
폭발성 물질 및 유기과산화물

95 다음 중 인화점이 가장 낮은 것은?

① 벤젠
② 메탄올
③ 이황화탄소
④ 경유

해설

인화성 액체의 인화점

액체	인화점	액체	인화점
벤젠	−11℃	이황화탄소	−30℃
메탄올	16℃	경유	50℃

96 다음 중 펌프의 공동현상(Cavitation)을 방지하기 위한 방법으로 가장 적절한 것은?

① 펌프의 유효 흡입양정을 작게 한다.
② 펌프의 회전속도를 크게 한다.
③ 흡입 측에서 펌프의 토출량을 줄인다.
④ 펌프의 설치 위치를 높게 한다.

해설

공동현상(Cavitation)의 발생원인 및 조치사항
1. 정의
   물이 관 내를 유동하고 있을 때에 흐르는 물속의 어떤 부분의 정압력이 그때의 수온에 상당하는 증기압 이하가 되면 부분적으로 증기를 발생하는 현상을 공동현상이라 하며, 펌프의 임펠러나 동체 안에서 자주 일어난다.
2. 발생원인
   • 펌프의 흡입 측 수두, 펌프속도, 마찰손실이 클 때
   • 수원이 펌프보다 아래에 있을 때
   • 펌프의 흡입관경이 적을 때
   • 펌프 흡입압력이 유체증기보다 낮을 때
3. 조치사항
   • 펌프의 설치높이를 낮추어 흡입양정을 짧게 한다.
   • 펌프 회전수를 낮추어 흡입비교 회전도를 적게 한다.
   • 펌프의 임펠러를 수중에 완전히 잠기게 한다.
   • 흡입배관의 관지름을 굵게 하거나 굽힘을 적게 한다.
   • 양 흡입 펌프 사용 또는 두 대 이상의 펌프를 사용한다.
   • 펌프 흡입관의 마찰손실 및 저항을 작게 한다.
   • 유효흡입 헤드를 크게 한다.

97 산업안전보건법상 인화성 물질이나 부식성 물질을 액체상태로 저장하는 저장탱크를 설치하는 때에 위험물질이 누출되어 확산되는 것을 방지하기 위하여 설치하여야 하는 것은?

① Flame Arrester
② Vent Stack
③ 긴급방출장치
④ 방유제

해설

방유제의 설치
위험물을 액체상태로 저장하는 저장탱크를 설치하는 경우에는 위험물질이 누출되어 확산되는 것을 방지하기 위하여 방유제를 설치하여야 한다.

98 불연성이지만 다른 물질의 연소를 돕는 산화성 액체물질에 해당하는 것은?

① 히드라진
② 과염소산
③ 벤젠
④ 암모니아

해설

과염소산
산화성 액체로 무색무취의 유동하기 쉬운 액체이며 대단히 불안정한 강산이다.

01 PART
02 PART
03 PART
04 PART
05 PART
06 PART
07 PART

99 다음 위험물 중 산화성 액체 및 산화성 고체가 아닌 것은?

① 질산 및 그 염류

② 염소산 및 그 염류

③ 과염소산 및 그 염류

④ 유기과산화물

유기과산화물은 폭발성 물질 및 유기과산화물에 해당된다.

100 자연발화 성질을 갖는 물질이 아닌 것은?

① 질화면

② 목탄분말

③ 아마인유

④ 과염소산

자연발화의 형태

외부로 방열하는 열보다 내부에서 발생하는 열의 양이 많은 경우에 발생

1. 산화열에 의한 발열(석탄, 건성유, 기름걸레 등)
2. 분해열에 의한 발열(셀룰로이드, 니트로셀룰로오스 등)
3. 흡착열에 의한 발열(활성탄, 목탄분말, 석탄분 등)
4. 미생물에 의한 발열(퇴비, 먼지, 볏짚 등)
5. 중합에 의한 발열(아크릴로니트릴 등)

TIP 과염소산

산화성 액체로 무색무취의 유동하기 쉬운 액체이며 대단히 불안정한 강산이다.

6과목 건설공사 안전관리

101 산업안전보건관리비 계상기준에 따른 공사 중 대상액 5억 원 미만인 경우 적용비율이 틀린 것은?

① 건축공사 : 2.28%

② 토목공사 : 3.15%

③ 중건설공사 : 3.64%

④ 특수건설공사 : 2.07%

공사 종류 및 규모별 산업안전보건관리비 계상기준표

구분 / 공사 종류	대상액 5억 원 미만인 경우 적용비율(%)	대상액 5억 원 이상 50억 원 미만인 경우		대상액 50억 원 이상인 경우 적용비율(%)	보건관리자 선임대상 건설공사의 적용비율(%)
		적용비율(%)	기초액		
건축공사	3.11%	2.28%	4,325,000원	2.37%	2.64%
토목공사	3.15%	2.53%	3,300,000원	2.60%	2.73%
중건설공사	3.64%	3.05%	2,975,000원	3.11%	3.39%
특수건설공사	2.07%	1.59%	2,450,000원	1.64%	1.78%

안전관리비 대상액 = 공사원가계산서 구성항목 중 직접재료비, 간접재료비와 직접노무비를 합한 금액(발주자가 재료를 제공할 경우에는 해당 재료비를 포함)

102 기존에 구축된 건축물 가까이에서 건축공사를 실시할 경우 기존 건축물의 지반과 기초를 보강하는 공법은?

① 리버스 서큘레이션 공법

② 언더피닝 공법

③ 슬러리 월 공법

④ 탑다운 공법

언더피닝(Under Pinning) 공법

기존 구조물에 근접 시공 시 기존 구조물의 기초 저면보다 깊은 구조물을 시공하거나 기존 구조물의 증축 또는 지하실 등을 축조 시 기존 구조물을 보호하기 위하여 실시하는 공법을 말한다.

103 중량물 운반 시 크레인에 매달아 올릴 수 있는 최대하중으로부터 달아올리기 기구의 중량에 상당하는 하중을 제외한 하중은?

① 정격하중

② 적재하중

③ 임계하중

④ 작업하중

크레인의 정격하중

크레인의 권상(호이스팅)하중에서 훅, 크래브 또는 버킷 등 달기기구의 중량에 상당하는 하중을 뺀 하중을 말한다. 다만, 지브가 있는 크레인 등으로서 경사각의 위치에 따라 권상능력이 달라지는 것은 그 위치에서의 권상하중에서 달기기구의 중량을 뺀 하중을 말한다.

정답 99 ④ 100 ④ 101 ① 102 ② 103 ①

104 항만하역작업에서의 선박승강설비 설치기준으로 옳지 않은 것은?

① 200톤급 이상의 선박에서 하역작업을 하는 경우에 근로자들이 안전하게 오르내릴 수 있는 현문(舷門) 사다리를 설치하여야 하며, 이 사다리 밑에 안전망을 설치하여야 한다.

② 현문 사다리는 견고한 재료로 제작된 것으로 너비는 55cm 이상이어야 한다.

③ 현문 사다리의 양측에는 82cm 이상의 높이로 울타리를 설치하여야 한다.

④ 현문 사다리는 근로자의 통행에만 사용하여야 하며, 화물용 발판 또는 화물용 보판으로 사용하도록 해서는 아니 된다.

해설

선박승강설비의 설치

1. 300톤급 이상의 선박에서 하역작업을 하는 경우에 근로자들이 안전하게 오르내릴 수 있는 현문 사다리를 설치하여야 하며, 이 사다리 밑에 안전망을 설치하여야 한다.
2. 현문 사다리는 견고한 재료로 제작된 것으로 너비는 55cm 이상이어야 하고, 양측에 82cm 이상의 높이로 울타리를 설치하여야 하며, 바닥은 미끄러지지 않도록 적합한 재질로 처리되어야 한다.
3. 현문 사다리는 근로자의 통행에만 사용하여야 하며, 화물용 발판 또는 화물용 보판으로 사용하도록 해서는 아니 된다.

105 건축물의 해체공사에 대한 설명으로 틀린 것은?

① 압쇄기와 대형 브레이커(Breaker)는 파워쇼벨 등에 설치하여 사용한다.

② 철제 햄머(Hammer)는 크레인 등에 설치하여 사용한다.

③ 핸드 브레이커(Hand Breaker) 사용 시 수직보다는 경사를 주어 파쇄하는 것이 좋다.

④ 절단톱의 회전날에는 접촉방지 커버를 설치하여야 한다.

해설

핸드 브레이커

1. 압축공기, 유압의 급속한 충격력에 의거 콘크리트 등을 해체할 때 사용하는 것

2. 작은 부재의 파쇄에 유리하고 소음, 진동 및 분진이 발생

3. 준수사항
   ㉠ 끝의 부러짐을 방지하기 위하여 작업자세는 하향 수직 방향으로 유지하도록 하여야 한다.
   ㉡ 기계는 항상 점검하고, 호스의 꼬임·교차 및 손상 여부를 점검하여야 한다.

106 건설공사 위험성평가에 관한 내용으로 옳지 않은 것은?

① 건설물, 기계·기구, 설비 등에 의한 유해·위험요인을 찾아내어 위험성을 결정하고 그 결과에 따른 조치를 하는 것을 말한다.

② 사업주는 위험성평가의 실시내용 및 결과를 기록·보존하여야 한다.

③ 위험성평가 기록물의 보존기간은 2년이다.

④ 위험성평가 기록물에는 평가대상의 유해·위험요인, 위험성결정의 내용 등이 포함된다.

해설

위험성평가 실시내용 및 결과의 기록·보존

1. 사업주가 위험성평가의 결과와 조치사항을 기록·보존할 때에는 다음 각 호의 사항이 포함되어야 한다.
   ㉠ 위험성평가 대상의 유해·위험요인
   ㉡ 위험성 결정의 내용
   ㉢ 위험성 결정에 따른 조치의 내용
   ㉣ 그 밖에 위험성평가의 실시내용을 확인하기 위하여 필요한 사항으로서 고용노동부장관이 정하여 고시하는 사항
      • 위험성평가를 위해 사전조사 한 안전보건정보
      • 그 밖에 사업장에서 필요하다고 정한 사항
2. 사업주는 1.에 따른 자료를 3년간 보존해야 한다.
3. 기록의 최소 보존기한은 위험성평가의 실시 시기 시기별 위험성평가를 완료한 날부터 기산한다.

107 흙막이 가시설 공사 시 사용되는 각 계측기 설치 목적으로 옳지 않은 것은?

① 지표침하계 – 지표면 침하량 측정

② 수위계 – 지반 내 지하수위의 변화 측정

③ 하중계 – 상부 적재하중 변화 측정

④ 지중경사계 – 지중의 수평 변위량 측정

해설

계측기

장치	용도
지표면 침하계 (Level and Staff)	주위 지반에 대한 지표면의 침하량을 측정
지하수위계 (Water Level Meter)	지하수의 수위 변화를 측정
하중계 (Load Cell)	흙막이가 버팀대에 작용하는 토압, 어스 앵커의 인장력 등을 측정
지중 경사계 (Inclino Meter)	지중 수평변위를 측정하여 흙막이의 기울어진 정도를 파악

108 철골공사 시 사전안전성 확보를 위해 공작도에 반영하여야 할 사항이 아닌 것은?

① 주변 고압전주
② 외부 비계받이
③ 기둥 승강용 트랩
④ 방망 설치용 부재

해설

공작도 포함사항

건립 후에 가설부재나 부품을 부착하는 것은 위험한 작업(고소작업 등)이 예상되므로 다음 항목의 사항을 사전에 계획하여 공작도에 포함시켜야 한다.

1. 외부 비계받이 및 화물승강설비용 브래킷
2. 기둥 승강용 트랩
3. 구명줄 설치용 고리
4. 건립에 필요한 와이어 걸이용 고리
5. 난간 설치용 부재
6. 기둥 및 보 중앙의 안전대 설치용 고리
7. 방망 설치용 부재
8. 비계 연결용 부재
9. 방호선반 설치용 부재
10. 양중기 설치용 보강재

109 다음은 동바리로 사용하는 파이프 서포트의 설치기준이다. ( ) 안에 들어갈 내용으로 옳은 것은?

파이프 서포트를 ( ) 이상이어서 사용하지 않도록 할 것

① 2개   ② 3개
③ 4개   ④ 5개

해설

동바리로 사용하는 파이프 서포트의 경우 조립 시 안전조치

1. 파이프 서포트를 3개 이상 이어서 사용하지 않도록 할 것
2. 파이프 서포트를 이어서 사용하는 경우에는 4개 이상의 볼트 또는 전용철물을 사용하여 이을 것
3. 높이가 3.5미터를 초과하는 경우에는 높이 2미터 이내마다 수평연결재를 2개 방향으로 만들고 수평연결재의 변위를 방지할 것

110 토사붕괴의 예방대책으로 틀린 것은?

① 적절한 경사면의 기울기를 계획한다.
② 활동할 가능성이 있는 토석은 제거하여야 한다.
③ 지하수위를 높인다.
④ 말뚝(강관, H형강, 철근 콘크리트)을 타입하여 지반을 강화시킨다.

해설

붕괴 예방대책

1. 적절한 경사면의 기울기를 계획하여야 한다.
2. 경사면의 기울기가 당초 계획과 차이가 발생되면 즉시 재검토하여 계획을 변경시켜야 한다.
3. 활동할 가능성이 있는 토석은 제거하여야 한다.
4. 경사면의 하단부에 압성토 등 보강공법으로 활동에 대한 저항대책을 강구하여야 한다.
5. 말뚝(강관, H형강, 철근 콘크리트)을 타입하여 지반을 강화시킨다.
6. 빗물, 지표수, 지하수의 사전제거 및 침투를 방지하여야 한다.

111 근로자가 추락하거나 넘어질 위험이 있는 장소에서 추락방호망의 설치기준으로 옳지 않은 것은?

① 망의 처짐은 짧은 변 길이의 10% 이상이 되도록 할 것
② 추락방호망은 수평으로 설치할 것
③ 건축물 등의 바깥쪽으로 설치하는 경우 추락방호망의 내민 길이는 벽면으로부터 3m 이상 되도록 할 것
④ 추락방호망의 설치위치는 가능하면 작업 면으로부터 가까운 지점에 설치하여야 하며, 작업 면으로부터 망의 설치지점까지의 수직거리는 10m를 초과하지 아니할 것

해설

추락방호망의 설치기준

1. 추락방호망의 설치위치는 가능하면 작업 면으로부터 가까운 지점에 설치하여야 하며, 작업 면으로부터 망의 설치지점까지의 수직거리는 10미터를 초과하지 아니할 것
2. 추락방호망은 수평으로 설치하고, 망의 처짐은 짧은 변 길이의 12퍼센트 이상이 되도록 할 것
3. 건축물 등의 바깥쪽으로 설치하는 경우 추락방호망의 내민 길이는 벽면으로부터 3미터 이상 되도록 할 것. 다만, 그물코가 20밀리미터 이하인 추락방호망을 사용한 경우에는 낙하물에 의한 위험 방지에 따른 낙하물방지망을 설치한 것으로 본다.

112 미리 작업장소의 지형 및 지반상태 등에 적합한 제한속도를 정하지 않아도 되는 차량계 건설기계의 속도 기준은?

① 최대 제한속도가 10km/h 이하
② 최대 제한속도가 20km/h 이하
③ 최대 제한속도가 30km/h 이하
④ 최대 제한속도가 40km/h 이하

해설

제한속도의 지정

차량계 하역운반기계, 차량계 건설기계(최대 제한속도가 시속 10킬로미터 이하인 것은 제외)를 사용하여 작업을 하는 경우 미리 작업장소의 지형 및 지반상태 등에 적합한 제한속도를 정하고, 운전자로 하여금 준수하도록 하여야 한다.

113 추락방지용 방망의 구조 및 치수의 기준으로 옳지 않은 것은?

① 그물코는 사각 또는 마름모로서 그 크기는 10센티미터 이하이어야 한다.
② 매듭방망으로서 매듭은 원칙적으로 단매듭을 한다.
③ 방망의 소재는 합성섬유를 사용하지 않는다.
④ 테두리로프는 각 그물코를 관통시키고 서로 중복됨이 없이 재봉사로 결속한다.

해설

방망의 구조 및 치수

1. 소재 : 합성섬유 또는 그 이상의 물리적 성질을 갖는 것이어야 한다.

2. 그물코 : 사각 또는 마름모로서 그 크기는 10센티미터 이하이어야 한다.
3. 방망의 종류 : 매듭방망으로서 매듭은 원칙적으로 단매듭을 한다.
4. 테두리로프와 방망의 재봉 : 테두리로프는 각 그물코를 관통시키고 서로 중복됨이 없이 재봉사로 결속한다.
5. 테두리로프 상호의 접합 : 테두리우프를 중간에서 결속하는 경우는 충분한 강도를 갖도록 한다.
6. 달기로프의 결속 : 달기로프는 3회 이상 엮어 묶는 방법 또는 이와 동등 이상의 강도를 갖는 방법으로 테두리로프에 결속하여야 한다.
7. 시험용 사는 방망 폐기 시 방망사의 강도를 점검하기 위하여 테두리로프에 연하여 방망에 재봉한 방망사이다.

114 비계에서 벽 고정을 하고 기둥과 기둥을 수평재나 가새로 연결하는 가장 큰 이유는?

① 작업자의 추락재해를 방지하기 위해
② 좌굴을 방지하기 위해
③ 인장파괴를 방지하기 위해
④ 해체를 용이하게 하기 위해

해설

가설구조물의 좌굴현상

1. 부재의 강성이 부족하여 가늘고 긴 부재가 압축력에 의하여 파괴되는 현상이다.
2. 좌굴방지를 위해 비계에서 벽 고정을 하고 기둥과 기둥을 수평재나 가새로 연결한다.

115 정격하중이 10톤인 크레인의 화물용 와이어로프에 대한 절단하중은 얼마인가?(단, 화물용 와이어로프의 안전계수는 5이다.)

① 2톤   ② 5톤
③ 15톤   ④ 50톤

해설

안전계수

$$안전계수 = \frac{절단하중}{정격하중}$$

절단하중 = 안전계수 × 정격하중
　　　　 = 5 × 10 = 50(톤)

116 콘크리트 타설작업을 하는 경우에 준수해야 할 사항으로 옳지 않은 것은?

① 당일의 작업을 시작하기 전에 해당 작업에 관한 거푸집 동바리 등의 변형·변위 및 지반의 침하 유무 등을 점검하고 이상이 있으면 보수한다.

② 작업 중에는 거푸집 동바리 등의 변형·변위 및 침하 유무 등을 감시할 수 있는 감시자를 배치하여 이상이 있으면 작업을 빠른 시간 내 우선 완료하고 근로자를 대피시킨다.

③ 콘크리트 타설작업 시 거푸집 붕괴의 위험이 발생할 우려가 있으면 충분한 보강조치를 한다.

④ 콘크리트를 타설하는 경우에는 편심이 발생하지 않도록 골고루 분산하여 타설한다.

해설

콘크리트 타설작업 시 준수사항

1. 당일의 작업을 시작하기 전에 해당 작업에 관한 거푸집 동바리 등의 변형·변위 및 지반의 침하 유무 등을 점검하고 이상이 있으면 보수할 것

2. 작업 중에는 거푸집 동바리 등의 변형·변위 및 침하 유무 등을 감시할 수 있는 감시자를 배치하여 이상이 있으면 작업을 중지하고 근로자를 대피시킬 것

3. 콘크리트 타설작업 시 거푸집 붕괴의 위험이 발생할 우려가 있으면 충분한 보강조치를 할 것

4. 설계도서상의 콘크리트 양생기간을 준수하여 거푸집 동바리 등을 해체할 것

5. 콘크리트를 타설하는 경우에는 편심이 발생하지 않도록 골고루 분산하여 타설할 것

117 다음은 가설통로를 설치하는 경우의 준수사항이다. ( ) 안에 들어갈 숫자로 옳은 것은?

• 수직갱에 가설된 통로의 길이가 15미터 이상인 경우에는 (A)미터 이내마다 계단참을 설치할 것
• 건설공사에 사용하는 높이 8미터 이상인 비계다리에는 (B)미터 이내마다 계단참을 설치할 것

① A : 10, B : 7
② A : 10, B : 6
③ A : 7, B : 10
④ A : 7, B : 8

해설

가설통로의 구조

1. 견고한 구조로 할 것

2. 경사는 30도 이하로 할 것. 다만, 계단을 설치하거나 높이 2미터 미만의 가설통로로서 튼튼한 손잡이를 설치한 경우에는 그러하지 아니하다.

3. 경사가 15도를 초과하는 경우에는 미끄러지지 아니하는 구조로 할 것

4. 추락할 위험이 있는 장소에는 안전난간을 설치할 것. 다만, 작업상 부득이한 경우에는 필요한 부분만 임시로 해체할 수 있다.

5. 수직갱에 가설된 통로의 길이가 15미터 이상인 경우에는 10미터 이내마다 계단참을 설치할 것

6. 건설공사에 사용하는 높이 8미터 이상인 비계다리에는 7미터 이내마다 계단참을 설치할 것

118 철근인력운반에 대한 설명으로 옳지 않은 것은?

① 운반할 때에는 중앙부를 묶어 운반한다.

② 긴 철근은 두 사람이 한 조가 되어 어깨메기로 운반하는 것이 좋다.

③ 운반 시 1인당 무게는 25kg 정도가 적당하다.

④ 긴 철근을 한 사람이 운반할 때는 한쪽을 어깨에 메고 한쪽 끝을 땅에 끌면서 운반한다.

해설

철근의 인력운반

1. 1인당 무게는 25kg 정도가 적절하며, 무리한 운반을 삼가야 한다.

2. 2인 이상이 1조가 되어 어깨메기로 하여 운반하는 등 안전을 도모하여야 한다.

3. 긴 철근을 부득이 한 사람이 운반할 때에는 한쪽을 어깨에 메고 한쪽 끝을 끌면서 운반하여야 한다.

4. 운반할 때에는 양끝을 묶어 운반하여야 한다.

5. 내려놓을 때는 천천히 내려놓고 던지지 않아야 한다.

6. 공동작업을 할 때에는 신호에 따라 작업을 하여야 한다.

119 경암지반을 인력으로 굴착할 때 연직높이가 2m일 때, 수평길이는 최소 얼마 이상이 필요한가?

① 2.0m 이상
② 1.5m 이상
③ 1.0m 이상
④ 0.5m 이상

해설

굴착면의 기울기

지반의 종류	굴착면의 기울기
모래	1 : 1.8
연암 및 풍화암	1 : 1.0
경암	1 : 0.5
그 밖의 흙	1 : 1.2

경암의 기울기가 1 : 0.5이므로

1 : 0.5 = 2 : x(수평길이)

∴ x(수평길이) = 0.5 × 2 = 1.0(m)

120 다음은 굴착공사 표준안전 작업지침에 따른 트렌치 굴착 시 준수사항이다. (   ) 안에 들어갈 내용으로 옳은 것은?

> 굴착 폭은 작업 및 대피가 용이하도록 충분한 넓이를 확보하여야 하며, 굴착 깊이가 2m 이상일 경우에는 (   ) 이상의 폭으로 한다.

① 1m

② 1.5m

③ 2.0m

④ 2.5m

해설

트렌치 굴착 시 준수사항

굴착 폭은 작업 및 대피가 용이하도록 충분한 넓이를 확보하여야 하며, 굴착 깊이가 2m 이상일 경우에는 1m 이상의 폭으로 한다.

PART 01
PART 02
PART 03
PART 04
PART 05
PART 06
PART 07

1과목 산업재해 예방 및 안전보건교육

01 적응기제(適應機制, Adjustment Mechanism)의 종류 중 도피적 기제(행동)에 해당하지 않는 것은?

① 고립

② 퇴행

③ 억압

④ 승화

해설

적응기제의 기본유형

공격적 기제 (행동)	도피적 기제 (행동)	방어적(절충적) 기제(행동)
• 직접적 공격 기제 : 폭행, 싸움, 기물파손 등 • 간접적 공격 기제 : 비난, 폭언, 욕설 등	• 백일몽 • 퇴행 • 억압 • 반동형성 • 고립 등	• 승화 • 보상 • 합리화 • 투사 • 동일화 등

02 인간관계 관리기법에 있어 구성원 상호 간의 선호도를 기초로 집단 내부의 동태적 상호 관계를 분석하는 방법으로 가장 적절한 것은?

① 소시오메트리(Sociometry)

② 그리드 훈련(Grid Training)

③ 집단역학(Group Dynamic)

④ 감수성 훈련(Sensitivity Training)

해설

소시오메트리

1. 사회 측정법으로 집단에 있어 각 구성원 사이의 견인과 배척관계를 조사하여 어떤 개인의 집단 내에서의 관계나 위치를 발견하고 평가하는 방법(집단의 인간관계를 조사하는 방법)
2. 구성원 상호 간의 선호도를 기초로 집단 내부의 동태적 상호관계를 분석하는 기법

03 A사업장의 현황이 다음과 같을 때 이 사업장의 강도율은?

• 근로자수 : 500명
• 연근로시간수 : 2,400시간
• 신체장해등급
  − 2급 : 3명
  − 10급 : 5명
• 의사 진단에 의한 휴업일수 : 1,500일

① 0.22 ② 2.22

③ 22.28 ④ 222.88

해설

강도율

$$강도율 = \frac{근로손실일수}{연간\ 총근로시간수} \times 1,000$$

$$
\begin{aligned}
강도율 &= \frac{근로손실일수}{연간\ 총근로시간수} \times 1,000 \\
&= \frac{(7,500 \times 3) + (600 \times 5) + \left(1,500 \times \dfrac{300}{365}\right)}{500 \times 2,400} \times 1,000 \\
&= 22.28
\end{aligned}
$$

> **TIP 근로손실일수의 산정 기준**
> • 사망 및 영구 전 노동불능(신체장해등급 1~3급) : 7,500일
> • 영구 일부 노동불능(근로손실일수)
>
> | 신체장해
등급 | 4 | 5 | 6 | 7 | 8 | 9 |
> |---|---|---|---|---|---|---|
> | 근로손실
일수 | 5,500 | 4,000 | 3,000 | 2,200 | 1,500 | 1,000 |
>
> | 신체장해
등급 | 10 | 11 | 12 | 13 | 14 |
> |---|---|---|---|---|---|
> | 근로손실
일수 | 600 | 400 | 200 | 100 | 50 |
>
> • 일시 전 노동불능
> $$근로손실일수 = 휴업일수 \times \frac{연간\ 근무일수}{365}$$

04 산업안전보건법령상 안전보건관리규정 작성 시 포함되어야 하는 사항을 모두 고른 것은?(단, 그 밖에 안전 및 보건에 관한 사항은 제외한다.)

ㄱ. 안전보건교육에 관한 사항
ㄴ. 재해사례 연구ㆍ토의결과에 관한 사항
ㄷ. 사고 조사 및 대책 수립에 관한 사항
ㄹ. 작업장의 안전 및 보건 관리에 관한 사항
ㅁ. 안전 및 보건에 관한 관리조직과 그 직무에 관한 사항

① ㄱ, ㄴ, ㄷ, ㄹ
② ㄱ, ㄴ, ㄹ, ㅁ
③ ㄱ, ㄷ, ㄹ, ㅁ
④ ㄴ, ㄷ, ㄹ, ㅁ

해설

안전보건관리규정의 포함 사항
1. 안전 및 보건에 관한 관리조직과 그 직무에 관한 사항
2. 안전보건교육에 관한 사항
3. 작업장의 안전 및 보건 관리에 관한 사항
4. 사고 조사 및 대책 수립에 관한 사항
5. 그 밖에 안전 및 보건에 관한 사항

05 재해조사의 목적과 가장 거리가 먼 것은?

① 재해예방 자료수집
② 재해 관련 책임자 문책
③ 동종 및 유사재해 재발 방지
④ 재해 발생원인 및 결함 규명

해설

재해조사의 목적
재해 원인과 결함을 규명하고 예방 자료를 수집하여 동종재해 및 유사재해의 재발 방지 대책을 강구하는 데 목적이 있다.
1. 재해 발생원인 및 결함 규명
2. 재해예방 자료수집
3. 동종 및 유사재해 재발 방지

06 아담스(Edward Adams)의 사고연쇄반응이론 5단계에서 불안전행동 및 불안전상태는 어느 단계에 해당되는가?

① 제1단계 : 관리구조
② 제2단계 : 작전적 에러
③ 제3단계 : 전술적 에러
④ 제4단계 : 사고

해설

아담스(Adams)의 사고연쇄 반응이론

제1단계	제2단계	제3단계	제4단계	제5단계
관리구조 →	작전적 에러 →	전술적 에러 →	사고 →	상해ㆍ손해

재해의 직접원인을 관리시스템 내의 불안전 행동과 불안전 상태에 두고 전술적 에러로 설명하였으며, 관리상의 잘못으로 인한 개념을 강조하고 있다.

07 의식의 레벨(Phase)을 5단계로 구분할 때 의식의 신뢰도가 가장 높은 단계는?

① Phase Ⅰ
② Phase Ⅱ
③ Phase Ⅲ
④ Phase Ⅳ

해설

의식수준의 단계

단계	의식의 상태	신뢰성
Phase 0 (제0단계)	무의식, 실신	0(Zero)
Phase Ⅰ (제Ⅰ단계)	정상 이하, 의식 흐림, 의식 몽롱함	0.9 이하
Phase Ⅱ (제Ⅱ단계)	정상, 이완상태, 느긋한 기분	0.99~0.99999
Phase Ⅲ (제Ⅲ단계)	정상, 상쾌한 상태, 분명한 의식	0.999999 이상 (신뢰도가 가장 높은 상태)
Phase Ⅳ (제Ⅳ단계)	과긴장, 흥분상태	0.9 이하

08 유기화합물용 방독마스크 시험가스의 종류가 아닌 것은?

① 염소가스 또는 증기
② 시클로헥산
③ 디메틸에테르
④ 이소부탄

01 PART
02 PART
03 PART
04 PART
05 PART
06 PART
07 PART

방독마스크의 종류 및 표시색

종류	시험가스	정화통 외부 측면의 표시색
유기화합물용	시클로헥산 (C_6H_{12})	갈색
	디메틸에테르 (CH_3OCH_3)	
	이소부탄(C_4H_{10})	
할로겐용	염소가스 또는 증기(Cl_2)	회색
황화수소용	황화수소가스 (H_2S)	
시안화수소용	시안화수소가스 (HCN)	
아황산용	아황산가스(SO_2)	노랑색
암모니아용	암모니아가스 (NH_3)	녹색
복합용 및 겸용의 정화통		• 복합용의 경우 : 해당 가스 모두 표시(2층 분리) • 겸용의 경우 : 백색과 해당 가스 모두 표시(2층 분리)

09 동기부여이론 중 데이비스(K. Davis)의 이론은 동기유발을 식으로 표현하였다. 옳은 것은?

① 지식(Knowledge) × 기능(Skill)
② 능력(Ability) × 태도(Attitude)
③ 상황(Situation) × 태도(Attitude)
④ 능력(Ability) × 동기유발(Motivation)

데이비스(K. Davis)의 동기부여이론
1. 인간의 성과×물질적 성과=경영의 성과
2. 지식(Knowledge) × 기능(Skill) = 능력(Ability)
3. 상황(Situation) × 태도(Attitude) = 동기유발(Motivation)
4. 능력(Ability) × 동기유발(Motivation) = 인간의 성과(Human Performance)

10 다음 중 맥그리거(D. McGregor)의 Y이론과 가장 거리가 먼 것은?

① 성선설
② 상호신뢰
③ 선진국형
④ 권위주의적 리더십

맥그리거(D. McGregor)의 X, Y이론

X이론	Y이론
인간불신감	상호신뢰감
성악설	성선설
인간은 본래 게으르고 태만, 수동적, 남의 지배받기를 즐긴다.	인간은 본래 부지런하고 근면, 적극적, 스스로 일을 자기책임 하에 자주적으로 행한다.
저차적 욕구(물질적 욕구)	고차적 욕구(정신적 욕구)
명령, 통제에 의한 관리	자기통제와 자율 확보
저개발국형의 관리 형태	선진국형의 관리 형태
권위주의적 리더십	민주적 리더십

11 안전관리조직의 참모식(Staff형)에 대한 장점이 아닌 것은?

① 경영자의 조언과 자문역할을 한다.
② 안전정보 수집이 용이하고 빠르다.
③ 안전에 관한 명령과 지시는 생산라인을 통해 신속하게 전달한다.
④ 안전전문가가 안전계획을 세워 문제해결방안을 모색하고 조치한다.

스태프형(Staff형, 참모형 조직)
1. 의의
   • 회사 내에 별도로 안전활동 전담부서를 두는 방식의 조직 형태
   • 100명 이상 1,000명 미만의 중규모 사업장에 적합한 조직 형태
   • 안전관리에 관한 계획과 조정, 조사, 검토, 보고 등의 일과 현장에 대한 기술지원을 담당하도록 편성된 조직
2. 장점
   • 경영자의 조언과 자문역할을 함
   • 안전에 관한 지식, 기술의 정보 수집이 용이하고 빠름
3. 단점
   • 생산부분은 안전에 대한 책임과 권한이 없음
   • 안전과 생산을 별개로 취급하기 쉬움

12 바닥 위에 서 있던 작업자가 바닥에 의해 넘어져 바닥 위에 있는 철근에 머리를 부딪쳤다. 이때 기인물과 가해물에 해당하는 것은?

① 기인물 : 바닥, 가해물 : 바닥

② 기인물 : 바닥, 가해물 : 철근

③ 기인물 : 철근, 가해물 : 바닥

④ 기인물 : 철근, 가해물 : 철근

해설

기인물과 가해물
1. 기인물 : 바닥
2. 가해물 : 철근

> **TIP** ① 기인물 : 직접적으로 재해를 유발하거나 영향을 끼친 에너지원(운동, 위치, 열, 전기 등)을 지닌 기계 · 장치, 구조물, 물체 · 물질, 사람 또는 환경 등을 말한다.
> ② 가해물 : 사람에게 직접적으로 상해를 입힌 기계 · 장치, 구조물, 물체 · 물질, 사람 또는 환경요인을 말한다.

13 산업재해보상보험법령상 보험급여의 종류가 아닌 것은?

① 장례비

② 간병급여

③ 직업재활급여

④ 생산손실비용

해설

보험급여의 종류
1. 요양급여
2. 휴업급여
3. 장해급여
4. 간병급여
5. 유족급여
6. 상병(傷病)보상 연금
7. 장례비
8. 직업재활급여

> **TIP** 하인리히 재해코스트(직접비와 간접비)

	법적으로 정한 산재보상비(산재자에게 지급되는 보상비 일체)
직접비	1. 요양급여(진찰비, 간호비용 등) 2. 휴업급여 5. 유족급여 3. 장해급여 6. 장의비 4. 간병급여 7. 상병보상 연금 8. 기타(장해특별급여, 유족특별급여, 직업재활급여)
	직접비를 제외한 모든 비용(산재로 인해 기업이 입은 재산상의 손실)
간접비	1. 인적 손실 4. 특수 손실 2. 물적 손실 5. 기타 손실 3. 생산 손실

14 방진마스크의 사용조건 중 산소농도의 최소기준으로 옳은 것은?

① 16%

② 18%

③ 21%

④ 23.5%

해설

방진마스크의 사용조건
산소농도 18% 이상인 장소에서 사용하여야 한다.

> **TIP** • 방독마스크 : 산소농도가 18% 이상인 장소에서 사용
> • 송기마스크 : 공기 중 산소농도가 부족하고(산소농도 18% 미만 장소), 공기 중에 미립자상 물질이 부유하는 장소에서 사용

15 버드(Bird)의 최신 도미노이론 5단계에 해당하지 않는 것은?

① 제어부족(관리)

② 직접원인(징후)

③ 간접원인(평가)

④ 기본원인(기원)

해설

버드(Bird)의 최신 도미노이론
1. 제1단계 : 제어의 부족(관리)
2. 제2단계 : 기본원인(기원)
3. 제3단계 : 직접원인(징후)
4. 제4단계 : 사고(접촉)
5. 제5단계 : 상해(손실)

> **TIP** 재해발생의 근원적 원인은 경영자의 관리 소홀이다.

16 다음 설명의 학습지도 형태는 어떤 토의법 유형인가?

> 6-6 회의라고도 하며, 6명씩 소집단으로 구분하고, 집단별로 각각의 사회자를 선발하여 6분간씩 자유토의를 행하여 의견을 종합하는 방법

① 포럼(Forum)

② 버즈세션(Buzz Session)

③ 케이스 메소드(Case Method)

④ 패널 디스커션(Panel Discussion)

01 PART
02 PART
03 PART
04 PART
05 PART
06 PART
07 PART

토의법의 종류

1. 자유토의법

   참가자가 주어진 주제에 대하여 자유로운 발표와 토의를 통하여 서로의 의견을 교환하고 상호이해력을 높이며 의견을 절충해 나가는 방법

2. 패널 디스커션(Panel Discussion)

   전문가 4~5명이 피교육자 앞에서 자유로이 토의를 하고, 그 후에 피교육자 전원이 사회자의 사회에 따라 토의하는 방법

3. 심포지엄(Symposium)

   발제자 없이 몇 사람의 전문가에 의하여 과제에 관한 견해를 발표한 뒤에 참가자로 하여금 의견이나 질문을 하게 하여 토의하는 방법

4. 포럼(Forum)

   ㉠ 사회자의 진행으로 몇 사람이 주제에 대하여 발표한 후 피교육자가 질문을 하고 토론해 나가는 방법

   ㉡ 새로운 자료나 주제를 내보이거나 발표한 후 피교육자로 하여금 문제나 의견을 제시하게 하고 다시 깊이 있게 토론해 나가는 방법

5. 버즈 세션(Buzz Session)

   6-6 회의라고도 하며, 참가자가 다수인 경우에 전원을 토의에 참가시키기 위한 방법으로 소집단을 구성하여 회의를 진행시키는 방법

---

17 다음 중 부주의의 발생 현상으로 혼미한 정신 상태에서 심신의 피로나 단조로운 반복작업 시 일어나는 현상은?

① 의식의 과잉

② 의식의 집중

③ 의식의 우회

④ 의식 수준의 저하

부주의 발생 현상

의식의 단절 (중단)	• 의식의 흐름에 단절이 생기고 공백상태가 나타나는 경우 • 의식수준 제0단계의 상태(특수한 질병의 경우)
의식의 우회	• 의식의 흐름이 옆으로 빗나가 발생한 경우 • 의식수준 제0단계의 상태(걱정, 고민, 욕구불만 등)
의식수준의 저하	• 뚜렷하지 않은 의식의 상태로 심신이 피로하거나 단조로운 작업 등의 경우 • 의식수준 제Ⅰ단계 이하의 상태

의식의 과잉	• 돌발사태 및 긴급이상사태에 직면하면 순간적으로 긴장되고 의식이 한 방향으로 쏠리는 주의의 일점집중현상의 경우 • 의식수준 제Ⅳ단계의 상태
의식의 혼란	• 외적조건에 문제가 있을 때 의식이 혼란되고 분산되어 작업에 잠재되어 있는 위험요인에 대응할 수 없는 경우 • 외부의 자극이 애매모호하거나, 너무 강하거나 약할 때

---

18 다음 중 산업재해조사표를 작성할 때 기입하는 상해의 종류에 해당하는 것은?

① 낙하 · 비래

② 유해광선 노출

③ 중독 · 질식

④ 이상온도 노출 · 접촉

재해의 분류

재해 발생 형태별 분류	• 추락 • 전도 • 충돌 • 낙하, 비래 • 붕괴, 도괴 • 협착 • 감전	• 폭발 • 파열 • 화재 • 무리한 동작 • 이상온도접촉 • 유해물접촉 등
상해 종류에 의한 분류	• 골절 • 동상 • 부종 • 찔림(자상) • 타박상(좌상) • 절단 • 중독, 질식 • 찰과상	• 베임(창상) • 화상 • 뇌진탕 • 익사 • 피부병 • 청력장해 • 시력장해 등

---

19 사용장소에 따른 방진마스크의 등급을 구분할 때 베릴륨 등과 같이 독성이 강한 물질들을 함유한 분진 등 발생장소에 가장 적합한 등급은?

① 특급

② 1급

③ 2급

④ 3급

해설

방진마스크의 등급 및 사용장소

등급	특급	1급	2급
사용 장소	• 베릴륨 등과 같이 독성이 강한 물질들을 함유한 분진 등 발생장소 • 석면 취급장소	• 특급 마스크 착용장소를 제외한 분진 등 발생장소 • 금속흄 등과 같이 열적으로 생기는 분진 등 발생장소 • 기계적으로 생기는 분진 등 발생장소(규소 등과 같이 2급 방진마스크를 착용하여도 무방한 경우는 제외)	• 특급 및 1급 마스크 착용 장소를 제외한 분진 등 발생장소

배기밸브가 없는 안면부여과식 마스크는 특급 및 1급 장소에 사용해서는 안 된다.

20 Y·G 성격검사에서 "안전, 적응, 적극형"에 해당하는 형의 종류는?

① A형

② B형

③ C형

④ D형

해설

Y-G 성격검사

1. A형(평균형) : 조화적, 적응적
2. B형(우편형) : 정서 불안정, 활동적, 외향적(불안전, 적극형, 부적응)
3. C형(좌편형) : 안정 소극형(온순, 소극적, 안정, 내향적, 비활동)
4. D형(우하형) : 안정, 적응, 적극형(정서 안정, 활동적, 사회 적응, 대인관계 양호)
5. E형(좌하형) : 불안정, 부적응 수동형(D형과 반대)

21 그림과 같은 FT도에 대한 최소 컷셋(Minimal Cut Sets)으로 옳은 것은?(단, Fussell의 알고리즘을 따른다.)

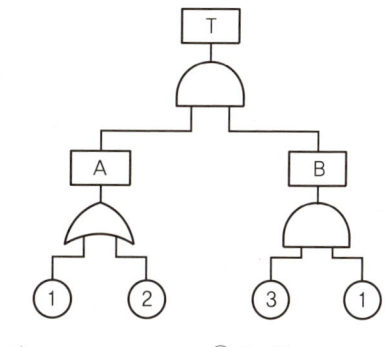

① {1, 2}

② {1, 3}

③ {2, 3}

④ {1, 2, 3}

해설

미니멀 컷셋(Minimal Cut Set)

$$T \rightarrow A, B \rightarrow \begin{matrix} 1, B \\ 2, B \end{matrix} \rightarrow \begin{matrix} 1, 3, 1 \\ 2, 3, 1 \end{matrix} \rightarrow 1, 3$$

ⓐ   ⓑ   ⓒ   ⓓ

TIP ⓒ에서 1행의 컷셋은 (1)이 중복되어 있으므로 (1, 3)이 되고 ⓒ의 2행에서는 (1, 3)이 포함되어 있기 때문에 최소 컷셋은 ⓓ와 같다.

22 반사경 없이 모든 방향으로 빛을 발하는 점광원에서 5m 떨어진 곳의 조도가 120lux라면 2m 떨어진 곳의 조도는?

① 150lux

② 192.2lux

③ 750lux

④ 3,000lux

해설

조도

$$조도 = \frac{광도}{(거리)^2}$$

1. 광도 = 조도 × (거리)^2
2. 5m 거리의 광도 = $120 \times 5^2 = 3,000$[cd]이므로
3. 2m 거리의 조도 = $\frac{3,000}{2^2} = 750$[lux]

23 손이나 특정 신체부위에 발생하는 누적손상장애(CTD)의 발생인자와 가장 거리가 먼 것은?

① 무리한 힘
② 다습한 환경
③ 장시간의 진동
④ 반복도가 높은 작업

해설

근골격계 질환

1. 반복적인 동작, 부적절한 작업자세, 무리한 힘의 사용, 날카로운 면과의 신체접촉, 진동 및 온도 등의 요인에 의하여 발생하는 건강장해로서 목, 어깨, 허리, 팔·다리의 신경·근육 및 그 주변 신체조직 등에 나타나는 질환을 말한다.
2. 유사어로는 누적 외상성 질환(CTDs), 반복성긴장 상해 등이 있다.

24 다음 중 동작경제의 원칙에 있어 신체사용에 관한 원칙이 아닌 것은?

① 두 손의 동작은 같이 시작해서 같이 끝나야 한다.
② 손의 동작은 유연하고 연속적인 동작이어야 한다.
③ 공구, 재료 및 제어장치는 사용하기 가까운 곳에 배치해야 한다.
④ 동작이 급작스럽게 크게 바뀌는 직선 동작은 피해야 한다.

해설

동작경제의 원칙

신체 사용에 관한 원칙	• 두 손의 동작은 같이 시작하고 같이 끝나도록 한다. • 휴식시간을 제외하고는 양손이 같이 쉬지 않도록 한다. • 두 팔의 동작은 서로 반대방향으로 대칭적으로 움직인다. • 손과 신체의 동작은 작업을 원만하게 처리할 수 있는 범위 내에서 가장 낮은 동작 등급을 사용하도록 한다. • 가능한 한 관성을 이용하여 작업을 하도록 하되, 작업자가 관성을 억제하여야 하는 경우에는 발생되는 관성을 최소한도로 줄인다. • 손의 동작은 유연하고 연속적인 동작이 되도록 하며, 방향이 갑자기 크게 바뀌는 모양의 직선동작은 피하도록 한다. • 탄도동작(Ballistic Movements)은 제한되거나 통제된 동작보다 더 신속, 정확, 용이하다. • 가능하다면 쉽고도 자연스러운 리듬이 작업동작에 생기도록 작업을 배치한다.

작업장 배치에 관한 원칙	• 모든 공구나 재료는 자기 위치에 있도록 한다. • 공구, 재료 및 제어장치는 사용위치에 가까이 두도록 한다. • 중력을 이용한 부품상자나 용기를 이용하여 부품을 제품 사용위치에 가까이 보낼 수 있도록 한다. • 가능하다면 낙하시키는 운반방법을 사용하라. • 공구 및 재료는 동작에 가장 편리한 순서로 배치하여야 한다. • 채광 및 조명장치를 잘 하여야 한다. • 작업자가 작업 중 자세를 변경, 즉 앉거나 서는 것을 임의로 할 수 있도록 작업대와 의자 높이가 조정되도록 한다. • 작업자가 좋은 자세를 취할 수 있도록 의자는 높이뿐만 아니라 디자인도 좋아야 한다.
공구 및 설비 디자인에 관한 원칙	• 치구나 발로 작동시키는 기기를 사용할 수 있는 작업에서는 이러한 기기를 활용하여 양손이 다른 일을 할 수 있도록 한다. • 공구의 기능은 결합하여서 사용하도록 한다. • 공구와 자재는 가능한 한 사용하기 쉽도록 미리 위치를 잡아준다. • 각 손가락에 서로 다른 작업을 할 때에는 작업량을 각 손가락의 능력에 맞게 분배해야 한다. • 레버, 핸들 및 제어장치는 작업자가 몸의 자세를 크게 바꾸지 않더라도 조작하기 쉽도록 배열한다.

(눈의 초점을 모아야 작업을 할 수 있는 경우는 가능하면 없애고, 불가피한 경우에는 눈의 초점이 모아지는 서로 다른 두 작업 지점 간의 거리를 짧게 한다.)

25 산업안전보건법령에 따라 제조업 중 유해·위험방지계획서 제출대상 사업의 사업주가 유해·위험방지계획서를 제출하고자 할 때 첨부하여야 하는 서류에 해당하지 않는 것은?(단, 기타 고용노동부장관이 정하는 도면 및 서류 등은 제외한다.)

① 공사개요서
② 기계·설비의 배치도면
③ 기계·설비의 개요를 나타내는 서류
④ 원재료 및 제품의 취급, 제조 등의 작업방법의 개요

해설

유해·위험 방지계획서 제출 시 첨부서류(제조업)

1. 건축물 각 층의 평면도
2. 기계·설비의 개요를 나타내는 서류
3. 기계·설비의 배치도면
4. 원재료 및 제품의 취급, 제조 등의 작업방법의 개요
5. 그 밖에 고용노동부장관이 정하는 도면 및 서류

26 스트레스의 영향으로 발생된 신체 반응의 결과인 스트레인(Strain)을 측정하는 척도가 잘못 연결된 것은?

① 인지적 활동 – EEG

② 육체적 동적 활동 – GSR

③ 정신 운동적 활동 – EOG

④ 국부적 근육 활동 – EMG

해설

피부전기반사(GSR ; Galvanic Skin Reflex)
작업부하의 정신적 부담이 피로와 함께 증대하는 현상을 전기저항의 변화로 측정, 정신 전류현상이라고도 한다.

27 다음 중 위험 조정을 위해 필요한 방법(위험조정기술)과 가장 거리가 먼 것은?

① 위험 회피(Avoidance)

② 위험 감축(Reduction)

③ 보류(Retention)

④ 위험 확인(Confirmation)

해설

위험처리기술(위험관리기법)

위험의 회피 (Avoidance)	• 위험 자체를 피하는 행위 • 잠재적 이익도 포기하는 극히 소극적인 수단
위험의 감소 (Reduction)	• 위험을 적극적으로 예방하고 경감하는 행위 • 잠재적 위험의 노출을 최대한 감소하는 방법
위험의 전가 (Transfer)	• 위험을 제3자에게 전가하거나 공유하는 행위 • 보험, 공제조합, 기금 등
위험의 보유(보류) (Retention)	• 무계획적 보유 : 가장 위험한 행위 • 계획적 보유 : 회피, 감소, 전가될 수 없는 위험에 적극적으로 대응

28 부품고장이 발생하여도 기계가 추후 보수될 때까지 안전한 기능을 유지할 수 있도록 하는 기능은?

① Fail – soft

② Fail – active

③ Fail – operational

④ Fail – passive

해설

페일 세이프(Fail Safe)의 기능면에서의 분류

Fail – passive	부품이 고장 나면 기계가 정지하는 방향으로 이동하는 것(일반적인 산업기계)
Fail – active	부품이 고장 나면 경보를 울리며 잠시 동안 계속 운전이 가능한 것
Fail – operational	부품이 고장 나도 추후에 보수가 될 때까지 안전한 기능을 유지하는 것

29 작업의 강도는 에너지대사율(RMR)에 따라 분류된다. 분류 기준 중, 중(中)작업(보통작업)의 에너지대사율은?

① 0~1RMR   ② 2~4RMR

③ 4~7RMR   ④ 7~9RMR

해설

에너지대사율(RMR ; Relative Metabolic Rate)
에너지대사율이 높을수록 힘든 작업이므로 작업강도에 따른 적정한 휴식시간의 증가가 필요하다.

1. 공식

$$RMR = \frac{\text{작업 시 소비에너지} - \text{안정 시 소비에너지}}{\text{기초대사량}}$$
$$= \frac{\text{작업대사량}}{\text{기초대사량}}$$

2. RMR에 의한 작업강도단계

RMR 단계	강도	작업
0~2	경(輕)작업	사무작업, 감시작업, 정밀작업 등
2~4	중(中)작업(보통)	손이나 발작업 동작, 속도가 적은 것
4~7	중(重)작업(무거운)	일반적인 전신작업
7 이상	초중(超重)작업(무거운)	과격한 작업(중노동)에 해당하는 전신작업

30 휴먼에러(Human Error) 원인의 레벨(Level)을 분류할 때 작업조건이나 작업형태 중에서 다른 문제가 생겨서 그것 때문에 필요한 사항을 실행할 수 없는 에러를 무엇이라고 하는가?

① Command Error   ② Primary Error

③ Secondary Error   ④ Third Error

정답 26 ② 27 ④ 28 ③ 29 ② 30 ③

01 PART
02 PART
03 PART
04 PART
05 PART
06 PART
07 PART

원인의 레벨(Level)적 분류

Primary Error (1차 에러)	작업자 자신으로부터 발생한 에러
Secondary Error (2차 에러)	작업형태나 작업조건 중에서 다른 문제가 발생하여 필요한 직무나 절차를 수행할 수 없는 에러
Command Error (지시 에러)	작업자가 움직이려 해도 필요한 물건, 정보, 에너지 등이 공급되지 않아서 작업자가 움직일 수 없는 상황에서 발생한 에러

31 의도는 올바른 것이었지만, 행동이 의도한 것과는 다르게 나타나는 오류는?

① Slip
② Mistake
③ Lapse
④ Violation

인간의 오류 모형

착오 (Mistake)	상황해석을 잘못하거나 목표를 잘못 이해하고 착각하여 행하는 경우(어떤 목적으로 행동하려고 했는데 그 행동과 일치하지 않는 것)
실수 (Slip)	상황이나 목표의 해석을 제대로 했으나 의도와는 다른 행동을 하는 경우
건망증 (Lapse)	여러 과정이 연계적으로 계속하여 일어나는 행동 중 일부를 잊어버리고 하지 않거나 또는 기억의 실패에 의해 발생하는 오류
위반 (Violation)	정해진 규칙을 알고 있음에도 고의적으로 따르지 않거나 무시하는 행위

32 어떤 결함수를 분석하여 Minimal Cut Set을 구한 결과 다음과 같았다. 각 기본사상의 발생확률을 q_i, i = 1, 2, 3이라 할 때, 정상사상의 발생확률함수로 맞는 것은?

$$k_1 = [1, 2],\ k_2 = [1, 3],\ k_3 = [2, 3]$$

① $q_1 q_2 + q_1 q_2 - q_2 q_3$
② $q_1 q_2 + q_1 q_3 - q_2 q_3$
③ $q_1 q_2 + q_1 q_3 + q_2 q_3 - q_1 q_2 q_3$
④ $q_1 q_2 + q_1 q_3 + q_2 q_3 - 2q_1 q_2 q_3$

Minimal Cut Set을 FT도로 표시하면 다음과 같다.

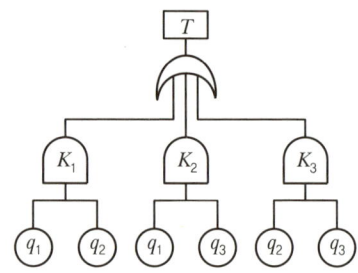

$$T = 1 - (1 - K_1)(1 - K_2)(1 - K_3)$$
$$T = 1 - [(1 - K_2 - K_1 + K_1 K_2)(1 - K_3)]$$
$$T = 1 - (1 - K_3 - K_2 + K_2 K_3 - K_1 + K_1 K_3 + K_1 K_2 - K_1 K_2 K_3)$$
$$T = 1 - 1 + K_1 + K_2 + K_3 - K_1 K_2 - K_1 K_3 - K_2 K_3 + K_1 K_2 K_3$$
$$T = K_1 + K_2 + K_3 - K_1 K_2 - K_1 K_3 - K_2 K_3 + K_1 K_2 K_3$$
$$T = q_1 q_2 + q_1 q_3 + q_2 q_3 - q_1 q_2 q_3 - q_1 q_2 q_3 - q_1 q_2 q_3 + q_1 q_2 q_3$$
$$T = q_1 q_2 + q_1 q_3 + q_2 q_3 - 2q_1 q_2 q_3$$

33 시스템의 수명곡선(욕조곡선)에 있어서 디버깅(Debugging)에 관한 설명으로 옳은 것은?

① 초기고장의 결함을 찾아 고장률을 안정시키는 과정이다.
② 우발고장의 결함을 찾아 고장률을 안정시키는 과정이다.
③ 마모고장의 결함을 찾아 고장률을 안정시키는 과정이다.
④ 기계결함을 발견하기 위해 동작시험을 하는 기간이다.

초기고장
1. 감소형 - DFR(Decreasing Failure Rate) : 고장률이 시간에 따라 감소
2. 불량제조, 생산과정에서 품질관리 미비, 설계미숙 등으로 일어나는 고장
3. 점검작업이나 시운전 등으로 감소시킬 수 있다.
4. 디버깅(Debugging) 기간 : 초기에 기계의 결함을 찾아내 고장률을 안정시키는 기간
5. 번인(Burn-in) 기간 : 제품을 실제로 장시간 가동하여 결함의 원인을 제거하는 기간
6. 보전예방(MP) 실시

01	PART
02	PART
03	PART
04	PART
05	PART
06	PART
07	PART

> **TIP** 시스템 수명곡선(욕조곡선)
> - 초기고장 : 감소형 – DFR(Decreasing Failure Rate)
>   고장률이 시간에 따라 감소
> - 우발고장 : 일정형 – CFR(Constant Failure Rate)
>   고장률이 시간에 관계없이 거의 일정
> - 마모고장 : 증가형 – IFR(Increasing Failure Rate)
>   고장률이 시간에 따라 증가

34 자동차는 타이어가 4개인 하나의 시스템으로 볼 수 있다. 타이어 1개가 파열될 확률이 0.01이라면, 이 자동차의 신뢰도는 약 얼마인가?

① 0.91
② 0.93
③ 0.96
④ 0.99

해설

신뢰도
1. 타이어 1개의 신뢰도(파열되지 않을 확률)

   $R = 1 - 0.01 = 0.99$
2. 자동차 타이어는 직렬로 연결(1개의 타이어만 파열되어도 시스템은 정지)

   $R = 0.99 \times 0.99 \times 0.99 \times 0.99 = 0.96$

35 A회사에서는 새로운 기계를 설계하면서 레버를 위로 올리면 압력이 올라가도록 하고, 오른쪽 스위치를 눌렀을 때 오른쪽 전등이 켜지도록 하였다면, 이것은 각각 어떤 유형의 양립성을 고려한 것인가?

① 레버 – 공간양립성, 스위치 – 개념양립성
② 레버 – 운동양립성, 스위치 – 개념양립성
③ 레버 – 개념양립성, 스위치 – 운동양립성
④ 레버 – 운동양립성, 스위치 – 공간양립성

해설

양립성의 종류

공간 양립성	• 표시장치와 이에 대응하는 조종장치 간의 위치 또는 배열이 인간의 기대와 모순되지 않아야 한다. • 가스버너에서 오른쪽 조리대는 오른쪽 조절장치로, 왼쪽 조리대는 왼쪽 조절장치로 조정하도록 배치한다.
운동 양립성	• 조작장치의 방향과 표시장치의 움직이는 방향이 사용자의 기대와 일치하는 것 • 자동차를 운전하는 과정에서 우측으로 회전하기 위하여 핸들을 우측으로 돌린다.

개념 양립성	• 사람들이 가지고 있는(이미 사람들이 학습을 통해 알고 있는) 개념적 연상에 관한 기대와 일치하는 것 • 냉온수기에서 빨간색은 온수, 파란색은 냉수가 나온다.
양식 양립성	음성과업에 대해서는 청각적 자극 제시와 이에 대한 음성 응답 등에 해당

36 안전교육을 받지 못한 신입직원이 작업 중 전극을 반대로 끼우려고 시도했으나, 플러그의 모양이 반대로 끼울 수 없도록 설계되어 있어서 사고를 예방할 수 있었다. 작업자가 범한 오류와 이와 같은 사고 예방을 위해 적용된 안전설계 원칙으로 가장 적합한 것은?

① 누락(Omission) 오류, Fail Safe 설계원칙
② 누락(Omission) 오류, Fool Proof 설계원칙
③ 작위(Commission) 오류, Fail Safe 설계원칙
④ 작위(Commission) 오류, Fool Proof 설계원칙

해설

인간실수의 분류 및 안전설계
1. 인간실수의 분류(심리적인 분류)

생략에러 (Omission Error) 부작위 실수	필요한 직무 및 절차를 수행하지 않아(생략) 발생하는 에러 예 가스밸브를 잠그는 것을 잊어 사고가 났다.
작위에러 (Commission Error)	필요한 작업 또는 절차의 불확실한 수행(잘못 수행)으로 인한 에러 예 전선이 바뀌었다. 틀린 부품을 사용하였다. 부품이 거꾸로 조립되었다 등
순서에러 (Sequential Error)	필요한 작업 또는 절차의 순서 착오로 인한 에러 예 자동차 출발 시 핸들브레이크를 해제하지 않고 출발하여 발생한 에러
시간에러 (Time Error)	필요한 직무 또는 절차의 수행지연으로 인한 에러 예 프레스 작업 중에 금형 내에 손이 오랫동안 남아 있어 발생한 재해
과잉행동에러 (Extraneous Error)	불필요한 작업 또는 절차를 수행함으로써 기인한 에러 예 자동차 운전 중 습관적으로 손을 창문으로 내밀어 발생한 재해

2. 풀 프루프(Fool Proof)

   작업자가 기계를 잘못 취급하여 불안전 행동이나 실수를 하여도 기계설비의 안전 기능이 작용되어 재해를 방지할 수 있는 기능을 가진 구조

정답 34 ③ 35 ④ 36 ④

37 인간의 에러 중 불필요한 작업 또는 절차를 수행함으로써 기인한 에러를 무엇이라 하는가?

① Omission Error

② Sequential Error

③ Extraneous Error

④ Commission Error

해설

문제 36번 해설 참고

38 설비의 고장과 같이 발생확률이 낮은 사건의 특정시간 또는 구간에서의 발생횟수를 측정하는 데 가장 적합한 확률분포는?

① 이항분포(Binomial Distribution)

② 푸아송 분포(Poisson Distribution)

③ 와이블 분포(Weibull Distribution)

④ 지수분포(Exponential Distribution)

해설

확률분포

이항분포	결과가 성공과 실패 두 가지인 경우에, 단 하나의 실험이 아니라 여러 번의 연속된 복원 추출실험의 확률 분포
푸아송 분포	특정시간 이나 단위구간 및 공간에 대하여 어떤 사건의 발생횟수가 갖는 분포(예를 들어 철판의 흠의 수, 공장의 사고건수와 같은 확률값을 구하려고 할 때)
와이블 분포	신뢰성 모델로써 가장 자주 사용되는 분포로 고장률 함수 $\lambda(t)$가 상수, 증가 또는 감소함수인 수명분포들을 모형화할 때 적당한 분포이다.
지수분포	여러 개의 부품이 조합되어 만들어진 기기나 시스템의 고장확률 밀도함수는 지수분포에 따르게 되며, 이때의 고장률은 시간에 관계없이 일정하게 된다(시간당 고장률이 일정).

39 다음 중 신체 동작의 유형에 관한 설명으로 틀린 것은?

① 내선(Medial Rotation) : 몸의 중심선으로의 회전

② 외전(Abduction) : 몸의 중심선으로의 이동

③ 굴곡(Flexion) : 신체 부위 간의 각도의 감소

④ 신전(Extension) : 신체 부위 간의 각도의 증가

해설

신체부위의 운동(기본적인 동작)

- 굴곡(Flexion) : 관절에서의 (부위 간의) 각도가 감소하는 동작
- 신전(Extension) : 관절에서의(부위 간의) 각도가 증가하는 동작
- 내전(內轉, Adduction) : 몸(신체)의 중심선으로 향하는 이동 동작
- 외전(外轉, Abduction) : 몸(신체)의 중심선으로부터 멀어지는 이동 동작

- 내선(內旋, Medial Rotation) : 몸(신체)의 중심선으로 향하는 회전 동작
- 외선(外旋, Lateral Rotation) : 몸(신체)의 중심선으로부터 회전 동작
- 하향(Pronation) : 몸(신체) 또는 손바닥을 아래로 향하는 회전
- 상향(Supination) : 몸(신체) 또는 손바닥을 위로 향하는 회전

40 시스템 분석 및 설계에 있어서 인간공학의 가치와 가장 거리가 먼 것은?

① 훈련비용의 절감

② 인력 이용률의 향상

③ 생산 및 보전의 경제성 감소

④ 사고 및 오용으로부터의 손실 감소

해설

체계 분석 및 설계에 있어서의 인간공학의 가치(기여도)

1. 성능(Performance)의 향상
2. 훈련비용의 절감
3. 인력 이용률(Utilization)의 향상
4. 사고 및 오용으로부터의 손실 감소
5. 생산 및 보전의 경제성 증대
6. 사용자의 수용도 향상

41 산업안전보건법령상 산업용 로봇의 작업시작 전 점검사항으로 가장 거리가 먼 것은?

① 외부 전선의 피복 또는 외장의 손상 유무

② 압력방출장치의 이상 유무

③ 매니퓰레이터 작동 이상 유무

④ 제동장치 및 비상정지 장치의 기능

해설

작업시작 전 점검사항
로봇의 작동 범위에서 그 로봇에 관하여 교시 등(로봇의 동력원을 차단하고 하는 것은 제외한다)의 작업을 할 때
1. 외부 전선의 피복 또는 외장의 손상 유무
2. 매니퓰레이터(Manipulator) 작동의 이상 유무
3. 제동장치 및 비상정지장치의 기능

42 산업안전보건법령상 다음 중 보일러의 방호장치와 가장 거리가 먼 것은?

① 언로드밸브   ② 압력방출장치

③ 압력제한스위치   ④ 고저수위 조절장치

해설

보일러 안전장치의 종류
1. 압력방출장치   2. 압력제한스위치
3. 고저수위 조절장치   4. 화염검출기

43 완전 회전식 클러치 기구가 있는 프레스의 양수기동식 방호장치에서 SPM(Stroke Per Minute)이 150, 확동클러치 봉합 개소 수가 4개인 경우 방호장치의 최소안전거리는?

① 48mm   ② 250mm

③ 360mm   ④ 480mm

해설

방호장치 설치 안전거리(양수기동식)

$$D_m = 1.6 T_m$$

여기서, D_m : 안전거리(mm)
　　　　T_m : 양손으로 누름단추 누르기 시작할 때부터 슬라이드가
　　　　　　　하사점에 도달하기까지 소요시간(ms)

$$T_m = \left(\frac{1}{\text{클러치 맞물림 개소 수}} + \frac{1}{2} \right) \times \frac{60,000}{\text{매분 행정수}} (\text{ms})$$

1. $T_m = \left(\frac{1}{4} + \frac{1}{2} \right) \times \frac{60,000}{150} = 300 (\text{ms})$

2. $D_m = 1.6 \times 300 = 480 (\text{mm})$

44 회전하는 동작부분과 고정부분이 함께 만드는 위험점으로 주로 연삭숫돌과 작업대, 교반기의 교반 날개와 몸체 사이에서 형성되는 위험점은?

① 협착점   ② 절단점

③ 물림점   ④ 끼임점

해설

기계운동 형태에 따른 위험점 분류

협착점	왕복운동을 하는 운동부와 움직임이 없는 고정부 사이에서 형성되는 위험점(고정점+운동점)	• 프레스 • 전단기 • 성형기 • 조형기 • 밴딩기 • 인쇄기
끼임점	회전운동하는 부분과 고정부 사이에 위험이 형성되는 위험점(고정점+회전운동)	• 연삭숫돌과 작업대 • 반복동작되는 링크기구 • 교반기의 날개와 몸체 사이 • 회전풀리와 벨트
절단점	회전하는 운동부 자체의 위험이나 운동하는 기계부분 자체의 위험에서 형성되는 위험점(회전운동+기계)	• 밀링커터 • 둥근 톱의 톱날 • 목공용 띠톱 날
물림점	회전하는 두 개의 회전체에 형성되는 위험점(서로 반대방향의 회전체)(중심점+반대방향의 회전운동)	• 기어와 기어의 물림 • 롤러와 롤러의 물림 • 롤러분쇄기
접선물림점	회전하는 부분의 접선방향으로 물려들어 갈 위험이 있는 위험점	• V벨트와 풀리 • 랙과 피니언 • 체인벨트 • 평벨트
회전말림점	회전하는 물체의 길이, 굵기, 속도 등의 불규칙 부위와 돌기 회전부위에 의해 장갑 또는 작업복 등이 말려들 위험이 있는 위험점	• 회전하는 축 • 커플링 • 회전하는 드릴

45 롤러의 급정지를 위한 방호장치를 설치하고자 한다. 앞면 롤러 직경이 36cm이고, 분당회전속도가 50rpm이라면 급정지거리는 약 얼마 이내이어야 하는가?(단, 무부하동작에 해당한다.)

① 45cm　　　　② 50cm

③ 55cm　　　　④ 60cm

해설

롤러기의 급정지거리

$$V = \frac{\pi DN}{1,000}(\text{m/min})$$

여기서, V : 표면속도
　　　 D : 롤러 원통의 직경(mm)
　　　 N : 1분간에 롤러기가 회전되는 수(rpm)

1. $V = \frac{\pi DN}{1,000}(\text{m/min}) = \frac{\pi \times 360 \times 50}{1,000} = 56.52(\text{m/min})$

2. 무부하 동작에서 급정지거리
　 표면속도(V)가 56.52(m/min)로 30(m/min) 이상이므로 앞면 롤러 원주의 $\frac{1}{2.5}$ 이다.

앞면 롤러의 표면속도(m/min)	급정지거리
30 미만	앞면 롤러 원주의 1/3
30 이상	앞면 롤러 원주의 1/2.5

3. 급정지거리 $= \pi \times D \times \frac{1}{2.5} = \pi \times 36 \times \frac{1}{2.5}$
　　　　　　 $= 45.216 = 45(\text{cm})$

TIP 원둘레 길이 $= \pi D = 2\pi r$
　　 여기서, D : 지름, r : 반지름

46 산업안전보건법령상 롤러기의 방호장치 중 롤러의 앞면 표면속도가 30m/min 이상일 때 무부하 동작에서 급정지거리는?

① 앞면 롤러 원주의 1/2.5 이내

② 앞면 롤러 원주의 1/3 이내

③ 앞면 롤러 원주의 1/3.5 이내

④ 앞면 롤러 원주의 1/5.5 이내

해설

급정지거리

앞면 롤러의 표면속도(m/min)	급정지거리
30 미만	앞면 롤러 원주의 1/3
30 이상	앞면 롤러 원주의 1/2.5

47 방사선 투과검사에서 투과사진의 상질을 점검할 때 확인해야 할 항목으로 거리가 먼 것은?

① 투과도계의 식별도

② 시험부의 사진농도 범위

③ 계조계의 값

④ 주파수의 크기

해설

투과사진이 구비할 조건(확인해야 할 항목)
1. 투과도계 식별도 : 보통 요구하는 식별도는 2.0% 이하
2. 시험부 사진농도 : 1.0~3.5
3. 계조계 농도 차 : 0.1 이상
4. 흠이나 얼룩현상의 유무

48 인장강도가 250N/mm²인 강판에서 안전율이 4라면 이 강판의 허용응력(N/mm²)은 얼마인가?

① 42.5　　　　② 62.5

③ 82.5　　　　④ 102.5

해설

안전율(안전계수)

$$\text{안전율(안전계수)} = \frac{\text{인장강도}}{\text{허용응력}}$$

허용응력 $= \frac{\text{인장강도}}{\text{안전율}} = \frac{250}{4} = 62.5[\text{N/mm}^2]$

49 와이어로프 클립(Clip) 고정법의 클립 고정방법으로 옳은 것은?

①

②

③

④

해설

클립(Clip) 고정법
클립의 새들(Saddle)은 와이어로프의 힘이 걸리는 쪽에 있어야 한다.

정답 45 ① 46 ① 47 ④ 48 ② 49 ①

50 취성재료의 극한강도가 128MPa이며, 허용응력이 64MPa일 경우 안전계수는?

① 1   ② 2
③ 4   ④ 1/2

해설

안전율(안전계수)

$$안전율(안전계수) = \frac{극한강도}{허용응력} = \frac{128}{64} = 2$$

51 산업안전보건법령상 크레인에서 권과방지장치의 달기구 윗면이 권상장치의 아랫면과 접촉할 우려가 있는 경우 최소 몇 m 이상 간격이 되도록 조정하여야 하는가?(단, 직동식 권과방지장치의 경우는 제외)

① 0.1   ② 0.15
③ 0.25   ④ 0.3

해설

방호장치의 조정

크레인 및 이동식 크레인의 양중기에 대한 권과방지장치는 훅ㆍ버킷 등 달기구의 윗면(그 달기구에 권상용 도르래가 설치된 경우에는 권상용 도르래의 윗면)이 드럼, 상부 도르래, 트롤리프레임 등 권상장치의 아랫면과 접촉할 우려가 있는 경우에 그 간격이 0.25m 이상(직동식 권과방지장치는 0.05m 이상으로 한다)이 되도록 조정하여야 한다.

52 재료가 변형 시에 외부응력이나 내부의 변형과정에서 방출되는 낮은 응력파(Stress Wave)를 감지하여 측정하는 비파괴시험은?

① 와류탐상시험
② 침투탐상시험
③ 음향탐상시험
④ 방사선투과시험

해설

음향방출검사

하중을 받고 있는 재료의 결함부에서 방출되는 응력파를 수신하여 분석함으로써 결함의 위치판정, 손상의 진전감시 등 동적거동을 판단하는 검사방법이다.

53 어떤 양중기에서 3,000kg의 질량을 가진 물체를 한쪽이 45°인 각도로 그림과 같이 2개의 와이어로프로 직접 들어 올릴 때, 안전율이 고려된 가장 적절한 와이어로프 지름을 표에서 구하면?(단, 안전율은 산업안전보건법령을 따르고, 두 와이어로프의 지름은 동일하며, 기준을 만족하는 가장 작은 지름을 선정한다.)

와이어로프 지름 및 절단강도

와이어로프 지름	절단강도
10mm	56kN
12mm	88kN
14mm	110kN
16mm	144kN

① 10mm   ② 12mm
③ 14mm   ④ 16mm

해설

와이어로프에 걸리는 하중계산

1. 슬링와이어로프의 한 가닥에 걸리는 하중

$$하중 = \frac{화물의 \ 무게(W_1)}{2} \div \cos\frac{\theta}{2}$$

$$하중 = \frac{3,000}{2} \div \cos\frac{90°}{2} = 1,500 \div \cos 45°$$
$$= 2,121.32(kg)$$
$$= 2.12(ton)$$

2. 안전계수
   - 안전율(안전계수) $= \dfrac{파단하중}{안전하중}$
   - 파단하중 $=$ 안전율 $\times$ 안전하중 $= 5 \times 2.12 = 10.6(ton)$
     $= 10.6 \times 9.8 = 103.88kN$

3. 파단하중이 103.88(kN)으로 근사값을 표에서 구하면 110(kN)이 된다.

∴ 와이어로프 지름은 14(mm)이다.

 TIP • 안전계수
화물의 하중을 직접 지지하는 달기와이어로프 또는 달기체인의 경우 : 5 이상
• 1ton = 9.8kN

54 지름이 D(mm)인 연삭기 숫돌의 회전수가 N (rpm)일 때 숫돌의 원주속도(m/min)를 옳게 표시한 식은?

① $\dfrac{\pi DN}{1,000}$

② πDN

③ $\dfrac{\pi DN}{60}$

④ $\dfrac{DN}{1,000}$

해설

원주속도(회전속도)

$$V = \pi DN(\text{mm/min}) = \frac{\pi DN}{1,000}(\text{m/min})$$

여기서, V : 원주속도(회전속도)(m/min)
　　　　D : 숫돌의 지름(mm)
　　　　N : 숫돌의 매분 회전수(rpm)

55 프레스기의 안전대책 중 손을 금형 사이에 집어 넣을 수 없도록 하는 본질적 안전화를 위한 방식(No-hand in Die)에 해당하는 것은?

① 수인식
② 광전자식
③ 방호울식
④ 손쳐내기식

해설

프레스의 안전대책

구분		종류
No-hand in Die 방식	위험한계에 손을 넣으려 해도 들어가지 않는 방식	• 안전울을 부착한 프레스 • 안전금형을 부착한 프레스 • 전용프레스
	위험한계에 손을 넣을 수 있으나 넣을 필요가 없는 방식	자동프레스
Hand in Die 방식	프레스기의 종류, 압력능력, 매분 행정수, 작업방법에 상응하는 방호장치	• 가드식 방호장치 • 수인식 방호장치 • 손쳐내기식 방호장치
	정지 성능에 상응하는 방호장치	• 양수조작식 • 광전자식(감응식)

56 연삭숫돌의 파괴원인이 아닌 것은?

① 외부의 충격을 받았을 때
② 플랜지가 현저히 작을 때
③ 회전력이 결합력보다 클 때
④ 내 · 외면의 플랜지 지름이 동일할 때

해설

연삭숫돌의 파괴원인
1. 숫돌의 회전속도가 너무 빠를 때
2. 숫돌 자체에 균열이 있을 때
3. 숫돌에 과대한 충격을 가할 때
4. 숫돌의 측면을 사용하여 작업할 때
5. 숫돌의 불균형이나 베어링 마모에 의한 진동이 있을 때 (숫돌이 경우에 따라 파손될 수 있다.)
6. 숫돌 반경방향의 온도변화가 심할 때
7. 작업에 부적당한 숫돌을 사용할 때
8. 숫돌의 치수가 부적당할 때
9. 플랜지가 현저히 작을 때

57 다음 중 크레인의 방호장치로 가장 거리가 먼 것은?

① 권과방지장치
② 과부하방지장치
③ 비상정지장치
④ 자동보수장치

해설

방호장치의 조정

방호장치의 조정 대상	• 크레인 • 이동식 크레인 • 리프트	• 곤돌라 • 승강기
방호장치의 종류	• 과부하방지장치 • 권과방지장치 • 비상정지장치 및 제동장치 • 그 밖의 방호장치(승강기의 파이널 리미트 스위치, 속도조절기, 출입문 인터록 등)	

58 산업안전보건법령상 지게차의 최대하중의 2배 값이 6톤일 경우 헤드가드의 강도는 몇 톤의 등분포 정하중에 견딜 수 있어야 하는가?

① 4

② 6

③ 8

④ 10

지게차의 헤드가드

1. 강도는 지게차의 최대하중의 2배 값(4톤을 넘는 값에 대해서는 4톤으로 한다)의 등분포정하중에 견딜 수 있을 것
2. 상부 틀의 각 개구의 폭 또는 길이가 16cm 미만일 것
3. 운전자가 앉아서 조작하거나 서서 조작하는 지게차의 헤드가드는 한국산업표준에서 정하는 높이 기준 이상일 것

59 사출성형기에서 동력 작동식 금형고정장치의 안전사항에 대한 설명으로 옳지 않은 것은?

① 금형 또는 부품의 낙하를 방지하기 위해 기계적 억제장치를 추가하거나 자체 고정장치(Self Retain Clamping Unit) 등을 설치해야 한다.

② 자석식 금형 고정장치는 상·하(좌·우) 금형의 정확한 위치가 자동적으로 모니터(Monitor)되어야 한다.

③ 상·하(좌·우)의 두 금형 중 어느 하나가 위치를 이탈하는 경우 플레이트를 작동시켜야 한다.

④ 전자석 금형 고정장치를 사용하는 경우에는 전자기파에 의한 영향을 받지 않도록 전자파 내성대책을 고려해야 한다.

사출성형기의 동력 작동식 금형고정장치 안전기준

1. 금형 또는 부품의 낙하를 방지하기 위해 기계적 억제장치를 추가하거나 자체 고정장치(Self Retain Clamping Unit) 등을 설치해야 한다.
2. 자석식 금형 고정장치는 상·하(좌·우) 금형의 정확한 위치가 자동적으로 모니터(Monitor)되어야 하며, 두 금형 중 어느 하나가 위치를 이탈하는 경우 플레이트를 더 이상 움직이지 않아야 한다.
3. 전자석 금형 고정장치를 사용하는 경우에는 전자기파에 의한 영향을 받지 않도록 전자파 내성대책을 고려해야 한다.

60 롤러기에서 앞면 롤러의 지름이 200mm, 회전속도가 30rpm인 롤러의 무부하 동작에서의 급정지거리로 옳은 것은?

① 66mm 이내
② 84mm 이내
③ 209mm 이내
④ 248mm 이내

롤러기의 급정지거리

$$V = \frac{\pi DN}{1,000}(\text{m/min})$$

여기서, V : 표면속도
D : 롤러 원통의 직경(mm)
N : 1분간에 롤러기가 회전되는 수(rpm)

1. $V = \dfrac{\pi DN}{1,000} = \dfrac{\pi \times 200 \times 30}{1,000} = 18.85(\text{m/min})$

2. 무부하 동작에서 급정지거리
표면속도(V)가 18.85(m/mm)로 30(m/min) 미만이므로 앞면 롤러 원주의 $\dfrac{1}{3}$이다.

앞면 롤러의 표면속도(m/min)	급정지거리
30 미만	앞면 롤러 원주의 1/3
30 이상	앞면 롤러 원주의 1/2.5

3. 급정지거리 $= \pi \times D \times \dfrac{1}{3} = \pi \times 200 \times \dfrac{1}{3}$
$= 209.43 = 209(\text{cm})$

> **TIP** 원둘레 길이 $= \pi D = 2\pi r$
> 여기서, D : 지름, r : 반지름

4과목 전기설비 안전관리

61 저압전로의 절연성능 시험에서 전로의 사용전압이 380V인 경우 전로의 전선 상호 간 및 전로와 대지 사이의 절연저항은 최소 몇 MΩ 이상이어야 하는가?

① 0.1
② 0.3
③ 0.5
④ 1

저압전로의 절연저항

전로의 사용전압(V)	DC시험전압(V)	절연저항(MΩ)
SELV 및 PELV	250	0.5
FELV, 500V 이하	500	1.0
500V 초과	1,000	1.0

[주] 특별저압(Extra Low Voltage : 2차 전압이 AC 50V, DC 120V 이하)으로 SELV(비접지회로 구성) 및 PELV(접지회로 구성)은 1차와 2차가 전기적으로 절연된 회로, FELV는 1차와 2차가 전기적으로 절연되지 않은 회로

62 인체의 전기저항을 0.5kΩ이라고 하면 심실세동을 일으키는 위험한계에너지는 몇 J인가?(단, 심실세동전류값 $I = \dfrac{165}{\sqrt{T}}$ mA의 Dalziel의 식을 이용하며, 통전시간은 1초로 한다.)

① 13.6　　　　② 12.6

③ 11.6　　　　④ 10.6

위험한계에너지

$$W = I^2 RT[\text{J/s}] = \left(\frac{165}{\sqrt{T}} \times 10^{-3}\right)^2 \times R \times T$$

$$W = \left(\frac{165}{\sqrt{1}} \times 10^{-3}\right)^2 \times 500 \times 1 = 13.61[\text{J}]$$

TIP 1kΩ = 1,000Ω

63 다음 중 전기설비기술기준에 따른 전압의 구분으로 틀린 것은?

① 저압 : 직류 1kV 이하

② 고압 : 교류 1kV 초과, 7kV 이하

③ 특고압 : 직류 7kV 초과

④ 특고압 : 교류 7kV 초과

해설

전압의 구분

전원의 종류	저압	고압	특고압
직류(DC)	1,500V 이하	1,500V 초과 7,000V 이하	7,000V 초과
교류(AC)	1,000V 이하	1,000V 초과 7,000V 이하	7,000V 초과

64 전격의 위험을 결정하는 주된 인자로 가장 거리가 먼 것은?

① 통전전류

② 통전시간

③ 통전경로

④ 접촉전압

해설

감전재해의 요인

1차적 감전요소	• 통전전류의 크기 : 크면 위험, 인체의 저항이 일정할 때 접촉전압에 비례 • 통전경로 : 인체의 주요한 부분을 흐를수록 위험 • 통전시간 : 장시간 흐르면 위험 • 전원의 종류 : 전원의 크기(전압)가 동일한 경우 교류가 직류보다 위험하다.
2차적 감전요소	• 인체의 조건(저항) : 땀에 젖어 있거나 물에 젖어 있는 경우 인체의 저항이 감소하므로 위험성이 높아진다. • 전압 : 전압의 크기가 클수록 위험하다. • 계절 : 계절에 따라 인체의 저항이 변화하므로 전격에 대한 위험도에 영향을 준다.

65 전기시설의 직접 접촉에 의한 감전방지 방법으로 적절하지 않은 것은?

① 충전부는 내구성이 있는 절연물로 완전히 덮어 감쌀 것

② 충전부가 노출되지 않도록 폐쇄형 외함이 있는 구조로 할 것

③ 충전부에 충분한 절연효과가 있는 방호망 또는 절연덮개를 설치할 것

④ 충전부는 출입이 용이한 전개된 장소에 설치하고, 위험표시 등의 방법으로 방호를 강화할 것

해설

직접 접촉에 의한 방지대책(충전 부분에 대한 감전방지)

1. 충전부가 노출되지 않도록 폐쇄형 외함이 있는 구조로 할 것
2. 충전부에 충분한 절연효과가 있는 방호망이나 절연덮개를 설치할 것
3. 충전부는 내구성이 있는 절연물로 완전히 덮어 감쌀 것
4. 발전소·변전소 및 개폐소 등 구획되어 있는 장소로서 관계 근로자가 아닌 사람의 출입이 금지되는 장소에 충전부를 설치하고, 위험표시 등의 방법으로 방호를 강화할 것
5. 전주 위 및 철탑 위 등 격리되어 있는 장소로서 관계 근로자가 아닌 사람이 접근할 우려가 없는 장소에 충전부를 설치할 것

66 감전되어 사망하는 주된 메커니즘으로 틀린 것은?

① 심장부에 전류가 흘러 심실세동이 발생하여 혈액순환기능이 상실되어 일어난 것

② 흉골에 전류가 흘러 혈압이 약해져 뇌에 산소공급기능이 정지되어 일어난 것

③ 뇌의 호흡중추 신경에 전류가 흘러 호흡기능이 정지되어 일어난 것

④ 흉부에 전류가 흘러 흉부수축에 의한 질식으로 일어난 것

전격(감전)현상의 메커니즘

1. 심장부에 전류가 흘러 심실세동이 발생하여 혈액순환기능이 상실되어 일어난 것

2. 뇌의 호흡중추신경에 전류가 흘러 호흡기능이 정지되어 일어난 것

3. 흉부에 전류가 흘러 흉부근육수축에 의한 질식으로 일어난 것

67 인체감전보호용 누전차단기의 정격감도전류(mA)와 동작시간(초)의 최댓값은?

① 10mA, 0.03초

② 20mA, 0.01초

③ 30mA, 0.03초

④ 50mA, 0.1초

감전방지용 누전차단기

정격 감도전류가 30mA 이하이고, 동작시간이 0.03초 이내인 누전차단기를 말한다.

68 다음 중 산업안전보건기준에 관한 규칙에 따라 누전차단기를 설치하지 않아도 되는 곳은?

① 철판ㆍ철골 위 등 도전성이 높은 장소에서 사용하는 이동형 전기기계ㆍ기구

② 대지전압이 220V인 휴대형 전기기계ㆍ기구

③ 임시배선의 전로가 설치되는 장소에서 사용하는 이동형 전기기계ㆍ기구

④ 절연대 위에서 사용하는 전기기계ㆍ기구

감전방지용 누전차단기의 적용대상(누전차단기 설치장소)

1. 대지전압이 150V를 초과하는 이동형 또는 휴대형 전기기계ㆍ기구

2. 물 등 도전성이 높은 액체가 있는 습윤장소에서 사용하는 저압(1.5천V 이하 직류전압이나 1천V 이하의 교류전압)용 전기기계ㆍ기구

3. 철판ㆍ철골 위 등 도전성이 높은 장소에서 사용하는 이동형 또는 휴대형 전기기계ㆍ기구

4. 임시배선의 전로가 설치되는 장소에서 사용하는 이동형 또는 휴대형 전기기계ㆍ기구

> **TIP** 감전방지용 누전차단기의 적용 제외 대상
> - 이중절연구조 또는 이와 같은 수준 이상으로 보호되는 구조로 된 전기기계ㆍ기구
> - 절연대 위 등과 같이 감전위험이 없는 장소에서 사용하는 전기기계ㆍ기구
> - 비접지방식의 전로

69 교류아크용접기의 자동전격방지장치는 아크 발생이 중단된 후 출력 측 무부하 전압을 1초 이내 몇 V 이하로 저하시켜야 하는가?

① 25~30   ② 35~50

③ 55~75   ④ 80~100

자동전격방지기

1. 교류아크용접기는 65~90V의 무부하 전압이 인가되어 감전의 위험성이 높으며, 자동전격방지기를 설치하여 아크 발생을 중단할 때 용접기의 2차(출력) 측 무부하 전압을 25~30V 이하로 유지시켜 감전의 위험을 줄이도록 되어 있다.

2. 즉, 용접 시에만 용접기의 주회로가 접속되고 그 외는 용접기 2차 전압을 안전전압 이하로 제한한다.

> **TIP** 2차(출력) 측 무부하 전압을 자동적으로 25V 이하로 강하시켜야 하나 전원전압의 변동이 있을 경우 30V 이하로 강하시켜야 한다.

70 다음 중 전동기를 운전하고자 할 때 개폐기의 조작순서로 옳은 것은?

① 메인 스위치 → 분전반 스위치 → 전동기용 개폐기

② 분전반 스위치 → 메인 스위치 → 전동기용 개폐기

01 PART
02 PART
03 PART
04 PART
05 PART
06 PART
07 PART

③ 전동기용 개폐기 → 분전반 스위치 → 메인 스위치

④ 분전반 스위치 → 전동기용 개폐기 → 메인 스위치

해설

전동기 운전 시 개폐기의 조작순서
메인 스위치 → 분전반 스위치 → 전동기용 개폐기

> **TIP** 개폐기
> 회로나 장치의 상태(ON, OFF)를 바꾸어 접속하기 위한 물리적 또는 전기적 장치

71 교류 3상 전압 380V, 부하 50kVA인 경우 배선에서의 누전전류의 한계는 약 mA인가?(단, 전기설비 기술기준에서의 누설전류 허용값을 적용한다.)

① 10mA

② 38mA

③ 54mA

④ 76mA

해설

누설전류

$$누설전류 = 최대공급전류 \times \frac{1}{2,000}$$

1. 3상 전력

$$P = \sqrt{3}\,VI$$

여기서, P : 전력[W], V : 전압[V], I : 전류[A]

2. $P = \sqrt{3}\,VI \rightarrow I = \dfrac{P}{\sqrt{3}\,V} = \dfrac{50 \times 1,000}{\sqrt{3} \times 380} = 75.967[A]$

3. 누설전류 $=$ 최대공급전류 $\times \dfrac{1}{2,000}$

$$= 75.967 \times \frac{1}{2,000} = 0.0379[A] = 38[mA]$$

72 방폭전기설비의 용기 내부에 보호가스를 압입하여 내부압력을 외부 대기 이상의 압력으로 유지함으로써 용기 내부에 폭발성 가스 분위기가 형성되는 것을 방지하는 방폭구조는?

① 내압 방폭구조

② 압력 방폭구조

③ 안전증 방폭구조

④ 유입 방폭구조

해설

방폭구조

내압 방폭구조	점화원에 의해 용기 내부에서 폭발이 발생할 경우에 용기가 폭발압력에 견딜 수 있고, 화염이 용기 외부의 폭발성 분위기로 전파되지 않도록 한 방폭구조
압력 방폭구조	점화원이 될 우려가 있는 부분을 용기 안에 넣고 보호 기체(신선한 공기 또는 불활성기체)를 용기 안에 압입함으로써 폭발성 가스가 침입하는 것을 방지하도록 되어 있는 방폭구조(전폐형구조)
안전증 방폭구조	전기기구의 권선, 접점부, 단자부 등과 같은 부분이 정상적인 운전 중에는 불꽃, 아크 또는 과열이 발생되지 않는 부분에 대하여 방지하기 위한 구조와 온도상승에 대해 특히 안전도를 증가시킨 구조
유입 방폭구조	유체 상부 또는 용기 외부에 존재할 수 있는 폭발성 분위기가 발화할 수 없도록 전기설비 또는 전기설비의 부품을 보호액에 함침시키는 방폭구조

73 KS C 4613 누전차단기의 규정에서 언급된 고속형 누전차단기란 다음 중 어느 것인가?

① 정격감도전류에서 동작시간이 0.1초 이내

② 정격감도전류의 1.4배에서 동작시간이 0.05초 이내

③ 정격감도전류에서 동작시간이 0.2초를 초과하고 1초 이내

④ 정격감도전류에서 동작시간이 0.1초를 초과하고 2초 이내

해설

고속형 누전차단기
정격감도전류에서 동작시간이 0.1초 이내인 누전차단기

74 산업안전보건법령에 따라 감전될 우려가 있는 장소에서 작업을 하기 위해서는 전로를 차단하여야 한다. 전로 차단을 위한 시행 절차 중 틀린 것은?

① 전기기기 등에 공급되는 모든 전원을 관련 도면, 배선도 등으로 확인

② 각 단로기를 개방한 후 전원 차단

③ 단로기 개방 후 차단장치나 단로기 등에 잠금장치 및 꼬리표를 부착

④ 잔류전하 방전 후 검전기를 이용하여 작업 대상기기가 충전되어 있는지 확인

해설

정전전로에서의 전로 차단 절차

1. 전기기기 등에 공급되는 모든 전원을 관련 도면, 배선도 등으로 확인할 것
2. 전원을 차단한 후 각 단로기 등을 개방하고 확인할 것
3. 차단장치나 단로기 등에 잠금장치 및 꼬리표를 부착할 것
4. 개로된 전로에서 유도전압 또는 전기에너지가 축적되어 근로자에게 전기위험을 끼칠 수 있는 전기기기 등은 접촉하기 전에 잔류전하를 완전히 방전시킬 것
5. 검전기를 이용하여 작업 대상 기기가 충전되었는지를 확인할 것
6. 전기기기 등이 다른 노출 충전부와의 접촉, 유도 또는 예비동력원의 역송전 등으로 전압이 발생할 우려가 있는 경우에는 충분한 용량을 가진 단락 접지기구를 이용하여 접지할 것

75 인체저항에 대한 설명으로 옳지 않은 것은?

① 인체저항은 인가전압의 함수이다.
② 인가시간이 길어지면 온도상승으로 인체저항은 증가한다.
③ 인체저항은 접촉면적에 따라 변한다.
④ 1,000V 부근에서 피부의 절연파괴가 발생할 수 있다.

해설

인가시간에 의한 변화
인가시간이 길어지면 인체의 온도상승에 의해 저항치가 감소된다.

76 다음은 어떤 방전에 대한 설명인가?

> 정전기가 대전되어 있는 부도체에 접지체가 접근한 경우 대전물체와 접지체 사이에 발생하는 방전과 거의 동시에 부도체의 표면을 따라서 발생하는 나뭇가지 형태의 발광을 수반하는 방전

① 코로나 방전
② 뇌상 방전
③ 연면 방전
④ 불꽃 방전

해설

정전기 방전의 형태

코로나 방전	고체에 정전기가 축적되면 전위가 높아지게 되고 고체 표면의 전위경도가 어느 일정치를 넘어서면 낮은 소리와 연한 빛을 수반하는 방전
뇌상 방전	번개와 같은 수지상의 발광을 수반하고 강력하게 대전한 입자군이 대규모의 구름 모양(대전운)으로 확산되어 일어나는 특수한 방전
연면 방전	부도체의 표면을 따라서 Star-check 마크를 가지는 나뭇가지 형태의 발광을 수반하는 방전
불꽃 방전	도체가 대전되었을 때 접지된 도체 사이에서 발생하는 강한 발광과 파괴음을 수반하는 방전

77 220V 전압에 접촉된 사람의 인체저항이 약 1,000Ω일 때 인체 전류와 그 결과값의 위험성 여부로 알맞은 것은?

① 22mA, 안전
② 220mA, 안전
③ 22mA, 위험
④ 220mA, 위험

해설

옴의 법칙

$$V = IR[\text{V}], \quad I = \frac{V}{R}[\text{A}], \quad R = \frac{V}{I}[\Omega]$$

여기서, V : 전압[V], I : 전류[A], R : 저항[Ω]

1. $I = \dfrac{V}{R} = \dfrac{220}{1,000} = 0.22[\text{A}] = 220[\text{mA}]$
2. 심실세동전류(치사전류)가 일반적으로 50~100mA이므로 100mA 이상이면 위험하다.

> **TIP** 1A = 1,000mA, 1mA = 0.001A

78 다음 중 정전기의 재해방지 대책으로 틀린 것은?

① 설비의 도체 부분을 접지
② 작업자는 정전화를 착용
③ 작업장의 습도를 30% 이하로 유지
④ 배관 내 액체의 유속제한

정전기 재해의 방지대책
1. 접지(도체의 대전방지)
2. 유속의 제한
3. 보호구의 착용
4. 대전방지제 사용
5. 가습(상대습도를 60~70% 정도 유지)
6. 제전기 사용
7. 대전물체의 차폐
8. 정치시간의 확보
9. 도전성 재료 사용

79 전선로 등에서 아크화상 사고 시 전선이나 개폐기 터미널 등의 금속분자가 고열로 용융되어 피부 속으로 녹아 들어가는 현상은?

① 피부의 광성 변화
② 전문
③ 표피박탈
④ 전류반점

해설

감전에 의한 국소 증상

피부의 광성 변화	감전 사고 시 전선이나 금속분자가 그 열로 용융됨으로써 피부 속으로 침투하는 현상
표피박탈	고전압에 의한 아크 등으로 폭발적인 고열이 발생하여 인체의 표피가 벗겨져 떨어지는 현상
전문	감전전류의 유출입 부분에 회백색 또는 붉은색의 수지상 선이 나타나는 것으로 피부에 상처, 흉터가 남는 현상
전류반점	화상 부위가 검게 반점을 이루고 움푹 들어간 모양
감전성 궤양	신체 내부 조직의 급성 십이지장 궤양, 위궤양

80 교류아크용접기에 전격방지기를 설치하는 요령 중 틀린 것은?

① 이완 방지 조치를 한다.
② 직각으로만 부착해야 한다.
③ 동작 상태를 알기 쉬운 곳에 설치한다.
④ 테스트 스위치는 조작이 용이한 곳에 위치시킨다.

해설

자동전격방지기의 설치방법
1. 직각으로 부착 할 것(단, 직각이 어려울 때는 직각에 대해 20°를 넘지 않을 것)

2. 용접기의 이동·진동·충격으로 이완되지 않도록 이완 방지 조치를 취할 것
3. 전방장치의 작동상태를 알기 위한 표시 등은 보기 쉬운 곳에 설치할 것
4. 전방장치의 작동상태를 시험하기 위한 테스트 스위치는 조작하기 쉬운 곳에 설치할 것
5. 용접기의 전원 측에 접속하는 선과 출력 측에 접속하는 선을 혼동하지 말 것
6. 외함이 금속제인 경우는 이것에 적당한 접지단자를 설치할 것

5과목 화학설비 안전관리

81 폭발한계와 완전연소 조정 관계인 Jones식을 이용하여 부탄(C_4H_{10})의 폭발하한계를 구하면 몇 vol%인가?

① 1.4
② 1.7
③ 2.0
④ 2.3

해설

연소(폭발)하한계

1. $C_{st} = \dfrac{100}{1 + 4.773\left(n + \dfrac{m - f - 2\lambda}{4}\right)}$

$= \dfrac{100}{1 + 4.773\left(4 + \dfrac{10}{4}\right)} = 3.12[\%]$

(단, $C_4H_{10} \rightarrow n = 4,\ m = 10,\ f = 0,\ \lambda = 0$)

2. 연소(폭발)하한계 : $C_{st} \times 0.55 = 3.12 \times 0.55 = 1.7[\text{vol}\%]$

TIP 완전연소 조성농도(화학양론농도)

$$C_{st} = \dfrac{100}{1 + 4.773\left(n + \dfrac{m - f - 2\lambda}{4}\right)}$$

여기서, n : 탄소의 원자 수, m : 수소의 원자 수
f : 할로겐 원소의 원자 수
λ : 산소의 원자 수

Jones식 폭발한계
• 연소(폭발)하한계 : $C_{st} \times 0.55$
• 연소(폭발)상한계 : $C_{st} \times 3.5$

82 메탄, 에탄, 프로판의 폭발하한계가 각각 5vol%, 3vol%, 2.1vol%일 때 다음 중 폭발하한계가 가장 낮은 것은?(단, Le Chatelier의 법칙을 이용한다.)

① 메탄 20vol%, 에탄 30vol%, 프로판 50vol%의 혼합가스

② 메탄 30vol%, 에탄 30vol%, 프로판 40vol%의 혼합가스

③ 메탄 40vol%, 에탄 30vol%, 프로판 30vol%의 혼합가스

④ 메탄 50vol%, 에탄 30vol%, 프로판 20vol%의 혼합가스

해설

르샤틀리에의 법칙(순수한 혼합가스일 경우)

$$\frac{100}{L} = \frac{V_1}{L_1} + \frac{V_2}{L_2} + \frac{V_3}{L_3} \cdots$$

$$L = \frac{100}{\dfrac{V_1}{L_1} + \dfrac{V_2}{L_2} + \cdots + \dfrac{V_n}{L_n}}$$

여기서, V_n : 전체 혼합가스 중 각 성분 가스의 체적(비율)[%]
L_n : 각 성분 단독의 폭발한계(상한 또는 하한)
L : 혼합가스의 폭발한계(상한 또는 하한)[vol%]

1. $L = \dfrac{100}{\dfrac{20}{5} + \dfrac{30}{3} + \dfrac{50}{2.1}} = 2.64[\text{vol}\%]$

2. $L = \dfrac{100}{\dfrac{30}{5} + \dfrac{30}{3} + \dfrac{40}{2.1}} = 2.85[\text{vol}\%]$

3. $L = \dfrac{100}{\dfrac{40}{5} + \dfrac{30}{3} + \dfrac{30}{2.1}} = 3.09[\text{vol}\%]$

4. $L = \dfrac{100}{\dfrac{50}{5} + \dfrac{30}{3} + \dfrac{20}{2.1}} = 3.38[\text{vol}\%]$

83 다음 중 자연발화가 쉽게 일어나는 조건으로 틀린 것은?

① 주위온도가 높을수록
② 열 축적이 클수록
③ 적당량의 수분이 존재할 때
④ 표면적이 작을수록

해설

자연발화의 조건(자연발화가 쉽게 일어나는 조건)
1. 표면적이 넓을 것
2. 열전도율이 작을 것
3. 발열량이 클 것
4. 주위의 온도가 높을 것(분자운동 활발)
5. 수분이 적당량 존재할 것

84 물과의 반응으로 유독한 포스핀가스를 발생하는 것은?

① HCl
② NaCl
③ Ca_3P_2
④ $Al(OH)_3$

해설

인화칼슘(Ca_3P_2)
인화석회라고도 하며 적갈색의 고체로 수분(H_2O)과 반응하여 유독성 가스인 인화수소(PH_3 : 포스핀)가스를 발생시킨다.

$$Ca_3P_2 + 6H_2O \rightarrow 3Ca(OH)_2 + 2PH_3 \uparrow$$
(인화칼슘) (물) (수산화칼슘) (포스핀)

85 물이 관 속을 흐를 때 유동하는 물속의 어느 부분의 정압이 그때의 물의 증기압보다 낮을 경우 물이 증발하여 부분적으로 증기가 발생되어 배관의 부식을 초래하는 경우가 있다. 이러한 현상을 무엇이라 하는가?

① 서어징(Surging)
② 공동현상(Cavitation)
③ 비말동반(Entrainment)
④ 수격작용(Water Hammering)

해설

펌프의 현상

공동현상 (Cavitation)	물이 관 내를 유동하고 있을 때에 흐르는 물속의 어떤 부분의 정압력이 그때의 수온에 상당하는 증기압 이하가 되면 부분적으로 증기를 발생하는 현상을 말하며, 펌프의 임펠러나 동체 안에서 자주 일어난다.
서징 [맥동현상] (Surging)	펌프나 기타 유체기계에 펌프출구, 입구에 부착한 압력계 및 진공계의 바늘이 흔들리고 동시에 송출유량이 변화하는 현상
수격현상 (Water Hammering)	관 속의 액체가 충만하게 흐르고 있을 때 정전 등으로 펌프가 급히 멈추거나 수량조절밸브를 급히 폐쇄할 때 관 속의 유속이 급격히 변화하면 액체에 큰 압력의 변화가 생기는 현상

01 PART
02 PART
03 PART
04 PART
05 PART
06 PART
07 PART

86 에틸알코올 1몰이 완전연소 시 생성되는 CO_2와 H_2O의 몰수로 옳은 것은?

① CO_2 : 1, H_2O : 4

② CO_2 : 2, H_2O : 3

③ CO_2 : 3, H_2O : 2

④ CO_2 : 4, H_2O : 1

해설

에틸알코올의 연소 반응식

$C_2H_5OH + 3O_2 \rightarrow 2CO_2 + 3H_2O$

∴ $CO_2 = 2$, $H_2O = 3$

87 산업안전보건기준에 관한 규칙에서 규정하고 있는 급성 독성 물질의 정의에 해당되지 않는 것은?

① 가스 LC50(쥐, 4시간 흡입)DL 2,500ppm 이하인 화학물질

② LD50(경구, 쥐)이 킬로그램당 300mg – (체중) 이하인 화학물질

③ LD50(경피, 쥐)이 킬로그램당 1,000mg – (체중) 이하인 화학물질

④ LD50(경피, 토끼)이 킬로그램당 2,000mg – (체중) 이하인 화학물질

해설

급성 독성 물질

1. 쥐에 대한 경구투입실험에 의하여 실험동물의 50%를 사망시킬 수 있는 물질의 양, 즉 LD50(경구, 쥐)이 킬로그램당 300mg – (체중) 이하인 화학물질

2. 쥐 또는 토끼에 대한 경피흡수실험에 의하여 실험동물의 50%를 사망시킬 수 있는 물질의 양, 즉 LD50(경피, 토끼 또는 쥐)이 킬로그램당 1,000mg – (체중) 이하인 화학물질

3. 쥐에 대한 4시간 동안의 흡입실험에 의하여 실험동물의 50%를 사망시킬 수 있는 물질의 농도, 즉 가스 LC50(쥐, 4시간 흡입)이 2,500ppm 이하인 화학물질, 증기 LC50(쥐, 4시간 흡입)이 10mg/L 이하인 화학물질, 분진 또는 미스트 1mg/L 이하인 화학물질

88 제2종 분말소화약제의 주성분에 해당하는 것은?

① 사염화탄소

② 브롬화메탄

③ 수산화암모늄

④ 탄산수소칼륨

해설

분말소화약제

종별	소화약제	화학식	적응성
제1종 분말	탄산수소나트륨	$NaHCO_3$	B, C급
제2종 분말	탄산수소칼륨	$KHCO_3$	B, C급
제3종 분말	제1인산암모늄	$NH_4H_2PO_4$	A, B, C급
제4종 분말	탄산수소칼륨 + 요소	$KHCO_3$ + $(NH_2)_2CO$	B, C급

89 두 물질을 혼합하면 위험성이 커지는 경우가 아닌 것은?

① 이황화탄소 + 물

② 나트륨 + 물

③ 과산화나트륨 + 염삼

④ 염소산칼륨 + 적린

해설

이황화탄소

1. 물보다 무겁고 물에 녹기 어렵기 때문에 가연성증기의 발생을 억제하기 위하여 물속에 저장한다.

2. 고온(150℃ 이상)의 물과 반응하면 이산화탄소와 황화수소를 발생한다.

> **TIP** 금수성 물질
> 1. 정의 : 물과 접촉하면 격렬한 발열반응하는 것으로 물질이 공기 중의 습기를 흡수해서 화학반응을 일으켜 발열하거나, 수분과 접촉해서 발열하여 그 온도가 가속도적으로 높아져 발화되는 물질
> 2. 종류
> - 칼륨
> - 나트륨
> - 리튬
> - 철분
> - 칼슘
> - 알킬리튬
> - 마그네슘
> - 금속분 등
> - 알킬알루미늄
> - 탄화칼슘 등

90 비중이 1.5이고, 직경이 74μm인 분체가 종말속도 0.2m/s로 직경 6m의 사일로(Silo)에서 질량유속 400kg/h로 흐를 때 평균 농도는 약 얼마인가?

① 10.8mg/L

② 14.8mg/L

③ 19.8mg/L

④ 25.8mg/L

01 PART
02 PART
03 PART
04 PART
05 PART
06 PART
07 PART

평균 농도

1. 단위 환산(h → s)

$$400(kg/h) = \frac{400}{60분 \times 60초} = 0.111(kg/s)$$

2. 단위 환산(kg → mg)

$$0.111kg/s = 0.111 \times 10^6 = 111,000(mg/s)$$

3. 평균 농도

$$평균 \ 농도(mg/L) = \frac{111,000}{\frac{\pi}{4} \times 6^2 \times 0.2}$$

$$= 19,629(mg/m^3) = 19.6(mg/L)$$

---

91 다음 중 유기과산화물로 분류되는 것은?

① 메틸에틸케톤

② 과망간산칼륨

③ 과산화마그네슘

④ 과산화벤조일

유기과산화물

1. 과산화벤조일
2. 과산화메틸에틸케톤
3. 다이소프로필러옥시디카르보네이트
4. 아세틸퍼옥사이드

---

92 다음 설명이 의미하는 것은?

> 온도, 압력 등 제어상태가 규정의 조건을 벗어나는 것에 의해 반응속도가 지수 함수적으로 증대되고, 반응용기 내의 온도, 압력이 급격히 이상 상승되어 규정 조건을 벗어나고, 반응이 과격화되는 현상

① 비등

② 과열 · 과압

③ 폭발

④ 반응폭주

반응폭주

1. 반응속도가 지수 함수적으로 증가하고 반응용기 내부의 온도 및 압력이 비정상적으로 급격히 상승되어 규정 조건을 벗어나고 반응이 과격하게 진행되는 현상을 말한다.

2. 반응폭주는 서로 다른 물질이 폭발적으로 반응하는 현상으로 화학공장의 반응기에서 일어날 수 있는 현상이다.

3. 주로 화학공장에서 화합, 분해, 중합, 치환, 부가 반응의 제어가 실패한 경우 반응기 내부의 압력증가, 온도증가에 의해 반응속도가 가속화되어 반응폭주가 일어나며, 이러한 반응은 반응물질이 완전히 소모될 때까지 지속된다.

---

93 비점이 낮은 가연성 액체 저장탱크 주위에 화재가 발생했을 때 저장탱크 내부의 비등현상으로 인한 압력 상승으로 탱크가 파열되어 그 내용물이 증발, 팽창하면서 발생되는 폭발현상은?

① Back Draft

② BLEVE

③ Flash Over

④ UVCE

BLEVE(비등액 팽창증기 폭발)

비등점이 낮은 인화성액체 저장탱크가 화재로 인한 화염에 장시간 노출되어 탱크 내 액체가 급격히 증발하여 비등하고 증기가 팽창하면서 탱크 내 압력이 설계압력을 초과하여 폭발을 일으키는 현상

> **TIP** UVCE(개방계 증기운 폭발)
> 가연성 가스 또는 기화하기 쉬운 가연성 액체 등이 저장된 고압가스 용기(저장탱크)의 파괴로 인하여 대기 중으로 유출된 가연성 증기가 구름을 형성(증기운)한 상태에서 점화원이 증기운에 접촉하여 폭발하는 현상

---

94 분진폭발의 발생 순서로 옳은 것은?

① 비산 → 분산 → 퇴적분진 → 발화원 → 2차 폭발 → 전면 폭발

② 비산 → 퇴적분진 → 분산 → 발화원 → 2차 폭발 → 전면 폭발

③ 퇴적분진 → 발화원 → 분산 → 비산 → 전면 폭발 → 2차 폭발

④ 퇴적분진 → 비산 → 분산 → 발화원 → 전면 폭발 → 2차 폭발

분진폭발 발생 순서

퇴적분진 ➡ 비산 ➡ 분산 ➡ 발화원 ➡ 전면 폭발 ➡ 2차 폭발

---

95 폭발(연소)범위에 영향을 미치는 요소에 대한 설명으로 가장 거리가 먼 것은?

① 폭발(연소)하한계는 온도 증가에 따라 감소한다.
② 폭발(연소)상한계는 온도 증가에 따라 증가한다.
③ 폭발(연소)하한계는 압력 증가에 따라 감소한다.
④ 폭발(연소)상한계는 압력 증가에 따라 증가한다.

해설

가연성 가스의 폭발범위 영향 요소
1. 가스의 온도가 높을수록 폭발범위도 일반적으로 넓어진다(폭발하한계는 감소, 폭발상한계는 증가).
2. 가스의 압력이 높아지면 폭발하한계는 영향이 없으나 폭발상한계는 증가한다.
3. 산소 중에서의 폭발범위는 공기 중에서 보다 넓어진다.
4. 압력이 상압인 1atm보다 낮아질 때 폭발범위는 큰 변화가 없다.
5. 일산화탄소는 압력이 높을수록 폭발범위가 좁아지고, 수소는 10atm까지는 좁아지지만 그 이상의 압력에서는 넓어진다.
6. 불활성 기체가 첨가될 경우 혼합가스의 농도가 희석되어 폭발범위가 좁아진다.
7. 화학양론농도 부근에서는 연소나 폭발이 가장 일어나기 쉽고 또한 격렬한 정도도 크다.

96 사업주는 가스폭발 위험장소 또는 분진폭발 위험장소에 설치되는 건축물 등에 대해서는 규정에서 정한 부분을 내화구조로 하여야 한다. 다음 중 내화구조로 하여야 하는 부분에 대한 기준이 틀린 것은?

① 건축물의 기둥 : 지상 1층(지상 1층의 높이가 6미터를 초과하는 경우에는 6미터)까지
② 위험물 저장 · 취급용기의 지지대(높이가 30센티미터 이하인 것은 제외) : 지상으로부터 지지대의 끝부분까지
③ 건축물의 보 : 지상 2층(지상 2층의 높이가 10미터를 초과하는 경우에는 10미터)까지
④ 배관 · 전선관 등의 지지대 : 지상으로부터 1단(1단의 높이가 6미터를 초과하는 경우에는 6미터)까지

해설

가스폭발 위험장소 또는 분진폭발 위험장소에 설치되는 건축물 다음에 해당하는 부분을 내화구조로 하여야 하며, 그 성능이 항상 유지될 수 있도록 점검 · 보수 등 적절한 조치를 하여야 한다.

1. 건축물의 기둥 및 보 : 지상 1층(지상 1층의 높이가 6미터를 초과하는 경우에는 6미터)까지
2. 위험물 저장 · 취급용기의 지지대(높이가 30센티미터 이하인 것은 제외) : 지상으로부터 지지대의 끝부분까지
3. 배관 · 전선관 등의 지지대 : 지상으로부터 1단(1단의 높이가 6미터를 초과하는 경우에는 6미터)까지
4. 건축물 등의 주변에 화재에 대비하여 물 분무시설 또는 폼 헤드(Foam Head) 설비 등의 자동소화설비를 설치하여 건축물 등이 화재 시에 2시간 이상 그 안전성을 유지할 수 있도록 한 경우에는 내화구조로 하지 아니할 수 있다.

97 다음 중 인화점에 관한 설명으로 옳은 것은?

① 액체의 표면에서 발생한 증기농도가 공기 중에서 연소하한 농도가 될 수 있는 가장 높은 액체온도
② 액체의 표면에서 발생한 증기농도가 공기 중에서 연소상한 농도가 될 수 있는 가장 낮은 액체온도
③ 액체의 표면에서 발생한 증기농도가 공기 중에서 연소하한 농도가 될 수 있는 가장 낮은 액체온도
④ 액체의 표면에서 발생한 증기농도가 공기 중에서 연소상한 농도가 될 수 있는 가장 높은 액체온도

해설

인화점
1. 가연성 물질에 점화원을 주었을 때 연소가 시작되는 최저 온도
2. 사용 중인 용기 내에서 인화성 액체가 증발하여 인화될 수 있는 가장 낮은 온도
3. 액체의 표면에서 발생한 증기농도가 공기 중에서 연소하한 농도가 될 수 있는 가장 낮은 액체온도

98 산업안전보건법령에서 인화성 액체를 정의할 때 기준이 되는 표준압력은 몇 kPa인가?

① 1
② 100
③ 101.3
④ 273.15

해설

인화성 액체
표준압력(101.3kPa)하에서 인화점이 60℃ 이하이거나 고온 · 고압의 공정운전조건으로 인하여 화재 · 폭발위험이 있는 상태에서 취급되는 가연성 물질을 말한다.

99 다음 중 연소 후에 재가 거의 없는 화재로 가연성 액체 등에 발생하는 화재의 급수는?

① A급
② B급
③ C급
④ D급

화재의 종류

분류	A급 화재	B급 화재	C급 화재	D급 화재
명칭	일반화재	유류화재	전기화재	금속화재
분류	보통 잔재의 작열에 의해 발생하는 연소에서 보통 유기 성질의 고체물질을 포함한 화재	액체 또는 액화할 수 있는 고체를 포함한 화재 및 가연성 가스 화재	통전 중인 전기설비를 포함한 화재	금속을 포함한 화재
가연물	목재, 종이, 섬유 등	가솔린, 등유, 프로판 가스 등	전기기기, 변압기, 전기다리미 등	가연성 금속 (Mg분, Al분)
소화방법	냉각소화	질식소화	질식, 냉각소화	질식소화
적응소화제	• 물 소화기 • 강화액 소화기 • 산·알칼리 소화기	• 이산화탄소 소화기 • 할로겐화합물 소화기 • 분말 소화기 • 포말 소화기	• 이산화탄소 소화기 • 할로겐화합물 소화기 • 분말 소화기 • 무상강화액 소화기	• 건조사 • 팽창 질석 • 팽창 진주암
표시색	백색	황색	청색	무색

100 위험물안전관리법령상 제1류 위험물에 해당하는 것은?

① 과염소산나트륨
② 과염소산
③ 과산화수소
④ 과산화벤조일

1. 과염소산나트륨 : 제1류 위험물(산화성 고체)
2. 과염소산, 과산화수소 : 제6류 위험물(산화성 액체)
3. 과산화벤조일 : 제5류 위험물(자기반응성 물질)

---

101 사다리식 통로 등을 설치하는 경우 고정식 사다리식 통로의 기울기는 최대 몇 도 이하로 하여야 하는가?

① 60도
② 75도
③ 80도
④ 90도

사다리식 통로
1. 견고한 구조로 할 것
2. 심한 손상·부식 등이 없는 재료를 사용할 것
3. 발판의 간격은 일정하게 할 것
4. 발판과 벽과의 사이는 15cm 이상의 간격을 유지할 것
5. 폭은 30cm 이상으로 할 것
6. 사다리가 넘어지거나 미끄러지는 것을 방지하기 위한 조치를 할 것
7. 사다리의 상단은 걸쳐 놓은 지점으로부터 60cm 이상 올라가도록 할 것
8. 사다리식 통로의 길이가 10m 이상인 경우에는 5m 이내마다 계단참을 설치할 것
9. 사다리식 통로의 기울기는 75° 이하로 할 것, 다만, 고정식 사다리식 통로의 기울기는 90° 이하로 하고, 그 높이가 7m 이상인 경우에는 다음의 구분에 따른 조치를 할 것
   ㉠ 등받이울이 있어도 근로자 이동에 지장이 없는 경우 : 바닥으로부터 높이가 2.5m되는 지점부터 등받이울을 설치할 것
   ㉡ 등받이울이 있으면 근로자가 이동이 곤란한 경우 : 개인용 추락 방지 시스템을 설치하고 근로자로 하여금 전신안전대를 사용하도록 할 것
10. 접이식 사다리 기둥은 사용 시 접혀지거나 펼쳐지지 않도록 철물 등을 사용하여 견고하게 조치할 것

102 다음은 말비계를 조립하여 사용하는 경우에 관한 준수사항이다. (   ) 안에 들어갈 내용으로 옳은 것은?

• 지주부재와 수평면의 기울기를 (A)° 이하로 하고 지주부재와 지주부재 사이를 고정시키는 보조부재를 설치할 것
• 말비계의 높이가 2m를 초과하는 경우에는 작업발판의 폭을 (B)cm 이상으로 할 것

① A : 75, B : 30
② A : 75, B : 40
③ A : 85, B : 30
④ A : 85, B : 40

말비계 조립 시의 준수사항
1. 지주부재의 하단에는 미끄럼 방지장치를 하고, 근로자가 양측 끝부분에 올라서서 작업하지 않도록 할 것
2. 지주부재와 수평면의 기울기를 75도 이하로 하고, 지주부재와 지주부재 사이를 고정시키는 보조부재를 설치할 것
3. 말비계의 높이가 2미터를 초과하는 경우에는 작업발판의 폭을 40센티미터 이상으로 할 것

103 점토지반의 토공사에서 흙막이 밖에 있는 흙이 안으로 밀려 들어와 내측 흙이 부풀어 오르는 현상은?

① 보일링(Boiling)
② 히빙(Heaving)
③ 파이핑(Piping)
④ 액상화

해설

지반의 이상현상

구분	정의
히빙(Heaving) 현상	연질점토 지반에서 굴착에 의한 흙막이 내·외면의 흙의 중량 차이로 인해 굴착저면이 부풀어 올라오는 현상
보일링(Boiling) 현상	사질토 지반에서 굴착저면과 흙막이 배면과의 수위 차이로 인해 굴착저면의 흙과 물이 함께 위로 솟구쳐 오르는 현상
파이핑(Piping) 현상	보일링 현상으로 인하여 지반 내에서 물의 통로가 생기면서 흙이 세굴되는 현상

104 굴착공사에서 비탈면 또는 비탈면 하단을 성토하여 붕괴를 방지하는 공법은?

① 배수공
② 배토공
③ 공작물에 의한 방지공
④ 압성토공

해설

압성토 공법
성토의 활동파괴를 방지하기 위해 사면선단에 성토하여 측방 유동을 구속시키는 공법

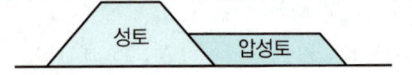

105 강관비계를 사용하여 비계를 구성하는 경우 준수해야 할 기준으로 옳지 않은 것은?

① 비계기둥의 간격은 띠장 방향에서는 1.85m 이하, 장선(長線) 방향에서는 1.5m 이하로 할 것
② 띠장 간격은 2.0m 이하로 할 것
③ 비계기둥의 제일 윗부분으로부터 31m되는 지점 밑부분의 비계기둥은 2개의 강관으로 묶어세울 것
④ 비계기둥 간의 적재하중은 600kg을 초과하지 않도록 할 것

해설

강관비계의 구조
1. 비계기둥의 간격은 띠장 방향에서는 1.85m 이하, 장선 방향에서는 1.5m 이하로 할 것
2. 띠장 간격은 2.0m 이하로 할 것
3. 비계기둥의 제일 윗부분으로부터 31m되는 지점 밑부분의 비계기둥은 2개의 강관으로 묶어세울 것
4. 비계기둥 간의 적재하중은 400kg을 초과하지 않도록 할 것

106 강관비계의 수직방향 벽이음 조립간격(m)으로 옳은 것은?(단, 틀비계이며 높이가 5m 이상일 경우)

① 2m
② 4m
③ 6m
④ 9m

해설

강관비계의 조립간격

강관비계의 종류	조립간격(단위 : m)	
	수직방향	수평방향
단관비계	5	5
틀비계(높이가 5m 미만인 것은 제외)	6	8

107 달비계의 구조에서 달비계 작업발판의 폭은 최소 얼마 이상이어야 하는가?

① 30cm
② 40cm
③ 50cm
④ 60cm

해설

달비계의 구조
작업발판은 폭을 40cm 이상으로 하고 틈새가 없도록 할 것

108 바리를 조립하는 경우에 준수해야 할 기준으로 옳지 않은 것은?

① 동바리의 상하 고정 및 미끄러짐 방지조치를 하고, 하중의 지지상태를 유지한다.

② 강재의 접속부 및 교차부는 볼트·클램프 등 전용 철물을 사용하여 단단히 연결한다.

③ 동바리로 사용하는 파이프 서포트의 경우 높이가 3.5m를 초과하는 경우에는 높이 2m 이내마다 수평연결재를 2개 방향으로 만들고 수평연결재의 변위를 방지할 것

④ 동바리로 사용하는 파이프 서포트는 4개 이상 이어서 사용하지 않도록 할 것

해설

동바리로 사용하는 파이프 서포트의 경우 조립 시 안전조치

1. 파이프 서포트를 3개 이상 이어서 사용하지 않도록 할 것
2. 파이프 서포트를 이어서 사용하는 경우에는 4개 이상의 볼트 또는 전용철물을 사용하여 이을 것
3. 높이가 3.5m를 초과하는 경우에는 높이 2m 이내마다 수평연결재를 2개 방향으로 만들고 수평연결재의 변위를 방지할 것

109 항만하역작업에서의 선박승강설비 설치기준으로 옳지 않은 것은?

① 200톤급 이상의 선박에서 하역작업을 하는 경우에 근로자들이 안전하게 오르내릴 수 있는 현문(舷門) 사다리를 설치하여야 하며, 이 사다리 밑에 안전망을 설치하여야 한다.

② 현문 사다리는 견고한 재료로 제작된 것으로 너비는 55cm 이상이어야 한다.

③ 현문 사다리의 양측에는 82cm 이상의 높이로 울타리를 설치하여야 한다.

④ 현문 사다리는 근로자의 통행에만 사용하여야 하며, 화물용 발판 또는 화물용 보관으로 사용하도록 해서는 아니 된다.

해설

선박승강설비의 설치

1. 300톤급 이상의 선박에서 하역작업을 하는 경우에 근로자들이 안전하게 오르내릴 수 있는 현문 사다리를 설치하여야 하며, 이 사다리 밑에 안전망을 설치하여야 한다.
2. 현문 사다리는 견고한 재료로 제작된 것으로 너비는 55cm 이상이어야 하고, 양측에 82cm 이상의 높이로 울타리를 설치하여야 하며, 바닥은 미끄러지지 않도록 적합한 재질로 처리되어야 한다.
3. 현문 사다리는 근로자의 통행에만 사용하여야 하며, 화물용 발판 또는 화물용 보관으로 사용하도록 해서는 아니 된다.

110 화물을 적재하는 경우의 준수사항으로 옳지 않은 것은?

① 침하 우려가 없는 튼튼한 기반 위에 적재할 것

② 건물의 칸막이나 벽 등이 화물의 압력에 견딜 만큼의 강도를 지니지 아니한 경우에는 칸막이나 벽에 기대어 적재하지 않도록 할 것

③ 불안정할 정도로 높이 쌓아 올리지 말 것

④ 하중을 한쪽으로 치우치더라도 화물을 최대한 효율적으로 적재할 것

해설

화물의 적재 시 준수사항

1. 침하 우려가 없는 튼튼한 기반 위에 적재할 것
2. 건물의 칸막이나 벽 등이 화물의 압력에 견딜 만큼의 강도를 지니지 아니한 경우에는 칸막이나 벽에 기대어 적재하지 않도록 할 것
3. 불안정할 정도로 높이 쌓아 올리지 말 것
4. 하중이 한쪽으로 치우치지 않도록 쌓을 것

111 산업안전보건관리비계상 및 사용기준에 따른 공사종류별, 대상액 「5억 원 미만」의 산업안전보건관리비 비율로 옳지 않은 것은?

① 건축공사 : 3.11%

② 토목공사 : 3.15%

③ 중건설공사 : 3.64%

④ 특수건설공사 : 1.85%

공사 종류 및 규모별 산업안전보건관리비 계상기준표

구분 공사 종류	대상액 5억 원 미만인 경우 적용비율(%)	대상액 5억 원 이상 50억 원 미만인 경우		대상액 50억 원 이상인 경우 적용비율(%)	보건관리자 선임대상 건설공사의 적용비율(%)
		적용비율 (%)	기초액		
건축공사	3.11%	2.28%	4,325,000원	2.37%	2.64%
토목공사	3.15%	2.53%	3,300,000원	2.60%	2.73%
중건설공사	3.64%	3.05%	2,975,000원	3.11%	3.39%
특수건설공사	2.07%	1.59%	2,450,000원	1.64%	1.78%

안전관리비 대상액 = 공사원가계산서 구성항목 중 직접재료비, 간접재료비와 직접노무비를 합한 금액(발주자가 재료를 제공할 경우에는 해당 재료비를 포함)

112 건설업 산업안전보건관리비 내역 중 사용항목에 해당되지 않는 것은?

① 근로자 건강장해 예방비
② 안전시설비
③ 건설재해예방기술지도비
④ 외부비계, 작업발판 등의 가설구조물 설치 소요비

건설업 산업안전보건관리비의 사용내역
1. 안전관리자 · 보건관리자의 임금 등
2. 안전시설비 등
3. 보호구 등
4. 안전보건진단비 등
5. 안전보건교육비 등
6. 근로자 건강장해 예방비 등
7. 건설재해예방전문지도기관의 지도에 대한 대가로 자기공사자가 지급하는 비용

> **TIP** 안전발판, 안전통로, 안전계단 등과 같이 명칭에 관계없이 원활한 공사수행을 위한 가설시설 등은 사용이 불가하도록 정하고 있다.

113 다음 중 토사붕괴의 내적 원인인 것은?

① 토석의 강도 저하
② 사면법면의 기울기 증가
③ 절토 및 성토 높이 증가
④ 공사에 의한 진동 및 반복하중 증가

토석붕괴의 원인

외적 원인	• 사면, 법면의 경사 및 기울기의 증가 • 절토 및 성토 높이의 증가 • 공사에 의한 진동 및 반복하중의 증가 • 지표수 및 지하수의 침투에 의한 토사중량의 증가 • 지진, 차량, 구조물의 하중작용 • 토사 및 암석의 혼합층 두께
내적 원인	• 절토 사면의 토질 · 암질 • 성토 사면의 토질구성 및 분포 • 토석의 강도 저하

114 건설공사 위험성 평가에 관한 내용으로 옳지 않은 것은?

① 건설물, 기계 · 기구, 설비 등에 의한 유해 · 위험요인을 찾아내어 위험성을 결정하고 그 결과에 따른 조치를 하는 것을 말한다.
② 사업주는 위험성 평가의 실시내용 및 결과를 기록 · 보존하여야 한다.
③ 위험성 평가 기록물의 보존기간은 5년이다.
④ 위험성 평가 기록물에는 평가대상의 유해 · 위험요인, 위험성결정의 내용 등이 포함된다.

위험성 평가 실시내용 및 결과에 관한 기록(3년간 보존)
위험성 평가의 실시내용 및 결과를 기록 · 보존할 때에는 다음의 사항이 포함되어야 한다.
1. 위험성 평가 대상의 유해 · 위험요인
2. 위험성 결정의 내용
3. 위험성 결정에 따른 조치의 내용
4. 그 밖에 위험성 평가의 실시내용을 확인하기 위하여 필요한 사항으로서 고용노동부장관이 정하여 고시하는 사항

115 달비계에 사용하는 와이어로프의 사용금지 기준으로 옳지 않은 것은?

① 이음매가 있는 것
② 열과 전기 충격에 의해 손상된 것
③ 지름의 감소가 공칭지름의 7%를 초과하는 것
④ 와이어로프의 한 꼬임에서 끊어진 소선의 수가 7% 이상인 것

PART 01
PART 02
PART 03
PART 04
PART 05
PART 06
PART 07

달비계의 와이어로프 사용금지 사항
1. 이음매가 있는 것
2. 와이어로프의 한 꼬임 에서 끊어진 소선의 수가 10% 이상인 것
3. 지름의 감소가 공칭지름의 7%를 초과하는 것
4. 꼬인 것
5. 심하게 변형되거나 부식된 것
6. 열과 전기충격에 의해 손상된 것

116 항타기 또는 항발기의 권상장치 드럼축과 권상장치로부터 첫 번째 도르래의 축 간의 거리는 권상장치 드럼폭의 몇 배 이상으로 하여야 하는가?

① 5배
② 8배
③ 10배
④ 15배

항타기 또는 항발기의 도르래의 위치
1. 항타기 또는 항발기의 권상장치의 드럼축과 권상장치로부터 첫 번째 도르래의 축 간의 거리를 권상장치 드럼폭의 15배 이상으로 하여야 한다.
2. 도르래는 권상장치의 드럼 중심을 지나야 하며 축과 수직면상에 있어야 한다.

117 안전대의 종류는 사용구분에 따라 벨트식과 안전그네식으로 구분되는데 이 중 안전그네식에만 적용하는 것은?

① 추락방지대, 안전블록
② 1개 걸이용, U자 걸이용
③ 1개 걸이용, 추락방지대
④ U자 걸이용, 안전블록

안전대의 종류

종류	사용 구분
벨트식, 안전그네식	1개 걸이용
	U자 걸이용
	추락방지대
	안전블록

※ 추락방지대 및 안전블록은 안전그네식에만 적용한다.

118 크레인을 사용하여 작업을 할 때 작업시작 전에 점검하여야 하는 사항에 해당하지 않는 것은?

① 권과방지장치 · 브레이크 · 클러치 및 운전장치의 기능
② 주행로의 상측 및 트롤리가 횡행하는 레일의 상태
③ 와이어로프가 통하고 있는 곳의 상태
④ 압력방출장치의 기능

크레인을 사용하여 작업을 하는 때 작업시작 전 점검사항
1. 권과방지장치 · 브레이크 · 클러치 및 운전장치의 기능
2. 주행로의 상측 및 트롤리(Trolley)가 횡행하는 레일의 상태
3. 와이어로프가 통하고 있는 곳의 상태

119 차량계 건설기계에 해당되지 않는 것은?

① 불도저
② 콘크리트 펌프카
③ 드래그 셔블
④ 가이데릭

가이데릭은 철골 세우기용 기계이다.

차량계 건설기계의 종류
1. 도저형 건설기계(불도저, 스트레이트도저, 틸트도저, 앵글도저, 버킷도저 등)
2. 모터그레이더
3. 로더(포크 등 부착물 종류에 따른 용도 변경 형식을 포함한다)
4. 스크레이퍼
5. 크레인형 굴착기계(크램쉘, 드래그라인 등)
6. 굴삭기(브레이커, 크러셔, 드릴 등 부착물 종류에 따른 용도 변경 형식을 포함)
7. 항타기 및 항발기
8. 천공용 건설기계(어스드릴, 어스오거, 크롤러드릴, 점보드릴 등)
9. 지반 압밀침하용 건설기계(샌드드레인머신, 페이퍼드레인머신, 팩드레인머신 등)
10. 지반 다짐용 건설기계(타이어롤러, 매커덤롤러, 탠덤롤러 등)
11. 준설용 건설기계(버킷준설선, 그래브준설선, 펌프준설선 등)

12. 콘크리트 펌프카
13. 덤프트럭
14. 콘크리트 믹서 트럭
15. 도로포장용 건설기계(아스팔트 살포기, 콘크리트 살포기, 아스팔트 피니셔, 콘크리트 피니셔 등)
16. 1.부터 15.까지와 유사한 구조 또는 기능을 갖는 건설기계로서 건설작업에 사용하는 것

120 부두·안벽 등 하역작업을 하는 장소에서 부두 또는 안벽의 선을 따라 통로를 설치하는 경우에는 폭을 최소 얼마 이상으로 하여야 하는가?

① 85cm

② 90cm

③ 100cm

④ 120cm

해설

부두·안벽 등 하역작업장 조치사항
1. 작업장 및 통로의 위험한 부분에는 안전하게 작업할 수 있는 조명을 유지할 것
2. 부두 또는 안벽의 선을 따라 통로를 설치하는 경우에는 폭을 90센티미터 이상으로 할 것
3. 육상에서의 통로 및 작업장소로서 다리 또는 선거 갑문을 넘는 보도 등의 위험한 부분에는 안전난간 또는 울타리 등을 설치할 것

memo

memo

2026 산업안전기사 필기

초 판 발 행   2018년 02월 25일
개정8판1쇄   2026년 01월 20일

편   저   최현준
발 행 인   정용수
발 행 처   (주)예문아카이브

주   소   경기도 파주시 광인사길 79 4층(문발동)
T E L   031) 955 – 0550
F A X   031) 955 – 0660

등 록 번 호   제2016 – 000240호

정   가   42,000원

홈페이지 http://www.yeamoonedu.com

I S B N   979-11-6386-525-4 [14530]